KB054840

남북한 유엔 가입

홍보 및
언론 보도 2

남북한 유엔 가입

홍보 및 언론 보도 2

| 머리말

유엔 가입은 대한민국 정부 수립 이후 중요한 숙제 중 하나였다. 한국은 1949년을 시작으로 여러 차례 유엔 가입을 시도했으나, 상임이사국인 소련의 거부권 행사에 번번이 부결되고 말았다. 북한도 마찬가지로, 1949년부터 유엔 가입을 시도했으나 상임이사국들의 반대에 매번 가로막혔다. 서로가 한반도의 유일한 합법 정부라 주장하는 당시 남북한은 어디까지나 상대측을 배제하고 단독으로 유엔에 가입하려 했으며, 이는 국제적인 냉전 체제와 맞물려 어느 쪽도 원하는 바를 성취하지 못하게 만들었다. 하지만 1980년대를 지나며 냉전 체제가 이완되면서 변화가 생긴다. 한국은 북방 정책을 통해 국제적 여건을 조성하고, 남북한 고위급 회담 등에서 남북한 유엔 동시 가입 등을 강력히 설득한다. 이런 외교적 노력이 1991년 열매를 맺어, 제46차 유엔총회를 통해 한국과 북한은 유엔 회원국이 될 수 있었다.

본 총서는 외교부에서 작성하여 30여 년간 유지한 남북한 유엔 가입 관련 자료를 담고 있다. 한국의 유엔 가입 촉구를 위한 총회결의한 추진 검토, 세계 각국을 대상으로 한 지지 교섭 과정, 국내외 실무 절차 진행, 채택 과정 및 향후 대응, 관련 홍보 및 언론 보도까지 총 16권으로 구성되었다. 전체 분량은 약 8천 쪽에 이른다.

2024년 3월

한국학술정보(주)

| 일러두기

· 본 총서에 실린 자료는 2022년 4월과 2023년 4월에 각각 공개한 외교문서 4,827권, 76만여 쪽 가운데 일부를 발췌한 것이다.

· 각 권의 제목과 순서는 공개된 원본을 최대한 반영하였으나, 주제에 따라 일부는 적절히 변경하였다.

· 원본 자료는 A4 판형에 맞게 축소하거나 원본 비율을 유지한 채 A4 페이지 안에 삽입하였다. 또한 현재 시점에선 공개되지 않아 '공란'이란 표기만 있는 페이지 역시 그대로 실었다.

· 외교부가 공개한 문서 각 권의 첫 페이지에는 '정리 보존 문서 목록'이란 이름으로 기록물 종류, 일자, 명칭, 간단한 내용 등의 정보가 수록되어 있으며, 이를 기준으로 0001번부터 번호가 매겨져 있다. 이는 삭제하지 않고 총서에 그대로 수록하였다.

· 보고서 내용에 관한 더 자세한 정보가 필요하다면, 외교부가 온라인상에 제공하는 『대한민국 외교사료요약집』 1991년과 1992년 자료를 참조할 수 있다.

| 차례

정 리 보 존 문 서 목 록					
기록물종류	일반공문서철	등록번호	2020080018	등록일자	2020-08-19
분류번호	731.12	국가코드		보존기간	영구
명 칭	남북한 유엔가입관련 홍보 및 언론보도, 1990-91. 전5권				
생 산 과	국제연합1과	생산년도	1990~1991	담당그룹	
권 차 명	V.3 국내언론보도				
내용목차					

0001

유엔가입(언론보도)

東亞日報 90.5.30

「유엔 單一의석 공동加入」

北韓案 검토 필요

金大中총재

金大中 平民黨총재는 30일 오전 北韓측이 최근 제의한 「南北韓 단일의석 유엔가입」 문제에 대해 「긍정적으로 검토할 필요가 있다」며 이를 與野총재회담에서 논의하겠다고 밝혔다.

金총재는 이날 기자간담회를 통해 「東西獨과 南北예멘이 통일되는등 세계가 가시적으로 변해가고 있는데 5천년역사와 1천3백년 통일국가를 유지해온 우리만이 分斷상황에 얽매여 있을수는 없다」며 「우리가 단일회원국으로 유엔에 가입하면 그것은 우리의 통일에 커다란 상징적 의미가 될것」이라고 말했다.

金총재는 北韓측의 南北자유왕래·제의에 대해서는 「그 진의가 의심스럽다」면서 「자유왕래 보다는 상호방송의 자유청취가 더 중요하다」고 말했다.

정부가 방송 자유청취에 대해 北韓측이 허용할 경우 상호주의에 따라 시행할수 있다고 이미 밝힌것과 관련, 金총재는「우리가 일방적으로라도 먼저 北韓방송 청취를 자유화해야 한다」면서「그것이 北韓체제에 대한 생생한 비판교육이 될것」이라고 주장했다.

民自黨의 내각제개헌 추진설과 관련, 金총재는「6·29이전 全斗煥정권이 추진했던 이원집정부제의 再演」이라며 「국민앞에 이것을 안하기로 약속하고 등장한 盧泰愚대통령이 정통성을 스스로 포기하는것」이라고 비난했다.

0002

中央日報
1990. 5. 30. 水, 1면

金大中총재 밝혀

北韓제의 「유엔가입案」 긍정적 검토 필요

金大中平民黨총재는 30일 北韓이 제기한 南北韓의 유엔 단일회원국으로의 가입문제는 긍정적으로 검토할 필요가 있다고 말했다.

金총재는 우리정부가 北韓의 제의를 『논의는 하겠으나 비현실적』이라는 이유로 부정적 시각을 보이고 있으나 냉전시대가 아닌 오늘에 있어서 단일회원국으로의 가입은 큰 상징적 의미를 지니기 때문에 긍정적으로 검토할 필요가 있다고 주장하고 이를 영수회담에서 논의하겠다고 말했다.

東亞日報
1990. 5. 30. 水, 2면

「유엔 單一의석 공동加入」 北韓案 검토 필요

金大中총재

金大中 平民黨총재는 30일 오전 北韓측이 최근 제의한 「南北韓 단일의석 유엔가입」 문제에 대해 「긍정적으로 검토할 필요가 있다」며 이를 與野총재회담에서 논의하겠다고 밝혔다.

金총재는 이날 기자간담회를 통해 『東西獨과 南北예멘이 통일되는등 세계가 가시적으로 변해가고 있는데 5천년역사와 1천3백년 통일국가를 유지해온 우리만이 分斷상황에 얽매여 있을수는 없다』며 『우리가 단일회원국으로 유엔에 가입하면 그것은 우리의 통일에 커다란 상징적 의미가 될것』이라고 말했다.

金총재는 北韓측의 南北자유왕래·제의에 대해서는 『그 진의가 의심스럽다』면서 『자유왕래 보다는 상호방송의 자유청취가 더 중요하다』고 말했다.

정부가 방송 자유청취에 대해 北韓측이 허용할 경우 상호주의에 따라 시행할수 있다고 이미 밝힌것과 관련, 金총재는 『우리가 일방적으로라도 먼저 北韓방송 청취를 자유화해야 한다』면서 『그것이 北韓체제에 대한 생생한 비판교육이 될것』이라고 주장했다.

民自黨의 내각제개헌 추진설과 관련, 金총재는 『6·29이전 全斗煥정권이 추진했던 이원집정부제의 再演』이라며 『국민앞에 이것을 안하기로 약속하고 등장한 盧泰愚대통령이 정통성을 스스로 포기하는것』이라고 비난했다.

0003

世界日報
1990. 5. 31. 木. 1면

北韓제의 단일議席 유엔가입
金大中총재 "검토할 필요있다"

金大中 平民黨총재는 30일 北韓측이 최근 제의한 「南北韓단일의석 유엔가입」문제에 대해 『긍정적으로 검토할 필요가 있다』며 『靑瓦臺영수회담에서 이 문제를 논의하겠다』고 밝혔다.

金총재는 이날 기자간담회를 통해 『남북한이 단일회원국으로 유엔에 가입하면 그것은 남북대화와 화해에 급진전을 가져올 것』이라며 이같이 밝혔다.

金총재는 그러나 북한의 남북자유왕래제의에 대해서는 『그 진의가 의심스럽다』며 『자유왕래보다는 방송의 상호자유청취가 더 중요하다』고 주장했다.

金총재는 또 민자당의 내각제추진움직임에 대해 『직선제수용이 주요내용인 6·29선언으로 등장한 盧정권이 영구집권을 위해 내각제개헌을 강행할 경우 이는 정통성을 스스로 포기하는 것으로 중대사태를 초래할 것』이라고 경고했다.

韓國日報
1990. 5. 31. 木. 1면

유엔「단일議席」가입 北제의 검토필요
金大中 平民총재

金大中 平民黨총재는 30일 북한측이 최근 제의한 「南北韓단일의석의 유엔가입」에 대해 『급변하는 국제정세에 비춰볼때 긍정적으로 검토할 필요가 있다』고 이의 긍정검토를 정부에 촉구했다.

金총재는 이날 기자간담회에서 이같이 말한뒤 「南北韓이 유엔에 함께 서는것은 중요한 의미가 있을 것」이라면서 『우리가 적극적으로 유엔가입을 추진하면 통일에 큰도움이 될것』이라고 말했다.

金총재는 이어 북한측의 남북자유왕래 제의에 대해서는 『어느정도 긍정적인지 그 진의가 의심스럽다』고 말한뒤 『자유왕래보장에 앞서 라디오와 TV의 자유청취보장 등이 더욱 중요하다』고 말했다.

The Korea Herald
1990. 6. 31. 木. page 2

Proposal for U.N. seat

Kim Dae-jung yesterday said that north Korea's proposal for joint admission to the United Nations by south and north Korea with a single seat is worth considering.

Kim, president of the opposition Party for Peace and Democracy, said that he would bring the issue to Chong Wa Dae when he meets with President Roh Tae-woo next week for an interparty summit.

"Although the government branded the north Korean offer as impractical" and refused to accommodate the proposal affirmatively, I think the offer is worth positive consideration taking into account the symbolic meaning of the U.N. seat of the divided Korea" he said.

0004

朝鮮日報

1990. 5. 31. 木, 2면

"北제의 「유엔 단일議席」 긍정 검토 필요"

金大中 평민 총재

5.31 조선 12면

金大中 평민당총재는 30일 기자간담회에서 최근 北韓이 제의한 「남북한 단일의석 유엔가입」에 대해 『냉전시대가 끝난 오늘에 우리가 단일 회원국으로 유엔에 가입한다면 커다란 상징적 의미를 지니게 될 것』이라며 『긍정적으로 검토할 필요성이 있다』고 말했다.

金총재는 또 북한측의 남북자유왕래 주장에 대해서는 『진의가 의심스럽다』고 말하고 남북한TV 라디오상호 자유청취를 우선 실시해야한다고 말했다.

0005

김대중 평민당총재의 7.5 아사히신문 기자회견시 발언요지

(7.6아사히 조간6면게재)

1. 남북통일을 위해서는 남북간 민중레벨의 교류가 중요한 열쇄가 될것임.
   - o 편지교환, 상호방문, 라디오 TV 개방등이 없는한 남북정상회담에서 단숨에 통일문제를 해결하는 것은 어려움.

2. 통일을 위해 남북 단일의석에 의한 유엔가맹은 실현성 있는 스텝임.
   - o 유엔에 남북 단일의석으로 가입할 경우, 수석대표는 1년간씩 교대하고 의제에 관해서도 쌍방의 의견이 일치한 것은 투표하고, 의견일치가 되지 못하면 기권하면 됨.
   - o 유엔헌장상의 문제가 있으면 헌장을 수정하거나, 특별한 남북대표기구를 만들면 됨.

3. (북한의 체재변화, 남한의 독재체재의 완전한 종식등을 전망한후) 10년이내에 남북통일이될 가능성은 충분히 있음.

4. (노대통령의 대북한 경제협력을 축으로한 독일방식의 통일 구상과 관련)
   - o 한국은 북한에 대해 대규모 경제협력을 할 힘이 없고, 북한이 체면을 잃지 않도록 배려해야 하며, 남북의 동질성 회복에 노력해야 함.
   - o 평화공존(1민족2국가) →평화적교류(1국2지방자치정부) →평화통일(완전단일국가)의 3단계 통일방식 강조

5. 남북 양정권은 통일명분을 정권기반 강화를 위해 이용해 왔음.

6. (남북고위급회담 개최합의 관련) 남북대화가 본격적으로 궤도에 올랐다고는 생각치 않음.

0006

0007

いる労働者も「対象」と解釈している」としている。厚生省援護局は「韓国政府から（引き渡しの）要望があれば前向きに検討する」としているが、調査の取りまとめ責任者である石原官房副長官は、五日の記者会見で「名簿を提出するかどうかは、厚生省の判断だ。内閣官房でタッチする問題ではない」と述べるにとどまった。

者で強制連行され……限定的に解釈して……的に積極的でない……関わっていないよ……つかった名簿につ……職業安定局は「戦……生省援護局が戦前……してきたもの。韓国……た名簿とは趣旨が

A6

7.6 朝日 朝刊 6면

国連単一加盟に賛意

金大中・平民党総裁と会見

南北統一「十年内にも」

【ソウル五日＝小田川特派員】韓国の野党、平和民主党の金大中総裁は五日、朝日新聞記者と会見し、朝鮮民主主義人民共和国（北朝鮮）との統一には「南北の民族レベルの交流が必要な条件になる」と強調。統一のために「南北二地域による過渡期は現実性のあるステップ」と述べ、金日成・北朝鮮主席が主張する高麗連邦制方式に賛意を示した。金総裁は南北双方の今後の体制変化も考えあわせて「十年以内にも南北統一は可能だ」と言明した。

金総裁は、南北統一のため「実現性のあることから始めるべきだ」として、「南北の国連単一加入」を強調した。これは金日成主席が昨年、「統一前でも南北が一つの議席で共同で国連加盟してもよい」と提案したのと共通する構想。韓国政府は、[illegible]は「相手の利益が合いそうので現実性がない」などと反対の立場だ。「単一加入」は[illegible]にするとの指摘もある。

しかし、金総裁は「国連に南北一議席で加入する場合、代表は一年ずつで交代し、議決問題についても双方の政府が一致したものは採択、合意できなければ棄権すればよい」と説明。国連憲章上の障害があれば、「憲章を手直しするか、特別な南北代表機構をつくればよい」と述べ、単一加入が実現すれば、双方の国民に和解と統一への確信が生まれると指摘した。

金総裁は、盧泰愚大統領の対北経済協力を軸にしたドイツ方式の統一構想に理解を示しながらも、▽韓国は北朝鮮に対して大規模な経済協力を行う実力がない▽北朝鮮が体面を失わないよう、気をつかうべきだ▽南北の同質性回復に努力しなければならない――などと指摘。①平和共存（一民族二国家）②平和的交流（一国二地方自治政府）③平和統一（完全統一国家）……へと進む三段階統一を改めて強調した。

金総裁は四十余年に及ぶ南北分断状態について「南北両政府とも統一の名分を政権固めに利用してきた」と指摘。手紙の交換や相互訪問、ラジオ、テレビの開放など民族レベルの交流がない限り、南北首脳会談で一気に統一国家を形成するのは難しいとの見解を示した。南北高位級（首相級）会談の開催などについても「南北対話が本格的に軌道に乗ったとは思わない」と述べた。

金総裁はそれにもかかわらず、北朝鮮の体制変化と、韓国の[illegible]などの前進のうえに「十年以内に統一できる可能性が十分ある」と言明した。

中央日報

1990. 7. 6. 金, 2면

단일의석 유엔에 가입

金大中총재 찬성 의사

【東京=聯合】 金大中 平民黨총재는 6일 南北통일을위해 『남북이 단일의석으로 유엔에 가입하는 것은 실현성있는 단계(스텝)』라고 말했다。

金총재는 이날자 日本아사히(朝日)신문과의 회견에서 『통일을 위해서는 실현성 있는 것부터 시작해야 한다』고 지적, 북한이 제의한 「한개 의석의 유엔가입」에 찬성한다는 뜻을 밝히고 남북 쌍방의 앞으로의 체제변화를 종합적으로 고려할때 『10년 이내에라도 통일은 가능할 것』이라고 전망했다。

0008

京鄕新聞
1990. 7. 6.金, 2면

南北韓 단일의석 유엔가입
"실현가능성 있다"

金平民총재 日紙인터뷰서 밝혀

【東京=李東柱특파원】金大中평민당총재는 5일 아사히(朝日)신문과의 회견에서 남북통일에 있어 『남북 민중간의 교류가 중요한 관건』이라고 말하며 『남북이 한 의석으로 유엔에 가입하는 것은 실현성이 있는 수순』이라고 밝혔다고 이신문이 6일 보도했다.

金총재는 또 이회견에서 북한의 체제변화, 남한의 독재종식등 남북쌍방의 체제변화가 있을것이란는 전제아래 『10년이내에 남북통일이 가능하다』고 전망한것으로 아사히신문은 전했다.

金총재는 『유엔에 남북한이 단일의석으로 가입할 경우 수석대표는 1년씩 교대로 하고 의제에 관해서는 의견이 일치한 것만 투표하고 합의되지 않을 경우 기권하면 될 것』이라고 말했다.

金총재는 이와함께 ▲평화공존(1민족2국가) ▲평화적 교류(1국2지방정부) ▲평화통일(완전단일국가)의 3단계 통일론을 다시 강조한 것으로 이 신문은 전했다.

0003

東亞日報

1990. 7. 6. 金, 2면

동아 7.6. 2면

「南北 단일議席 유엔가입」 찬성

金大中총재 통일의 한단계로 실현 가능

【東京聯】金大中平民黨총재는 6일 南北통일을 위해「남북이 단일의석으로 유엔에 가입하는것은 실현성있는 단계」라고 말했다.

金총재는 이날짜 日本아사히(朝日)신문과의 회견에서 「통일을 위해서는 실현성있는 것부터 시작해야한다」고 지적, 北韓이 제의한 「한개의 석의 유엔가입」에 찬성한다는 뜻을 밝히고 남북쌍방의 장래체제변화를 종합적으로 고려할때「10년이내에라도 통일은 가능할것」이라고 전망했다.

金총재는「남북이 단일의석으로 유엔에 가입할 경우 수석대표는 1년마다 교대하되 쌍방의 의견이 일치된 사안에 대해서는 투표하고 합의하지 못하는 사안은 기권하면 될것」이라고 설명했다.

金총재는 단일의석 가입에 유엔헌장이 문제가 된다면「헌장을 고치거나 특별한 남북대표기구를 만들면 될것」이라고 말하고 단일의석에 의한 유엔가입이 실현되면 쌍방 주민간에 화해와 통일에 대한 확신이 생기게 될것」이라고 덧붙였다.

0010

朝鮮日報

1990. 7. 8. 日, 2면

「민족統一위한 国民회의」 제안

통일방안 국민투표로 확정을

平民 金大中총재

金大中 평민당총재는 7일 「공화국 연방제」등 모든 남북한 통일방안을 범국민적으로 논의하기 위해 「민족통일을 위한 국민회의」를 설치하고, 여기서 마련된 단일 또는 복수안을 국민투표에부쳐 과반수 지지로 대한민국의 최종적인 통일방안으로 채택하자」고 제안했다.

金총재는 이날 서울水踰동 韓神大에서 열린 국정보고대회에서 이같이 말하고 「북한의 板門店 공동경비구역내 북한측 지역 개방선언과 남-북간의 통일을 위한 교류제안을 원칙적으로 환영하며 정부는 이에 상응하는 조치를 취하라」고 촉구했다.

金총재는 또 「남한의 유엔 단독가입에는 반대한다」며 북한이 주장하는 남북한 단일회원국 유엔가입방안에 동조하는 입장을 거듭밝혔다.

0011

朝鮮日報

1990. 7. 8-Ⅱ, 사설

金大中 총재의 말

野党의 역할은 집권층의 정책에 대한 代案을 제시하는 것이다. 이 점에서 우리는 野党이 南北 문제에 관해 정부의 생각과는 다른 구상을 제의하는 권리를 최대한 존중하고 성원한다. 더군다나 통일문제는 정부의 독점물일 수는 없기에, 野党이 합리적인 代案을 제시할 경우에는 정부는 그것을 적극 수렴해야 할 것이다.

최근 金大中 평민당 총재는 「민족통일국민회의」 설치 등 몇가지 숙고해 볼만한 구상을 내놓았다. 그중에는 물론 정부측이 귀담아 들을만한 사항들이 있을 것임을 우리는 前提한다.

반면에 그러나 우리는 金大中 총재의 몇가지 언급부분에 대해서는 분명히 異議를 제기하지 않을수 없다. 우선 金총재가 北韓의 이른바 「판문점 개방선언」이라는 다분히 전략 전술적인 캠페인공세와 관련해서, 그 함정에 대한 批判論理를 竝立시킴이 없이 대번에 「원칙적으로 환영한다」는 말만 앞세운 것은 우리로선 공감할 수 없다.

本欄이 이미 지적한대로, 北의 「판문점 개방 云云」은 기본적으로 南韓내의 급진변혁운동 그룹들과의 통일전선구축을 노린 하나의 計算인 것이다. 우리는 물론, 그들의 그런 제안을 逆利用할 줄도 알기는 알아야 할 것이다. 그러나 그에 앞서 우리는 北의 그런 저의를 먼저 간파, 비판 경계해야 하며 그런전제 하에서 與野 및 국민 모두의 対北공동보조를 이루어야 하는 것이다. 이런 요청에 비추어, 金大中 총재의 즉각적인 「환영」 발언은, 그러한 공동보조 형성 절차를 뛰어넘은 다분히 신중치 못한 것이었다는 것이 우리의 아쉬움이다.

그 다음, 南北韓 단일 의석으로 유엔에 가입하자는 제의 또한 너무 비약적이다. 유엔은 국제법상의 국가 代表性을 모아놓은 곳이다. 그런데 南北 단일의석이란 과연 어떤 국가를 대표한다는 것인지 우리로선 이해하기 어렵다. 한반도 안에 南北韓 단일 의석이 대표할 어떤 통합 主權国家라도 곧 쉽게 만들수가 있다는 것인지, 그 불투명한 가능성을 뛰어넘어 대번에 「단일의석」論으로 질주하는 것은 우리가 보기에는 상당히 비약적이다.

아울러, 우리 쪽이 일방적으로라도 北의 TV 등을 보게 하자는 주장도, 그렇게 하기 보다는 우리는 먼저 北의 非文明的인 지독한 情報 차단과 우민정책을 중지할 것을 北韓과 全世界에 역설하고 촉구하는 작업을 우선시켜야 하리라고 믿는다. 우리가 믿기로는 설혹, 우리가 먼저 北의 TV를 시청한다고 해도 北이 그것에 못이겨 자기들도 이쪽 TV를 북한 주민에게 시청케할 만큼 저쪽이 그렇게 합리적인 정권이라고는 생각되지 않는 것이다.

끝으로 「文목사 등 투옥된 민주 인사들을 석방하라」고 했는데, 우리도 사람을 감옥에서 되도록이면 내주자는 情狀論만은 언제고 견지한다. 다만, 그러나 文목사 같은 人士의 행동자체를 그러한 情狀論 이상으로 「통일을 염원하는 애국자들…」로 몽뚱그려서 正当視하는 듯한 논리에는 동의하지 않는다.

다른 문제와 달리 南北 문제만은 엄중한 국가존립의 문제인 만큼, 그 代案제시에 있어서도 지극히 신중한 제기방식을 취해야 한다는것이 金총재에 대한 우리의 희망이다.

0012

東亞日報

1990. 7. 10. 화, 사설

社說

통일 외교發言은 신중해야

—國會圈에서의 협의 소화통해 政策化하도록—

통일달성을 위한 南北韓의 방법론은 기본적으로 차이점을 갖고 있다. 정부는 통일민주공화국이라는 통일된 국가형태에 이르기위해 중간단계로 체제연합의 성격을 띠는 南北聯合을구상하고 있고 이에반해 北韓은 통일국가 그 자체의 성격을 설명하고 있는「고려민주연방」을 제안하고 있다. 그러나 두 방안가운데 어느것이 현실적이며 이성적이고 합리적인가는 이미 평가가 나있다.

문제는 통일방안에관한 南北韓의 이같은 시각차이가 아니다. 한반도 상황의 변경을 불가피하게 만들 최근의 역사흐름 속에서 또다시 통일방안논의가 무성해지고 있다는 사실이다. 물론 우리체제의 강점이 다원주의임을 고려하면 다양한 목소리는 있을수 있다.

그러나 어떠한 통일방안도 北韓이 제시하는 聯邦논리의 비현실성에 대응하는 우리의 南北聯合논리를 인정하느냐는 원칙의 문제를 분명히 해야한다. 우리의 南北聯合구상은 오랜 분단상황속에서 사상과 이념 생활방식이 다른 비극적인 대결양상을 피하기위해 먼저 중간단계로 民族사회를 통합하는 민족통일을 달성하고 이를 토대로 국가통일을 이루자는 것이다. 이 과정에서 내부적으로는 하나이지만 국제적으로는 두개의 韓國이 존재할수 있다. 그래서 韓國의 유엔가입이 이론적으로 가능하다.

이에관해 金大中 平民黨총재는 北韓이 제안한 유엔 단일의석 가입에의한 교체대표권을 지지했다. 그러나 그 방안은 金총재가 日本아사히신문과의 회견에서 밝혔듯이「남북특별기구」를 만들더라도 어쩌면 유엔헌장 개정까지도 요청될수있는 유엔사상 前無後無의 발상이 될수 있다. 유엔문제는 南北韓체육회담과는 성격을 달리한다. 南北韓 두개의 主權을 포기하는 제삼의 방법이 南北韓사이에 합의될 수 있다면 그것은 굳이 유엔가입이 문제가 아니라 바로 국가통일의 단계임을 의미한다.

그리고 金총재는 민족통일을 위한 국민회의 설치와 국민투표에 의한 통일방안 확정을 주장했다. 또다시 국민투표이다. 정부의 통일방안이 국회의 공청회 및 기타 과정을 통해 의견수렴의 절차를 밟았다고는 하나 문제점이 있는 것은 사실이다. 그리고 南北聯合이라는 개념에 보완이 필요하며 이를 위한 후속조치로 법적 조치도 강구되지 않았다. 행정부 국회 할것없이 모두 직무유기다. 그래서 선전성이라는 비판마저 뒤따를 수 있었다.

그럼에도 국민투표가 만능일수는 없다. 우선 여야 모두 黨內에서부터 제대로 토론을 거쳐야한다. 또 도대체 국회통일위원회는 무엇하는 곳인가. 그리고 國會는 어디로 갔는가. 의회주의의 테두리안에서 국회가 충분히 토론하고 그것도 부족하면 소수의견을 붙여서「결의안」형식으로 통일방안을 확정할 수는 없겠는가. 그 방식이야말로 우리체제의 강점을 살리는 것이라고 우리는 주장한다. 국회의 기능은 여러 목소리를 하나로 수렴시키는 것, 이를위해 토론과 타협의 과정을 통해 최대공약수를 찾아내는 것이 아니겠는가.

北韓은 민족통일협상회의를 주장하고 정당 사회단체와 각계각층의 인사들로 구성되는 연석회의를 고집하고있다. 그 뜻이 통일전선전략에의한「정치합작」기도라는 사실을 우리는 잘안다. 도대체 통일방안을 둘러싸고 정권이나 黨利黨略의 차원에서 혼란상태가 지속될때 그 결과가 어떻게 되겠는가. 그래서 통일과 외교문제에 관해서는 정권의 득점도 있어서는 안되지만 정당이나 개인의 정치적 이기심도 배제되어야한다. 與野 政府와 政黨간에 外交통일문제에 관한 신중하고 절도있는 토의와 협의있기 바란다.

0013

(金大中 總裁의 아사히 新聞 인터뷰 記事에 관한 論評이 要請될시)

o 본인도 최근 平民黨의 김대중 總裁께서 "南北韓이 單一議席에 의한 유엔加入은 統一을 위해 실현성 있는 스텝"이라고 하고, 실제 그렇게 加入했을 경우의 首席代表 問題와 投票權 行使 問題에 대하여도 언급 하시고, 특히 "유엔憲章上에 問題가 있으면 憲章을 修正하거나, 특별한 南北對話機構를 만들면 된다"고 말씀하였다는 어제 날짜 일본 아사히 신문과의 인터뷰 記事를 보았음.

o 金總裁께서 어떠한 전후 문맥하에서 그와 같이 말씀하였는지 알지 못하나, 基本的으로 김총재께서 南北韓이 하루빨리 하나의 共同體意識을 갖게될 뿐 아니라 이를 통하여 남북한 관계가 정상화의길로 ~~나가기를 바란다는~~ 취지에서 그와 같은 말씀을 하신 것으로 이해하고 있음.

o 북한측 안에는 많은 법적.절차적인 문제점이 있으며 그 실현가능성은 매우 적다는 것은 이미 누차 설명드린 바 있음. 북한측안이 실현 가능성이 없고 많은 문제점을 가지고 있다는 평가는 우리만의 것이 아니라, 유엔사무국의 비공식 견해는 물론, 대다수의 비동맹국가, 특히 북한과 가깝다고 하는 나라들로 부터도 같은 반응이었음을 이자리에서 밝히고자 함.

양	90년	담 당	과 장	국 장
고	7월			
재	6일			

0014

o 수석대표 교체설, 투표권 행사 문제에 관한 김총재의 말씀은 아직 그런 문제에 대하여 북측이 공식적으로 제시한 바 없기 때문에 이 자리에서 일일이 그 가능성 여부에 대하여 언급하기는 곤란함. 다만, "헌장상 문제가 있을 경우에는 헌장을 수정하거나"라는 언급과 관련, 유엔헌장의 개정에는 총회 구성국의 2/3이상의 찬성으로 채택되고, 5개 안보리 상임 이사국을 포함한 전회원국의 2/3의 국내적 비준이 있어야 가능하다는 점을 지적하고자 함.

0015

대통령의 회견

메아리

黃昭雄

<편집부국장>

8일아침 텔레비전과 라디오로 전국에 방송된 盧泰愚대통령의 새해 기자회견은 임기 4년을 맞는 대통령답게 여유가 있었다。한시간반동안 국정전반에걸쳐 소신과계획을 피력하는 모습은 확실히 여유를 과시하고도 남음이 있었다。질문하는 기자들의 기사 송고 마감시간까지 걱정해주는 배려도 세심했고 어느 신문의 연두사설 구절까지 인용하는 정도 새로운 스타일의 시도였다。

스타일에서 무난했던것처럼 내용면에선도 별다른 무리가 없었다。「合法으로 정치안정을 이룩했다」는 스스로의 평가가 다소 귀에 거슬리기는 했으나 「內治에 약하다는 지적에 대해 「겸허하게 반성한다」는 말로 그냥 넘어갈수 있었다。「한꺼번에 분출되는 욕구불만에 힘과 권력으로 대처했더라면 또한번 혼란과 좌절이 왔을것」이라는 분석에도 다른 의견이 나올수 있겠지만 「앞으로 마무리 결산단계에서는 적극적으로 하겠다」는 약속에 더 비중을 주어 지켜봐야할것 같다。

관용과 인내가 자신의 정치철학임을 스스로 公言한것은 이번이 처음인것 같은데 사실 民主化시대의 대통령은 권위주의시대의 대통령과는 달라야한다는점을 국민들은 이해해야할 것 같다。

「정치는 정치인 자신을 위한것이 아니라 국민을 위한것」이라는말은 名言인것같다。오늘날의 우리정치인들에게는 국민은 안중에도 없는것같아 더욱 절실하게 들린다。

內閣制개헌문제에 대해 「국민이 원치 않는데 어떻게 하겠느냐」는 답변으로 明快하게 잘라 여운을 남기지 않았고 페르시아만의 의료진파견에대해서는 상당한 설득력을 보여주었다。전투병력파견문제에 대해서도「요청받은 적도 검토한 바도 없다」는 한마디로 시원한 답변을 대신했다。

「북한이 끝내 동시가입을 반대하면우리라도 먼저 가입할 수밖에 없다」는 유엔정책설명이나「北方외교와 전통우방외교는 서로 대립되는게아니다」는 설명은 간단명료하면서도 호소력이 있었다。南北관계를 얘기하면서 「金日成主席」이라고 두번씩이나 호칭한것도 그간의 세상의 변화를 새삼 일깨워주는 異例的인 것이었다。「사회간접투자기획단」을 설치하겠다는 계획이나 대학입시제도를 개선하겠다는 다짐도 전체국민이 앓고 있는 경제·사회문제의 핵심을 건드린것같다。

그러나 회견이 모두 끝난후 갖는 느낌은 한마디로 그렇게 흡족하지가 않다는 것이다。회견을 들을 당시에는 스타일도 내용도 모두 무난하다고 느꼈는데 끝난뒤가 흡족하다고 느껴지지 않는것은 현실인식에서 盧대통령과국민사이에 거리가 있기때문이 아니냐는 생각이 드는것이다。국민들은 심각한 난국에 처해있다고 생각하고 있는데 대통령은 그렇게까지 인식하지않고 있다는 인상을 주는것이다。한두 대목에서라도 난국을 걱정하는 지도자의 고민이 비쳐지고 난관을 돌파하겠다는 지도자의 결의가 번득였으면 하는 아쉬움이 남는것은 여유와 스타일이 지나치게 강조된 탓일까。

한국일보 1.8.

0016

大入 94학년 완전자율화

학력고사 여러번 쳐 좋은成績 반영

中央日報 1991. 1. 8 화, 1면

올해 유엔 단독가입 신청

地自制 부정선거운동 反民主범죄로 엄벌

0017

盧대통령 年頭 기자회견

盧泰愚대통령은 8일『현재 벌어지고있는 진학 과열과 획일적입시위주의 교육을 개혁하기 위해 오는 94학년도부터 대학입시를 완전자율화 하겠다』고 밝혔다。

盧대통령은 대학입시제도 개혁에 관해 대학이 자율입시를 추진할 태세를 갖추고 있을경우 자율적으로 할수있게 하고 학력고사와 적성검사를 반영할 대학은 하게하는등 입시방법을 다양화하려 한다』고 말하고『또 딱한번의 학력고사로 결정하는 것은 지나치므로 시정하겠다』고 밝혔다。

李秀正대변인은 이와관련、『학력고사를 한번이 아닌 여러차례 시행해 그중 제일 잘 치른 점수를 사정에 활용하는 방안등을 검토하고 있다』고 설명했다。

〈관계기사 3面〉

盧대통령은 이날 TV와 라디오로 전국에 생중계되는 가운데 靑瓦臺프레스센터 春秋館에서 가진 연두기자회견에서『작년에 南北대화과정에서 北韓에 유엔동시가입을 설득 시키느라 유엔가입 신청을 보류했었다』고 상기 시키고『北韓의 태도변화를 기다리고는 있겠으나 금년에 北韓이 유엔가입을 끝까지 반대한다면 우리나라라도 먼저 가입신청을 유엔에 제출하겠다』고 밝혔다。

盧대통령은 南北관계및 남북정상회담에 관해『현재 北韓은 변화를 거부하고 있지만 北韓이 변화하기 시작하면 南北관계는 굉장히 빠른속도로 진척돼 나갈것』이라며『이렇게 되면 우리가 기대하는 대망의 南北통일도 금세기안에 반드시 이룩되리라 생각한다』고 밝혔다。

盧대통령은 이어『오래전부터 제안해 왔던 金日成과의 南北정상회담은 지금 金주석도 심사숙고하고 있다고생각한다』며『南北간의 오해와 불신관계는 정상이 만나 서로 허심탄회하게 대화를 나누면 훨씬 더 쉽게 불식시킬수 있을것』이라고 강조했다。

盧대통령은 페르시아灣사태와 관련해 軍의료진 파견과 연계해 전투병력 파견문제를 묻는 질문에『6·25전쟁때 우리가 세계 각국으로부터 도움을 받았던 것을 생각한다면 우리가 유엔결의에 따라 국제적인 의무를 다한다는 것은 당연한 일』이라고 밝히고『지금 軍의료진을 파견하기 위한 준비는 갖추고 있으나 전투병력 파견은 요청받은적도 없고 검토한바도 없다』고 밝혔다。

盧대통령은 정치권의 세대교체및 여권의 차기 대권후보결정 문제에 대해『民自黨내에는 다음정부를 이끌어갈수 있는 인물이 많다고 생각한다』며『나의 임기완료 1년 전후에 국민의 여망에 따라 黨의 후보가 선출될것을 기대한다』고 밝혔다。

盧대통령은 여야대화 문제에 대해『여야는 상대적이며 국정의 책임에 대해 함께 나누는 것이 바람직스럽다』고 전제、『이런 맥락속에서 나는 야당과 언제나 대화할수 있는 문호를 개방해 왔고 개방해놓고 있다』고 밝혔다。

盧대통령은 내각책임제 개헌문제에 대해『내각제 개헌은 다수국민이 원하지 않으면 할수없다』고 답변했다。

盧대통령은『올봄 실시될 地自制선거에서 선거법을 어기는 행위는 反民主主義的 범죄로 규정하여 여야나 지위를 가리지않고 엄격한 법의 제재를 받게할것』이라고 밝히고『지자제의 성공을 위해서는 유권자 여러분이 깨끗한 선거를 치르는 감시자가 되어 선거혁명을 이루어야 할것』이라고 밝혔다。

盧대통령은『사회간접시설사업을 효과적으로 추진키 위해 靑瓦臺안에「사회간접자본 투자기획단」을 설치하겠다』며『정부는 이미 한계점에 다닫아 우리 산업경쟁력에 큰 부담을 주고 있는 도로·항만·공장용지등 사회간접자본에 3조5천억원의 예산을 투입해고속도로와 국도、그리고 釜山·仁川등 항만을 획기적으로 확충해 나가겠다』고 밝혔다。

절차무시한 접축 불허

◇南北관계에 대한 전망과 南北정상회담실현가능성에 대해=지금까지 추진해왔던 여러가지 대화와 교류를 바탕으로 생각해 볼때 남북관계의 장래는 조심스러우나 희망적으로 생각합니다.

작년에 세차례의 총리회담을 비롯, 음악인·체육인·학자들의 교류는 비록 구체적인 합의는 이루지 못했으나 그 자체가 긍정적으로 평가를 할수 있다고 생각합니다.

세계적인 변화를 생각할 때 北韓의 한계가 오지 않을수 없을 겁니다.

따라서 北韓이 변화하기 시작하면 南北관계가 굉장히 빠른 속도로 진척될 것이며 대망의 南北통일도 금세기 안에 이룩되리라고 생각합니다.

南北간에 쌓인 오해와 불신은 南北정상들이 만나 허심탄회하게 이야기하면 해소될것으로 생각하고 있으며 北韓의 金日成주석도 이 문제를 심사숙고하고 있다고 생각하고 있습니다.

南北교류문제는 법률상의 하자가 없는 한 허용할 것이며 특히 젊은이들이 北韓을 많이 방문하는 것이 좋겠다고 생각합니다.

그러나 일부 인사들이 정당한 절차를 무시하고 北韓의 주장과 원하는 방식에 동조해서 北韓과 접촉하겠다는 것은 위법이고 불법이므로 용납할수 없음을 분명히 밝혀 두겠읍니다.

對中國 정상화 희망적

◇中國과의 관계개선전망 및 연내 단독 UN가입추진 여부에 대해=서울과 北京에 무역대표부가 설치돼 있고 무역대표부는 외교관계수립의 중간단계라고 봐도 좋을것입니다. 따라서 이같은 노력이 계속되면 멀지않은 시기에 中國과의 관계정상화가 이뤄질 것으로 봐도 좋을 것입니다.

UN문제는 南北총리회담에서 北韓이 의제로 제기해 지난해는 UN가입신청을 보류했습니다. 올해 역시 北韓에 南北韓동시가입을 적극 설득하겠지만 끝내 응하지않을 경우 우리라도 먼저 가입할 것이며 그렇다고해서 北의 UN가입을 결코 방해하지 않고 적극 도울 것입니다.

蘇, 對韓經協요청 「급한걸음」

로가초프外務차관 訪韓 안팎

◇盧泰愚대통령이 7일상오 고르바초프 소련 대통령특사로 訪韓중인 로가초프 소련외무차관으로부터 고르바초프대통령의 친서를 전달받고 인사를 나누고있다. 〔張啓文기자〕

「겨울나기」 생각보다 심각반영

「KAL機정리」 한걸음 더 접근

蘇관리 北韓傾斜시정…仲裁등 南北관계 긍정영향

로가초프 蘇외무차관의 訪韓은 고르바초프대통령의 친서에서 나타났듯 조속한 경제협력요청에 비중이 두어졌던 것으로 분석된다.

특사파견의 전격성에서 이미 예고된대로 이번 로가초프차관의 訪韓은 소련측의 급박한 속사정에 따라 이루어진 것이라 할수있다. 이미 외신들도 앞다퉈 보도했지만 소련의 힘든 「겨울나기」가 생각보다 심각함을 이번 특사파견에서 엿볼수있다. 특히 자국의 어려운 사정을 설명하고 협조를 구하는 내용을 좀처럼 문서로 명시하지않는 외교관행에 비추어볼때 친서내용은 소련의 속사정이 상당히 복잡하다는것을 말해준다.

로가초프차관의 訪韓이 이처럼 소련측의 필요에 따른 것이기는 하나 특사로서의 盧泰愚대통령면담과 제1차 韓蘇정책협의회 개최는 韓蘇양국관계및 南北관계에 있어 여전히 중요한 의미를 지닌다고 할수있다. 정책협의회 개최가 단순히 경제협력요청을 위한 「모양갖추기」라 하기는 어려울 뿐더러 친서에도 『양국관계발전에 관한 문제가 논의되기를 기대한다』는 내용이 포함돼있기 때문이다.

따라서 로가초프차관일행의 이번訪韓에서 양국간에는 경제협력문제 못지않게 정치분야에서도 의미있는 대화가 오갈것으로 관측된다.

특히 7일의 정책협의회에서 우리측은 KAL기피격사건을 본격 거론, 소련측으로부터 ▲진상의 계속적인 조사와 ▲새로운정보나 자료가 있을 경우 이를 한국측에 전달하겠다는 약속을 받아냄으로써 양국간의 실질적인 과거사정리에 한걸음 다가섰다.

이날 우리측은 이즈베스티야지와 「우에스 뉴스 앤드 월드 리포트」지가 보도한 KAL기 잔해수거및 탑승객사체소각 기사의 사실여부확인을 요청하고 「우리국민은 아직 이사건에 깊은 관심을 갖고 있으며 과거의 상처를 분명치 않게 덮어두는 것보다는 짚고넘어가는 것이 양국관계에 바람직하다」는 입장을 전달했다. KAL기 사건이 소련측의 「유감」 표명에도 불구하고 완전해결된 문제가 아니라는 사실을 분명히 한것이다.

그러나 소련측은 이에대해 양국국민이 냉전시대의 사건에 지나치게 감정적으로 반응하는 것은 바람직하지 않다는 입장을 보인뒤 우리측의 문제제기에 대해 「언론보도에 기초해 이런 원칙적 문제를 거론해서는 안된다」고 다소 불쾌감을 표시해 한편으로 이 문제는 여전히 양국간 갈등의 불씨로 남아있다.

정책협의회에서는 우리의 통일정책을 설명하는 외에 유엔가입및 南北고위급회담등에 대한 소련의 협조문제도 함께 거론된 것으로 알려졌다. 우리측은 이자리에서 한반도평화안정이 동북아전체의 평화유지에 긴요함을 설명하고 이를 위한 소련의 적극적인 협조를 요청한것으로 알려졌다.

소련측도 동북아평화라는 대전제실현을 위한 한반도평화의필요성에 동감하면서 필요한 경우 南北관계개선을중재하겠다는 의사를 표명한것으로 알려져 이번 협의가 향후 南北대화에 긍정적영향을 미치게 될것으로 전망된다.

소련측 인사들은 그동안 비공식적인 자리에서 지난해 3차례의 南北고위급회담개최 사실을 강조하며 이 회담의 개최에 소련이 영향력을 행사했음을 간접 시사해온것으로 전해졌다. 현단계에서 소련의 북한에 대한 영향력을 가늠할 수는 없으나 南北관계개선에 있어서 韓蘇간의 이같은 교감은 최소한 南北화해의 분위기성숙에 기여하게 될것으로 평가된다.

양국은 특히 이번 협의에서 우리의 유엔가입 문제에 관해 실로있는 의견을 교환한 것으로 전해졌다. 李相玉외무장관은 이날 정책협의회에 앞서 로가초프차관의 예방을 받은 자리에서 「유엔등 국제기구를 통해 양국관계의 발전이 있기를 기대한다」고 말해 유엔가입에 있어서 소련의 협조를 간접 희망했다. 소련측도 정책협의회에서 우리의 동시가입방안에 지지를 표시했다.

南北관계에 대한 韓蘇양국간의 이같은 조율과는 달리 뚜렷한 입장차이가 노정된것도 사실이다. 소련측은 북한이 주장하고있는 주한미군철수와 한반도비핵지대화 문제등을 거론한 정도로 전해졌다. 우리측은 이 주장의 비현실성을 지적하며 반대의사를 분명히했다. 소련측은 앞으로도 한반도문제의 중재를 명분으로 이같은 주장을 계속하면서 우리측의 부분양보를 요구할 것으로 보여 주목된다.

동북아지역평화문제 논의에 있어서도 소련이 주장해온 집단안보체제를 놓고 양국간에 이견이 있었던것으로 전해졌다. 이문제에 대해 미국과같은 입장을 취하고있는 우리로서는 시기상조임을 들어 반대를 표시했지만 이 역시 계속 현안으로 남게될 가능성이 크다.

한편 이번 로가초프차관일행의 訪韓이 9일로 예정된 가이후日총리의 訪韓과 3월께 성사될 韓美정상회담, 4월께로 추진중인 고르바초프蘇대통령의 韓日양국방문등을 상반기의 활발한 정상외교를 앞두고 이루어졌다는 사실은 우리가 동북아질서재편과정에 능동적으로 참여하고있음을 의미한다고도 할수있다.

南北관계등 정치·외교분야에서 소련과의협력강화는 분단상황의 우리에게 고무적인 여건변화임에 틀림없다. 다만 수교와 정상회담에 뒤이어 곧바로 닥친 경협이라는 대가가 또다른 의미에서 균형외교의 지혜를 요구하는것도 사실이다. 【鄭光哲기자】

0019

盧대통령 年頭회견 一問一答

"올해 유엔單獨加入 신청"

改革立法 임시국회서 완전妥結기대

南北관계 희망적… 金주석도 頂上회담 熟考

科技부문 96년까지 11兆투자… UR타결협력

—지난3년간의 국정운영 소감은. 비서실장을 국무총리로 기용한 지난연말의 개각이 정국운영의 변화를 의미하는 것인지. 또 外治에는 강하고 內治에는 약하다는 지적이 있는데.

『外治에는 강하고 內治에는 약하다는 지적은 겸허히 받아들여 국정에 참조하겠다.

오랜 권위주의에 억눌려있던 각계각층의 욕구가 분출된 지난3년간 나는 관용과 인내를 바탕으로 대화를 통해 결론을 만들어내자는 일념으로 일관해왔다. 이제는 큰전환기를 매듭짓는 시기에 왔다고 생각하며, 민주주의를 바탕으로 안정을 확고히 이루어야한다는 국민적 합의가 이루어지고있다.

그동안 정부는 해야할 일들을 많이 벌여놓았다. 이제 이런 일들을 마무리짓고 적극 추진한다는 차원에서 내각진용을 갖추었다 할수있다』

—정치발전을 위해 對野관계를 어떻게 설정해나갈 것이며 여야영수회담은 언제쯤 마련할 것인지. 또 국가보안법 등 개혁입법의 처리전망은.

『여야는 국정책임을 함께 지는 두개의 수레바퀴이다. 여야는 누가 국민을 위해 더 훌륭한 정치를 펼치느냐는 선의의 경쟁을 해야한다. 이런 맥락에서 야당과 언제나 대화할수 있도록 문호를 개방하고 있으며 필요할 경우 언제든지 대화가 이루어질 것이다.

개혁입법의 경우 이미 국회에 제출된 상태이므로 여야가 타협, 이번 임시국회에서 완전히 타결하기를 기대한다』

—民自黨내에서 세대교체론이 대두되고 크고 작은 갈등이 끊이지 않는 것은 모두 후계구도의 불확실성에서 연유된다고 본다. 여권의 차기대권후보를 언제, 어떤 방식으로 결정할 것인가. 또 여권후보는 현 民自黨내 인물에 국한된 것인지.

『民自黨헌의 민주적 절차에 의해 후보자가 선출되는 것이 원칙이다. 후보자선출시기는 나의 임기만료 1년전후가 적합하리라 생각한다. 民自黨내에는 다음 정부를 이끌어갈수 있는 인물들이 많다고본다. 당의 후보는 국민이 바라는 분이 반드시 선출되리라 기대한다』

—13대국회에서 내각제개헌을 해야하거나 그런 상황이 올것으로 전망하는지 아니면 개헌이 불가능한 것인지.

『내각제개헌문제는 수차 국민에게 분명히 밝힌바대로 다수국민이 원하지않는 개헌은 할수없다고 본다. 이 입장은 지금도 변함이 없다』

—정부가 페르시아灣에 軍의료진을 파견키로 한 것이 월남전때처럼 전투병력파견으로 이어지지않을까 우려하는 사람도있다. 전쟁이 발발할경우 軍의료진과 연계해 전투병력을 파견할 의향인지.

『무력으로 남의 나라를 점령한다는것은 결코 용납할수 없는처사이므로 우리는 유엔의 견해와 결정을 지지한다. 특히 한국전때 많은 나라들이 참전, 우리의 자유·생명을 지켜주었기때문에 우리가 국제적 의무를 다하는 것은 당연한일이다. 따라서 의료진파견을 위한 준비를 하고 있으며 곧 국회에 동의안을 낼것이다. 그러나 전투병력파견에 대해서는 다른나라로부터 요청받은 바도 없고 검토한바도 없다』

—남북관계에 대한 전망과 정상회담의 연내실현가능성은.

『향후 남북관계는 지금까지의 교류를 감안할때 조심스러우나 희망적이라 할수있다.

소련을 비롯한 동구유럽이 변하고 독일이 통일을 이룬 마당에 북한만이 낡은 이념의 굴레에서 벗어나지못하고 있는데, 결국 현실적 노선으로 변할 것으로 본다. 일단 북한이 변하면 남북관계는 급진전될 것이며 통일도 금세기안에 이루어질 것이다.

남북정상회담이 이뤄지면 남북간 오해와 불신이 불식될 것이다. 金日成주석도 심사숙고하고 있으리라 생각한다.

남북교류에 있어 정부는 [illegible]

[illegible] 그러나 북한이 끝내 응하지 않는다면 마냥 기다릴수는 없다.

북한이 가입하지않는다면 우리라도 먼저 가입, 북한의 가입을 환영하고 지원할 것이다』

[illegible]

역대표부가 상호설치돼 양국간교류와 교역을 더욱 확대시킬 것이다. 무역대표부설치는 외교관계수립의 중간단계로 볼수있으며 머지않아 양국간의 관계정상화가 이뤄지리라본다.

유엔가입문제의 경우 남북대화과정에서 북한에 동시가입을 설득하느라 지난해 가입신청을 보류해놓은상태다.

정등 경협문제나 문화교류등 한자원문제 문제도 회담에서 성과를거둘것으로 기대한다.

韓蘇정상회담 그 자체로서 동북아질서재편작업이 시작됐다해도 과언이 아니다. 한반도주변이 전후 최대변혁을 맞고있는 지금 우리외교의중점방향은 첫째 국익최우선, 둘째 한반도남북긴장완화와 평화

할 것이다. 노사관계가 문제가 많았지만 산업평화가 이루어지고있고 임금이 자제돼가고있다. 또 부동산 투기와 과소비문제도 많이 가라앉고 있어 정부나 국민이 합의를 이루었을때 석유파동의 유가문제를 우리가 충분히 흡수할수 있다고 생각한다. 일로써 어렵지만 금년도 반드시

—미국의 시장개방압력으로 걸고리워져가고 있는 韓美관계와 이달말 재개되는 우루과이라운드에 어떻게 대처할 것인가.

『최근들어 우리나라의 과소비관련문제에 미국의 오해가있고 우루과이라운드 회담에대한 미국의 불만으로 오해가 집어진것이 사실이다.

[illegible] 대해마지않는다. 무역여조시 노력과 모든정책수단을 동원 [illegible] 출도가 될것으로 생각한다』

[illegible] 농민들의 이익을 최대한 보장해 갈것이다』

—낙후된 교육환경·대학교육의 질의 문제를 어떻게 해결할 것인가. 대학입시제도와 고교교육개혁에대해 구체적으로 밝혀달라.

『우리교육은 양적으로는 많이 발전했으나 질적으로는 기대에 미치지 못하고 있다.

정부는 대학입시의 자율화를 위시해 대학을 다양화하는 방향으로 개혁을 추진해 나가고자 한다. 자율입시를 할수있는 태세를 갖춘 대학은 독자적으로 입시를 시행할수 있도록 하고, 학력고사와 적성검사 같은것을 적용하기 원하는 대학은 그것을 반영되게 하는 개혁방안을 연구하고 있다.

또 한번의 학력고사, 한번의 시험으로 모든것을 결정한다는것도 시정을 해야될것이고, 입시과목도 줄이며 학생들의 부담도 줄이는 방향으로 교육개혁을 추진중이다. 이것이 너무 급작스럽게 이루어졌을때는 혼란이 따를것이므로 이에대한 충분한준비와 검토의 기간을 주어 94년부터 시행될수있게할 작정이다. 아울러 정부는 고등학교의 실업계교육을 확대시키고 이공계대학정원도 늘려 산업에 필요한 인력을 양성할수있도록 할 것이다. 대학교육의 질을 선진국수준으로 올리기위해 우수대학을 대학원중심으로 개선해가는 방안도 구상중이다』

0020

◇盧泰愚대통령이 8일상오 청와대 춘추관에서 국무위원과 청와대 수석비서관 전원이 배석한 가운데 年頭 기자회견을 갖고있다。 【張啓文기자】

盧대통령 연설<요지>

30년만에 다시 시행하는 지방자치는 참다운 민주주의와 지방화시대를 여는 관건입니다. 올봄 실시되는 지방의회선거를 깨끗하고 공명하게 치르는 일은 지방자치는 물론 우리 민주발전의 시금석이 될 것입니다.

그런데 이 선거가 무질서와 탈법을 조장하고 지역감정을 격화하는 혼탁한 것이 된다면 민주주의는 물론 나라의 앞날이 어두워질 수 밖에 없습니다.

정부는 이러한 차원에서 돈을 쓰는 행위나 사전선거운동등 어떠한 탈법행위에 대해서도 단호히 대처할 것입니다.

내년부터 오는96년까지 추진되는 제7차 경제사회발전 5개년계획이 완수되면 국민소득이 1만달러를 넘어서 고도산업선진국에 이르게 됩니다.

올해 7% 성장을 이루면 올 연말 1인당 국민소득 6천2백달러, 교역량 1천5백억달러로 선진국을 향해 한 걸음 더 다가서게됩니다.

정부는 우리경제의 구조를 왜곡하는 부동산투기만 근절하기 위한 노력을 늦추지 않을 것이며 비생산적인 서비스산업의 팽창을 억제할 것입니다.

정부는 모든 국민의 절실한 바람인 주택·교통·환경문제의 개선과 교육의 혁신에 올해도 집중적인 노력을 펼쳐나갈 것입니다.

주택은 지난해 75만채가 착공된데 이어 올해 50만채가 새로 건설될 것입니다.

교통난개선을 위해서는 서울의 도심교통량을 분산할 板橋~退溪院간 수도권고속도로를 92년까지, 또한 서울과 신도시를 잇는 수도권전철을 93년까지 완공하고 서울의 지하철망을 지속적으로 확충할 것입니다.

우방인 미국, 일본, 유럽공동체 여러나라와 우호협력관계를 더욱 공고히 다지는 바탕위에서 소련과 실질적인 협력관계를 진전시켜 나갈것입니다. 중국과의 관계도 이달중 무역대표부의 상호설치를 계기로 더욱 증진될 것입니다. 우리는 南北간의 대화를 진전시켜 의미있는 합의를도출하고 南北간에 진정한교류와협력이 이루어지도록 성의를 다할 ㅅ

蘇, 한국 유엔加入입장 인정

「韓半島 평화보장裝置」도 참여

피격 資料요구

소각說등 사실여부도

韓國日報
1991. 1. 9 수, 1면

"冷戰시대 KAL機사고 무고한희생 유감
蘇紙보도는 美紙인용…새資料나오면 전달" 로가초프

韓蘇양국은 7일하오 외무부회의실에서 제1차 정책협의회를갖고 KAL기 피격사건, 南北관계개선, 유엔가입문제, 고르바초프蘇대통령訪韓문제등에 대해 집중 논의했다.

★관련기사 3면

이날 우리측 수석대표인 柳宗夏 외무차관은 이즈베스티아지등에 보도된 KAL기 잔해발견및 탑승객 유해소각기사의 사실여부를 묻고 소련당국이 KAL기사건에대해 계속적인 조사를실시, 새로운 정보나 자료를 있는 그대로 우리측에 전달해 줄것을 강력히 요구했다.

이에대해 소련측 수석대표인 로가초프차관은 『이즈베스티아지의 보도는 미국 뉴욕타임스지에 게재된 기사를 근거로 작성됐다』며 『이즈베스티아도 그 기사가 나온뒤 기자를 사할린에 파견했으나 구체적 자료를 얻지못한것으로 안다』고 밝혔다.

로가초프차관은 또『한국측의 의사를 소련 관계당국에 전달하겠으며 새로운 자료나 정보가 나오면 외교경로를통해 전달하겠다』면서 『소련은 KAL기 사건으로무고한 한국인들이 사망한데 대해유감스럽게생각한다』고말했다.

로가초프차관은 그러나『이 사건은 냉전시기 여러나라가 히스테리적 반응을 보이던때에발생한사건』이라고말했다.

柳차관은 이와관련, 『한국에서는 이사건에 대해 아직 큰관심을 갖고있다』면서 『과거의 상처를 대국적입장에서 다시 쓰다듬는것이 양국관계 발전에 도움이 될것』이라고 강조했다.

로가초프 차관은 KAL기 피격사건 발생경위에 대해 『당시 소련비행사들이 여객기였는지 몰랐기 때문에 이 사건이 발생했다』면서 『사고 KAL기는 당시 운행신호등 없이 비행하고 있었고 소련의 무선통신에 대응신호를 보내지 않았는데다 비행기 형체도 미국정찰기 CP135와 비슷했다』고 설명했다.

이날 협의회에서 소련측은 『南北문제의 평화적 해결과 한반도 평화정착을 위해 한반도 주변국가간 보장장치가 이뤄질 수 있다면 그 보장장치에 기꺼이 참여할 용의가 있다』고 말해 한반도 평화정착을 위해 적극 노력할 것임을 분명히 했다.

소련측은 우리의 유엔가입문제와 관련, 『소련은 유엔의 보편성원칙을존중하며 유엔헌장을 인정하는 모든 국가가 유엔에 가입해야한다고 생각한다』고 전제, 『따라서 유엔정회원국이 되려는 한국의 입장을 전적으로 인정한다』고 말했다.

소련측은·그러나『유엔문제에서 가장 좋은 해결방안은 남북간에 타협하는것』이라고 덧붙였다.

이날 회의에서 우리측은南北대화에 대한 우리의 입장과 그간의 경위, 南北간 입장차이를 설명하고 『소련이 南北문제해결에 기여하는 방법은 북한으로하여금 현실을 빨리 인식하도록 도와주는것』이라고 강조했다.

소련측은 이와 관련, 『南北문제해결을 위해서는 南北대화가 중요하며 접촉시작자체가 유익하다고 본다』면서 『대화를 계속 유지하기위해 인내와 건설적태도가 중요하다고 생각한다』고 말했다.

0021

京鄕新聞

1991. 1. 11. 金, 2면

고르비 訪韓일정 이르면 내달결정

로가초프 離韓

이고르 로가초프 蘇聯외무차관은 11일 고르바초프 대통령의 방한시기와관련,『나의 이번 방한기간중 한국측과 구체적인 시기논의는 없었으나 조만간 소련정부의 새내각이 편성되는대로 고르바초프 대통령의 방한시기가 결정될것』이라고 말해 이르면 2월중 訪韓일자가 정해질것임을 시사했다.

로가초프차관은 5박6일간의 한국방문을 마치고 이날 상오 이한에 앞서 김포공항에서 가진 기자회견에서 이같이 밝혔다.

한국에 이어 11일 中國을 방문하는 로가초프차관은『北京방문중 중국외무부측과 한반도문제를 협의할 계획』이라고 말하고『그러나 中國에 이어 平壤을 방문할 계획은 없다』고 밝혔다.

그는 또 KAL기격추문제에 대해『최근 외국의 여러 신문에서 KAL007기 잔해가 발견됐다는 보도가 있었으나 소련정부가 이를 확인한바는 없다』고 지적하고『여객기잔해나 새로운 자료를 찾게되면 즉각 韓國측에 전달하겠다』고 말했다.

0022

서울신문
'91. 1.12. 토, 2면

로가초프 中國으로 "平壤방문 계획없다"

이고르 로가초프 蘇聯외무차관은 11일 고르바초프 대통령의 訪韓시기와 관련,「나의 이번 방한기간중 한국측과 구체적인 시기논의는 없었으나 조만간 蘇聯정부의 새내각이 구성되는대로 고르바초프대통령의 방한시기가 결정될 것」이라고 말해 이르면 2월중 방한시기가 결정될 것임을 시사했다.

로가초프차관은 이날 상오 김포공항에서 5박6일간의 한국방문을 마치고 離韓에 앞서 가진 기자회견을 통해 이같이 밝히고 「北京에서 中國외무부측과 한반도문제를 논의할 것」이라고 말했다.

로가초프차관은 그러나 北京에 이어 平壤방문 계획은 없다고 말하고 KAL기 잔해발견보도와 관련,「아직까지 蘇정부가 이를 확인한 바는 없지만 새로운 증거나 자료가 나오면 즉각 한국정부에 전달하겠다」고 약속했다.

0023

유엔단독加入 서둘지말자

統一로 가는길 ⑧

'91.1.14, 21면

北韓-美日수교 도울필요

南北대화 勝負낸다는 자세 버려야

지구상에서 유일한 분단국으로 남게된 한국이 통일을 위해 정치적으로 해결해야할 일은 너무도 많다. 같은 분단국이던 베트남과 독일이 각각 비평화적, 평화적 방법으로 흡수통합을 이룩했다면 우리는 어떤 통일의 방법을 모색해야 할것인가. 우리에겐 통일의 가장 큰 장애요인으로 지적되는 민족끼리의 내전을 치른만큼 서로의 적대감과 증오심을 완화되고 조정단계에 들어섰다면 남북의 政治문제는 여전히 해결이 어려운 상태로 남아있다. 남쪽의 변화는 북쪽의 변화와 연결돼있고 그 역도 마찬가지다. 지난 총리회담에서도 서로 양보할수없는 문제들은「그쪽이 먼저 한다면 우리도 하겠다」는 식으로 밀어붙였다.

따라서 남북만의 통일논의를 따로 얘기하기는 힘들지만 기본적으로 △북한에서 우리 현정부의 정통성이 약하다고 판단할 근거를 제거하는 정치적 민주화를 이룩하고 △성장과 분배가 균형을 이룬 새로운 경제형태를 갖추며 △이데올로기차원의 개방및 냉전적 사고의 극복이 이뤄져야한다고 지적했다.

정치적으로 우리는 남북및 정부, 재야운동의 시각차가 너무 큰 점도 해결해야하며 외교적으로는 유엔가입문제와 주변 4강관계를 슬기롭게 헤쳐나가야할다고 주장한다. 또한 남북차원에서는 단계적이며 기능주의적 교류및 협력을 추구, 共存정책을 내세우는 남측과 정치적 접근을 통해 모든 문제를 한꺼번에 해결할것을 주장하며 共存정책은 곧 분단고착화 정책이라고 생각하는 북측이 팽팽히 대립하고 있다.

동국대 都用博교수는 이런 이견차와 함께 △남북이 통일과 안보를 동시에 추구하는 모순적 행동과 △남북한당국자의 통일에 대한 진정한 의지가 있는지등이 통일을 가로막는 요소라고 소개했다. 그는 또「우리는 이데올로기를 떠나서 어떤 체제가 삶의 질을 높일수 있는가에 관심을 가져야한다. 그런 시각에서보면 동구에서 얘기하는 다원주의, 즉 다당제와 시장경제등이 더욱 인간적이란 생각이 든다. 북도 남도 모두 이목표에 가까워져야한다. 우리부터 자본주의가 갖고 있는 모순을 고쳐나가고 아닌 교류 협력 민족문제 해결의 동반자임을 인정하자는 얘기다.

그런 맥락에서 북한을 곤경에 몰기보다는 자신감을 갖게하는 것이 남북대화를 성사시키는 길이란 목소리가 높다.

따라서 유엔가입문제를 억지로 단독가입으로 끌고가거나 북한을 외교적으로 고립시키는 것은 바람직하지 않다는 지적도 나오고 있다. 북은 요사이 한국과 수교한 소련충격을 겪고 있는데 그것을 △1차적으로는 내부체제를 정비, 강화하고 △2차적으로는 한국을 제외한 자본주의국가(일본, 그리고 미국)와의 평화공존정책으로 해결해 나가려고 노력하고 있는만큼 장기적으로 북한 스스로 변화할 수있는 여건을 만들도록 우리도 도와야 한다는 것. 북한으로서는 자본주의 국가와의 평화공존과 남북의 실체 인정이라는 두가지 부담가운데 남한과의 평화공존과 통일까지를 추구하게되리라는 것.

소련의 경우 김일성자체에는 부정적이지만 남북한 모두에게 영향력을 행사하고싶은 것이 본심이며 중국의 경우 북한을 도울수 있는 길은 명분밖에 없다는 점도 우리는 확실히 인식해야한다. 남한의 유엔가입 문제도 이점에서 무리수를 둘 필요는 없다는 분석도 나온다.

21세기로 가는 오늘의 시점에서 북한도 현재의 주체사상만으로는 단위국가로서의 생존이 어려운 실정이다. 그들이 북의 입장을 위해 자체적으로 새로운 방식을 개발한다는 것이 우리에게도 유리한만큼 남북정치협상은 승부지향적 자세를 버리는 것이 관건으로 대두되고 있다.

고려대 김우창교수는「지엽을 버리고 근본을 생각하자. 통일문제는 민족의 장래, 세계평화, 남북모든국민의 삶의 질 향상이라는 장기적 보편적 도덕적목표를 설정해야한다. 그런 점에서 남북의 위정자들이 전략적 사고나 임시적인 정치적 이점의 확보에 관심을 두는것은 바람직하지 않다」고 얘기한다. 그러기

0024

東亞日報
1991. 1. 23. 水, 2면

韓蘇간 경제협력 합의불구 北韓에 방어武器 계속공급

마슬류코프 회견 "韓國도 필요하면 제공"

마슬류코프蘇聯제1副총리는 22일 韓蘇經協합의에도 불구하고 蘇聯은 北韓에 대한 방어용 무기는 계속 공급할 것임을 분명히 했다.

마슬류코프副총리는 이날 韓蘇경협을 위한 제2차 정부대표단회의가 끝난후 가진 기자회견에서 우리측이 요청한 蘇聯의 對北韓무기공급 자제와 관련, 『蘇聯이 北韓에 제공해온 무기는 공격용무기가 아닌 방어용무기이며 어느나라에 대해서도 위협이 되지않는다』고 말하고 『만약 韓國도 방어용무기를 필요로 한다면 이를 제공할 용의가 있다』고 말했다.

그는 또 이번 회의에서 우리측이 제기한 北韓의 핵안전협정체결 촉구와 유엔가입문제에 대해서도 △北韓의 핵안전협정체결은 駐韓美軍의 핵무기및 韓半島의 비핵지대화문제와 연계해 해결돼야 하며 △韓國의 유엔가입도 南北韓이 서로 접촉, 대화를 통하여 해결책을 찾아야 한다고 蘇聯의 기존입장을 거듭 강조했다.

0025

"한국에 방어용무기 제공용의"

마슬류코프 소련 부수상 한반도 비핵지대화 강조

마슬류코프 소련 부수상은 22일 "이제까지 소련은 북한에 공격용 무기를 제공한 적이 없다"고 말하고 "대한민국에서 방어용 무기가 필요하다면 이를 제공할 용의가 있다"고 밝혔다.

그는 이날 폐막된 제2차 정부대표단회의 폐막연설에서 "노태우 대통령과 김종인 수석대표로부터 북한에 대한 무기제공 금지, 남한의 유엔가입 협조, 북한의 국제원자력기구(IAEA) 핵안전협정 체결 등 3가지 문제에 대해 협조를 요청받았다"면서 이렇게 말했다.

그는 북한의 핵 문제에 대해서는 "소련은 세계의 모든 나라가 핵 확산금지 협약에 가입해야 한다는 생각 아래 북한에 대해서 핵안전협정 가입을 권고하고 있다"면서 "그러나 소련은 동시에 미국으로부터 핵 불사용보장을 받으려는 북한의 입장을 이해하기 때문에 미국과의 모든 접촉에서 남한에 배치돼 있는 핵무기의 철수를 항상 강조하고 있다"고 말했다.

그는 또 "소련은 다른 핵 보유국과 함께 한반도 비핵지대화 보장에 참여할 뜻이 있다"고 거듭 강조했다.

한 겨 레

1991. 1. 23. 수, 2면

0026

한겨레신문
1991. 1. 23. 7K, 2면

"유엔 단독가입 불사"

노총리 국정보고

국회는 22일 오후 본회의를 열어 노재봉 국무총리로부터 국정보고를 듣고 국무총리와 국무위원 출석요구안을 의결했다.

노 총리는 국정보고에서 남북문제와 관련, "올해 남북한 유엔 동시가입을 추진하되 여의치 않을 경우 단독가입을 위해 노력하겠다"고 밝혔다.

0027

제일경제신문
1991. 1.23.木, 3면

韓蘇 정부대표단회의 공동성명(요지)

1分期중 20억弗 차관제공 약정서 체결

제일경제 1.23 3면

△韓·蘇양국대표단은 우호적이고 협조적인 분위기에서 무역및 투자확대, 과학기술 협력증진, 한국의 對蘇경제협력 자금지원, 한국측의 對蘇물자공급방안, 어업협력및 자원개발협력등 양국 무역및 경제협력증진과 관련된 의제에 관해 폭넓은 의견을 교환.

△어업협력을 증진키 위한 어업협정에 가서명, 91년 1·4분기중 정식 서명키로 합의. 또한 양측은 어업협력과 관련된 현안문제를 구체적으로 협의하기 위한 韓·蘇어업회담을 91년 2월 모스크바에서 개최하기로 합의.

한국측은 蘇聯측 경제수역내에서 한국어선이 91년부터 어로활동을 재개하도록 요청, 蘇聯측은 평등하고 호혜적인 원칙하에서 호의적으로 검토하기로 약속.

△韓·蘇정부간 항공협정을 양측 항공회사간의 합의를 전제로 빠른 시일내에 체결하기로 합의.

양국간 직통회선의 증설, 국제전자우편설치 등 통신협력 증진을 위한 통신당국간 실무회의를 91년 상반기중에 개최하기로 합의.

△한국측은 한국상품의 蘇聯시장개척 차원에서 향후 3년간에 걸쳐 원료 및 소비재 수출용 전대차관 15억달러와 자본재 수출용 연불수출 5억달러를 제공하기로 약속.

한국측은 蘇聯 페레스트로이카 정책의 성공을 돕기 위해 상업베이스의 은행차관 10억달러를 한국 국회의 국가보증동의를 받아 蘇聯측에 제공하기로 동의.

양측은 한국수출입은행과 蘇聯대외경제은행이 원료및 소비재 전대차관 15억달러 및 자본재 연불수출 5억달러의 제공과 관련한 약정서를 91년 1·4분기중에 체결.

한국산업은행을 간사로한 은행차관단과 蘇聯대외경제은행이 10억달러의 은행차관 계약서를 조속히 체결키로 합의.

△제1차 韓·蘇정부대표단 회의시 蘇聯측이 제시한 품목 기초 경제협력자금을 이용할 품목 및 공급량과 방법을 결정하기 위한 실무회의를 91년 2월중 모스크바에서 개최 하기로 합의.

△소련측은 韓·蘇공업표준 당국간 업무협력협정(안)제시, 협정체결 제의, 한국측은 빠른 시일내에 관계자를 蘇聯에 파견하여 협의 약속.

△자원공동개발 대상으로 사할린 석유 천연가스등 7개 사업을 선정하고 91년중 개발가능성을 검토하기 위해 합동 현지조사 실시.

한국측은 시베리아 자원공동개발 사업의 개발타당성 조사및 유망사업의 추가조사를 위하여 빠른 시일내에 제2차 자원조사단을 파견, 蘇聯측은 적절한 협조 제공.

△과학기술협력의 증진, 蘇聯기술의 실용화 방안등 협의하기 위하여 제1차 韓·蘇 과학기술 장관회의를 91년 5월중 서울에서 개최하기로 합의. 또한 양측은 원자력분야 공동연구 프로젝트를 협의하기 위하여 91년 3월중 양국 차관을 수석대표로 한 제1차 韓·蘇원자력 공동조정위원회를 서울에서 개최.

△무역확대 및 경제협력증진과 과학기술 협력을 촉진하기 위하여 양국 정부의 부총리급을 위원장으로 한 韓·蘇 정부간 경제 및 과학기술 협력공동위원회를 설치. 제1차 회의를 92년 상반기중에 모스크바에서 개최.

△韓·蘇간에 심화되고 있는 실질협력 관계가 韓半島의 정세안정과 평화정착에 기여, 나아가 세계적 지역적 평화 안전및 협력강화.

한국측은 蘇聯이 한국의 유엔가입과 北韓의 IAEA핵안전조치협정 조기체결 협력. 韓半島에서 군비경쟁 방지토록 蘇聯이 對北韓 공격용 무기공급 자제 요청.

2차에 걸친 양국 정상회담과 외무장관간의 회담및 정책협의회에서의 토의, 韓半島의 평화와 안전을 위하여 앞으로 더욱 협의·협력.

특히 蘇聯측은 유엔가입을 원하는 한국측의 입장에 대해 이해 표명. 소련 측은 유엔헌장에 의해 자격이 있는 모든 나라는 유엔회원국이 될 권리가 있다는 유엔의 보편성원칙 준수를 재확인.

0028

韓國日報
1991. 1. 25. 금, 2면

"유엔加入 실현 中과 修交전력"

盧대통령 지시

盧대통령은 24일『新국제질서에 능동적으로 대응하고 한반도안정과 평화통일기반을 마련키위해 유엔가입이 반드시실현돼야한다』고말하고『정부는 북한이 유엔동시가입에 응하도록 계속 설득하는한편 금년중에는 유엔가입을 반드시 실현시킨다는목표로 착실히 준비를 진행시키라』고 지시했다。

盧대통령은 이날상오 외무부로부터 연두업무보고를 받고 이같이 지시하고『북방정책의 마지막 목표인 중국과의 수교를 조속히 실현토록 전력을 기울여야 할것』이라고 강조했다。

0029

니다. 우리는 허용하는데 북한은 이것을 허용하지 않는 것입니다.

작년 경우 206건 중에서 내가 보고받기에 3건만 북한에서 받아들였고 나머지 203건은 북한에서 거부를 했습니다. 왜 그러냐? 북한에서 우리 정부창구를 통해 신청되는 것은 일괄적으로 다 거부해 버리고, 자기들의 공작 목적상이라든가... 혹은 자기들의 통일 전선 전략에 필요한 인원만을 북한으로 초청을 한다든가... 또 대화와 접촉을 할 필요성이 있을 때만 국한해서 받아들인다던가... 이러한 이유들로 인해서 남북한간의 교류가 잘 이룩되지 못하고 있다고 생각을 합니다.

일부 인사들이 정부의 창구를 무시하고 법과 절차를 전부 다 무시해 버리고 북한이 원하는 대로 하겠다 하는 방법을 택해서 북으로 가겠다, 북한과 접촉을 하겠다 하는 것은 불법이요 이것은 용납할 수 없는 일이라는 것을 분명히 이야기를 합니다.

남북한 UN 동시가입 노력 계속

●기자 : 연합통신 임경록 기자입니다. 지난해에는 대통령께서 동구권의 여러나라와 수교를 하시고 그리고 소련을 방문하셔서 정상회담을 갖고 하는 등 북방외교가 괄목할 진전을 이룩해서 국민들 모두 마음 든든하게 생각하고 있는 것으로 알고 있습니다. 이제 북방정책은 중국이라는 종착역 하나만 남기고 있는데 금년에 중국관계개선을 각하는 어떻게 생각하고 계신지를 말씀해 주십시오.

31

0030

그리고 남북한 UN 동시가입을 저희 정부가 추진을 하고 있는데 금년에 우리가 UN가입을 기대할 수 있는지 또 각하는 어떻게 생각하고 계신지를 말해주십시오.

●대통령 : 예, 고맙습니다. 우리와 중국간의 관계... 이것은 역사적으로 보나 또 지리적으로 보나 빨리 관계 정상화가 이루어져야 된다고 생각을 합니다. 이것은 상호의 번영은 물론이고 동북아의 평화를 촉진시켜주는 일이 될 것입니다. 이런 차원에서 우리는 많은 노력을 해왔습니다. 이런 결과 이달중에 서울과 북경에 상호 무역대표부를 설치하게 되었습니다. 이러한 진전은 양국간의 교류, 교역을 더 더욱 크게 확대해 줄 것입니다. 이미 양국은 연간 수만명의 사람이 오가고 있고 또 교역만 하더라도 연간 32억불에 해당되고 있습니다. 이제 무역대표부가 설치되는 것은 교류협력을 촉진하는 것은 물론, 외교관계 수립을 위한 중간단계로 보아도 좋다고 봅니다. 중국과의 관계정상화도 멀지 않은 장래에 우리가 이룩할 수 있다는 이런 희망을 가져도 좋다고 봅니다. UN가입문제인데... 아시다시피 작년에 우리는 UN가입 신청을 보류했습니다. 남북간 총리회담을 위시한 대화중에서 바로 이 의제가 나왔습니다. 이래서 남북한 대화를 통해 동시 가입을 설득시키려는 목표에서 작년에 우리는 단독 UN가입 신청을 유보한 것입니다. 우리는 금년에도 동시가입 노력을 계속해 나갈 것입니다. 그러나 끝내 북한이 여기에 응하지 않을 때에는 우리가 계속 북한이 응할 때까지 기다릴 수는 없다....

작년 우리가 열심히 설득을 했습니다. 또 UN 회원국 대다수가 우리가 가입하기를 간절히 소망하고 있는 상황입니다. 이렇기 때문에 북한이 만약 가입하지 않는다고 하면 우리라도 먼저 가입을 하되 그렇다고해서 북한의 가입을 우리가 방해하는 것이 아니라, 문을 열고 북한의 순차적인 가입을 환영을 하고 지원을 하게 될 것입니다.

이렇게 국제사회에서 남북이 서로가 어깨를 나란히 해서 협력하는 이런 여러가지 노력을 우리가 함으로써 남북간의 신뢰가 회복되고 협력관계가 구축되어 통일을 위해서 훨씬 더 빠른 길을 우리가 열어나갈 수 있다고 믿어마지 않습니다.

또 질문받겠습니다.

우리 외교의 중점 방향

●기자：KBS의 홍성규 기자입니다. 내일이면 가이후 일본 총리가 우리나라를 방문합니다. 이번 기회에 일본과 걸려있는 재일동포간 법적지위 문제라든지 무역 불균형 또는 기술이전 문제라든지 이런 일본과의 현안이 모두 해결될 수 있을 것인지에 대해서 먼저 말씀을 해 주십시오. 그리고 지난해 연말 모스크바에서 열렸던 한·소 정상회담 그리고 일본과 북한과의 수교움직임 이런 것들로 해서 올해에는 커다란 변화가 예상되고 있는 동북아 질서재편과 관련해서 미국·일본 등 기존 우방국들과 또 소련이나 중국 등 주변국들과의 협력 그리고 이런 조화를 어떻게 이루면서 변화에 대처할 것인가 여기에 대해서도 말씀을 해 주십시오.

●대통령：예, 고맙습니다. 말씀대로 내일 일본의 가이

33

0032

The Korea Herald
1991. 1. 25. 金, page 2

Roh shows resolve to join U.N. this yr.

Directs foreign minister to increase diplomatic efforts

President Roh Tae-woo yesterday expressed resolve to gain Seoul's membership of the United Nations this year.

He directed Foreign Minister Lee Sang-ock to intensify diplomatic efforts to realize the bid for U.N. membership, presidential spokesman Lee Soo-jung said.

"We must join the United Nations to cope positively with the emerging new international order and to prepare a foundation for stability on the Korean Peninsula and national reunification," the President was quoted as saying.

Roh stressed, however, that Seoul should continue efforts to persuade North Korea to accept Seoul's proposal for joint entry into the world body, the spokesman said.

In a press conference earlier this month, Roh indicated that Seoul would unilaterally apply for U.N. membership this year should the North continue to reject the South's offer for joint entry.

The North has repeatedly declined to agree to Seoul's proposal, alleging that joint entry would only help perpetuate territorial division. Instead, it proposed that South and North Korea share a single U.N. seat.

After being briefed on major foreign policies for this year at Chong Wa Dae, Roh ordered the foreign minister to step up efforts to open full diplomatic ties with Beijing at the earliest possible date, the spokesman said.

"Our northern diplomacy should be completed by establishing diplomatic relations with China at an early date," said the President.

South Korea and China last year agreed to exchange trade offices which officials say will have some diplomatic functions.

The government recently announced Seoul's trade office in Beijing will start business Jan. 30. China is likely to open its office in Seoul next month.

Seoul's normalization of relations with Beijing will help further improve conditions around the Korean Peninsula for rapprochement between South and North Korea, Roh observed.

Roh also emphasized the need to promote stronger ties with the United States. "Firmer ties with our allies, particularly the United States, are essential to ensure our national security, resolving the Korean question, promoting northern diplomacy and realizing continued economic growth."

The President said the Foreign Ministry should assume full authority over foreign negotiations, including those on trade issues.

0033

The Korea Times
1991. 1. 25. 金, page 2

Roh Accents Early Normalization With Beijing, Seoul's UN Entry

South Korea must seek to establish diplomatic ties with China at an early date and should join the United Nations this year, President Roh Tae-woo said yesterday. Times 1.25, 2면

Briefed by Foreign Minister Lee Sang-ock on his ministry's major policy goals for 1991, the president called for intensive efforts to normalize relations with China, thus completing the goals of the "northern policy."

"An all-out effort should be made for the establishment of ties with China because it is a task that will help advance unification on the Korean peninsula," Roh said.

"If relations with China are normalized, the international atmosphere for the improvement in ties between South and North Korea would develop into a state the North cannot ignore any more," the President said.

Seoul and Beijing will have a formal channel of dialogue with the exchange of trade offices having consular functions due to open on Jan. 30.

The Chief Executive also stressed the need for Seoul's entry into the United Nations this year, which he said is necessary for stability on the Korean peninsula and for the creation of a basis for peaceful unification.

"Our joining the world body must be realized without fail in order to positively cope with the new world order," he said.

"I hope that the Foreign Ministry will proceed with their preparations with the goal of obtaining U.N. membership this year, while persuading North Korea to accept our offer for simultaneous joining of the body through diplomatic channels," Roh said.

The President said that diplomatic efforts for peaceful unification should be a major goal for 1991 along with creating the right atmosphere for easing tension on the peninsula.

In particular, Roh told Minister Lee to "seek stronger bonds with the United States for the security of the Korean peninsula."

"Firming up ties with the United States is invaluable in ensuring our security, resolving problems on the Korean peninsula, expanding relations with communist nations and continuing economic development," the President said.

He further directed the minister to pursue future-oriented Korea-Japan relations and upgrade cooperation with the European Community.

Referring to the third APEC (Asia-Pacific Economic Council) conference slated for October in Seoul, Roh said that the forum would become an important occasion to determine the direction of the cooperative system among Asian and Pacific nations.

Roh expressed the hope that the question of having China, Taiwan, and Hong Kong join APEC would be settled in a smoothly manner.

In his briefing to Roh, Minister Lee said that his ministry would pursue Korea-Soviet cooperation through trade, investment and natural resources development and set a target of $10 billion a year in trade with the communist giant by the mid-1990s.

He said that the government would seek to set up consulate general offices in Soviet cities having a large population of Korean residents such as Alma Ata.

Lee vowed to gain U.N. membership by taking advantage of the international support won last year.

0034

世界日報

1991. 1. 25. 금, 2면

유엔가입 꼭 실현
盧대통령 지시

盧泰愚대통령은 24일 청와대에서 李相玉외무장관으로부터 올해 외교업무보고를 받고 『우리 외교가 새로운 국제질서에 능동적으로 대처하고 한반도안정과 평화통일의 기반을 마련키 위해서는 유엔가입이 반드시 실현돼야 한다』고 강조하고 『외교경로를 통해 북한이 유엔동시가입에 응하도록 계속 설득하는 한편 금년중에는 유엔가입을 반드시 실현시킨다는 목표로 착실한 준비를 진행시키라』고 지시했다。

제일경제신문

1991. 1. 25. 금, 1면

UN가입 연내 실현
盧대통령 지시

盧泰愚대통령은 24일 상오 청와대에서 李相玉외무장관으로부터 금년도 업무보고를 받고 『올해는 무엇보다도 한반도문제 해결을 위한 분위기조성에 최대의 역점을 두고 거시적이고 원대한 계획하에 평화통일 지향외교를 추진하도록 하라』고 지시했다。

한겨레신문

1991. 1. 25. 금, 2면

올해 유엔가입 실현 한-중 국교수립 노력
노대통령 지시

노태우 대통령은 24일 이상옥 외무장관으로부터 새해업무를 보고받고 "금년중에는 유엔가입을 반드시 실현시킨다는 목표로 준비하라"고 지시했다. 노 대통령은 또 "중국과 가능한 한 조속히 수교의 길이 열리도록 전력을 다하라"고 말했다.

0035

서울신문
1991. 1. 25. 2면

"올外交 韓·美관계에 역점"

外務部 보고 通商마찰 事前해소 주력

서울 1.25 2면

"올 유엔加入 반드시 實現" 盧대통령 지시

盧泰愚대통령은 24일 상오 청와대에서 李相玉외무부장관으로부터 연두업무보고를 받고 『금년중에는 우리의 유엔가입을 반드시 실현시킨다는 목표로 착실한 준비를 진행시켜나가라』고 지시했다。

盧대통령은 또 『북방정책의 마지막 목표인 中國과의 수교를 조속히 실현하여 북방정책을 완성토록 해야한다』고 말하고 『韓中수교는 단순한 양국간 관계발전의 차원이 아니고 한반도통일을 앞당기는 과업이라는 관점에서 전력을 다해야 할 것』이라고 강조했다。

盧대통령은 걸프전쟁 진전상황을 예의주시하고 우리의 국익에 미칠 영향평가와 대비에 만전을 기하라고 당부하고 『걸프전쟁이후의 中東정세、국제정치구도、우리의 경제진출전망 등에 대해서도 사전에 면밀히 검토、대책을 강구해야할 것』이라고 말했다。

李장관은 이날 보고에서 『올해 외교목표의 최우선순위를 韓美관계 강화에 두고 이를 위해 양국간 긴밀한 협의체제를 유지하는 한편 통상마찰을 사전에 해소하기 위해 조기경보체제를 수립、활용하겠다』며 『韓美안보협력관계도 '우리가 주도하고 美國은 지원하는 체제로 전환시켜 나갈 것』이라고 말했다。

李장관은 또 『韓中조기수교에 외교역량을 집중시키겠다』고 말하고 南北韓유엔동시가입문제와 관련、『北의 태도변화가 없어도 北韓의 가입을 환영하는 전제하에서 올해 南韓의 단독가입을 검토해 추진하겠다』고 보고했다。

李장관은 『90년대 중반까지 對蘇교역이 1백억달러가 되도록 하는 등 韓蘇관계의 실질적인 발전을 이룩해 나가겠다』면서 『연내에 蘇聯내 교민밀집지역에 총영사관을 설치하고 문화협정·영사협정 등을 체결하겠다』고 말했다。

0036

朝鮮日報
1991. 1. 25、金, 6면

統一분위기 조성 역점

年內유엔 가입-対中수교 전력

盧대통령、외무부 지시

盧泰愚대통령은 24일『우리의 외교는 무엇보다 한반도문제해결을 위한 분위기조성에 최대의 「역점」을 두어야한다』고 전제、韓-美동맹관계를 일층 공고히할 것과 금년중 유엔가입실현준비、韓-中간의 조속한 수교에 전력을 다하라고 지시했다。

盧대통령은 이날 오전청와대에서 李相玉 외무장관으로부터 연두 업무보고를 받으며 이같이 말하고 『韓日관계도 과거사에 지나치게 연연해있던 종래의 인식에서 과감히탈피、우호협력 3원칙에 입각하여 미래지향적인관계발전에 노력해야할것』이라고 지적했다。

盧대통령은 이어 『亞-太협력에 있어 우리나라가 선도적 역할을 할 수 있도록 최선의 노력을 기울여달라』고 당부하고、『외무부의 조직개편、인력보강 및 단독청사확보문제등을 조속히 매듭지어 외교선진화를 뒷받침할수 있도록 하라』고 지시했다。

0037

韓國日報

1991. 1.25.금, 2면

한국 유엔加入 지지요청

한국 1.25. 2면

蘇 로가초프 지난11일 中國 외교副부장만나

이달초 고르바초프 蘇聯대통령특사로 방한했던 로가초프 소련외무차관은 지난11일 귀국길에 중국에들러 田曾佩외교부 副부장과 회담하는자리에서 한국의 유엔가입지지를 요청한 것으로 24일알려졌다.

한 외교소식통에 의하면 『로가초프차관은 田부부장에게 한국의 유엔가입입장이 일리가 있다는점을 강조하고 한국의 유엔가입을 지지해줄것을 요청한것으로 안다』고 말했다.

이에앞서 한국정부는 지난 7일 열린 韓蘇정책협의회등에서 로가초프차관이 중국을 방문해 田副부장과 회담을갖는 기회에 한국의 유엔가입 입장을 전달해줄것을 요청했던것으로 전해졌다.

0038

한국일보
1991. 1. 26. 토, 2면

유엔단일議席 비현실
北韓 核사찰 수용해야
駐中 蘇대사 밝혀

【東京=聯合】니콜라이·솔로비요프 駐中소련대사는 25일 한국의 유엔가입문제를 둘러싸고 북한측이 제시한 「하나의 의석, 2명의 대표」라는 대안은 현실성을 갖지못하기 때문에 소련, 중국, 미국은 북한을 유엔화시키는 문제를 고려해야 할것이라고 밝혔다.

솔로비요프대사는 이날 北京에서 교도(共同)통신과 가진 회견에서 한반도문제와 관련, 이같이 지적하고 『북한은 국제기관에 의한 핵시설 사찰을 받아들여야 할것』이라고 덧붙였다.

0039

	분류번호	보존기간

발 신 전 보

번 호 : WUN-0157 910126 1538 CT 종별 :

수 신 : 주 유엔 대사. 총영사

발 신 : 장 관 (국연)

제 목 : 주중 소련대사의 ~~일본 공동통신~~ 기자회견 ~~자료 송부~~

주중 솔로비노프 소련대사의 일본 공동통신과의 기자회견 내용중 한국관계를 별첨 FAX 송부함.

첨 부 : 동 기사내용 1부. 끝.

보 안 통 제	(서명)

앙 고 재	91년 1월 26일	유엔과	기안자 성 명		과 장		국 장		차 관	장 관
			여		(서명)					(서명)

외신과통제

0040

韓國日報

1991. 1. 26. 토, 2면

유엔단일議席 비현실
北韓 核사찰 수용해야
駐中 蘇대사 밝혀

【東京=聯合】니콜라이·솔로비요프 駐中소련대사는 25일 한국의 유엔가입문제를 둘러싸고 북한측이 제시한 「하나의 의석, 2명의 대표」라는 대안은 현실성을 갖지못하기 때문에 소련, 중국, 미국은 북한을 유연화시키는 문제를 고려해야 할것이라고 밝혔다。

솔로비요프대사는 이날 北京에서 교도(共同)통신과 가진 회견에서 한반도문제와 관련, 이같이 지적하고 『북한은 국제기관에 의한 핵시설 사찰을 받아들여야 할것』이라고 덧붙였다.

0041

中央日報
1991. 1. 30. 가, 1면

「뇌물外遊」 단호히 조치

金大中총재 總選때 부통령制 공약

國會 대표연설

金大中 총재

金大中平民黨총재는 30일 오전 국회대표연설을 통해 『우리당은 14대총선에서 부통령제 도입 개헌안을 선거 공약으로 제시하겠으며 이것이 실패하면 차기 대통령선거에서 다시 공약으로 내세우겠다』고 말하고 『대통령선거때 법적 지명이 어려우면 정치적 부통령후보를 지명하겠다』고 밝혔다。

그는 『이같은 러닝메이트 제도의 도입이야말로 후계자를 양성하고 지역감정을 해소시키는 제일 효과적인 길』이라고 말했다。

그는 정치제도의 일대 개혁을 위해▲대통령선거 결선투표제도입▲국회의원 비례대표제의 시·도별 선출▲내각구성에 여성·청년을 각각 20% 등용▲총리밑에 내무·경제·사회·외교등 4명의 부총리 신설등을 주장했다。

金총재는 의원뇌물외유사건에 대해 『국민을 실망시킨 책임이 크다는 것을 말로 표현할 길이 없으며 관계의원에 대해서도 黨으로서 단호한 조치를 취하겠다』고 말하고 『그러나 수사는 어디까지나 공정해야하고 부정은 입법부도、행정부도 차별없이 척결돼야한다』고 강조했다。

그는 정치의 도덕성 회복을 위해 무엇보다 盧泰愚대통령이 모든 공직자 앞에서 솔선의 모범을 보이겠다는 선언을 하고 이를 지켜야한다고 말하고 지도적공직자가 거액의 재산에 정당한 출처를 대지 못하면 부정축재로 간주、무거운 과세를 통해 국고에 환수해야 한다』고 주장했다。

그는 이어 대학입시지옥 해결을 위해 『정부가 각 대학에 약간의 재정보완조치만 해주면 20만명이상의 학생을 더 수용할수 있으므로 현재 70만명인 재수생수는 40만명미만으로 줄일수 있다』며 정부의 재정조치를 촉구하고 『모든 관공서와 기업이 학력과 관계없이 오직 자격증·시험성적에 의해서만 채용할수 있도록 조치를 취하라』고 촉구했다。

金총재는 통일·외교부문등과 관련、『남북평화체제확립때까지 주한미군이 상당기간 주재해야한다』고 밝히고 『獨逸式 흡수통합방식은 반대하고 南北韓 유엔동시가입은 찬성하되 단독가입은 반대한다』고 밝혔다。

그는 또 『南北불가침선언문제는 74년 朴正熙대통령이、89년 盧대통령이 유엔에서 주장한 것이므로 北韓이 교류협력을 받아들인 마당에 정부가 유연한 태도를 취할 필요가 있다』고 말했다。

0042

東亜日報 1991. 1.30. 水, 2면

金大中 平民총재 國會연설 요지

국회상황 사건에 대해서 우리黨은 국민앞에 심각한 사과의 뜻을 다시 한번 밝힌다. 관계의원에 대해서 黨이로서의 단호한 조치를 취하겠다. 정치권의 윤리회복 노력에 적극 동참, 이 사건이 轉禍爲福의 계기가 되도록 힘쓰겠다. 그러나 정부와 검찰이 세 사람에게 국한해서 수사한 의도와 하나는 국회와 정치권에 대한 전면적인 불신조장이 목적이다. 지방자치선거를 앞두고 平民黨에 대해 타격을 주자는데 목적이 있다고 본다.

91년은 지자제선거의 실시와 더불어 국민정부시대의 元年이 될 것이며 되야한다. 이번 지방의회선거는 반드시 공명선거가 되야한다. 종교단체 법조계등 많은 원인들을 지난 단체들이 선거감시에 나서야한다.

부통령제는 대통령 유고시에 대비하는데 필요할 뿐아니라 후계자양성의 가장 분명한 길이며 지역감정 해소를 위해서도 꼭 필요한 제도다.

우리黨은 비례대표제와 더불어 西獨식의 국회의원 선거방식 즉 지역구 선출과 시도단위 비례대표선출 의원수를 半半으로 하는 제도도 검토해볼 작정이다. 내각구성에 있어 여성과 45세 미만의 청년을 각각 20% 정도씩 등용한다는 해, 여성과 젊은이의 생각이 정부시책에 직접 반영되도록 해야한다.

국회운영 방식을 대폭 개선해야한다. 연석회의 보고회의 정당의 운영 활발한 토론의 보장, 그리고 국회의장이나 불신임결의안의 용이한 발의들이 이루어지는 가운데 국회가 정치의 중심으로 다시 활성화되고 국민의 관심과 지지의 대상이 돼야 한다.

우리나라 民主主義를 저해해 온 4대과제가 있다. 그것은 공작정치, 지방자치의 부재, 지방의 단언, 그리고 5共의 법정청산 지연이다.

국가보안법과 안기부법의 개폐등 법제정비문제는 6共이 민주의 길을 가느냐 아니면 위장된 5共의 연장에 불과한지를 가르는 가장 큰 척도가 될 것이다. 정치적인합법 통합의료보험법, 노동조합법등도 과거 3野黨 또는 與野 4黨간에 합의됐던대로 개정돼야 할 것이다.

경제정책에 있어서 최우선은 물가안정이다. 두어야 한다. 물가대책은 재정운용을 최소로 축소해서 재정사이드에서 오는 물가압력에 적극을 줄여야 한다. 공공요금도 한자리 숫자이로 재조정해야 한다.

이번 선거에 돈을 안쓰야 한다. 그러기 위해서는 이미 합의한대로 정부와 與黨이 자숙하고 자제해야 한다. 우리도 적극 협력하겠다.

우리는 농업을 꼭 살려야 한다고 주장한다. 그렇지않으면 우리 사회의 토대부터 무너지고 농민이 절망한 저항에 부닥칠 것이다.

大田지방에 행정기관을 대폭 이전시켜 수도권인구를 분산시켜야 한다. 西海岸지방과 東海岸地域을 상업지대로 개발함으로써 수도권과 嶺南지방에 몰릴 수 있는 인구가 이동하는 길을 열어야 한다.

사회와 정치부패의 척결은 도덕성 회복부터 시작해야한다. 도덕성을 회복하는 것은 결심만 있으면 그 방법은 있다. 무엇보다도 먼저 대통령이 모든공직자앞에선언해야 한다. 「나를 따르라. 내가 부정부패를 하면 어떤 벌도 해도 좋다. 그러나 내가 하지않으면 절대 하지말아라」고.

黨정권은 지금 같으로다 1천4백만명의 정치범을 가둬놓고 있다. 정치범은 마땅히 석방하고 그 정치범들이 나오게 된 원인을 제거하는 것이 진정한 해결책이다.

대학의 입시지옥은 더이상 방치해둘 수 없다. 그 해결책의 하나는 현재 20만의 정원의 배가이다. 그 다음으로는 합격제를 철폐하고 자격제와 시험제를 도입해야 한다. 우수교육을위한 민주시민가방대학에 대해 우리 많은 미지않아 이것을 법안으로 제출하겠다.

나는 北韓이 교류협력을 방해하고 이 마당에 불가침선언과 교류협력을 같이 논의하는데 우리정부가 보다 유연한 태도를 취할 필요가 있다고 생각한다. 동시에 北韓도 유엔동시가입을 협의하다면은 주장을 포기하고 이를 적극적으로 검토해야 한다. 이번에 韓政府가 蘇聯에 대해 30억달러의 경제협력을 제공하기로 했는데 과연 蘇聯이 이런 거액의 경제협력을 받아들일만큼 안정되어가 되었으며 또 상환문제는 걱정없는지 묻고 싶다.

南北간의 평화체제가 확립될때까지 확고한 안보체제를 유지해야하므로 駐韓美軍은 상당기간 주둔해야 한다.

軍의 정치적 중립에 대해서 국민이 신뢰감을 가질 수 있도록 軍지휘관들이 책임있고 성실한 태도로 노력해야 할 것이다.

光州문제와 관련해서 정부가 약속한 진상규명 사과, 그리고 기념사업은 전적으로 배신당했다. 국민이나 광주시민들로부터 光州보상금을 모금하는 정부를 즉각 중지하고 국가가 희생자 배상을 책임져야 한다.

0043

1991-03-11 14:05 FROM NASROK 02)784-2975 TO 7202686 P.02

大韓民國國會 公報

發行 國會事務處

1991年1月31日(木曜日) 第152回國會(臨時會)第9號

◀國政에관한交涉團體代表演說▶
(金大中平和民主黨總裁)

本會議

委員會

議案등接受·處理

0044

또 하나는 民主市民의 開放大學을 설립해서 각 宗敎團體, 社會團體, 産業機關 이런 곳에 있는 시설을 가지고 平生敎育, 人間化敎育, 民主敎育을 하는 동시에 入試 낙방생들을 수용해서 그 敎育을 통해서 學士資格을 얻도록 하는 것입니다.

인도네시아에서는 이런 制度를 해서 이 問題를 解決했다고 그럽니다.

다음에는 軍事文化의 척결에 대해서 말씀을 드리겠습니다.

오늘 軍事文化… 목적을 위해서는 수단방법을 가리지 않는다. 物質萬能의 思考, 黑白主義, 反對派를 라이벌로 보는 것이 아니라 敵으로 봐서 말살하려는 것 多樣性을 혼란으로 보는것 이런 軍事文化 이것이 있는 限 民主化도, 正義도 그리고 人間의 尊嚴性도 있을 수 없습니다.

5共淸算은 바로 軍事文化와 연결이 되어야 합니다.

저는 이 자리에서 우리의 國樂과 東洋畫가 國民學校부터 교수가 되어야 한다고 하는 것을 주장합니다.

우리 音樂은 世界的 水準입니다. 東洋畫도 本質的으로 우수합니다. 왜 韓國사람이 國民學校나 中學校에서 西洋音樂과 西洋畵만 배워야 합니까?

民族藝術 民族文化를 살리려면 여기서부터 시작해야 된다고 생각합니다.

다음에는 統一과 國防과 外交問題에 대해서 말씀을 드리겠습니다.

저는 20年동안 이 問題에 몰두해 오다가 여러가지 어려움을 당한 것을 여러분이 아십니다.

저는 平和共存, 平和交流, 平和統一의 3段階 統一論, 共産圈과의 貿易, 4大國의 韓半島平和保障, 共和國의 聯邦制 등을 주장했습니다.

여기에 대해서 저는 많은 박해를 받았지만 이제 이것이 전부 政府關係들에 의해서 이 議事堂에서 正當化되고 수용된 것을 볼

0045

때 감개무량한 심정을 금할 수가 없습니다.

金日成이 말한 高麗聯邦制는 1聯邦國家 2地方自治政府의 성격입니다. 中央聯邦이 軍事, 外交 그리고 중요한 內政의 권한을 갖습니다. 이것은 非現實的입니다.

제가 말한 共和國聯邦은 南北의 兩共和國은 그대로 獨立政府로 있으면서 오직 兩 쪽에서 同數의 代表를 내가지고 聯邦機構를 만들어서 여기에서는 平和共存, 平和交流, 平和統一의 統一問題와 UN에 單一國家로 加入하는 이것만 일단 취급하는 그러한 지극히 안전하고 실현가능성이 있는 案으로서 지금 美國에서 과거에 여기에 와서 大使 혹은 UN軍司令官 하던 분들을 포함해서 韓國問題 專門家들이 이 案이 가장 합당한 案이라고 말하고 以北政權에 대해서까지 충고를 하고 있습니다.

저는 總理會談에 대해서는 이제 北韓이 제시한 不可侵宣言과 交流協力을 긍정적으로 검토해야 한다고 주장하고 싶습니다.

不可侵宣言도 따지고 보면 朴正熙 盧泰愚 두 大統領에 의해서 提案된 것이 아니었습니까. 우리는 7·7宣言 이후에 일관되게 이렇게 주장을 해 왔습니다.

다음에는 北韓은 UN同時加入을 고려해야 합니다. UN同時加入이 永久分斷이라는 것은 억지 소리입니다.

高麗聯邦制의 非現實的인 점도 北韓은 再檢討해야 한다고 생각합니다.

우리 社會에서는 또 많은 專門家들이 金日成主席이 죽어야만 統一이 된다 그가 있는 한은 統一이 안된다 이렇게 말합니다. 저는 專門家가 아니라 잘 모르지만 제가 확실히 알고 있는 것은 또 확실히 판단하는 것은 金日成만이 北韓에서 統一問題에 대해서 결단을 내리고 또 양보를 할때 양보를 할 수 있는 사람입니다. 그만이 그 權威와 實力을 가지고 있습니다.

그런 의미에서는 金日成 죽기를 바라는 것은 반드시 현명한 政策은 아니라고 생각합니다. 0046

19

저는 北韓訪問에 대해서 얘기한 바가 있습니다. 그러나 이 문제에 대해서는 國民의 輿論, 政府의 태도, 北韓政權의 태도 등을 신중히 감안하면서 이것을 처리하겠습니다.

우리는 TV와 라디오가 우리 일방적으로라도 開放해서 西獨에서와 같은 성과를 올리기를 바랍니다.

제가 알기로는 最近에 南北高位層間에 빈번하게 特使가 왕래하고 있습니다. 그런데 野黨에 대해서는 統一은 같이 다루자고 하면서 한 마디의 말이 없습니다. 지극히 유감스럽게 생각합니다.

다음에 國防에 대해서 말씀을 드리겠습니다.

平和定着時까지 확고한 안보태세를 유지해야 한다 美軍도 이 平和定着과 발맞추어서 撤收를 고려해야 한다 이것이 저희 黨의 확실한 입장입니다.

우리는 어떠한 일이 있어도 軍의 中立을 실현시켜야 한다고 생각합니다. 말만으로 해서는 안됩니다. 행동으로 해야 합니다. 행동을 하기 위해서는 保安司를 철폐하고 옛날 防諜隊의 시대로 돌아가야 합니다.

軍의 捜査機關은 앞으로 國民에 대해서는 물론이고 軍內에서도 政治査察을 해서는 안됩니다. 軍이 중립을 지킬때 國民으로부터 信賴와 존경을 받고 신뢰와 존경을 받을때 安保는 비로소 튼튼해 집니다.

걸프戰爭은 저는 불행한 戰爭이라고 생각하고 일어나지 않기를 바랬습니다. 그러나 일단 일어난 이상은 쿠웨이트에서의 이라크軍의 撤收가 하루속히 이루어지기를 바랍니다.

우리는 걸프戰爭에 戰鬪兵을 派遣 안한다는 條件으로 軍醫療陣의 派遣을 承認했습니다. 이 條件은 반드시 지켜져야 한다고 생각합니다.

다음에 우리 外交에 대해서 한 마디 말씀하겠습니다.

0047

1991-03-11 14:08 FROM ROK 02)784-2975 TO 7 86 P.01

3

(第152回－第9號 · 1991.1.31)

우리가 오랫동안 바라던 全方位外交 이것이 國際情勢의 도움도 있었지만 盧政權의 ... 의해서 이루어진 것을 그 공로를 나는 높이 評價하고자 합니다.

그러나 盧政權의 對蘇 接近은 지나치게 조급해서 여러가지 마찰현상을 일으키고 있습니다.

특히 지금 30億弗의 원조를 준다는데 과연 그런 巨額을 줄 정도로 蘇聯의 經濟的 與件이 안정되어 있는가 償還能力은 또 있는가 고르바쵸프政權은 안정한가.

어제 放送을 들으면 이제 蘇聯의 內政은 강경파인 國防部長官이 잡고 있다고 그럽니다. 왜 盧政權이 이렇게 서둘러야 하는가 저는 여전히 이해할 수가 없습니다. 現金借款 10億弗을 여기서 다루게 되었는데 議員 여러분들이 신중하게 다루어야 한다고 생각합니다.

對美關係는 우리의 外交의 핵심으로 앞으로도 유지하는 것이 우리의 國益에 도움이 됩니다.

이제 美國이 世界에서 一方的으로 강해진만큼 이 문제는 더욱 절실한 것이 아니냐 이렇게 생각합니다.

UN單獨加入은 하지 말아야 합니다. 조금만 더 노력하면 北韓의 同時加入이 가능하다고 봅니다. 單獨加入은 南北關係를 決定的으로 惡化시킬 것입니다.

저는 우리 外交가 지난번에도 말했지만 道德的 先進國家를 추구해서 第3世界와 같이 더불어 살고 더불어 번영하는 그러한 자세를 취함으로써 世界에 신선한 충격과 훌륭한 공헌을 하고 그리고 世界사람으로 부터 사랑과 존경을 받는 韓國 亞細亞太平洋時代의 자랑스러운 주역으로 나가기를 바라마지 않습니다.

저는 이제 여러분께 몇가지 맺는 말씀을 드리고자 합니다.

0048

지난번에 이 자리에서 어떤 議員이 國會議員을 창녀에 비유한 말을 한 例를 들은 일이 있습니다. 오죽하면 그 말을 했겠느냐

21

TOTAL P.01

朝鮮日報
1991. 1. 31. 木, 2면

金大中平民총재 국회연설요지

地方色타파 없인 민주주의 不能
사회악 척결은 도덕성 회복부터

商工委사건에 대해 우리당은 국민앞에 심심한 사과의 뜻을 밝힌다. 정치권의 윤리회복노력에 적극 동참하여 이 사건을 轉禍爲福의 계기가 되도록 힘쓰겠다.

그러나 정부측의 이번 수사는 형평에 맞지않게 진행됐다. 정치권에 대한 불신조장과 평민당에 타격을 가하려는 政略으로 일관하고 있다.

작년1년간이 우리 정치가 국민으로부터 크게 평가절하된때가 없다. 그러나 역설적으로 작년만큼 우리 정치가 큰 발전을 이룩한때도 없다. 91년은 地自制선거실시와 더불어 국민정치시대의 元年이 될 것이다.

이번 지방의회선거는 공명선거가 되어야한다. 이를 뒷받침하기위해 종교단체·법조계등 공익성 단체들이 선거감시에 나서야하고 檢·警·중앙선관위의 부정선거 단속이 공정해야 한다.

우리는 지역감정 해소등을 위해·부통령제를 총선에서 선거공약으로 제시할 것이다. 국회의원 선거에서는 비례대표도 국민의 투표로선출하는 제도를 검토,여성 청년 직능인의 정치입문을 돕겠다. 내각에는 여성과 45세미만의 청년을 각 20%씩 정도 등용하고 내무·경제·사회·외무 국방담당 부총리를 4명 두겠다.

우리나라 민주화를 저해하는 4대 문제는 공작정치,지방자치의 不在, 지방색의 만연 5共의 법적청산 등이다. 공작정치는 盧泰愚대통령의 의지로써만 해결가능하다.법적청산문제는 6共이 민주의 길로 가느냐를 가름짓는다. 지방색 타파없이 민주주의는 불가능하다.

우리경제는 盧정권 아래서 제대로 이루어진것이 하나도 없다. 작년에 소비자 물가는 9·4%올랐다고하지만 국민의 생활물가는 30%이상 오른 것이다. 연간통화량의 증가율은 최대 16~17%선으로 억제해야 한다. 공공요금도 한자리인상으로 재조정해야 한다. 勞賃은 생산성 향상과 병행해야 한다. 땅투기를 억제하고 서민주택을 많이지어 주택안정을 기해야한다. 농수산물의 유통구조개선에 역점을 두어야 한다.

이제 한국에는 무조건 근면만 하던 노동자는 찾을 길 없다. 투기와 과소비가 생산현장에의 취업을 기피하게 하고 근로의욕을 상실케하는 勞動拘束이 만연해 있다. 노사간 대등원칙이 실현돼야 하고 대기업과 중소기업은 유기적 협력속에서 발전해야 한다. 우리는 高度국가의 대열에 뛰어들어야하며 이에는 교육과 기술개발이 절대적인 선행 요건이다. 추곡은 1천만섬 매입약속을 지켜야한다. 대도시 인구집중 억제와 지방분산,환경오염방지,증시안정도 이룩해야한다. 평민당은 안정속의 건설, 정의있는 자유경제를 실현하고자한다.

盧정권은 社會분야에서 전면적으로 실패했다. 민생치안은 不在이고 소외계층은 절망속에서 분노에 차있다. 사회악과 정치부패의 척결은 도덕성의 회복부터 시작해야한다. 지도적공직자가 거액의 재산에 대해 정당한 출처를 대지못할때 무거운과세로 국고에 환수해야한다. 光州문제는 정부가 약속했던 진상규명, 사과, 기념사업이 지켜지지않고 있다. 광주희생자에 대한 배상은 국가가 책임져야 한다.

민생치안은 정부가 청렴해지고 경찰이 중립화해야 해결된다. 대학입시지옥의 해결책의 하나로 대학정원20만명의 배증을 제시한다. 취업등에서 학력제철폐·자격제도입도병행돼야한다. 군사문화척결과민족예술부흥도시급하다.

남북통일 방안으로 공화국연방제를 다시제기한다. 金日成의 고려연방제는 비현실적이다. 그러나 공화국연방제는 1연방2독립정부 형태로서 남북양쪽공화국이 현존의 외교·국방·내정의 전권을 유지, 독립정부로서 존재하고 양쪽 동수의 대표로 연방국회·연방정부를 형성, UN에 단일국호로 가입한다. 일부에서는 金日成주석이 죽지않으면 통일이 안된다고 하지만 나는 견해가 다르다. 지금 북한에서 통일문제에 양보와 결단을 내릴 수 있는 권위와 실력을 가진사람은 金자신뿐이다. 따라서 그가생존해있는 동안 통일문제를 해결해야한다. 안보체제는 남북간 평화체제가 확립될때까지 유지되어야하며 주한미군도 상당기간 주재해야한다. 걸프전쟁에 전투부대 파병은 반대한다. 외교에서 全方位외교시대가 된 것은 지극히 다행이며 盧정권의 공로도 인정받아야하지만 지나친 對蘇 접근으로 우방국가나 中國과 거리가 생긴 것은 유감이다.

우리가 선진국을 지향하면서 아시아·태평양 시대의 주역이 되고자 하는 마당에 평화와 번영을 누릴수 있는 방향으로 나가는 나라, 도덕적 선진국가를 지향해야 한다고 확신한다.

0043

서울신문

1991. 1. 31. 木, 1면

「뇌물外遊」 전면再捜査 촉구

金大中총재 國會연설

副統領制등 신설 제의

"유엔 단독加入은 반대"

金大中平民黨총재는 30일 뇌물외유 사건 수사와 관련,『수사를 세의원에 국한시킨 것은 부당하며 성역없는 전면적인 재수사로써 부정의 뿌리를 뽑아야 한다』고 주장했다.

金총재는 이날 TV로 생중계된 국회본회의 대표연설에서 『국회는 즉각 국정조사권을 발동해서 무역협회자금 사용과 관련한 입법부와 행정부의 비리도 함께 밝혀야 한다』고 촉구했다.

金총재는 이어 정치제도의 일대개혁의 필요성을 강조하고 ▲대통령선거에서의 부통령제와 결선투표제도입 ▲국회의원비례대표제의 시·도별 선출 ▲내각에 여성 및 45세 미만 청년을 20%이상 등용 ▲총리 밑에 내무·경제·사회·외무통일담당 4명의 부총리제 신설 등을 주장했다.

金총재는 국회의원 비례대표제개선방안에 대해 『유권자가 정당이 시도별로 제시한 비례대표자의 명단에 투표해서 비례대표도 투표에 의해 선출되는 방안을 검토하겠다』고 말했다.

金총재는 大入제도개선방안과 관련,『현재 20만명인 대학정원을 40만명으로 배가하되 졸업은 엄격히 관리토록 해야한다』면서 『모든 관공서와 기업은 학력과 관계없이 오직 자격증·시험성적에 의해 채용을 결정해야 한다』고 말했다.

30일 열린 국회 본회의에서 平民黨의 金大中총재가 대표연설을 하고 있다. 〈金明煥기자〉

그는 이어 『정부는 北韓이 제기하고 있는 불가침선언과 남북교류문제에 보다 유연한 태도를 취하라』고 촉구하고 『獨逸식 흡수통합방식은 반대하고 南北韓유엔동시가입은 찬성하되 단독가입은 반대한다』고 밝혔다.

金총재는 이와함께 ▲국가보안법을 민주질서보호법으로 대체입법 ▲안기부의 수사불개입 ▲보안사 해체 ▲공명한 地自制선거운영 ▲추곡 1백50만섬 추가수매 ▲정치범 대폭석방 등을 주장했다.

0050

결 번

넘버링 오류

韓國日報

1991. 2. 5. 화, 2면

駐北京대표부 활용 유엔가입 支持유도

常委속개

국회는 4일 운영위를 제외한 15개상임위를 일제히열어 소관부처업무에대한 정책질의를 계속하는한편 법안심사소위활동을 벌였다.

재무위에서 林春元·李敬載·姜金植의원(이상平民)등은금융산업개편과관련, 『斗山과 코오롱의 漢陽투금·럭키금성 소유의 金星투금간 합병을통한 은행전환문제의경우 항간에 정치자금수수설등 의혹이 일고있다』며 9개단자회사의 은행및 증권사전환에 따른 증권사간 과열경쟁·부실점포속출에대한 대책을 따졌다.

외무위에서 李相玉 외무장관은 유엔가입문제와 관련, 『연내가입을 위해 핵심우방과의 협조체제강화는 물론 駐北京무역대표부를 활용해 중국의 태도변화 유도를 위해 다각적으로 노력하겠다』고 답변했다.

李장관은 또 걸프戰과 관련, 『다국적군에대한 3차추가지원은 검토치않고 있다』고 말했다.

李장관은 이어 우루과이라운드협상에언급, 『정부는 비교역대상품목(NTC)으로 쌀하나만이라도 예외적용을 받기위해 최선의 노력을 다하고있다』고 말했다.

0052

서울신문

1991. 2. 28. 木, 2면

유엔문제·總理회담 연계
北韓、南韓단독加入 방해

安保理에 "예측못할 상황 발생" 비망록 제출

北韓은 27일 南北韓유엔가입문제와 관련, 南韓의 유엔단독가입이 실현될 경우 韓半島에서 무슨 일이 일어날지 아무도 예측할 수 없을 것이라고 밝혔다.

北韓은 유엔安保理에 제출, 이날 회원국들에게 회람된 외교부비망록을 통해 이같이 밝히고 『南韓의 유엔단독가입은 대화상대방에 대한 노골적인 도전이며 배신행위로 일종의 南北고위급회담 파기선언이 될 것』이라고 주장했다고 외무부의 한 당국자가 전했다.

北韓은 이 비망록에서 『南北대화의 진전 및 불가침선언채택으로 통일지향적 분위기가 확보된다면 유엔가입문제 해결에 있어서 새로운 전망이 나타날 것』이라며 유엔단독가입 추진을 중단해야 한다고 주장했다.

정부의 당국자는 이와관련, 『北韓의 이같은 비망록 제출은 南韓의 유엔가입신청이 임박했다고 판단, 유엔가입을 저지하려는 속셈에서 나온 것으로 보인다』며 『정부는 연내 어느 때라도 시기가 성숙되었다고 보이면 가입신청을 제출하겠다』고 말해 빠르면 오는 4월 45차 유엔총회 속개회의에서 가입신청서를 제출할 것임을 시사했다.

한편 외무부는 北韓이 최근 유엔安保理에 유엔가입문제와 관련, 비망록을 제출한데 대한 성명을 발표, 『정부는 국제사회의 여망에 따라 南北韓이 유엔에 동시가입할 것을 촉구한다』며 『北韓이 이를 끝내 거부할 경우 금년의 제46차 유엔총회를 앞두고 우리의 가입을 독자적으로 추진할 것』이라고 밝혔다.

외무부는 또 이 성명에서 『우리가 먼저 유엔에 가입할 경우 한반도에서 예측할 수 없는 사태가 발생할 것이라고 위협하고 있는 北韓의 태도는 유엔가입에 대한 우리 노력과 대다수 유엔회원국들의 여망에 역행하는 것』이라고 지적했다.

"韓半島통일후 유엔加入하자"

北韓 金容淳 주장

【도쿄=康秀雄특파원】 北韓 조선노동당의 김용순서기는 27일 南·北韓의 유엔가입문제와 관련, 『2개의 朝鮮으로 가입하는 것이 아니라 고려연방공화국으로서 가맹하려는 것』이라며 韓半島 통일후의 가맹이 원칙임을 강조했다.

통일전에 가맹하는 경우에 대해서는 『남북이 하나의 의석을 갖고 들어가도록 제안하고 있다』며 어디까지나 南北이 동일의석을 공유한다는 견해를 표명했다.

김서기는 訪日성과에 대해 『日·北韓간의 친선을 깊이 했으며 크게 기여했다고 확신한다』고 설명하고 『교류가 더욱 확대되리란는 것은 틀림없으며 日·北韓 관계개선도 훌륭히 길을 닦았다고 생각한다』며 기대감을 표시했다.

0053

世界日報
1991. 2. 28. 木, 2면

韓國단독 유엔가입 반대

北韓 남북不可侵조약과 연계 비쳐

유엔에 비망록 제출

북한은 27일 유엔가입문제와 관련,『만약 남한당국이 유엔가입에 관한 협상을 포기하고 유엔에 단독으로 가입한다면 이는 대화상대방에 대한 노골적 도전으로서 일종의 고위급회담 파기선언이 될것」이라고 밝혔다。

북한은 이날 유엔회원국들에 회람된 「유엔가입에 관한 북한외교부 비망록」(20일 제출)을 통해 『남한의 유엔단독가입이 (유엔에서) 수락된다면 북남관계를 극단적으로 긴장시키고 조선반도에 긴장을 한층 격화시킬것」이라면서 단일의석유엔가입안을 거듭 주장했다。

북한은 또『북남대화의 진전과 불가침선언의 채택으로 통일지향적 분위기가 확보된다면 유엔가입문제 해결에 새로운 전망이 나타날 수도 있을 것으로 확신한다」고 밝혀 유엔가입과 불가침선언채택과의 연계가능성을 시사했다。

『북한, 美國에 문열어놓고 있다』

金容淳, 팀훈련 비난

【도쿄=蔡宜錫특파원】訪日중인 金容淳 북한노동당 서기는 27일 미국과 북한간 관계개선문제에 대해『북한은 미국에 대해 문을 열어놓고 있지만 절충이 이루어지지 않는 것은 모두 미국측에 책임이 있다」고 주장,팀스피리트 훈련에 대해 강한 불만을 표시했다。

金은 이날 오전 귀국에 앞서 도쿄시내 호텔에서 기자회견을 통해 이같이 말하고 유엔가입문제에 대해『유엔은 政府的인 기구이다。南·北韓이 각각 개별적으로 가입한다면 국제적으로 두개의 조선을 인정하는 것과 같다」며 종래의 주장을 되풀이했다。

그는 이어 통일문제에 대해『조선 민족자신이 해결할 문제』라며 유엔에서 논의하는 것은 적합하지 않다는 입장을 표명했다。

0054

東亞日報

1991. 2. 27. 수, 2면

불가침선언-유엔加入

北韓서 연계 시사

北韓은 27일 『불가침선언의 채택과 함께 통일지향적 분위기가 확보된다면 유엔가입문제 해결에 있어 새로운 전망이 분명하게 나타날것』이라고 밝혀 불가침선언채택과 유엔가입문제가 연계될 수도 있음을 시사했다.

北韓은 이날 유엔 安保理에 제출, 각 회원국들에게 회람시킨 「유엔가입에 관한 北韓외교부 비망록」을 통해 이같이 밝히고 『南北韓 단일의석가입이 가장 합리적인 방안이나 민족통일에 유리한 것이라면 어떠한 해결방안에 관해서도 협상할 것』이라고 말했다.

이와관련, 외무부는 27일 공식성명을 내고 『北韓은 이미 국제사회에서 불합리하고 실현불가능한 것으로 판명된 단일의석 유엔가입을 계속 고집하고 있다』고 지적하고 『北韓이 南北韓 동시가입을 끝까지 거부한다면 올해 제46차 유엔총회에서 韓國단독가입을 독자적으로 추진하지 않을수 없다』고 밝혔다.

中央日報

1991. 2. 27. 수, 2면

동시가입 반대 비망록

北韓, 유엔安保理 제출

北韓은 20일 韓國의 유엔단독가입이나 南北韓동시가입을 반대한다는 외교부의 비망록을 유엔안보리에 제출, 회원국들에게 회람시켜줄것을 요청한 것으로 26일 밝혀졌다.

北韓은 이 비망록에서 『과거 어느때보다도 北南간의 정치군사적 대결이 격렬해지고 있는 상황에서 만약 南朝鮮의 유엔단독가입이 강행되어 받아들여진다면 어느누구도 조선반도에서 어떤일이 일어나게 될지 예측할수 없게될 것』이라고 주장했다.

0055

The Korea Times
1991. 2. 28. 木, page 2

P'yang Hits Seoul's Bid To Seek UN Membership With Threatening Memoir

South Korea yesterday renewed its demand for North Korea to join the United Nations simultaneously, rebuffing North Korea's threat that South Korea's unilateral bid for UN membership will provoke unpredictable events on the Korean peninsula.

The Foreign Ministry issued a statement declaring that Seoul would pursue UN membership in the face of a UN General Assembly session singlehandedly.

The statement came in response to the North's aide-memoirs dated Feb. 20 and circulated to UN members as a document of the UN Security Council.

Park Gil-yon, North Korean ambassador to the United Nations, warned in the lengthy document that unilateral membership would "strain north-south relations to the extreme and eventually create further tension on the Korean peninsula."

"No one can predict what sort of events may happen on the Korean peninsula if the 'unilateral United Nations membership' of South Korea is approved as the political and military confrontation between the North and the South grows more acute than ever before owing to the 'Team Spirit' joint military exercises being staged by the United States and the South Korean authorities," he said.

The issue of UN membership should continue to be discussed at the forthcoming North-South high-level talks and concluded, the document said, adding that it would be best for the two Koreas "to enter the United Nations under a single state-name after reunification through confederation."

Early last week, the North suddenly suspended the fourth round of the inter-Korean prime minister's talks, due in Pyongyang this week, citing the joint South Korea-U.S. military maneuvers.

Park reiterated the North's compromise plan to share a single UN seat by the South and the North alternately by month.

"But if it is on condition that the North and the South enter the United Nations with a single seat, it will have no objection to holding United Nations membership even before reunification," the North Korean permanent observer said.

The South, meanwhile, retorted, "North Korea is threatening that unilateral UN membership would provoke unpredictable events on the Korean peninsula but such an attitude runs counter to our efforts on the membership issue and the majority of UN member nations."

0056

P'yang shows flexibility in U.N. application

The Korea Herald
1991. 2. 28. 木, page 2

North Korea has hinted that it may show flexibility toward the South's call for simultaneous but separate U.N. admission of the two Koreas when the South accepts its demand for adoption of a nonaggression declaration, officials said yesterday.

Pak Gil-yon, chief of the North Korean observer mission to the United Nations, said in an aide-memoire presented to the world body recently that the North Koreans "are convinced that a new possibility will surely develop for the solution of U.N. membership when a reunification-oriented climate is ensured, together with progress in the inter-Korean dialogue and adoption of a nonaggression declaration."

Foreign Ministry officials, however, remain skeptical, saying that Pak's remarks must have been only aimed at delaying the South's U.N. admission.

They said the South's U.N. membership is an issue to be dealt with between South Korea and the United Nations and therefore cannot be linked to the inter-Korean issues such as the adoption of nonaggression declaration and South-North dialogue.

The North Korean aide memoire dated Feb. 20 was circulated to the U.N. Security Council on Tuesday.

In it, Pak warned that the South Koreans will have to take full responsibility for all consequences stemming from the action and will inevitably be judged as separatists by the Korean people and history if they "dare to enter" the United Nations by itself.

"It will be an open challenge and a treacherous act against the dialogue partner and a sort of declaration of their intention to break off the dialogue," he said.

Pak also accused the South of seeking to create an international environment to realize its "dream of reunification by absorption" of the North.

He said U.N. membership can be settled fairly only by agreement between South and North Korea.

"No one can predict what sort of events may happen on the Korean Peninsula if the unilateral U.N. membership of South Korea is forcibly admitted when the political and military confrontation between the North and the South is more acute than ever before owing to the Team Spirit '91 joint military exercises being staged by the United States and the South Korean authorities," the North Korean said.

Seoul officials, in response, issued a statement yesterday, reaffirming their stance on membership.

"If North Korea continues to refuse our call, we cannot but push for our U.N. membership by ourselves this year," the statement, also to be sent to the U.N. Security Council, said.

"North Korea is threatening that unilateral U.N. membership would provoke unpredictable events on the Korean Peninsula, but such an attitude runs counter to our efforts on the membership issue and the majority of U.N. member nations," it said.

While the South wants the two Koreas to join the United Nations with different seats until unification, the North supports admission with a single seat, saying that separate membership would perpetuate the national division.

0057

韓國日報

1991. 3. 3. 日, 2면

한국 UN가입 내달 본격추진

외무부 대책회의

외무부는 2일 상오 정부종합청사에서 李相玉장관주재로 盧昌熹신임駐유엔대사, 玄鴻柱前駐유엔대사(신임駐美대사) 李廷彬 제1차관보 및 관련국장들이 참석한 가운데 유엔가입대책회의를 갖고 제46차 유엔회기가 속개되는 오는 4월부터 유엔가입노력을 본격화하기로 했다.

0058

The Korea Herald
1991. 3. 7. 木, page 2

USSR supports Seoul's position to promote S-N admission to U.N.

Moscow Radio reported Tuesday that the North Korean proposal to join U.N. membership has failed to gain support from global communities, Naewoe press said yesterday.

Naewoe quoted Moscow Radio as saying that the North's plan has the rare possibility of materializing in the light of the U.N. Charter and the international law.

North Korea maintains its position that the two Koreas should join U.N. membership as a single seat, while Seoul seeks to unilaterally enter the world organization if Pyongyang continues to reject the proposal for joint entry.

The radio also said the South is expected to apply for admission formally at the 46th U.N. General Assembly scheduled for September.

The Soviet Union emphasized that Seoul's bid to gain U.N. membership is right because it has established diplomatic relations with more than 150 countries and its economy has developed rapidly, the radio said.

The Seoul government's efforts for its entry will contribute to achieving peaceful unification on the Korean Peninsula, Naewoe quoted the radio as saying.

서울신문
1991. 3.7.木, 2면

北韓의 유엔加入案
蘇,「설득력없다」지적

【內外】 蘇聯은 5일 관영 모스크바방송을 통해 南北韓 유엔가입문제와 관련, 北韓이 韓國측의 南北韓동시가입 및 단독가입을 비난하고 단일의석가입을 주장하고 있는데 대해 이는『국제법이나 유엔헌장에 따를 때 구현여부가 부족하며 국제공동체에서 현저한 지지를 받고 있다고 말할 정도가 아니다』라고 논평, 北韓측 주장이 설득력이 없음을 지적했다.

0053

The Korea Herald
1991. 3. 7. 수, page 2

Foreign Min. Lee stresses efforts for early setup of formal ties with China

To push Korea's entry to U.N., further strengthen relations with U.S.

3. 7. 자

The government will redouble efforts to realize the establishment of diplomatic ties with China and Seoul's entry into the United Nations as early as possible, said Foreign Minister Lee Sang-ock yesterday.

He also emphasized the necessity to further consolidate Seoul's relationship with Washington.

Addressing the Korean Council on Foreign Relations, Lee said, "The government will redouble its diplomatic efforts to realize our entry into the United Nations and normalization of relations with the People's Republic of China at an early date."

"I believe that the normalization of diplomatic relations with the People's Republic of China would not only greatly contribute to establishing peace on the Korean Peninsula and substantially improve South-North relations but also have significant implications for the development of mutually beneficial economic cooperation," he said.

The minister said the two-way trade between China and South Korea last year recorded $3.8 billion which made them each other's seventh largest trading partner. Moreover nearly 60,000 people from each country visited the other.

Up to now, he said, China has shown "some hesitation" toward the rapid progress of relations with Seoul in view of its special ties with North Korea. "However, I do not believe it would be in the interests of both the PRC and Korea if the potential for the development of cooperative relations is hampered by the absence of a diplomatic relationship," he said.

Seoul officials are generally pessimistic about the possibility of setting up full ties with China this year, although top government officials have expressed such hopes.

Seoul set up a trade representative office in Beijing late January this year and Beijing officials are preparing to open a trade office here this month.

Seoul has made huge financial contributions to the 1990 Beijing Asian Games in hopes of rapidly improving relations with China, but critics say results fell far short of Seoul's expectations.

In a surprise move, Chinese officials have barred Korean Air from making charter flights to Shanghai following the Games, although the civilian airline company had made considerable donations to China before the sports event.

Meanwhile, Minister Lee reiterated Seoul's hope for early entry into the United Nations for the sake of securing an "institutional mechanism for maintaining peace and stability on the peninsula."

He contended that the entry of South and North Korea into the U.N., as an interim step toward reunification, could enhance reconciliation of the two sides.

As to Seoul-Washington ties, Lee made it plain that the government will further "consolidate the friendly cooperative relations with the United States on the basis of strong bonds of alliance."

However, in trade relations with the United States, a "give-and-take attitude should be the guiding principle under which both countries fulfill the agreed undertakings in good faith," the minister said. "Then I am sure we will develop mutually beneficial relations based on mutual trust."

Observers view that Seoul-Washington relations are somewhat tense due to the ever-increasing U.S. pressure on Korea's trade liberalization.

"Despite a long period of contacts and exchanges, we cannot claim that Korean and American people understand each other fully, owing to many factors including differences in cultural backgrounds and way of life," he said. "Therefore, it is my belief that both Korea and the United States should foster mutual exchange and cooperation in order to deepen understanding between the people of the two countries."

0060

朝鮮日報
1991. 3. 7. 木, 2면

南北韓 유엔가입 蘇, 韓国입장지지

【서울=內外】 蘇聯은 5일 관영 모스크바방송을 통해 南北韓 유엔가입문제와 관련, 북한이 한국측의 남북한동시가입및 단독가입을 비난하고 단일의석가입을 주장하고 있는데 대해 이는 『국제법이나 유엔헌장에 따를때 구현여부가 부족하며, 국제공동체에서 현저한 지지를 받고있다고 할수도없다』고 논평, 북한측 주장이 설득력이 없음을 지적했다.

모스크바방송은 이어 한국은 오는 9월 소집될 제46차 유엔총회에서 공식적으로 가입을 신청할 예정이라고 밝히고 한국이 ▲1백50여개국가와 수교하고 있고 ▲많은 국제기구들에 가입되어 있으며 ▲유엔에 상설옵서버 지위를 갖고있을 뿐아니라 ▲한국의 경제가 발전된 점 등을 들어, 한국의 유엔가입 정당성을 강조했다.

東亜日報
1991. 3. 7. 木, 2면

北韓의 유엔加入案 蘇 "설득력없다" 지적

【서울聯合】 蘇聯은 5일 관영 모스크바방송을 통해 南北韓유엔가입문제와 관련, 北韓이 韓國측의 南北韓동시가입 및 단독가입을 비난하고 단일의석가입을 주장하고 있는데 대해 이는 「국제법이나 유엔헌장에 따를때 구현여부가 부족하며 국제공동체에서 현저한 지지를 받고 있다고 말할정도가 아니다」라고 논평, 北韓측 주장이 설득력이 없음을 지적했다.

모스크바방송은 이날 유엔가입문제에 있어 韓國은 오는 9월 소집될 제46차 유엔총회에서 공식적으로 가입을 신청할 예정이라고 밝히고 韓國이 △1백50여개 국가와 수교하고 있고 △많은 국제기구들에 가입되어 있으며 △유엔에 상설옵서버 지위를 갖고 있을뿐아니라 △韓國의 경제가 발전된 점등을 열거, 韓國의 유엔가입에 대한 정당성을 강조했다.

世界日報
1991. 3. 7. 木, 2면

"北韓 유엔가입案 비현실적" 蘇, 韓國입장 지지

蘇聯은 5일 관영 모스크바방송을 통해 南北韓 유엔가입문제와 관련, 북한이 한국측의 남북한 동시가입및 단독가입을 비난하며 단일의석가입을 주장하고 있는데 대해 『국제법이나 유엔헌장에 따를때 구현여부가 부족하며 국제공동체에서 현저한 지지를 받고 있다고 할수도 없다』고 논평, 북한측 주장이 설득력이 없음을 지적했다.

모스크바방송은 이어 한국은 오는 9월 소집될 제46차 유엔총회에서 공식적으로 가입을 신청할 예정이라고 밝히고 한국이 △1백50여개 국가와 수교하고 있고 △많은 국제기구들에 가입되어 있으며 △유엔에 상설옵저버 지위를 갖고있을 뿐 아니라 △한국의 경제가 발전된 점 등을 들어 한국의 유엔가입 정당성을 강조했다. 〈欽〉

0061

a8710ALL r
u i BC-KOREA-UN 03-08 1159
BC-KOREA-UN 1
S. KOREA TO SEEK U.N. MEMBERSHIP THIS YEAR - MINISTER

SEOUL, March 8, Reuter - South Korean Foreign Minister Lee Sang-ock said on Friday that Seoul was still seeking joint entry with North Korea to the United Nations this year, but would apply unilaterally if Pyongyang continued to oppose joint admission.

"The Government of the Republic of Korea will do utmost efforts to enable South and North Korea to join the U.N. during this year," Lee told reporters.

"In case North Korea is not forthcoming, it is our firm belief that our admission to U.N. membership will facilitate North Korea's joining the United Nations," he said.

Lee said Seoul was seeking joint entry to "enable both Koreas to assume legitimate roles as responsible members of the international community."

The minister said North Korea continued to allege that Seoul's efforts to join the U.N. were a ploy to perpetuate the 1945 division of Korea. Pyongyang "even goes as far as to threaten that there could be a danger of war" on the peninsula, he said.

"It is with deep regret we note that North Korea still maintains such an unreasonable attitude."

Lee cited the examples of South and North Yemen and East and West Germany, whose separate admission to the world body did not prevent eventual reunification of the formerly divided nations.

"The (northern) allegation was irrefutably disproved in the unifications of Germany and Yemen which were accomplished last year," he said.

The two Koreas, arch foes since their 1950-53 war, held three rounds of talks on the contentious issue of Korean membership in the United Nations last year. No progress was made, both sides reiterating mutually exclusive positions.

The North has insisted both Koreas jointly occupy a single U.N. seat with rotating ambassadorship and abstention on controversial votes, a proposal South Korea rejects as unrealistic and unworkable.

Pyongyang has rejected Seoul's suggestion that both apply separately but simultaneously, saying this would seal the division of the peninsula.

Both Koreas currently hold non-voting, observer status at the U.N..

REUTER LSW JXK AR
Reut04:23 03-08

^END<

AP-TK-08-03-91 0336GMT<

W1102
r IBX TXA355 08-03 00296
01 87
^South Korea-UN
^Seoul Urges North Korea to Join U.N. Together With South Korea<

SEOUL, South Korea (AP) - South Korea on Friday urged rival North Korea to join it in seeking admission to the United Nations this year as an interim measure pending unification of their divided peninsula.

Foreign Minister Lee Sang-ock made the call, which contradicts North Korea's claim that simultaneous entry of both Koreas into the world body would cement the division of the peninsula.

``The government of the Republic of (South) Korea will do its utmost to enable South and North Korea to join the UN this year,'' Lee told local reporters.

``In case North Korea is not forthcoming, it is our firm belief that our admission to the U.N. will facilitate North Korea's joining of the world body,'' he said.

Both Koreas currently hold observer status in the U.N.

North Korea also claims that South Korea's efforts to join the U.N. as a separate nation are aimed at achieving ``its dream of national reunification by absorbing the North.''

As an alternative, North Korea has proposed that both nations share a revolving single U.N. seat but South Korea has rejected the idea as ``unrealistic.''

Lee said South Korea does not seek to ``absorb'' North Korea to achieve unification. He said the North Korean claim is ``totally groundless as we do not have any intention to deny North Korea's entity in the international community.''

The minister said simultaneous U.N. membership would help both Koreas facilitate mutual contacts and cooperation, thereby contributing to unification.

The cases of German and Yemen reunification show that parallel U.N. membership would not hinder unification of South and North Korea, he said.
^END<

AP-TK-08-03-91 0341GMT<

0063

中央日報
1991. 3. 8. 금, 1면

年內 유엔가입 정부 본격작업

정부는 걸프戰이 조기종결됨에 따라 유엔安保理 상임이사국들과 우리의 유엔가입절차를 논의하는등 年內 유엔가입을 실현하기 위한 본격적인 작업에 나섰다。

외무부는 이를 위해 5월로 늦춰졌던 재외공관장회의를 오는 4월16일부터 22일까지 서울에서 열고 年內 유엔가입 실현을 위한 다각적인 방안을 마련하기로 했다。

정부는 이와함께 南北고위급회담에서는 더이상 유엔가입문제를·논의하지 않는다는 방침인 것으로 알려졌다。

이와관련, 李相玉외무장관은 8일『금년내에 北韓과 함께 유엔에 가입하기위해 모든 노력을 다할것이나 北韓이 계속 이를 반대할 경우 우리가 먼저 가입하는 것이 北韓의 가입을 촉진하는 계기가 될 것』이라고 年內 단독 유엔가입신청서 제출을 강력히 시사했다。

李장관은 이날 정례기자간담회에서 이같이 밝히고『北韓은 南北단일의석가입같은 터무니없는 주장을 중지하고 유엔가입문제에 관해 하루빨리 현실적인 입장을 취해달라』고 촉구했다。

0064

世界日報

1991. 3. 8. 금, 10면

지금…

○…북한은 최근 유엔가입문제가 南北韓간 현안문제로 대두됨에 따라 부총리겸 외교부장 金永南을 阿洲지역에 파견, 활발한 외교활동을 펼치는 한편 해외 각국 공관장들을 동원, 주재국원수나 정당지도자들을 만나 북한의 입장을 설명하고 협조 지지를 요청케 하는등 외교활동을 강화하고 있다.

북한은 최근 한국이 유엔단독가입 가능성을 배제하지 않음에 따라 이에 대처, 지난달 14일 스웨덴주재대사 전영진으로 하여금 칼 구스타프 국왕을 만나 북한의 통일방안과 對유엔정책을 설명하고 협조와 지지를 요청케 한데 이어 19일에는 같은 목적으로 기니주재대사 김창석이 란사나 콩테 기니 대통령과 만났던 것으로 북한방송이 보도했다.

세계 3.8. 10면

0065

京鄕新聞
1991. 3. 8. 금, 2면

年內 유엔단독가입도 不辭

경향 3.8. 2면

북한 동시가입 반대면

李외무 간담 올총회에 申請書 제출

정부는 유엔安保理상임이사국들과 본격적인 유엔가입교섭을 벌이는등 금년중 유엔가입실현에 외교력을 집중할 방침이다.

李相玉외무부장관은 8일『정부는 금년에 南北韓동시가입을위해 노력을 기울이겠으나 北韓이 이에계속 반대할 경우 우리의 先가입이 북한의 가입을 촉진하는 계기가 될것』이라면서 이같이 밝혔다.

李장관은 이날상오 기자간담회에서 특히『유엔가입을 위해 모든 가능한 노력을 다할것』이라고 말해 올46차 유엔총회직전에 가입신청서를 제출할것임을 강력히 시사했다.

그는 南北韓유엔가입이 분단을 고착화 할것이라는 북한의 주장에대해『오히려 함께 유엔에 가입하는것이 통일을 촉진할것이며 통일을 위해서도 남북한 동시가입이 합당하다』고 강조했다.

그는 또『우리는 이미 남북한이 유엔에 가입한 이후에도 통일지향적인 협력방안을 모색해나갈것을 구체적으로 제안한바 있다』고 상기했다.

0066

世界日報
1991. 3. 9. 土, 1면

「유엔가입」 8월 決行

정부
계속반대해온 北韓에도 合流촉진 계기될것

정부는 걸프전쟁이 조기終戰됨에 따라 한국의 유엔가입문제를 논의하기 위한 국제적 분위기가 마련된 것으로 보고 연내 유엔가입실현을 위한 본격적인 작업에 착수했다.

정부는 이를위해 유엔安保理이사국들과 우리의 유엔가입절차에 관한 구체적인 협의에 나서기로 하는 한편 오는 5월로 예정됐던 재외공관장회의를 4월16~22일로 앞당겨 개최, 다각적인 유엔가입 대책을 마련키로 했다.

정부는 우방국과의 충분한 협의를 거쳐 오는 8월초 유엔사무국에 유엔가입신청서를 제출, 8월중에 유엔安保理、의결절차를 거치도록할 방침인 것으로 알려졌다.

정부는 가입안이 安保理를 통과할 경우 오는 9월17일 개최되는 제46차 유엔총회에 盧泰愚대통령이 참석, 회원국 수락연설을할 방침인것으로전해졌다. 정부는지난 1월초서울에서 열린 제1차 韓蘇정책협의회에서도 한국의 유엔가입을 위한 소련정부의 협조를 요청, 소련측으로부터 『한국의 유엔가입안이 안보리에 상정될 경우 기권 또는 不參이 아니라 적극적인 찬성표를 던지겠다』는 답변을 얻어낸 것으로 전해졌다.

정부의 한 당국자는 유엔가입신청 제출시기와 관련, 『유엔규정상 유엔총회개회 35일전까지 가입안을 내도록 돼 있어 늦어도 오는 8월12일 이전에는 가입안이 제출돼야 한다』고 전제, 『다만 7월에는 우리와 미수교국인 쿠바가 안보리의장국을 맡도록 돼 있어 가입안 처리에 불리한 영향을 미칠 우려가 있는 만큼 안보리의장국이 에콰도르로 바뀌는 8월초가 가입안제출에 가장 적합할 것으로 판단된다』고 말했다.

한편 李相玉외무장관은 8일 기자간담회에서 『정부는 금년안에 북한과 함께 유엔에 가입할 것을 희망하고 있으며 이를 위해 모든 가능한 노력을 다할 것』이라고 밝히고 『그러나 북한이 계속 반대할 경우 우리가 먼저 가입하는 것이 북한의 가입을 촉진하는 계기가 될 것으로 믿는다며 북한이 건설적 자세를 보이지 않는 상황에서 유엔가입을 위한 구체적인 조치가 더이상 지연돼서는 안될 것』이라고 강조했다.

0067

世界日報
1991. 3. 9. 토, 사설

유엔「단일議席案」의 虛構

정부는 올해 주요 外交목표의 하나로 南北韓의 유엔동시가입을 적극 추진하기로 방침을 굳혔다。만약 北韓이 「單一의석 공동가입」을 끝내 고집한다면 韓國만이라도 먼저 가입신청을 낼 수밖에 없다는 것이 정부의 확고한 입장이다。南北韓의 현실로 보나 유엔의 분위기에 비추어 정부가 유엔가입문제에 그와같은 이니셔티브를 취하기로 한것은타당한결정이라고생각한다。

이 문제와 관련하여 북한이 그동안 취해온 태도로 미루어보아 그들이 동시가입안에 호응해올것 같지는 않다。지난달 20일 북한은 유엔安保이사회에 備忘錄을 돌려 그들 「단일의석 가입안」을 고집하면서、南北韓의 유엔동시가입은 한반도 분단을 고착화시키려는 책동이라고 비난하였다。그들은 한국의 유엔동시가입안이 북한을 獨逸처럼 흡수하여 통일하려는 의도가 담긴 것이라고 규정하고 그로 인하여 한반도가 전쟁의 위험에 직면하게될지도 모른다는 위협적인 언사를 농하기까지 했다。

유엔의 단일의석에 남북한이 공동으로 가입해야 한다는 북한의 주장은 한반도의 현실과 완전히 유리된 것일 뿐만 아니라 세계 89개국이 南北韓과 동시수교하고 있는 사실과도 모순되기 때문에 유엔에서 冷笑의 대상이 되고있다。작년 가을 유엔총회에서 基調연설에 나선 대표들중 48개국 대표들이 南北韓 유엔동시가입을 지지한 반면、北韓의 통일정책에 동조한 4개국 대표중 단 한사람도 단일의석공동가입에는 지지를 표명하지 않았다。

걸프전쟁이 끝난 후 국제사회는 다음 지역분쟁의 후보지로 한반도에 관심의 눈을 돌리고 있다。한반도에서 긴장과 대결을 해소하는 최선의 방법이 南北韓의 화해와 평화로운 공존에 있다는 것은 우리만의 인식이 아니라 국제사회의 한결같은 共感이기도 하다。南北韓의 유엔동시가입은 우리가 統一로 가는 과정에서 반드시 거쳐야할 평화적이고 안정적인 共存의 바탕을 마련하는 것이기 때문이다。

그러나 북한은 그것이 分斷을 고착화시키는 음모라고 우기고 있다。그들은 南北총리회담에서 유엔동시가입문제를 3大긴급과제의 하나로 지정할 만큼 여기에 신경을 곤두세우고 있다。그렇다면 우리보다 먼저 유엔에 개별 가입한 東西獨과 南北예멘이 우리보다 먼저 통일을 이룬 사실에 대해 그들은 무어라 대꾸할 것인가。東西獨과 南北예멘이 안정적이고 평화적인 공존속에서 교류를 통해 상호신뢰를 쌓을수 있었기 때문에 빠른 통일을 이룰수 있었던 것이다。다시 말하면 유엔동시가입은 분단을 고착화시키는게 아니라 통일을 촉진시키는 구실을 하게 되는 것이다。

유엔安保이사회가 걸프사태에 대해 취한 행동에서 잘 나타났듯이、東西냉전이 해소되면서 이 국제기구가 국제분쟁에 대해서 갖는 역할이 증대돼가고 있을 뿐만 아니라 분쟁을 처리하는 思考도 과거의 이념적인 시각에서 현실적인 시각으로 바뀌어가고 있음을 본다。유엔이 그와같이 건설적인 변화를 겪고있는 시기에 정부는 유엔가입문제에 대해 적절한 결정을 내렸다고 생각한다。

0068

한겨레신문
1991. 3. 9. 토, 2면

유엔 단독가입 강력 추진

이 외무장관 "북쪽 '단일의석안' 고려안해"

재외공관장에 실천지침

정부는 북한이 올해에도 남북한의 유엔 동시가입을 계속 반대하면 연말까지는 단독가입을 강력하게 추진할 방침이다.

이상옥 외무부장관은 8일 기자간담회에서 "정부는 금년 안에 북한이 한국과 함께 유엔에 가입할 것을 희망하고 있으나, 북한쪽이 이를 반대할 때는 한국이 먼저 가입함으로써 북한의 가입을 촉진시킨다는 것이 정부의 확고한 방침"이라고 밝혔다.

이 장관은 북한이 제안해 놓고 있는 '남북한 단일의석 가입안'에 대해 "유엔헌장 규정에 위배되는 법적 문제점과 현실적으로 실현 불가능한 점 때문에 남북 고위급회담 등 남북대화 과정에서 더이상 논의할 필요가 없다"고 말해 남북 대화에서 단일의석안을 더이상 다루지 않겠다는 뜻을 분명히했다.

정부는 이런 유엔 단독가입 추진 방침을 실천에 옮기기 위해 오는 4월16일부터 열리는 재외공관장 회의에서 공관장들로 하여금 주재국 정부와 긴밀한 접촉을 갖고 한국의 입장을 지지하도록 외교력을 집중할 계획이다.

"올 유엔가입 강력 추진

李외무 北韓 반대땐 先加入강행"

정부는 걸프戰종전에 따라 올해 주요 외교목표인 유엔가입을 강력히 추진키로 하고 이를 위한 구체적인 외교노력에 착수했다.

이와관련, 李相玉외무부장관은 8일오전 기자간담회에서『정부는 금년에 북한과함께 유엔에 가입하기위해 모든 노력을 기울이겠으나, 北韓이 계속 반대할경우 우리의 先가입이 북한의 가입도 촉진하는 계기가 될것』이라고 밝혔다.

李장관의 이같은 발언은 그동안 유엔가입신청문제에 대해 밝혀온 정부의 입장표명중 가장 명확한 것으로 오는9월 개최될 46차 유엔총회직전까지 가입신청제출을 강력히 시사한 것으로 해석된다.

李장관은 또 『북한의 남북한 단일의석가입안은 법적으로나 현실적으로 실현불가능한 방안』이라고 지적하고 『북한이 현실적인 자세를 취하지 않는한 南北고위급회담에서 非현실적인 논의로 유엔가입이 지연돼서는 안된다』고 말했다.

李장관은 지난2일 玄鴻柱 前유엔대사(신임駐美대사)와 盧昌熹신임유엔대사 등이 참석한 가운데 유엔대책회의를 가졌으며, 지난 7일 盧泰愚대통령에게 관련대책을 보고한 것으로 알려졌다.

한편 정부는 걸프戰발발로 연기해온 在外공관장회의를 다음달16일 서울에서 개최, 유엔가입실현을 위한 주재국정부와의 협력강화를 지시할 방침인 것으로 전해졌다.

朝鮮日報
1991. 3. 9. 토, 2면

0069

서울신문
1991. 3. 9. 토, 2면

"北韓서 유엔 동시加入 반대땐 단독加入 年內실현"

李외무, 安保理이사국과 본격절충

정부는 걸프전이 종전됨에 따라 올해 최대 외교목표인 유엔가입을 적극 추진키로 하고 이를 위해 유엔安保理 상임이사국 등과 교섭을 벌이는 등 본격적인 외교노력에 착수했다.

李相玉외무장관은 8일 유엔가입문제와 관련,『北韓이 南北韓동시가입을 계속 반대할 경우 우리가 먼저 가입하는 것이 北韓의 가입을 촉진시킬 것』이라고 말해 연내 유엔가입을 위한 외교노력이 본격화됐음을 시사했다.

李장관은 이날 정례기자간담회에서 이같이 밝히고 『南北韓이 고위급회담 등에서 유엔가입문제를 협의하는 것은 北韓이 현실적인 자세로 전환하지 않는한 비생산적』이라고 말하고 유엔가입 시기와 관련,『유엔내외의 상황을 고려,적절한 시점에 가입조치를 취할 것』이라고 밝혔다.

정부의 한 고위소식통은 이와관련,『우리는 연내 어느때든지 유엔가입분위기가 성숙되었다고 판단되면 가입조치를 취할 것』이라며 『韓國은 걸프사태에서 美國을 비롯한 다국적군을 위해 5억달러어치의 현금 및 군사물품을 지원하고 군수송단 및 군의료진을 파견하는 등 유엔安保理결의를 충실히 이행했기 때문에 우리의 유엔가입분위기는 지난해보다 더 성숙된 것으로 보인다』고 말해 빠르면 오는 4월29일쯤 개최될 제45차 유엔총회 속개회의에서 유엔가입조치를 취할 수도 있을 것임을 시사했다.

韓國日報
1991. 3. 9. 토, 2면

"年內유엔加入 본격추진"

李외무 南北고위급회담선 논의않기로

기자간담회서 밝혀

李相玉외무장관은 8일상오 정례기자간담회를 갖고 『우리는 금년내에 북한이 우리와 함께 유엔에 가입할 것을 희망하고 있으며 앞으로도 이의 실현을 위해 모든 가능한 노력을 다할것』이라고 전제, 『그러나 북한측이 계속 반대할경우에는 우리가 먼저 가입하는 것이 북한의 가입도 촉진하는계기가 될것으로 믿는다』고 말해 연내유엔가입노력을본격화할 방침임을 밝혔다.

李장관은 이날『지난해 남북고위급회담에서 북한이동시가입에 긍정적인 태도를 갖도록 하기위해 충분한 논의를 했다』면서 『북한이 현실적인 태도를 보이지 않는한 고위급회담에서 이 문제를계속논의할필요가없다』고 말해 고위급회담에서유엔문제를 더이상 논의하지 않을 것임을 분명히 했다.

李장관은 이어『우리의 유엔가입을 위한 구체적인 조치가 더이상 지연돼서는 안될것』이라고 말한뒤 『북한은 터무니없는 주장과 사실왜곡을 중지하고 유엔가입문제에 관해 하루빨리 현실적인 입장을 취해주기 바란다』고 촉구했다.

한국경제신문
1991. 3. 9. 토, 2면

李외무, UN가입관련 北韓측자세변화 촉구

李相玉외무장관은 8일 『北韓은 터무니없는 주장과 사실왜곡을 중지하고 유엔가입문제에 관해 하루빨리 현실적인 입장을 취해야 할것』이라고 말했다.

李장관은 이날 상오 정례기자간담회에서 『우리는 올해안에 北韓이 우리와 함께 유엔에 가입할것을 희망하고 있으며 앞으로도 이의 실현을 위해 모든 가능한 노력을 다하고자 한다』면서 北韓의 자세변화를 촉구했다.

0070

Foreign Minister Lee:

Seoul to Seek Unilateral Entry Into UN This Year

— *Calls on P'yang to Take More Realistic Stance* —

Foreign Minister Lee Sang-ock made it clear yesterday that the government will seek unilateral entry into the United Nations this year if North Korea refuses to give up its "unrealistic" demand for single-seat membership by the two Koreas.

The government will begin efforts to seek unilateral admission "at an opportune time," Minister Lee said in a meeting with the press.

However, Foreign Minister Lee said that the South Korean government will do its utmost to ensure that South and North Korea join the international body this year simultaneously, but as separate nations.

Then Minister Lee renewed his call for North Korea to take a "more realistic stance" on the question of U.N. membership.

North Korea has contended that South and North Korea should enter the U.N. as a single entity, alternating representation by turns even before the unification. In an aide-memoir sent by the North Korean foreign ministry to the U.N. Security Council on Feb. 20, the North denounced South Korean efforts for unilateral admission as an attempt to realize "reunification by absorption" of the North.

It also threatened that, if South Korea's "unilateral United Nations membership" is approved, North-South relations will be extremely strained and eventually create further tension on the Korean peninsula.

Expressing "deep regret" over the North Korean attitude, Minister Lee said, "We don't have any intention to deny North Korea as an entity in the international community."

Citing the cases of Germany and Yemen which accomplished their unifications last year, Minister Lee accented that the entry of both Koreas to the U.N. would facilitate the reunification process rather than hamper it.

"We have to join the U.N. in order to expedite the process of reunification of the nation," Minister Lee stated.

But he said resolutely, "If North Korea sticks to its unreasonable attitude to the end, South Korea will have to begin the unilateral entry process."

Recalling the fact that South and North Korea "fully" discussed the question of U.N. entry during the high-level meetings led by their prime ministers last year, Minister Lee said, "Our legitimate rights to seek U.N. membership should no longer be hampered by North Korea."

Asked when the government will apply for its U.N. membership, Lee refused to give a clear-cut answer. Instead, he said, "The government will take proper measures at an opportune time, considering the situation in and outside the U.N."

Some 71 member countries of the U.N. expressed their support for South Korean entry during the General Assembly last year.

Among the five permanent members of the Security Council, only China has withheld its position in regard to South Korea's admission.

A ranking Foreign Ministry official said that China might not exercise its veto rights against a South Korean entry.

The Soviet Union, a major obstacle during the Cold War, will no longer take a negative stance on the issue, having established full diplomatic ties with South Korea last year.

The Korea Times
1991. 3. 9. 토, page 1

0071

The Korea Herald
1991. 3. 9. 5, page 2

Seoul won't rule out unilateral bid for U.N. admission this year: Min. Lee

Foreign Minister Lee Sang-ock yesterday brushed aside the possibility of further discussion between South and North Korea on their U.N. membership.

He strongly indicated that Seoul would submit an application for U.N. membership sometime this year.

"We don't want to delay our membership any more because of North Korea," Lee told reporters during a weekly press briefing. "We had enough consultations with North Koreans last year."

But he did not say when Seoul would apply. "The timing will be decided after a careful study of situations within the United Nations and close consultations with other countries," the minister said.

He said if North Korea will not join the United Nations at the same time as South Korea, Seoul will go ahead alone and hopes Pyongyang will be stimulated to follow suit.

"It is our firm belief that our admission to the United Nations will facilitate North Korea in joining the United Nations," he said.

Another ministry official said Korean diplomats have resumed full-scale diplomatic endeavors to gain support for Korea's U.N. admission not only in the United Nations but also many foreign capitals since the end of the Gulf war.

The diplomats will discuss their joint strategy during the annual meeting of the heads of Korean diplomatic missions abroad, scheduled in Seoul April 16-22, he said.

Seoul has long wanted South and North Korea to join the United Nations as separate members until unification.

Pyongyang, however, has insisted that the two Koreas share a U.N. seat, saying that separate membership would perpetuate the national division.

The two sides, at the request of the northern side, met three times last year to narrow differences but failed to make progress.

It is not certain whether China, which has a veto power, will support Seoul when it tries to enter the United Nations alone.

South Korea and China have no diplomatic relations at present, although they are engaged in a great deal of commodity trade.

Government officials said Chinese officials have, to date, shown no clear-cut attitude toward Seoul's stance regarding the issue of U.N. membership.

The Soviet Union, however, is likely to stand behind Seoul when the latter pushes its entry into the United Nations, according to the officials.

0072

東亞日報
1991. 3. 10. 일, 1면

南北韓 유엔 동시가입 추진

「상임理事國 초청방식」으로

정부는 우리의 유엔가입을 美國 英國 프랑스 中國 蘇聯 등 安保理 5개상임이사국의 「南北韓 동시가입 초청방식」으로 추진키로 하고 이를 국가와 긴밀한 교섭에 들어간 것으로 9일 알려졌다.

<2면에 관련기사>

정부의 이같은 방침은 유엔가입을 놓고 올해 유엔총회에서 무리하게 표대결을 벌일경우 中國의 거부권행사가 우려되는데다, 궁극적으로 南北韓이 함께 유엔에 가입하는 것이 더 명분이 있다는 판단에 따른 것이다.

정부의 한 고위관계자는 이날 『우리의 유엔가입은 결국 안보리 5개 상임이사국의 찬성이 있어야만 가능한 것아니냐』고 반문하고 『이를 5개국이 사전합의에 의해, 南北韓이 함께 유엔에 가입하도록 초청하는 방식이 가장 합리적』이라고 밝혔다.

이 당국자는 『가입방식이 安保理의 합의 초청방식으로 될 경우, 中國이 北韓을 설득하는 부담이 크게 줄어들 뿐만 아니라 최근 신축성을 보이고있는 北韓에도 여유를 줄수 있을것』이라고 말하고 『美國을 비롯한 일부 상임이사국들에 우리의 이같은 방침을 통보, 적극적인 협조를 약속받았다』고 밝혔다.

동아 3.10. 1면

0073

東亞日報
1991. 3. 10. 日, 2면

동아 3.10. 2면

中國에 명분줘 北韓설득 유도

南北韓 유엔초청가입案 의미

정부가 유엔가입대책을 安保理 5개 상임이사국의 「南北韓 동시가입 초청」 방식으로 바꾼 것은 이 문제에 대한 보다 현실적인 접근을 통해 연내 가입을 반드시 실현시키겠다는 뜻으로 풀이된다.

中國이 거부권을 행사할지도 모르는 상황에서 우리만의 단독가입은 사실상 어렵기 때문에 거부권 행사를 할 수 없는 상황을 만들어 놓고 확실하게 일을 매듭짓자는 것이다.

정부의 한 관계자는 「5개 상임이사국중 美國 英國 프랑스 蘇聯 4개국이 南北韓 동시가입을 지지할때 中國도 北韓을 설득할 명분이 생긴다」고 지적하고 「이 경우 北韓도 마지못해 따라 들어오게하는 효과를 거둘수 있다」고 말했다. 이 관계자는 「中國은 물론 北韓까지도 내심 그런 상황이 오게되기를 바라고 있는것 아니냐」고 반문했다.

安保理와 총회의 압도적인 분위기가 韓國가입 지지쪽인 것은 그동안 수차례 분명하게 드러났기 때문에 유독 中國만이 北韓편을 들기가 어려운 상황에 있다는 것이었다. 따라서 中國도 체면을 깎이지 않는 선에서 大勢에 따라갈 수 있는 해결방식을 내심 선호하고 있다는 얘기였다.

정부는 그동안 南北韓 동시가입이 안될경우 韓國만의 단독가입이라도 강행하겠다고 누차 얘기해왔다. 정부가 이처럼 큰소리친 것은 對北韓 압박의 의도도 있었지만 올 연말쯤이면 韓中관계가 크게 진전돼(수교)유엔가입문제도 함께 풀릴것으로 기대했었기 때문이었다. 그러나 韓中관계는 지난해10월 무역대표부 개설이후 거의 진전이 없는데다 조기수교전망마저 갈수록 어두워지고 있다.

中國측의 태도 또한 애매해 우리의 유엔가입 신청시 거부권행사를 할 것인지 안할 것인지 조차도 분명히 해주지 않고 있다. 이런 상황에서 정부가 내놓을 수 있는 카드란 5개 상임이사국 동시초청이란 지극히 현실적인 카드밖에는 없었던 것이다.

<李載昊기자>

0074

韓國日報

1991. 3. 10. 일, 2면

한국의 유엔단독加入
北韓 "두개朝鮮" 비난

【서울=聯】북한은 최근한국정부가 연내유엔단독가입추진방침을 밝힌데 대해 9일 방송매체들을통해 「두개의 조선을 국제적으로 합법화해 보려는 것」이라고 비난했다.

0075

中央日報

1991. 3. 10. 일, 1면

"南韓 유엔가입 방침 分斷 고착화를 의도"

北韓 방송들 비난

【서울=聯】北韓은 최근 韓國정부가 年內 유엔단독가입 추진방침을 밝힌데 대해 9일 방송매체들을 통해 『두개 朝鮮의 존재를 국제적으로 합법화해 보려는 것』이라고 비난했다.

내외통신에 따르면 北韓 중앙방송은 이날 李相玉외무장관이 8일 기자회견을 통해 유엔안보리 상임이사국들과 본격적인 유엔가입교섭을 벌이는등 연내 유엔가입 실현에 외교노력을 집중할 방침이라고 밝히면서 『南北韓 동시가입을 위해 노력을 기울이겠으나 北韓이 계속 반대할 경우 우리의 先가입이 北韓의 가입을 촉진하는 계기가 될것』이라고 말한데 대해 이는 『유엔단독 가입을 기어이 성사시켜 분열을 영구화하자는 것』이라고 비난했다.

0076

京鄕新聞

1991. 3. 11.月, 3면

유엔單獨가입 가능한가

올가을 申請書제출 배경

韓國의 유엔가입이 과연 올해안에 실현될 것인가.

우선 정부가 유엔가입을 을 최대 외교과제의 하나로 설정, 전력투구하고있는데다 국제적 여건도 유리하게 조성되고 있다는점에서 그실현가능성은 어느때보다도 높아보이긴 하다.

실제 외무부는 擇日의문제만 남았을뿐 늦어도오는 9월의 제46차 유엔정기총회 이전까지 가입신청서를 제출키로 방침을 정한것으로 알려지고 있다.

특히 李相玉외무부장관이 지난8일 기자간담회에서 『정부로서는 금년내 南北韓이 함께 가입토록최선의 노력을기울이겠으나 북한측이 계속 반대할 경우 우리가 먼저 가입하는것이 북한의 가입도 촉진하는계기가 될것』이라고 밝힌 것은 매우 무게가 실린것으로 해석된다.

즉 종전처럼 對北韓카드성 또는 엄포성 발언이 아니라 유엔가입을 위한 사실상의 出師表성격을 지니고 있다고 할수있다.

李장관의 이같은 「선언」은 또한 北韓외교부의 南韓단독가입에 대한 격렬한 비난을 일축한것이며 더이상 유엔가입문제를놓고 북한측과 아옹다옹하지 않겠다는 자세를 보인것이기도 하다.

北韓은 지난달27일 유엔 安保理문서로 회람된 외교부 비망록을 통해 기존의 단일의석가입론을 거듭 피력하면서 『만약 남조선의 유엔단독가입이 수락된다면 그것은 북남관계를 극단적으로 긴장시킬것』이라고 경고한바 있다.

비망록은 특히 남한의 단독가입強行은 종국적으로 한반도에 긴장을 격화

0077

拒否權여부가 열쇠

成事되면 北韓도 뒤따를 가능성

戰이 종료됨에따라 유엔가입쪽으로 외교력을전환,한판 승부를 걸겠다는 태세다. 외무부는 이미 유엔가입의 사전담보를 얻기위해 외교경로 이외의 방법까지 풀가동하고 있다. 오는 4월16일부터 열리는 금년도 재외공관장회의는 이와 관련한 대응책을 종합점검하고「전의」를 다지는 계기가 될것으로 보인다.

문제의 관건은 유엔安保理상임이사국으로 거부권을갖고있는中國의태도다.

아직 中國의 반응은 명확치 않다. 韓國의 협조요청에 시원한 직답을 주지 않는 동시에 거부권행사를 요구하는 북한에 대해서도 마찬가지다.

정부관계자들은 그러나 中國이 비토하지는 않을것이라고 신중한 낙관론을 갖고 있다. 외무부의 文東錫국제기구조약국장은 『국제적 여론이나 유엔안팎의 흐름에 거스르지 않고있는게 최근 中國외교부의 기본자세』라면서 자신감을보였다.

정부가 유엔 조기가입에 집착하는데는 이것이 韓·中관계정상화및 나아가 실질적인 南北관계변화의 결정적계기가 될것이란는 나름의 전망을 바탕으로 하고 있다.

외교정책담당자들은 또 北韓이 남한단독가입을 격렬히 비난하고 있지만 우리의 先가입이실현되면 곧

서울신문
1991. 3. 11. 月, 6면

北韓, 유엔政策 支持확산 골몰

2월에만 10여국首腦에 協調요청

韓國 단독加入 가능성에 外交網총동원 對應

北韓은 최근 유엔가입문제가 南北韓간의 현안문제로 대두함에 따라 부총리겸 외교부장 김영남을 阿洲지역에 파견, 활발한 외교활동을 펼치는 한편 해외 각국 공관장들을 동원, 주재국 원수나 정당지도자들을 만나 北韓의 입장을 설명하고 협조·지지를 요청케 하는등 외교활동을 강화하고 있다。

北韓은 최근 韓國이 유엔 단독가입 가능성을 배제하지 않음에 따라 이에 대처, 지난 14일 스웨덴주재 대사 전영진으로 하여금 칼 구스타프 국왕을 만나 北韓의 통일방안과 對유엔정책을 설명하고 협조와 지지를 요청케 한데 이어 19일에는 같은 목적으로 기니주재 대사 김창석이 란사나 콩테 기니대통령과 만났던 것으로 北韓방송이 보도했다。

또한 20일에는 페루와 니카라과주재 대사 김경호와 오승환이 페루인민행동당수 카르멜 솔라르 및 니카라과 사회당수 구스타프 타블라다와 각각 만났다。

한편 北韓 부총리겸 외교부장 김영남도 지난달 6일부터 阿洲지역 순방에 나섰는데 그동안 세이셸(2월6~10일) 모리셔스(2월10~13일) 짐바브웨(2월13~16일) 모잠비크(2월16~19일) 탄자니아(2월19~22일) 에티오피아(2월22~) 등을 방문, 이들 국가의 국가수반을 만나는가 하면 외무장관회담 등을 통해 쌍방 친선협력증진문제 논의 및 對北지지요청 등의 외교활동을 벌인것으로 알려졌다。

0078

4强 南北韓교차승인 적극추진

=年內 유엔가입. 對中수교 위해=

盧유엔대사 지난달 中國 비밀방문

(서울=聯合) 정부는 南北韓유엔동시가입및 中國과의 수교를 연내에 일괄 해결한다는 방침아래 유엔安保理이사국들과의 외교접촉을 통해 美.日.中.蘇 4强에 의한 南北韓교차승인을 적극 추진할 방침인 것으로 11일 알려졌다.

정부는 이와함께 유엔가입前 中國과의 수교가 현실적으로 어렵다고 판단, 日-北韓수교와 연계해 주변국들과의 多者間 협의방식으로 처리한다는 <先유엔가입 後중국수교>방침을 세운 것으로 전해졌다.

정부는 이같은 對유엔가입및 對중국수교방침을 확정하기에 앞서 지난달 중순 당시 駐유엔대사로 내정된 盧昌熹前청와대의전수석을 中國에 보내 현지 분위기를 살피도록 하는 한편 릴리 駐中 美國대사와 접촉, 中國과의 수교및 유엔가입에 관해 의견을 교환한 것으로 알려졌다.

정부의 한 당국자는 "우리의 유엔가입추진을 계기로 日-北韓간의 수교등 주변국들의 對南北韓 접촉이 더욱 활발해 질 것"이라고 전망하면서 "특히 中國內 일부에서는 최근 日-北韓수교와 연계해 韓國과의 관계를 정상화해야 한다는 견해가 제기되고 있다"고 말해 유엔가입과 남북한 교차승인문제가 동시에 추진될 것임을 강력히 시사했다.

이 당국자는 또 "韓.蘇수교에 비록 經協차원이기는 하나 30억달러의 비용이 들었다는 점을 감안할때 中國과의 수교문제는 북한과의 관계등으로 인해 쌍무적인 차원에서 논의하기 보다는 유엔등을 통한 다자적인 틀속에서 협의하는 것이 보다 실리적이고 용이할 것으로 판단된다"면서 "중국측도 우리와의 수교보다는 南北韓유엔가입에 외교적인 부담을 적게 느끼고 있는 것같다"고 말했다.

이 당국자는 "오는 5월 가이후 日本총리의 中國방문때 南北韓유엔동시가입문제를 포함, 日-北韓및 韓-中수교에 대한 양국의 보다 분명한 입장표명이 있을 것으로 보인다"고 덧붙였다. (끝)

0073

26

/404

UTH KOREA-U.N.

SOUTH KOREA TO SEEK CROSS-RECOGNITION OF SEOUL, PYONGYANG

SEOUL, MARCH 11 (OANA-YONHAP) -- SOUTH KOREA WILL TRY TO JOIN THE UNITED NATIONS THIS YEAR AND NORMALIZE TIES WITH CHINA THROUGH CROSS-RECOGNITION OF SOUTH AND NORTH KOREA, GOVERNMENT SOURCES SAID MONDAY.

THE GOVERNMENT WILL AIM FOR DIPLOMATIC NORMALIZATION WITH CHINA AFTER U.N. MEMBERSHIP THROUGH MULTILATERAL RATHER THAN BILATERAL NEGOTIATIONS, AND IT WILL SEEK CROSS-RECOGNITION BY THE FOUR MAIN POWERS IN THE REGION, THE UNITED STATES, JAPAN, CHINA AND THE SOVIET UNION, THEY SAID.

+OUR ATTEMPTS TO ENTER THE UNITED NATIONS WILL ACTIVATE SOUTH AND NORTH KOREAN CONTACTS BY NEIGHBORING COUNTRIES, INCLUDING PYONGYANG-TOKYO TALKS ON DIPLOMATIC TIES,+ A HIGHLY-PLACED OFFICIAL SAID.

+THERE IS RECENTLY THE GROWING OPINION WITHIN CHINA THAT, IN CONNECTION WITH THE DEVELOPMENTS IN PYONGYANG-TOKYO TIES, BEIJING SHOULD NORMALIZE RELATIONS WITH SEOUL,+ HE SAID.

ROE CHANG-HEE, HEAD OF THE SOUTH KOREAN OBSERVER MISSION TO THE UNITED NATIONS, MADE A SECRET TRIP TO CHINA IN MID-FEBRUARY TO ASSESS THE SITUATION BEFORE THE GOVERNMENT SET ITS PLANS, SAID THE SOURCES. WHILE THERE, ROE MET WITH U.S. AMBASSADOR JAMES LILLEY TO DISCUSS SOUTH KOREA'S U.N. MEMBERSHIP AND FORMING TIES WITH CHINA.

AS IT TOOK AN ECONOMIC AID PACKAGE OF 3 BILLION U.S. DOLLARS TO NORMALIZE TIES WITH THE SOVIET UNION, SOUTH KOREA'S OVERTURES TO CHINA ARE LIKELY TO BE SMOOTHER AND MORE EFFICIENT IN A MULTILATERAL FORUM LIKE THE UNITED NATIONS RATHER THAN A BILATERAL FRAMEWORK, HE SAID.

+CHINA ALSO APPEARS LESS HESITANT ABOUT SOUTH AND NORTH KOREA WINNING U.N. ENTRY THAN ABOUT NORMALIZING DIPLOMATIC TIES WITH US,+ THE OFFICIAL SAID.

JAPAN AND CHINA ARE LIKELY TO EXPRESS CANDID OPINIONS ON U.N. MEMBERSHIP, AND ON PYONGYANG-TOKYO AND SEOUL-BEIJING TIES, WHEN JAPANESE PRIME MINISTER TOSHIKI KAIFU VISITS CHINA IN MAY, HE SAID.(END)

0080

YONHAP 1031 KST 031191

a4958ALL r
u i BC-KOREA-UN 03-11 0375
BC-KOREA-UN
SEOUL MAY SEEK HELP FROM SECURITY COUNCIL FOR U.N. ENTRY

SEOUL, March 11, Reuter — South Korea will consider asking the five permanent United Nations Security Council member nations to invite the two Koreas to join the world body simultaneously, foreign ministry officials said on Monday.

"We may seek simultaneous entry into the U.N. in the form of an invitation to both Koreas for U.N. membership by the five permanent members in the Security Council," a ministry official said.

"The idea is quite a realistic one and the ministry will carefully study it," he said.

The official denied press reports that South Korea had already started talks on the question with the five nations — the United States, Britain, France, China and the Soviet Union.

The influential Dong-A Ilbo on Sunday quoted a senior government official as saying that if such an invitation was issued, China would be motivated to persuade North Korea into agreeing on simultaneous entry and North Korea could come along without losing face.

China, which backed the North during the 1950-53 Korean War, still remains Pyongyang's staunch ally.

South Korean Foreign Minister Lee Sang-ock told reporters last week that South Korea was seeking joint entry with North Korea to the U.N. this year, but would apply unilaterally if Pyongyang continued to oppose joint admission.

Lee said North Korea continued to allege that Seoul's efforts to join the U.N. were a ploy to perpetuate the 1945 division of Korea. Pyongyang "even goes as far as to threaten that there could be a danger of war" on the peninsula, he said.

The two Koreas held three rounds of talks on the contentious issue of Korean membership in the United Nations last year. No progress was made as both sides reiterated mutually exclusive positions.

The North has insisted both Koreas jointly occupy a single U.N. seat with rotating ambassadorship and abstention on controversial votes, a proposal South Korea rejects as unrealistic and unworkable.

Pyongyang has rejected Seoul's suggestion that both apply separately but simultaneously, saying this would seal the division of the peninsula.

Both Koreas currently hold non-voting, observer status at the U.N.

REUTER LSW JXK MEF
Reut10:53 03-11

NSNS
o0076 ASI/AF
MESSAGE FILTRE

GLGL
o0077 ASI/AFP-AE73------
u i SKorea-U.N. 03-11 0295

S. Korea will seek U.N. membership after multilateral talks: report

SEOUL, March 11 (AFP) - South Korea will seek to join the United Nations -- along with rival North Korea -- after a series of multilateral negotiations involving three other countries, the Yonhap news agency reported Monday.

Seoul will seek ties with Beijing while it works for Pyongyang to establish relations with the United States and Japan before both join the United Nations, the national agency said, quoting a high-ranking government official.

It quoted the unidentitied official as saying the decision to work out a package deal resulted from the difficulties Seoul encountered in trying to set up ties with Beijing through bilateral negotiations alone.

The policy switch came after a secret trip to Beijing last month by Roe Chang-Hee, who heads the South Korean delegation to the United Nations, the official told Yonhap.

He said Mr. Roe also met U.S. Ambassador James Lilley to discuss Beijing's position on Seoul's bid to join the United Nations.

"We will attempt to enter the United Nations after there is contact between the two Koreas and neighboring countries, and talks between Pyongyang and Tokyo," the official said. "There has recently been a growing view in China that the normalization of Beijing-Seoul ties should depend on progress in relations between Pyongyang and Tokyo."

Officials at the foreign ministry here had no comment.

The two Koreas have only observer status at the United Nations, and the communist North strongly opposes the capitalist South joining the world body.

Seoul and Pyongyang do not recognize each other, both claiming they alone represent the entire Korean Peninsula, divided since the 1950-53 Korean war.

ckp/sf
AFP 110604 GMT MAR 91

0082

2

-027

KOREA-U.N. POLICY

BEIJING UNLIKELY TO FLATLY VETO SEOUL'S U.N. MEMBERSHIP

SEOUL, MARCH 11 (YONHAP) -- NEWLY-DESIGNATED SOUTH KOREAN AMBASSADOR TO THE UNITED NATIONS HYUN HONG-CHOO SAID MONDAY HE HAD A HUNCH THAT CHINA WOULD NO LONGER OFFHANDEDLY VETO SEOUL'S BID TO JOIN THE UNITED NATIONS UNILATERALLY.

HYUN SAID, IN A PRESS CONFERENCE AFTER HE RECEIVED PRESIDENT ROH TAE-WOO'S CREDENTIALS, +WHEN I WAS SERVING WITH THE MISSION IN THE UNITED NATIONS, I GOT AN IMPRESSION THAT CHINA WAS TAKING COUNT OF THE OPINION IN THE INTERNATIONAL COMMUNITY IN MAKING DECISIONS. CHINA PLACES EMPHASIS ON COOPERATION WITH OTHERS.+

HYUN, WHO WORKED IN THE U.N.-BASED MISSION FOR NINE MONTHS SINCE LAST JUNE, SAID THAT HE BELIEVED CHINA WOULD FEEL IT UNDESIRABLE TO VETO SOUTH KOREA'S BID TO JOIN THE WORLD BODY NOW IN VIEW OF THE GROWING SUPPORT OF WORLD COUNTRIES FOR IT.

+CHINA MAY PERSUADE NORTH KOREA INTO ENTERING THE UNITED NATIONS ALONG WITH SOUTH KOREA. IT IS THE MOST LIKELY SCENARIO,+ HYUN SAID.

HE EXPLAINED THAT THE GOVERNMENT DID NOT APPLY FOR THE UNILATERAL U.N. MEMBERSHIP LAST YEAR NOT ONLY BECAUSE OF CHINA'S POSITION BUT BECAUSE THE ISSUE WAS THEN BEING DISCUSSED IN THE INTER-KOREAN PRIME MINISTERS' CONFERENCES. +THIS HAS BEEN WIDELY ADMIRED IN THE WORLD COMMUNITY,+ HE SAID.

HYUN SAID, +I'M GLAD TO SEE THE INTERNATIONAL CLIMATE HAS BECOME EVEN BETTER THAN LAST YEAR FOR OUR U.N. MEMBERSHIP.+

TOUCHING ON KOREA-U.S. RELATIONS, AMBASSADOR HYUN SAID SOUTH KOREANS HAVE LOST CONFIDENCE FROM AMERICANS AT THE GOVERNMENT LEVEL AS WELL AS IN THE BUSINESS SECTOR.

+I FELT THAT AN EARLY-WARNING SYSTEM DESIGNED TO PREVENT FRICTIONS BETWEEN KOREA AND THE UNITED STATES WORKED WELL BUT THE MESSAGE HAS NOT REFLECTED PROPERLY IN OUR GOVERNMENT'S POLICY,+ SAID HYUN, WHO IS TO FLY TO WASHINGTON ON FRIDAY.

HE DENIED THAT SEOUL'S RAPID RAPPROACHEMENT WITH MOSCOW MIGHT HAVE LED TO THE DAMPENING OF ITS RELATIONS WITH WASHINGTON.(END)

0083

YONHAP 2316 KST 031191

Beijing unlikely to veto Korea's U.N. entry: Amb. Hyun

New envoy to U.S. cites favorable atmosphere

South Korea's new ambassador to Washington, Hyun Hong-choo, indicated that China is not likely to veto Seoul's entry into the United Nations.

Hyun told a news conference yesterday that prospects are bright for Seoul's admission to the international organization this year.

While serving as ambassador to the United Nations, he said, he witnessed China would not go against major decisions reached by big powers.

The Chinese decision to give up voting on the anti-Iraqi U.N. resolution No. 678 at the U.N. Security Council last November was a sign of the Chinese stance.

He said he felt that the international atmosphere had matured enough for Korea's admission to the United Nations during the last U.N. General Assembly session.

"I felt sorry that we did not submit an application at that time since I feared that international support might fall the next year with people's diminishing enthusiasm in the new detente.

"But fortunately, outside conditions have become more favorable this year," said Hyun, adding that many countries "appreciate" Seoul's decision not to push its U.N. entry in consideration of relations with North Korea and China. The former ambassador to the United Nations will leave for Washington Friday to assume his new post.

He said the government's increased emphasis on Korea-U.S. relations this year, especially after the Gulf war, would not overshadow its diplomacy toward socialist countries with which Korea has opened relations.

He said the government has never neglected its relations with the United States while pursuing better relations with the Soviet Union and other East European countries.

"Both relations are important to us. They are not mutually exclusive and can go together," the ambassador said. "We also have to keep in mind that the achievements made in our northern diplomacy were possible partly because of U.S. support."

Amb. Hyun said a realignment of Korea-U.S. security relations is inevitable to accommodate political changes around the Korean Peninsula and changes in Korea's status in the international community.

But the realignment needs close consultation among the countries concerned as the U.S. military presence in Korea is not only for Seoul, but for all other countries involved.

To settle trade friction between the two countries, the diplomat said he would try to increase contacts between Koreans and Americans as much as possible not only at government level but a private level.

"We need to increase communication with American businessmen, too, to know what they want from us," he said.

A graduate of Seoul National University Law College, Hyun, 50, began his public career in 1963 by passing a state test for high judicial service. After serving as a prosecutor, he moved to the Agency for National Security Planning in 1980 as first deputy director.

Korea Herald

CREDENTIALS TO NEW ENVOYS — President Roh Tae-woo gives ambassador's credentials to new Korean Ambassador to the United States Hyun Hong-choo at Chong Wa Dae yesterday. Roh also gave credentials to 10 other new ambassadors — Lee Hong-koo for Britain, Kim Seong-jin for Singapore, Oh Jay-hee for Japan, Roe Chang-hee for the United Nations, Cho Kwang-je for Portugal, Park Kun-woo for Canada, Lee Chang-bum for Australia, Rah Won-chan for Kenya, Paik Sung-il for Brunei and Sung Pil-joo for Zambia.

0084

세계 91.2.12

"유엔加入 분위기 성숙"

玄鴻柱 駐美대사 인터뷰

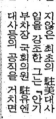

『대통령이 직업외교관 출신 아닌 나를 駐美대사로 임명한것은 실무적 고려뿐 아니라 정치적인 판단을 해가면서 일을 추진해 나가라는 취지로 받아들이고 있습니다』

대통령취임준비위팀의 일원으로 盧泰愚대통령의 측근중 한사람으로 지칭되는 玄鴻柱 駐美대사(51)는 11일 자신의 駐美대사기용이 재조정단계에 접어든 韓·美관계의 발전적 강화를 위한 「정치적」 기용임을 굳이 부인하지 않았다。

日帝식민지교육을 받지않은 최초의 駐美대사임을 강조한 그는 『안기부차장 국회의원 駐유엔대사등의 공직을 거치면서 韓·美관계에 각별한 관심을 기울여온 만큼 일이 크게 낯설지는 않다』고 자신감을 내비쳤다。

—韓·美관계의 여러 분야중에서도 특히 군사안보관계의 바람직한 재조정이 가장 강조되고 있는데, 이 문제에 어떻게 접근할 생각인가。

주한美軍 輕量化구상 과거부터 있어온 일

兩國통상마찰 해소 신속대응 필요성 절감

『안보협력분야에 있어 韓·美간에는 한국이 주도적 역할을 맡고 미국은 지원차원으로 역할을 축소시킨다는데 양해가 이뤄져있다。이는 독립된 주권국가로서 당연한 일이다。이같은 원칙아래 우리의 위상변화와 안보여건 변화에 따라 韓·美간 안보협력관계에 대한 신축적인 조정이 가능할 것이다』

—올해 美국방부의 연례안보보고서는 駐韓미군을 타지역분쟁에도 활용할수 있도록 성격변화를 가한다는 내용을 담고 있는데。

·『과거부터 美행정부내에서는 駐韓·駐日 미군을 輕量化시켜 지역분쟁에 즉각 투입할 수 있도록 하는 구상이 검토중이었던 것으로 안다。그러나 이 구상이 구체적인 정책수립단계로까지 발전됐는지에 대해서는 아는 바 없다』

—연내 유엔가입을 실현시키기 위한 駐美대사로서의 복안은。

『유엔대사 재직시 中國의 태도를 관찰해보니 中國은 국제적 흐름, 특히 美國과의 협력을 매우 중시하는 것 같았다。지난해 우리가 유엔가입신청을 낼 수 있었음에도 남북관계와 對中관계를 고려해 자제한 것도 (中國으로부터) 좋은 평가를 받고있다。여러 측면에서 유엔가입분위기가 작년보다 성숙된 것은 틀림없다。駐美대사로서 美정부와 긴밀히 협의해 유엔가입문제를 풀어가겠다』

—정부는 韓·美통상마찰의 사전해소를 위해 「조기경보체제」의 가동을 강조하고 있는데。

『그동안 韓·美간에 통상문제가 발생한 것은 조기경보체제가 가동되지 않았기 때문이라기보다는 통상경보가 정부내 정책결정과정에 제대로 반영되지 않았기 때문으로 본다。문제가 발생하면 고위정책결정과정에서 신속하게 대응하는 노력이 필요하다』

〈朴正薰기자〉

0085

中央日報

1991. 3. 13. 수, 5면

신임 駐유엔대사 盧昌熹씨

인터뷰

3.13 중앙 5면

"기필코 올해안에 유엔 가입"

『금년 우리외교의 1차적인 목표는 유엔가입으로 뚜렷하게 정해졌습니다. 무거운 책임감도 느끼지만 반드시 목표를 달석, 30년 외교관생활의 가장 큰 보람으로 삼겠습니다』

신임 盧昌熹駐유엔대사(53)는 12일 「반드시」「기필코」등 외교관답지않은 표현을 사용하며 우리의 올해 유엔가입을 거듭 다짐했다.

―최근 李相玉장관·玄鴻柱駐美대사와 함께 유엔가입방침을 논의한 것으로 압니다만.

『금년내에 어떤 형식이든 기필코 가입하기로 다짐하고 몇가지 구체적 방안을 검토했습니다. 적합한 시기에 올해안으로 신청서를 제출할 것입니다』

―中國의 거부권행사여부가 관건일텐데요.

『그동안 직·간접 경로로 우리의 의사를 분명히 전달했으며 中國측도 상당한 관심속에 심사숙고하는 것으로 알고 있습니다』

―우리가 올해 유엔가입신청서를 낼것이라는 점도 전달됐습니까.

『그렇습니다』

―中國이 거부권을 행사하지 않겠다고 했습니까.

『그들이 분명한 태도를 아직 공식적으로 밝힌바는 없습니다. 그러나 직·간접으로 간취한 中國의 태도로 볼때 크게 반대하지 않을 것이라는 예상과 기대를 갖고 가입신청서를 제출하기로 했습니다.

유엔에서의 교섭에 따라서는 거부권불행사방침을 우리의 신청서제출전에 공식적으로 얻어낼수 있다고도 생각합니다』

―北韓의 반대에도 불구, 굳이 우선단독가입을 해 얻을게 무엇이냐는 일부의 지적도 있는데요.

『현실을 무시한 감상적 주장입니다. 10大무역대국인 우리가 국제적으로 불안한 위상을 감수해야한다면 그것이 비정상적인 일입니다』

盧대사는 지난2월초 駐유엔대사의 내정자로 中國을 열흘간 비공식 방문하고 돌아왔다. 그는 12일저녁 출국, 임지로 떠났다. <李在鶴기자>

0086

京鄕新聞
1991. 3. 13. 水, page 2

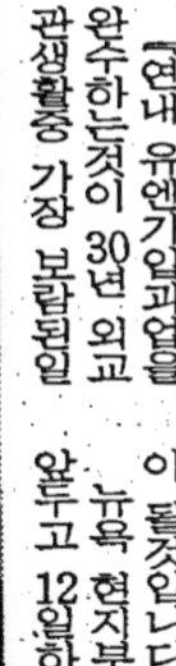

신임 盧昌熹 유엔대사

유엔단독가입 中國도 반대안할것

『연내 유엔가입과업을 완수하는것이 30년 외교관생활중 가장 보람된일이 될것입니다』 뉴욕 현지부임을 하루 앞두고 12일하오 기자회견을 가진 盧昌熹駐유엔대사는 유엔가입의 관건인 中國의 태도에 대해 『그들의 외교정책수행자세는 가볍게 입장을 발표하지는 않지만 여러사정을 감안할때 호의적 태도를 보일 것』이라고 확신겸 기대를 나타냈다.

그는 『盧泰愚대통령께선도 금년내 유엔가입에 상당한 결의를 갖고있으며 챙근하고 있다』고 정부내의 분위기를 전달하기도했다.

―4~5월경에 가입신청서를 낼 작정인가.

『금년내에 어떤 형식이든 기필코 가입해야한다. 그를 위해 만반의준비를 하고 있으며 가장 적합한 시기를 결정할것이다. 3월도, 4월도, 5월도 좋고 다소 늦출수도 있다』

―中國과는 어떤 접촉이 있었나.

『中國과는 직접접촉이 아직도 제한돼 있지만 여러 채널로 우리의 뜻을 분명히 전달했다. 금년내 가입을위해 필요한조치를 하겠다는 의사까지도 전달돼있다』

―정부가 先가입결정을 한데는 中國으로부터 거부권행사를 하지 않겠다는 어떤 시사를 받았기 때문인가.

『中國은 보다 넓은 시각에서 대세를 판단할것이다. 中國은 대국으로서의 안목을 갖고 국제적 영향력등을고려해 신중히 결정할것이지만 결국 호의적 태도를 나타낼것이다. 이것은 그동안 직·간접적으로 파악한 결과다』

―북한의 강력한 반발과 국내 일부여론의 반대를 무릅쓰고 유엔가입을 실현시켜 생기는 實益은 무엇인가.

『남북한간 정상적인발전과 한반도평화정착에 크게 도움이 된다. 유엔에 일찌감치 동시가입한 분단국의 경우를 보라. 당연하고도 필요한 일이다』

―북한이 동시가입에 끝내 반대할경우 先단독가입한다고 했는데 북한의 최종의사는 어떻게 확인할 것인가.

『고위급회담이 열리면 한번더 분명한 입장을전달할 것이다. 우리는 단안을 내릴 시점에 있다. 그러나 우리가 먼저 단독가입을 신청한 연후에라도 북한이 동시가입의사를 표명하면 함께 유엔에 들어갈 것이다. 우리의 기본정책은 南北韓동시가입이기 때문이다』

〈宋永添기자〉

0087

서울신문

1991. 3. 13. 수, 2면

인터뷰

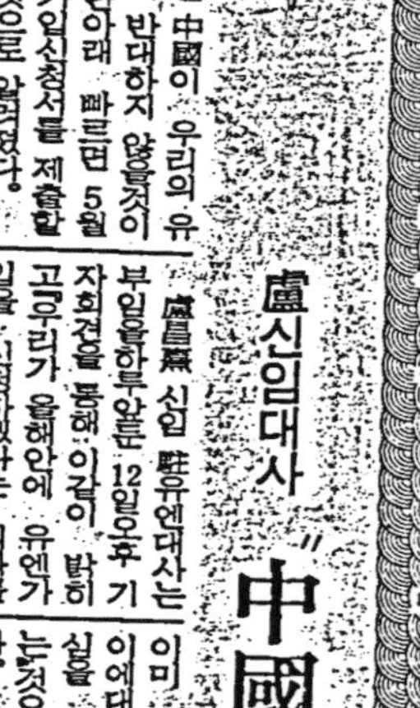

盧昌熹 신임駐유엔대사

"韓國 유엔加入 中國도 호의적"

「연내 유엔가입을 위한 본격적인 외교접촉이 막후에서 활발히 진행되고 있습니다」

올해 최대외교목표인 연내 유엔가입이라는 重責을 맡은 盧昌熹신임駐유엔대사는 부임을 하루앞둔 12일 기자회견에서 「盧泰愚대통령께서도 유엔가입문제에 대해 상당한 결의를 갖고 이 문제에 대해 독려하는 것을 들었다」고 최고통치권자의 뜻을 전달하면서 연내에 유엔가입을 매듭짓겠다는 확고한 입장을 밝혔다.

盧대사는 「南北韓동시가입이든 단독가입이든 우리의 유엔가입에서 中國태도는 거의 결정적」이라며 「美國등 우방국들을 통해 우리의 유엔가입입장등을 中國측에 전달했고 中國도 상당한 관심을 갖고 심사숙고하고 있는 것으로 알고 있다」고 말해 유엔가입이 어렵지 않을 것임을 강력히 시사했다.

—中國을 움직일 수 있는 복안과 거부권 행사에 대한 전망은.

「中國은 우리의 유엔가입에 대한 입장을 분명하게 공식적으로 밝힌 적은 없다. 그러나 여러가지 사정을 감안할때 中國도 우리의 유엔가입에 점차 호의적인 고려를 하고 있는 것으로 느끼고 있다. 국제적 대세로 많은 나라들이 우리의 가입을 지지하고 있는 상황에서 앞으로의 교섭에 따라 가능할 것이다」

—가입신청시기는.

「9월총회이전 언제라도 가입안을 낼수 있고 安保理에서도 거론할 수 있다」

—우리가 먼저 가입하면 뒤이어 北韓도 유엔에 가입할 것으로 보는가.

「北韓의 입장을 정확히 판단할 근거는 없으나 유엔가입의 당위성과 필요성을 감안할때 어느정도 시간이 경과한뒤 그저 늦지 않은 기간내에 신청을 하리라 본다」

—우리의 先가입으로 얻을수 있는 것은.

「국제사회의 책임있는 일원으로서 응분의 책임을 지고 권리를 행사해야 한다는 것은 너무나 당연하다. 北의 단일의석가입안은 시대착오이고 지나친 아집이다」

〈朴政賢기자〉

東亞日報

1991. 3. 13. 수, 2면

유엔加入 빠르면 5월신청

盧신임대사 "中國서 반대안할듯"

정부는 中國이 우리의 유엔가입에 반대하지 않을것이란는 판단아래 빠르면 5월중 유엔가입신청서를 제출할 방침인 것으로 알려졌다.

盧昌熹 신임 駐유엔대사는 부임을하루앞둔 12일오후 기자회견을 통해 이같이 밝히고 우리가 올해안에 유엔가입을 신청하겠다는 의사를 이미 中國측에 전달했으며 이에대해 中國은 상당한 관심을 갖고 심사숙고하고 있는것으로 알고있다고 말했다.

盧대사는 「[illegible] 경로를 통해 파악한 바에 따르면 中國이 우리의 유엔가입에 반대는 하지않을 것으로 보인다」고 덧붙였다.

0088

The Korea Herald
1991. 3. 13. 수, page 2

Seoul notifies Beijing of U.N. admission plan: Amb. Roe

By Kim Hyeh-won
Staff reporter

The government has informed China of its plan to submit an application for U.N. membership this year through various direct and indirect channels, Roe Chang-hee, new ambassador to the United Nations, said yesterday.

"It is true that direct contacts with the Chinese are still limited so we also conveyed the plan through our allies including the United States," Roe said.

Roe said he, Foreign Minister Lee Sang-ock and other relevant government officials met recently and decided to push Seoul's U.N. entry this year.

"President Roh Tae-woo is also very determined to implement the plan," said Roe who was senior protocol secretary to the President until recently.

He said Beijing officials have not made clear their attitude toward Seoul's U.N. membership issue. But considering their past diplomatic practices, he said, this is not unusual. "Moreover, the Chinese appear to favor our plan and are carefully studying it as I know," Roe claimed.

"I believe China will make a wise decision considering its international influence as a world power."

Roe said the Seoul government would decide when to submit an application to the United Nations after carefully watching future international developments.

"We may apply this spring or later. We, however, have already begun necessary preparations," he said.

He said Seoul would check if there is any change in Pyongyang's attitude toward joint U.N. membership of the two Koreas before submitting an application.

Amb. Roe C.H.:

We may apply this spring or later. We, however, have already begun necessary preparations.

It may be done at the next South-North prime ministers' talks or elsewhere, he said.

"We would welcome North Korea's U.N. entry whenever it is made. We are willing to withdraw our plan if North Korea changes her mind and wants to join the organization along with us," Roe said.

When North Korea continues to refuse to join the United Nations separately, the South has no other choice but to push its membership alone, he said.

"I expect the North Koreans to react angrily for sometime after the South obtains U.N. membership alone."

0083

The Korea Times
1991. 3. 13. 수, page2

Seoul to Apply for UN Entry in April or May

헤럴드 3.13. 2면

Roe Chang-hee, new chief of the permanent South Korean mission in the United Nations, hinted yesterday that the government will apply for entry into the international organization in the first half of this year.

"We are ready to submit our application for U.N. membership at any time in April or May," Amb. Roe declared in a press conference at the Foreign Ministry.

Amb. Roe

Specific timing for the application, however, will be decided on, after considering the overall situation, said Amb. Roe.

He said he will leave for New York this afternoon to assume his duties there.

Amb. Roe, 53, said the government will send an ultimatum to North Korea appealing for simultaneous entry by the two Koreas as separate members when inter-Korean prime ministers' meeting resumes.

Government officials believe that North Korea, which unilaterally suspended the prime ministers talks citing the Team Spirit exercise, will resume them when the annual joint Korea-U.S. exercise ends in April.

Roe said, "We may also notify North Korean authorities of our government's final stance through other countries, including China and the U.S."

"There will be ways for our government to determine the North Korean response," said Roe.

He made it clear that the government will not hesitate (to apply) any longer after confirming the North Korean official response to our suggestion of simultaneous entry.

But he said that the government will withdraw its application immediately if Pyongyang decides to enter the U.N. along with Seoul.

Roe began his diplomatic career in 1959 by passing the higher service examination and served in key posts of the Foreign Ministry and foreign missions. He also served as senior presidential secretary for protocol for three years before being named as chief of the U.N. mission.

He described the South Korean entry into the world body as one of the foremost diplomatic tasks of the country. Thanks to its role in the Gulf crisis, the functions and status of the United Nations will be largely strengthened from now on, Amb. Roe observed.

Then he said it is "very abnormal" for South Korea to remain an observer country, despite its status in the international community as the world's 10th largest trading country.

The government has already notified China, one of the five permanent member countries of the U.N. Security Council, of its firm position to seek U.N. membership this year through "our allies," said Amb. Roe.

He said, "The government believes that China, a world power, will make a cautious decision about our entry."

"Our government has impression that China increasingly shows signs of taking a positive response to our admission to the U.N., though it has yet to express it officially," he added.

0090

한국일보
1991. 3. 13. 수, 2면

"여건성숙땐 가입신청"

「年內유엔가입」 中國서도 호의적 반응

盧신임 駐유엔대사

盧昌熙신임 駐유엔대사는 12일 부임에 앞서 기자회견을갖고 『정부는 직·간접경로를 통해 중국측에 우리의 유엔연내가입 의사를 분명히 전달했으며 중국도 이에 대해 점차 호의적인고려를 하고있는것으로 보인다』고 밝혔다.

盧대사는 『고위급회담을 통해 북한에 유엔동시가입을 다시한번 분명히 촉구할 것이나 태도변화가 없을 경우 조만간 단안을 내려야할 것』이라면서 『우리가 먼저 가입신청을 한 뒤에라도 북한이 동시가입의사를 밝힌다면 단독가입을 재검토할 수있다』고 말했다.

★인터뷰내용5면

盧대사는 이날 유엔가입 신청시기와 관련, 『여건이 성숙되면 상반기라도 신청할 수 있을것』이라며 중국의 명확한 태도표명이 없더라도 우리의 가입에 반대하지 않을 것이라는 판단이서면 신청서를 제출할 방침임을 분명히했다.

3.13. 한국2면

0091

韓國日報
1991. 3. 13. 수, 5면

盧昌熹 신임駐유엔대사

인터뷰

"우리 유엔가입땐 北도 따를것"

"직·간접경로로 北설득 계속"

『우리의 연내유엔가입의사를 이미 중국측에 직·간접적으로 전달했으며 중국도 이에대해 점차 호의적인 고려를 하고있다는 느낌을 받았습니다』

盧昌熹 신임 駐유엔대사(53)는 12일 부임을 하루 앞두고 가진 기자회견에서 『금년내에 기필코 유엔에 가입한다는것이 정부의입장이며 盧泰愚대통령도 상당한 결의를갖고 독려하고 있다』고 밝혀 유엔가입을 위한 정부의 노력이 긴박하게 전개되고 있음을 시사했다.

—유엔가입신청시기는.

『상황진행을주시하며 신청서제출시기를 결정할 것이다. 그 전에 만반의 실무준비를 갖추겠다』

—여건이 성숙되면 9월 정기총회 이전에라도 신청할 계획인가.

『물론이다. 신청절차는 언제라도 밟을 수 있다』

—중국의 태도가 문제인데.

『여러가지 채널을 통해 직·간접적으로 우리의 뜻을 이미 중국에 전달했다. 중국도 우리의 생각에 대해 심사숙고하는 정도로 안다. 중국은 아직까지 분명한 태도를 밝히지 않고있으나 우리의 가입에 크게 이의가 없을 정도로 기대하고 예상한다』

—중국의 분명한 태도표명이 없어도 가입신청을 할 것인가.

『중국은 외교에있어 사전에 입장을 밝힌 경우가없다. 여러상황을 감안해 볼때 중국도 이 문제에 대해 점차 호의적 고려를 하고있다는 느낌을 준다. 신청시기는 이러한 사정을 모두 감안해 결정할 것이다』

—북한에 대한 설득작업은.

『고위급회담에서 다시한번 분명히 촉구하겠다. 美·日·中등 간접채널로도 설득할 계획이나 태도변화가 없다면 조만간 단안을 내려야 할 것이다. 단독가입신청후라도 북이 동시가입의사를 표시할 경우 유엔이 결정하기전에 재검토할수도 있다. 그러나 우리가 먼저 유엔에 가입한다해도 북한역시 뒤이어 가입하게될 것으로 보인다』

【鄭光哲기자】

한겨레 신문
1991. 3. 13.수, 2면

UN단독가입 강행 밝혀

극심

◇…노창희 신임 유엔대사는 12일 "남북한 고위급회담 등 여러가지 직·간접 경로를 통해 북한의 의사를 확인하겠지만 북한이 끝내 동시가입안을 반대하면 우리의 단독가입을 강행하겠다"고 밝혔다.

노 대사는 이날 현지 부임에 앞서 가진 기자회견을 통해 "북한은 우리의 단독가입 결과에 대해 얼마간은 반발하겠지만 조만간 우리의 뒤를 따라올 것"이라고 낙관적으로 전망했다.

그는 또 한국의 유엔단독가입안에 대한 국내의 반대여론과 관련해 "현실성이 없는 감상적 생각에 불과하다"고 일축하면서 노태우 대통령의 각별한 관심과 '채근'을 상기시켰다.

0092

The Korea Herald
1991. 3. 14. 木, 사설

Korea's entry into the U.N.

The time has come for the Seoul government to seek its long overdue membership in the United Nations so that it can assume a greater role as a full-fledged member of the international community, consistent with its considerable national power and stature.

It was made public by the Foreign Ministry here that South Korea has decided that the only option available at present is for Seoul to join the world organization alone unless North Korea indicates a desire to bid for U.N. membership together with the South.

헤럴드 3.14

Seoul's entry into the United Nations has been unjustifiably delayed due to the artificial division of the Korean Peninsula, resulting in the emergence of two rival governments on either side of the division line followed by the fierce military and diplomatic confrontation between the two.

From its legitimate birth under the auspices of the United Nations and by virtue of official recognition by the world body as the sole lawful government on this peninsula, the Republic of Korea has been more than entitled to a rightful place in the United Nations.

But its bid for admission was foiled by the negative reaction of some countries and powers sympathetic to the cause of North Korea negating the existence and legitimacy of South Korea and bent on discrediting Seoul.

The latter came to bend its principles and tried to accommodate the one-sided maneuver of Pyongyang by offering to seek concurrent or separate admission in place of the unprecedented and impracticable joint membership of the two Koreas as a single entity.

International conditions around Korea and in the diplomatic arena at large have changed decisively in favor of Korea's U.N. membership which has been unduly withheld for the duration of the Cold War. Most nations today acknowledge the competence of South Korea and desire to see it take a larger part in world affairs.

There is no longer any reason for Seoul to postpone its drive for U.N. membership simply due to the stalling tactics of North Korea. The North might change its mind and join the South in striving for separate admissions. Otherwise, Seoul should not be barred from achieving its deserved status at the 46th U.N. General Assembly this fall.

0093

東亞日報
1991. 3. 14. 木, 사설

유엔가입의 當爲性

유엔가입은 유엔헌장에 게재된 의무를 수락하는 필요조건과 유엔의 의무를 이행할 능력과 의사를 갖고 있다고 유엔이 인정할수 있는 충분조건, 이 두가지조건을 갖춘 모든 평화애호국가에 개방돼있다.

南北韓은 유엔회원국의 지위를 규정한 유엔헌장 4조에 합당한가. 이같은 질문은 오직 우매할뿐이다. 그러나 南北韓의 유엔가입은 안보리의 5개 상임이사국 가운데 일부의 거부권행사로 좌절된 역사를 갖고 있다. 물론 그 배경에는 한반도의 분단과 냉전구조, 현실인정을 거부하려는 괴기한 통일정책등 당사자의 대결 논리와 정책이 깔려있다. 그로인해 南北韓은 유엔산하기구에는 공동으로 가입하면서도 유엔의 正會員國은 못되는 외교적인 기형상태를 계속하고 있다.

유엔은 南北韓외교의 처절한 대결장이었다. 西方과 공산진영의 합의로 韓國문제의 脫유엔화가 이뤄진후 한때 소강상태를 유지했으나 최근 제기된 南北韓의 가입문제를 둘러싸고 南北韓의 외교전쟁이 다시 치열해졌다. 전세계를 둘러보아도 이렇게 치열한 소모전을 장기화하고있는 경우는 별로 없다. 이제 우매한 소모전을 지양할때가 왔다.

이를 위해서는 두가지의 선택방법 밖에는 없다. 하나는 한반도가 통일될 때까지 유엔가입문제를 무기한 유보하는 길이며 또하나는 유엔헌장 4조에 따라 南北韓이 함께 유엔에 들어가는 방안이다. 그중간 방법은 사실상 존재할 수없다. 유엔헌장 어느구석을 살펴보아도 「단일의석 가입은 절차상으로 허용되지 않는다. 결국 南北韓 둘다 안들어가느냐, 함께 들어가느냐, 둘중의 한 길로 귀착될 수밖에 없다.

그러나 둘다 안들어간다는 논리는 진부하다. 그 논리의 바탕은 둘다 들어갈 경우 그것은 분단고착화라는 주장이다. 냉전시대에 유엔이 東西대결의 집단 투우장으로 이용될때에는 논리의 타당성 여부를 떠나 편가르기 현상이 두드러졌고 그러한 분위기속에서 그같은 논리가 편가르기의 한쪽편 지지를 받을수 있었다. 문제는 바로 여기에 있다. 편가르기현상이 협력의 모습으로 바뀌었기 때문이다.

걸프전쟁에 관한 유엔의 결의과정은 변화된 유엔의 새모습을 여력히 보여줬다. 변화된 유엔은 더이상 무리한 논리를 수용하지 않는다. 두개의 獨逸과 예멘이 하나로 합쳐 지면서 두개의 회원국 자격을 하나로 했다는 예를 굳이 열거할 필요는 없다. 심지어 스탈린도 蘇연방 공화국별 회원자격을 요구했다가 그중 3개만 얻어냈었다. 그리고 기본적으로 통일은 南北韓당사자의 문제이며 유엔의 역할은 보조에 불과할 뿐이다.

결론적으로 유엔 밖에 있는 것과 유엔 안으로 들어가는 것, 그중 어느 것이 實利的이냐의 실용적인 판단이 중요하다. 새질서 구축을 모색하고 있는 세계사의 흐름속에서 집단안보의 필요성이 높아지고 유엔의 존재이유가 새삼스럽게 부각되고 있는 국제현실을 감안하면 그에 대한 해답은 자명해진다. 南北韓은 마땅히함께유엔에가입해야한다.

정부가 年內목표로 추진하고 있는 韓國 선가입주장도 함께 들어가는 방법의 하나일 뿐이다. 그것은 동시가입의 변형된 형태인 시간차별 가입이다. 그러나 시간차별 가입이라도 성공시키기 위해 일부 안보리 상임이사국을 상대로 외교비용을 지출하는 무리는 없어야 한다. 유엔의 보편성원칙을 지키는 것은 그들의 도덕적인 책무이기 때문이다. 그들은 오히려 유엔헌장 4조의 정신을 강화하도록 노력해야 한다. 이점에서 韓國의 유엔가입문제는 그들의 책무이행을 지켜볼 수 있는 중요한 계기가 될 것이다.

0094

東亞日報
1991. 3. 15. 금, 2면

한국 유엔加入지지 오스트리아 재확인

【빈=崔孟浩특파원】 알로이스 모크 오스트리아외무장관은 14일 한국의 유엔가입 지지를 재확인했다.

모크외무장관은 이날 한국과 오스트리아간의 투자보장협정조인식에 참석한뒤 가진 李長春대사와의 환담에서 이같이 밝히고 「한국의 유엔가입이 실현될수있도록 노력하겠다」고 말했다.

한국의 유엔가입신청에 따른 중국의 거부권행사 가능성과 관련, 이곳 외교관측통들은 「한국이 압도적인 국제적 지지를 받을 경우 中國의 거부권행사는 어려울 것이며 기권가능성이 있다」고 내다봤다.

이날 조인된 양국간의 투자보장협정은 오는 5월1일부터 효력이 발생한다.

0095

中央日報

1991. 3.15. 금, 2면

韓國의 유엔단독가입 北韓 "전쟁위협 증대"

【서울=內外】 北韓은 13일 韓國의 유엔단독가입추진이 『北과의 협상결렬을 선언한 것』이라면서 이로인해 한반도통일에 「새로운 장애」가 조성됐다고 주장했다.

北韓의 平壤방송은 이날 南北韓 유엔동시 및 단독가입이 『분열을 국제적으로 합법화·고정화하는 것』이라는 종래 주장을 되풀이 하면서 韓國의 유엔단독가입이 실현될 경우 南北韓간의 관계가 극도로 악화, 한반도에서의 전쟁위험이 증대될 것이라고 강조했다.

0096

朝鮮日報
1991. 3. 16.토, 3면

南北외교경쟁 "舞臺변화"

<北韓 阿洲公館철수 배경-전망>

북한의 아프리카지역 공관철수는 최근 악화되고있는 경제난의 반영인 동시에 대외정세변화에 적응하기위한 외교패턴의 변화를 예고하는 것으로 보인다. 심각한 외화부족현상과 외교열세 회복이 시급하다는 인식이 공관폐쇄를 서두르게 만든 것으로 풀이된다.

북한은 대사관을 폐쇄하면서 사전설명이나 송별리셉션같은 외교적인 절차들을 거의 거치지 않은 것으로 알려지고 있다. 이는 바로 공관철수등 외교전략 변경과 관련, 최고위층의 지시가 갑작스럽게 내려진 탓으로 보인다고 외무부관계자들은 설명하고 있다.

북한의 경제난은 이미 알려진 사실이지만 최근 그 심각함이 더해 가고 있다는 관측이 지배적이다. 최근 팀스피리트훈련에 대응하기위해 동원체제를 선포하고서도 유류 부족으로 훈련에 어려움을 겪고 있으며, 올 봄에는 식량난으로 기아사태가 발생할 것이란 관측이 여러차례 나오고있다.

일부 관측통들은 최근 金日成 동상 건립을 중지하라는 지시도 경제난과 연관이 있다고 분석하고 있다.

실제로 이번에 폐쇄되는 공관들을 포함, 대부분 아프리카지역에서 북한외교관 들은 경비절감을 위해 건물 한 채에서 합숙생활을 해왔다는 것.

외교전문가들은 이번 공관철수에서 경제난에 따른 결과란 측면보다 북한의 외교전략 변화라는 측면에 더 관심을 가져야 한다고 지적하고 있다.

앞으로 아프리카 지역에서 나온 외교인력을 對美·日 관계개선이나, 유엔외교등을 위해 집중 투입할 가능성이 많다는 점이다.

「美·日·유엔」 위주로…신축대응 절실

또 이같은 추세가 계속될경우, 중남미나 아랍지역등 그동안 남북한이 대결외교차원에서 설치해온 공관들을 추가로 철수시킬 가능성이 크다는 전망도 나오고 있다.

북한이 이같은 노력을 강화하면 과거 非동맹권을 대상으로 이뤄져온 南北간이 외교경쟁이 서방국이나 동남아지역, 유엔등 국제기구로 옮겨지는 양상을 보일것으로 전망된다.

정부는 88년 7·7선언이후 「북한과 우방국과의 관계개선을 반대하지 않겠다는 입장을 밝히고 있으나, 「관계개선이 북한의 개방을 위해 도움이 되는 방향에서 이뤄져야 한다」는 입장을 견지하고 있다.

그러나 북한의 외교노력은 現체제를 강화하기 위한 것인만큼, 상당한 외교경쟁이 불가피할 것으로 예상된다.

실제로 북한은 최근 日本과의 수교교섭뿐아니라, 이미지쇄신을 위한 對美, 對유럽 홍보를 강화하고있으며, 延亨默총리를 비롯한 고위 인사들의 유럽국가 순방 계획을 세우는 등 활발한 움직임을 보이고 있다.

또 東南亞지역국가들과의 經協노력강화와 함께, 亞太각료회의(APEC) 유엔亞太경제사회이사회(ESCAP) 등 지역협력기구참여 가능성도 타진하고 있다.

그러나 북한의 이같은 외교노력들은 궁극적으로 북한의 변화와 개방을 촉구하는 결과를 낳게될것으로 전망된다. 따라서 우리정부 역시 원칙과 포용력 사이에서 균형된 판단을 내리는 일이 긴요할 것으로

0097

朝鮮日報
1991. 3. 16. 五, 1면

北韓, 阿洲공관 10여곳 폐쇄

지난달부터 잠비아-시에라리온서 철수

외교「非동맹」서「西方」전환

심각해진 經濟難도 원인

정부분석

북한은 최근 잠비아 시에라리온 가봉 니제르등 대사급 외교관계를 맺어온 아프리카지역 공관 10여개를 폐쇄하고 있는 것으로 15일 알려졌다.

북한의 이같은 공관폐쇄는▲최근 심화되고있는 경제난에따른 공관유지의 어려움과▲유엔및서유럽지역과 동남아등지에서 외교활동을 강화하기위한 목적에 따른것으로 풀이되고있다.

정부의 한 관계자는 『북한은 지난2월초부터 아프리카지역 공관철수 움직임을 보이기 시작, 이미 잠비아 시에라리온공관은 철수를 마쳤으며, 나머지 국가들에 대해서도 공관폐쇄 통보를 한것으로 알고있다』고 밝혔다.

이 관계자는 『북한이 공관을 폐쇄했다고 해서 주재국과의 관계를 단절하는 것은 아니다』고 말하고 『북한은 공관운영경비부담을 줄이고, 상대적으로 비중이 감소되고 있는 非동맹외교보다 美-日-서유럽등 서방국가들 과의 관계개선과 동남아지역공관기능강화등을 위한 것으로 보인다』고 덧붙였다.

관계자는 『북한은 공관철수국가와의 외교업무는 인근 공관이 맡도록 할것』이라며 『이같은 운영방식은 80년대末부터 우리나라가 채택하고 있는 거점공관중심 공관망운영방식과 유사할 것으로 보인다』고 말했다.

그는 『북한의 아프리카지역공관근무자는 공관당 10여명에 이르고있어, 이번 공관철수로 1백여명의 외교인력이 이동하게될 것』이라고 말하고 『현재 이들의 이동지역은 확인되지 않고 있으나 他지역공관기능강화뿐아니라 최근美-日양국과의 관계개선업무전담을 위해 신설된 외교부 제14국 인원을 보강하는데 투입될 것으로 보인다』고 분석했다.

〈관련기사 3면〉

0098

The Korea Times
1991. 3. 17. 日, 사설

Seoul Bid for U.N.

It is quite unnatural that the Republic of Korea has long been denied entry into the United Nations, an inherent right of all nations to become a viable member of the world forum. The unfair situation has been caused by a handful of states that have maintained a negative stand toward Seoul's admission into the world organization.

Worse yet, the main stumbling block to the South's entry into the U.N. is no one but North Korea which logically should be in the vanguard for U.N. membership of both South and North Korea. In consideration of the North Korean posture, its major allies, the Soviet Union and China, were reluctant to support the ROK overtures for U.N. entry until recently.

But the unfavorable situation is changing of late, following the Soviet Union's establishing diplomatic ties with South Korea last year and China showing signs of changing its policy toward Seoul. Such encouraging developments will no doubt help the ROK's chances of gaining U.N. admission.

Since the diplomatic rapprochement between Moscow and Seoul, the Soviet Union, a permanent member of the U.N. Security Council, has reportedly indicated that it would not exercise its veto power in the Security Council but rather take a positive view of Seoul's membership.

China, as a result of multilateral contacts, is believed to have softened its position against admitting South Korea to the U.N., giving rise to speculation that it at least would not veto the South's membership bid in the Security Council, if not cast an aye vote. In fact, China, as a still staunch ally of Pyongyang in the post-Cold War era, is the last legal barrier to Seoul's U.N. entry.

In the prevalent situation, what makes Seoul hesitate to apply for U.N. membership? Of course, it is the North Korean Communist regime. Pyongyang has long maneuvered to block Seoul's U.N. entry by all means available ranging from threats to sophistry.

Pyongyang has unreasonably advocated that ROK admission into the U.N. will harden and perpetuate the existing division of the Korean peninsula. Yet, its actual activities betrayed the dogma, as it established diplomatic ties with 89 nations which also maintain relations with the South and joined subordinate organs of the U.N. and other international organizations, along with Seoul.

The latest Pyongyang proposal for two Koreas' sharing one U.N. seat is evidently another trick to block Seoul's bid or to buy time. The proposal is in a clear contravention of the U.N. Charter granting membership to one state. Also, in reality, the North Korean overture has been ignored by an absolute majority of members of the U.N. General Assembly.

The Pyongyang protestation is losing ground, since West and East Germany and South and North Yemen have achieved reunification, although they hold separate memberships. Coincidently or not, their separate U.N. entry can be regarded as having served to accelerate their unification, far from the North Korean insistence that Seoul's admission would obstruct Korean unification.

The two Koreas joining the world body will surely pave the way for expanding their roles in the world community and contribute to advancing Korean unification by invigorating their mutual cooperation and exchanges.

It is appropriate, therefore, that Seoul should step up its preparations for U.N. admission in order to enter the body separately, if Pyongyang persists with its negative policy. But Seoul's unilateral action should be taken only after its present efforts for joint entry with the North comes to naught.

0099

	분류번호	보존기간

발 신 전 보

번 호 : WUN-0547 910318 1540 FH 종별 :

수 신 : 주 유엔 대사.~~총영사~~

발 신 : 장 관 (국연)

제 목 : 유엔가입문제 관련기사 송부

아국의 유엔가입문제와 관련한 3.14자 동아일보 및 3.17자 KOREA TIMES 사설을 FAX 송부하니 업무에 참고바람. 끝.

(국제기구조약국장 문동석)

보안 통제	

앙 고 재	91년 3월 18일	유엔과	기안자 성명		과 장		국 장		차 관	장 관
			여							

외신과통제

0100

京鄕新聞
1991. 3. 18. 月, 2면

"年內 유엔단독가입

李외무, 北韓반대로 미룰수만 없어"

李相玉외무장관은 18일 『우리는 지금도 南北韓이 다함께 유엔에 가입하기를 희망하고있지만 北韓이 끝내 응하지 않을 경우에는 우리의 유엔가입을 더이상 미룰수 없다』고 말해 금년중 先단독가입방침을 거듭 밝혔다.

李장관은 이날하오 세종문화회관 별관에서 憲政會가 주최한 정책세미나에 참석, 「당면 주요外交문제」라는 제목으로 행한 연설에서 『오늘날 국제사회의 현실에 비추어 볼때 우리가 아직도 유엔에 가입하지못하고 있는것은 매우 부자연스러운 일』이라면서 이같이 말했다.

0101

中央日報
1991. 3.18.月, 2면

中國과 修交 서둘지않기로

무역대표부로 公館기능 가능

北韓과 관계 고려…유엔가입여건 조성

중앙 3.18 2면

정부는 中國과의 수교를 서두르지 않는대신 무역대표부를 통한 양국의 실질관계를 심화시킬 방침인 것으로 18일 알려졌다.

정부의 이같은 방침은 무리하게 조기수교를 추진할 경우 對北韓 관계에서 中國의 입장을 어렵게하고 우리의 年內 유엔가입 여건조성에도 바람직하지 않으며 양국이 교환설치한 무역대표부 만으로도 외교공관의 기능을 충분히 할수 있다고 판단했기 때문이다.

정부는 이와함께 中國이 蘇聯과 달리 韓國戰의 휴전협정 당사자인 만큼 정치적이고 법적인 종전처리가 없는 양국의 수교는 문제점이 없지않다는 시각에 따라 韓中관계 정상화방안을 전반적으로 재검토하고 있는 것으로 알려져 귀추가 주목된다.

정부의 한 당국자는 18일 『최근 中國은 비공식경로를통해 내년부터 北韓과의 무역에경화결제를하게하는등 蘇聯식으로 對北韓관계를 재정립할 뜻을 밝혀왔다』며 『北韓과 中國의 이같은 관계재정립이 선행되지않고는 실질적인 韓中수교교섭이 불가능할』 것』이라고 전망했다.

이 당국자는 中國은 지난해10월 金日成의 訪中때 올해부터 모든 나라에 적용키로한 무역의 경화결제를 北韓에만 2~3년 유예해주었으나 최근 北韓이 서방국가들과의 경제협력을 강화하려는 것으로 보아 유예기간의 조정움직임이 있는 것으로 분석된다고 덧붙였다.

韓中양국은 무역대표부가 면책·면세특권을 갖는 20명의 정부관리를 임의로 상주케 할 수 있고 암호통신·외교행낭사용등 외교공관에 준하는 자격과 권한을 갖기로 합의한바 있다.

한편 지난해 韓中간 교역규모는 38억달러였으며 中國의 對北韓 수출은 3억5천8백만달러, 수입은 1억2천5백만달러 정도인 것으로 알려졌다.

0102

The Korea Herald
1991. 3. 19. 화, page 2

N.K. seeks int'l backing to foil Seoul's U.N. entry bid

North Korea has gone on the diplomatic offensive, apparently in an effort to muster international support against South Korea's moves to join the United Nations this year, Naewoe Press said yesterday.

North Korean Vice Prime Minister Kim Yong-nam is believed to have used a tour of seven African nations Feb. 6 to March 10 to drum up support for Pyongyang's stance on U.N. entry, Naewoe reported.

Pyongyang wants to share a U.N. seat with Seoul, which prefers simultaneous entry into the world body as separate members and tries to join on its own this year regardless of North Korea's opposition.

Naewoe noted that Kim's trip came close on the heels of a tour by North Korean Prime Minister Yon Hyong-muk of Southeast Asia and just before the April General Assembly of the Interparliamentary Union convenes in Pyongyang.

In relation to the deepening isolation of North Korea on the international diplomatic scene, Kim, who is also North Korea's foreign minister, might have reaffirmed mutual friendly ties and strengthened economic and military cooperation, though no hard details of his talks are available, Naewoe said.

Kim met with ranking government officials and politicians in the Seychelles, Mauritius, Zimbabwe, Mozambique, Tanzania, Libya and Ethiopia and they discussed matters of mutual concern, according to North Korean broadcasts, Naewoe said. (Yonhap)

0103

世界日報
1991. 3.19.화, 4면

세계 3.19, 4면 세계 3.19, 4면

「韓半島문제 해결없이 아시아 安定은 불가능」

韓國 유엔가입 긴장解消 크게 기여
美·蘇, 남북한에 武器공급 동결해야
蘇, 실용주의 입각 韓國과 관계개선 가속

「蘇의 對韓전략」 보가트로프 연구원 기고

◇보가트로프 연구원 약력△1954년생△모스크바국제관계연구소(소련 외무부산하교육기관)졸업△77~88년 소련과학원 극동문제연구소 근무△88년~현재 소련 美·캐나다연구소 美극동정책과 수석연구원

최근 수개월동안 유럽이 보여주고 있는 화합한 협력은 아시아·태평양지역 또는 최소한 동북아시아지역에서도 그같은 협조가 이뤄질 수 있을 것인지의 여부를 다시 한번 생각해보게 한다.

헬싱키체제가 진전을 보게 된 배경에는 두가지의 중요한 요소가 깔려있다. 그 하나는 특히 美·蘇관계 등 강대국들의 화해이며 둘째로는 국경의 불가침성을 보장하고 동독의 내정간섭을 배제한 서독、소련및 폴란드간의 협정타결에 따른 독일문제의 부분적인 해결로 이 모든 것이 유럽의 상황을 정상화하는데 기여했다.

차이가 있기는 하지만 한반도문제는 전면적인 해결 없이는 이 지역의 안정화가 불가능하다는 점에 있어서 독일문제와 유사하다. 이밖에 한반도의 분단은 지난해까지 분단상태에 있던 독일과 비슷하게 2차대전후 세계질서에서 주도적 역할을 확보하려고 시도하던 전승국들이 행한 부당한 행위를 아직까지 상징하고 있다는 것이다. 그러나 상황은 서서히 변화하고 있다.

지난 80년대 중반부터 소련은 외교정책의 원칙을 재검토해 왔으며 이에 따라 극동정책을 대폭 변경했다. 한반도문제와 관련해서는 상황을 「워싱턴-도쿄-서울이라는 반동적인 反蘇 3국체제」라는 시각에서 보기를 거부했다. 중요한 점은 소련의 외교정책전문가들과 주요분석가들이 한국정부에 대해 반대, 타협할 수 없다는 종전의 입장에서 한국과의 관계개선을 지지하는 방향으로 급선회했다는 것이다. 이같은 사실은 소련의 이장 정통적인 소련의 이념가들이 소련의 對韓정책을 실용주의와 현실주의에 입각해 단호하게 변경할 필요성을 인식했음을 보여주는 것이다.

소련이 서울과 폭넓은 접촉을 갖는 쪽으로 전환한 것은 철저히 계산하고 분석해왔던 것이다. 나는 환상적인 것이 아니라 현실적인 태평양에 대한 소련의 국가이해를 결정지을 훌륭한 경험이라고 이를 표현하고자 한다. 단지 6개월만에 두차례의 정상회담이 열린 것으로 판단할 수 있는 모스크바와 서울간의 전례없는 관계발전은 이 지역상황이 대체로 보다 나은 방향으로 변화할 것이라는 점도 보장하고 있다고 믿을 만한 여러 요인들이 있다.

한반도의 통일과정이 시작되기 위해서 그 외부조건들이 이처럼 양호했던 적은 결코 없었다.

소련과 미국은 한반도내 두 국가 사이의 정상적인 협상과정에 반드시 필요한 역내의 군사·정치적 안정의 확보를 위해서 쌍무적이고 다각적인 노력을 조정해야 할 필요성을 깨달은 것 같다. 이같은 사실은 걸프전 이후 모스크바와 워싱턴이 다시 한번 한국을 포함한 여러 지역에서 군비경쟁에 박차를 가하고 있는 가운데서 그들의 역할을 비판적으로 평가할 필요성에 부딪치고 있는 만큼 특히나 중요한 것이다.

소련과 미국은 한반도의 두 국가에 대한 그들의 무기공급을 동결하는데 합의해야 한다. 그들간의 현재의 적대 수준을 감안한다면 이 문제의 지연은 예측할 수 없는 결과를 초래할지도 모르기 때문이다. 용기와 용통성을 보여주고 이를 한반도의 동맹국들에게 확실하게 설명하는 것이야말로 소련과 미국 지도자들의 의무이다. 쌍방의 이러한 결정은 한반도내의 군사적 균형을 불안케 하는 것이 아니라 그 반대로 한반도내 두 국가의 책임감을 높여주는 것이다.

蘇·美 협력이 취할 가능성이 있는 또하나의 전환은 대량살상무기, 무엇보다도 핵무기의 생산과 확산을 예방하기 위해 이 두 국가를 국제구조내에 연계시키는 것이다. 잠재적인 분쟁지역인 한반도에 무기와 위협한 군사적 노하우를 공급하는 것을 통제하기 위해서는 유엔을 이용하는 것도 생각해 볼 수 있다. 한국이 유엔에 가입한다면 이 지역의 군사·정치적 상황을 안정시키는데 기여할 것이다.

그러나 외적 노력이 한반도의 문제를 해결하는데 충분하지는 않다. 내적 보장이 필요하다. 〈모스크바=연합〉

0104

1991. 3. 19. 화, page 1
The Korea Herald

Korea's future holds key to stability in Asia

Times 3.19. 1면

Following is an article contributed to Yonhap News Agency by A. Bogaturov, a senior researcher at the division of Far Eastern policy, the Soviet Institute for U.S. and Canadian Studies. — Ed.

By A. Bogaturov

Dynamic cooperation in Europe over recent months makes one think once again whether it is possible to reproduce it in Asia and the Pacific, or at least in its northeastern part.

There were two major factors behind the Helsinki process — first, detente in the relationship between great powers, above all between the USSR and the United States, and second, partial settlement of the German problem following the conclusion of agreements between West Germany, the USSR and Poland which guaranteed the inviolability of the borders and excluded interference in the GDR's (East Germany's) internal affairs.

All this helped normalize the situation in Europe.

News focus

For all the differences, the Korean problem resembles the German one in that without its all-round solution, genuine stabilization in the region is impossible.

Besides that, divided Korea, like Germany which remained divided till 1990, still symbolizes the injustice done by the victorious powers in their attempt to secure their leading roles in the postwar world order.

The situation is gradually changing.

Since the mid-1980s, the Soviet Union has been reviewing its foreign-policy principles.

In line with them, it has made serious changes in its Far Eastern policy.

In relation to the Korean problem, it manifests itself in the refusal to view the situation through the prism of "reactionary anti-Soviet tripartite Washington-Tokyo-Seoul alliance."

Importantly, the Soviet foreign-policy experts and leading analysts have quickly changed over from irreconcilable opposition to the South Korean regime to advocacy of better relations with the Republic of Korea.

This fact shows that even the most orthodox Soviet ideologists have realized the need to resolutely change the Soviet Union's Korean policy in favor of pragmatism and thoroughly calculated and analyzed.

I would describe it as a good experiment to determine real and not illusory national interest of the USSR in the Pacific.

There is every reason to believe that the unprecedented development of relations between Moscow and Seoul, which can be judged by two summits in just six months, guarantees that the situation in the region as a whole will also change for the better.

The external conditions have never been so favorable for the beginning of the unification in Korea.

It looks like the USSR and the United States have realized the importance of coordinating bilateral and multilateral efforts for ensuring military-political stability in the Korean Peninsula, which is a must for normal negotiating process between the two Korean states.

This is particularly important now that in the wake of the Gulf war, Moscow and Washington have once again been confronted with the necessity to critically assess their roles in spurring the arms race in different regions, including Korea.

The Soviet Union and the United States must agree to freeze their arms supplies to the two Korean states because delay in this matter may lead to unpredictable consequences given the current level of confrontation between them.

It is the duty of the Soviet and American leaders to show courage and flexibility and firmly say this to their allies in the Korean Peninsula.

Such a decision taken by both sides would not upset the inter-Korean military balance but, on the contrary, enhance the feeling of responsibility in both Korean states.

Another possible turn Soviet-American cooperation may take is the involvement of both Korean states in international structures in order to prevent the production and proliferation of all weapons of mass destruction, first of all nuclear weapons.

One could also think of using the United Nations for exercising control over the supplies of armaments and dangerous know-how to Korea as a potentially conflict zone.

If Korea joins the United Nations this would help stabilize the military-political situation in the region.

However, external efforts are not enough to solve the Korean problem. Internal guarantees are needed.

Talks between the two Korean states could become one of such guarantees on the condition that the political situation in the North and in the South remains stable.

0105

The Korea Times
1991. 3. 19. 화, page 2

NK Mounts Diplomatic Offensive on Seoul's UN Membership Bid

Times 3.19. 2면

North Korea has gone on the diplomatic offensive, apparently in an effort to muster international support against South Korea's moves to join the United Nations this year, Naewoe Press said Monday.

North Korean Vice Prime Minister Kim Yong-nam is thought to have used a tour of seven African nations from Feb. 6 to March 10 to drum up support for Pyongyang's stance on U.N. entry, Seoul's official watcher of communist affairs said.

Pyongyang wants to share a U.N. seat with Seoul, which prefers simultaneous entry into the world body as separate members and tries to join on its own this year regardless of North Korea's opposition.

Naewoe noted that Kim's trip came close on the heels of a tour by North Korean Prime Minister Yon Hyong-muk of Southeast Asia and just before the General Assembly of the interparliamentary union convenes in Pyongyang.

0106

Reviews & Reflections

Question of Separate Membership in UN

Times 3.22. 6면

By Kim Jung-gun

Ever since the birth of the Republic, the United Nations has been a part of Korean history. The various issues and developments in the U.N. concern all Koreans. Of late, that concern has been in the form of whether the ROK should seek separate membership in the organization. The requisite qualification for membership is contained in Article 4 of the U.N. Charter which leaves questions of admission up to the General Assembly "upon the Security Council's recommendation."

In Seoul's endeavor for separate membership in the United Nations, the real and substantive challenge therefore lays in the need to win the support of the majority, which is based on the individual (political) judgments of member states, especially the permanent members of the Security Council.

From what had been reported by the media, it is apparent that the above mentioned goal may be within reach. This conclusion is seemingly based on the recent establishment of diplomatic ties between the ROK and USSR, and the possible (and hoped for) abstention by the PRC in the Security Council proceedings on the issue, on one hand, and the seeming positive popular support for the endeavor within the country, on the other.

Without dwelling on the merits or demerits of the government's push for separate membership, a test of validity on its justification for separate membership seems fair game for academic scrutiny.

To appreciate the implications of the separate membership issue, the United Nations should be appraised for what it in fact is — devoid of dreamy ideals. At the very least, it should be recognized that the United Nations as it was originally designed was an arrangement (based on the system of collective security) geared for the maintenance of, and preservation for, the status quo of 1945. The design was buttressed by the need and assumption of the great powers remaining forever "great" and decisive in global geopolitics of the future (and allowing only those changes which are agreeable to them). Hence, the U.N. system of collective security is intentionally made inoperative against any of the great powers (or even the small powers which are backed by any of the great powers), nor could any change, in the form of an amendment to the Charter, be possible without the unanimous support of the great powers.

Post-war [World War II] experiences proved that the U.N. system is ill-prepared and/or unsuited for producing the necessary response demanded by the changed nature of post-war interstate relations. Furthermore, the U.N. system is equipped with neither an authoritative interpreter of its Charter, nor has an independent force, as it had been originally designed for. In short, the U.N. is a forum for global diplomacy for issues which require global consensus to solve, but not the headquarters for decreeing major substantive changes.

Despite these shortcomings, the organization has played (as in the Korean conflict) and is playing (as in the just-ended war in the Gulf) important roles which an organization such as the United Nations can only play. For one, it alone stands as a barometer of what the world will and will not tolerate, just as it provides a general global forum for debate, negotiation, and communication between the multitude of states and over multitude of global issues as many contemporary issues have become.

Within the general limits of the above observed, South Korea's plea for separate membership appears to have one thing in common with that of North Korea's — that is, positions of the two sides are based, directly or indirectly, over the question of the eventual unification of the country.

In this regard, the North Korean position (which has been abruptly changed since 1973) has been that the two Koreas should enter the United Nations following the unification of the nation. Should either side seek admission prior to reunification, Pyongyang proposed a "joint single seat membership, with alternating representation between the two ... sides" and for "joint actions on matters of agreement but abstentions on issues which cannot be agreed upon." Any effort, therefore, on the part of the ROK toward separate membership is, in the eyes of North Korea, "a ploy to perpetuate the division of Korea" and amounts to an attempt at "reunification by absorption."

Like Saddam Hussein, Kim, Il-sung has been cast in deliberate image of the "ruthless warrior" in the fight against "Western imperialism," which is responsible for the division of the country, as well as "victim" at the hands of aggressive Western capitalist powers. And, like Hussein who pledged never to relinquish his claim over Kuwait as the 19th province of Iraq, Kim has been adamant about his pledge never to backtrack from his opposition to separate seat in the United Nations for each Korea.

The ROK's position, on the other hand, is basically two-fold: to seek simultaneous membership of both Koreas in the United Nations, as an interim measure pending reunification, and should North Korea refuses, or be unwilling, to join in seeking simultaneous membership, the South finds it imperative that she seek separate membership as dictated by its own assessment of national interests.

On its part, the ROK finds its push for separate membership justified in view of the fact that North Korea is and has been in fact operating under the policy and premise of separate legal entity despite its claims of "one Chosun (Korea)."

Hence, separate membership is anything but an aknowledgment of the existing situation and the prevalent practice — however unfortunate it may be — as demonstrated by the simultaneous maintenance of diplomatic relations with at least 89 or so countries, as well as membership in 12 or so U.N. bodies by the two Koreas.

Additionally, to the South the appropriateness of opting for separate membership is prompted by its desire to assume the roles which are, appropriate, and necessary for a nation with a population of over 40 million, 15th in the world in terms of GNP and 10th or so in terms of total volume of foreign trade. Separate membership is therefore said to be not only practical and necessary, but also promotes positively eventual reunification — the precedents of East/West German and South/North Yemen reunifications are often cited as example to counter the North Korean claims to the contrary.

However, to imply that U.N. membership would assure its due, appropriate and necessary roles in the world is not very convincing. There are precedents of nations being kept out of U.N. for reasons not of their "capabilities" but of the questionable "willingness" to accept and carry out obligations as dictated by Article 4 of the Charter. The ROK's argument that separate membership is natural (therefore justified) because it is mere acknowledgment of the existing fact does not appear very pursuasive either. If, in fact, South Korea's lot in the world is attained and enjoyed without membership in the United Nations, the arguments for separate membership must include more than the pleas for mere acknowledgment of existing facts. Seen is this light, where is the justification for the (renewed) effort for membership?

What is, therefore, reasonable and consistent with the "letter and spirit" of the Charter is that the United Nations has become a universal body, capable of resolving a multitude of global issues of direct concern to the ROK, including the question of national reunification, and that the South's eagerness to join as a separate entity, as an interim measure, is a manifestation of not only its "ability" but also, and especially, its willingness and commitment to cooperate in the resolution of all disputes, including the problem of reunification, within the "letter and spirit" of the Charter. Presented in the above context, such a plea seems appropriate, reasonable and justified, in view of the developments in inter-Korean relations and as mirrored against the norm and practice of the United Nations.

0107

The Korea Times
1991. 3. 23. 토, page1

ROK Takes Aggressive Position With China Over UN Admission

Times 3.23.

The government is becoming aggressive in its approach to China to win support for Seoul's admission to the United Nations.

Seoul needs Beijing's cooperation for entry into the United Nations this year. South Korea's admission to the world body and diplomatic normalization with mainland China are two major diplomatic goals.

In realizing these two goals, however, the government will not assume a low posture toward China, government officials say.

Lee Joung-binn, assistant foreign minister for political affairs, said, "We will not resort just to a 'please, help me' strategy." He asserts that now is the time for China to free itself from the ill legacies of the Cold War in its relations with South and North Korea.

"I believe that China in principle supports the separate U.N. entry of South and North Korea," said the assistant minister, noting that Chinese leaders have often declared that they want peace and stability on the Korean peninsula.

China, one of the five permanent members of the U.N. Security Council, has withheld its position regarding Seoul's admission to the world organization because of its "peculiar" relationship with North Korea which still insists on a single-state membership alternately held by the South and the North.

"If China supports our country's bid for the full U.N. membership, our admission is a fait accompli," said Lee. The Soviet Union already has expressed support for South Korea's entry as the two countries established full diplomatic relations last September.

Lee said in a resolute voice, "China has nothing to lose if South Korea enters the United Nations alone."

"If our government's application for the full U.N. membership is aborted because of China's exercise of its veto power, it will inflict serious damage on the credibility of China's foreign policy. It will also not befit the status of China as a big power," said Lee.

He said the South Korean position has been delivered to China through third countries. Chinese Foreign Minister Qian Qichen may have heard about the South Korean position when he visited several European countries early this year, said Lee.

He added that is the reason why he believes China may at least abstain from voting to enable South Korea's entry when the application is taken up during a Security Council meeting this year.

Officials say that if the U.N. entry by South Korea is realized it will also facilitie the establishment of full diplomatic ties between South Korea and China. Seoul opened its trade representative office in Beijing on Jan. 30 this year and Chinese officials have been working in Seoul from late last month to establish their trade office in the Korean capital.

But Vice Foreign Minister Yoo Chong-ha says it will take some time for South Korea and China to normalize full ties, considering the overall situation surrounding the Korean peninsula.

Assistant Minister Lee said, "As far as Korea-China relations are concerned, a breakthrough should be sought in multilateral contacts rather than bilateral diplomacy."

Foreign Ministry officials predict that if South Korea enters the U.N. North Korea will have no choice but to follow suit, though she would instantly and violently react to the admission.

0108

京鄕新聞

1991. 3. 24. 일, 2면

경향 3.24

「유엔가입」南北韓 외교대결

「同時」거부면 단독 강행따라

정부가 금년중에 유엔가입신청서를 제출키로 방침을 확정,공포함에 따라 유엔가입문제를 둘러싼 南北韓간의 외교대결이 치열해지고있다。

정부는 특히 오는5월중순께 재개될것으로 예상되는 제4차 南北고위급회담에서 北韓측에 마지막으로 유엔동시가입을 촉구한뒤 북측이 이에 동의하지 않을경우 늦어도 오는9월에 열리는 제46차 유엔총회이전까지는 가입절차를 완료한다는 계획아래준비를 서두르고 있다。

정부는 이에따라 駐北京무역대표부등을 통해 中國측의 최종의사를 타진하는 한편 美國을비롯한 우방국들을 중계로해 다각적인對中교섭을 진행중이다。

정부는 또 오는 4월1일부터 서울에서 개최되는 제47차 유엔 亞·太경제사회 이사회 회의기간중 아카시 야스시 유엔軍縮담당 사무차장등 3명의 유엔사무차장을 초청,가입신청서 제출을 위한 사전분위기를 조성하고 5월초 고위당국자를 美워싱턴과 유엔본부에 파견,美국무성및 유엔관계자들에게 협조를 요청할 예정이다。

북한은 이달초 이란의 카루비국회의장을 단장으로한 의회대표단을 平壤으로 초청,남북한단일의석유엔가입정책을 지지해줄 것을 요청하는등 적극적인 초청외교를 벌이고 있다고 정부당국자가 전했다。

0103

朝鮮日報

1991. 3. 25. 月, 2면

北거부땐 UN 韓国단독가입 찬성

케야르總長 입장 표명

페레스 데 케야르유엔사무총장은 최근 유엔의 보편성원칙에 따라 南北韓이 함께 유엔에 가입하는 것이 바람직하나 北韓이 동시가입을 끝내 거부할 경우 한국만이라도 가입할수 있다는 입장을 밝힌 것으로 24일 알려졌다.

케야르총장은 지난 18일 뉴욕의 유엔본부에서 盧昌熹신임 駐유엔대사로 부터 우리정부의 임명통보를 전달받는 자리에서 이같은 입장을 표명하고『국제평화와 인류복지를 위해 노력해온 한국이 유엔에 가입, 회원국으로서의 의무와 권리를 행사하는 것은 당연하다』고 말한 것으로 정부의 한 고위 소식통이 전했다.

서울신문

1991. 3. 25. 月, 1면

"北韓서 유엔 同時가입 거부땐 韓國 단독가입 支持"

케야르사무총장

페레스 데 케야르 유엔사무총장은 최근 南北韓의 유엔가입문제와 관련,『南北韓이 유엔에 함께 가입하는 것이 가장 바람직하지만 北韓이 굳이 가입을 거부한다면 한국만이라도 빠른 시일내에 유엔에 가입해야 한다』고 밝힌 것으로 24일 알려졌다.

케야르사무총장의 이같은 韓國의 단독가입 지지발언은 「어느 일방의 입장을 지지하지 않는다」는 유엔사무국의 통상적인 관례를 깨고 처음 나왔다는 점에서 주목되고 있으며 우리의 先가입 불가피성을 강조한 대목도 국제사회에서 우리의 유엔가입 분위기를 더욱 고조시킬 것으로 보인다.

정부의 한 고위소식통은 이날『페레스 데 케야르사무총장은 지난18일(현지시간) 뉴욕의 유엔본부에서 盧昌熹신임駐유엔대사로부터 임명장을 제정받고 환담하는 자리에서 「국제평화·인류복지를 위해 노력해온 韓國이 조속히 유엔에 가입, 당당한 회원국으로서 권리와 의무를 행사하는 것은 당연하다」고 말했다』고 밝혔다.

0110

The Korea Herald
1991. 3. 26. 화, page 2

Perez de Cuellar backs Seoul bid for U.N. admission

U.N. Secretary-General Javier Perez de Cuellar favors South and North Korea entering the United Nations at the same time, but would support an application for South Korean membership alone if North Korea rejects simultaneous admission, a senior Foreign Ministry said yesterday.

"It is natural that South Korea, which has contributed to international peace and the welfare of mankind, should exert its rights and take on its duties as a full member of the world body," he quoted Cuellar as telling Roe Chang-hee in a meeting March 18, when the new head of South Korea's observer mission to the United Nations presented his letter of credentials.

The secretary-general also told Roe he would actively help South and North Korea to join the United Nations as early as possible by every means available, said the official, who asked not to be identified.

There is a possibility of Cuellar visiting both Seoul and Pyongyang to discuss membership before the 46th U.N. General Assembly meets in September, according to sources familiar with U.N. affairs.

In the meantime, Foreign Ministry spokesman Chung Eui-yong yesterday said that Cuellar's remarks on Seoul's U.N. membership were nothing new, only reaffirmation of the organization's basic position on the issue.

He said the United Nations has supported the entry of any country which is willing to abide by the U.N. Charter and to contribute to world peace based on its principle of universality.

The position has been delivered to several Korean officials, including former Foreign Minister Choi Ho-joong and Vice Foreign Minister Yoo Chong-ha, by the U.N. secretary-general before, the spokesman said.

0111

東亞日報
1991. 3. 27. 수, 1면

南北韓 유엔동시加入
北, 가을총회 수용할듯

美국무부 정보조사국部長 밝혀

【東京=李洛淵특파원】北韓은 남북한이 두개의 의석으로 유엔에 가입하는 것이 불가피하다는 것을 내부적으로 인정, 그들의 유엔정책을 이미 바꾼 것으로 알고 있다고 美國행정부의 북한관계 정보분석책임자가 밝혔다.

日本을 방문중인 미국무부정보조사국의 로버트 카린 東北亞부장은 지난 25일오후 東京 아메리칸센터가 주최한 「오늘의 북한-국내 국제문제」라는 주제의 강연및 토론회에서 이같이 말했다.

<2면에 관련기사>

카린부장은 「다만 북한은 그같은 정책변화를 밖으로는 드러내지 않고 그 태도전환의 시기를 노리고 있는 것으로 안다」고 말하고 「그 시기는 올가을 유엔총회개막때가 될 정도로 보인다」고 말해 북한이 오는 9월에 개막되는 유엔총회를 계기로 두개의석에 의한 남북한 유엔동시가입을 사실상 받아들이는 새로운 제안을 할 것이라는 인식을 내보였다.

그는 「지난해 金日成이 단일의석에 의한 남북한의 유엔가입을 주장한 것은 그들이 말하는 「고려민주연방공화국」의 수립(통일)이전에도 두개의 나라가 유엔에 가입하는 것이 불가피하다는 것을 인정한 것」이라고 말하고 「북한은 단일의석에 의한 남북한 유엔가입 방안이 무리이며 모순이라는 것을 내부적으로 인정하고 있다」고 밝혔다.

그는 특히 「지난달 북한의 한 신문이 南韓의 유엔단독가입을 막지 못할 것이라고 지적한 바도 있다」고 공개하면서 「북한은 이미 「단일의석 유엔가입」주장의 代案을 고려중인데 그들의 기존 유엔정책의 실패를 인정하지 않는 방향에서 「두개의 한국」의 유엔가입을 인정할 것으로 보인다」고 밝혔다.

0112

東亞日報
1991. 3. 27수, 2면

金正日등장 軍서 반대못해

美국무부 카린部長이 말하는「오늘의 北韓」

核개발은 전쟁억지用으로 보여

蘇내부진통 "유리한 현상" 해석

訪日중인 美國국무부 정보조사국의 로버트 카린 東北亞부장은 25일 東京에서 열린「오늘의 북한－국내 국제문제」란 주제의 강연및 토론회에서 북한의 유엔정책 변화 이외에도 북한의 對內및 對外문제에 관해 주목할만한 발언을 했다.

일본의 정부 학계 언론계 인사등 70여명이 참석한 이날의 모임에서 있은 그의 발언을 요약, 소개한다.

金正日과 軍部

북한에서의 권력구조와 군부와의 관계를 남한의 그것과 비교해서는 안된다. 남한에서는 5.16이후 軍이 권력구조의 前面 또는 중요부분에 위치해 왔다. 그러나 북한은 다르다.

공산국가에서 일반적으로 그러한 것처럼 북한에서도 軍은 黨의 결정에 따른다. 공산국가에서 하나의 예외가 있었다면 문화혁명 때의 中國을 들 수 있다. 그때는 黨이 너무도 지리멸렬했기 때문에 軍이 강력한 정치적 발언권을 행사한 것이다.

金正日은 軍의 경험이 없기 때문에 軍이 그를 덜 좋아할지는 모르지만, 金正日의 등장을 軍이 반대하지는 못할 것이다.

북한에서는 黨정치국에서 軍출신을 이미 정리해 버렸다. 현재 군출신 정치국원은 2명뿐이며 영향력이 없다.

핵개발

북한이 핵무기 개발을 추진한는 것은 그들 나름의 抑止力을 갖기 위해서인 것으로 보인다. 그러나 북한이 핵무기를 보유하게되면 북한 스스로가 더 위험한 상황에 처하게 된다는 것을 알아야 한다.

왜냐하면 북한이 핵무기 개발의 단계가 되면 남한은 훨씬 앞서 있는 기술로 단기간에 핵무기를 개발할 수 있기때문이다. 미국은 남한의 핵무기 개발을 말리겠지만 남한의 독자적인 핵무기 개발은 있을 수 있다.

對美및 對日접근

미국은 남한의 7.7선언을 신호로 받아들여 북한과의 대화를 시작, 北京에서 13회의 회담을 가졌다. 그러나 美·북한의 관계진전을 위해서는 韓半島에 상호신뢰가 조성돼야 한다.

그 구체적 내용은 ①남북대화의 진전 ②비무장지대에서의 신뢰조성조치 ③북한의 핵사찰 수용 ④북한의 對美비방선전 중지등이다.

이 가운데 일부는 북한에서 실천노력을 보여 바람직하게 받아들이고 있으나 핵사찰 수용에는 여전히 불응하고 있다. 북한의 핵무기개발착수 자세를 미국은 가장 우려하고 있다.

일본도 對北韓수교교섭에서 이를 북한에 설득,한반도 안정에 기여해야할 것이다.

북한이 일본에 대해 戰後 45년의 보상까지 요구하는 것은 실제로 그것을 얻어내려는 것이 아니라 戰術이라고 본다.

對蘇관계

북한과 소련의 관계는 지난 1년동안 악화됐으나 낮은 레벨에서는 개선되고 있다.

소련과 북한의 군사관계는 유지되고 있다. 소련도 이것을 희망하고 있다. 소련이 하이테크 무기를 북한에 줄 것인지 지켜봐야 한다.

소련인사들이 서울에 가서 한는 발언에는 현실을 과장한 것이 많다. 소련의 對韓정책은 그들의 발언만큼 진전되지 않았다.

북한은 소련의 내부진통을 경계심을 갖고 냉정히 지켜보고 있다. 북한이 이런 자세를 취하고 있는 것은 對美관계개선을 위한 카드로 쓰기 위해서일지도 모른다.

그러나 한편으로 북한은 소련의 최근 양상을 자기들에게 유리한 것으로 해석하고 있기도 하다.

이런 소련의 내부진통과정을 통한 고르바초프대통령의 권한 强化를 북한은 유리하게 보기도 한는 것이다.

<東京＝李洛淵특파원>

0113

世界日報
1991. 3. 28. 木, 2면

세계 3.28,

"南·北韓 유엔 동시가입 북한, 9월 수용가능성"

美국무부 東北亞부장

【도쿄=蔡宜錫특파원】로버트 카린 美국무부정보조사국 東北亞담당부장은 25일 北韓이 남북한의 유엔동시가입이 사실상 불가피하다는 점을 내부적으로 인식, 오는 9월 유엔총회를 계기로 사실상 이를 수용하는 새로운 제안을 할 가능성이 크다는 견해를 밝혔다。

일본을 방문중인 카린 부장은 이날 오후 도쿄아메리카센터가 주최한 「오늘의 北韓」이란 주제의 강연을 통해 『북한은 단일의석에 의한 남북한유엔가입방안이 비현실적이며 모순이라는 것을 내부적으로 인정하고 있다』고 말했다。

0114

ESCAP session could facilitate Seoul's U.N. entry

Following are the questions and answers in an exclusive interview with Foreign Minister Lee Sang-ock. — Ed.

Q: A major shift has been observed in the government's strategy for setting up diplomatic relations with China. How do you assess the possibility of Seoul's establishing diplomatic relations with Beijing this year?

A: There has been no change in our policy. We don't hasten the normalization of ties with China. But we believe that the time has come for the two countries to set up full ties. The two have accumulated relations to a substantial degree through trade and other economic exchanges. The two-way trade reached $3.8 billion last year and more than 57,000 people exchanged visits. Korea and China also agreed to exchange trade representative offices in their capitals.

These relations fully justify the establishment of full diplomatic relations between the two. This is why I believe the time has come for them to normalize ties now. But it is a bit premature to predict when the diplomatic normalization will be achieved. We will do our best to move up the date. But we won't press too hard. We need patience in dealing with the Chinese.

Q: But officials repeatedly indicated the government will push for entry into the United Nations this year. Does it mean that it is possible for Korea to become a U.N. member before setting up diplomatic relations with China?

A: We want to separate the two issues — the normalization of ties with China and our U.N. membership. It is true that they are somewhat interrelated but basically they are different issues. Our U.N. entry is a matter between Korea and the United Nations. China, with a veto right as a standing member of the U.N. Security Council, only needs to decide its stance on the issue as a third party. But the normalization of ties between the two countries is a bilateral issue. As I said, we will not hurry to establish relations with Chinese. But we will push to realize our U.N. entry this year. I would say we can be admitted to the United Nations before we set up diplomatic relations with China.

Q: Chinese reactions seem ambiguous. While the Chinese are still cool to Korean diplomats working in their trade representative office in Beijing, their Prime Minister Li Peng mentioned the trade office exchanges in a recent speech to National People's Congress in Beijing.

A: Diplomatic relations can develop in sound footing when they are based on the shared understanding of the realities. In this sense, Li Peng's comment on Seoul-Beijing relations is encouraging. It is also true that our officials in Beijing have some limits to their activities. But the limits in the function of trade representative offices have been agreed upon by both countries. But I am sure that the limits would be overcome when the two countries further develop their relations.

Q: The U.N. Economic and Social Commission for Asia and the Pacific (ESCAP) will hold its general session in Seoul soon. What is significance of the meeting?

A: The conference bears special importance to us. It is the first general meeting of a U.N. agency in Seoul. By hosting it, we can show to the world that we are [illegible] proved international status.

Some 1,000 people are expected to attend the meeting, who include many from the countries without diplomatic relations with Korea like China, Vietnam, and Laos. Hosting the meeting of a U.N. regional organization will also help the country to create atmosphere favorable to our U.N. membership.

Q: Did you think about a new world order after the Gulf war?

A: First of all, after the Gulf war, the rule of law, not by force, will increasingly govern the international relations. A potential aggressor will now have to think twice before embarking on a perilous enterprise, since the Gulf war showed the code of conduct the states should abide by and the consequences brought upon those who would go astray.

Second, the authority of the United Nations and its collective security mechanism will certainly be enhanced. The U.N. Security Council adopted no less than 13 resolutions during the Gulf crisis, which is a truly remarkable feat without a precedent in the world body's 45 year-old history.

Q: Despite the repeated stress of the importance of Seoul-Washington relations by government officials, there still are a pile of problems to tackle in the relations. How would you cope with them?

A: Rapid changes in international surroundings and growing roles of Korea in the international community have inevitably put the Korea-U.S. relations into a new phase. In a way, both nations are experiencing a transitional stage to adjust their 100-year-old relationship to these new circumstances. In general, however, the bilateral relations remain healthy in all fields, including security and trade. The two governments are also making joint efforts to maintain and further develop this relationship toward a future-oriented and constructive direction.

These efforts have been successful. The two governments have already agreed on the adjustment of size and role of the U.S. forces in Korea, the relocation of the U.S. base in Yongsan and the amendment of the Status of Forces Agreement (SOFA). Korea's strong and prompt support for the U.S.-led coalition in the Gulf war will also contribute to solidifying the friendly and cooperative relationship between Korea and the United States.

There still exist, however, elements undesirable to the development of a healthy Korea-U.S. relationship, especially in trade affairs.

Korea plans to use a newly established mechanism of the working group meetings between trade officials from the Korean government and the U.S. Embassy in Seoul to identify and resolve trade issues on a regular basis, thus preventing them from accumulating and resulting in trade friction.

Q: Tokyo apparently broke its promises to Seoul for several times while negotiating with Pyongyang the establishment of diplomatic relations.

A: The governments of Korea and Japan share the view that the normalization of relations between Japan and North Korea should be pursued in such a way to contribute to the promotion of peace and stability on the Korean Peninsula.

We have requested Japan to abide by five requirements in improving its relations with North Korea: 1) Japan should maintain prior consultation with Korea, 2) Meaningful progress in inter-Korean relations should be made, 3) North Korea should sign the nuclear safeguards agreement with the IAEA, 4) Japan should withhold compensation or economic assistance to North Korea until the establishment of formal ties with the North and such assistance should not be used to strengthen the North's military power, and 5) Japan should take steps to prompt Pyongyang to move toward openness and cooperation in international arena.

The Japanese government, complying with our requests, has shown the prudent posture that it will take into account the situation in Northeast Asia as a whole in the process of its improvement of relations with North Korea.

At the first two rounds of full-scale negotiation, held in Pyongyang and Tokyo this year, Japan reaffirmed its position to North Korea in an unequivocal manner.

Q: President Roh Tae-woo canceled his trip to Canada and Mexico last year. President Bush's Seoul visit, which had been expected this spring, was also postponed. Does President Roh have any plan to visit the United States and the two countries this year?

A: We hope that President Roh will be able to visit Canada and Mexico in the near future. President Roh's visit to Canada and Mexico, if realized, would greatly contribute to further development of bilateral relations with these countries.

In particular, President Roh's visit to Mexico would mark the first trip to a Latin American country by a head of state of the Republic of Korea, and would help build a mutually beneficial cooperative relationship with Latin America.

We have not seriously studied the President's Washington visit. We may need to watch developments both in Washington and Seoul more before talking about it.

Q: Korea's diplomacy toward African and other Third World countries is in need of total restructuring with the ending of the Cold War era.

A: In the spirit of the July 7, 1988 Declaration, Korea is no longer pursuing diplomatic competition and confrontation with North Korea in the Third World countries. We now put an emphasis on promoting mutually beneficial cooperation in the context of the South-South cooperation. This shift of emphasis was brought about to fulfill the international responsibilities corresponding to Korea's enhanced economic capabilities.

A growing number of technical trainees are being invited from developing countries and more Korean experts are being dispatched to these countries. In 1987, the Korean government set up the Economic Development Cooperation Fund (EDCF) to render concessional loans to developing countries. Since then, the fund's capital has been steadily increased every year. This year, the government decided to establish the "Korea International Cooperation Agency (KOICA)" under the Foreign Ministry to streamline various cooperation projects with developing countries being conducted by different ministries and agencies in the government.

Q: When will Soviet President Mikhail Gorbachev be able to visit Seoul?

A: Last December President Roh extended a formal invitation to President Gorbachev to visit Korea and President Gorbachev accepted it. Consultations have been under way since then through diplomatic channels to decide the mutually convenient time for the visit. It is our hope that President Gorbachev will be able to visit Seoul at an earliest possible date.

Q: President Roh invited Japanese Emperor Akihito to visit Seoul when he made a trip to Tokyo last year. What do you think are the main obstacles for his visit?

A: In my view, there is no obstacle for Japanese emperor's visit to Korea. I am of the opinion, however, that his visit should be realized in an atmosphere both Korean and Japanese peoples can heartily welcome in the near future.

0115

朝鮮日報

1991. 3. 29. 가, 1면

北韓, 통일案 修正 가능성

유엔 單独가입 저지 일환인듯

북한은 고려연방제 통일방안의 내용을 일부수정, 통일 이전에는 잠정적으로 南北의 「지방정부」가 각각 외교 및 군사권을 관장토록 하는 형태의 수정된 통일방안을 비공식으로 마련, 유엔등 외교가에서 홍보중인 것으로 28일 알려졌다. 지금까지 북한의 연방제 통일방안은 중앙정부가 외교·군사권을 모두 관장하도록 하는 내용이었다.

정부의 한 고위소식통은 『북한의 이러한 움직임은 최근 외교환경변화에 적응하기 위한 노력의 일환으로 보이나, 그들이 최근 통일이전까지 외교-군사문제에 대한 南北간 협의기구를 운영하자는 얘기도 함께 퍼뜨리고 있는 것으로 볼때 올해중 남한 단독 유엔가입을 저지하기 위한 목적일 가능성도 크다』고 말했다.

0116

서울신문

1991. 3. 29. 금, 사설

北韓은 올바른 현실인식을

우리는 北韓의 주장이나 행동의 황당함과 모순에 당황하고 실망할때가 많다. 터무니 없는 주장이나 말을 예사롭게 하는가 하면 어제와 오늘의 말과 행동이 다르고 모순되는 경우도 흔히 보아왔다. 韓國軍장성의 군사정전위 유엔군측 수석대표 보임에 대한 北韓측의 주장과 반응을 보면서도 같은 생각을 하게된다.

駐韓유엔군사령부의 이번 결정은 군사정전위의 現實化·實勢化란 점에서 환영할 일이며 오히려 때늦은감마저 있는 것이었다. 그것은 한반도휴전의 관리와 긴장완화문제의 韓半島化를 위한 한 단계요 출발점이란 면에서도 바람직한 조치라 하지 않을 수 없는 것이다. 그리고 그것은 또 외세 재입의 배제와 주한미군의 철수를 끈질기게 주장해온 北韓의 입장에서도 반대할 일이 아니라 오히려 환영해야 할 일이 아닌가 생각한다.

脫冷戰시대의 당연한 귀결로 한반도 긴장완화를 위한 軍縮문제가 이미 관심의 초점으로 부상하고 있다. 주한미군의 단계적 철수문제도 조심스럽게 제기되고 있고 주한유엔군사령부 작전지휘권의 한국군 이양문제도 공공연히 검토되고 있으며 시기를 언제로 할 것이냐만 문제로 남아있는 것으로 알고 있다. 脫冷戰과 평화공존을 지향하는 세계적 시대조류를 반영하는 한반도정세의 변화인 것이다. 그리고 미군장성으로 보임해 오던 군사정전위의 한국군장성으로의 교체도 바로 그러한 변화의 연장선상에서 이루어진 것으로 보아야 한다.

北韓은 상투적인 반대와 비방만 할 것이 아니라 변화하는 시대조류를 읽고 수용해야 할 것이다. 지금도 한국 방위의 실세는 한국군이지만 언젠가 미군도 그야말로 상징적인 숫자만 남게되고 한국군이 명실상부하게 한국방위를 전담하게될 때도 北韓은 美軍장성과만 회담하겠다고 고집할 것인지 묻고싶다. 정전위의 앞으로의 가장 중요한 과제는 전쟁재발방지란는 소극적인 것보다 전쟁재발가능성 축소라는 보다 적극적인 것이 되어야 하며 그것은 바로 軍縮문제에서 출발하지 않을 수 없을 것이라고 생각한다. 그것이야말로 南北의 당사자요 實勢가 마주앉고서야 가능한 것이 아닐까 생각한다.

北韓이 한국군수석대표임명반대를 언제까지 계속하면서 트집을 잡을 것인지는 분명치 않으나 정부와 유엔군측은 단호한 자세를 보일 필요가 있을 것이다. 北韓의 반대에도 불구하고 한등의 하자가 없으며 철회할 생각이 없다는 유엔군사측의 대응은 바람직한 것이라 할 수 있다. 한국이 휴전선내에 장벽을 쌓았다든가 유엔에는 한 의석을 南北이 함께 갖는 방식으로 가입하자라든가 韓蘇수교는 한반도긴장을 고조시킨다는 식의 터무니 없는 주장을 北韓은 다반사로 해왔고 우리는 北韓을 자극하지 않는다든가 관용의 입장에서 해명하며 끌려다닌 측면이 없지않았다고 생각한다.

北韓이 그나마 형식적일망정 대화에 응하고 日本·美國과의 관계개선에 나서고 있는 것은 韓國의 蘇·東歐와의 관계정상화와 中國과의 실질관계증진의 결과라고 생각한다. 한반도에서 모종의 사태가 발생할지도 모른다는 北韓의 위협에도 불구하고 정부의 연내 유엔가입강행결정 등은 北韓을 개방과 개혁으로 끌어내기 위한 우리의 채찍일 수 있는 것이다. 한국군수석대표임명도 같은 범주에 속한다고 생각한다. 北韓에 대응하는데는 홍당무 뿐만 아니라 채찍도 필요할 것이다.

0117

世界日報
1991. 3. 29. 金, 1면

"南-北지방정부 外交-軍事權 관장"

북한,「修正통일방안」곧 발표

蘇-中國에 이미 협조·통보
유엔가입 신청의사 전달

우리제의「聯合」과 개념일치 주목

서울 外交소식통

北韓은 「고려연방제통일방안」의 핵심내용을 일부 수정, 통일에 이르기까지 잠정적으로 南北의 「지방정부」가 각각 외교-군사권을 관장토록 하는 형태의 수정된 통일방안을 마련, 이를 곧 주석 金日成의 연설을 통해 공표할 예정인 것으로 알려졌다.

북한및 東歐사정에 정통한 서울의 한 외교소식통은 28일 「北韓은 최근 이같은 구상을 中國 蘇聯정부에 통보하고 협조를 요청한 것으로 안다」고 밝혔다.

이 소식통은 「北韓은 이와 함께 南北韓 동시유엔가입을 반대하는 기존 입장을 전환, 유엔총회에 그들도 유엔가입신청을 하겠다는 의사를 中-蘇측에 밝힌 것으로 안다」고 전하고 「오는 4월11일 열리는 北韓최고인민회의 제9기 제2차회의에서 金日成주석이 통일방안 수정이 포함된 對南정책을 발표할 가능성이 큰 것으로 보인다」고 말했다.

北韓은 지난 80년이후 외교-군사권을 南北연방정부가 관장토록 하는 「고려민주연방공화국창립방안」이란 통일방안을 견지해 왔다. 따라서 외교-군사권을 남북 지방정부가 각각 갖도록 하는 수정된 연방제방안은 우리측 「한민족공동체통일방안」에서의 「남북聯合」과 개념상 일치한다는 점에서 주목되며 북측의 통일방안수정은 東歐圈외교채널을 통해 확인된 것으로 알려졌다.

이 소식통은 「北韓은 우리의 연내 유엔가입 실현을 기정사실로 보고 이에 대비한 논리개발작업을 진행해온 것으로 안다」면서 「북측의 통일방안 수정구상도 남북한 동시유엔가입을 수용하고 對유엔정책에서의 주도권을 쥐기 위한 논리개발의 일환인 것으로 보인다」고 말했다.

소식통은 「북한은 이같은 수정된 통일방안을 발표하면서 남북통일방안을 논의하기 위한 對南협상을 제의하고 통일방안의 합의를 본뒤 외교권행사의 일환으로 南과 北이 유엔에 함께 가입하자고 제안할 가능성이 크다」면서 「그러나 통일방안의 합의가 이뤄지지 않더라도 우리가 유엔가입안을 제출하면 북측도 뒤따라 연내 가입안을 낼 것으로 보인다」고 전망했다.

소식통은 「이같은 북한의 움직임은 남북한 동시 유엔가입과 함께 일본및 미국과의 수교를 정당화시킬 필요성에서 비롯된 것으로 분석된다」면서 「북한은 이를 계기로 더욱 적극적인 對西方접근을 모색할 것으로 보인다」고 말했다.

북한의 金日成주석은 올 연초 신년사에서도 통일방안과 관련, 「잠정적으로는 자치정부에 더많은 권한을 부여하고 장차로는 중앙정부의 기능을 높여나가는 방향에서 연방제통일을 점차적으로 완성하는 문제도 협의할 용의가 있다」고 말해 고려연방제의 수정가능성을 시사했었다.

〈관련기사 2면〉

0118

世界日報

1991. 3. 29. 금, 2면

韓半島통일 "파란信號"

북한, 對南정책 「大轉換」조짐

「두개의 韓國」 사실상 인정 굳혀

유엔 동시加入 대비 住民설득 명분축적 속셈

40여년간 변화를 거부해온 北韓의 對南정책이 「大轉換」의 조짐을 보이고 있다.

北韓의 金日成주석은 최근 자신의 통일방안인 「고려민주연방공화국 창설방안」의 내용적 수정을 모색하고 있는 것으로 전해졌다. 東歐圈외교소식통들의 전언, 그리고 우리 정부의 정보분석에 따르면 北韓은 통일에 이르기까지의 잠정단계로서 南과 北의 「지방정부」가 외교권과 軍통수권을 각각 관장하는 형태의 수정된 연방제방안을 구상중이라는 것이다. 北韓은 지금까지 남북및 해외동포 대표로 구성되는 연방정부가 외교·군사권을 행사해야 한다고 주장해왔다.

이같은 北韓측 움직임은 南北韓 동시유엔가입과 「두개의 한국」논리를 사실상 수용하려는 신호탄으로 풀이될 수 있다. 아울러 南과 北이 각각 외교·군사권을 보유하는 수정된 연방제주장은 우리측의 「한민족공동체통일방안」의 「남북연합」에 근접한 형태란 점에서 향후 남북한간 통일방안 논의와 관련해 중대한 의미를 갖는다.

지난89년9월 발표된 우리측의 「한민족공동체통일방안」은 통일에 이르기위한 과도적 중간단계로서 「남북연합」(The Korean Commonwealth)을 제시하고 있다. 남북연합은 남과 북이 각기 외교·군사권을 보유하는 주권국가이면서도 상호관계에 있어서는 국가간 관계가 아니라 「민족내부관계」를 유지토록 특수형태를 규정하고 있다.

「남북연합」과 북측의 「고려연방제」방안사이에는 전제조건과 기본원칙 등에 몇가지 차이가 있지만 핵심적인 차이는 외교·군사권을 누가 갖느냐 하는 점이었다. 따라서 金日成의 통일방안 수정이 공식화된다면 이는 남북한 통일방안의 가장 큰 걸림돌이 제거되는 결과가 되는 것이다.

北韓으로 하여금 이같은 통일방안의 내용적 수정을 모색치 않을 수 없게 만든 가장 큰 요인은 임박한 남측의 유엔가입 인것으로 분석된다.

北韓은 그동안 유엔동시가입을 극력 반대하는 이유로 동시가입이 분단을 고착화한다는 점을 내세워 왔다. 그러나 통일전까지 잠정적으로 남북이 외교권을 관장토록 통일방안을 수정할 경우 북한은 동시유엔가입의 논리적 모순이란 짐을 벗을 수 있게 된다.

남측의 유엔가입이 실현되더라도 북측은 각각의 외교권보유를 근거로 주민들을 설득할 수 있게 되며 또 뒤따라 유엔에 가입할 수밖에 없는 상황이 되더라도 「남한의 對유엔외교에 굴복한 것이 아니라 우리가 독자적으로 유엔에 가입하는 것」이라고 설명할 명분을 얻을 수 있게 되는 것이다.

북측은 남측의 연내 유엔가입이 피할 수 없는 현실이라고 판단, 이에 대비한 논리개발작업을 이미 지난해부터 진행해온 것으로 전해진다. 금년초 金日成의 신년사에서도 이같은 움직임의 단서가 발견된다.

당시 金日成은 「우리는 잠정적으로 지역적 자치정부에 더 많은 권한을 부여하고 장차 연방정부의 기능을 높여가는 방향에서 연방제통일을 완성하는 문제도 협의할 용의가 있다」고 밝혀 외교·군사권을 남북이 각각 관장하는 수정된 연방제방안을 구상중임을 시사했다.

이같은 북한의 구상은 오는 9월 유엔총회 전까지는 金日成의 발언이나 지침을 통해 공식화될 것이 확실시된다. 남북관계전문가들은 우선 오는 4월11일 개막되는 북한최고인민회의 제9기 제2차회의에서 행할 金日成의 연설을 주목할 필요가 있다고 지적한다.

지난해에도 金日成주석은 5월24일 최고인민회의 연설을 통해 통일前 남북한유엔동시가입의 가능성을 처음으로 인정한 「단일의석 유엔가입방안」을 제시했었기 때문이다.

〈朴正薰기자〉

0119

The Korea Herald
1991. 3. 29. 金, 2면

ESCAP confab to help Seoul bid for U.N. admission

3.29, 2면

BANGKOK (OANA-Yonhap) — The U.N. Economic and Social Commission of Asia and the Pacific's general meeting in Seoul will help South Korea to join the United Nations, ESCAP Secretary-General Shah Kibria said Wednesday.

The commission will fully support North Korea if it wishes to enter ESCAP and is willing to hasten membership procedures if necessary, he said at ESCAP headquarters here in an exclusive interview with Yonhap news agency.

The 47th ESCAP general meeting opens its 10-day run in Seoul April 1 with more than 1,000 representatives from 48 full and associate member nations.

Attending delegations include a number of countries with which South Korea has not yet established diplomatic ties, such as China and Vietnam.

South Korea will be a model case when discussing regional industrial restructuring and economic cooperation, two of the main agendas at the meeting, he said. Specific cooperation measures will be agreed on and adopted through a Seoul declaration at the conclusion of the meeting, he said.

The meeting has added significance as the host is not a U.N. member, Kibria pointed out.

In the Asia-Pacific region, where full-fledged political consultation bodies are lacking, ESCAP is a rare dialogue link between governments, he said.

0120

The Korea Herald
1991. 3. 29. 金, page 1

'U.N. first, China ties l

Foreign minister says time is ripe for Seoul, Beijing to set u

By Kim Hyeh-won
Staff reporter

South Korea will not seek full diplomatic relations with China solely to secure its entry into the United Nations, Foreign Minister Lee Sang-ock said yesterday.

He said the issues of normalization of ties between Korea and China and Korea's U.N. membership are in a way interrelated but basically separate.

In an exclusive interview with this paper, Lee said, Seoul's U.N. entry is a matter between Korea and the United Nations. China, with a veto right as a standing member of the U.N. Security Council, only needs to decide its stance on the issue. But the normalization of ties between the two countries is a bilateral issue, the minister said.

"I would say we will be able to join the United Nations before we establish diplomatic relations with China," he said.

His remarks strongly hinted that Seoul is trying to induce Beijing not to exercise its veto or abstain when the U.N. Security Council deliberates on Korea's membership.

An application for U.N. membership is rejected when any of the five standing members of the council exercises its veto rights.

Herald exclusive

Minister Lee said the time is now ripe for Korea and China to set up diplomatic relations. The extent of substantial relations between the two, strongly indicated by the two-way trade which reached $3.8 billion last year, fully justify the establishment of diplomatic relations.

But it is a bit premature to predict when the diplomatic normalization will be achieved, he said. "We are doing our best to move up the date, but we don't want to press China too hard."

Lee said it is encouraging that Chinese Prime Minister Li Peng talked about exchanges of trade offices between Seoul and Beijing during his recent speech to a National People's Congress in Beijing. "His recognition of present realities" will help Seoul-Beijing relations to develop in a sound way, he said.

The minister expected the 47th general session of the U.N. Economic and Social Commission for Asia and the Pacific (ESCAP) to be held in Seoul April 1-10, demonstrating to the world the increasing roles played by Korea in the international community.

Being the first conference of a U.N. regional organization in Seoul, the meeting is also expected to create an atmosphere favorable to Seoul's U.N. membership, he said.

The ESCAP session is to be attended by

Korea Herald

"Our U.N. membership is one thing and the normalization of ties between Korea and China is another," says Foreign Minister Lee Sang-ock.

0121

世界日報
1991. 3. 30. 토, 1면

北韓, 유엔고위간부入國허가

會員가입문제 태도변화 여부로 주목

【도쿄=연합】 북한은 유엔의 아카시 야스시(明石康) 군축담당 사무차장과 로널드 스파이아즈 정치 및 총회담당 사무차장의 입국을 최근 허가했다고 도쿄신문이 외교소식통을 인용,29일 보도했다.

아카시 사무차장은 내달 29일부터 평양에서 열리는 IPU(국제의회연맹) 총회에 연사로 초청되어 기념강연을 하기 위해 총회개막 직전 입국하며 스파이아즈 차장은 북한의 유엔가입 문제 등을 중점 협의하기 위해 내년초 평양을 방문할 것으로 알려졌다.

북한이 국제회의 참석을 목적으로 방문하는 유엔 고위간부들을 받아들이는 것은 처음있는 일로 유엔가입 문제를 둘러싼 태도변화를 의미하지 않느냐는 점에서 유엔및 관계국의 비상한 관심을 모으고 있다고 이 신문은 밝혔다.

【도쿄=AFP연합특약】 로널드 스파이아즈 유엔정치·총회담당사무차장은 IPU(국제의회연맹)총회연설을 위한 北韓의 입국초청에도 불구하고 가까운 시일내 북한을 방문할 계획을 갖고 있지 않다고 그의 보좌관이 29일 밝혔다.

그러나 그와함께 북한 방문 초청을 받은 아카시 야스시(明石康) 군축담당 사무차장은 페레스 데케야르 유엔사무총장을 대신해 IPU에 참석할 것이라고 서울주재 일본특파원들에게 밝혔다.

한겨레신문
1991. 3. 30. 토, 1면

북한, 유엔사무차장 입국허가

내달 IPU 총회등 참석

【도쿄=연합】 북한은 최근 유엔의 아카시 야스시 군축담당 사무차장과 로널드 스파이어스 정치 및 총회담당 사무차장의 입국을 허가했다고 일본 〈도쿄신문〉이 외교 소식통의 말을 빌려 29일 보도했다.

아카시 사무차장은 다음달 29일부터 평양에서 열리는 국제의회연맹(IPU) 총회에 연사로 초청되어 기념강연을 하기 위해 총회개막 직전 입국하며, 스파이어스 차장은 북한의 유엔가입 문제등을 협의하기 위해 내년초 평양에 갈 것으로 알려졌다. 북한이 국제회의 참석을 이유로 유엔 고위간부들을 받아들이는 것은 처음 있는 일로 유엔가입 문제를 둘러싼 북한의 태도변화를 의미하는 것일 수도 있다는 점에서 유엔 및 관계국의 비상한 관심을 모으고 있다고 이 신문은 밝혔다.

0122

The Korea Daily
1991. 3. 30. 토, page 1

American Official in U.N. Won't Visit Pyongyang

TOKYO (AFP) — U.N. Undersecretary-General Ronald Spiers of the United States has no immediate plans to visit North Korea despite an invitation from Pyongyang, his aide said Friday.

The Tokyo Shimbun reported Friday that North Korea had invited Spiers, a former U.S. undersecretary of management, to visit Pyongyang.

It also quoted diplomatic sources as saying Pyongyang had approved a visit by U.N. Undersecretary-General Yasushi Akashi of Japan to attend an Inter-Parliamentary Union (IPU) general meeting opening there on April 29.

"Spiers has been invited but he won't go to North Korea as his timetable cannot afford it," his special assistant Hitoki Den said.

Spiers, charged with political and General Assembly affairs, is due to visit South Korea for four days from Sunday after his current familiarization trip to Japan at the invitation of the Japanese government, Den said.

Meanwhile, Akashi, charged with disarmament, told Japanese reporters in Seoul that he would attend the IPU meeting on behalf of U.N. Secretary-General Javier Perez de Cuellar.

South Korea's move to join the world body this year and North Korea's rejection of international inspection of its nuclear facilities are at the center of international attention.

서울신문
1991. 3. 30. 토, 1면

北韓, 유엔軍縮차장 入國허가

政治담당次長도 초청 日紙보도

【도쿄=康秀雄특파원】北韓은 최근 유엔 軍縮담당 아카시 야스시(明石康)사무차장의 입국을 허가함과 동시에 정치·총무담당인 스피아즈 사무차장을 초청했다고 日本신문들이 외교소식통을 인용, 29일 보도했다.

아카시 차장의 北韓방문은 오는 4월29일부터 平壤에서 개최되는 국제의원연맹(IPU)총회에서 강연하기 위한 것으로 北韓이 유엔간부의 입국을 허가한 것은 이번이 처음이다.

北韓의 이같은 조치는 유엔가입문제를 둘러싸고 北韓의 태도변화를 의미하는 것이 아닌가 하는 점에서 유엔 및 관계 제국의 주목을 끌고 있다. 스피아즈차장은 방북전 韓國을 방문하여 관문점을 통해 北韓에 들어가겠다는 의향을 전달, 北韓측도 일단 동의했었으나 팀스피리트91 훈련을 이유로 난색을 표시했다가 다시 일정을 조정키로 했다는 것이다.

朝鮮日報
1991. 3. 31. 일, 2면

유엔 軍縮담당 간부 北韓서 入國 첫허용

【東京=李洛淵특파원】北韓은 최근 유엔의 군축담당 사무차장 아카시 야스시(明石康)의 북한 입국을 처음으로 허가했으며 정치및 총회담당 사무차장 로널드 스파이어즈에 대해서도 북한방문을 초청함으로써 그들의 유엔정책 변화를 시사하고 있다고 日本의 도쿄(東京)신문이 29일 보도했다.

"北韓방문 계획없다"

유엔사무차장, IPU총회초청 거절

【東京=AFP聯合】유엔의 로널드 스파이어즈 정치및 총회담당 사무차장(美国)은 北韓측의 초청에도 불구하고 당장 北韓을 방문할 계획을 갖고 있지 않다고 그의 보좌관이 29일 말했다.

스파이어즈 사무차장의 덴 히토키 특별보좌관은 일본을 친선방문중인 스파이어즈가 30일부터 4일동안 韓国을 방문할 예정이라고 밝히고 그러나 『스파이어즈氏는 평양측의 초청에도 불구하고 일정이 너무나 바쁜 관계로 북한을 방문하지는 않을 것이라고 말했다.

도쿄(東京)신문은 이날 北韓이 美행정부의 차관을 지냈던 스파이어즈 유엔사무차장을 平壤으로 초청했으며 또한 日本의 유엔 군축담당사무차장인 아카시 야스시(明石康)가 다음달 29일부터 평양에서 열리는 IPU(국제의원연맹)총회에참석하는 것을 허가했다고보도했다.

0123

서울신문
1991. 3. 31, 일, 3면

韓國 유엔加入 길목 닦는다

주춤거리는 中國설득에 총력外交

美·蘇등서 1천여명 참석…「서울宣言」 채택 확실

ESCAP서울總會 의미와 展望

1일 개막되는 제47차 유엔 ESCAP(亞太경제사회위원회) 총회는 유엔 비회원국인 韓國에서 유엔 직속기구 회원국들이 만난다는데서 우선 그 의미를 찾을 수 있다. 유엔 직속기구는 전문기구 등과는 달리 「유엔 그 자체」란는 점에서 이번 행사를 계기로 우리의 올해 최대외교목표인 유엔가입실현을 위한 분위기마련에 크게 기여할 것으로 보인다.

정부는 이번 총회에 참석하는 美·英·佛·中·蘇등 安保理상임이사국을 비롯, 회원국 대표들과 공식·비공식 접촉을 갖고 우리의 연내 유엔가입방침을 설명하고 이에 최대한 지지해줄 것을 요청하는등 이번 기회를 최대한 활용할 방침이다.

특히 南北합의를 강조하고 있는 中國측이 유엔등 국제기구를 담당하고 있는 劉華秋외교부부부장(차관)을 파견하는 만큼 對中國 설득외교에 총력을 집중시킬 것으로 관측된다. 또 인도네시아·아프가니스탄·몽골·방글라데시등 北韓을 의식, 우리 유엔가입에 비교적 중도적 입장을 취하고 있는 나라에 대해서도 적극적인 설득작업을 벌일 계획이다.

서울 3.31, 3면

李相玉외무

로가초프 차관

이번 ESCAP총회는 1천여명이 참석하는 대규모 국제행사일뿐 아니라 각국 대표들도 부총리1명, 장관9명, 차관11명이나 참석, 과거 어느때보다 비중있는 인사들로 구성됐다는 점에서 그 중요성은 더욱 크다.

이가운데 中國이 劉외교부副부장, 蘇聯이 로가초프외무차관, 日本이 이시이외무부정무차관을 각각 수석대표로 파견하며 美國의 경우 도널드 그레그駐韓美대사가 참석한다.

또 英國은 데이비드 라이트駐韓대사, 프랑스는 에드위지 亞太담당국무장관, 인도네시아는 차기 유엔사무총장 물망에 오르고 있는 알라타스외무장관, 인도는 스와미상무장관, 파키스탄은 아지즈재무장관, 스리랑카는 헤라트외무장관을 각각 파견한다. 이밖에 몽골은 푸에르도리공업담당부총리를 파견하며 특히 미수교국인 베트남·라오스의 외무차관도 각각 참석한다. 中國을 비롯한 이들 미수교국정부의 고위인사 訪韓은 양국간 관계개선 및 수교를 앞당기는데 상당한 역할을 할 것으로 기대된다.

이같이 고위급 인사들이 파견되는 이번 총회에서 각국은 치열한 외교전을 펼칠 전망이다. 총회준비를 맡고 있는 외무부는 각국의 리셉션 주최신청이 쇄도해 이를 조정하느라 애를 먹었으며 많은 신청국 가운데 결국 美國·日本·中國·프랑스·인도·아세안(동남아국가연합)등만이 리셉션및 오찬행사 티켓을 따냈다.

ESCAP 회원국들이 이같이 이번 총회에 높은 의미를 부여하고 있는 것은 사무국 소재지인 방콕이 아닌 서울에서 열리는데다 최근 걸프전이후 급변하는 국제질서변화에 적극 대처할 필요성을 느꼈기 때문인 것으로 풀이된다.

2차대전이후 亞太지역 경제부흥을 위해 유엔경제사회위원회 산하 지역기구로 설립된 ESCAP은 선진국은 물론 개발도상국·저개발국까지 모두 포함되어 있어 아세안이나 亞太각료회의(APEC)처럼 실질적 합의를 도출해내기가 쉽지 않다는 약점도 있다. 그러나 이번 서울총회는 이러한 이질성을 어느정도 극복, 가시적 성과를 도출해낼 가능성이 어느때보다 높다는게 외무부 당국자의 설명이다.

ESCAP 서울총회에서 다뤄질 주요의제로는 亞太지역내 산업구조 재조정및 지역협력강화문제가 첫번째로 꼽히고 있다. 즉 亞太지역 개발도상국들의 제조업제품이 국제시장에 진출할때 직면할 문제들에 대한 해결방안및 상호보완적 협력기반을 다지는 방안이 본격 협의된다. 이는 그동안 어느정도 의견일치를 봤기 때문에 「서울실천강령」으로 채택될 것이 확실시된다.

또 서울총회는 폐막시 「서울선언」을 채택, 급변하는 국제정세에서 이 지역국가간 원활한 경제협력을 위한 방향을 제시하게 된다. 이어 최근 걸프사태가 亞太지역경제에 미친 영향을 평가하고 이에대한 다각적인 공동대응방안을 협의하며 오는 92년 유럽공동체(EC)시장단일화및 北美지역 자유무역협정(FTA)등 지역경제블록화를 비롯한 보호주의무역체제 강화경향에 대한 대처방안등을 심도있게 논의한다.

그리고 무엇보다 날로 그 중요성이 높아지고 있는 세계환경보호문제가 새로운 의제로 채택될 것이라는 점에도 관심이 모아지고 있다. 이번 회의는 오는 92년 브라질에서 개최될 유엔환경개발회의에 임할 亞太지역 회원국 입장을 정리할 것으로 알려졌다.

이밖에 서울총회는 北韓의 ESCAP 가입문제를 조심스럽게 논의하는 한편 48차 총회개최지를 결정짓게 된다. 中國은 이미 차기총회의 北京유치희망의사를 밝혀왔는데 우리 정부는 이를 우리의 유엔가입과 연계시켜 中國을 적극 지원한다는 방침이다.

ESCAP 서울총회는 오는 10월 서울에서 개최될 제3차 亞太각료회의와 더불어 韓國이 국제외교무대에 본격적으로 등장하는 계기가 될 것으로 여겨진다.

그러나 韓國의 국제사회에서 높아진 위상에 걸맞는 국제회의장 마련이 절실하다는게 관계자들의 공통된 지적이다. 회의시설을 제외한 숙박등 체재비용등은 참가국 부담원칙으로 되어있어 일부 국가들은 경비절약을 위해 회의장인 롯데호텔 투숙을 꺼리고 비교적 값싼 호텔을 이용해 회의진행및 外信들에 대한 경호에 어려움이 있다는 것이다.

〈朴政賢기자〉

0124

The Korea Herald
1991. 3. 31. 일, 사설

ESCAP parley in Seoul

The U.N. Economic and Social Commission for Asia and the Pacific (ESCAP) opens its general meeting in Seoul tomorrow, while vigorous moves are afoot to arrange a post-Cold War order and environment in this vast region. Additionally, it may provide participating countries with an opportunity to observe achievements of the host nation, both domestic and diplomatic, especially its role in the objectives of the world organization's regional body.

The 10-day session is certain to set the stage for the participating nations to seek bilateral or multilateral contacts among themselves. The parley, surely, merits attention for both its timing and agenda.

Korea, hosting the ESCAP meeting for the first time, can also take advantage of this opportunity to broaden support for its role in the international society, including its bid for entry to the United Nations. Under the principle of universality, Seoul has been seeking simultaneous admission to the world body along with Pyongyang which insists on sharing one seat with Seoul, contending that simultaneous entry would perpetuate the division of the Korean Peninsula. Indeed, the cases of Germany and Yemen, which each had dual representation at the United Nations before reunification, are good examples.

In fact, South Korea has been trying to bring North Korea out into the international community, as seen in its latest overture to help the North gain ESCAP membership, true to the spirit of a declaration made by Seoul July 7, 1988, to discontinue diplomatic confrontation with Pyongyang.

The upcoming ESCAP meeting is significant in the scope of participants alone. About 1,000 delegates from 48 countries are to attend, including those from the United States, the Soviet Union, Britain, France and China, all permanent members of the U.N. Security Council. Among others will be senior Foreign Ministry officials of Vietnam and Laos, which along with China have no diplomatic relations with Seoul. Opportunities will hopefully be taken to seek coprosperity in this region whose relative importance is ever growing in the world community. An open-minded sincere approach, free of parochial bias, will determine the outcome of such prospects.

0125

The Korea Herald
1991. 3. 31. 일_page 2

Gov't sees ESCAP as chance to promote U.N. entry bid

10-day conference opens tomorrow

By Kang Sung-chul
Staff reporter

A major U.N. conference opens in Seoul tomorrow, giving the host country of South Korea a good chance to promote its bid for U.N. membership.

Seoul officials hope to create an atmosphere favorable to their gaining a U.N. seat, as a major by-product of the annual meeting of the U.N. Economic and Social Commission for Asia and the Pacific (ESCAP).

They say they will actively contact foreign delegates over the membership question, though it is not a formal agenda topic.

Promoting regional economic cooperation will be the key topic to be discussed during the commission's 10-day session in Seoul.

Foreign Minister Lee Sang-ock recently told The Korea Herald that "hosting the meeting of a U.N. regional organization will help the country to create an atmosphere favorable to gaining U.N. membership."

He noted that it is the first time Seoul will host a major U.N. conference. Some 1,000 delegates from 38 full members of the commission and 10 associate members will attend the Seoul meeting.

The participating countries will include the five permanent members of the U.N. Security Council — the United States, the Soviet Union, Britain, France and China. The five countries each have the power to veto a nation's application for full U.N. membership.

Seoul has made it clear that it will apply for membership of the world body this year, regardless of whether North Korea accepts its offer for simultaneous entry or not.

South Korea has long proposed to the North that the two sides enter the United Nations jointly. The North rejected the offer, arguing that it would only contribute to perpetuating territorial division.

Pyongyang, instead, called for the two Koreas to share a single U.N. seat, an idea dismissed by the South as unrealistic.

North Korea is not a member of the U.N. body, though it recently showed interest in ESCAP.

In addition to formal sessions, Seoul officials are expected to push informal meetings with foreign delegates, either bilateral or multilateral.

Drawing special attention will be a scheduled meeting between Foreign Minister Lee and Chinese Vice Foreign Minister Liu Huaqiu, Beijing's chief delegate.

At the meeting, Lee will likely try to sound out Beijing's view on Seoul's bid to gain U.N. membership this year, officials said.

China may hold the key to Seoul's joining of the United Nations, Seoul officials say, noting that it remains North Korea's strongest ally and supporter.

South Korea and China have improved bilateral ties in recent years, as shown by their establishment of trade offices in Seoul and Beijing. They, however, have yet to open full diplomatic relations.

As for the Soviet Union, Seoul officials seem increasingly optimistic that Moscow will not veto Seoul's application for full U.N. membership.

Seoul and Moscow normalized relations last September before President Roh Tae-woo's historic trip to the Soviet Union. Seoul has agreed to provide $3 billion worth of economic assistance to help the Soviet Union tide over its ailing economy.

The other three standing members of the Security Council — the United States, Britain and France — have long been allies of Seoul, and will likely actively back Seoul's bid to enter the world body.

Foreign Minister Lee will also seek to discuss with the Chinese vice foreign minister ways to accelerate the promotion of bilateral cooperative ties.

Liu is the highest Chinese government official ever to visit Seoul since the end of World War II.

Seoul also hopes that the U.N. conference here will help improve its international image. "By hosting it, we can show the world that we are playing our role corresponding to our improved international status," Lee commented.

The conference will address the usual ESCAP issues of population control, natural resources, social development, the environment, transport and communications.

A major task, as the theme "industrial restructuring in Asia and the Pacific" suggests, will be the assessment of the economic situation for more balanced growth throughout the region.

Concern is expected to be voiced over technological protection by advanced nations against Asia's newly industrializing economies (NIEs), and assistance programs will be devised to help deliver necessary technological and labor resources to the NIEs and under-developed nations.

One special feature of the Seoul gathering is the expected adoption of a "Seoul Declaration" prepared by South Korea for specific economic cooperation measures for re onal develo ment.

0126

The Korea Times

1991. 3. 31. 일, page 2

ESCAP Meeting Helps Seoul's UN Bid: Kibria

Times. 3. 31. 2면

BANGKOK (OANA-Yonhap) — The U.N. Economic and Social Commission of Asia and the Pacific's general meeting in Seoul will help South Korea to join the United Nations, ESCAP Secretary-General S.A.M.S. Kibria said.

The commission will fully support North Korea if it wishes to enter ESCAP and is willing to hasten membership procedures if necessary, he said at ESCAP headquarters here in an exclusive interview with Yonhap News Agency.

The 47th ESCAP general meeting opens its 10-day run in Seoul April 1 with more than 1,000 representatives from 48 full and associate member nations.

The meeting has added significance as the host is not a U.N. member, Kibria pointed out.

In the Asia-Pacific region, where full-fledged political consultation bodies are lacking, ESCAP is a rare dialogue link between governments, he said.

All five members of the U.N. Security Council are full ESCAP members, and South Korea will be greeting ranking diplomatic officials from countries that have not yet normalized with Seoul. All things considered, the Seoul conference is expected to contribute greatly to South Korea's attempts to join the United Nations, Kibria said.

South Korea aims at entering the United Nations simultaneously with North Korea this year.

When asked about recommending North Korea to join the commission, Kibria said North Korean trade representatives met with his aide March 7 to inquire about membership procedures.

Although there has not yet been further contact, ESCAP will welcome the country if it applies for membership during the Seoul meeting, Kibria said.

0127

서울신문
1991. 3. 31. 일, 1면

"韓國 유엔加入 지지"

몽골外務 밝혀

訪韓중인 체렌필린 곰보수렌 몽골외무장관은 30일 南北韓유엔가입과 관련,「韓·몽골양국은 지난해 국교를 수립할때 양국이 국제사회의 성원으로서 모든 권리와 기능을 지녀야 한다는데 합의했다」고 전제하고 「이같은 합의는 韓國의 유엔가입문제에도 당연히 적용되는 것」이라고 말해 韓國의 유엔가입을 사실상 지지했다.

The Korea Herald
1991. 3. 31. 일, 2면

Mongolia foreign chief backs Seoul U.N. admission

South Korea has rights as a member of the global community that include membership of the United Nations, Mongolian Foreign Minister Tserenpiliyn Gombosuren said yesterday.

It is the first time Mongolia has indicated support for South Korea's U.N. membership.

"Establishing diplomatic ties between Korea and China falls within the purview of the two countries, but we hope they will develop full diplomatic relations," he said on leaving after a four-day visit.

0128

한 겨 레 신 문
1991. 3. 31. 일, 2면

"유엔가입 올해안 매듭"

이상옥 외무

정부는 30일 걸프전쟁 이후 중동지역에 대한 경제진출을 위해 '전후 경제부흥개발기금'에 출연함으로써 각종 사업계획에 참여하는 방안을 검토키로 했다. 정부는 또 회교의 금식 기간인 '라마단'(3월17일부터 한달 동안) 이후 적당한 시기에 걸프지역에 민·관 합동경제조사단을 파견하기로 했다.

이상옥 외무장관은 이날 오전 국회 외무통일위 간담회에서 이렇게 밝히고 유엔가입문제에 대해 "북한이 우리의 진지한 노력에 호응해오지 않는다면, 북한의 추후 유엔가입을 환영하면서 금년중 우리의 가입을 위한 구체적 조처를 취하고자 한다"고 밝혀 올해안에 유엔가입 문제를 매듭짓겠다는 뜻을 분명히했다.

0129

한겨레신문
1991. 3. 31. 일, 2면

유엔가입 분위기 마련 '기대'

ESCAP총회 준비로 바쁜 서울 외교가

내일부터 중국·베트남등 48개국 참가

아시아·태평양 지역협력등 '서울강령' 채택 예정

요즘 서울의 외교가는 어느 때보다 부산한 움직임을 보이고 있다.

4월1일부터 11일간의 일정으로 유엔 아시아·태평양 경제사회이사회(에스캅) 제47차 총회가 서울 롯데호텔에서 열림에 따라 회원국들의 대표와 각종 국제기구 관계자들이 속속 입국하고 있기 때문이다.

최근 들어 한국이 국제회의를 유치하는 일이 많아졌으나 이번 에스캅 총회만큼 규모가 큰 행사는 이례적이다.

회의에는 38개 정회원국과 10개 준회원국 그리고 70여개 국제기구의 대표 약 1천여명이 참석하며, 이 가운데 총회 준비를 맡은 외무부가 신경을 써야하는 주요인사만도 1백40여명에 이른다.

특히 한국과 외교관계 수립에 소극적 태도를 보이고 있는 중국이 류화추 외교부 부부장(차관)을 대표로 파견한 것은, 그가 한국정부 수립 뒤 서울땅을 밟는 최고위 중국관리라는 점에서 상당한 주목을 끈다.

또 소련은 로가초프 외무차관을 참석시키며, 한국과 미수교상태에 있는 베트남과 라오스 등으로부터도 각각 외무차관이 대표로 올 예정이다.

이밖에도 주요인사 명단에는 일본의 스즈키 외무성 정무차관, 몽고의 프레브도르흐 공업담당부총리, 인도네시아의 알라타스 외무장관, 파키스탄의 아지즈 재무장관, 스리랑카의 헤라트 외무장관, 이란의 닐리 기획·예산부 차관 등의 이름이 눈에 띈다.

정부는 아시아·태평양국가의 역내국가(북한과 대만 제외) 모두가 한자리에 모이게 된 것을 계기로 몇가지 외교적 성과를 노리고 있다.

우선 이번 총회가 분단국인 한국에서 열리는 최초의 유엔직속기구 회의라는 데 큰 의미를 부여하면서 정부는 올해 최대의 외교목표로 삼고 있는 유엔가입을 위한 분위기 조성에 상당히 기대를 걸고 있다.

외무부의 한 당국자는 정부의 유엔가입 노력과 관련 "남북한 동시가입이라는 1차 목표가 실패할 경우 '한국단독가입'이라는 2차 목표를 실현하기 위해서는 유엔안보이사회의 상임이사국인 중국의 태도가 가장 중요한 관건이 될 것"이라며 내한하는 류화추 중국 외교부 부부장과의 접촉 가능성을 강하게 시사했다.

또 수교를 서두르고 있지만 여러가지 국제적 여건상 관계정상화가 늦어지고 있는 베트남과 라오스 등의 대표단 내한도 이들국가와의 관계개선 기회가 될 것으로 기대하고 있다. 중국을 포함한 이들 국가와의 관계정상화는 동북아에서의 북방정책과 전방위외교의 이정표가 될 것이기 때문이다.

정부는 서울 총회를 계기삼아 아·태지역에서 국가역량을 다시 한번 확인해 본다는 야심도 가지고 있다. 역내의 개발도상국들에게 한국의 개발경험과 산업기술을 전수해줌으로써 이들 국가와의 협력관계를 한층 가속화한다는 구상이다.

이번 총회의 핵심주제는 '아태지역내 산업구조 재조정과 지역협력강화'로 회원국 등은 이에 관한 '서울 실천강령'을 채택할 예정이다.

방콕에 본부를 두고 있는 에스캅 사무국은 진작부터 아·태지역의 산업구조 재조정을 위한 정책개발에 나서 몇가지 기본원칙과 촉진방안을 대안으로 제시하고 있다.

에스캅 사무국의 기본원칙은 △빈곤해소와 고용증대 등 국민복리와 사회·환경차원을 고려하는 종합계획 마련 △국가적 경험의 다양성과 지역특수성을 인식, 최빈국과 도서 개도국의 발전에 중점을 둘 것 △사회기반시설의 확충과 인력자원 개발에 적극적으로 투자할 것 등으로 역내 사정을 잘 반영하고 있다. 나아가 이의 실현을 위한 방안들은 고부가가치 제조업 육성을 통한 산업구조의 지속적 변화를 추구한다.

역내 개발국가들은 구조조정에 중점을 두고 담당기구 및 수단을 제시하고 기술개발과 연구교육계획에 집중 투자하며, 회원국들은 중소기업 개발을 위한 역내 네트워크를 형성하는 한편 국내외 투자지원을 위한 역내 투자위원회나 기관간의 정보교환과 과학 및 기술 능력을 높이는 계획을 추진해야 한다는 것이다.

에스캅 사무국은 이와 함께 산업구조 재조정추진에 대한 국가계획을 수립하고 종합조정하기 위한 국가기구의 설립도 제안하고 있다.

에스캅 총회는 또 환경문제를 주요의제로 채택, 92년 브라질에서 개최될 예정인 '유엔 환경과 개발회의'에 대비한 아·태 지역의 기본입장을 정리한다.

정부는 이러한 광범위하고 다각적인 토의의제를 종합, 결론적으로 90년대의 아·태지역협력의 방향을 제시하는 '서울선언문'의 채택을 추진하고 있다.

〈박종문 기자〉

0130

The Korea Herald
1991. 3. 31. 일, 사설

ESCAP parley in Seoul

The U.N. Economic and Social Commission for Asia and the Pacific (ESCAP) opens its general meeting in Seoul tomorrow, while vigorous moves are afoot to arrange a post-Cold War order and environment in this vast region. Additionally, it may provide participating countries with an opportunity to observe achievements of the host nation, both domestic and diplomatic, especially its role in the objectives of the world organization's regional body.

The 10-day session is certain to set the stage for the participating nations to seek bilateral or multilateral contacts among themselves. The parley, surely, merits attention for both its timing and agenda.

Korea, hosting the ESCAP meeting for the first time, can also take advantage of this opportunity to broaden support for its role in the international society, including its bid for entry to the United Nations. Under the principle of universality, Seoul has been seeking simultaneous admission to the world body along with Pyongyang which insists on sharing one seat with Seoul, contending that simultaneous entry would perpetuate the division of the Korean Peninsula. Indeed, the cases of Germany and Yemen, which each had dual representation at the United Nations before reunification, are good examples.

In fact, South Korea has been trying to bring North Korea out into the international community, as seen in its latest overture to help the North gain ESCAP membership, true to the spirit of a declaration made by Seoul July 7, 1988, to discontinue diplomatic confrontation with Pyongyang.

The upcoming ESCAP meeting is significant in the scope of participants alone. About 1,000 delegates from 48 countries are to attend, including those from the United States, the Soviet Union, Britain, France and China, all permanent members of the U.N. Security Council. Among others will be senior Foreign Ministry officials of Vietnam and Laos, which along with China have no diplomatic relations with Seoul. Opportunities will hopefully be taken to seek coprosperity in this region whose relative importance is ever growing in the world community. An open-minded sincere approach, free of parochial bias, will determine the outcome of such prospects.

0131

48개국旗 펄럭…"축소판"유엔總會

"韓國은 경제협력의 교량" 盧대통령 개회사
각국代表들, 국내企業에 商談·관광 요청도
次期총회 中國개최면 韓·中외무회담 기대

「에스캅」서울總會 개막식 이모저모

케야르總長도 메시지

○…유엔 산하 직속기구로는 사상 처음으로 우리나라에서 열린 제47차 유엔 亞太경제사회이사회(ESCAP)총회는 1일 상오 롯데호텔2층 크리스탈 볼룸에서 블랑카 유엔사무차장이 대독한 페레스 데 케야르유엔사무총장 축하메시지및 키브리아ESCAP사무총장의 축사에 이어 盧泰愚대통령의 개회사순으로 40여분동안 진행。

이날 개막식은 상오9시40분쯤 盧대통령을 비롯, 키브리아사무총장·부니보보 피지통상장관(제46차 총회의장)·블랑카 유엔사무차장등이 李相玉외무장관의 안내를 받으면서 입장하는 것으로 시작, 각국 대표단의 전원 기립박수속에서 입장한 盧대통령은 英·中·佛·露語로 동시통역된 개회연설에서 「ESCAP은 아시아개발은행·亞太개발연구소등 많은 기구를 설립, 운영해 亞太협력의 바탕을 다져왔다」며 ESCAP의 역할을 강조。

盧대통령은 이어 「한국은 선발 개도국으로서 시장경제와 사회주의 경제간의 조화로운 협력을 실현하는 교량으로서 적극적인 역할을 해나갈것」이라고 말하자 이어폰을 끼고 시종 연설을 경청하던 中國의 劉華秋외교부부부장(차관)은 열심히 메모를 하기도。

이날 개막식장 뒤편에는 하늘색 바탕의 대형 유엔마크가 걸려 있었으며 중앙의 유엔기를 비롯, 좌우에 태극기등 48개 회원국 국기들이 도열해 있어 「축소판 유엔총회」를 방불케 하기도。

한편 개막행사에는 駐韓외교사절 30여명을 비롯, 崔珏圭부총리겸 경제기획원장관등이 참석。

각료급代表는 부의장

○…참가국들은 이어 본회의를 열어 李相玉외무장관을 만장일치로 의장으로 선출하고 알라타스 인도네시아외무장관·푸레브도리 몽골부총리 등 각료급 수석대표를 파견한 19개국을 부의장국으로 선출하는 등 의장단을 구성。

특히 李장관은 이번 총회에서 차기총회개최지가 中國으로 결정될 경우 관례상 前총회의장 자격으로 北京을 방문하게돼 있어 92년에는 錢其琛中國외무장관·金永南北韓외교부장관과 자연스럽게 회담을 가질 수 있지 않겠느냐고 외무부 직원들은 기대하는 눈치。

본회의는 준회원국인 南태평양 키리바티의 정회원국 가입 및 마카오의 신규준회원국 가입을 승인, 총 회원국수는 모두 49개국으로 증가。

회의는 이어 「亞太지역 산업구조 재조정과 지역협력강화문제」등을 정식의제로 채택한뒤 2개의 전체위를 구성, 10일간 협의에 돌입。

○…이날 하오 李외무장관은 힐튼호텔에서 각국의 총회 참석대표단및 駐韓외교사절을 초청, 총회대표단 환영 리셉션을 주최。

이날 리셉션장에는 소콜로프駐韓蘇聯대사는 李장관과 환담하는 등 적극적인 외교를 펼쳤으나 지난달 31일 서울에 도착한 中國의 劉외교부 副부장은 의식적으로 李장관과의 「조우」를 피하는 모습을 보여 대조。

各國에 의전관을 배치

○…총회 진행 및 지원업무를 총괄하고 있는 외무부는 호텔 6층 및 7층을 ESCAP발족사무국파견 직원들과 함께 사용하며 회의 진행을 준비。

총회 참가국들은 회의참석뿐 아니라 상공부 등 관련부처 관계자와의 면담, 국내기업체와의 상담주선, 관광 등을 요청해 오고 있다고 외무부 한 관계자가 설명。

외무부는 이에따라 각국 수석대표에게는 입국시부터 의전관 1명씩을 수행케해 이들의 요청을 즉각 처리하고 있다고。

〈朴政賢기자〉

0132

서울신문
1991. 4. 1. 月, 1면

"올안에 南北韓 유엔同時가입하자"
「盧대통령 메시지」 金日成에 전달

——우리代表團, 이달말 平壤IPU총회때

北서 거부땐 「단독先加入」 통보
통일憲法논의 「評議會」 구성 제의

黨政방침

정부와 民自黨은 오는4월 29일 平壤에서 열리는 제85차 국제의회연맹(IPU)총회에 참석할 韓國대표단(단장 朴定洙국회외무통일위원장)의 訪北시 연내 南北이 함께 유엔에 가입할 것을 촉구하는 盧泰愚대통령의 구두 메시지를 金日成주석에게 전달할 것으로 31일 알려졌다.

정부의 한 고위소식통은 이날 「IPU平壤총회과정에서 金주석은 주요국가 의회 대표단과 공식 또는 비공식 면담을 가질 가능성이 높다」며 「우리측 대표단 단장인 朴위원장은 金주석과 면담시 南北이 함께 유엔에 가입, 국제사회의 당당한 일원이 되기를 촉구하는 盧대통령의 구두 메시지를 전달할 것으로 안다」고 말했다.

이 소식통은 「朴위원장은 또 楊亨燮 北韓최고인민회의 의장과 개별면담을 갖고 北韓의 유엔가입을 권유할 것」이라며 「北韓이 끝내 이를 거부한다면 국제적인 韓國의 유엔가입지지 분위기를 설명하고 우리가 先가입할 것임을 밝힐 것」이라고 말했다.

정부와 民自黨은 또 팀스피리트훈련이 사실상 끝남에 따라 5월쯤 南北고위급회담이 재개될 것이라는 판단아래 이번 訪北과정에서 南北韓국회차원에서 통일헌법기초문제등을 논의하기 위한 가칭 「南北평의회」를 구성하자고 北측 의회에 제의할 것으로 전해졌다.

「南北평의회」안은 南北쌍방동수의 의원으로 구성하고 南北통일에 대비한 통일헌법기초문제를 중점 논의하며 고위급회담의 자문역할을 하는 방안인 것으로 알려졌다.

이같은 黨政방침은 南北고위급회담이 재개되면 北韓이 또다시 대남통일전선전략차원에서 정치협상회의를 제의하는등 정치공세를 병행할 것으로 예상되는 만큼 北의 정치공세를 사전에 봉쇄하고 통일논의창구를 국회및 정부차원으로 일원화하기 위한 것으로 풀이된다.

정부와 民自黨은 이와함께 이번 IPU총회에서 군축문제가 주요 의제로 다뤄지는 만큼 韓半島및 東아시아의 평화와 안정을 위해서는 南北간 신뢰구축이 전제되어야 한다는 점을 강조하고 北韓의 핵사찰수용을 촉구할 방침이다.

0133

서울신문
1991. 4. 1. 月, 사설

에스캅 서울총회

脫冷戰시대의 새세계질서에 적극 참여하고 적응하기 위한 세계각국의 외교활동이 활발하다. 특히 걸프戰 이후 東아시아가 국제외교의 중심무대로 세계의 이목을 집중시키고 있다. 4월 중순엔 고르바초프 蘇聯대통령의 訪日이 이루어지고 5월엔 中蘇정상회담이 예정되고 있다. IPU(국제의회연맹)총회의 平壤개최도 관심거리이지만 1일부터 10일간 서울에서 열리는 제47차 에스캅(유엔 아시아·태평양 경제사회위원회)총회도 그러한 움직임의 일환으로 주목된다.

에스캅은 유엔직속기구로 亞·太지역의 경제협력과 사회개발을 위한 지원및 연구·협의등의 역할을 해왔고 北韓(가입을 타진중)과 臺灣을 제외한 역내국가 모두가 가입되어 있는 아시아판 유엔이라 할수 있는 기구이며 아시아개발은행(ADB)의 모태가 되는등 이 지역 발전에 큰 기여를 해왔다. 이번 총회에선 亞·太지역내 산업구조재조정에 관한 문제가 핵심의제이며 걸프戰 이후 처음 개최되는 총회라는 점에서 걸프戰이 亞·太지역의 정치·경제에 미치는 영향에 대해서도 깊이 있는 논의가 있을 것으로 보인다. 논의내용을 기초로하는 「서울 실천강령」도 마련되고 90년대의 亞·太지역 협력 방향을 제시할 「서울선언문」도 채택할 예정이다.

개최국인 우리의 입장에선 물론 총회내용도 중요하지만 보다 더 중요한 것은 개최자체가 갖는 의의와 그것이 가져오는 결과라 하겠다. 우리는 유엔가입을 희망하는 유엔 非회원국이다. 이번 에스캅 서울총회는 유엔非회원국인 한국에서 유엔회원국들이 갖는 최초의 유엔직속기구 공식 회의라는 사실이 갖는 의미 또한 심장한 것이라 할수 있을 것이다.

美·中·蘇·日本 등 한반도주변 4대 열강을 비롯, 38개 정회원국과 10개 준회원국 및 70여개 국제기구로부터 부총리, 장·차관급 등 고위급대표 약 1천여명이 참석하는 대규모 국제회의란 사실도 주목할만하다. 美國에서는 그레그 駐韓美대사가 참석하지만 蘇聯에서는 로가초프외무차관이, 中國에서는 劉華秋외무차관 등이 수석대표로 참석하고 베트남, 아세안 각국 등으로부터도 고위대표단이 참석한다. 특히 中國의 경우는 정부고위 공식대표단으로는 최초의 서울방문이라는 점에서도 특별한 의미를 부여할 수 있을 것으로 생각한다.

개최국으로서 우리 외무장관이 의장을 맡는 이번 에스캅서울총회는 서울이 중요국제외교의 중심무대가 되고 선진개발도상국 韓國이 그 주역을 담당함으로써 韓國이 앞으로 아시아·太平洋지역의국제·경제사회에 보다 더 적극적·주도적으로 참여해 가게될 것임을 예고하는 것으로도 주목거리라 하지 않을 수 없다. 연내의 유엔가입을 기본방침으로 하고 있는 韓國의 입장에선 접촉이 용이하지 않은 유엔회원 미수교국들의 고위관리들을 상대로 하는 동시다발적인 초청외교의 효과도 기할 수 있는 좋은 기회이기도 한 것이다.

韓國의 유엔가입을 위한 분위기 조성은 물론 中國·베트남·라오스 등 미수교국들과의 총회회의장 밖의 외교를 통한 관계개선 분위기 조성에도 활용하고 韓國을 잘 모르는 그들에게 우리의 주장과 현실을 있는 그대로 알리는 좋은 기회로도 삼아야 할 것이다. 韓國외교의 성숙성을 시험하고 과시하는 훌륭한 계기가 되도록 노력할 필요도 있을 것으로 생각한다.

0134

京鄕新聞
1991. 4.1.月, 2면

「서울外交」 활발

오늘 ESCAP총회 개막

美·蘇·中등 48개국 참가

亞太협력 강화·南北유엔가입 논의

유엔亞·太경제사회이사회(ESCAP)제47차 총회가 1일상오 서울 롯데호텔에서 개막돼 10일간의 일정에 들어간다.

우리나라에서 개최되는 최초의 유엔직속기구회의인 이번 총회에는 48개 회원국(준회원국 포함)과 70여개 국제기구대표 1천여명이 참석, 亞·太지역내 산업구조재조정및 지역협력강화방안등을 협의한다.

총회 첫날에는 盧泰愚대통령이 개막연설을할 예정이며 李相玉외무장관은 의장으로서 전반적인 회의진행을 주재한다.

정부는 美·蘇·中·英·佛등 5개 유엔安保理상임이사국대표및 블랑카 유엔사무차장이 참석하는 이번총회기간중 금년내 유엔가입실현과 관련해 兩者및多者間의교섭을벌일방침이다.

특히 李외무장관은 오는 3일 中國수석대표인 劉華秋외교부副부장과 단독 면담을갖고 南北韓 유엔가입및韓·中관계정상화문제등을 논의할 예정이다.

ESCAP총회는 본회의및 두개의 전체위원회토의결과를 토대로 산업구조재조정방안과 관련한「서울실천강령」및 亞·太지역협력방향을 제시하는「서울선언문」을 채택한뒤 오는 10일 폐막된다.

0135

京鄕新聞

1991. 4. 1. 月, 2면

亞·太中心國부상기대

ESCAP 서울총회 의미

域內 산업구조 조정 主議題로

1일 막을올리는 ESCAP(유엔亞·太경제사회이사회)제47차 총회는 韓國에서 개최되는 최초의 유엔직속기구 회의이다.

특히 금년내에 유엔가입을 실현시키기로 작정하고있는 우리 정부로서는 이번 총회에 부여하는 의미가 각별하다.

우선 총회의 규모가 매우 크다. ESCAP의 38개 정회원국, 10개 준회원국및 70여 국제기구의 대표등 1천여명이 참석하며 주요회원국에서 각료급의 고위수석대표를 대거 파견하고있다.

ESCAP은 유엔의 직속산하기구로서 1947년 창설된이래 아시아·태평양지역 전체를 위한 유일한 정부간협의체로서의 기능을 맡아왔다.

ESCAP은 무역·천연자원·통계·에너지·농업·교통·체신·인구·환경등 亞·太지역의 경제·사회 제반분야를 관장하는 종합적 기구이다.

韓國은 1949년에 가입한이래 ESCAP활동에 꾸준히참여해왔다.

개최국으로서 韓國이 금번 총회를 통해 얻고자하는것은 크게 세가지정도로 요약할수 있다.

첫째 ESCAP총회 자체가 갖는 의미가 그것이다. 즉 대규모 유엔관계회의를 주재함으로써 서울을 亞·太협력의 중심지로 부각시키는 것이다. 이는 오는10월 역시 서울에서 열리는 亞·太각료회의(APEC)와도 연관시켜 의미를 새겨볼수 있다.

열흘간 계속되는 총회의 핵심의제는 지난2년간 계속 논의해온 域內국가간 산업구조 再調整문제로서 각국의 경제개발 수준과여건에 적합하게 중점 산업을 다시 편성토록 한는것이다.

이와함께 ▲보호무역주의 추세강화에 대한 대처방안 ▲EC통합및 北美지역의 자유무역협정체결등 지역경제 블록화 현상에 대한 대응 ▲우루과이라운드早期타결방안 ▲환경문제등이 협의된다.

이렇듯 다양한 테마의 토의결과는 「서울실천강령」의 채택으로 집약될 예정이다. 그러나 광범위한 의제와토의에 비해 피부에 와닿는합의가 도출되기는 어려울 전망이다. 이는 이같은 多者間 협의체가 갖는 한계이기도하다.

정부가 현실적으로 보다 비중을 두는 대목은 유엔가입신청을 앞두고 사전분위기를 조성하는 것이다. 이와관련해 가장 관심을끄는 수석대표가 中國의 劉華秋외교부副부장이다.

우리로서는 유엔가입의 관건을 쥐고있는 中國의 입장을 직접타진할 기회가 되는셈이다.

회의에는 또 로가초프 蘇聯외무차관을비롯, 美·蘇·中·英·佛등 유엔安保理상임이사국의 대표가 모두 참석하기때문에 中國으로하여금 우리의 유엔가입에 대한 국제적분위기와 현실을 재삼 확인케 할수있는 場이 조성되는 셈이다.

ESCAP총회의 토론은 기본적으로 경제·사회분야에 국한하고 있다. 따라서 우리의 유엔가입문제는 場外무대에서 兩者·多者간 형식으로 논의될것이다.

미수교국인 베트남과 라오스대표단이 참석하는점도 눈길을 끈다. 외무부의 한 당국자는 『이들 국가와의 관계개선기회로도 의미가 있다』고 말했다.

한편 北韓도 지난3월초 사무국에 가입절차를 문의하는등 ESCAP에 관심을 표명하고 있는 만큼 이문제가 총회에서 제기될경우 이에 적극 협력한다는게 정부의 방침이다.

<宋永丞기자>

中國외교副部長 訪韓

韓國의 유엔가입문제와 관련해 中國 정부의 거취에 관심이 모아지고있는 가운데 劉華秋 中國외교부副부장이 유엔亞·太경제사회이사회 서울총회에 참석차 31일낮 JAL기편으로 金浦공항에 도착했다. 劉부부장은 우리나라에 온 中國외교부의 최고위관리라는 점에서도 자못 이목을 끌었으나 기다리던 보도진을 피해 황황히 공항을 빠져나갔다.

<金錫九기자>

0136

"올안에 南北韓 유엔同時가입하자"

「盧대통령 메시지」 金日成에 전달

─우리代表團, 이달말 平壤IPU총회때

北서 거부땐 「단독先加入」 통보

통일憲法논의 「評議會」 구성제의

黨政방침

정부와 民自黨은 오는4월 29일 平壤에서 열리는 제85차 국제의회연맹(IPU)총회에 참석할 韓國대표단(단장 朴定洙국회외무통일위원장)의 訪北시 연내 南北이 함께 유엔에 가입할 것을 촉구하는 盧泰愚대통령의 구두 메시지를 金日成주석에게 전달할 것으로 31일 알려졌다.

정부의 한 고위소식통은 이날 「IPU平壤총회과정에서 金주석은 주요국가 의회대표단과 공식 또는 비공식 면담을 가질 가능성이 높다」며 「우리측 대표단 단장인 朴위원장은 金주석과 면담시 南北이 함께 유엔에 가입, 국제사회의 당당한 일원이 되기를 촉구하는 盧대통령의 구두 메시지를 전달할 것으로 안다」고 말했다.

이 소식통은 「朴위원장은 또 楊亨燮 北韓최고인민회의 의장과 개별면담을 갖고 北韓의 유엔가입을 권유할 것」이라며 「北韓이 끝내 이를 거부한다면 국제적인 韓國의 유엔가입지지 분위기를 설명하고 우리가 先가입할 것임을 밝힐 것」이라고 말했다.

정부와 民自黨은 또 팀스피리트훈련이 사실상 끝남에 따라 5월쯤 南北고위급회담이 재개될 것이라는 판단아래 이번 訪北과정에서 南北韓국회차원에서 통일헌법기초문제등을 논의하기 위한 가칭 「南北평의회」를 구성하자고 北측 의회에 제의할 것으로 전해졌다.

「南北평의회」안은 南北 쌍방동수의 의원으로 구성하고 南北통일에 대비한 통일헌법기초문제를 중점 논의하며 고위급회담의 자문역할을 하는 방안인 것으로 알려졌다.

이같은 黨政방침은 南北고위급회담이 재개되면 北韓이 또다시 대남통일전선전략차원에서 정치협상회의를 제의하는등 정치공세를 병행할 것으로 예상되는 만큼 北의 정치공세를 사전에 봉쇄하고 통일논의창구를 국회및 정부차원으로 일원화하기 위한 것으로 풀이된다.

정부와 民自黨은 이와함께 이번 IPU총회에서 군축문제가 주요 의제로 다뤄지는 만큼 韓半島및 東아시아의 평화와 안정을 위해서는 南北간 신뢰구축이 전제되어야 한다는 점을 강조하고 北韓의 핵사찰수용을 촉구할 방침이다.

0137

중앙 4. 1. 1면

ESCAP서울總會 개막

盧대통령 開會辭

南北 유엔가입 강조

유엔亞太경제사회이사회(ESCAP)의 제47차 연례총회가 1일 오전 서울롯데호텔크리스틀볼룸에서 美·日·蘇·中·印度등 48개 회원국과 70여개국제기구대표 1천여명이 참석한 가운데 열흘간의 일정으로 개막됐다. <관계기사 5面>

盧泰愚대통령은 이날 개회사를 통해 『韓國은 선발개도국으로서 선진국과 개발도상국을 연결함과 아울러 시장경제와 사회주의경제간의 조화로운 협력을 실현하는 교량으로 적극적인 역할을 해나가겠다』고 밝혔다.

盧대통령은 또 『우리는 한반도의 긴장완화와 南北韓간의 관계개선이 亞太지역의 안정과 협력의 증진에 관건이 되는 과제임을 알고 있으며 유엔가입을 추진하려는 것도 아시아-태평양과 세계에 대한 응분의 책임및 기여를 다하기 위한것』이라고 지적하고 『한반도에 통일이 실현될 때까지 南北韓 모두가 유엔에 들어가는 것은 한반도는 물론 이지역의 안정과 평화를 위해서도 도움이 될것』이라고 남북한의 유엔동시가입 방침을 강조했다.

이번 총회는 韓國에서 열리는 최초의 유엔 직속기구회의로 각국대표들은 오는 10일까지 본회의와 전체위원회를 번갈아 갖고 주의제인 「亞太지역내 산업구조재조정과 지역협력강화문제」를 논의한다.

이번 총회는 이와관련,亞太지역협력에 관한 중장기 방향제시와 2000년대를 앞두고 역내 국가간 협력·결속을 다짐하는 「서울선언」과 「서울실천강령」이 채택될 예정이다.

이번 총회의장인 李相玉외무장관은 총회기간중 류화추(劉華秋) 中國외교부 副부장, 로가초프 蘇聯외무차관, 수부한 베트남 외무차관, 수반 스리시라스 라오스외무차관등과 개별면담을 갖고 우리의 유엔가입등 쌍무적인 협력증진 방안에 대해 논의할 것으로 보인다.

한편 페레스 데 케야르유엔사무총장은 볼란카 사무차장이 대독한 메시지를 통해 『40여년이상동안 ESCAP는 협력강화를 위한 여대국가들간의 공동의지창출에 중요한 촉매적 역할을 담당해왔다』고 지적하고 亞太지역국가간의 협력과 기여를 강조했다.

0138

亞太지역협력 중심권 부상

ESCAP 서울개최의 의미

유엔 단독가입 발판 굳혀

산업구조 재조정위한 「서울선언」채택도 추진

유엔亞太경제사회이사회(ESCAP) 47차연례총회의 서울개최는 韓國외교가 국제무대의 중심권으로 올곧게 진입하는 전환점이 될 것으로 보인다.

세계12대 무역국이면서도 우리는 그동안 국제정치무대에서 그에 걸맞는 대접을 받지 못했다.

정치적 미성숙과 분단국이라는 결함이 냉전의 틀바구니에서 균형있는 독자외교를 펼수 없게 했기 때문이다.

그러나 탈냉전의 국제적 추세및 사회주의국가권의 체제변혁이 우리의 88올림픽개최및 北方외교와 어우러져 경제력에 상응한 우리의 외교적 위상의 불균형을 시정할 수 있는 계기를 주었다.

올들어 우리나라는 ESCAP총회이외에도 10월에는 亞太각료회의(APEC)를 주최한다. 그리고 7월에는 美·日·加·濠·뉴질랜드·EC에 이어 일곱번째로 아세안(東南亞국가연합)의 확대외무장관회담에 정식회원국 자격으로 참석하게된다.

그럼에도 굳이 이번 ESCAP 서울총회를 韓國외교의 전환점으로 평가하는 이유는 이번행사가 우리의 올해 최대 외교목표인 유엔가입의 국제적 여건조성에 결정적인 기여를 하게 될 것으로 기대되기 때문이다.

우선 ESCAP는 유엔의 산하전문기구와는 달리 몇안되는 직속기구로서「유엔 그 자체」라고도 할 수 있다. 北韓이 ESCAP가입을 꺼리는 점도 다른 전문기구와는 달리 ESCAP에 가입하면 유엔동시가입에 반대할 명분이 없어지기 때문이다.

이런 직속기구의 총회가 서울에서 열린다는 것은 우리의 단독유엔가입 논리를 한층 강화시켜줄것으로 정부는 기대하고 있다.

뿐만아니라 이번 총회에는 美·英·佛·中·蘇등 거부권을 갖는 안보리 5개상임이사국이 모두 참석해 우리의 유엔가입에 대한 그들의 관심을 자연스럽게 환기시킬 수 있다는 이점도 있다.

정부는 특히 南北韓이를 강조하며 우리의 유엔단독가입에 거의 유일하게 비우호적이었던 中國이 국무원내「對南조선업무영도小組」위원장을 담당하고있는 류화추(劉華秋)외교차관을 파견해 주목하고있다. 류는 그가 국제기구담당이어서 그의 참석을 확대해석하는 것은 韓國의 여지가 없지 않지 모른다.

그러나 中國이 유엔직속기구의 서울총회를 반대하지않고 이런 비중있는 인사를 訪韓케 한 것은 곧 유엔과 같은 다자적인 틀에서라면 韓國을 정치적으로 인정할 수 있다는 간접적 시사를 北韓에 보내는 것으로 해석할수도 있기때문이다.

李相玉외무장관은 이번 총회의장자격으로 각국수석대표를 면담하는 과정에서 3일 劉차관을 단독면담하게 되며 우리의 유엔가입에 대한 中國입장을 직접 타진할수 있는 기회를 갖게될 것으로 보인다.

물론 中國의 劉차관派遣은 차기 ESCAP총회의 北京유치와 APEC가입 방침과도 무관하지 않을것이다.

정부는 APEC와 ESCAP의 의장국으로서 우리의 유엔가입과 연계해 中國측에 가능한 협력하겠다는 입장이다.

이번 총회는 또 유엔의 차기 사무총장으로 거명되고 있는 인도네시아의 알리 알라타스외무장관등 유엔에서 영향력이 적지않은 각국인사들을 한자리에 모아 유엔에서의 표대결에 대비, 다양한 득표활동을 벌일수 있는 계기를 마련해준다는 점에서도 의의가 크다.

이번 총회의 핵심주체는 역내국가간의 산업구조 재조정 문제다.

지난 1년간 실무대표들의 토의를 토대로 역내국가를 선진국·신흥공업국·아세안국가·남아시아개도국·최빈국등 5개그룹으로 나눠 각각의 경제여건에 적합한 산업구조로의 재조정을 유도하는 서울 선언의 채택을 정부는 시도하고 있다.

이런점을 감안하면 이번 서울총회가 APEC총회등과 함께 서울을 亞太지역협력의 중심권으로 부상시키는 한 계기로 작용하게될 것으로 전망된다.

<李在鶴기자>

盧泰愚대통령이 1일오전 유엔직속기구로는 처음으로 우리나라에서 총회를 갖는 유엔亞太경제사회이사회 총회에 참석해 연설하고 있다.

0139

ESCAP서울總會 개막

亞太 경제 社會이사회 유엔직속기구회의론 처음

「서울선언문-강령」채택 예정

유엔 亞太경제사회이사회(ESCAP) 제47차 총회가 1일 오전9시반 서울롯데호텔 크리스탈볼룸에서 韓國을 비롯, 美國 蘇聯 中國 日本 英國 印度등 48개 회원국및 70여개 국제기구대표들이 참석한 가운데 개막됐다.

<3면에 관련기사>

이번 총회는 韓國에서 열리는 최초의 유엔직속기구회의로 각국대표들은 오는10일까지 본회의와 전체위원회회의등을 번갈아 갖고 주의제인 「亞太지역내 산업구조재조정과 지역협력강화문제」를 논의한다.

이번 총회에서는 특히 亞太지역협력에 관한 중장기방향제시와 2000년대를 앞두고 역내 국가간협력과 결속을 다짐하는 「서울선언문」과 「서울실천강령」이 채택될 예정이다.

盧泰愚대통령은 개회사를 통해 「통일이 실현될때까지 南北韓 모두가 유엔에 들어가는 것은 韓半島는 물론 이 지역의 안정과 평화를 위해서도 도움이 될것」이라고 말했다.

盧대통령은 또 「韓國이 유엔가입을 추진하려는 것은 아시아 太平洋과 세계에 대한 응분의 책임과 기여를 다하기 위한것」이라며 「세계 12위의 무역국가인 韓國이 비회원국으로 남아있는 것은 유엔의 보편성원칙에도 어긋나는 일」이라고 말했다.

한편 총회의장인 李相玉외무부장관은 총회기간중 劉華秋中國외교부副부장, 로가초프 蘇聯외무차관, 부환베트남외무차관, 수반스리시라스 라오스외무차관등 참가국수석대표들과 개별면담을 갖고 지역협력문제외에 韓國의 유엔가입문제도 협의한다.

0140

亞太협력 본격화 始動

「아시아의 유엔總會」 ESCAP회의 의미

脫冷戰기류타고 理念差 극복

中蘇외무차관 代表로 참석…우리측 「南方외교」기대

東亞 4.1

1일 개막된 유엔亞太경제사회이사회(ESCAP)제47차 총회는 亞太지역에서도 지역협력문제가 본격적으로 논의되기 시작했음을 알리는 회의다.

脫냉전의 기류를 바탕으로 세계질서는 급속히 재편되고 있고 이 과정에서 유럽과 美洲지역국가들은 나름대로 협력체제를 강화하고 있다.

48개 회원국 대표들은 이번 총회에서 90년대 지역협력의 방향을 제시하는 「서울선언」을 채택할 예정이다. 「서울선언」은 이지역 국가들도 脫냉전의 화해분위기에 힘입어 이념과 제도의 차이를 극복하고 경제 사회개발에 매진할수 있게 됐음을 확인하고 이를 위해서는 지역협력이 무엇보다도 긴요함을 강조하는 것을 그 주요내용으로 하고 있다.

이번 총회의 핵심의제인 「亞太지역내 산업구조 재조정문제도 지역협력의 한 유형으로 볼 수 있다. 회원국들은 저마다 경쟁력있는 高附加가치의 제조업을 육성 발전시키기 위해서 산업구조를 재조정하는 방안을 논의하게 되는데 효과적인 산업구조 재조정에는 域內국가간에 정보 기술 자금면에서의 협력이 필수적이다.

이번 총회는 주최국인 우리에도 큰 의미가 있다. ESCAP은 원래 유엔 아시아 극동경제위원회 (ECAFE)였다. ECAFE는 2차대전후 아시아지역의 경제부흥을 돕기 위해 유엔이 직속기구로서 출범시킨 일종의 경제개발 지원기구였다. ECAFE는 1974년 제34차 총회에서 오늘의 ESCAP으로 명칭이 바뀌었다. 경제개발외에 사회개발이 목적의 하나로 추가된데다 지리적으로 태평양지역까지 포함해 ESCAP으로 확대 개편됐던 것. 우리나라는 1954년에 정회원국이 됐다.

ESCAP은 60、70년대만 하더라도 亞太지역국가들(개도국)에 경제개발에 필요한 자문과 정보를 제공하는게 주된 임무였다. 유엔의 결의에 따라 의무적으로 회원국이 된 美國 日本 蘇聯 프랑스 英國등 선진국들이 같은 회원국이나 경제개발의 수준이 낮은 이 지역의 개도국들을 옆에서 도와주었다.

그러나 80년대들어 亞太지역의 중요성이 부각되면서 그 역할과 비중도 함께 커졌다. ESCAP은 오늘날 亞太지역에 존재하는 유일한 정부간 포럼(대화의 場)이다. 비슷한 기구로 亞太각료회의(APEC)가 있으나 역사와 전통 규모에 있어서 비할바가 아니다. ESCAP은 흔히 「아시아의 유엔총회」라고도 불리는데 이는 亞太지역에 범정부간 모임이 없는데다 총회때마다 이 지역의 거의 모든 국가들이 모여 정치 경제에서부터 문화 사회 환경에 이르기까지 광범위한 토의를 갖기때문에 붙여진 이름이다. 실제로 ESCAP관계자들은 ESCAP을 「아시아 議會」라고부른다.

ESCAP은 사무국을 泰國의 방콕에 두고 총회를 거의 이곳에서 열어왔지만 과거 日本 아프가니스탄 인도네시아가 한차례씩 총회를 유치했었다. 서울총회는 방콕이외의 지역에서 열리는 네번째 총회인 셈이다.

우리나라는 이번 총회가 우리외교의 두가지목표인 균형외교와 유엔가입의 실현에 결정적인 도움을 줄것으로 기대하고있다. 이른바 「南方외교」로 표현되는 亞太지역 국가들과의 유대강화는 80년대의 北方외교와 함께 우리외교를 더욱 균형있는 외교로 만들것이란 기대다.

우리나라는 70년대까지만 하더라도 ESCAP의 지원을 받는 수혜국의 입장이었으나 87년부터 ESCAP협력기금으로 매년 30만달러를 내놓을 정도로 위치가 격상돼있다. 우리의 경쟁적 위치에 있는 中國도 해마다 많은 액수의 기금을 내놓고 있다.

이번 총회에 中蘇가 각각 외무차관을 수석대표로 보낸것도, 48개국에서 1천여명의 대표가 모이는 것도 내색은 않지만 모두가 亞太지역의 주도권 경쟁을 의식하고 있기 때문이다.

이번 총회는 마침 우리의 유엔가입 실현노력을 앞두고 열린다. 『中國을 비롯한 48개 회원국 대표들은 서울총회에서 韓國의 유엔가입의 정당성을 피부로 느끼게 되고 그러한 느낌이 오는 9월 제46차 유엔총회에 까지 이어질 것"이라고 한 당국자는 자신했다. 외무부장관만 13명, 차관 16명이 참석한 이번 회의에서 각국 대표들은 활발한 막후접촉을 갖게되고 이과정에서 韓國의 유엔가입 지지분위기가 자연스럽게 확산될 것이라는 얘기다.

〈李載昊기자〉

0141

朝鮮日報 西紀 1991年 4月 1日 月曜日

ESCAP 서울개최 의미

국제外交무대 "浮上 발판"

安保理이사국도 참석 「축소판 유엔總会」
年内가입을 위한 분위기 造成
北方·南方외교의 調律 계기로

서울 에스캅(유엔 亞太경제사회이사회)총회는 우리나라에서 열리는 최대규모의 외교행사다. 48개회원국, 1천여명의 대표가 참가하는 규모도 크거니와 亞太지역 외교의 주역들이 모두 서울에 모이는 것은 처음이기 때문이다.

차기 유엔사무총장물망에 오르고 있는 알리 알라타스인도네시아 외무장관을 비롯, 중국의 劉華秋외교부副部長(차관)로가초프 소련 외무차관 이시이 日本외무성정무차관등 域内의 각료급인사 20명을 포함한 고위대표들이 대거참석한다.

지역 균형발전 기여

뿐만아니라 美英佛中蘇등 안보리 상임이사국 대표가 모두참석하고 각종유엔산하기구들과 EC등 70여개 국제기구대표들이 모두 참석한다는 점에서 「축소판 유엔총회」로 불리는 회의다.

제47차 총회의 서울 개최는 건국이래 최대 전환기를 맞고있는 韓国외교에도 큰 의미를 지닌다.

아세안을 비롯한 亞太지역국가들과의 협력강화의 계기를 마련함으로써, 北方외교와 南方외교간의 조화와 균형을 회복하는 전기가 될 것으로 기대되는 것이다.

우리나라는 특히 총회주제인 산업구조조정(域内국가간 분업및 기술협력, 부자조정기관설립, 후진국개발지원)분야에서 선진국과 후진국간의 교량역할을맡아 지역균형발전에 큰 기여를 할 수 있을 것으로 전망된다.

이와함께 韓國은 유엔가입실현과 중국·베트남등 未수교국과의 관계개선이라는 측면에서도 서울총회는 각별한 의미를 갖는다.

에스캅은 유엔 직속기구인 만큼, 서울총회개최자체가 유엔가입실현을 위한 분위기마련에 크게 기여할 것으로 보인다.

정부는 회의에 참석하는 안보리상임이사국들을 비롯, 회원각국대표단과 공식·비공식접촉을 통해 유엔가입을위한 지지기반을 확실하게 다진다는계획이다.

北韓가입 지지 입장

특히 中国의 劉副부장은 유엔대책을 맡는 국제기구담당 업무와 국무원「대남조선업무영도小組」위원직을 함께 맡고 있어 관심을 모으는 인물이다. 정부는 劉副부장과 베트남및 라오스외무차관과의 별도 접촉을 통해 수교및 유엔가입지지확보를 위한 전기를 마련할 방침인 것으로 알려지고 있다.

이같은 과정에서 정부는 北韓의 에스캅가입을 적극 지지한다는 입장을 밝힐계획이다. 최근 북한은 종전의태도를 바꿔 방콕 에스캅사무국에 가입절차를 문의한 바 있는데, 에스캅이 유엔직속기구인 만큼 북한이 가입의사를 분명히한다면 남북한 유엔동시가입에 긍정적인 영향을 끼칠것으로 예상된다.

회의준비를 맡아온 외무부 관계자들은 「이번 서울총회는 시기적 특성으로 회원국들의 참가열기가 어느때보다 높다」고 설명하고 있다. 걸프사태와 보호무역주의 추세강화, 92년 EC통합및 北美자유무역지대(FTA)창설등 국제정치및 경제환경 변화로 亞太지역국가들간의 대처방안마련이 어느때보다 절실한 시점이기 때문이다.

「서울강령」 채택할듯

에스캅에는 선진국은 물론, 개도국·저개발국까지 이질적인 회원국이 망라되어있어, 아세안이나 亞太각료회의(APEC)와 달리 실질적인 합의도출이 어렵다는 약점을 지녀온게 사실이다.

그러나 이번 총회에서는 지난2년간 예비협의를 바탕으로, 개도국 제조업상품들의 국제시장진출 지원방안과 산업구조재조정을 위한전문가협의체(Forum) 운영등을 구체적으로 명기한 「서울실천강령」채택등 가시적인성과도 있을 것으로 보인다. 또 우리나라는 이번 총회폐막때「서울선언문」을 채택, 중장기적인 지역협력방안을 제시토록 한다는 계획이다.

외무부 경제기구과직원들은 각국이 다투어 리셉션을 주최하겠다고 나서는 바람에 애를 먹기도 했는데, 결국 차기총회 개최를 희망해온 中国과 일본 프랑스·인도 아세안만이 리셉션이나 오찬행사 티켓을 따냈다.

대표단들은 본회의장인 롯데호텔을 비롯, 프레지던트, 서린호텔등 서울시내 중심가 호텔에 투숙하며, 본회의외에도 활발한 兩者및 多者間 외교활동을 갖게된다.

이번 서울총회의 열기는 오는 10월 서울에서 개최될 제3차 亞太각료회의(APEC)와 함께 韓国이 국제외교무대에 본격적으로 등장하는 발판이 될 것으로 보인다. 〈金昇流기자〉

◇에스캅 44차 대회 우리나라는 지난49년 에스캅에 가입한 후 韓·에스캅협력기금을 설치하는 등 적극적인 참여를 해오고있다. 사진은 지난88년 인도네시아 자카르타에서 열린 제44차 총회개막식에서 崔侊洙당시 외무장관이 총회의장대리를 맡아 연설하는 모습.

0142

ESCAP總会 오늘開幕

유엔亞太경제사회 理事会 48国참가 산업구조조정 논의

서울서

제47차 에스캅(ESCAP·유엔亞太경제사회 이사회)총회가 1일부터 10일까지 서울 롯데호텔에서 열린다。유엔직속기구의총회가 우리나라에서 열리기는 이번이 처음이다。

이번 총회에는 인도네시아의 알리 알라타스외무장관、蘇聯의 로가초프외무차관、일본의 스즈키 무네모(鈴木宗男)외무부정무차관과、미수교국인 中国의 劉華秋외교부副부장(차관) 베트남의 부환외무차관등 48개 회원국및 70여개국제기구대표1천여명이참석한다。서울총회의 핵심의제는 「亞太지역내 산업구조재조정과 지역협력강화문제」로 총회는 이에관한 서울실천강령과 서울선언문을 채택할 예정이다。

한편 李相玉외무장관은 총회의장자격으로 회의기간중 劉중국외교부副부장과 로가초프소련외무차관、알라타스 인도네시아외무장관、부환 베트남외무차관등 주요인사들과 개별면담을 갖고 우리나라의 유엔가입지지등 상호협력강화와 관계개선방안등을 협의할 예정이다。

에스캅은유엔경제사회이사회산하 5개지역 기구중하나로 1947년 창설된 유엔아시아-극동경제 위원회가 전신이며、우리나라는 49년에 가입、54년 정회원국이됐으며、北韓은미가입상태다。〈관련기사3면〉

0143

The Korea Daily
1991. 4. 1, 月, page 2

Minister Calls ESCAP Meeting 'Highly Significant'

Korea to Play Positive Role in Asia-Pacific Age

Foreign Minister Lee Sang-ock said yesterday that the Seoul ESCAP meeting would serve as a rare opportunity for Korea to play a more positive role in regional cooperation in the Asian and Pacific area.

In an interview held on the occasion of the opening of the ESCAP meeting in Seoul today, Minister Lee said the meeting is highly significant in that it is the first meeting of the U.N. subsidiary organization ever held in the divided land of Korea.

Lee said talks were under way with other ESCAP member countries to adopt a "Seoul Declaration" setting forth the direction of regional cooperation in the 1990s in this part of the world.

The gist of the remarks made by Minister Lee in the interview was as follows:

On participating delegations:

About 1,000 delegates from 48 member countries are taking part in the Seoul meeting. They include a number of senior government officials, including the deputy prime minister from Mongolia; the foreign minister from Indonesia; and minister-level officials from Malaysia, India and Pakistan.

Vice foreign ministers are representing some other countries like Japan, the Soviet Union and even China and Vietnam which are yet to normalize ties with Korea.

On the events leading up to Seoul's hosting of the ESCAP meeting:

As the country's international standing increased and other conditions grew ripe for hosting major international meetings, the government resolved to apply for an ESCAP meeting, and the 46th ESCAP meeting held in Bangkok last year unanimously approved Seoul's hosting of the meeting.

Through the Seoul meeting, Korea can better manifest its determination to fully participate in regional cooperation. In particular, as China and Vietnam are participating in the meeting, we could use the occasion to enter into dialogues with these countries with which we are yet to establish diplomatic relations.

In addition, by playing host to the meeting of a U.N. subsidiary organization, we, I assume, could somewhat add to the rationale behind our call for entry into the United Nations.

Foeign Minister Lee Sang-ock

In this connection, I would like to note that Korea has emerged as the 12th largest trading country in the world, successfully hosted the Olympics in 1988 with the participation of 160 countries, and has a population of more than 40 million.

On topics to be discussed at the meeting:

The annual ESCAP meeting discusses ways and means to effectively support economic and social development programs of member nations.

In particular, the Seoul meeting has the theme of "Industrial Structuring in Asia and the Pacific, in Particular with a View to Strengthening Regional Cooperation." We expect that based on debate on the topic, the meeting would adopt a "Seoul Plan of Action."

In addition, as the world economy drifts toward regionalization and protectionism, the meeting is expected to discuss the issue of the Uruguay Round talks, an issue which is most important to maintaining the free market system.

On the need for Korea's positive role in regional cooperation:

Up until late 1989, our regional activities had been restricted largely because of the lack of political and diplomatic relations with socialist countries in the region like the Soviet Union, China and Vietnam.

As the sphere of our diplomatic activities has been much broadened lately as a result of the improvement of our relations with the USSR, China and Mongolia, we have come to assume a bigger role in the Asia and Pacific region to which we belong.

The importance of the rest of this region to our country grows greater as we are importing a lot of resources from other regional countries while they remain a potentially important market for our industrial goods.

We believe the time has come for us, a leading developing nation, to play a positive role in the region if only to better prepare for the coming "Asia-Pacific age."

On Korea's contribution to ESCAP:

Korea has been participating in the activities of ESCAP which has been playing a pivotal role in regional economic and social development programs.

In 1987, we created the Korea-ESCAP Cooperation Fund, through which we have been carrying out various cooperative development programs such as the transfer of our development know-how.

On the possibility of discussion of environmental issues:

The Asia and Pacific region incorporates about 2.9 billion people, more than half of the total world population. In the process of economic development, many regional countries have created various environmental problems.

Here, there has arisen the acute need to properly balance economic development against protection of the environment.

In this context, ESCAP hosted a regional environmental ministers meeting in Bangkok last October, and again discussed at a working-level meeting the strategy of "Environmentally Sound and Sustainable Development."

Based on these discussions, the Seoul meeting will discuss ways for the regional countries to join in international efforts to better preserve the environment, especially in connection with the U.N. Conference on the Environment and Development slated for 1992 in Brazil.

0144

The Korea Daily
1991. 4. 1.-A, page 3

...ng in Seoul to Tighten Regional Cooperation

countries and some 70 international organizations.

President Roh Tae-woo was among a number of dignitaries on hand to witness the opening.

In an address, President Roh, extending a warm greeting to the delegates, expressed the hope that the Seoul meeting will serve as important momentum toward furthering regional cooperation and ESCAP's development programs in this part of the world.

ESCAP Secretary-General S.A.M.S. Kibria, in his opening statement, said the Seoul ESCAP meeting serves both as a milestone as well as a clear reaffirmation of the Republic of Korea's commitment to the charter of the United Nations and the development objectives of ESCAP.

Noting that Korea has accomplished an astonishing transformation over the past three decades, the ESCAP secretary-general said Korea's achievements offer valuable lessons that "we hope will become of widening benefit in our developing region."

Following the opening ceremony, chief delegates began delivering keynote speeches focusing on the theme of "Industrial Restructuring in Asia and the Pacific, in Particular with a View to Strengthening Regional Cooperation."

The meeting, presided over by Foreign Minister Lee Sang-ock, session chairman, will focus its discussions on economic and social development programs in the region as well as environmental and Uruguay Round issues.

The Seoul meeting is expected to adopt a "Seoul Plan of Action" and a "Seoul Declaration", setting forth the directions of regional cooperation through the 1990s.

More than 20 countries were represented at the meeting by minister- or vice-minister-level officials.

They included Deputy Premier C. Purevdorj from Mongol, Foreign Minister Ali Alatas from Indonesia, Trade Minister Subramanian Swamy from India, Minister for Planning and Development Hamid Nasin Chattha from Pakistan, Vice Foreign Minister Liu Huaqiu from China, Vice Foreign Minister Igor Rogachev from the USSR, and Foreign Minister Lee from the host country of Korea.

0145

世界日報
1991. 4. 2. 화, 1면

"한국의 유엔가입 추진은 응분책임 다하기 위한것"

「에스캅」총회、盧대통령 개회사

유엔亞-太경제사회이사회(ESCAP) 제47차총회가 49개 회원국및 70여개 국제기구대표 1천여명이 참석한 가운데 1일 서울롯데호텔에서 10일간의 일정으로 개막됐다。

盧泰愚대통령은 이날오전 개회식에 참석、개회사를 통해 『이념과 편견으로 인한 분쟁、국가간 경제적 격차、보호무역주의와 지역블록화등 우리가 직면한 온갖 도전을 극복하는 길은 오직 개방과 협력을 증진시키는데 있다』고 강조하고 『이번 총회가 亞-太지역의 개방과 협력을 진전시켜 평화와 번영의 21세기를 열기위한 이정표를 세워주기 바란다』고 말했다。

盧대통령은 『한국이 유엔가입을 추진하려는 것도 亞-太지역과 세계에 대한 응분의 책임과 기여를 다하기 위한 것』이라면서 『韓國은 선발개도국으로서 선진국과 개발도상국을 연결하고 시장경제와 사회주의경제간의 조화로운 협력을 실현할 교량으로서 적극적인 역할을 해나가겠다』고 밝혔다。

키브리야 ESCAP사무총장도 개회사에서 『이번 총회가 서울에서 개최된 것은 대한민국이 유엔헌장의 원칙과 ESCAP의 개발목표를 존중-준수하고 있음을 재확인해주는 것』이라고 말했다。

이날 총회는 李相玉외무장관을 총회의 장으로

0146

유엔가입 막후교섭 역점

한국, 중국·소련등과 외무회담 계획

한겨레 '91. 4. 2 (화) 1면

ESCAP 서울총회 개막

유엔 아시아-태평양 경제사회이사회(에스캅) 제 47차 총회가 1일 미국·소련·중국·일본 등 48개 회원국과 70개 국제기구 대표들이 참석한 가운데 서울 롯데호텔에서 열렸다.

유엔 회원국이 아닌 한국에서 열린 이번 에스캅총회에서 노태우 대통령은 개막 연설을 통해 "한국은 남북한이 교류와 협력을 통해 공존공영하는 관계를 이루어 평화적 통일을 실현하려 한다"며 "한국이 유엔 가입을 추진하려는 것도 아시아-태평양과 세계에 대한 응분의 책임과 기여를 다하기 위한 것"이라고 말했다.

한편 정부는 이번 회의가 한국의 유엔가입을 위한 사전 정지작업에 중요한 계기가 된다고 보고 소련, 중국 및 비동맹지도국 대표들과 연쇄 접촉을 가질 계획이다. 이에 따라 이상옥 외무부장관(총회의장)은 류화추 중국 외교부 부부장, 로가초프 소련 외무차관, 알라타스 인도네시아 외무장관 등 주요국대표 및 블랑카 유엔 사무차장 등과 개별 면담을 통해 한국의 유엔 가입 입장에 대한 지지를 요청할 것으로 알려졌다.

南北韓유엔가입 亞太안정

盧대통령 에스캅 개막식 開會辭

제47차 유엔 에스캅(ESCAP·亞太경제사회 이사회)총회가 1일 서울롯데호텔에서 우리나라를 비롯 美日中蘇등 48개국 대표 1천여명이 참석한 가운데 10일간 일정으로 개막됐다。

盧泰愚대통령은 개회사를 통해 『한반도의 긴장완화와 남북한간 관계개선이 아시아·태평양지역의 안정과 협력증진에 관건이 되는 과제일 것』이라고 말하고 『한반도에 통일이 실현될때까지 남북한 모두가 유엔에 가입하는것은 한반도는 물론 이 지역 안정과 평화를 위해서도 도움이 될 것』이라고 밝혔다。★관련기사 3면

이날 회의에서는 李相玉외무장관이 총회의장으로선출됐으며 亞太지역 산업발전의 환경변화、亞太지역의 권역별 산업구조재조정추진방향、환경문제등이 의제로 채택됐다。회의는 또 준회원국이었던 키리바티를 정회원국으로、마카오를 신규준회원국으로 가입시키기로 했으며 몽골부총리、인도네시아외무장관등 19명을 부의장으로선출했다●

韓國日報 1991. 4. 2. 화 1면

0147

"南北韓 유엔가입, 亞太평화에 기여"

盧대통령 開會辭

에스캅 서울總會 개막

유엔 亞太경제사회이사회(ESCAP)의 제47차 연례총회가 1일 상오 서울 롯데호텔에서 우리나라를 비롯, 美·日·蘇·中·印度등 48개 회원국및 70여개 국제기구의 대표 1천여명이 참석한 가운데 열흘간의 일정으로 개막됐다。

〈관련기사 3면〉

盧泰愚대통령은 이날 개회사를 통해 『한반도의 긴장완화와 南北韓의 관계개선이 亞太지역의 안정및 협력 증진의 관건』이라고 지적하고 『한반도에 통일이 실현될 때까지 南北韓이 함께 유엔에 가입하는 것은 한반도는 물론 亞太지역 안정과 평화에 도움이 될 것』이라며 南北韓 유엔동시가입을 강조했다。

盧대통령은 또 『인구 4천3백만명、연간 교역량이 1천3백여달러가 넘는 세계 12위의 무역국가인 韓國이 비회원국으로 남아 있는 것은 유엔의 보편성원칙에도 어긋나는 일』이라고 말하고 『한국이 유엔가입을 추진하려는 것도 아시아·태평양과 세계에 대한 응분의 책임과 기여를 다하기 위한 것』이라고 밝혀 北韓이 끝내 가입을 거부할 경우 우리가 연내에 先가입할것임을 강력히 시사했다。

盧대통령은 이어 『한국은 선발개발도상국으로서 선진국과 개도국을 연결하는 한편 시장경제와 사회주의경제간 조화를 갖춘 협력을 실현하는 교량의 역할을 적극적으로 해나가겠다』고 말했다。

총회는 이어 李相玉외무장관을 만장일치로 의장으로 선출했다。

이날 본회의에서 中國측 수석대표인 劉華秋외교부 副부장은 기조연설을 통해 『中國정부를 대표해 제48차총회를 中國에서 개최하기를 희망한다』고 말해 오는 92년 제48차 ESCAP 총회의 北京유치의사를 공식 표명했다。

盧泰愚대통령이 1일 상오 서울 롯데호텔에서 개막된 제47차 유엔아시아태평양경제사회이사회 총회에 참석, 개회연설을 하고 있다。 〈金允燦기자〉

서울신문
1991. 4. 2. 화, 1면

0148

韓國日報
1991. 4. 2. 화, 3면

한국 유엔加入 환경조성

에스캅 서울總會 외교적의미

○…아시아 태평양지역의 「축소판 유엔총회」라 할 수있는 제47차 에스캅(ESCAP·亞太 경제사회이사회) 총회가 1일 상오 롯데호텔에서 盧泰愚대통령등 우리정부고위인사들과 각국대표,서울주재외교단 1천여명이 참석한가운데 개막。

이날 개막식에서는 관행대로 주최국인 우리나라의 李相玉외무장관이 총회의장으로 피선,지난해 총회의장이었던 부니보보 피지 통상장관으로부터 자리를 물려받은뒤 회의를 주재。

총회의장 선출과정에서는 요식행위이긴 하나 추천과 동의등의 절차가 있었는데 태국의 추천에 이은 일본 통가 인도대표들의 동의에 따라 李장관을 만장일치로 선출。

李장관은 수락연설에서 태국 일본대표들에 사의를 표한뒤 『보호무역주의가 심화되고있는 요즈음 우리는 은 상호간 긴밀하고도 효과적인 경제협조를 촉진시키기위한 노력과 결단력이 요구되는 상황에 와있다』며 지역내협력필요성을 강조。

○…이에 앞서 개막식은 상오9시40분께 李장관의 안내를 받은 盧대통령이 키브리아 에스캅사무총장, 블랑카유엔사무차장,부니보보 피지 통상장관과 함께 입장하면서 시작。

이어 개막식은 블랑카 사무차장이 대독한 케야르유엔사무총장의 축하메시지, 키브리아사무총장의 축사, 盧대통령의 개회사및 개회선언순으로 진행。

中國등 未수교국과 공식접촉
蘇와 KAL機등 현안논의도

○…우리측은 이번 총회에서 중국등 미수교국 대표와의 공식접촉과 참가각국에 대한 우리의 유엔가입입장설명등 부수적인 외교효과에도 상당한 기대。

이번 총회에는 劉華秋 중국외교부副부장을 비롯,부환 베트남외무차관,수반·스리티라트 라오스외무차관등이 각각 수석대표로 참석중인데이들은 조만간 총회의장인李相玉장관과 개별면담을하게될 예정。

李장관과 이들과의 만남은 형식상으로는 에스캅 총회의장과 수석대표간의 면담이지만 사실상 양국관계개선, 한국의 유엔가입문제등 관심사항들이 포괄적으로 논의될수 있을 것이라는게 관계자들의 일반적전망。

이와관련,정부의 한 당국자는 『중국은 2일 대표단을 위한 대규모 만찬을 주최하는등 내년도 총회를 유치하기 위한 노력을 하고있는 것으로 안다』면서 『48차 총회가 北京에서 개최될 경우 이번 총회의장인 李相玉장관이 개막식에 참석해 중국수뇌부와 한자리에서 회의를 진행하게 될것이라며 韓中관계에 있어에스캅총회가 갖는상징적의미를 설명。

우리측은 이밖에 3일 내한하는 로가초프 소련외무차관과 柳宗夏외무차관간의 회담을 추진중인데 이 자리에서는 고르바초프蘇대통령의 訪韓시기와 KAL기사건 진상조사등 양국간 현안이 집중 논의될 예정。

○…우리측의 對中관계개선에 대한 기대와는 달리 중국측은 외형상 에스캅이란는 국제회의의 대표라는 측면을 철저히 내세우며 韓中양자관계의 부각을 애써 피하려는 눈치。

지난 31일하오 입국한 劉華秋외교부副부장은 金浦공항에 도착한 직후 관행과는 달리 기자들과의 회견을 사양한 채 숙소로 직행。

劉副부장의 이같은 태도에 대해 우리측 관계자들은 『북한을 의식해 韓中양자관계차원의 공식적 행동을 피하려는 것같다』고 분석。

한편 이날하오 李외무장관주최로 힐튼호텔에서 열린 환영 리셉션에서 각국참석자들은 李외무장관을 비롯 崔浩中부총리 朴哲彦체육청소년부장관 金顯煜의원등 우리측 인사들과 자연스럽게 대화를 나누며 주최측에 사의를 표시했으나 중국의 劉副부장일행은 여전히 우리인사들과의 접촉을꺼려 어색한 분위기。

이에앞서 劉副부장은 본회의 기조연설에서 「대한민국」이란는 말을 한번도 사용하지않아 주최국에 대한 의전적 예의마저도 무시하는 느낌。 【鄭光哲기자】

0149

Roh urges S-N entry to U.N.

헤럴드 4.2. 1면

Opens ESCAP session, offering aid to Asia-Pacific region

President Roh Tae-woo renewed his call for both South and North Korea to join the United Nations as he yesterday spoke at the opening ceremony of the 10-day session of the U.N. Economic and Social Commission for Asia and the Pacific (ESCAP).

He pledged an active Korean contribution to economic development in the Asia-Pacific region.

U.N. Secretary-General Javier Perez de Cuellar, in a message to the Seoul session, called for immediate humanitarian assistance for Kuwait and Iraq.

"The Republic of Korea continues to seek membership in the United Nations to better carry out our share of international responsibilities and contributions to the Asia-Pacific and the world," Roh said before some 1,000 delegates from 49 nations and some 70 international organizations at the Hotel Lotte.

"The entry into the United Nations of both South and North Korea until such time as the peninsula is unified will be conducive to the peace and stability not only of the Korean Peninsula but of the entire region as well," he said.

"It must be in direct contravention of the principle of universality that the Republic of Korea, a sovereign state with a population of 43 million and the world's 12th largest trading country with an annual trade volume of $130 billion, should remain outside the United Nations," Roh said.

Seoul is pushing its entry into the United Nations this year. Neither South nor North Korea is a member of the organization, though both have observer status in it.

Seoul wants South and North Korea to join the United Nations simultaneously, but with separate membership. Pyongyang opposes the idea, claiming that the separate membership would perpetuate the national division.

North Korea is not an ESCAP member and therefore did not participate in the Seoul session. Seoul officials earlier said they would help Pyongyang to become an ESCAP member if it wants.

Korea Herald

President Roh Tae-woo delivers an opening address at the 47th session of the U.N. Economic and Social Commission for Asia and the Pacific at Lotte Hotel in Seoul yesterday. Foreign Minister Lee Sang-ock (far right) and S.A.M.S. Kibria (next to Roh), executive secretary of the ESCAP, are among the dignitaries on the platform.

The President further said the primary challenge before the peoples in the Asia-Pacific region today is to "turn this vast region into a zone of open-doors and mutual cooperation."

"Korea is prepared to actively contribute to the promotion of a harmonious regional cooperation by playing the role of a bridge between the advanced and developing countries and between market and socialist economies," he observed.

ESCAP's executive secretary S.A.M.S. Kibria echoed Roh's view, saying in his opening remarks that "foremost among the issues before ESCAP members is the question of strengthened regional economic cooperation, while preserving an open trading arrangement."

"Indeed, the Republic of Korea's achievements (in economic development) offer valuable lessons that we hope will become of widening benefit to our developing region," he said.

U.N. Secretary-General Cuellar appealed for emergency aid of food and medicines to Iraq and Kuwait.

"This war has taken a heavy toll: tens of thousands of lives lost and hundreds of billions of dollars in destruction, not to mention the perhaps irreversible damage to the ecology and environment," he said.

The message, delivered by the director-general for development and international economic cooperation Antoine Blanca, called on the different parties in the Middle East to work out their problems.

"In the immediate, we have to address the emergency humanitarian assistance requirements for the people of Iraq and Kuwait," Perez de Cuellar said.

Many minister and vice minister-level officials are participating in the 47th ESCAP conference whose agenda include industrial restructuring in the region.

They include Deputy Prime Minister C. Purevdorj of Mongolia, Vice Foreign Minister Liu Huaqiu of China and Foreign Minister Ali Alatas of Indonesia. Vice Foreign Minister A. Rogachev of the Soviet Union will arrive in Seoul tomorrow.

During the first-day plenary session yesterday, Foreign Minister Lee Sang-ock of Korea was elected chairman of the ESCAP.

0150

Lee-Liu talks to focus on U.N. entry, Seoul-Beijing ties

The Korea Herald
1991. 4. 2. 화, page 2

Korea could press for unilateral admission

Foreign Minister Lee Sang-ock will hold talks with Chinese Vice Foreign Minister Liu Huaqiu today to discuss means of cooperation between their two countries, a ministry spokesman said yesterday.

He said the talks will take up the issue of the two Koreas' U.N. membership and the improvement of Seoul-Beijing relations.

Vice Min. Liu

Liu's visit will enable Seoul to sound out China's intentions. China and South Korea have no official relations but trade and other non-political relations are growing rapidly.

Seoul wants joint entry with North Korea to the United Nations this year, but will apply unilaterally if Pyongyang continues to oppose joint admission.

Liu, now leading the Chinese delegation to the 47th session of the U.N. Economic and Social Commission for Asia and the Pacific (ESCAP) that opened in Seoul yesterday, is the highest ranking Chinese official to visit Seoul since the end of World War II. He flew into Seoul Sunday. He issued no statement.

Upon arrival at Seoul's Kimpo International Airport, Liu was welcomed by Xu Dayou, head of the Chinese trade representative office, and other Chinese officials, and Kim Chung-kee, director-general for Asian Affairs at the Korean Foreign Ministry.

Liu will attend a luncheon to be given by President Roh Tae-woo for heads of foreign delegations today. The President he will also preside over a dinner for the participants in the evening.

Liu, 53, a Guangdong native, was named vice foreign minister in October 1989. He is said to be a protege of Premier Li Peng.

Foreign Minister Lee, in the meantime, is to have a series of meetings with other heads of foreign delegations, his spokesman said.

He will meet with Japanese, Thai and Indonesian delegates today and those from Malaysia, Pakistan, Myanmar and Afghanistan tomorrow.

Lee will have talks with the head delegates from Mongolia, Vietnam, the Soviet Union and Laos Thursday.

Foreign Minister Lee is expected to seek help from these countries during the talks for Korea's U.N. entry this year, ministry sources said.

0151

Times 4.2.

Roh Addresses ESCAP Session

Korea Determined to Link Advanced, Developing Nations

— Improved S-N Relations Vital for Asian Stability —

President Roh Tae-woo said yesterday that Korea is determined to play the role of a bridge between the advanced and developing countries and between capitalist and socialist economies as a leading developing country.

Roh also said Korea is acutely aware that relaxation of tensions in the Korean peninsula and improved relations between South and North Korea are the keys to the enhancement of cooperation and stability in the Asia-Pacific region.

The President was giving the opening address at the 47th session of the United Nations Economic and Social Commission for Asia and the Pacific at the Lotte Hotel.

"We are seeking a peaceful national unification by first improving exchanges and cooperation between South and North Korea and then pursuing a relationship in which both will help each other and contribute jointly toward the attainment of common prosperity," Roh said.

South Korea is seeking a U.N. membership in order to "carry out our share of international responsibilities and contributions for the Asia-Pacific and the world," he told some 1,000 participants from about 50 countries in the ESCAP's annual meeting.

He stressed that entry into the world body by both Koreas, until such time as the peninsula is unified, will be conducive to the peace and stability not only of the Korean peninsula but of the entire region as well.

"It would be in direct contravention of the principle of universality that the Republic of Korea, a sovereign state with a population of 43 million and the world's 12th largest trading country with an annual volume of $130 billion, should remain outside the United Nation," the President argued.

In the opening speech, Roh declared that the world was awash in a tide of reconciliation and cooperation and that resultant waves would bring encouraging changes to the Asia-Pacific region.

Calling on the nations of the region to promote mutually beneficial cooperative relations, he said that ESCAP had set an example in South-South cooperation and North-South cooperation.

He said ESCAP had also made an enormous contribution to promote economic well-being, friendship and cooperation among the nations of the region since it was established in 1947 when the region was plagued by poverty, ignorance and backwardness, with the vestiges of colonialism and global conflagration everywhere.

"Today the Asia-Pacific has become a most vibrant and dynamic region with the highest growth rate in the world and accounts for over 40 percent of the world's trade volume and more than 50 percent of the global output," the President said.

"The world is currently undergoing a phenomenal change as powerful waves of reconciliation remove the barriers that used to divide mankind and cause confrontations. Mindful of this momentous change, I sincerely hope and ask of you that this session will set a lasting landmark in the cause of cooperation and open-mindedness in the Asia-Pacific region and for a more peaceful and prosperous 21st century," he said.

0152

The Korea Herald
1991. 4. 2. 화, page 2

Excerpts from Perez de Cuellar, Roh, Liu's speeches

'Gulf war teaches lesson of regional peace'

Following are excerpts of a message sent by U.N. Secretary-General Javier Perez de Cuellar for the ESCAP Seoul session. — Ed.

As the commission begins its meeting this year, our optimism has been tempered with the realization of how difficult and complex it is to sustain peace. The crisis in the area of the Gulf and the ensuing war have caused immense suffering and devastation.

This war has taken a heavy toll: tens of thousands of lives lost and hundreds of billions of dollars in destruction, not to mention the perhaps irreversible damage to the ecology and environment. A toll mankind could hardly have imagined possible at this time of our maturity and one that it could hardly afford given the magnitude of economic, social and environmental problems awaiting our urgent attention.

Now that the war is over, I sincerely hope that we would succeed in our search for a lasting peace for the entire region and its long suffering peoples. Without justice and security for all peoples, there can be no durable peace nor sustained economic progress. I am hopeful that this realization will encourage all parties concerned to work toward a genuine peace in the region.

In the immediate, we have to address the emergency humanitarian assistance requirements for the people of Iraq and Kuwait. No expression can be adequate for describing their sufferings. As a result of special missions sent by the United Nations to the region, we are now only beginning to receive information on the massive destruction in the region and about the serious medical, food and health conditions that a large part of the populations in Iraq and Kuwait are currently facing.

Every endeavor is being made, through the relevant humanitarian and emergency assistance agencies, to launch effective programs quickly. However, the destruction caused by war and the prevalent local conditions pose a challenge to our ability and capacity to provide the urgently needed assistance to the affected people who, in the final analysis, are the real victims of war.

A full assessment of the effects of the war in the Gulf will take time. Its implications for regional economic development and political security will also need to be analyzed and understood.

In your own region, the crisis and war have caused severe economic losses and social problems for many countries. The review by the commission of the effects of the war in the Gulf on the Asia-Pacific region is timely and would be useful for prescribing effective remedies to ameliorate the situation in the countries most affected by the crisis.

What is of particular significance is the fact that the developing countries in the Asian and Pacific region, even during periods of significant slowing down in the international economy, have been able to sustain, and in some cases, improved their economic performance.

The region as a whole has shown remarkable resilience even at the time of setbacks in the global economy by continuing to maintain an average growth of 5.4 percent last year, matching the 1989 performance.

It is a matter of deep concern, however, that in spite of the exceptional economic performance of the region, the gap between the rich and the poor has continued to widen.

0153

The Korea Herald
1991. 4. 2. 화, page 2

China to continue economic opening: Liu

The following are excerpts of a keynote speech by Chinese Vice Minister Liu Huaqiu — Ed.

The last decade of this century is a very crucial period for the Chinese people in their endeavor to build socialism with Chinese characteristics. At the moment, the Seventh National People's Congress of the People's Republic of China is holding its fourth sessions to consider and adopt the draft Ten-Year Program of economic and social development and the Eighth Five-Year Plan.

Both the Ten-Year Program and the Eighth Five-Year Plan have laid down the basic criteria for realizing the second strategic goal of China's modernization drive in the next decade: on the basis of striving to improve economic returns and optimize economic structure, the gross national product (GNP), by constant price, shall quadruple that of 1980 by the end of this century; so instead of being only sufficiently fed and clothed, people will live a well-off life; education will be enhanced, progress ensured in science and technology, management and administration improved, economic structure readjusted and capital construction projects given due priority, thereby laying a material and technological foundation for our economic and social development in the early next century; an economic system and operational mechanism featured by the combination of a planned economy and market regulation will be preliminarily established; socialist cultural advancement and perfection of democracy and legal system will reach a new level.

Meanwhile, political structural reform will be continued. With regard to further opening to the outside world, China has already initiated five successive special economic zones in Shenzhen, Zhuhai, Shantou, Xiamen and Hainan, opened fourteen coastal cities including Dalian, Tianjin, Shanghai, Guangzhou, etc., and opened up thirteen economic and technological development zones and other economic development zones in the Yangtze River delta, the Zhujiang River delta, the delta of South Fujian Province, East Shandong Peninsula and East Liaoning Peninsula.

Moreover, China decided last year to develop and open the new zone of Pudong in Shanghai. The opening-up to the countries bordering China is under way step by step. China will continue to implement the economic development strategy for the coastal regions, give full play to the advantages of these regions in opening to the outside world, and further develop an export-oriented economy so as to promote and energize the nationwide economic development.

0154

The Korea Herald
1991. 4. 2. 화, page 2

Asia-Pacific most dynamic region: Roh

Following are excerpts of President Roh Tae-woo's speech yesterday at the opening ceremony for the 47th session of ESCAP —— Ed.

Since it was established in 1947, the ESCAP has continuously made an enormous contribution to the promotion of economic well being, friendship and cooperation among the nations of Asia and the Pacific. Forty-four years has since passed, and today the Asia-Pacific has become a most vibrant and dynamic region, with the highest rate of growth in the world.

The Asia-Pacific region accounts for over 48 percent of world's trade volume and more than 50 percent of the global output comes from this vast region.

The primary challenge before us today is to turn this vast region into a zone of open-doors and mutual cooperation by marshalling the unbounded potentials of Asia and the Pacific, the region's enormous dynamism toward progress and our aspirations for peace and prosperity.

The industrial restructuring and adjustments that the commission has been pursuing will undoubtedly facilitate and accelerate technology transfers and horizontal division of labor on the basis of complementary features of the regional economies, and substantially contribute to the progress and prosperity of all parties involved.

Because the Republic of Korea, rising from the ruins of a war, has become a newly industrializing country within one generation, we are perhaps in a unique position, and we are prepared to actively share with everyone our developmental experiences and know-how.

The Republic of Korea has established formal diplomatic relations with the Soviet Union and countries in Central and Eastern Europe. We have also exchanged offices of trade representatives with China. And, we are currently in the process of expanding areas of economic cooperation with these countries.

As a leading developing country, Korea is prepared to actively contribute to the promotion of a harmonious regional cooperation by playing the role of a bridge between the advanced and developing countries and between the market and socialist economies. Following on the successful hosting of the 1988 Seoul Olympics, Korea will be hosting the Taejon Expo '93, a global fair to be held for the first time in a developing country. Korea's Expo '93 will provide this nation with an opportunity to demonstrate to the world our commitment and vision toward the 21st century.

The Republic of Korea is acutely aware that the relaxation of tension in the Korean Peninsula and the improved relations between South and North Korea are the keys to the enhancement of cooperation and stability in the Asia-Pacific region. We are seeking to realize a peaceful national unification by first improving exchanges and cooperation between South and North Korea and by pursuing a relationship in which both will help each other and contribute jointly toward the attainment of common prosperity.

The Republic of Korea continues to seek membership in the United Nations. It is to better carry out our share of international responsibilities and contributions for the Asia-Pacific and the world. It must be in direct contravention of the principle of universality that the Republic of Korea, a sovereign state with a population of 43 million and world's 12th largest trading country with an annual trade volume of $136 billion, should remain outside the United Nations.

0155

The Korea Times
1991. 4. 2. 화, 사설

ESCAP's Seoul Meeting

The 47th general meeting of the U.N. Economic and Social Commission for Asia and the Pacific (ESCAP) yesterday opened in Seoul for a 10-day run with some 1,000 delegates from 38 full and 10 associate member countries attending. ESCAP is a rare dialogue link between governments in the Asia-Pacific region where full-fledged political consultations are lacking.

It is the first time that South Korea, which is not yet a U.N. member, has hosted a major U.N. conference. Adding significance to Seoul's hosting of the regional meeting is the likelihood that an international atmosphere will be created favorable to Korea's gaining a U.N. seat as a major by-product.

The 48 countries participating in the Seoul conference include five permanent members of the U.N. Security Council – the United States, the Soviet Union, Britain, France and China – each having the power to veto any nation's application for full U.N. membership.

On several occasions Seoul has made it clear that it will apply for membership of the world forum this year, regardless of whether North Korea accepts its offer of simultaneous entry application or not.

Among the participating foreign delegates here are more than 20 ranking government officials at the level of minister or vice minister. Noteworthy in particular is the participation by delegations respectively led by the vice foreign ministers from China, Vietnam and Laos, countries all having no diplomatic ties as yet with South Korea.

To our regret, Pyongyang remains adamant in rejecting the long-standing Seoul offer to apply to enter the U.N. jointly and simultaneously, contending that it would only contribute to perpetuating territorial division of the Korean peninsula. Instead, North Korea continues to call for the two Koreas to share a single U.N. seat, an unrealistic bid dismissed by Seoul. North Korea is not yet a member of even the U.N. regional body ESCAP, though it recently showed interest in its admission into the U.N. commission.

In this context, Seoul officials including Foreign Minister Lee Sang-ock, who has been elected to chair the Seoul meeting, are expected to briskly contact foreign delegates over the question of Korea's U.N. membership, though it is not a formal agenda topic.

Topping the agenda is industrial restructuring with special reference to economic cooperation in the region. In this connection, a "Seoul Declaration on the Promotion of Regional Cooperation" and a "Seoul Plan of Action" to that end will be adopted during the meeting.

The promotion of regional cooperation among member countries in a mutually complementary way will range from technology transfer and industrial restructuring to population control, development of human and natural resources, and energy, environmental and communications cooperation.

Among other major topics to be discussed are ways of overcoming the adverse impact of the Gulf War on the economy in Asia and the Pacific, measures to cope with mounting trade protectionism, settlement of the Uruguay Round of multilateral trade negotiations at an early date and coping with the formation of bloc economies by the European Community (EC) by 1992 and by North America as well.

As the host of the ESCAP conference, the nation wants to play a leading role in stepping up regional cooperation by transferring its development experiences and technology to other developing countries in the region. It is also expected through the U.N. meeting here that new momentum will be provided for its Nordpolitik toward such Communist or socialist countries in Asia as China, Vietnam and Laos.

0156

To sum up, the Seoul meeting will hopefully provide a good opportunity for the nation to display its self-esteem and pride internationally by successfully carrying out its due responsibility and showing its actual capability in the international community. By so doing, our country's international prestige will be enhanced by one notch at least.

중앙일보
1991.4.8. 5면

"韓國도 회원국" 분위기 성숙

8월 유엔가입신청 추진 배경

동시가입案 北韓측 수용 유도
끝까지 거부땐 단독가입 강행

0157

韓國정부는 8일 배포한 유엔安保理문서를 통해 올가을 유엔총회전 유엔가입신청 의사를 천명했다. 이것은 北韓이 南北韓단일의석 가입안을 포기, 韓國의 동시가입안을 수용토록 하려는 것이 1차적 목적이다.

아울러 北韓이 끝까지 이를 거부할 경우 韓國만의 先단독가입의사를 분명히 한것으로 해석된다.

이같은 韓國정부입장은 韓國이 올가을 총회이전에 유엔가입에 필요한 절차를 마치겠다고 분명히 언급하면서도 그때까지 北韓과의 동시가입노력을 계속하고 北韓이 동시가입을 하지않을 경우라도 적절한 시기에 가입을 환영한다고 밝힌데서 분명히 나타나고 있다.

또 이같은 입장을 유엔안보리의장에게 보내 유엔회원국들에 배포되는 문서를 통해 공개적으로 밝힌것도 이같은 맥락에서 분석된다.

韓國의 이같은 분명한 입장천명은 北韓의 단일의석가입안이 현실성이 없고 韓國단독이건 南北韓동시건 韓國의 유엔가입에 관한 국제적 분위기가 성숙되었다고 판단한 때문으로 보인다.

우선 유엔을 비롯한 국제사회가 蘇聯등 공산권의 변화로 대결보다는 협력과 화해를 지향하고 있는 점이다.

또 韓國주변정세로는 韓蘇수교와 韓中무역관계개선등 韓國과 과거 공산국가간의 관계가 크게 바뀌었고 北韓도 日本과 수교협상을 하면서 美國과도 관계개선을 원하고 있다.

특히 韓國의 유엔가입과 관련, 유엔의 분위기는 지난 45차 유엔총회에서 韓半島문제를 언급한 1백14개 국가중 71개국이 유엔의 보편성 원칙을 들어 韓國의 가입주장을 지지한반면 北韓의 단일의석가입안을 한 나라도 지지하지 않아 韓國정부를 크게 고무했다.

이같은 유엔의 분위기가 韓國 유엔가입의 걸림돌이 되어온 中國과 蘇聯의 태도에도 압력작용을 할것으로 韓國정부는 판단하고 있는것 같다.

中蘇는 韓國의 유엔가입문제에 공식입장을 유보한채 南北韓의 원만한 해결을 촉구하는 원론적 입장만을 유지하고 있다.

이같은 입장을 韓國은 北韓을 의식한것으로 판단하고 있으나 南北韓 동시가입 합의가 안될경우 韓國의 先가입주장에 최소한 반대하지 않을것으로 해석하고 있다.

특히 中國의 태도와 관련, 韓國이 유엔가입지지를 간청하기 보다는 그 정당성을 강력히 개진하고 中國이 안보리 상임이사국이라는 대국으로서의 책임있는 행동을 기대한다고 韓國고위관리들이 말하고 있음은 韓이를 반영하고 있다.

현재의 유엔분위기나 유엔이 강조하고 있는 보편성 원칙에 비추어 韓國의 南北韓유엔가입 방침은 그 정당성에 아무런 의문이 없다.

南北韓이 세계 90여개국으로부터 동시 인정을 받고 있는 별개국가로 유엔산하 기구등에서 별도의 회원국으로 가입활동하고 있고 스위스나 산마리노·모나코·교황청등 유엔가입을 원치않거나 외교권이 제약된 나라를 제외하면 유엔가입을 원하는 모든 주권국가가 회원으로 가입이 허용되고 있는 유엔의 보편성원칙등은 많은 나라가 韓國의 가입 정당성으로 제시하고 있는 논리다.

그러나 이 결정에는 위협도 없지않다. 北韓이 끝내 동시가입에 동의하지 않고 韓國의 선가입 후에도 유엔가입을 보류하거나 후가입을 선택하면서도 이를 빌미로 南北대화를 중단하거나 對南관계에서 강경선회할 것이 그 첫째 우려다.

이 경우 韓國정부의 유엔가입 정당성에도 불구하고 韓國이 유엔가입문제를 南北대화 의제로 합의한것이 韓國측엔 부담이 될수있으며 南北문제라는 민족문제를 급하지 않은 유엔가입으로 그르쳤다는 비판이 야기될수도 있다.

일반여론뿐아니라 한국정부 일각에서도 유엔가입문제보다는 민족문제 해결이 더 중요하다는 시각이 상당한 것으로 알려지고 있다.

또 우려되는 것은 對中관계다.

韓國정부는 韓國의 유엔가입과 관련, 그 정당성을 당당히 개진해 나가겠다고 밝히고 있으나 과거의 관례나 정치적 적당성을 위해선 中國에 협조요청이 불가피할 것으로 보이고, 이는 韓國의 對中저자세외교로 나타날 수도 있다.

이같은 분석에서 볼때 韓國정부의 올가을 전 유엔가입신청결정은 국제사회의 변화를 기회로 포착하고 널리 공감되고 있는 정당성에 바탕을 두고있어 성사의 가능성도 높지만 그에 따른 우리의 부담도 클것으로 보인다.

【뉴욕=朴晙瑩특파원】

정부는 올 유엔총회이전에 유엔 단독가입 의사를 8일 유엔安保理에 통보했다. 사진은 지난 88년10월 韓國대통령으로서는 처음으로 유엔총회 본회의에서 연설, 유엔가입의사를 천명하는 盧泰愚대통령.

	분류번호	보존기간

발 신 전 보

번 호 : WUS-1411 910408 1658 FL 종별 :

수 신 : 주 수신처 참조 대사. 총영사//

발 신 : 장 관 (국연)

제 목 : 국내 언론보도 송부

WUN -0790 WJA -1593
WGV -0420 WUK -0647
WEC -0202 WGE -0535
WCN -0311 WHK -0549

유엔가입문제 관련 정부 각서 안보리배포에 관한 국내 언론보도 내용을 별첨 FAX 송부하니 업무에 참고바람.

(국제기구조약국장 문동석)

수신처 : 주미, 유엔, 일본, 제네바, 영국, EC, 독일, 카나다 대사, 홍콩 총영사

WUS(F)-187
WUN(F)-29
WJA(F)-23
WGV(F)-69
WEC(F)-11
WUK(F)-21
WCN(F)-10
WGE(F)-15
WHK(F)-2

보안 통제	

앙 고 재	년 4 월 8 일	유엔 과	기안자 성명		과 장		국 장		차 관	장 관
			여							

외신과통제

0158

서울신문

1991. 4. 8. 월, 1면

韓國 "9월이전 유엔加入신청"

安保理에 覺書 전달… 會員國 배포

盧昌熹대사

【뉴욕聯】盧昌熹 駐유엔 대표부 대사는 지난 5일 유엔 안전보장이사회 폴 노테르담 의장(벨기에 대사)에게 유엔 가입문제에 관한 우리의 입장을 종합적으로 설명하고 특히 남한이 올해안에 유엔 가입을 실현하겠다는 의지를 담은 각서를 전달, 이 각서가 안보리문서로 유엔회원국및 산하기구에 배포되도록 요청했다。

盧昌熹 駐유엔大使

盧대사의 요청에 따라 한국정부각서는 금주초 유엔회원국및 산하기구에 배포될 예정이다。

한국정부는 盧대사가 안보리의장에게 전달한 이각서에서 올해 제46차 유엔총회가 개막되는 9월 17일 이전에 유엔가입을 위한 모든 필요한 조치를 취할 것임을 분명히 했다。

盧대사는 「9월 17일 개막되는 46차 유엔총회때는 한국이 유엔의 당당한 회원국으로 참석하고 싶다는게 우리 정부의 희망이며 그 이전에 가입원제출등 유엔가입을 위한 모든 조치를 취할 것」이라고 부연 설명했다。

정부각서는 한국이 지구상의 거의 모든 나라와 외교관계를 맺고 있고 세계 12번째의 무역국일 뿐 아니라 유엔헌장을 준수할 평화애호국으로 유엔의 정회원국이 될만한 충분한 조건을 갖춘 나라임을 강조하고 특히 냉전시대 이후 세계에 부는 화해와 협조정신에 비춰 한국의 유엔회원국 문제가 이제 해결돼야 할 것임을 촉구하고 있다고 밝혔다。

정부각서는 또 한국정부가 북한과 함께 유엔에 가입하기 위해 노력을 기울여 왔으나 별 성과가 없었음에 유감을 표하면서 앞으로도 북한과 함께 유엔에 가입하려는 노력을 계속할 것이나 여전히 우리의 노력에 부정적인 태도를 보일 경우 단독가입이 불가피함을 분명히 했다。

작년 유엔 총회기간동안 자국의 외교방침을 밝힌 1백14개 회원국가운데 71개국이 한국의 유엔가입필요성을 강조한 바 있다。

0153

경향신문

1991. 4. 8. 월. 1면

"유엔가입신청" 安保理통보

盧駐유엔대사 "北韓 계속反對해도 8월중 제출"

盧昌熹 유엔대사

【유엔본부=[illegible]특파원】 한국은 오는9월 유엔총회가 시작되기전에 유엔가입을 위한 신청서를 제출할것이라고 7일 안보리에 통보했다.

盧昌熹유엔대사는 이날 기자들에게 이같이 밝히고 가입신청서는 아마도 8월중 제출될것이라고말했다.

한국은 이에앞서 지난5일 안보리의장에게보낸 각서에서 남북한이 따로 유엔에 가입하는것이 통일이란 궁극적목표를 저해할것이란 북한측의 오랜주장을 부인하면서 분리가입했던 동서독과 남북예멘의 통일을 예로 들었다.

이각서에서 한국은 올해중이라도 남북한 양측이 유엔에 동시가입하기를 여전히 희망하고있다고 밝히면서 그러나 북한이 계속 이를 반대한다면 한국은 『주권을 행사해 46회유엔총회개막전에 가입을 위한 필요한 조치를 취할것』이라고 밝혔다.

각서는 이어 지난해 총회에서 보여준 유엔회원국들의 시각들을 인용,『대한민국의 유엔가입은 더이상 지체없이 실현되어야한다는게 국제사회의 인식』이라고 말했다.

한국은 현재 유엔정회원은 아니지만 거의 모든 유엔특별기구를 포함,국제기구에 회원으로가입돼있다.

한국은 지난75년등 모두 8번에 걸쳐 유엔가입신청을 했으나 이가운데 4번은 소련의 거부권행사로, 다른 4번은 안보리가 아무행동도 취하지않아 가입이 불허됐었다.

그러나 한국이 지난해9월 소련과 정식외교관계를 수립함으로써 한국의 유엔가입에는 중국의 거부권행사가 유일하게남은 장애물로 인식돼왔었는데최근韓·中무역사무소가개설됨에따라중국도거부권을행사하기는 어려울것으로 보인다.

정부、7월중준비완료

정부는 금년내 유엔가입실현을위한 외교노력과 절차상의 모든 준비를 오는 7월까지 완료시키기로 했다. 정부의한당국자는7일 이와관련,『그동안 정부가 유엔가입과 관련해 여러경로로 밝혀온 입장을 조만간 공식문서로 집약, 가입신청서제출에 대한 정부입장을 유엔회원국들에게 천명할 계획』이라고 밝히고 『이와함께 유엔헌장등 유엔관련 각종 규정·문서등의 國譯작업도 조기에 끝낼방침』이라고 말했다.

이에앞서 李相玉외무장관은 지난2일 ESCAP총회에 참석중이던 劉華秋中國외교부副부장과의 면담에서 南北韓동시가입노력을 계속하되 北韓이 끝내 이를 거부할 경우 금년내 유엔가입노력을 구체화하겠다고 밝혀 오는 9월이전가입신청서제출의사를 분명히했다.

정부당국자는『ESCAP총회기간중 블랑카,스파이어스등 두명의 유엔사무차장을비롯,대부분의 참석국가대표들이 南北韓유엔동시가입내지 韓國의 가입을 지지했다』면서『이러한 국제사회의 압도적 분위기가 劉副부장을 통해 中國정부에 전달될것이고 결국 이러한 움직임이 中國의 최종의사결정에 영향을 줄것으로 본다』고전망했다.

0160

한 국 일 보

1991. 4. 8. 월, 1면

유엔加入 9월총회前 신청

北韓 동시가입 계속반대때 安保理에 공식통보

【유엔본부=聯合】한국은 9월 유엔총회 개막전에 유엔가입신청을할것을 유엔안전보장이사회에 통보했다.

한국은 이와 관련, 지난 5일 유엔안보리 의장에게 메모랜덤(비망록)을 전달했다.

한국은 이 메모랜덤에서 과거 동서독과 남북예멘이 유엔에 각각 단독으로 가입했음에도 통일에 아무런 장애를일으키지않았다는 점을 예로 들면서 북한이 유엔동시가입을 계속 반대할 경우 한국은 제46회 유엔총회개막이전에 회원국이 되기위한 필요한 절차를 택할 것이라고 밝혔다.

한국은 또 이 메모랜덤에서 한국의 유엔가입이 더 이상지체되어서는 안된다는 것이 국제사회의 분위기가 되고있다며 북한은 「두개의 한국」가입이 통일에 방해가 되고 있다는 그릇된 주장을 되풀이하고 있다고 밝혔다.

盧昌熹駐유엔주재 한국대사는 이와관련,『한국은 유엔가입신청서를 아마 9월에 제출할 것같다』고 말했다.

한국은 과거 8차례에걸쳐 유엔가입 신청을 한바 있는데 유엔가입을 하려면 유엔안보리 15개이사국의 추천과 유엔총회의 승인을 필요로한다.

조 선 일 보

1991. 4. 8. 월, 2면

"8월 UN 단독가입 신청"

盧昌熹 유엔대사 지난 5일 安保理 각서제출

【유엔본부=聯合】한국 정부는 오는9월 유엔정기총회이전에 유엔가입신청안을 제출할 계획이다.

盧昌熹유엔주재 한국대사는 7일 기자들에게 한국은 오는 8월중 가입신청서를 유엔에 제출할 예정이며 이와 관련한 각서를 지난5일 유엔安保理측에 전달했다고 밝혔다.

안보리의장인 노테르담 駐유엔주재 벨기에대사에 전달된 각서는 「두개의 韓國의 유엔별도가입이 한반도통일에 장애요인이 될것」이라는 북한측 주장을 반박하고 있다.

각서는 旧東独과 西独, 南예멘과 北예멘의 예를들어 별도가입이 통일을 저해하지 않는다고 지적했다.

이 각서는 『한국 정부는 올해안에 남북한이 유엔에 동시가입하기를 희망한다』고 밝히고 『그러나 북한측이 이에 계속 반대할 경우 올 9월 46차유엔정기총회 이전에 별도가입을 위한 필요한 절차를 밟을 것』이라고 밝혔다.

이각서는 또 지난해 정기총회에서의 유엔회원국들의 여론을 환기시키며 『한국의 유엔가입이 더이상 지체돼서는 안된다는것이 국제사회의 요청』이라고 별도가입 추진이유를 설명했다.

0161

동 아 일 보

1991. 4. 8. 월, 1면

유엔加入 9월總會前 신청

盧대사 安保理문서로 채택 會員國배포

北韓불응땐 單獨으로

盧昌熙 駐유엔대사는 8일 「北韓이 우리의 南北韓 유엔동시가입 노력에 호응해 오지 않을 경우 오는 9월17일 제46차 유엔총회 개막이전에 유엔단독가입신청서를 제출할 것이라는 내용의 각서를 안보리문서로 유엔회원국들에 배포했다.

盧대사의 이같은 각서는 올해 유엔 단독가입 신청서를 제출하겠다는 정부의 공식적인 의사표명이다.

盧대사는 이 각서에서 「대한민국정부는 금년중에 南北韓이 다함께 유엔에 가입할 수 있기를 희망하고 있다」고 전제, 「그러나 北韓이 이러한 제안에 계속 반대하거나 또는 어떠한 이유로 유엔에 가입치 않을 것을 택한다면 대한민국은 주권을 행사하여 제46차 유엔총회 개막이전 가입을 위한 필요한 조치를 취할 것이라고 연내 유엔가입방침을 분명히 했다.

이 각서는 또 「대한민국 정부는 우리의 유엔가입 정당성에 대한 유엔회원국의 압도적 지지에 힘 입어 향후 수개월내에 대한민국이 유엔에서 제자리를 차지할 수 있을 것이라고 확신한다」고 말했다.

동 아 일 보

1991. 4. 8. 월, 사설

유엔가입 매듭지을 때다

南北韓의 유엔가입 문제는 이제 可否間 매듭을 지어야한다. 유엔회원국이 될수있는 필요하고도 충분한 조건을 갖춘 국가가 계속해서 유엔밖에 머물러 있는 기형상태는 반드시 고쳐져야 하기 때문이다.

정부가 南北韓의 유엔가입문제에 관한 각서를 유엔 안전보장이사회에 제출하고 이 각서를 유엔회원국과 유엔산하기구에 배포해주도록 요청한 사실은 이점에서 주목을 끈다. 물론 이 각서는 유엔회원국 가입신청을 위한 법적 절차는 아니다. 그러나 지난75년 두차례에 걸친 韓國의 유엔가입문제 재심요청이 안보리의 의제로도 채택되지 못했던 사례를 감안하면 그러한 前轍을 밟지 않을수 있는 분위기 조성에 이 각서는 도움이 될 것이다.

南北韓의 유엔가입문제는 그동안 냉전시대의 산물로 번번이 좌절되는 비운을 겪었다. 지난 49년부터 75년까지 정부가 직접 낸 5번의 가입신청과 韓國의 우방국들이 앞장선 9번의 가입신청, 모두 14번의 시도가 안보리의 부처리, 거부권행사 의제채택부결등의 과정을 겪었다. 北韓의 경우도 예외는 아니다. 北韓이 직접 제출한 2건과 蘇聯의 수정안 3건 등 다섯차례나 공산측의 北韓가입신청도 같은 운명을 겪었다.

南北韓과 南北韓우방국들의 가입신청은 모두 19건. 유엔회원국의 지위를 규정한 유엔헌장 4조에 합당하면서도 유엔에 못들어가는 이같은 예는 유엔 역사상 그 유례가 없다. 그래서 유엔은 南北韓의 유엔가입문제에 관해 냉전시대의 잔재를 청산하고 이제 결론을 내려야 할 도덕적인 책임이 있음을 먼저 인식해야 된다.

정부가 낸 각서는 가입신청은 아니다. 南北韓 유엔동시가입을 원칙으로 하고 北韓이 이를 받아들이지 않을 경우 제46차 총회기간에 韓國만이라도 先가입하겠다는 정부의 의도와 이를 위한 가입절차를 총회개막전에 밟겠다고 이 각서는 밝혔다. 南北韓동시가입과 이의 時差실현인 韓國의 先가입문제는 南北韓대화의 협상의제로 될수없다는 점과 이를 유엔 회원국에 주지시키려는 분명한 방침을 이 각서는 담고 있다.

주사위는 던져졌다. 이를 위해 야기될 수 있는 南北韓의 마찰을 예기할 수 있다. 분단고착화라는 정치공세가 쏟아질 수도 있다. 그러나 이같은 비판은 19번의 가입신청이 실패한 과정에서 수십번, 아니 수백번이나 되풀이됐던 대결논리의 연장에 불과하다. 유엔가입의 보편성 원칙과 南北韓동시가입문제는 北韓을 지원한 蘇聯자신이 스스로 제기했던 주장이다.

南北韓 유엔동시가입이 분단의 고착화라면 韓國의 단독가입을 저지하기위해 蘇聯이 그같은 논리를 전개했을 때 왜 北韓은 침묵하고 동조했는가. 유엔총회에 韓國만이 단독 초청됐을때 北韓은 왜 南北韓 동시초청을 주장했는가. 南北韓 동시가입이 분단고착화가 아니라고 논증하기위해 東西獨과 예멘의 先例를 인용할 필요는 없다. 이미 공산측의 유엔전략에서 韓國논리의 유사성을 발견할수 있기 때문이다.

이제 건강한 눈으로 국제현실을 직시해야 할 때다. 기형상태를 고치고 정상을 회복하려는 노력을 南北韓이 솔선해야한다. 비정상이 계속되는한 고립만이 있을뿐이다. 韓國측으로서는 15번째, 南北韓을 합쳐서는 20번째가 되는 가입문제다. 그것으로 南北韓의 유엔가입문제를 매듭지어야한다. 이를 위해 南北韓이 함께 유엔에 들어가야한다.

0162

중 앙 일 보

1991. 4. 8. 월, 1면

8월 유엔단독가입신청

安保理에 서한 北韓 동참위해 계속 노력

盧 유엔대사

【뉴욕=朴畯瑩특파원】 韓國정부는 올가을 유엔가입을 신청하겠다는 의사를 5일 유엔에 공식천명했다.

韓國정부는 이날 유엔안전보장이사회에 배포된 盧昌熹駐유엔대표부대사 명의의 서한을 통해 北韓과의 동시유엔가입을 위한 노력을 계속할것이나 平壤이 이에 호응하지 않으면 오는 9월의 유엔총회개막전에 韓國 단독가입절차를 밟겠다는 입장을 밝혔다.

〈관계기사5面〉

자신 명의의 5일字 서한을 폴 노틀安保理의장(벨기에대사)에게 제출한 盧대사는 8일 기자들에게 韓國의 가입신청은 8월중에 있을것이라고 말했다.

이서한은 韓國정부가 그동안 北韓과 동시유엔가입을 위한 노력을 해왔으나 별 성과가 없었고 45차유엔총회에서 입증된바와 같이 北韓의 단일의석가입안이 실현불가능한 제안으로 국제사회의 지지가 없었음을 상기하고 유엔의 보편성원칙과 조화·협력이라는 국제사회의 새로운 정신에 입각, 韓國의 유엔가입이 이루어져야 할때가 왔다고 밝히고 있다.

이 서한은 그러나 北韓도 韓國과 함께 유엔에 가입, 유엔활동에 적극 기여해야 한다고 강조했다.

韓國정부는 北韓의 의사와 관계없이 韓國의 유엔가입 정당성으로 ▲韓國이 유엔헌장이 규정한 모든 의무를 이행할 자격과 준비가 되어있고 ▲세계12대 무역국으로 국제사회에서 보편적 외교관계를 유지하고 있으며 ▲국제사회가 오랫동안 南北韓의 존재를 인정, 90개국이 양측과 외교관계를 맺고 있고 ▲南北韓이 유엔 산하기구등 여러 국제기구에 별도로 가입, 활동하고 있는 사실들을 들었다.

따라서 韓國의 유엔가입은 별도든 동시든 국제정치 현실의 논리적 결과라고 이 서한은 지적했다.

"국제여건 성숙 北도 따라올것"

외무부관계자

외무부는 8일 유엔가입문제에 관한 각서 제출과 관련해 『우리가 先가입하면 北韓도 뒤따라 가입하지 않을수 없을 것』이라고 밝혔다.

외무부의 한 당국자는 이날 『北韓이 동시가입에 응하리라는 근거를 확인하지 못하고 있다』며 『그러나 우리가 유엔에 가입하더라도 北韓의 가입을 배제하려는 것은 아니다』고 강조했다.

이 당국자는 『현재 蘇聯은 韓半島의 특수성을 고려해 北韓측과 끝까지 협의할 것을 강조하고 있으나 보편성의 원칙을 지지하고 있는 것으로 안다』며 『中國도 공식적으로는 北韓과의 협의를 강조하고 있지만 우리가 지난해 유엔가입신청을 보류한 것을 평가하고 있다』고 말했다.

이 당국자는 이어 『기타 대부분의 나라는 우리의 유엔가입이 더이상 늦춰질수 없다고 보고 있어 우리가 유엔에 가입하는데 매우 유리한 국제적 여건이 조성돼 있다』고 덧붙였다.

0163

	분류번호	보존기간

발 신 전 보

번 호 : WUS-1427 910409 1140 FN 종별 :

수 신 : 주 수신처 참조 대사. 총영사

발 신 : 장 관 (국연)

제 목 : 기사송부

WUN -0809 WJA -1603
WGV -0429 WUK -0656
WEC -0203 WGE -0538
WCN -0321 WHK -0554

연 : 수신처 참조

유엔가입에 관한 정부각서 발표관련 91.4.9. 국내 주요언론(조간) 보도내용 송부하니 참고바람.

첨 부 : 동 자료 1부.(/2매)끝.

수신처 : 주미(WUS-1411), 유엔(WUN-0790), 일본(WJA-1593),
제네바(WGV-0420), 영국(WUK-0647), EC(WEC-0202),
독일(WGE-0535), 카나다(WCN-0311)대사,
홍콩(WHK-0549)총영사

WUS(FI)-191, WUN(FI)-81, WJA(FI)-24, WGV(FI)-12
WEC(FI)-12, WUK(FI)-22, WCN(FI)-11, WGE(FI)-16
WHK(FI)-3

(국제기구조약국장 문동석)

보 안 통 제	

앙 고 재	91년 4월 9일	유엔과	기안자 성 명		과 장		국 장		차 관	장 관
							전결			

외신과통제

0164

관리번호	91-326

원 본

외 무 부

종 별 :

번 호 : UNW-0845 일 시 : 91 0409 1830

수 신 : 장관(국연)

발 신 : 주 유엔 대사

제 목 : 기사내용 확인

대:WUN-0811

1. 대호 관련 공보관이 4.9. 송 기자에게 문의한바, COLUMBIA 대학세미나에서 만난바 있는 중국대표부 외교관 WANG 이라고만 언급할 뿐 이름은 밝힐수 없다는바, (현재 당지 중국대표부에는 성이 WANG 인 직원이 4 명 있음.) 송기자 기사가 WANG 의 발언에 근거한 기사인지는 현재로서는 불확실한 것으로 보임.

2. 대호건 관련 정보입수되는대로 추보위계임.끝

(대사 노창희-국장)

예고:91.12.31. 일반

국기국

PAGE 1

91.04.10 08:55

외신 2과 통제관 BW

0165

공　　란

중 앙 일 보

1991. 4. 8. 월, 1면

8월 유엔 단독가입 신청

安保理에 서한 北韓 동참위해 계속 노력

盧 유엔대사

【뉴욕=朴晙璧특파원】韓國정부는 올가을 유엔가입을 신청하겠다는 의사를 5일 유엔에 공식천명했다.

韓國정부는 이날 유엔안전보장이사회에 배포된 盧昌熹駐유엔대표부대사 명의의 서한을 통해 北韓과의 동시유엔가입을 위한 노력을 계속할것이나 平壤이 이에 호응하지 않으면 오는 9월의 유엔총회개막전에 韓國 단독가입절차를 밟겠다는 입장을 밝혔다.

〈관계기사5面〉

자신 명의의 5일字 서한을 폴 노틀安保理의장(벨기에대사)에게 제출한 盧대사는 8일 기자들에게 韓國의 가입신청은 8월중에 있을것이라고 말했다.

이서한은 韓國정부가 그동안 北韓과 동시유엔가입을 위한 노력을 해왔으나 별 성과가 없었고 45차유엔총회에서 입증된바와 같이 北韓의 단일의석가입안이 실현불가능한 제안으로 국제사회의 지지가 없었음을 상기하고 유엔의 보편성원칙과 조화·협력이라는 국제사회의 새로운 정신에 입각, 韓國의 유엔가입이 이루어져야 할때가 왔다고 밝히고 있다.

이 서한은 그러나 北韓도 韓國과 함께 유엔에 가입, 유엔활동에 적극 기여해야 한다고 강조했다.

韓國정부는 北韓의 의사와 관계없이 韓國의 유엔가입 정당성으로▲韓國이 유엔헌장이 규정한 모든 의무를 이행할 자격과 준비가 되어있고▲세계12대 무역국으로 국제사회에서 보편적 외교관계를 유지하고 있으며▲국제사회가 오랫동안 南北韓의 존재를 인정, 90개국이 양측과 외교관계를 맺고 있고 ▲南北韓이 유엔 산하기구등 여러 국제기구에 별도로 가입, 활동하고 있는 사실들을 들었다.

따라서 韓國의 유엔가입은 별도든 동시든 국제정치 현실의 논리적 결과라고 이 서한은 지적했다.

"국제여건 성숙 北도 따라올것"

외무부관계자

외무부는 8일 유엔가입문제에 관한 각서 제출과 관련해『우리가 先가입하면 北韓도 뒤따라 가입하지 않을수 없을 것』이라고 밝혔다.

외무부의 한 당국자는 이날『北韓이 동시가입에 응하리라는 근거를 확인하지 못하고 있다』며『그러나 우리가 유엔에 가입하더라도 北韓의 가입을 배제하려는 것은 아니다』고 강조했다.

이 당국자는『현재 蘇聯은 韓半島의 특수성을 고려해 北韓측과 끝까지 협의할 것을 강조하고 있으나 보편성의 원칙을 지지하고 있는 것으로 안다』며『中國도 공식적으로는 北韓과의 협의를 강조하고 있지만 우리가 지난해 유엔가입신청을 보류한 것을 평가하고 있다』고 말했다.

이 당국자는 이어『기타 대부분의 나라는 우리의 유엔가입이 더이상 늦춰질수 없다고 보고 있어 우리가 유엔에 가입하는데 매우 유리한 국제적 여건이 조성돼 있다』고 덧붙였다.

0167

한 국 일 보

1991. 4. 8. 월, 1면

유엔加入 9월총회前 신청

北韓 동시가입 계속반대때 安保理에 공식통보

【유엔본부=聯合=特約】한국은 9월 유엔총회 개막전에 유엔가입신청을할것을 유엔안전보장이사회에 통보했다。

한국은 이와 관련, 지난 5일 유엔안보리 의장에게 메모랜덤(비망록)을 전달했다。

한국은 이 메모랜덤에서 과거 동서독과 남북예멘이 유엔에 각각 단독으로 가입했음에도 통일에 아무런 장애를일으키지않았다는 점을 예로 들면서 북한이 유엔동시가입을 계속 반대할 경우 한국은 제46회 유엔총회개막이전에 회원국이 되기위한 필요한 절차를 택할 것이라고 밝혔다。

한국은 또 이 메모랜덤에서 한국의 유엔가입이 더 이상지체되어서는 안된다는 것이 국제사회의 분위기가 되고있다며 북한은 「두개의 한국」 가입이 통일에 방해가 되고 있다는 그릇된 주장을 되풀이하고 있다고 밝혔다。

盧昌熹駐유엔주재 한국대사는 이와관련, 『한국은 유엔가입신청서를 아마 9월에 제출할 것같다』고 말했다。

한국은 과거 8차례에걸쳐 유엔가입 신청을 한바있는데 유엔가입을 하려면 유엔안보리 15개이사국의 추천과 유엔총회의 승인을 필요로한다.

조 선 일 보

1991. 4. 8. 월. 2면

"8월 UN 단독가입 신청"

盧昌熹 유엔대사 지난 5일 安保理 각서제출

【유엔본부=聯合特約】한국정부는 오는9월 유엔정기총회이전에 유엔가입신청안을 제출할 계획이다。

盧昌熹유엔주재 한국대사는 7일 기자들에게 한국은 오는 8월중 가입신청서를 유엔에 제출할 예정이며 이와 관련한 각서를 지난5일 유엔安保理측에 전달했다고 밝혔다。

안보리의장인 노테르담駐유엔주재 벨기에대사에 전달된 각서는 「두개의 韓國의 유엔별도가입이 한반도통일에 장애요인이 될것」이라는 북한측 주장을 반박하고 있다。

각서는 旧東独과 西独、南예멘과 北예멘의 예를들어 별도가입이 통일을 저해하지 않는다고 지적했다。

이 각서는 『한국 정부는 올해안에 남북한이 유엔에 동시가입하기를 희망한다』고 밝히고 『그러나 북한측이 이에 계속 반대할 경우 올 9월 46차유엔정기총회이전에 별도가입을 위한 필요한 절차를 밟을 것』이라고 밝혔다。

이각서는 또 지난해 정기총회에서의 유엔회원국들의 여론을 환기시키며 『한국의 유엔가입이 더이상 지체돼서는 안된다는것이 국제사회의 요청』이라고 별도가입 추진이유를 설명했다。

0168

경향신문

1991. 4. 8. 월, 1면

"유엔가입신청" 安保理통보

盧駐유엔대사 "北韓 계속反對해도 8월중 제출"

盧昌熹 유엔대사

【유엔본부=趙빈특파원】 한국은 오는9월 유엔총회가 시작되기전에 유엔가입을 위한 신청서를 제출할것이라고 7일 안보리에 통보했다.

盧昌熹유엔대사는 이날 기자들에게 이같이 밝히고 가입신청서는 아마도 8월중 제출될것이라고 말했다.

한국은 이에앞서 지난5일 안보리의장에게보낸 각서에서 남북한이 따로 유엔에 가입하는것이 통일이란 궁극적목표를 저해할것이란 북한측의 오랜주장을 부인하면서 분리가입했던 舊동서독과 남북예멘의 통일을 예로 들었다.

이각서에서 한국은 올해중이라도 남북한 양측이 유엔에 동시가입하기를 여전히 희망하고있다고 밝히면서 그러나 북한이 계속 이를 반대한다면 한국은 『주권을 행사해 46회유엔총회개막전에 가입을 위한 필요한 조치를 취할것』이라고 밝혔다.

각서는 이어 지난해 총회에서 보여준 유엔회원국들의 시각들을 인용,『대한민국의 유엔가입은 더이상 지체없이 실현되어야한다는게 국제사회의 인식』이라고 말했다.

한국은 현재 유엔정회원은 아니지만 거의 모든 유엔특별기구를 포함,국제기구에 회원국으로가입돼있다.

한국은 지난75년등 모두 8번에 걸쳐 유엔가입신청을 했으나 이가운데 4번은 소련의 거부권행사로, 다른 4번은 안보리가 아무행동도 취하지않아 가입이 불허됐었다.

그러나 한국이 지난해9월 소련과 정식외교관계를 수립함으로써 한국의 유엔가입에는 중국의 거부권행사가 유일하게남은 장애물로 인식돼왔었는데최근韓中무역사무소가개설됨에따라중국도거부권을행사하기는 어려울것으로 보인다.

정부、7월중준비완료

정부는 금년내 유엔가입실현을위한 외교노력과 절차상의 모든 준비를 오는 7월까지 완료시키기로 했다. 정부의한당국자는 7일 이와관련,『그동안 정부가 유엔가입과 관련해 여러경로로 밝혀온 입장을 조만간 공식문서로 집약,가입신청서제출에 대한 정부입장을 유엔회원국들에게 천명할 계획』이라고 밝히고 『이와함께 유엔헌장등 유엔관련 각종 규정·문서등의 國譯작업도 조기에 끝낼방침』이라고 말했다.

이에앞서 李相玉외무장관은 지난2일 ESCAP총회에 참석중이던 劉華秋中國외교부副부장과의 면담에서 南北韓동시가입노력을 계속하되 北韓이 끝내 이를 거부할 경우 금년내 유엔가입노력을 구체화하겠다고 밝혀 오는 9월이전가입신청서제출의사를 분명히했다.

정부당국자는 『ESCAP총회기간중 블랑카、스파이어스등 두명의 유엔사무차장을비롯,대부분의 참석국가대표들이 南北韓유엔동시가입내지 韓國의 가입을 지지했다』면서『이러한 국제사회의 압도적 분위기가 劉副부장을 통해 中國정부에 전달될것이고 결국 이러한 움직임이 中國의 최종의사결정에 영향을 줄것으로 본다』고전망했다.

0169

The Korea Daily

1991. 4.8.Mon.,page1

Seoul Will Seek U.N. Entry This Summer, Asks N.K. to Follow Suit

Soviets Unlikely To Oppose, But China Is Unsure

UNITED NATIONS (AP) — South Korea has announced it will formally seek membership in the United Nations this summer and called upon rival North Korea to also seek its separate membership in the world body.

"As a country which maintains almost universal diplomatic relations and as the world's 12th largest trading nation, South Korea is ready to make its due contribution to the work of the United Nations as a full member," the South Korean government said in a statement released in New York and in Seoul.

"In seeking U.N. membership," it said, "the Republic of Korea reiterates its earnest hope that the Democratic People's Republic of Korea (DPRK) will also join the United Nations, either together with the South, or at the time the North deems appropriate."

North Korea consistently has opposed separate membership of the two Korean states, saying that would perpetuate the division of the Korean Peninsula and would not promote reunification. It has called for a single U.N. seat to be shared by both governments. South Korea has rejected that idea as unworkable.

Parallel Membership

Parallel membership of both Korean states, South Korea said, "is entirely without prejudice to the ultimate objective of Korea's reunification." It called parallel membership a powerful confidence-building measure because it would represent the commitment of both states to the principles of the U.N. Charter.

Both Korea states currently hold non-voting observer status in the 159-member United Nations. Membership requires recommendation of the 15-member Security Council and a two-thirds vote in the General Assembly.

South Korean Ambassador Roe Chang-hee told reporters that his government would apply for membership around Aug. 10, allowing the required 35 days in advance of the opening of the General Assembly. The memorandum was to be delivered to the Security Council.

The unification of East Germany and West Germany and of North Yemen and South Yemen, all of which held separate U.N. memberships, disproves North Korea's view that membership of both Korean states would hinder reunification, the government statement said.

South Korea has diplomatic relations with 148 states and North Korea with 105 and 90 nations have relations with both. South Korea has wide support for its membership.

'Favorably Disposed'

Ambassador Roe said the Soviet Union, an ally of North Korea, "seems quite favorably disposed to South Korea's position" and was not expected to cast a veto in the Security Council. The Soviet Union and South Korea already have reestablished diplomatic relations.

China's position was less certain, since it has close ties to North Korea but cautiously has been improving relations with the South and moving toward full diplomatic ties. "We hope China will not oppose us," the South Korean envoy said.

The five permanent Security Council members — the United States, Britain, China, France and the Soviet Union — all have veto power and can block the membership of any state.

Diplomats said that South Korea had wanted to join the United Nations last year, but the Soviet Union urged delay in hopes that North Korea could be persuaded to agree.

The South Korean government said it hopes both Koreas join the world body this year. However, it said, if North Korea continues to oppose the idea and chooses itself not to join, "the Republic of Korea, exercising its sovereign right, will take necessary steps toward its membership before the opening of the 46th session of the General Assembly."

The assembly convenes on the third Tuesday of September each year and South Korea could take its seat on Sept. 17 this year.

0170

서 울 신 문

1991. 4. 8. 월、1면

"韓國, 9월이전 유엔加入신청"

盧昌熹대사 安保理에 覺書 전달…會員國 배포

【뉴욕연합】 盧昌熹 駐유엔 대표부 대사는 지난 5일 유엔 안전보장이사회 폴 노테르담 의장(벨기에 대사)에게 유엔 가입문제에 관한 우리의 입장을 종합적으로 설명하고 특히 남한이 올해안에 유엔 가입을 실현하겠다는 의지를 담은 각서를 전달, 이 각서가 안보리문서로 유엔회원국및 산하기구에 배포되도록 요청했다。

盧昌熹 駐유엔大使

盧대사의 요청에 따라 한국정부각서는 금주초 유엔회원국및 산하기구에 배포될 예정이다。

한국정부는 盧대사가 안보리의장에게 전달한 이각서에서 올해 제46차 유엔총회가 개막되는 9월 17일 이전에 유엔가입을 위한 모든 필요한 조치를 취할 것임을 분명히 했다。

盧대사는 『9월 17일 개막되는 46차 유엔총회때는 한국이 유엔의 당당한 회원국으로 참석하고 싶다는게 우리 정부의 희망이며 그 이전에 가입원제출등 유엔가입을 위한 모든 조치를 취할 것』이라고 부연 설명했다。

정부각서는 한국이 지구상의 거의 모든 나라와 외교관계를 맺고 있고 세계 12번째의 무역국일 뿐 아니라 유엔헌장을 준수할 평화애호국으로 유엔의 정회원국이 될만한 충분한 조건을 갖춘 나라임을 강조하고 특히 냉전시대 이후 세계에 부는 화해와 협조정신에 비춰 한국의 유엔회원국 문제가 이제 해결돼야 할 것임을 촉구하고 있다고 밝혔다。

정부각서는 또 한국정부가 북한과 함께 유엔에 가입하기 위해 노력을 기울여 왔으나 별 성과가 없었음에 유감을 표하면서 앞으로도 북한과 함께 유엔에 가입하려는 노력을 계속할 것이나 여전히 우리의 노력에 부정적인 태도를 보일 경우 단독가입이 불가피함을 분명히 했다。

작년 유엔 총회기간동안 자국의 외교방침을 밝힌 1백14개 회원국가운데 71개국이 한국의 유엔가입필요성을 강조한 바 있다。

0171

동 아 일 보

1991. 4. 8. 월, 1면

유엔加入 9월總會前 신청

盧대사 安保理문서로 채택 會員國배포

北韓불응땐 單獨으로

盧昌熹 駐유엔대사는 8일 「北韓이 우리의 南北韓 유엔 동시가입 노력에 호응해 오지 않을 경우 오는 9월17일 제46차 유엔총회 개막이전에 유엔단독가입신청서를 제출할 것이라는 내용의 각서를 안보리문서로 유엔회원국들에 배포했다.

盧대사의 이같은 각서는 올해 유엔 단독가입 신청서를 제출하겠다는 정부의 공식적인 의사표명이다.

盧대사는 이 각서에서 「대한민국정부는 금년중에 南北韓이 다함께 유엔에 가입할 수 있기를 희망하고 있다」고 전제, 「그러나 北韓이 이러한 제안에 계속 반대하거나 또는 어떠한 이유로 유엔에 가입치 않을 것을 택한다면 대한민국은 주권을 행사하여 제46차 유엔총회 개막이전 가입을 위한 필요한 조치를 취할 것」이라고 연내 유엔가입방침을 분명히 했다.

이 각서는 또 「대한민국 정부는 우리의 유엔가입 정당성에 대한 유엔회원국의 압도적 지지에 힘 입어 향후 수개월내에 대한민국이 유엔에서 제자리를 차지할 수 있을 것이라고 확신한다」고 말했다.

동 아 일 보

1991. 4. 8. 월, 사설

유엔가입 매듭지을 때다

南北韓의 유엔가입 문제는 이제 可否間 매듭을 지어야한다. 유엔회원국이 될수있는 필요하고도 충분한 조건을 갖춘 국가가 계속해서 유엔밖에 머물러 있는 기형상태는 반드시 고쳐져야 하기 때문이다.

정부가 南北韓의 유엔가입문제에 관한 각서를 유엔 안전보장이사회에 제출하고 이 각서를 유엔회원국과 유엔산하기구에 배포해주도록 요청한 사실은 이점에서 주목을 끈다. 물론 이 각서는 유엔회원국 가입신청을 위한 법적 절차는 아니다. 그러나 지난75년 두차례에 걸친 韓國의 유엔가입문제 재심요청이 안보리의 의제로도 채택되지 못했던 사례를 감안하면 그러한 前轍을 밟지 않을수 있는 분위기 조성에 이 각서는 도움이 될 것이다.

南北韓의 유엔가입문제는 그동안 냉전시대의 산물로 번번이 좌절되는 비운을 겪었다. 지난 49년부터 75년까지 정부가 직접 낸 5번의 가입신청과 韓國의 우방국들이 앞장선 9번의 가입신청, 모두 14번의 시도가 안보리의 불처리, 거부권행사 의제채택부결등의 과정을 겪었다. 北韓의 경우도 예외는 아니다. 北韓이 직접 제출한 2건과 蘇聯의 수정안 3건 등 다섯차례나 공산측의 北韓가입신청도 같은 운명을 겪었다.

南北韓과 南北韓우방국들의 가입신청은 모두 19건. 유엔회원국의 지위를 규정한 유엔헌장 4조에 합당하면서도 유엔에 못들어가는 이같은 예는 유엔 역사상 그 유례가 없다. 그래서 유엔은 南北韓의 유엔가입문제에 관해 냉전시대의 잔재를 청산하고 이제 결론을 내려야 할 도덕적인 책임이 있음을 먼저 인식해야 된다.

정부가 낸 각서는 가입신청은 아니다. 南北韓 유엔동시가입을 원칙으로 하고 北韓이 이를 받아들이지 않을 경우 제46차 총회기간에 韓國만이라도 先가입하겠다는 정부의 의도와 이를위한 가입절차를 총회개막전에 밟겠다고 이 각서는 밝혔다. 南北韓동시가입과 이의 時差실현인 韓國의 先가입문제는 南北韓대화의 협상의제로 될수없다는 점과 이를 유엔 회원국에 주지시키려는 분명한 방침을 이 각서는 담고 있다.

주사위는 던져졌다. 이로인해 야기될 수 있는 南北韓의 마찰을 예기할 수 있다. 분단고착화라는 정치공세가 쏟아질 수도 있다. 그러나 이같은 비판은 19번의 가입신청이 실패한 과정에서 수십번, 아니 수백번이나 되풀이됐던 대결논리의 연장에 불과하다. 유엔가입의 보편성 원칙과 南北韓동시가입문제는 北韓을 지원한 蘇聯자신이 스스로 제기했던 주장이다.

南北韓 유엔동시가입이 분단의 고착화라면 韓國의 단독가입을 저지하기위해 蘇聯이 그같은 논리를 전개했을 때 왜 北韓은 침묵하고 동조했는가. 유엔총회에 韓國만이 단독 초청됐을때 北韓은 왜 南北韓 동시초청을 주장했는가. 南北韓 동시가입이 분단고착화가 아니라고 논쟁하기위해 굳이 獨逸과 예멘의 先例를 인용할 필요는 없다. 이미 공산측의 유엔전략에서 韓國논리의 유사성을 발견할수 있기 때문이다.

이제 건강한 눈으로 국제현실을 직시해야 할 때다. 기형상태를 고치고 정상을 회복하려는 노력을 南北韓이 솔선해야한다. 비정상이 계속되는한 고립만이 있을뿐이다. 韓國측으로서는 15번째, 南北韓을 합쳐서는 20번째가 되는 가입문제다. 그것으로 南北韓의 유엔가입문제를 매듭지어야한다. 이를 위해 南北韓이 함께 유엔에 들어가야한다.

0172

중앙일보 1991.4.8. 5면

8월 유엔가입신청 추진 배경

″韓國도 원한다″ 분위기 조성

동시가입案 北韓서 수용 안되면 끝까지 거부될 단독가입 강행

0173

韓國정부는 8일 배포한 유엔安保理문서를 통해 올가을 유엔총회전 유엔가입신청 의사를 천명했다. 이것은 北韓이 南北韓단일의석 가입안을 포기, 韓

國의 동시가입안을 수용토록 하는 것이 1차적 목적이다.

아울러 北韓이 끝까지 이를 거부할 경우 韓國만의 先단독가입의사를 분명히 한것으로 해석된다.

이같은 韓國정부입장은 韓國이 올가을 총회이전에 유엔가입 필요한 절차를 마치겠다고 분명히 하였으면서도 그때까지 北韓과의 동시가입노력을 계속하고 北韓이 동시가입을 하지않을 경우라도 적절한 시기에 가입을 확정한다고 밝힌데서 분명히 나타나고 있다.

또 이같은 입장을 유엔안보리이사국에게 보내 유엔회원국들에 배포되는 문서를 통해 공개적으로 밝힌것도 이같은 맥락에서 분석된다.

韓國의 이같은 분명한 입장천명은 北韓이 단일의석가입안이 현실성이 없고 韓國만이라도 先가입하기 南北韓동시전 韓國의 유엔가입에 관한 국제적 분위기가 성숙되었다고 판단한 때문으로 보인다.

우선 유엔을 비롯한 국제사회가 蘇聯등 공산권의 변화로 대결보다는 협력과 화해를 지향하고 있는 점이다.

또 韓國수교국이는 蘇聯수교와 韓中 무역대표부설치등 韓國과 과거 공산국가간의 관계가 크게 바뀌었고 北韓도 日本과 수교협상을 하면서 美國과도 관계개선을 원하고 있다.

특히 韓國의 유엔가입과 관련, 유엔의 분위기는 지난 49년 유엔총회에서 韓國단독가입결의안을 한 1백14개 국가중 거개국이 유엔의 보편성 원칙을 들어 韓國의 가입추진을 지지하면서 北韓의 단일의석가입안을 한 나라도 지지하지 않아 韓國정부를 크게 고무했다.

이같은 유엔의 분위기가 韓國 유엔가입의 정당성이 되어 온 蘇聯의 태도에도 입장 변화를 할것으로 韓國정부는 판단하고 있는것 같다.

中蘇는 韓國의 유엔가입문제에 공식입장을 유보한채 南北韓이 원만한 해결을 촉구하는 원론적 입장만을 유지하고 있다.

이같은 입장은 韓國은 北韓을 의식한것으로 판단하고 있으나 南北韓 동시가입 합의가 안될경우 韓國의 先가입추진에 최소한 반대하지 않을것으로 해석하고 있다.

특히 中國의 태도와 관련, 韓國이 유엔가입신청을 강행하기 보다는 그 정당성을 강력히 개진하고 中國이 안보리 상임이사국이라는 대국으로서의 체면있는 행동을 기대한다고 韓國고위관리들이 말하고 있음은 이를 반영하고 있다.

현재의 유엔분위기나 유엔이 강조하고 있는 보편성 원칙에 비추어 韓國의 南北韓유엔가입 방침은 그 정당성에 하등의 의문이 없다.

南北韓이 세계 90여개국으로부터 동시 승인을 받고 있는 별개국가로 유엔가입 가능성에서 별도의 회원국으로 가입을 동의하고 있고 소위 삼각 노·모나코·교황청등 유엔가입을 원했었거나 이래로 계약된 나라를 제외하면 유엔가입을 원하는 모든 주권국가가 회원국으로 가입이 허용되고 있는 유엔의 보편성원칙들이 않은 나라가 韓國의 가입 정당성으로 제시하고 있는 논리다.

그러나 이 정책에는 약점도 없지않다. 北韓이 끝내 동시가입에 동의하지 않고 韓國이 선가입 후에도 유엔가입을 보류하거나 후가입을 선택하면서도 이를 빌미로 南北대화를 중단하거나 韓半島에서 긴장조성을 할 것이 그 첫째 우려다.

이 경우 韓國정부의 유엔가입

정부는 올 유엔총회이전에 유엔 단독가입 의사를 8일 유엔安保理에 통보했다. 사진은 지난 88년10월 韓國대통령으로서는 처음으로 유엔총회 본회의에서 연설, 유엔가입의사를 천명하는 盧泰愚대통령.

정당성에도 불구하고 韓國이 유엔가입문제를 南北대화 의제로 합의한것이 韓國측의 부담이 될 수있으며 협하지 않은 유엔가입으로 南北문제라는 민족문제를 그르쳤다는 비판이 야기될 수도 있다.

일방여론일어나다 학술정부 일각에서도 유엔가입문제보다는 민족문제 해결이 더 중요하다는 시각이 상당한 것으로 알려지고 있다.

또 우려되는 것은 對中관계다.

韓國정부는 韓國의 유엔가입과 관련, 그 정당성을 당당히 개진해 나가겠다고 밝히고 있으나 과거의 관행나 정치적 북적관계을 유지한 中國이 협력 여부에 불가피한 것으로 보이고'이는 韓國의 對中 처지에서도 나타날 수도 있다.

이같은 관점에서 볼때 韓國정부의 올가을 전 유엔가입신청결정은 국제사회의 변화를 기회로 포착하고 북한 공산권고 있는 정당성에 바탕을 두고있어 성사의 가능성도 높지만 그에 따른 위험이 부담도 클것으로 보인다.

【서울=[illegible]기자】

한 겨 레 신 문

1991. 4. 9. 화, 2면

'유엔가입' 첫단계 작업 가동

정부 '각서' 회원국 배포요청 의미

대북한 외교공세 차원 넘어서 소련·중국 지지여부는 불투명

정부는 지난 5일 노창희 주유엔대사를 통해 '유엔가입문제에 관한 각서'를 유엔 안전보장이사회 문서로 안보리 15개 이사국과 일반 회원국들에 회람시키고 유엔가입을 위한 본격활동에 나섰다.

정부가 이 각서에서 올 9월17일 제46차 유엔총회 개막 이전에 한국의 단독가입도 불사하는 조처를 취하겠다고 언명한 것은, 물론 한국은 어디까지나 북한과 동시에 유엔에 가입하려는 노력을 계속함에도 불구하고 북한이 지금까지 단일의석 가입안을 고수하며 이에 반대할 경우라는 단서를 붙이고는 있으나 몇가지 점에서 우려를 불러 일으키고 있다.

우선 정부가 유엔 회원국들에 회람시킨 안보리 문서는 한국의 유엔가입 신청서 제출 시기를 분명하게 못박음으로써 단순한 외교적 공세차원을 훨씬 넘어섰다는 점이다.

정부는 지난해부터 유엔카드를 적극적으로 활용, 북한을 대화의 장으로 이끌어내면서 북한 내부의 개방으로까지 유도하겠다는 목표아래 외교력을 집중해왔다.

남북한 고위급회담 자체가 서울과 평양에서 3차례나 열린 것도 이러한 정부의 구상과 무관하지 않다. 그러나 지난해만해도 정부는 남북한 동시가입이라는 기본틀을 안에서 유엔가입 문제를 해결한다는 구상이었으나, 남북고위급회담이 교착상태에 빠지는 등 남북대화에 진전이 없자 한국의 단독가입도 불사한다는 쪽으로 방향을 급선회한 것이다.

북한은 이러한 한국의 방향선회에 대해 올초부터 몇차례의 불만과 항의의 뜻을 나타냈다.

북한은 지난 2월말 '외교부 비망록'이라는 형식으로 유엔 안보리문서를 회람시켰다. 북한은 비망록에서 "만일 민족통일에 유리한 것이라면 유엔가입문제에 관한 어떠한 해결방안에 관해서도 협상할 것"이라며 "만약 한국의 유엔 단독가입안이 수락된다면 남북관계를 극단적으로 긴장시킬 것이며, 이는 종국적으로 한반도에 긴장을 한층 격화시킬 것"이라고 강하게 항의하고 지난해 10월 유엔에서 스스로 제안한 단일의석 가입안을 옹호했다.

북한은 또 이 비망록을 통해 "남북대화의 진전과 불가침선언의 채택과 함께 통일지향적 분위기가 확보된다면 유엔가입문제해결에 있어 새로운 전망이 분명하게 나타날 것이라고 확신한다"며 유엔가입과 불가침선언을 연계할 수 있음을 시사하기도 했다.

정부는 이에 대해 북한이 한국의 연내 유엔가입 실현을 저지하려는 선전전략의 일환으로 일축했으며, 이상옥 외무부장관은 3월초에 북한의 단일의석 가입안 주장에 대해 비현실적이라며 "북한이 동시가입을 반대한다면 한국이 먼저 가입할 것"이라고 분명한 입장을 밝혔다.

남북한은 현재 유엔을 중심으로 한 이같은 각서와 성명전뿐만 아니라 각각의 우방국 및 미수교국을 상대로 이미 치열한 외교전을 펴고 있다. 북한의 김영남 외교부장이 지난 2월부터 북부 아프리카의 마그레브지역 국가들을 순방하는가 하면 아프리카 등지의 공관원들을 흡수해 대유엔외교에 나서고 있는 것으로 알려지고 있으며, 정부도 유엔회원국들을 상대로 표모으기 작업에 열중하고 있다.

결국 이러한 외교양상은 국제사회성원들에게는 탈냉전시대에 역행하는 대결외교로 비쳐질 가능성이 크다. 또한 정부의 유엔단독가입 불사 방침은 지난 7·7선언의 요체인 남북한 대결외교 지양 원칙과도 어긋난다는 지적이다.

이와 함께 정부가 단독가입을 위한 신청서를 북한의 반대를 무릅쓰고 유엔안보리에 제출했을 경우 과연 안보리 상임이사국인 소련과 중국이 정부의 기대대로 반대(기권 포함)하지 않겠느냐는 것도 고려해야 할 점이다. 이와 관련해 최근 방한한 로가초프 소련 외무차관은 "한국이 단독가입을 강행할 땐 복잡한 문제가 생길 것"이라며 남북합의에 의한 해결을 강조했다.

중국도 남북한 협의 우선원칙을 앞세워 사실상 한국의 단독가입안에 명확한 지지의 언질을 주고 있지도 않다.

만일 소련·중국의 이런 태도표명에도 불구하고 정부가 단독가입안을 강행했다가 유엔안보리의 지지를 받는 데 실패할 경우에는 중대한 외교적 실추라는 비난을 면하기 힘들 것이다.

따라서 대북한 공세선을 훨씬 넘어서고 남북한 관계악화에 이를 수 있는 정부의 유엔가입 정책은 단순히 외교적 승리라는 냉전적 틀을 벗어나야 할 것이란 지적이다. 〈박종문 기자〉

0174

세계일보
1991. 4. 9. 화, 3면

유엔가입 國際문제화 유도

韓國 연내加入 추진 의미

걸프戰 마무리… "韓半島에 관심" 주문

北에 「동시가입」수용 압력… 蘇역할 기대

정부는 8일 年內유엔가입의사를 분명히 한 覺書를 회원국에 배포함으로써 한국의 가입에 관한 유엔차원의 논의에 불을 댕겼다. 이 각서는 내용상으로는 한국정부의 기존입장을 재확인한데 불과하지만 유엔安保理의 걸프終戰결의안 687호가 나온 직후에 제출됐다는 점에서 정부의 확고한 의지를 읽을 수 있다. 즉 걸프전후처리가 마무리단계에 접어든만큼 이제 유엔에서 한국문제를 본격적으로 다뤄달라는 강력한 주문인셈이다.

그동안 남북한과 관련 당사국간의 兩者的 논의에 머물던 한국의 유엔가입문제를 유엔차원으로 확산시키겠다는 것이 정부각서가 담고 있는 제1차적 목적이라고 볼 수 있다.

이 각서는 유엔가입신청시기를 「올9월 유엔총회 이전」으로 못박음으로써 한국의 유엔가입문제에 대한 구체적인 입장표명을 유엔회원국 각국에게 요구하고 있다. 이는 특히 안보리상임이사국으로서 한국의 유엔가입에 열쇠를 쥐고 있는 中國및 蘇聯에 대한 강력한 메시지에 해당된다.

지금까지 정부의 對유엔외교는 신청시기의 공식적 언급없이 한국의 유엔가입에 대한 당위성 강조 차원에서 이뤄져왔다.

따라서 북한과 특수한 관계에 있는 中·蘇의 대응도 「유엔보편성원칙의 재확인」(蘇聯) 또는 「남북대화에 의한 해결이 바람직」(中國)이라는 추상적인 입장표명만으로 가능했다. 그러나 이제는 올 유엔총회에서 한국의 가입안이 상정된다는 구체적 상황을 염두에 두고 찬성할 것인가, 아니면 거부권을 행사할 것인가의 兩者택일이 불가피해진 것이다.

中國의 거부권문제와 관련, 정부는 中國과의 직·간접교섭보다는 한국의 유엔가입에 대한 유엔무대에서의 지지를 확산시켜 中國으로 하여금 거부권을 행사할 수 없는 상황으로 몰아가려는 데 초점을 맞추고 있다.

◇9월 유엔 총회전 한국의 유엔가입 신청 방침의 공식화로 中國은 거부권을 행사할 것인지 여부에 대한 태도를 분명히 해야 할 입장에 놓였다. 사진은 지난 2일 롯데호텔에서 李相玉외무장관과 회담을 하고 있는 劉華秋 中國외교부副부장(왼쪽).

지난해에도 정부는 中國측으로부터 「올해에는 유엔가입안을 내지 말아달라」는 요청을 받고 유엔가입신청을 유보했던 것으로 알려졌다. 지난해에는 일단 중국의 요청을 받아들였지만 더이상 미룰 수는 없다는 분명한 對中國메시지가 이번 安保理 각서에 담겨 있다.

한국의 유엔가입이 피할 수 없는 현실인만큼 북한으로 하여금 남북한동시유엔가입을 수용하도록 중국이 설득해 달라는 주문도 각서에 함축돼 있다고 볼 수 있다.

蘇聯이 우리의 연내유엔가입에 장애가 되지는 않을 것으로 분석된다. 국가승인을 의미하는 韓·蘇수교이후 소련은 「유엔보편성원칙의 지지」라는 우회적 표현으로 한국의 유엔가입에 사실상 반대하지 않는다는 입장을 표명해 왔다.

가입신청제출시기를 명시적으로 밝힌 이번 정부각서는 蘇聯이 북한과 中國을 설득할 수 있는 成文근거가 될 것으로 정부관계자들은 내다보고 있다.

정부의 연내유엔가입 추진과 관련한 최상의 시나리오는 북한이 한국의 가입을 전후해 유엔에 뒤따라 들어오는 것이다. 반면 북한이 우리의 단독가입을 이유로 남북대화를 단절하고 남북관계를 경색시키는 최악의 상황도 배제할 수 없다. 다만 북한은 최근 통일방안 수정움직임을 보이는 등 남한의 유엔가입에 대비한 논리개발 작업을 진행하고 있는 것으로 알려지고 있어 이같은 움직임이 언제 어떤 형태로 나타날지가 주목되고 있다.

남측의 연내유엔가입 추진에 대한 북한의 향후行步는 다음달 하순 재개될 것으로 예상되는 남북고위급회담에서 그 윤곽이 드러날 것으로 보인다.

〈朴正薰기자〉

0175

민 주 일 보

1991.4. 9. 화, 2면

정부, 유엔가입 각서 공식발표

북한 거부땐 8월 단독신청

노대사, 안보리 문서로 배포 요청

정부는 8일 남북한 유엔 동시가입 입장을 거듭 천명함과 동시에 연내 유엔 단독 가입 의지를 담은 '유엔 가입 문제에 관한 대한민국 정부 각서'를 공식 발표했다.

정부는 이 각서를 지난 5일 노창희 주 유엔대사를 통해 노텔담 유엔 안전보장이사회 의장(주 유엔 벨기에 대사)에게 전달, 이 각서가 유엔 안보리 문서로서 유엔 회원국 및 산하 기구에 배포되도록 요청했다.

정부는 이 각서에서 "남북한이 다 함께 유엔에 가입할 수 있기를 희망한다"고 전제하면서도 "북한이 이러한 제안에 계속 반대하거나 또는 어떤 이유로 유엔에 가입치 않을 것을 택한다면 대한민국은 주권을 행사하여 제46차 유엔총회 개막(9월17일) 이전 가입을 위한 필요한 조치를 취할 것"이라고 밝혀 늦어도 8월중 유엔 단독 가입 신청을 강력히 시사했다. 이 각서는 또 유엔에 각각 가입했던 동·서독과 남·북예멘의 통일을 예로 들면서 북한의 '단일의석 가입안'을 반박하고 '남북한 동시가입'이 통일이라는 궁극적 목표 달성에 전혀 지장을 주지 않을 것이라고 밝혔다.

정부의 유엔 가입 노력은 지난 75년 유엔 가입 신청을 비롯, 그동안 8차례에 걸쳐 있었으나 이 중 4번은 소련의 거부로, 나머지 4번은 안보리가 아무런 행동도 취하지 않아 무산됐었다.

북한, 단일의석 거듭 주장

북한은 8일 유엔 가입 문제와 관련, 남북한 동시가입 및 단독가입을 배격하고 제41차 세계탁구선수권대회에 단일팀이 출전하고 있는 사실을 내세워 '단일의석에 의한 공동가입'의 실현을 거듭 주장했다.

회원국「표밭갈이」·북쪽유도 초점
대남공세로 남북관계「흠집」우려

정부의 올 최대 외교목표인 '연내 유엔 가입 실현' 여부가 주목되고 있다.

정부는 8일 이를 위해 우리의 입장을 담은 '유엔 가입문제에 관한 대한민국정부 각서'를 발표 했으며, 이에 앞서 지난 5일에는 노창희 주 유엔대사를 통해 이 각서를 유엔 안보리에 전달, 안보리 문서로서 유엔 회원국및 산하기구에 배포토록 요청했다.

한국의 유엔 가입 문제를 오는 9월17일 개막되는 제46차 유엔 총회의 최대 이슈로 부각시키기 위한 사전 정지작업이 개시된 것이다.

정부는 이 각서에서 남북한 동시 가입을 환영하지만 최악의 경우 단독 가입도 할 수 있다는 강력한 의지를 표명, 단독 가입 신청때 회원국들의 지지와 이해를 구하는데 초점을 맞추고 있다. 한국의 유엔 단독 가입이 북한의 뒤이은 가입을 유도할 수 있다는 계산도 깔려있다.

정부의 이번 각서 발표는 지난 90년 제45차 유엔총회 기조연설에서 한반도 문제를 언급한 1백14개국 가운데 71개국이 유엔의 보편성 원칙을 들어 한국의 유엔 가입 입장을 지지한 반면 단1개국도 북한의 '단일 의석 가입안'을 지지하지 않은 점이 크게 작용한 것으로 보인다.

특히 한·소 수교, 한·중 무역대표부 교환설치 등 한국을 중심으로 한 한반도 주변정세가 호전되고 있는 것도 이를 뒷받침 했다는 분석이다.

그러나 북한이 일본과 수교협상을 진행중에 있으며 미국과도 관계 개선을 꾀하고 있는 시점에서 나온 정부의 이번 발표는 남북관계에 악영향을 끼칠 것이라는 관측이 낳고 있다.

북한이 대서방 관계 개선과 유엔 가입 문제를 별개의 문제로 대응할지는 두고볼 일이지만 이를 빌미로 대남공세를 강화할 것이라는 우려다.

북한의 대응여하에 따라서는 한·중 관계에도 적지않은 영향을 미칠것으로 예상된다.

여하튼 정부의 연내 유엔 가입 입장 발표는 탈냉전시대에 돌입한 국제정세를 이용, 국제사회의 일원으로서 지위를 갖겠다는 적극적 자세를 띠고 있으며 이에 대한 북한의 태도 변화를 촉구하고 있는 것으로 보인다.

이는 또 남북한 '외교전'에서 한국이 외교의 주도권을 잡겠다는 의미도 내포돼 있다 하겠다.

〔심평보 기자〕

"남북한 관계악화 우려"
민중당 각서관련 논평

민중당의 정문화 대변인은 8일 정부의 올 가을 유엔 가입 신청 방침과 관련해 성명을 발표, "사실상 한국정부만의 단독 가입 신청이 될 정부의 이같은 방침은 현재 팀스피리트훈련을 계기로 교착상태에 빠져 있는 남북한관계를 더욱 악화시킬 것"이라며 남북한 합의없는 유엔 단독 가입은 반대한다는 입장을 밝혔다.

0176

세계일보

1991. 4. 9. 화, 1면

유엔加入 8월초 신청

盧대사, 安保理에 각서

北韓반대면 「단독」추진

韓國정부는 8일 올가을 유엔가입신청을 제출하겠다는 입장을 공식천명했다. 〈관련기사 3면〉

정부는 이날 유엔安保理문서로 유엔회원국에 배포된 盧昌熹駐유엔대사 명의의 각서를 통해 『남북한 동시유엔가입을 위한 노력을 계속할 것이나 北韓이 끝내 이를 반대한다면 오는 9월 제46차 유엔총회 개막 이전에 한국의 先유엔가입에 필요한 조치를 취하겠다』고 밝혔다.

정부가 문서를 통해 유엔가입신청 제출시기를 명시적으로 못박은 것은 이번이 처음이며 오는 8월초 유엔사무국에 가입신청을 낼 방침인 것으로 알려졌다.

이 각서는 『한국은 북한과 함께 유엔에 가입하기 위해 지난 한햇동안 최선의 노력을 기울여왔으나 성과를 얻지 못했다』고 지적하고 『한국정부는 유엔회원국의 압도적 지지에 힘입어 향후 수개월안에 한국이 유엔에서 제자리를 차지할 수 있을 것으로 확신한다』고 밝혔다.

한겨레신문

1991. 4. 9. 화, 1면

유엔가입 8월 신청

노창희대사 안보리에 각서 전달…배포 요청

정부는 오는 9월 제46차 유엔총회가 시작되기 전에 유엔가입 신청서를 제출한다는 방침을 굳혔다. 〈해설 2면〉

노창회 주유엔 대사는 지난 5일 "한국은 앞으로 북한과 함께 유엔에 가입하기 위한 노력을 계속할 것이나, 북한이 우리의 노력에 호응하지 않을 경우 올 유엔총회 개막 이전에 유엔가입을 위해 필요한 조처를 취하겠다"는 요지의 각서를 안전보장이사회에 보내 안보리 문서로 배포되도록 노델담 안보리 의장에게 요청했다고 외무부가 8일 밝혔다.

노 대사는 이 각서 배포와 함께 뉴욕에서 가진 기자회견에서 유엔가입 신청서 제출시기는 8월쯤이 될 것이라고 밝혔다. 노 대사는 "대한민국은 유엔가입을 추진함에 있어 조선민주주의인민공화국도 우리와 함께 또는 그들이 적절하다고 생각하는 시기에 유엔에 가입할 것을 진심으로 바라마지 않는다"며 "남북한이 함께 유엔에 가입하는 것이 통일이라는 목표 달성에 전혀 지장을 초래하지 않는다고 확신한다"고 밝혔다.

북한 "반민족 행위" 비난

【도쿄=AFP 연합 특약】 북한은 8일 남한이 올해 유엔에 가입할 움직임을 보이고 있는 데 대해 이를 '반민족적 범죄행위'라고 비난했다.

한국일보

1991. 4. 9. 화, 1면

中國, 거부권不行使시사

駐유엔 관리 한국加入 "北韓 현실수용해야"

【뉴욕支社=宋惠蘭기자】유엔주재 중국대표부의 한 고위관리는 한국정부가 오는 9월 정기총회이전에 유엔가입 신청안을 제출한다는 방침에 대해 『유엔주재중국대표부는 본국 정부에 거부권행사를 권고하지 않을것』이라고 7일 밝혔다.

이 관리는 또 『한국의 유엔가입문제는 북한과 중국의 최고위층의 의지가 얽힌 문제라 결정이 간단하지는 않을것』이라고 설명했다.

그는 북한의 입장에대해 『최근북한의 움직임에 변화가 있음을 감지하고 있으며 북한은 현실을 인정, 수용하는 것이외에는 대안이 있을수없다』고 강조했다.

北 한국加入신청비난

【東京AFP聯合=特約】북한의 노동신문은 8일 한국정부의 유엔가입신청각서제출을「反민족적 범죄」행위라고 사설을 통해 비난했다.

0177

The Korea Herald
1991. 4.9. 화.1면

Seoul seeks U.N. seat in Aug.

Announces it will ask P'yang to do same; Soviets unlikely to cast veto

UNITED NATIONS (AP) — South Korea has announced it will formally seek membership in the United Nations this summer and called upon rival North Korea to also seek its separate membership in the world body.

"As a country which maintains almost universal diplomatic relations and as the world's 12th largest trading nation, South Korea is ready to make its due contribution to the work of the United Nations as a full member," the South Korean government said in a statement released in New York and in Seoul.

"In seeking U.N. membership," it said, "the Republic of Korea reiterates its earnest hope that the Democratic People's Republic of Korea (DPRK) will also join the United Nations, either together with the South, or at the time the North deems appropriate."

North Korea consistently has opposed separate membership of the two Korean states, saying that would perpetuate the division of the Korean Peninsula and would not promote reunification. It has called for a single U.N. seat to be shared by both governments. South Korea has rejected that idea as unworkable.

Parallel membership of both Korean states, South Korea said, "is entirely without prejudice to the ultimate objective of Korea's reunification." It called parallel membership a powerful confidence-building measure because it would represent the commitment of both states to the principles of the U.N. Charter.

Both Korea states currently hold non-voting observer status in the 159-member United Nations. Membership requires recommendation of the 15-member Security Council and a two-thirds vote in the General Assembly.

South Korean Amb. Roe Chang-hee told reporters that his government would apply for membership around Aug. 10, allowing the required 35 days in advance of the opening of the General Assembly. The memorandum was to be delivered to the Security Council.

The unification of East Germany and West Germany and of North Yemen and South Yemen, all of which held separate U.N. memberships, disproves North Korea's view that membership of both Korean states would hinder reunification, the government statement said.

South Korea has diplomatic relations with 148 states and North Korea with 105 and 90 nations have relations with both. South Korea has wide support for its membership.

Amb. Roe said the Soviet Union, an ally of North Korea, "seems quite favorably disposed to South Korea's position" and was not expected to cast a veto in the Security Council. The Soviet Union and South Korea already have reestablished diplomatic relations.

China's position was less certain, since it has close ties to North Korea but cautiously has been improving relations with the South and moving toward full diplomatic ties.

0178

The Korea Times

1991. 4. 9.Tue.,page1

Times 4.P. 1면

Urges NK to Follow Suit

ROK to Formally Seek UN Membership This Summer

— Moscow Favorably Disposed to Seoul's Position —

UNITED NATIONS (AP) — South Korea has announced it will formally seek membership in the United Nations this summer and called upon rival North Korea to also seek its separate membership in the world body.

"As a country which maintains almost universal diplomatic relations and as the world's 12th largest trading nation, South Korea is ready to make its due contribution to the work of the United Nations as a full member," the South Korean government said in a statement released in New York and in Seoul.

"In seeking U.N. membership," it said, "the Republic of Korea reiterates its earnest hope that the Democratic People's Republic of Korea (DPRK) will also join the United Nations, either together with the South, or at the time the North deems appropriate."

North Korea consistently has opposed separate membership of the two Korean states, saying that would perpetuate the division of the Korean peninsula and would not promote reunification. It has called for a single U.N. seat to be shared by both governments. South Korea has rejected that idea as unworkable.

Parallel membership of both Korean states, South Korea said, "is entirely without prejudice to the ultimate objective of Korea's reunification." It called parallel membership a powerful confidence-building measure because it would represent the commitment of both states to the principles of the U.N. Charter.

Both Korea states currently hold non-voting observer status in the 159-member United Nations. Membership requires recommendation of the 15-member Security Council and a two-thirds vote in the General Assembly.

South Korean Amb. Roe Chang-hee told reporters that his government would apply for membership around Aug. 10, allowing the required 35 days in advance of the opening of the General Assembly. The memorandum was to be delivered to the Security Council.

The unification of East Germany and West Germany and of North Yemen and South Yemen, all of which held separate U.N. memberships, disproves North Korea's view that membership of both Korean states would hinder reunification, the government statement said.

South Korea has diplomatic relations with 148 states and North Korea with 105, and 90 nations have relations with both. South Korea has wide support for its membership.

Amb. Roe said the Soviet Union, an ally of North Korea, "seems quite favorably disposed to South Korea's position" and was not expected to cast a veto in the Security Council. The Soviet Union and South Korea already have reestablished diplomatic relations.

China's position was less certain, since it has close ties to North Korea but cautiously has been improving relations with the South and moving toward full diplomatic ties. "We hope China will not oppose us," the South Korean envoy said.

The five permanent Security Council members — the United States, Britain, China, France and the Soviet Union — all have veto power and can block the membership of any state.

Diplomats said that South Korea had wanted to join the United Nations last year, but the Soviet Union urged delay in hopes that North Korea could be persuaded to agree.

The South Korean government said it hopes both Koreas join the world body this year. However, it said, if North Korea continues to oppose the idea and chooses itself not to join, "the Republic of Korea, exercising its sovereign right, will take necessary steps toward its membership before the opening of the 46th session of the General Assembly."

The assembly convenes on the third Tuesday of September each year and South Korea could take its seat on Sept. 17 this year.

0179

한국경제신문

1991. 4. 9. 화, 2면

"9월總會前 UN단독가입"

정부 北측 동시加入반대땐 조치강구

정부는 盧昌熹 駐유엔대사를 통해 北韓이 우리의 南北韓유엔동시가입에 계속 반대할 경우 오는9월 제46차 유엔총회 개막이전에 先단독가입에 필요한 조치를 취하겠다는 공식입장을 유엔회원국들에 전달했다고 외무부가 8일 밝혔다.

盧대사는 지난5일 유엔안전보장이사회 의장인 벨기에의 노텔담駐유엔대사를 방문, 연내 유엔가입에 관한 한국정부의 각서를 전달했으며 이 각서는 유엔안보리 공식문서로 채택돼 유엔회원국 및 산하기구에 배포됐다고 외무부가 발표했다.

정부는 이 각서에서 『대한민국정부는 금년중에 南北韓이 다함께 유엔에 가입할수 있기를 희망하고 있다』고 말하고 『그러나 北韓이 이러한 제안에 계속 반대한다면 대한민국은 주권을 행사하여 제46차 유엔총회 개막이전가입을 위한 필요한 조치를 취할 것』이라고 연내 유엔가입 방침을 분명히했다.

이 각서는 또 『대한민국정부는 우리의 유엔가입정당성에 대한 유엔회원국의 압도적 지지에 힘입어 향후 수개월내에 대한민국이 유엔에서 제자리를 차지할수 있을 것으로 확신한다』고 말했다.

각서는 『유엔의 보편성원칙에 따라 유엔가입 요건을 갖추고 유엔가입을 희망하는 모든 주권국가는 유엔에 가입돼야 한다』면서 『南北韓의 유엔가입은 南北韓으로 하여금 유엔헌장상의 제규정과 원칙을 수락케함으로써 한반도내의 강력한 신뢰구축조치의 하나가 될것』이라고 강조했다.

민 주 일 보

1991. 4. 9. 화, 1면

韓國 UN가입 年內 단독신청

정부는 금년가을에 유엔가입을 정식신청하겠다고 8일 밝혔다.

정부는 이날 유엔안보리 문서로 유엔회원국에 배포된 盧昌熹駐유엔대사명의의 5일 자각서를 통해 南北韓 동시가입 노력을 계속하되 北韓이 끝내 반대할 경우 오는9월 제46차유엔총회 개막이전에 韓國의 가입을위한 필요조치를 취하기로했다.

北韓, 맹렬 비난

【東京聯合】 北韓은 8일 공산당 기관지 로동신문의 논평을 통해 올해중 유엔 회원국으로 가입하려는 韓國의 계획을 「반민족적 범죄」라고 맹렬히 비난했다.

이날 東京에서 수신된 관영 중앙통신이 보도한 로동신문의 논평은 韓國측이 오는 9월 유엔총회 개회 이전까지 유엔회원국 가입신청을 내겠다는 발표에 관해 「이제 서울측은 통일이 아닌 분단에 관심이 있는 것으로 명백하게 드러났다」고 주장했다.

0181

한 국 일 보
1991. 4. 9. 화, 3면

「유엔年內가입」公式化… 분위기 유도

安保理에 각서전달 배경

意志강력표명 北변화 촉진

국제적支持 中國에 전달도

政府, 單獨아닌 先가입강조… 국내여론분산 더신경

정부가 지난 5일자로 유엔안보리에 우리의 유엔가입입장을 밝히는 각서를 제출한 것은 연내가입을 위한 우리 외교활동의 본격화를 의미한다.

정부는 연초부터 기회있을 때마다 유엔연내가입에 대한 의지를 표명해왔다. 최근에도 盧泰愚대통령은 에스캅총회 개회사를 통해「인구 4천3백만, 연간교역량이 1천3백억달러가 넘는 세계12위 무역국인 한국이 비회원국으로 남아있는것은 유엔의 보편성원칙에도 어긋난다」며 우리의 가입당위성을 밝힌바 있다.

정부는 또 이같은 연내가입의지를 외교경로를 통해 유엔회원국에 설명해온 것으로 알려졌다.

그러나 종전의 연내가입의사 표명은 어디까지나 간접적시사 또는 비공식전달에 그쳤던 것이 사실이다.

때문에 유엔가입신청 시점에 관한 최초의 공식적 입장표명인 이번 각서제출은 우리의 유엔가입노력이 이제부터 본격적으로 가시화될 것임을 예고한것이라고 할수 있다.

각서 제출은 회원국들에 대한 지지요청등 對유엔외교의 공식화라는 선언적 의미외에 북한·중국등에 대한 공개적 메시지 전달이라는 전략적 측면도 갖는다고 판단할 수 있다.

정부는 특히 우리측의 강력한 연내가입의지를 부각시킴으로써 북한측의 태도변화를 유도하고자 한는 것으로 보인다. 이와관련, 정부당국자들은 지난88년 盧대통령의 유엔연설을 좋은 사례로 들고있다. 당시 우리측이 대통령연설을 추진하자 북측은 이를 저지하기 위해 백방으로 뛰어다녔다. 그러나 盧대통령의 유엔연설이 대세로 기울자 북측은 제3국의 중재에 따라 갑작스레 姜錫柱외교부副부장도 유엔에서 연설을 하는 방식으로 태도를 변경했다는 것이다.

따라서 우리측의 강력한 「밀어붙이기」는 오히려 북한측의 입장변화에 긍정적인 변수로 작용할수 있다는게 정부관계자들의 시각인 것으로 보인다.

이같은 메시지전달효과는 중국에도 적용된다. 사실상 우리의 유엔가입에 결정적인 열쇠를 쥐고있는 중국은 아직까지 이에 대한 명확한 입장을 표시하지 않고있다. 오히려 「南北간 합의를 계속 강조함으로써 한이 단독으로 가입을 신청할 경우 거부권을 행사할 것이라는 인상을 주고있다.

정부 관계자들은 이러한 중국의 태도가 마지막 순간까지도 바뀌지 않을 것으로 보고있다.

따라서 앞으로 유엔과 관련한 對中외교에 있어서 막후접촉만으로는 한계가있다는것이 관계자들의 판단이다. 이보다는 우리의 분명한 입장을 공식화함으로써 중국의 결단을 촉구하고 중국측에 對北설득의 명분을 제공하는 것이 더 효과적이라고 생각하는 듯하다.

정부는 이에 따라 중국과의 막후교섭과는 별도로 우리의 유엔가입에 대한 국제적 지지분위기를 공개적으로 중국에 전달하는 방식을 병행할 것으로 보인다.

각서의 내용만큼이나 각서제출의 시점도 눈여겨 볼만한 대목이다.

정부는 우선 오는 29일부터 유엔총회가 속개되는데다 유엔에서 걸프전의 비중이 점차 약화되고 있는 시점이라는 점을 고려한 것으로 보인다. 특히 걸프전을 통해 유엔의 역할이 더욱강조되고 있는 시점에 한국의 가입문제를 상기시킴으로써 가입지지분위기를 확산시킬 수 있다는 판단을 한것으로 생각된다.

또한 정부는 최근 북한이 고려연방제 통일방안을 바꾸려한다는 첩보를 입수함에 따라 우리측의 분명한입장표명을 서둘렀을 수도있다. 즉 북한이 지난해「단일의석 가입안」과 마찬가지로 우리의 유엔가입저지를 목적으로 한 기묘한 제의를 해올 경우 소모적 논쟁을하게될 가능성이 있다고 보고 사전에 우리 입장을 명확히 하려한것으로 보인다. 북한의 최고인민회의 9기2차 대회가 오는 11일로 예정되어있는 점은 이같은 분석을 뒷받침한다.

정부는 그러나 이번 각서제출이 우리측의 「단독가입강행」으로 비춰지는것에우려를 표시하고있다. 이때문에 정부는 각서에서 ▲동시가입을 희망하는 우리측의 기본입장과 ▲지난해의 南北대화노력 ▲북측 논리의허구성등을 지적했다.

특히 우리측은 각서에서 북한을「조선민주주의인민공화국」이라고 정식호칭하는등 북한체제에대한 존중을 표명했다. 정부관계자들은최후의 방법인 단독가입신청에 대해서도 「단독가입」이 아닌 「先가입」이라는 용어를 사용해줄것을 언론에당부할정도이다.

그러나 정부가 정작 염려하는 부분은 외국의 시각보다는 국내여론의 분산이다. 정부의 유엔가입의지가 공세적 對北전략이나 국내정치적 이용물로 비쳐질 경우 연내가입신청자체가 재검토될 수도 있기 때문이다.

【鄭光哲기자】

0182

서 울 신 문

1991. 4. 9. 화, 5면

「유엔加入覺書」 제출의 배경

"韓國가입 支持 확산"… 自信感의 공개外交

北方외교 奏效로 「年內실현」 可視化

"동시加入案 수용"… 北韓변화도 유도

정부가 지난5일 우리의 유엔가입에 대한 입장을 밝히는 각서를 유엔安保理에 제출, 1백59개 회원국을 비롯한 산하 국제기구에 安保理공식문서로 배포되도록 요청한 것은 우리의 연내유엔가입 분위기를 한층 고조시키기 위해 국내외를 겨냥한 다목적용 포석으로 풀이된다.

지난해 제45차 유엔총회에서 한반도문제를 언급한 1백14개국가 가운데 71개국이 유엔의 보편성원칙에 따라 韓國이 유엔에 가입해야 한다며 우리의 유엔가입을 지지했다. 또한 지난 1일부터 서울에서 열리고 있는 제47차 유엔亞太경제사회이사회(ESCAP) 총회에서 李相玉외무장관이 각국 수석대표와의 면담을 통해 亞太지역 국가의 지지입장을 거듭확인했다. 따라서 이번에 우리의 유엔가입에 대한 결연한 의지를 밝히는 각서를 제출한것은 이같은 국제적 유엔가입지지분위기를 더욱 확고히 하려는데서 나온 것으로 볼수있다.

또 이 각서에서 지난해말 유엔가입문제 협의를 위한 南北실무대표접촉을 갖는등 동시가입을 위해 노력을 했음에도 불구,별 성과가 없었다고 지적하고 北의 단일의석가입안이 실현불가능한 점을 국제사회에 거듭 밝혔다. 이는 국제사회에서 우리의 유엔가입지지분위기가 대세인 만큼 北韓이 동시가입방안을 최종적으로 수용하느냐 않느냐를 결정토록 촉구한 것이다.

그리고 정부는 최근 유엔安保理에서 걸프전 평화안이 통과됨에 따라 올해 유엔의 최대현안은 우리의 유엔가입문제가 될 것으로 전망하고 있다. 따라서 우리의 유엔가입 입장을 밝히는 각서를 제출함으로써 유엔내에서 우리의 가입분위기를 극대화시키려는 의도도 깔려 있다.

정부가 오는 9월17일 제46차 유엔총회 개막이전까지 유엔가입에 필요한 조치를 취하겠다고 천명한 것은 그동안 수면하에서 진행시켜온 유엔가입 외교교섭을 국제사회에서 공개적으로 추진할 것임을 천명한 것이다.

정부의 이번 조치는 그동안 외교경로를 통해 中國·蘇聯등에 대해 꾸준히 설득작업을 벌여온 결과,이들 국가는 보편성원칙에 따라 南韓이 유엔에 가입하는 것은 당연하다는 입장을 표명,사실상 우리의 유엔가입을 지지하고 있다는데 자신감을 얻은 것이다. 그러나 이들 국가들은 대외적으로는 北韓을 의식,여전히 「南北韓의 협의에 따라 유엔가입문제가 해결되어야 한다」고 밝히고 있으나 정부의 한 관계자는 「中國과 蘇聯은 우리의 유엔가입에 거부권을 행사하기는 어려울 것」이라고 설명했다.

蘇聯은 지난해 12월 우리와 수교,韓國을 주권국가로 인정했기 때문에 주권국가가 유엔에 가입하려는데 더이상 반대할 명분이 없으며 中國은 지난해 우리의 유엔가입을 유보해 달라고 당부한만큼 올해 또다시 우리의 유엔가입을 붙잡아 둘수 없는 입장이라는 것이다.

정부가 각서에서 밝힌 유엔가입을 위한 필요한 조치는 지난 49년 당시 高昌一외무장관서리 명의로 제출한 가입신청서에 대한 재심을 요청하는 방식이 될 가능성이 높은 것으로 보인다. 유엔 사무국은 재심이건 새로운 신청서 제출이건 본질상 아무런 차이가 없다고 밝히고 있다. 정부의 한 당국자는 이와 관련,「아직 정부는 유엔가입신청방식을 정하지는 않았으나 재심을 요청하고 당시와의 차이점을 李외무장관이 유엔총회에서 설명하는 방식이 바람직하다고 본다」고 말했다.

이에따라 정부는 오는 5월초부터 본격적인 유엔가입 공개외교를 전개할 것으로 보이며 北韓은 이에대해 치열한 방해공작을 전개할 것으로 예상된다. 예를 들면 北韓은 오는 5월쯤 재개될 南北고위급회담을 통해 유엔가입에 대한 새로운 제안을 하면서 우리의 연내유엔가입을 극력저지할 가능성이 높다는게 정부 관계자들의 공통된 분석이다.

그럼에도 불구하고 北韓은 이번 46차 총회에서 우리의 유엔가입이 실현되면 곧이어 유엔에 뒤따라 가입할 가능성도 배제하기 어렵다. 물론 北韓이 동시가입을 수용할 것이라는 조짐은 아직 나타나고 있지는 않지만 우리의 유엔가입으로 인해 국제사회에서 더이상 고립되는 것을 원치 않을 것이기 때문이다.

이제 南北韓은 유엔가입문제에 대해 막바지 외교전을 보다 공개적으로 치열히 전개할 것으로 전망된다.

〈朴政賢기자〉

0183

조 선 일 보

1991. 4. 9. 화. 2면

「8월 유엔加入신청」배경-전망

"会員国동참" 外交노력 본격 선언

각국 호의 반응…中国태도가 관건

정부는 8일 盧昌熹駐유엔대사명의로「북한이 남북한동시가입노력에호응하지 않을 경우、한국은 올 9월 제46차 유엔총회 개막전에 가입신청을 제출할것」이라고 밝힌 각서를 유엔회원국들에 공식문서로 배포했다。이는 오는 29일부터 개최되는 제45차총회 연장회기를 계기로 국제여론을 환기시키기 위한 것으로、유엔가입실현을 위한 외교노력이 본격화될 것을 예고하는 것이다。

정부는 올초 대통령연두회견에서 유엔가입를 주요 외교목표로 밝히는등、작년에 이어 가입실현을 위한 노력을 계속해 왔다。다만 그동안 걸프戰에 유엔의 관심이 쏠려있어 본격적인 유엔외교를 미룰수밖에 없었던 것이다。

가입안제출시기와 관련、관계자들은 『정기총회개막 직후가 국제여론의 관심이 가장 높다』며 『총회35일전까지 가입의사를 밝히도록 규정돼있어 8월중 가입안을 내게 될것』이라고 설명하고 있다。

가입신청방식으로는▲새 가입안제출▲49년 제출한 가입안에 대한 재심요청▲안보리권유방식등이 있으며、가입안제출당시 가장 유리한 쪽을 택해 이뤄지게될 전망이다。

우리나라의 유엔가입에 대해서는 中国을 제외한 안보리상임이사국 전체와 총회 회원국의 압도적인 다수가 지지를 표시하고있다。이는 작년 가을 총회에서 입증됐고、서울 에스캅 총회에서도 확인되고있다。

문제는 상임이사국인 中国의 거부권행사여부다。중국은 북한의「단일의석공동가입안」이 非현실적이라는 데 수긍하면서도「유엔가입문제는 남-북한이 대화로 서로 수용할 수 있는 방안을 찾아야 한다는 입장을 되풀이 하고 있다。중국의 이같은 유보적인 입장이 안보리표결에서 어떻게 나타날지는 아직 미지수다。

다만 정부는 올들어 中国과의 공식、비공식접촉에서 작년보다 긍정적인 반응을 감지 했으며、가입안 제출을 공식 천명한 것도 이와 관련이있는것으로 보인다。

蘇聯의 경우 남북간 합의를 강조하는 점은 中国과 유사하나、그동안 여러 차례에 걸친 우리정부와의 교섭에서 사실상 지지를표하고 있는 것으로 알려져 왔다。

이같은 상황에서 정부가 가입의지를 천명한만큼、앞으로의 관심은 북한의 태도변화여부쪽으로 집중될 것이 분명하다。

그동안 북한은 국제사회의 여론이나 남북고위급회담등을 통해 자신들의「단일의석가입」제의가 설득력이 없다는 사실을 인식하고 있는 것으로 분석되나 그렇다고 우리의 동시가입제의를 수용할 가능성도 희박한 것으로 보인다。올들어 북한은 수차에 걸쳐 배포한 안보리문서에서「남한이 단독가입안을 내면 한반도긴장이 고조된다」는 등의 주장으로、남한先가입 저지에만 신경쓰는듯한 태도를 보여왔다。북한이 경직된 자세를 고수하는것은 유엔가입문제가 바로 통일정책과 맞물려 있어、동시가입의 수용은 바로 対南 및 통일전략의 전면수정을 의미하기 때문이다。

이와관련、최근 북한은 고려연방제통일방안을 다소 수정、통일전까지 南北의 「지방정부」가 외교-군사권을 갖도록 한다는 내용을 中蘇 유엔등지에서 홍보하고 있어 관심을 모으고 있다。이방안은 우리나라의 한민족 공동체통일방안과도 유사한 면이 있으나、통일전까지 『유엔가입문제등 외교문제를 공동의 협의기구에서 결정하자는 내용을 포함하고 있어 또 다른 시간벌기用 제안이 아니냐는 분석을 낳고 있다。

〈金昇泳기자〉

0184

경 향 신 문

1991. 4. 9. 화, 2면

동시가입「北韓자극제」로

유엔단독가입 신청 추진배경

中國자세「긍정적」판단

좌절땐 波長우려…정부 총력 쏟을듯

금년내 유엔가입 실현을 위한 정부의 행보가 빨라지고 있다.

특히 韓國정부가 유엔安保理에 제출, 8일 全회원국들에 배포한 유엔가입문제에 대한 각서는 정부의 이같은 실천의지를 공식화한 것이라고 할수있다.

이 외교각서의 요지는 南北韓동시유엔가입이 현실적으로 어렵다면 금년도 제46차 유엔총회(9월17일 개막)를 계기로 南韓만이라도 먼저 유엔에 들어가겠다는 것이다.

정부의 유엔정책은 기본적으로 南北韓 동시가입이지만 北韓이 단일의석가입案을 고수하고 그러한 정책의 수정전망이 보이지않는한 「先가입」을 택한다는 구도이다.

지난해 3차례의 南北고위급회담을 통해 南北韓유엔가입 문제를 논의했으나 진전이 없어 더이상의 南北간 논의가 소모전 이상의 결과를 기대하기 어렵다는 것이 정부의 판단인듯하다.

이에따라 정부는 盧泰愚대통령과 李相玉외무장관, 玄鴻柱駐美, 盧昌熹駐유엔대사등의 발언을통해 금년내 유엔가입신청서 제출의사를 계속적으로 시사해왔다. 또 그것은 올해 최대외교목표의 하나로 책정되기도했다.

정부는 이번 安保理각서에서『금년도 유엔총회가개막되기전 유엔가입을 위한 필요한 조치를 취할 것임』을 밝혔다. 盧駐유엔대사는 또 가입신청서제출시기를 8월중이라고 적시하기도했다.

이는 한국의 유엔가입스케줄을 유엔및 회원국들에게 공개한 일종의 외교적 약속이나 마찬가지란는것이 외교전문가들의 해석이다. 따라서 한국의 先유엔가입은 돌아올수 없는 江을 건넌것이라고까지 분석되기도 한다. 정부가 이토록 서두르는 배경과 그 실현전망은 어떨까.

더이상 북한에게 南韓가입에 대한 사실상의 비토(거부권)권한을 줄수 없으며 우리의 先가입만이 북한을 유엔으로 끌어들여 결과적으로 南北韓동시가입을 구현할수 있다는 설명이다. 이론적으로는 유엔가입문제가 南北韓간의 문제가 아니라 유엔과 韓國과의 쌍무문제란는게 정부당국자의 주장이다.

논리적으로 볼때 타당성이 있는 정책방향이지만 한반도의 현실및 주변국가의 입장을 감안하면 문제가그리 간단치만은 않다는 지적도 만만치 않다.

北韓정권의 불가측성및 유엔정책과 그상위개념인 통일정책을 떼놓고 생각할수없는게 현실이기 때문이다. 그러나 정부는 이미결심을 굳힌것같다. 이번 유엔安保理문서가 그것을 뒷받침한다.

외무부의 한당국자는「그동안 유엔가입과 관련해 여러 경로로 밝혀온 정부입장을 문서화함으로써 先가입의 실천의지를 천명한 것」이라고 말해 이번 각서가 종전처럼 프로파겐더(선전)나 과시용이 아님을 강조했다.

이는 또한 남북한유엔가입을 설득하는 마지막 對북한 통첩이라고 이당국자는 말했다.

이러한 구체적 조치를통해 南韓의 先가입 이전에 北韓의 노선수정을 유도할 수있다는점도 배경의 하나로 보인다.

先가입실현의 열쇠인 中國의 태도에 대해 정부는 낙관하고 있다. 최근 일련의 中國외교정책으로 미루어 국제사회의 흐름에 반하는 선택을 하지않을것이라고 관측하는 것이다.

정부의 행태로만보면 先가입실현 가능성은 일단높아 보인다. 만일 가입이좌절될경우 그 외교적 실패의 여파는 엄청나리라는것을 정부 스스로 알고있을 것이기 때문이다.

성패전망과 관계없이 번조치는 곧 재개될 南北고위급회담등 남북관계 전반에 상당한 파장을일킬 것이 분명하다.

〈宋永烝기자〉

0185

한국경제신문
1991. 4. 9. 화, 사설

韓國의 유엔加入의지 분명히 해야

정부가 마침내 유엔加入방침을 굳히고 올 가을 總會에서 이를 관철하기위한 구체적이고 공식적인 행동에 나섰다. 정부는 盧昌熹 駐유엔대표부대사를 통해 지난5일 安保理의장에게 韓國의 연내유엔가입의지를 담은 覺書를 공식 전달한것으로 뒤늦게 공개되었는데 이 각서에서 정부는 오는 9월17일로 예정된 올해 제46차 유엔총회개막이전에 가입신청등 필요한 모든 조치를 취할 뜻을 분명히 했다고 전한다.

과거에 정부가 도합 8차례나 유엔가입을 공식 신청했으나 그것이 번번이 安保理의 두터운 壁을 넘지못하고 좌절됐던 역사적 기록은 제쳐두고라도 지난해에도 정부는 열띤 논의끝에 마지막 순간에 가입신청을 보류키로 결정한바 있다. 그러나 이번에는 北韓이 계속 同時加入에 否定的 입장을 고집하면 單獨加入을 추진할 방침까지 굳힌 것으로 보여 앞으로의 귀추가 주목된다.

韓國의 유엔가입문제와 관련해서 그 當爲性에 관해서는 지금 전세계 거의 모든 나라들이 공감하고있다. 총 171개에 달하는 지구상의 국가가운데 159개가 유엔회원국이고 나머지 12개국은 남북한을 포함한 6개국이 옵저버, 대만을 포함한 기타 6개국으로 분류되고 있는데 남북한의 유엔 未가입은 어느모로 보든 正當化될수 없는 현실이다. 그것은 과거 東西冷戰시대의 産物이며 오늘날에 와서는 北韓의 폐쇄적인 입장이 최대의 걸림돌이 되어 있을 따름이다.

북한이 만약 입장을 바꿔 과거의 동서독 및 남북예멘이 그랬던것 처럼 남북한이 동시가입을 신청할수만 있게된다면 한국의 유엔가입에는 아무 장애도 없어질 것이다. 안보리 상임이사국인 동시에 未修交國인 中國의 거부권이 큰 걸림돌이라지만 그것도 역시 북한의 向背에 좌우될 일이다.

물론 북한의 입장과 관계없이 중국이 한국만의 단독가입을 수용할 경우도 想定해볼 수는 있으나 그럴 가능성은 극히 희박하다. 적어도 현재로서는 그렇다.

따라서 가장 바람직한 것은 역시 첫째로 북한이 남북한 단일의석가입과 같은 억지주장을 버리고 둘째 남북한이 별개로 동시에 가입신청을 하는 것이다. 이를위해 남북쌍방은 조속히 고위급회담등 중단된 對話를 재개해야할 것이다. 대화를 통해서 남북한 동시유엔가입의 정당성을 계속 설득하고 북한의 개방과 긍정적인 태도변화를 유도해야 할 것이다. 동시에 저들이 만약 끝내 거부하면 단독가입이라도 실현해야겠다는 우리측의 굳은 결의를 아울러 분명히 전할 필요가 있을 것이다.

남북한간의 대화와함께 국제사회에서의 外交노력을 병행한다면 유엔가입문호는 단독이건 동시건 열릴 날이 올것이다.

0186

한 국 일 보

1991. 4. 9. 화, 사설

北은 UN同時가입 응해야

정부는 유엔가입신청문제에 결말을 냈다. 이미 보도된 것처럼 우리 정부는 오는 9월 유엔총회가 개막되기 전에 가입신청을 하겠다는 뜻을 안전보장이사회에 통고했다. 이로써 88년 서울올림픽이후 제기된 우리의 가입문제가 2년여만에 유엔에 올라가게 됐다. 우리의 유엔가입문제가 2년여동안 제기만되고 진전을 보지못한 것은 북한이 비현실적인 「단일의석 공동가입」을 고집했기 때문이다. 북한은 우리의 「남북 동시가입」에 대해 상당히 심각한 위기의식을 갖고있는 것으로 해석된다. 金日成이 지난해9월 극비로 중국을 방문했을 때에도 한소수교로 시작된 한반도의 국제정치구조의 변화를 논의하는 가운데 유엔가입문제가 중요한 의제로 올랐던 것으로 알려졌었다.

이에 앞서 중국도 89년11월 한국의 단독가입에 거부권을 행사하겠다는 입장을 외교부대변인이 밝힌적이 있었다.

그러나 북측이 동시가입반대의 이유로 내세우고있는 소위 「분단고착화」는 독일통일의 예로 봐서 이미 설 땅을 잃어버린 상태에 있다. 실질적으로 보더라도 남북한이 동시수교하고 있는 나라가 80여개국에 이르고, 유엔산하의 15개 특별기구에 동시가입하고있다. 북측이 동시가입에 반대하는 최종적인 이유는 동시가입이 소위 「남조선해방」을 전제로 한 일련의 통일정책이 와해되는 것을 뜻하기 때문일 것이다.

그러나 남북한 동시가입은 「평화공존」을 국제사회에 다짐하는 것을 뜻한다. 북측이 평화를 반대하지 않는 이상 거부할 명분이 없는것이다. 또한 한소수교이후 동북아의 국제 정치구조도 한반도에 있어서 「교차교류·교차승인」의 방향으로 움직이고 있다. 그동안 서울에 대해 政經분리원칙을 고수해온 중국도 이제는 일본에 대해 북한과의 수교를 촉구하고 있다. 중국도 이제는 「교차승인정책을 공식화하고 있는것이다. 우리의 유엔가입신청은 사실상 최대의 걸림돌인 중국의 태도변화를 전제로 한다. 중국이 적어도 거부권을 행사하지 않을 것이라는 기대없이는 불가능한 일이다.

우리는 남북한 동시가입이 한반도를 둘러싼 국제정치구조를 평화와 안정으로 전환하는데 기여할것으로 믿는다. 그런뜻에서 북은 「단일의석 공동가입」이라는 웃스런 주장을 포기하고 동시가입에 동참해야할 것이다. 또한 최근 공식태도가 유동적인 듯한 소련이나 중국도 이미 표면화된 교차승인을 유엔 동시가입으로 매듭짓도록 적극적인 지지와 협력을 아끼지 말아야할것이다. 유럽에서 냉전구조가 붕괴됐듯이, 동북아에서도 남북한이 국제사회에 평화공존을 행동으로 못박음으로써 냉전청산에 進一步할 수있기를 기대한다.

0187

경 향 신 문

1991. 4. 9. 화, 사설

社說

유엔加入앞서 해야할 일

―「反統一的」이라는 논리부터 극복돼야

한국의 유엔가입은 국제정치상의 당연한 권리이자 의무이다. 정부가 올46차 총회 개막전에 유엔가입을 위한 모든 필요한 조치의 강구를 완료하겠다는 방침을 세우고 그러한 의지를 유엔안보리에 각서를 통해 천명한 것은 오랜 기다림과 정세분석끝에 나온 결단으로 어찌보면 만시지탄의 느낌마저 없지 않다.

우리의 국력, 경제적교역량, 국제무대에서의 기여도, 평화애호심등 어느 면으로 보아도 우리는 벌써 유엔에 가입했어야 옳다. 그럼에도 불구하고 남북대화를 발전시켜야한다, 북한과 동시가입해야 한다, 한국만이 단독가입할 때에는 한반도에 긴장이 고조될 우려가 있다는 등의 명분이 우리의 유엔 가입을 지연 또는 저지시켜온것이 사실이다.

이들 주장은 냉전체제 하에서는 나름대로의 설득력이 있을수 있었다. 또 단일민족의 유구한 역사성에 비추어 보더라도 충분히 고려할만한 가치와 무게가 없지 않았다. 그렇다고 한국의 단독가입이나 선가입을 반민족적이다, 나아가 반통일적이라고 규탄하고 평가절하는것은 그러한 주장속에 벌써 패배주의적이고 비현실적 이상론의 오류가 함축돼 있음을 직시해야 한다.

따라서 정부는 유엔가입 신청서를 정식으로 내기전에 국내외적으로 밟아야 할 수순과 정지작업에 한점의 착오 없이 만전을 기하는 용의주도함이 있어야한다. 무엇보다도 먼저 국내적으로는 우리의 유엔가입노력이 반통일적이라는 사회 일각의 논리부터 진정시켜야한다.

우리의 유엔가입과 통일은 절대적 배척관계에 있지 않다. 유엔가입이 오히려 통일을 앞당길수도 있다. 북한의 단일의석가입론은 한국의 유엔가입을 천연시키기위한 통일전선전략의 변형에 불과하다. 말하자면 북한의 거부권을 우리 스스로 인정하는 모순에 빠진다.

그런 현상의 지속은 세계에 한민족의 분열성을 왜곡 투영시켜주는 그릇된 작용만 할뿐이다. 잘못된 논리의 사슬은 과감히 끊어야한다.

국제적으로는 우선 우리의 유엔가입이 북한고립화정책이 아니라는 점을 명확히 천명해야한다. 남북한이 서로 국제적인 권리와 의무를 평등하고 활발하게 수행하는 가운데 통일의 이정표가 더 앞당겨질 가능성을 성실히 홍보하고 설득해야한다.

다음으로 유엔가입이「분단의 고착화」를 가져온다는 주장도 과감히 논박, 그 허구성을 극복해야 한다. 여기에는 대만과의 관계때문에 중국이 가장 넘기 어려운 장벽임을 우리는 알고 있다. 그러나 중국도 세계의 여론을 언제까지 외면할수만은 없을 것이다.

이에 못지않게 긴요한 것은 우리의유엔가입이 한반도의 군사적 대결구도를 더욱 악화시킬지 모른다는 우려에 대한 해부학적 대응이다. 군사적 위협은 북한쪽에 더많은 촉발요인이 있음은 세계가 더잘알고 있는 일이다. 그럴수록 北韓의 유엔가입은 필수적 요소로 요구된다. 여기에 남북한 동시 유엔가입의 정당성이 입증되는 것이다. 그러므로 우리의 유엔가입은 북한의 발전과 고립탈피의 여건조성으로 인식되고 기여돼야 할것이다.

0188

서 울 신 문

1991. 4. 9. 화, 사설

유엔과 韓半島 평화

마침내 韓國의 유엔加入문제가 공식화 되고 본격화 되었다. 동시가입이 아니면 단독으로라도 연내 유엔가입 실현을 기본 방침으로 정한 바 있는 정부는 유엔가입을 바라는 우리의 의지와 입장을 설명한 각서를 유엔안보리공식문서로 배포토록 했다.

北韓의 반대와 中國의 애매한 태도에도 불구하고 내린 결정인 만큼 충분한 정지작업과 상황분석을 기초로 한 自信感에서의 출발일 것으로 믿는다. 그리고 일단 내려진 결정인 만큼 그 실현을 위한 거국적 외교노력의 경주가 있어야 할 것이라고 생각한다.

정부가 8일 밝힌 각서는 北韓도 우리와 함께 유엔에 가입해 유엔 활동에 적극 기여해 주기를 바라며 南北韓이 유엔에 각각의 회원국으로 가입할 경우 南北韓은 유엔헌장의 의무와 원칙을 수락하게 됨으로써 南北韓의 강력한 신뢰구축에도 큰 기여를 하게 될 것임을 강조하고 있다. 南北韓의 유엔동시가입과 美·日·中·蘇 등 주변열강의 南北韓교차승인이 한반도의 평화와 안정은 물론 평화통일도 촉진, 결국은 유엔의 목적인 세계의 평화와 안정에도 기여하게 될 것이라는 것은 그동안 변함없는 우리의 시각이었다. 美國과 日本등 우방들은 물론 蘇聯과 中國도 이러한 우리의 시각에 동의하고 있는 것으로 알고 있다.

반대하는 것은 北韓 뿐이다. 한개의 의석으로 함께 가입하자는 억지를 고집하고 있다. 동시가입은 2개의 한국을 고착시켜 통일을 저해 한다는 것이 반대의 유일한 명분이다. 그러나 그러한 명분의 부당성은 새삼 獨逸의 경우 등을 예로 들지 않더라도 증명이 되고 있다.

그럼에도 불구하고 中國이 애매한 태도를 보이고 있는 것은 오랜 우방으로서 北韓에 대한 외교적 배려 때문인 것으로 분석되고 있다.

中國의 李鵬총리 등은 최근 中國을 방문한 나카야마 日本외무장관과의 회담에서 北韓의 고립을 우려하고 日本의 對北조기수교를 촉구하면서 유엔가입문제에 대해 쌍방이 받아들일 수 있는 방식을 찾도록 日本이 노력해 줄 것을 요청한 것으로 보도되었다. 우리는 이러한 中國태도의 소극성을 지적하지 않을 수 없다. 日本과의 수교가 北韓의 고립을 완화시켜줄 것은 틀림없다. 그러나 그보다 더 北韓의 고립을 완화시켜줄 것은 南北韓의 유엔 동시가입이라는 사실을 中國은 왜 외면하는지 모르겠다.

어느 일방에 의한 흡수통합이 아니라 상호인정과 평화공존을 통한 사실상의 통일을 지향하는 것 밖엔 길이 없다. 그것은 中國이 필요로 하는 한반도의 평화와 안정을 확보하는 유일한 길이기도 할 것이다. 南北韓의 유엔동시가입 혹은 韓國의 단독가입과 中國의 對韓국교수립 등은 日本의 北韓승인보다 더 그것을 고무하고 유도하는 효과를 발휘할 것으로 믿는다.

韓蘇정상회담과 수교는 北韓으로하여금 반대해온 美日과의 수교를 서두르고 韓國과의 대화에는 적극성을 띠게하는 중요 자극제였다고 생각한다. 南北韓동시가입이 바람직하나 여의치 않을 경우 韓國단독가입 강행은 北韓 유엔가입의 촉진제가 될 것으로 믿는다. 中國은 北韓의 억지에 끌려다니는 수동외교를 지양하고 北韓을 적극 설득해 개혁과 국제무대로 끌어내는 적극적이고 능동적인 한반도외교에 나서주기를 촉구한다.

0189

세 계 일 보

1991. 4. 9. 화, 사설

유엔加入의 當爲性

—北韓 반대면 우리만이라도

정부는 북한이 南北韓유엔동시가입에 계속 반대할 경우 韓國의 단독가입을 올해안에 실현하는데 필요한 조치를 취하겠다는 공식입장을 5일 유엔에 통고했다. 정부의 이같은 방침은 한국의 유엔가입이 유엔회원국 절대다수의 지지를 받고있음에도 이를 반대하는 북한의 억지주장으로 인해 지연돼 왔던 만큼 더이상 유예시킬 수 없다는 판단에서 나온 것으로 풀이된다.

지금 서울에서 열리고 있는 유엔아시아-태평양경제사회이사회(ESCAP)총회의 분위기에서 볼 수 있듯이 국제사회에서의 한국의 역할은 날이 갈수록 증대돼가고 있다. 작년 유엔총회에서도 기조연설에 나선 대부분의 대표들이 한국의 유엔가입방안에 찬의를 표명한데 반해, 북한의 단일의석 공동가입안에 동조한 대표는 한사람도 없었다. 1백48개국과 국교를 맺고 있고, 세계 제12位의 교역국인 한국이 보편성의 원칙을 강조하는 이 국제기구에 대표를 갖지 못하고 있다는 사실은 누가봐도 정상적인 일이라고는 할 수 없다.

북한의 주장처럼 이념을 달리하는 두개의 體制가 유엔에 하나의 議席을 가지고 공동으로 가입한다는 것은 현실적으로도 불가능할 뿐만 아니라 유엔헌장의 규정과 유엔의 관행에도 배치되는 일이다. 비근한 예로, 걸프사태와 관련하여 이라크를 규탄한 유엔결의 10여건의 내용에 대해 南北韓의 시각에는 현격한 차이가 있었다. 남북한이 견해를 달리하는 주요 국제현안에 대해 「단일의석의 대표」는 늘 의사표시를 유보해야하는 기이한 현상을 예견할 수도 있는 것이다.

유엔가입문제에 拒否權을 행사할 수 있는 中國은 南北韓이 합의를 통해 이 문제를 해결해야 한다는 입장을 고수해왔다. 그러나 북한은 단일의석 공동가입을 그들의 對南통일전선전략과 연계시키고 있기 때문에 그들이 기본노선을 바꾸지 않는 한 동시가입에 합의해올 가능성은 기대하기 어렵다.

北韓은 南北韓이 동시에 유엔에 가입하면 분단을 고착시키는 결과가 된다고 선전하고 있지만 그들이 진정 두려워하는 것은 남북한이 평화롭게 공존할 수 있는 장치가 마련될 경우 南韓의 反정부세력을 통일전선에 끌어들이기 어렵게될 것이라는 점이다. 그들은 유엔에서는 「단일의석」, 통일형태로는 「고려연방제」를 주장함으로써 남한에 그들 동조세력을 구축할 수 있는 제도적 근거를 확보하려는 것이다.

북한의 그와 같은 기도를 꺾기 위해 우리는 유엔가입을 조속히 관철하지 않으면 안된다. 南北간의 교류를 확대하고 신뢰를 쌓기 위해서도 서로가 내정에 간섭하지 않고 서로를 위협하지 않는 평화적인 共存의 과정이 필요하다. 그 공존을 제도적으로 보장할 수 있는 첫단계 조치가 바로 南北韓의 유엔동시가입인 것이다.

북한은 세계의 大勢를 외면한채 오직 中國이 유엔에서 협조해줄 것으로만 믿고 「단일의석」에 집착하고 있다. 그러나 韓國과 中國의 교류는 비록 그것이 민간차원이기는 하나 나날이 확대돼가고 있다. 양국간 교류의 量的인 확대는 멀지않아 質的인 변화를 가져올 것으로 우리는 확신한다.

0190

중앙일보

1991. 4. 9. 화, 사설

北韓도 같이 유엔加入 하길

정부가 올가을에 유엔에 가입하기 위한 절차를 밟기 시작했다. 그 현실적인 필요성과 당위성에 동감하면서 우선 떠오르는 궁금증은 이 결정이 앞으로의 南北韓 대화에 어떠한 영향을 미칠까 하는 점이다.

유엔가입에 대한 남북한의 시각이 엇갈리고 있는 시점에서 북한측의 강력한 반발은 분명히 내다보이고 이에 따라 적어도 일정한 기간 남북한 관계에 비생산적인 입씨름이 있으리라는 것은 쉽게 예견된다.

냉전체제 붕괴이후 특히 지난 2년간 변화된 국제환경에 따라 南北韓이 서로 實體를 인정하는 바탕에서 대화를 갖고 평화공존의 분위기를 다져가면서 통일문제를 논의하자는 것이 우리의 기본입장이었다.

그런 틀에서 우리는 北方외교를 추진해 왔고 北韓도 이에 상응하는 南方외교, 日本과 美國등과의 관계개선노력을 하도록 노력하고 권장해 왔다. 같은 맥락에서 南北韓이 동시에 유엔에 가입하도록 촉구해왔다.

그러나 北韓은 우리의 이러한 노력이 南北韓의 분단을 영구화시키고 분열을 조장한다는 논리를 내세워 반대해 왔다.

「조선은 하나」인데 교차승인의 결과를 가져와 韓半島에 두 개의 국가가 존재하게 되면 안된다는 논리였다.

이러한 北韓의 논리는 이제 북한이 적극 추진하고 있는 對日修交노력으로 하나의 구실에 지나지 않음을 그들 스스로가 입증해 보여주고 있다.

그들의 논리가 설득력이 없는 것은 실제 지금까지의 국제사회에서의 활동과는 동떨어지고 있다는데서도 드러나고 있다.

日本말고도 北韓은 이미 우리와 외교관계를 갖고 있는 나라들과 동시수교하고 있고 유엔산하의 여러 국제기구에 함께 가입하여 활동하고 있으면서 그러한 주장을 펴는 것은 누가 보아도 논리적 모순이 아닐 수 없다.

유엔가입문제 하나만 놓고 보더라도 北韓은 논리적 일관성을 잃고 있다. 北韓단독으로 두번씩 가입신청을 제출한 일도 있음을 우리는 잊지 않고 있다.

지금까지의 유엔정책을 보더라도 南韓은 단독가입에서 동시가입의 변화를 보여온데 비해 北韓은 단독가입, 동시가입, 단일의석 공동가입이라는 모순된 변화를 보이고 있다.

우리는 南北韓의 유엔가입문제에 대한 異見이 그때 그때의 자기논리를 강조하기 위한 단순한 명분론의 대결이 아니라 관계정착의 과정으로서 중요한 의미가 있다고 생각한다. 평화통일을 이룩하기 위해서는 먼저 평화공존이 선행되어야 하고 그러기 위해서는 서로가 실체를 인정하는 바탕 위에서 신뢰를 쌓아 나가야 한다고 믿는다.

金日成주석이 올해 新年辭에서 『北과 南에는 서로 두개 제도, 두개 정부가 엄연히 존재하고 있다』고 말하면서도 국가로서의 南韓실체를 인정하지 않는다는 것 역시 앞뒤가 맞지 않는다는 것을 지적하지 않을 수 없다.

우리는 韓國의 유엔가입 신청이란 역사적 선택을 눈앞에 두고 이것이 南北관계를 호전시키는 쪽으로 작용하기를 바란다. 그렇게 되기 위해서는 무엇보다도 北韓이 달라진 현실을 냉철히 인식하는 것이 중요하다고 본다.

0191

국 민 일 보

1991. 4. 9. 화, 사설

더 미룰수 없는 유엔가입

社說

한국의 유엔가입문제가 올해 남북관계의 가장 뜨거운 관심사로 등장하게 됐다. 그것은 남북이 남북대화의 원만한 진행을 위해 지난해 유보했던 유엔가입을 올가을 제46차 유엔총회 개막전에 신청하기로 했기 때문이다.

정부가 지난 5일 유엔안전보장이사회에 배포한 서한에서 밝혔듯이 한국은 세계 12대 무역국으로 유엔헌장이 규정한 모든 의무를 이행할 자격과 준비가 되어 있다. 특히 한국은 유엔산하의 15개 특별기구에 북한과 함께 가입하는등 여러 국제기구에서 활동하고 있다는 점에서 한국은 당연히 유엔회원국이 되어야 한다.

원래 유엔가입이란 유엔헌장이 요구하는 가입의 필수조건만 갖추고 가입의사만 있으면 의당 인정되어야 함은 물론이다. 그런데도 한국이 지금까지 유엔의 비회원국으로 남아있는 것은 분단국이라는 정치적 현실 때문이었다.

우리정부는 1973년이후 줄곧 통일될 때까지 과도기간의 잠정적 조치로 남북한 유엔동시가입을 주장해왔다. 그러나 북한은 동시가입이 분단의 고착화이므로 「통일된 이후 하나의 조선으로 유엔에 가입해야 한다」는 주장으로 맞서왔다. 이와같이 상반된 입장의 남북대립이 유엔안의 냉전구도와 맞물려 우리의 유엔가입노력은 安保理의 [illegible]처리 거부권행사의 재채택부결등으로 좌절되기 일쑤였다.

그러나 80년대 후반부터 나타난 美·蘇 양국을 축으로한 東西신데탕트와 東歐의 개방·개혁등 급변하는 국제질서는 한반도 주변의 국제관계에도 큰 변화를 가져왔다. 특히 88서울올림픽은 우리의 유엔동시가입 방안의 추진에 최적의 호기를 제공했다.

이러한 분위기로 인해 한국의 단독유엔가입을 우려한 북한은 지난해 유엔총회를 앞두고 남북한이 「단일의석가입」을 공동으로 신청하자고 제의했다. 이 방안에 대해 남한은 「평화를 애호하는 주권국가」라는 유엔헌장상의 가입조건에도 맞지않을뿐 아니라 비현실적이라고 반박했다. 그런데도 우리가 지난해 유엔가입문제를 제기만 했을뿐 가입신청을 유보했던 것은 이러한 시각차를 좁히기 위한 것이었다.

그러나 한반도의 주변정세는 하루가 다르게 변하고 있다. 韓·蘇수교이후 관계진전이나 韓·中무역관계개선은 말할것 없고 북한도 일본과 수교협상을 하면서 미국과의 관계개선 움직임을 보였다. 북한이 그렇게 반대하던 「교차교류 교차승인」이 현실적으로 이루어지고 있는 상황에서 북한은 더이상 남북한 단일의석가입과 같은 억자주장을 할 명분이 없다고 본다. 지난해 유엔총회에서 북한의 단일의석 가입안을 지지한 나라가 하나도 없었다는 사실이 이를 증명하고 있다.

현재 유엔회원국은 1백60개국이며 미가입국은 11개국뿐이다. 이중 인구가 1백만이상인 나라는 남북한과 스위스 대만 뿐이라는 점을 보아도 우리가 더이상 가입을 미룰수 없는것이 현실이다.

그렇다고 해서 단독가입을 서두는것만이 능사가 아니라고 본다. 우리의 유엔가입 열쇠를 쥐고있는 中·蘇가 아직도 한국의 유엔가입문제에 공식입장을 유보한채 남북한의 원만한 해결을 촉구하는가 하면 북한이 이를 빌미로 남북대화를 중단하거나 對南강경자세로 선회할 우려도 없지않기 때문이다. 남한은 지금의 유리한 입장을 발판으로 북한을 계속 설득하는 한편 주변 여건을 더욱 다져주기를 바란다.

0192

The Korea Daily

1991. 4. 9. Tue.,page1

Seoul Moves Closer to U.N. Membership

South Korea has moved one step closer to entry into the United Nations by formally declaring its intention to apply this year for membership in the world body.

Seoul's ambassador to the United Nations, Roh Chang-hee, announced in New York Sunday that his government would apply for membership early in August to allow sufficient time for deliberation on the matter during the forthcoming General Assembly session of the United Nations. A memorandum to the same effect was earlier delivered to the U.N. Security Council.

Admission to the 159-member world organization is a long-standing priority for Seoul's innovative diplomats. The issue also is a study in contradiction in international relations.

The government of the Republic of Korea was founded in 1948 through general elections supervised by the United Nations, and today that government is recognized by almost all of the world's nations. As the Cold War era seems to be dead, most of the members of the formerly socialist bloc of nations have in recent years started to normalize diplomatic relations with Seoul.

Moscow at last has joined the club by establishing diplomatic relations with the Seoul government, while Beijing has in recent years developed substantial links with Seoul. All told, Seoul has diplomatic relations with 148 nations. It has also exchanged trade offices with China, which should serve as an official diplomatic channel between the two neighbors.

South Korea is an active member of each of the U.N. specialized agencies and virtually all other international organizations. With a population of 43 million, the country is the 12th largest trading nation in the world. The United Nations obviously cannot properly carry out its job of maintaining peace and stability, as well as promoting prosperity among the community of nations, by leaving a country like South Korea out of the party. It simply contradicts the principle of universality set forth in the U.N. Charter.

The qualifications of South Korea as a sovereign state for U.N. membership are beyond doubt. The reason this perennial issue has not yet been resolved is rather complex. Chiefly, it is due to Pyongyang's adamant position that the two Koreas should acquire a single U.N. seat and that separate membership would perpetuate the division of Korea.

Since we have discussed in this space the illogic and unproductivity behind this line of thinking, there is not much point in reviving the old argument. All we would like to bluntly request is that the Soviet Union and China cast off their outdated policies of aligning with Pyongyang to the detriment of others. Further moves by Moscow and Beijing, as U.N. Security Council members, to block Seoul's bid this fall to gain entry into the United Nations would not be justified. Such action would simply disappoint not only Koreans but all sensible men in the world.

It was quite natural that Seoul officials were anxious to sound out the intentions of the two patrons of Pyongyang on the issue during the conference of the Economic and Social Commission for Asia and the Pacific (ESCAP) now under way in Seoul. Igor Rogachev, Soviet vice foreign minister, was not forthcoming on the subject, except to reiterate the need for the two Koreas to further continue their dialogue. The Chinese vice foreign minister reportedly said almost the same thing.

The two Germanys and the two Yemens were all members of the United Nations. They are now united, apparently thanks to their coexistence in both the United Nations and in the arena of world politics. Hence, the United Nations already has a clear precedent on dual representation.

0193

서울신문
1991. 4.10.수. 5면

유엔加入을「分斷고리」푸는 轉機로

서울時論

鄭鍾旭 〈서울대 교수·國際政治學〉

정부가 드디어 금년중에 유엔에 가입하겠다는 의사를 천명했다. 오는 9월에 개막되는 제46차 총회에 대한민국의 가입신청을 하겠다는 점을 며칠전에 정부의 공식각서를 통해 확인했다.

정부로서는 이 각서를 安保理에 제출함으로써 背水의 陣을 친 셈이다. 신청만 했으니까 가입에 성공해야 할 입장을 만들었다. 이왕에 칼을 뽑았으니까 목적을 관철시켜야지 그렇지 못하면 망신만 당하게 된다. 그동안 칼을 뽑겠다는 뜻을 여러차례 비추어 왔었기 때문에 더욱 그렇다. 소문이 미리 났기 때문에 소문이 사실과 다를 경우 정부가 안아야 할 부담이 더욱 커지는 것이다.

외교에서는 불확실의 미덕이라는 게 있다. 태도를 미리 밝혀버리면 거기에 묶여버리게 되어 신축성을 잃게 된다. 상대가 나의 카드를 읽는 정도가 아니라 나의 카드를 이미 보여줘 버렸으니까 교섭에서 불리한 입장에 빠질 수밖에 없다. 외교관들이 신중하다 못해 답답할 정도로 우물쭈물 하는 모습을 취하는 것은 이같은 불확실의 미덕이 몸에 밴 때문이라 할 수 있다.

우리의 유엔가입신청이 說이 아닌 사실로 굳혀지니까 蘇聯의 외무차관인가 누군가 하는 사람이 딴소리 하기 시작하는 것도 이런 의미에서 당연한 일이라 할 수 있다. 30억 달러라는 큰 대가를 치르면서 國交를 정상화했는데 이제 와서는 南北韓 동시가입이 바람직하다는 뚱딴지 같은 소리를 하고 있다. 蘇聯이 安保理 상임이사국으로서 갖고 있는 거부권의 값을 올려보겠다는 속셈이 훤히 들여다 보이는 것이지만 우리로서는 참을 수밖에 없다. 蘇聯이 지금와서 거부권이야 행사하지 않겠지만 절차상 문제를 내세워 토의 자체를 연기시킬 가능성을 결코 배제할 수 없기 때문이다. 그렇게 잘해 주었지만 蘇聯의 무조건 지지를 확실한 것으로 계산할 수는 없다는게 국제사회의 현실이자 외교의 비정한 논리인 것이다. 蘇聯으로서는 불확실의 미덕을 발휘함으로써 우리측으로부터 얻어낼 수 있는 최대한의 양보를 확보하려는게 당연한 계산일 수밖에 없으며, 우리가 지금와서 이를 원망한다면 국제정치의 생리를 모르는 것일 뿐이다. 中國의 경우는 더하면 더했지 결코 덜하지는 않다. 不確實의 미덕이 아니라 無確實의 장점을 최대한 이용하려 할 것이 분명하다.

가입이 성공할 경우에도 국내적으로 부담은 여전히 남을 것이다. 분단의 고착이니 하는 비난을 완전히 잠재우기는 어렵다. 특히 탁구단일팀이 구성되는등 남북관계가 개선의 가능성을 보이고 있는 상황이기 때문에 가입이나 가입신청이 직면할 부담은 크다고 하겠다.

그러나 이왕에 가입신청의 의지를 분명히 했으니까 이를 관철시켜야 한다. 부담이 없을 수야 없지만 장기적 시각에서 보면 이런 부담은 분단의 고통을 덜기위한 불가피한 대가라 할 수 있다.

지금까지 한반도에서는 외교와 통일의 모순관계가 존재해 왔었다. 외교분야에서의 성공이나 凱歌가 통일분야에서는 오히려 부담이 되고 실패로 인식되는 이상한 현상이 지속되어온 것이다.

이것은 두말할 것도 없이 분단때문에 생긴 逆說이었다. 말로는 공존이니 평화니 통일이니 하면서 실제로는 상대를 제압하고 압도하려는 전략들을 쉴새없이 만들어내고 추진해 온게 사실이다. 남북한의 외교는 상대의 약점을 역이용하는 것이고, 통일의 길은 더불어 사는 진정한 공존의 모색이 아니라 내가 상대를 흡수하는, 먹고 먹히는 과정으로 인식되었다.

북한의 경우 남한을 먹어 삭키는 통일전략을 추구한 일관된 집념은 놀라울 정도였다. 말로는 연방이니 뭐니 하는 그럴듯한 명분을 내세웠지만 실제는 한반도 전역을 「主體의 땅」으로 만들려 온갖 노력을 경주해 왔었다. 이러한 노력이 對外的으로 가장 첨예하게 나타난 곳이 바로 유엔이었다.

남한 정부에 정당성을 부여한 것이 유엔이었으며 한국전쟁때 남한을 구하고 북의 통일노력을 방해한 것도 유엔이었다. 남한에 주둔하고 있는 미군도 유엔군의 모자를 쓰고 있었으며 판문점의 군사정전위원회 수석대표도 유엔군 사령관이 입명한 사람이었다.

분단이후 반세기에 가까운 긴 세월동안 북한 외교의 목표는 그래서 언제나 유엔주위를 맴돌았다. 남한이 쓰고 있는 유엔의 모자를 벗기고 그 다음에 남한에서 미군을 철수시키려 했었다. 미군이 철수하면 남한의 정통성 없는 정부는 모래성처럼 쉽게 무너지고 그 자리에 통일의 기적이 실현될 것이라는 희망을 북한은 사실 한 순간도 완전히 포기한 적이 없었다.

남한은 남한대로 이에 맞서 유엔에서의 기득권을 지키고 보다 유리한 고지를 확보하려 했었다. 명분과 현실의 싸움을 남북이 모두 계속해온 것이다. 서로 하나의 조국, 하나의 민족이라는 명분을 내세우면서도 속으로는 국제사회에서 보다 유리한 입장을 차지하려는 노력을 경주해온 것이다.

北韓의 變化속도 촉진 할지도

이번에 한국이 유엔가입을 결행하기로 한 것은 이러한 지난날 남북한이 벌여온 유엔外交의 자취에 비추어 보면 명분의 세계를 현실의 세계로 한 걸음 접근시키는 중대한 의미를 갖는다. 이 지구상에서 90개국 이상이 남북한과 동시 수교하는 마당에 하나의 한국을 고집하면서 교차승인이 마치 반민족적 행위인 것처럼 매도하는 비 현실적 태도가 시정되지 않고서는 한반도에서 진정한 평화공존과 통일의 가능성은 없을 수 밖에 없다. 분단의 고리를 풀기 위해서는 분단의 현실을 받아들여야지 분단 이전의 통일한국을 아무리 갈망해보았자 분단의 실체가 사라지지는 않는다.

우리는 그동안 너무 오랫동안 자기최면술에 걸려 그 속에서 安住해 왔다는 自愧의 감을 감출수 없다. 外交와 統一이 같은 궤도를 가기 위해서는 현실을 받아들이고 남북문제를 분단상황에서 풀어나가야 한다. 유엔가입이 바로 그러한 분단상황을 풀어가는 현실적 인식이 자리잡는 계기가 되어야 하는 것이다. 先加入이 실현되면 북한도 현실을 받아들이는 방향으로 변화의 속도를 빨리 할 것이고 북한을 의식해서, 그리고 북한을 핑계대면서 현실 밖의 세계에 머물러 온 중국의 對韓 자세도 바뀔 수 있을 것이다.

이왕 신청한 것이니까 가입을 위해 최선을 다해야 할 것이다.

0194

The Korea Herald

1991. 4. 10. Wed., 사설

Belated bid for U.N. entry

In an official statement released last week the Seoul government told the United Nations that it will seek membership in the world body this summer, even if North Korea continues to reject a bid for its separate membership. The statement reiterated the earnest hope of South Korea that North Korea will also join the United Nations, either together with the South, or at any time the North deems appropriate.

The government's public reaffirmation of its intent to gain full standing in the world organization came as a result of its conclusion that its rightful membership in the United Nations is long overdue.

The qualifications and willingness of Seoul for admission into the United Nations have been taken for granted by the international community at large. South Korea has diplomatic relations with 148 states, a far greater number of nations than those having ties with North Korea. Last year, nearly two-thirds of the 114 delegations which spoke on the Korean question were in favor of Seoul's U.N. membership.

By virtue of its almost universal diplomatic relations and its status as the world's 12th largest trading nation, South Korea is more than entitled to a full seat in the world body. Both South and North Korea currently hold nonvoting observer status in the United Nations and are involved in the activities of a number of its specialized agencies.

Under these circumstances, it is illogical that Pyongyang persistently opposes parallel membership of both Korean states on the false ground that it would perpetuate the division of the Korean Peninsula.

The repeated call of North Korea for a single U.N. seat to be shared by the South and the North is unworkable and lacks precedent. Its argument that membership of the two would impede reunification was disproved by the smooth reunion of the two Germanys and the two Yemens.

Seating both South Korea and North Korea in the United Nations will help the two in their peaceful coexistence and mutual confidence-building based on joint commitment to the principles of the U.N. Charter, pending full-fledged bilateral agreement and accommodation of the two parts of Korea for ultimate reunification.

There is no reason or condition for Seoul to postpone its quest for its well-deserved status in the world body. Pyongyang will gain nothing from its continued bigotry. Those remaining few patrons and sympathizers of North Korea should do well to stop taking the side of North Korean anachronism.

0195

한 겨 레 신 문

1991. 4. 10.수. 사설

고위급회담 진전에 우선 힘 쏟아야

정부가 올해 유엔에 가입하겠다는 뜻을 공식적으로 밝혔다. 정부는 유엔 가입의 1차 관문인 안전보장이사회에 단독 가입도 불사한다는 내용의 각서를 전달한 지 사흘 뒤에 이런 방침을 발표하면서 같은날 중단된 남북고위급회담을 다음달 22일에 재개하자고 북쪽에 제의했다. 유엔 가입 추진을 공식화시키면서 동시에 고위급회담 재개를 제의한 이 우연찮은 행위 속에서 남북대화에 낄 먹구름과 낭비적인 외교적 대립 가능성이 벌써부터 걱정스럽다.

정부의 유엔 가입 추진 속에는 우선 체제인정에 바탕한 남북관계 정상화를 국제화시키겠다는 의도가 담겨 있다. 3차례의 고위급회담에서 남쪽이 '남북관계 개선을 위한 기본합의서' 채택을 줄기차게 요구했던 것은 서로 실체를 인정하고 그 바탕 위에서 관계를 정상화시키자는, 말하자면 국제법상의 별개의 주체가 되자는 것이었다. '정상화시킬' 그 주체간의 관계는 유엔 가입으로 국제적 승인까지 받고 또 '기본합의서' 제안 중 불가침이행을 위한 국제적 보장장치도 해결될 수 있으리란 것이 정부의 속셈일 법하다.

우리는 유엔 가입 자체에 반대하지 않는다. 다만 남북고위급회담에서 북쪽이 유엔 가입문제를 3개 긴급문제 가운데 하나로 계속 제기했고 1차 회담에서는 유일한 성과로 유엔 가입문제를 논의할 실무대표접촉에 합의해 3차례의 접촉을 가진 바 있다. 그 이후 북쪽이 남쪽의 유엔 가입 추진 움직임에 보인 반응으로 미뤄볼 때 이 문제가 남북대화 진전에 큰 영향을 끼칠 것은 분명하다. 또한 유엔 가입의 열쇠를 쥐고 있는 안보리 5개 상임이사국 가운데 소련과 중국에 대해 남북이 대립적인 외교노력을 기울일 것도 현재로선 분명해 보인다. 특히 중국에 대해 거부권행사를 요구할 북쪽과 최소한 기권하도록 유도하려는 남쪽의 노력이 맞부딪치고, 다시 총회에서 출석회원국의 3분의2 찬성을 얻게 하거나 못 얻게 하기 위한 남북의 외교노력도 만만치 않을 것이다.

우리는 유엔 가입에서 얻을 수 있는 실익과 가입 추진의도가 어떤 것이건 간에 분단 이후 처음으로 총리까지 나선 남북간의 공식회담이 그로 인해 장애를 받아서는 안된다고 믿는다. 그동안 이 회담을 통해 양쪽 당국은, 남북간의 가장 중요한 문제들을 풀어나가기 위해 어떤 입장과 방법으로 접근해야 하는가를 조심스럽게 제시하고 확인하지 않았던가. 유엔 가입문제가 결국 남북간의 대립적인 외교노력으로 치닫게 된다면 이야말로 힘의 낭비가 아닐 수 없다. 밖에서 그렇게 소모시킬 힘이 있다면 우선 안으로 모아 고위급회담의 진전에 모두 쏟아야 한다.

0196

1면 또는 2면 기사 (15)　동아, 中央,
서울, 경향, 한국, 조선, 한겨레, 한국, 세계,
한국경제, 중앙경제, 민주
헤럴드, 타임즈, 데일리

해설 (8)　중앙, 세계, 서울, 경향, 조선,
한겨레, 한국, 민주

사설 ~~(6)~~ (10)　동아, 한국, 경향, 세계, 서울, 한국경제
中央(4.9.), 국민(4.9.), 한겨레(4.10.)
헤럴드(4.10.)

칼럼　서울(4.10.)

0197

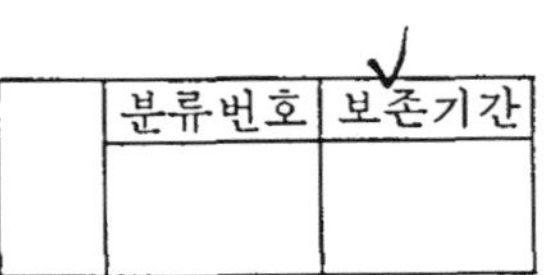

분류번호	보존기간

발 신 전 보

번 호 : WUS-1459 . 910410 1656 CO 종별 :

수 신 : 주 수신처 참조 대사. 총영사

발 신 : 장 관 (국연)

제 목 : 기사 송부

WUN -0851 WJA -1643
WGV -0441 WUK -0672
WEC -0208 WGE -0550
WCN -0327 WHK -0566

유엔가입에 관한 정부각서 발표관련 국내언론(4.9. 석간 및 4.10 조간) 보도내용을 별첨 FAX 송부하니 업무에 참고바람.

첨 부 : 동 자료 1부(6매). 끝.
WUS(F) -198

수신처 : 주미, 유엔, 일본, 제네바, 영국, EC, 독일, 카나다대사, 홍콩총영사

(국제기구조약국장 문동석)

보안통제	Wyl

앙고재	년 4월 10일	유엔과	기안자 성명		과장		국장		차관	장관
			여		Wyl					h

외신과통제

0198

국 민 일 보

1991. 4. 9. 화, 사설

社說

더 미룰수 없는 유엔가입

한국의 유엔가입문제가 올해 남북관계의 가장 뜨거운 관심사로 등장하게 됐다. 그것은 남한이 남북대화의 원만한 진행을 위해 지난해 유보했던 유엔가입을 올가을 제46차 유엔총회 개막전에 신청하기로 했기 때문이다.

정부가 지난 5일 유엔안전보장이사회에 배포한 서한에서 밝혔듯이 한국은 세계 12대 무역국으로 유엔헌장이 규정한 모든 의무를 이행할 자격과 준비가 되어있다. 특히 한국은 유엔산하의 15개특별기구에 북한과 함께 가입하는등 여러 국제기구에서 활동하고 있다는 점에서 한국은 당연히 유엔회원국이 되어야 한다.

원래 유엔가입이란 유엔헌장이 요구하는 가입의 필수조건만 갖추고 가입의사만 있으면 의당 인정되어야 함은 물론이다. 그런데도 한국이 지금까지 유엔의 비회원국으로 남아있는 것은 분단국이란는 정치적 현실 때문이었다.

우리정부는 1973년이후 줄곧 통일될 때까지 과도기간의 잠정조치로 남북한 유엔동시가입을 주장해왔다. 그러나 북한은 동시가입이 분단의 고착화이므로 「통일된 이후 하나의 조선으로 유엔에 가입해야 한다」는 주장으로 맞서왔다. 이와같이 상반된 입장의 남북대립이 유엔안의 냉전구도와 맞물려 우리의 유엔가입노력은 安保理의 불처리 거부권행사의제재부결등으로 좌절되기 일쑤였다.

그러나 80년대 후반부터 나타난 美·蘇양국을 축으로한 東西신데탕트와 東歐의 개방·개혁등 급변하는 국제질서는 한반도 주변의 국제관계에도 큰 변화를 가져왔다. 특히 88서울올림픽은 우리의 유엔동시가입 방안의 추진에 최적의 호기를 제공했다.

이러한 분위기로 인해 한국의 단독유엔가입을 우려한 북한은 지난해 유엔총회를 앞두고 남북한이 「단일의석가입」을 공동으로 신청하자고 제의했다. 이 방안에 대해 남한은 「평화를 애호하는 주권국가」라는 유엔헌장상의 가입조건에도 맞지않을뿐 아니라 비현실적이라고 반박했다. 그런데도 우리가 지난해 유엔가입문제를 제기만 했을뿐 가입신청을 유보했던 것은 이러한 시각차를 좁히기 위한 것이었다.

그러나 한반도의 주변정세는 하루가 다르게 변하고 있다. 韓·蘇수교이후 관계진전이나 韓·中무역관계개선은 말할것 없고 북한도 일본과 수교협상을 하면서 미국과의 관계개선 움직임을 보였다. 북한이 그렇게 반대하던 「교차교류 교차승인」이 현실적으로 이루어지고 있는 상황에서 북한은 더이상 남북한 단일의석가입과 같은 억지주장을 할 명분이 없다고 본다. 지난해 유엔총회에서 북한의 단일의석 가입안을 지지한 나라가 하나도 없었다는 사실이 이를 증명하고 있다.

현재 유엔회원국은 1백60개국이며 미가입국은 11개국뿐이다. 이중 인구가 1백만이상인 나라는 남북한과 스위스 대만 뿐이라는 점을 보아도 우리가 더이상 가입을 미룰수 없는것이 현실이다.

그렇다고 해서 단독가입을 서두는것만이 능사가 아니라고 본다. 우리의 유엔가입 열쇠를 쥐고있는 中·蘇가 아직도 한국의 유엔가입문제에 공식입장을 유보한채 남북한의 원만한 해결을 촉구하는가 하면 북한이 이를 빌미로 남북대화를 중단하거나 對南강경자세로 선회할 우려도 없지않기 때문이다. 남한은 지금의 유리한 입장을 발판으로 북한을 계속 설득하는 한편 주변 여건을 더욱 다져주기를 바란다.

0199

/

중 앙 일 보

1991. 4. 9. 화、사설

北韓도 같이 유엔加入 하길

정부가 올가을에 유엔에 가입하기 위한 절차를 밟기 시작했다。그 현실적인 필요성과 당위성에 동감하면서 우선 떠오르는 궁금증은 이 결정이 앞、으로의 南北韓 대화에 어떠한 영향을 미칠까 하는 점이다。

유엔가입에 대한 남북한의 시각이 엇갈리고 있는 시점에서 북한측의 강력한 반발은 분명히 내다보이고 이에 따라 적어도 일정한 기간 남북한 관계에 비생산적인 입씨름이 있으리란는 것은 쉽게 예견된다。

냉전체제 붕괴이후 특히 지난 2년간 변화된 국제환경에 따라 南北韓이 서로 實體를 인정하는 바탕에서 대화를 갖고 평화공존의 분위기를 다져가면서 통일문제를 논의하자는 것이 우리의 기본입장이었다。

그런 틀에서 우리는 北方외교를 추진해 왔고 北韓도 이에 상응하는 南方외교, 日本과 美國등과의 관계개선노력을 하도록 노력하고 권장해 왔다。같은 맥락에서 南北韓이 동시에 유엔에 가입하도록 촉구해왔다。

그러나 北韓은 우리의 이러한 노력이 南北韓의 분단을 영구화시키고 분열을 조장한다는 논리를 내세워 반대해 왔다。「조선은 하나」인데 교차승인의 결과를 가져와 韓半島에 두 개의 국가가 존재하게 되면 안된다는 논리였다。

이러한 北韓의 논리는 이제 북한이 적극 추진하고 있는 對日修交노력으로 하나의 구실에 지나지 않음을 그들 스스로가 입증해 보여주고 있다。

그들의 논리가 설득력이 없는 것은 실제 지금까지의 국제사회에서의 활동과는 동떨어지고 있다는데서도 드러나고 있다。

日本말고도 北韓은 이미 우리와 외교관계를 갖고 있는 나라들과 동시수교하고 있고 유엔산하의 여러 국제기구에 함께 가입하여 활동하고 있으면서 그러한 주장을 펴는 것은 누가 보아도 논리적 모순이 아닐 수 없다。

유엔가입문제 하나만 놓고 보더라도 北韓은 논리적 일관성을 잃고 있다。北韓단독으로 두번씩 가입신청을 제출한 일도 있음을 우리는 잊지 않고 있다。

지금까지의 유엔정책을 보더라도 南韓은 단독가입에서 동시가입의 변화를 보여온데 비해 北韓은 단독가입, 동시가입, 단일의석 공동가입이란 모순된 변화를 보이고 있다。

우리는 南北韓의 유엔가입문제에 대한 異見이 그때 그때의 자기논리를 강조하기 위한 단순한 명분론의 대결이 아니라 관계정착의 과정으로서 중요한 의미가 있다고 생각한다。평화통일을 이룩하기 위해서는 먼저 평화공존이 선행되어야 하고 그러기 위해서는 서로가 실체를 인정하는 바탕 위에서 신뢰를 쌓아 나가야 한다고 믿는다。

金日成주석이 올해 新年辭에서 『北과 南에는 서로 두 개 제도, 두 개 정부가 엄연히 존재하고 있다』고 말하면서도 국가로서의 南韓실체를 인정하지 않는다는 것 역시 앞뒤가 맞지 않는다는 것을 지적하지 않을 수 없다。

우리는 韓國의 유엔가입 신청이란는 역사적 선택을 눈앞에 두고 이것이 南北관계를 호전시키는 쪽으로 작용하기를 바란다。그렇게 되기 위해서는 무엇보다도 北韓이 달라진 현실을 냉철히 인식하는 것이 중요하다고 본다。

0200

한 겨 레 신 문

1991. 4. 10.수. 사설

고위급회담 진전에 우선 힘 쏟아야

정부가 올해 유엔에 가입하겠다는 뜻을 공식적으로 밝혔다. 정부는 유엔 가입의 1차 관문인 안전보장이사회에 단독 가입도 불사한다는 내용의 각서를 전달한 지 사흘 뒤에 이런 방침을 발표하면서 같은날 중단된 남북고위급회담을 다음달 22일에 재개하자고 북쪽에 제의했다. 유엔 가입 추진을 공식화시키면서 동시에 고위급회담 재개를 제의한 이 우연찮은 행위 속에서 남북대화에 길 먹구름과 낭비적인 외교적 대립 가능성이 벌써부터 걱정스럽다.

정부의 유엔 가입 추진 속에는 우선 체제인정에 바탕한 남북관계 정상화를 국제화시키겠다는 의도가 담겨 있다. 3차례의 고위급회담에서 남쪽이 '남북관계 개선을 위한 기본합의서' 채택을 줄기차게 요구했던 것은 서로 실체를 인정하고 그 바탕 위에서 관계를 정상화시키자는, 말하자면 국제법상의 별개의 주체가 되자는 것이었다. '정상화시킬' 그 주체간의 관계는 유엔 가입으로 국제적 승인까지 받고 또 '기본합의서' 제안 중 불가침이행을 위한 국제적 보장장치도 해결될 수 있으리란 것이 정부의 속셈일 법하다.

우리는 유엔 가입 자체에 반대하지 않는다. 다만 남북고위급회담에서 북쪽이 유엔 가입문제를 3개 긴급문제 가운데 하나로 계속 제기했고 1차 회담에서는 유일한 성과로 유엔 가입문제를 논의할 실무대표접촉에 합의해 3차례의 접촉을 가진 바 있다. 그 이후 북쪽이 남쪽의 유엔 가입 추진 움직임에 보인 반응으로 미뤄볼 때 이 문제가 남북대화 진전에 큰 영향을 끼칠 것은 분명하다. 또한 유엔 가입의 열쇠를 쥐고 있는 안보리 5개 상임이사국 가운데 소련과 중국에 대해 남북이 대립적인 외교노력을 기울일 것도 현재로선 분명해 보인다. 특히 중국에 대해 거부권행사를 요구할 북쪽과 최소한 기권하도록 유도하려는 남쪽의 노력이 맞부딪치고, 다시 총회에서 출석회원국의 3분의2 찬성을 얻게 하거나 못 얻게 하기 위한 남북의 외교노력도 만만치 않을 것이다.

우리는 유엔 가입에서 얻을 수 있는 실익과 가입 추진의도가 어떤 것이건 간에 분단 이후 처음으로 총리까지 나선 남북간의 공식회담이 그로 인해 장애를 받아서는 안된다고 믿는다. 그동안 이 회담을 통해 양쪽 당국은, 남북간의 가장 중요한 문제들을 풀어나가기 위해 어떤 입장과 방법으로 접근해야 하는가를 조심스럽게 제시하고 확인하지 않았던가. 유엔 가입문제가 결국 남북간의 대립적인 외교노력으로 치닫게 된다면 이야말로 힘의 낭비가 아닐 수 없다. 밖에서 그렇게 소모시킬 힘이 있다면 우선 안으로 모아 고위급회담의 진전에 모두 쏟아야 한다.

0201

3

The Korea Daily

1991. 4. 9. Tue.,page1

Seoul Moves Closer to U.N. Membership

South Korea has moved one step closer to entry into the United Nations by formally declaring its intention to apply this year for membership in the world body.

Seoul's ambassador to the United Nations, Roh Chang-hee, announced in New York Sunday that his government would apply for membership early in August to allow sufficient time for deliberation on the matter during the forthcoming General Assembly session of the United Nations. A memorandum to the same effect was earlier delivered to the U.N. Security Council.

Admission to the 159-member world organization is a long-standing priority for Seoul's innovative diplomats. The issue also is a study in contradiction in international relations.

The government of the Republic of Korea was founded in 1948 through general elections supervised by the United Nations, and today that government is recognized by almost all of the world's nations. As the Cold War era seems to be dead, most of the members of the formerly socialist bloc of nations have in recent years started to normalize diplomatic relations with Seoul.

Moscow at last has joined the club by establishing diplomatic relations with the Seoul government, while Beijing has in recent years developed substantial links with Seoul. All told, Seoul has diplomatic relations with 148 nations. It has also exchanged trade offices with China, which should serve as an official diplomatic channel between the two neighbors.

South Korea is an active member of each of the U.N. specialized agencies and virtually all other international organizations. With a population of 43 million, the country is the 12th largest trading nation in the world. The United Nations obviously cannot properly carry out its job of maintaining peace and stability, as well as promoting prosperity among the community of nations, by leaving a country like South Korea out of the party. It simply contradicts the principle of universality set forth in the U.N. Charter.

The qualifications of South Korea as a sovereign state for U.N. membership are beyond doubt. The reason this perennial issue has not yet been resolved is rather complex. Chiefly, it is due to Pyongyang's adamant position that the two Koreas should acquire a single U.N. seat and that separate membership would perpetuate the division of Korea.

Since we have discussed in this space the illogic and unproductivity behind this line of thinking, there is not much point in reviving the old argument. All we would like to bluntly request is that the Soviet Union and China cast off their outdated policies of aligning with Pyongyang to the detriment of others. Further moves by Moscow and Beijing, as U.N. Security Council members, to block Seoul's bid this fall to gain entry into the United Nations would not be justified. Such action would simply disappoint not only Koreans but all sensible men in the world.

It was quite natural that Seoul officials were anxious to sound out the intentions of the two patrons of Pyongyang on the issue during the conference of the Economic and Social Commission for Asia and the Pacific (ESCAP) now under way in Seoul. Igor Rogachev, Soviet vice foreign minister, was not forthcoming on the subject, except to reiterate the need for the two Koreas to further continue their dialogue. The Chinese vice foreign minister reportedly said almost the same thing.

The two Germanys and the two Yemens were all members of the United Nations. They are now united, apparently thanks to their coexistence in both the United Nations and in the arena of world politics. Hence, the United Nations already has a clear precedent on dual representation.

0202

4

The Korea Herald

1991. 4. 10. Wed., 사설

Belated bid for U.N. entry

In an official statement released last week the Seoul government told the United Nations that it will seek membership in the world body this summer, even if North Korea continues to reject a bid for its separate membership. The statement reiterated the earnest hope of South Korea that North Korea will also join the United Nations, either together with the South, or at any time the North deems appropriate.

The government's public reaffirmation of its intent to gain full standing in the world organization came as a result of its conclusion that its rightful membership in the United Nations is long overdue.

The qualifications and willingness of Seoul for admission into the United Nations have been taken for granted by the international community at large. South Korea has diplomatic relations with 148 states, a far greater number of nations than those having ties with North Korea. Last year, nearly two-thirds of the 114 delegations which spoke on the Korean question were in favor of Seoul's U.N. membership.

By virtue of its almost universal diplomatic relations and its status as the world's 12th largest trading nation, South Korea is more than entitled to a full seat in the world body. Both South and North Korea currently hold nonvoting observer status in the United Nations and are involved in the activities of a number of its specialized agencies.

Under these circumstances, it is illogical that Pyongyang persistently opposes parallel membership of both Korean states on the false ground that it would perpetuate the division of the Korean Peninsula.

The repeated call of North Korea for a single U.N. seat to be shared by the South and the North is unworkable and lacks precedent. Its argument that membership of the two would impede reunification was disproved by the smooth reunion of the two Germanys and the two Yemens.

Seating both South Korea and North Korea in the United Nations will help the two in their peaceful coexistence and mutual confidence-building based on joint commitment to the principles of the U.N. Charter, pending full-fledged bilateral agreement and accommodation of the two parts of Korea for ultimate reunification.

There is no reason or condition for Seoul to postpone its quest for its well-deserved status in the world body. Pyongyang will gain nothing from its continued bigotry. Those remaining few patrons and sympathizers of North Korea should do well to stop taking the side of North Korean anachronism.

0203

5

서울신문

1991. 4.10.수, 5면

유엔加入을 「分斷고리」 푸는 轉機로

서울時論

鄭鍾旭

〈서울대 교수·國際政治學〉

정부가 드디어 금년중에 유엔에 가입하겠다는 의사를 천명했다. 오는 9월에 개막되는 제46차 총회에 대한민국의 가입신청을 하겠다는 점을 며칠전에 정부의 공식각서를 통해 확인했다.

정부로서는 이 각서를 安保理에 제출함으로써 背水의 陣을 친 셈이다. 신청을 했으니까 가입에 성공해야 할 입장을 만들었다. 이왕에 칼을 뽑았으니까 목적을 관철시켜야지 그렇지 못하면 망신만 당하게 된다. 그동안 칼을 뽑겠다는 뜻을 여러차례 비추어 왔었기 때문에 더욱 그렇다. 소문이 미리 났기 때문에 소문이 사실과 다를 경우 정부가 안아야 할 부담이 더욱 커지는 것이다.

외교에서는 불확실의 미덕이라는 게 있다. 태도를 미리 밝혀버리면 거기에 묶여버리게 되어 신축성을 잃게 된다. 상대가 나의 카드를 읽는 정도가 아니라 나의 카드를 이미 보여줘 버렸으니까 교섭에서 불리한 입장에 빠질 수밖에 없다. 외교관들이 신중하다 못해 답답할 정도로 우물쭈물 하는 모습을 취하는 것은 이같은 불확실의 미덕이 몸에 밴 때문이라 할 수 있다.

우리의 유엔가입신청이 說이 아닌 사실로 굳혀지니까 蘇聯의 외무차관인가 누군가 하는 사람이 딴소리 하기 시작한 것도 이런 의미에서 당연한 일이라 할 수 있다. 30억달러라는 큰 대가를 치르면서 國交를 정상화했는데 이제 와서는 南北韓 동시가입이 바람직하다는 뚱딴지 같은 소리를 하고 있다. 蘇聯이 安保理 상임이사국으로서 갖고 있는 거부권의 칼을 올려보겠다는 속셈이 훤히 들여다 보이는 것이지만 우리로서는 참을 수밖에 없다. 蘇聯이 지금와서 거부권이야 행사하지 않겠지만 절차상 문제를 내세워 토의 자체를 연기시킬 가능성을 결코 배제할 수 없기 때문이다. 그렇게 잘해 주었지만 蘇聯의 무조건 지지를 확실한 것으로 계산할 수는 없다는게 국제사회의 현실이자 외교의 비정한 논리인 것이다. 蘇聯으로서는 불확실의 미덕을 발휘함으로써 우리측으로부터 얻어낼 수 있는 최대한의 양보를 확보하려는게 당연한 계산일 수밖에 없으며, 우리가 지금와서 이를 원망한다면 국제정치의 생리를 모르는 것일 뿐이다. 中國의 경우는 더하면 더했지 결코 덜하지는 않다. 不確實의 미덕이 아니라 無確實의 장점을 최대한 이용하려 할 것이 분명하다.

가입이 성공할 경우에도 국내적으로 부담은 여전히 남을 것이다. 분단의 고착이니 하는 비난을 완전히 잠재우기는 어렵다. 특히 탁구단일팀이 구성되는등 남북관계가 개선의 가능성을 보이고 있는 상황이기 때문에 가입이나 가입신청이 직면할 부담은 크다고 하겠다.

그러나 이왕에 가입신청의 의지를 분명히 했으니까 이를 관철시켜야 한다. 부담이 없을 수야 없지만 장기적 시각에서 보면 이러한 부담은 분단의 고통을 덜기위한 불가피한 대가라 할 수 있다.

지금까지 한반도에서는 외교와 통일의 모순관계가 존재해 왔었다. 외교분야에서의 성공이나 凱歌가 통일분야에서는 오히려 부담이 되고 실패로 인식되는 이상한 현상이 지속되어온 것이다.

이것은 두말할 것도 없이 분단때문에 생긴 逆說이었다. 말로는 공존이니 평화니 통일이니 하면서 실제로는 상대를 제압하고 압도하려는 전략들을 쉴새없이 만들어내고 추진해 온게 사실이다. 남북한의 외교는 상대의 약점을 역이용하는 것이고 통일의 길은 더불어 사는 진정한 공존의 모색이 아니라 내가 상대를 흡수하는 먹고 먹히는 과정으로 인식되었다.

북한의 경우 남한을 먹어 삼키는 통일전략을 추구한 일관된 집념은 놀라울 정도였다. 말로는 연방이니 뭐니 하는 그럴듯한 명분을 내세웠지만 실제는 한반도 전역을 「主體」의 땅으로 만들려 온갖 노력을 경주해 왔었다. 이러한 노력이 對外的으로 가장 첨예하게 나타난 곳이 바로 유엔이었다.

남한 정부에 정당성을 부여한 것이 유엔이었으며 한국전쟁때 남한을 구하고 북의 통일노력을 방해한 것도 유엔이었다. 남한에 주둔하고 있는 미군과 유엔군의 모자를 쓰고 있었으며 판문점의 군사정전위원회 수석대표도 유엔군 사령관이 임명한 사람이었다.

분단이후 반세기에 가까운 긴 세월동안 북한 외교의 목표는 그래서 언제나 유엔주위를 맴돌았다. 남한이 쓰고 있는 유엔의 모자를 벗기고 그 다음에 남한에서 미군을 철수시키려 했었다. 미군이 철수하면 남한의 정통성 없는 정부는 모래성처럼 쉽게 무너지고 그 자리에 통일의 기적이 실현될 것이라는 희망을 북한은 사실한 순간도 완전히 포기한 적이 없었다.

남한은 남한대로 이에 맞서 유엔에서의 기득권을 지키고 보다 유리한 고지를 확보하려 했었다. 명분과 현실의 싸움을 남북이 모두 계속해온 것이다. 서로 하나의 조국,

0204

6-1

北韓의 變化속도 촉진 할지도

하나의 민족이라는 명분을 내세우면서도 속으로는 국제사회에서 보다 유리한 입장을 차지하려는 노력을 경주해온 것이다.

이번에 한국이 유엔가입을 결행하기로 한 것은 이러한 지난날 남북한이 벌여온 유엔外交의 자취에 비추어 보면 명분의 세계를 현실의 세계로 한 걸음 접근시키는 중대한 의미를 갖는다. 이 지구상에서 90개국 이상이 남북한과 동시 수교하는 마당에 하나의 한국을 고집하면서 교차승인이 마치 반민족적 행위인 것처럼 매도하는 비 현실적 태도가 시정되지 않고서는 한반도에서 진정한 평화공존과 통일의 가능성은 없을 수 밖에 없다. 분단의 고리를 풀기 위해서는 분단의 현실을 받아들여야지 분단 이전의 통일한국을 아무리 갈망해보았자 분단의 실체가 사라지지는 않는다.

우리는 그동안 너무 오랫동안 자기최면술에 걸려 그 속에서 安住해 왔다는 自愧의 감을 감출수 없다. 外交와 統一이 같은 궤도를 가기 위해서는 현실을 받아들이고 남북문제를 분단상황에서 풀어나가야 한다. 유엔가입이 바로 그러한 분단상황을 풀어가는 현실적 인식이 자리잡는 계기가 되어야 하는 것이다. 先加入이 실현되면 북한도 현실을 받아들이는 방향으로 변화의 속도를 빨리 할 것이고 북한을 의식해서, 그리고 북한을 핑계대면서 현실 밖의 세계에 머물러 온 중국의 對韓 자세도 바뀔 수 있을 것이다. 이왕 신청한 것이니까 가입을 위해 최선을 다해야 할 것이다.

0205

찬 ▶◀ 반

정부는 금년중 남북한 유엔동시가입을 추진하되 북한이 반대할 경우 단독가입도 불사한다는 방침을 최종 확정했다. 그러나 사회일각에서는 북한의 반대를 무릅쓴 유엔가입 추진은 남북관계에 악영향을 준다고 우려하고 있다.

유엔단독가입

이정빈 외무부 제1차관보. 전 중동·아프리카국장. 전 스웨덴대사. 서울대 법대졸.

● 유엔에 가입하고자 하는 주목적은 무엇인가.

인구 4천만명, 일인당 국민소득 세계 17위, 1백46개국과 수교를 맺고 있는 우리로서는 하루속히 유엔에 당당히 가입해 우리의 국제적 지위에 걸맞는 역할을 할 수 있어야 한다. 더우기 탈냉전 후의 신국제질서 추세 속에서 냉전시대의 유물인 한반도의 분단을 극복하고 통일의 촉진제 역할을 할 수 있는 국제적 여건을 조성하기 위해서도 유엔가입은 당연하다.

● 정부는 금년 중 남북한 유엔동시가입을 추진하되 북한이 반대하면 단독가입도 불사키로 최종 방침을 세웠는데.

"북한이 주장하는 단일의석 동시가입안은 현실성이 없는 것이다. 더이상 북측의 입장에 얽매일 수는 없다."

정부는 지금껏 남북한이 유엔에 함께 가입해 국제사회의 책임있는 성원으로서 활동할 수 있기를 바라왔다. 작년에 유엔가입을 추진하고자 했으나 북한이 남북한 단일의석에 의한 동시가입안을 들고나오는 바람에 북측안을 검토도 할겸 일단 연기한 바 있다. 그러나 북측이 주장하는 단일의석안은 유엔규정에도 나와 있지 않을뿐더러 도저히 현실성이 없는 것이다. 더이상 북측의 입장에 얽매일 수는 없다. 정부는 금년 중 유엔가입을 매듭지을 것이다.

● 안보리 상임이사국인 중국으로부터 우리의 유엔가입에 대해 거부권을 행사하지 않으리라는 어떤 다짐을 받았는가.

중국은 △세계 대다수 국가가 한국의 유엔가입을 지지한다는 점 △남북한 동시가입 또는 남한의 단독가입 추진에 대한 중국의 거부권 행사가 향후 한반도 정책에 미칠 영향 △북한과의 동맹관계 등을 면밀히 검토한 후 판단을 내리리라 본다. 그러나 중국은 북한과의 관계를 중요시하는 한편으로 한국의 유엔가입을 지지하는 대다수 회원국의 입장을 무시할 수 없을 것이다. 특히 중국은 亞·太문제에 있어 한국의 입장을 경시할 수 없는 입장이다. 분명한 점은 중국이 한국과 관계개선을 할수록 득실면에서 득보는 점이 훨씬 많다는 것이다.

● 북한이 주장하는 단일의석에 의한 유엔동시가입안과 우리측의 남북한 동시가입안이 서로 절충될 가능성도 있지 않은가.

다음면에 계속 ➡

반

이삼열 숭실대 교수. 세계기독교협의회 간사. 서울대 철학과졸. 서독 괴팅겐대 철학박사.

● 동시가입이 안될 경우 단독가입도 불사하겠다는 정부의 대유엔정책을 반대하는 이유는.

북한을 제쳐두고 우리만 유엔에 가입하겠다는 것은 결코 통일에 도움이 되지 않는다. 금년들어 정부가 부쩍 유엔가입을 서두르는 이유는 걸프전 이후 이른바 팩스 아메리카나로 가는 신국제질서 추세와 관계가 있지 않나 생각된다. 즉 반공진영이 득세하고 사회주의가 약화되는 국제정세를 이용, 우리의 외교적 입지를 강화하고 북한을 고립시키려는 게 아니냐하는 의구심을 자아낸다.

"유엔가입 문제는 정부가 단독으로 결정할 것이 아니라 국회에서 국민합의를 얻어야 한다."

● 북한은 작년 5월 김일성 주석이 단일의석에 의한 남북한 유엔동시가입안을 내놓은 이후 10월에는 유엔총회에 이를 정식으로 제기한 바 있다. 그러나 북측 안은 비현실적일 뿐더러 설령 가능하다 하더라도 유엔활동에 여러가지 어려움이 뒤따를 것이라는 견해가 지배적인데….

물론 그런 국제적 관례가 없으므로 처음에는 여러 가지 불편한 점이 있으리라 본다. 적절한 비유가 될 지는 모르나 남북 스포츠 단일팀의 구성을 예로 들어보자. 코치와 감독이 각각 2명씩 있다 해도 서로 합의해서 어느 한쪽이 유리하면 그 쪽 대표가 팀을 맡으면 되는 것이고 양쪽에 다 불리하면 경기에 나가지 않으면 그만이다. 유엔에서의 활동도 남북한이 서로 합의해 사안이 어느 쪽에 유리하냐에 따라 정하면 되는 것이다. 서로의 의견이 상충되는 사안이면 기권하는 방법도 있을 것이다.

● 북한은 이미 지난 73년부터 세계보건기구(WHO) 등을 포함, 11개 유엔 전문기구에서 우리와 함께 활동해오고 있다. 이같은 상황이라면 남·북한이 함께 유엔에서 외교활동을 펼치는 것이 통일에 더 가깝게 접근할 수 있지 않을까.

유엔 전문기구에 가입해 활동하는 것과 유엔에 가입하는 것은 본질적으로 다른 성질의 사안이다. 전문기구는 유엔 회원국이 아니더라도 가입할 수 있지만 유엔에 가입한다는 것은 국제법상의 주체가 된다는 의미를 가진다. 현재 남북한 모두는 헌

다음면에 계속 ➡

이정빈 "국제적 지위에 걸맞는 역할을 해야 한다"

일부에서 스포츠에서의 단일팀 구성을 예로 들어 그같은 접목가능성을 거론하고 있는 것 같다. 그러나 유엔에 가입한다는 것은 국제법의 권리와 의무의 주체가 된다는 의미이다. 이는 체육 단일팀 구성과는 근본적으로 다른 것이다. 국제법상의 주체는 오로지 국가만이 될 수 있고 따라서 유엔가입에 따른 권리와 의무가 수반된다는 것은 정치적 통합의 의미를 갖는 것이다. 이것을 단순히 기술적인 규정만을 논하는 체육팀과 연계한다는 것은 한마디로 인식부족에서 나온 발상이라 할 것이다. 북한의 단일의석에 의한 동시가입안에 대해서는 중국과 소련도 냉담한 반응을 보였다. 그럼에도 국내 일부에서 이같은 북측의 안에 대해 어떻게 해서 동정론이 이는지 이해할 수 없다.

● 정부가 단독가입을 추진하려면 현행 헌법의 '한반도와 부속도서'라는 영토 조항을 '남한과 부속도서'로 고쳐야 한다는 주장도 있는데….

예컨대 우리가 북한을 대신해서 유엔에 가입하겠다면 이는 국제법에 위배된다. 그러나 유엔가입은 어디까지나 가입신청국과 유엔간의 문제이다. 북한은 우리의 유엔가입에 대해 왈가왈부할 입장이 못된다. 영토문제에 관한 북한의 헌법 역시 우리와 같은 기술을 해놓고 있다.

● 북한의 반대를 무릅쓰고 유엔가입을 강행하는 것은 성사여부와 관계없이 향후 남북관계에 악영향을 미치지 않겠는가.

유엔가입을 통일전선전술의 일환으로 파악하는 북한의 인식부터 바뀌어야 한다. 우리는 작년 유엔총회에서 북한이 내놓은 단일의석에 의한 남북한 동시가입안에 대해 북측에 설명할 시간과 기회를 주었다. 남북한의 유엔동시가입은 분명 남북관계에 도움이 됐으면 됐지 나쁜 영향을 끼치지 않을 것이다.

● 북한이 유독 유엔가입에 반대하는 이유는 무엇이라 보는가.

북한은 지난 73년 세계보건기구에 가입한 것을 포함 무려 11개의 유엔전문기구에서 우리와 함께 활동해오고 있으며 전세계 1백5개국과 수교를 맺고 있다. 남북한 동시수교국도 90개국에 이른다. 이는 다시말해 한반도에 2개의 정부와 실체가 있음을 반증하는 것이다. 북한이 우리의 유엔가입을 반대하는 이유는 유엔가입문제를 통일문제와 결부시키기 때문이다. 그러다 보니 우리의 유엔가입 주장이 분단의 영구화니 고착화니 하는 식의 도그마에 빠지게 된 것이다. 이제 북한도 이같은 잘못된 도그마를 깨고 하루속히 현실주의 노선으로 나와야 할 것이다. ●

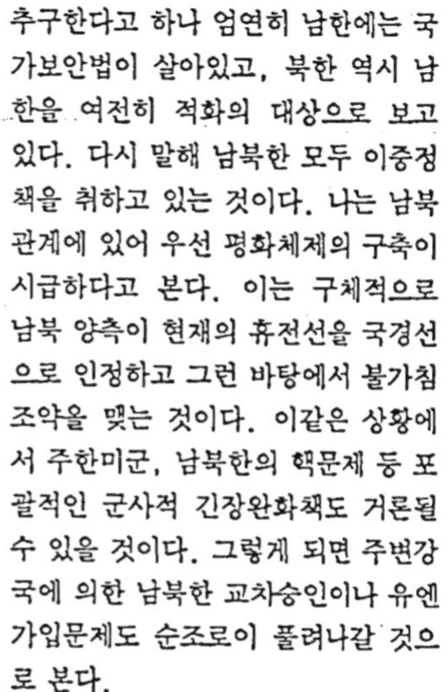

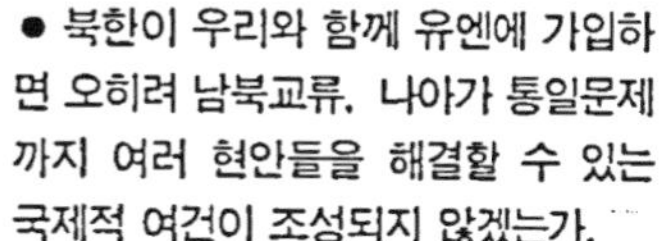
유엔본부 전경 : 남한 단독가입인가 남북한 동시가입인가.

이삼열 "북한을 고립시키려는 의도가 아닌가"

법상 한반도와 부속도서를 영토로 규정하고 있다. 이 경우 남북 어느 한쪽이 먼저 유엔에 가입하게 되면 상대방의 영토와 주권을 불인정하는 결과를 초래하게 된다. 따라서 정부가 단독으로라도 유엔에 들어가겠다면 국제법상의 문제 소지를 없애기 위해서라도 남한의 영토가 휴전선 이남이라는 선언부터 해야 한다.

● 우리가 언제까지나 북한의 주장에 매달려 유엔가입의 추진을 지체할 수는 없지 않는가.

시간이 걸리더라도 일의 순서를 바꿀 수는 없다. 정말로 남북이 평화통일에 대한 의지와 신념이 있다면 그리 오랜 기간이 걸리지 않을 것이다. 정부는 7.7선언을 통해 북한과의 화해를 추구한다고 하나 엄연히 남한에는 국가보안법이 살아있고, 북한 역시 남한을 여전히 적화의 대상으로 보고 있다. 다시 말해 남북한 모두 이중정책을 취하고 있는 것이다. 나는 남북관계에 있어 우선 평화체제의 구축이 시급하다고 본다. 이는 구체적으로 남북 양측이 현재의 휴전선을 국경선으로 인정하고 그런 바탕에서 불가침조약을 맺는 것이다. 이같은 상황에서 주한미군, 남북한의 핵문제 등 포괄적인 군사적 긴장완화책도 거론될 수 있을 것이다. 그렇게 되면 주변강국에 의한 남북한 교차승인이나 유엔가입문제도 순조로이 풀려나갈 것으로 본다.

● 북한이 우리와 함께 유엔에 가입하면 오히려 남북교류, 나아가 통일문제까지 여러 현안들을 해결할 수 있는 국제적 여건이 조성되지 않겠는가.

물론 그런점에서는 동의한다. 그러나 그 문제를 거론하기 앞서 우리의 현실을 보라. 남북이 서로의 주권이나 국가를 인정하지 않는 상황 아닌가. 동서독간에 존재했던 할슈타인원칙이 아직 여전히 살아있는 것이다. 평화나 통일은 양쪽의 합의에 의해서만 가능한 것이다.

● 정부의 유엔가입정책에 대해 제언이 있다면.

남북한은 지난해 수차례에 걸친 총리회담을 통해서 서로의 입장을 충분히 개진한 바 있다. 이제는 회담에서 나왔던 여러 의제들 이를테면 이산가족 평화협정 등에 대해 우리 나름대로 구체적인 방안을 확정해야 할 시기이다. 그나마 총리회담도 팀스피리트 문제로 중단된 상태다. 그런 마당에 정부가 유엔 단독가입을 불사하겠다고 나온 것은 통일에 전혀 도움이 안된다. 유엔가입문제는 정부가 단독으로 결정할 것이 아니라 국회를 열어 국민적 의견합의절차를 거친 후 확정되어야 한다. ●

卞昌燮 기자

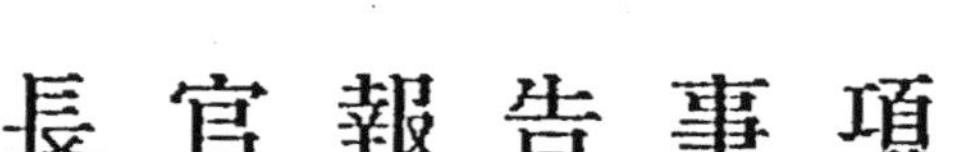

長 官 報 告 事 項

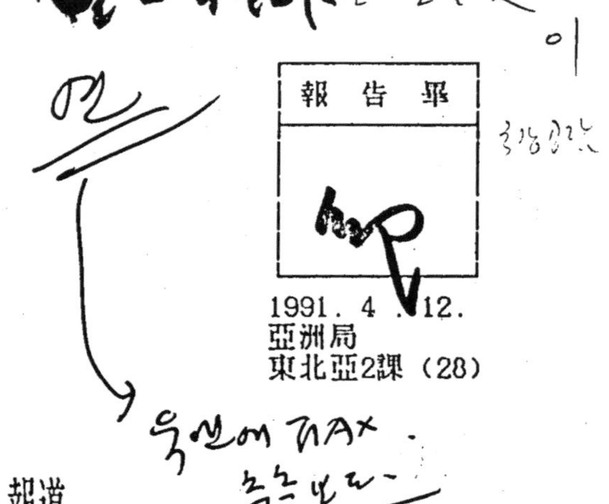

1991. 4. 12.
亞洲局
東北亞2課 (28)

題 目 : 中國의 南北韓 유엔 同時加入 對北韓勸誘 報道

금 4.12자 표제 요지의 서울新聞 1면 머릿記事關聯, 아래 보고 드립니다.

1. 記事內容

가. 취재원

° 政府 高位 消息通이 11일 밝힘

나. 대북한 勸誘經路

° ESCAP 總會 參席하고 온 劉華秋 外交部 副部長이 朱昌駿 北韓 駐中大使에게 勸誘

다. 중국의 북한 說得 論理

° 국제사회내 韓國의 유엔加入 支持 분위기
  - 韓國의 연내 유엔加入이 確實視됨

° 韓國의 單獨加入時 北韓의 孤立深化 우려

라. 拒否權 行使 문제

° 劉副部長은 拒否權 行使 관련 입장을 밝히지 않았음

0208

마. 북한 朱大使 反應

o 직접적인 반응을 보이지 않았음

o 平壤에 즉시 報告 했을것으로 추측

바. 李鵬總理의 訪北과의 연관성

o 李鵬의 訪北 主目的이 北韓의 유엔加入일 것으로 觀測

2.- 事實關係 確認

o 서울신문측(아주국장-서울신문 정치부장 통화)은 기사의 Source가 외무부라고 하나, 그 내용으로 보아 기자 개인의 희망적 관측의 기사화로 추정

3. 措置事項

o 서울신문측에는 사실과 다른 기사내용으로 중국측에 불필요한 자극을 주게 되며, 또한 국내의 여론을 오도케 할 우려가 있음을 지적, 이러한 기사의 작성에 신중을 기해줄 것을 협조 요청함

o 당부 출입기자들에게는 "中國이 최근 北京駐在 北韓大使館을 통해 南北韓 유엔同時加入을 북한측에 勸誘하였다는 4.12자 서울新聞 報道內容과 관련, 전혀 아는 바가 없으며 또한 確認된 바 없음" 을 설명. 끝.

0209

The Seoul Shinmun 1991年4月■■日 (金曜日) 〈15판〉 第1430

中國, 北韓에 유엔同時가입 권유

政府소식통 駐中대사에 에스캅總會 분위기 전달

盧대통령, 걸프지원단 歸國신고 받아

盧泰愚대통령이 11일 청와대에서 걸프지역에 파견되었던 국군의료지원단및 공군수송단원(대표자 李敏基공군대령) 10명으로부터 귀국신고를 받고 악수로 격려하고 있다. 〈金允燦기자〉

李鵬 訪北도 金日成설득 목적

"韓國 단독加入땐 平壤 고립" 우려표명

蘇, 한반도非核化 강조

고르비, 訪韓뒤 적당한 때

民自, 단합에 힘쓸때

月桂樹會 정치색배제 억측말아야

盧대통령, 金대표와 會同

0210

서 울 신 문

1991. 4. 12. 금, 1면

中國, 北韓에 유엔同時가입 권유

政府소식통 駐中대사에 에스캅總會 분위기 전달

李鵬 訪北도 金日成설득 목적

"韓國 단독加入땐 平壤 고립" 우려표명

中國은 최근 北京주재 北韓대사관을 통해 南北韓 유엔동시가입을 北韓측에 권유한 것으로 11일 알려졌다.

정부의 한 고위소식통은 이날 「劉華秋中國외교부 副부장은 최근 유엔 亞太경제사회이사회(ESCAP) 제47차 서울총회에 참석하고 돌아간뒤 朱昌駿駐中北韓대사를 불러 국제사회에서 韓國의 유엔가입지지 분위기를 전하면서 韓國의 연내 유엔가입이 확실시 되는만큼 北韓도 연내 韓國과 함께 유엔에 가입할 것을 권유한 것으로 안다」고 말했다.

이 소식통은 「劉副부장은 이 자리에서 韓國의 유엔가입이 실현될 경우 국제사회에서 北韓의 고립이 심화될 것임을 지적하고 이에 대한 우려의 뜻을 전달했으며 韓國의 先가입 신청시 거부권 행사여부에 대한 입장을 밝히지는 않았다」며 「北韓의 朱대사는 이에 대해 직접적인 반응을 보이지 않았으나 곧바로 中國측의 이같은 南北동시가입 촉구사실을 平壤에 보고했을 것」이라고 말했다.

〈관련기사 3면〉

소식통은 또 李鵬中國총리가 오는 15일쯤 平壤을 방문하는 가장 큰 목적도 北韓의 유엔가입 설득에 있는 것으로 관측된다고 설명했다.

소식통은 「北京주재 우리 무역대표부를 통해 李鵬총리의 訪北설과 구체일정등을 확인한 결과 李총리가 北韓을 방문하는 것은 확실한 것같다」고 전하고 「현재 中國과 北韓간 시급히 논의해야 할 현안이 없는 상황이기 때문에 李鵬총리와 金日成주석 면담에서는 南北韓유엔가입 문제가 주의제로 논의될 것」이라고 말했다.

소식통은 또 「北韓이 韓國의 유엔가입 저지를 강력히 요청할 것이 예상되는데도 中國 행정부의 최고책임자가 北韓을 방문하는 것은 南北韓유엔가입문제에 대한 中國측 입장이 정리되었음을 반영한다」면서 「李총리는 劉副부장을 통해 北韓에 1차 권유했던 것처럼 南韓과 함께 北韓이 유엔에 가입하는 것이 바람직하다는 입장을 北韓 최고지도층에 전달할 가능성이 높다」고 전망했다.

소식통은 이어 「李총리는 이자리에서 최근 中蘇외무장관회담때 확인한 南北韓유엔가입에 대한 소련측의 입장도 설명할 것」이라고 말하고 「李총리의 平壤방문은 오래전부터 추진되어온 만큼 고르바초프 蘇聯대통령의 訪韓과 직접적인 관련은 없으나 韓蘇정상회담에 대해서도 논의할 것으로 보인다」고 덧붙였다.

0211

서울신문 1991.4.12.금.3면

"平壤은 門을 열라"… 설득의 行步

中國의 李鵬총리가 北韓 金日成주석의 생일인 오는 15일 이전에 平壤을 방문할 것으로 알려져 국내외의 관심을 모으고 있다.

李鵬총리, 왜 平壤에 가나

韓國 유엔加入의 北京입장 전달
韓半島평화위한 北의 변화 유도
北韓측은 權力세습문제 이해 구할듯

李총리의 이번 방문은 외견상 지난해 11월 北韓 延亨默총리의 北京방문에 대한 답례형식을 띠고 있다.

그러나 4~5월중 美國 日本 中國 蘇聯 등 한반도주변 4강국이 연쇄적인 정상회담을 갖게 되고 韓國이 오는 9월 유엔에 단독가입할 계획을 세우고 있는 점 등을 감안할 때 李총리의 平壤行을 계기로 中國과 北韓수뇌부가 한반도 및 東北亞정세에 관해 속깊은 이야기를 주고받을 것이란 예측은 쉽게 할 수 있을 것같다.

대내적으로 볼 때도 中國은 서울에 무역대표부를 개설, 對韓경제교류를 강화하고 있고 北韓은 金正日에 대한 권력세습문제를 안고 있는 등 상호이해와 지지를 필요로 하는 현안이 적지 않기 때문에 李총리의 이번 北韓방문은 중요한 의미를 지닌 것으로 지적된다.

게다가 오는 19일 濟州에서 盧泰愚·고르바초프대통령의 제3차 韓蘇정상회담이 열리는 사실은 양국수교에 이어 北韓에 또 하나의 큰 충격을 주는 것이기 때문에 中國 李총리의 방문에 거는 平壤측의 기대는 매우 클 것으로 풀이되고 있다.

지금까지 北韓을 한 차례도 방문하지 않았던 蘇聯정상이 韓國을 먼저 찾아 회담을 갖는데 대한 北韓측의 당혹감은 對中유대관계심화의 형태로 반영될 것이 확실하다는 얘기다.

이번 平壤방문을 통해 李鵬총리가 北韓측에 제시할 것으로 보이는 문제들은 지난 9일 폐막된 올해 전국인민대표대회(全人代)에서 재확인한 中國의 개방·개혁지향정책과 관련, 北韓의 개방을 종용하는 것과 한반도 평화정착을 위한 北韓측의 긍정적인 태도를 도출시키는 것 등으로 지적할 수 있을 것같다.

李총리는 올 全人代기간중 「한반도에서 또다시 무력충돌이 발생하는 것을 원치 않으며 北韓이 개방정책을 취할 수 있게끔 주변정세가 변해야 할 것」이라고 말함으로써 한반도문제의 평화적 해결을 강조했었다.

李총리는 또 이번 平壤방문기간동안 韓國이 올가을 유엔에 단독가입신청을 할 경우에 대비한 中國측 입장을 전달할 것으로 보이며 北韓에 대한 국제원자력에너지기구의 核사찰문제 등도 협의하게 될 것으로 보인다.

韓國의 유엔단독가입방침에 대해 北韓은 현재 이렇다할 대책을 세우지 못하고 있으며 오직 中國측의 거부권 행사에 기대하고 있는 입장인 것으로 알려지고 있다.

蘇聯의 경우 韓國의 유엔단독가입에 별다른 거부반응을 나타내지 않고 있으므로 北韓은 마지막으로 中國에 기댈 수밖에 없는 실정이다.

中國이 어떤 태도를 취할 것인지는 짐작키 어렵지만 北韓은 中國이 기권표를 던지지 않고 거부권을 행사토록 온 힘을 다해 李총리를 설득할 것으로 보인다.

中國도 지금까지 韓國의 유엔가입문제에 대해 『南北韓당국자들의 협의에 따를 것』이라는 태도를 견지하고 있지만 한국이 가입신청을 할 경우 거부권행사는 사실상 불가능한 실정임을 설명, 동시가입을 권유할 가능성이 큰 것으로 예상되고 있다.

물론 지난 1일 北京에서 蘇聯의 알렉산데르 베스메르트니히외무장관과 中國 錢其琛외교부장의 회담에 이어 오는 5월15일부터 모스크바에서 고르바초프와 中國 江澤民총서기의 정상회담이 열리는 동안 한반도문제가 다뤄질 예정이지만 韓國의 유엔가입에 관한 구체적인 견해 표명을 하지는 않을 것 같다.

한편 北韓은 韓·中수교에 관해 최대한의 제동을 거는 입장을 취할 것이며 中國측도 李鵬총리를 통해 서울의 무역대표부 개설에 따른 北韓의 이해를 구하면서 對韓國교류가 민간차원을 넘어서지 않으리란 점을 강조할 것으로 보인다.

이러한 예측은 韓·中수교가 이뤄질 경우 北京정권으로선 臺灣정부를 공인하는 「두개의 中國」을 인정하는 결과가 되는데다 地政學적인 면에서도 北韓과의 불화가 아무런 이점을 주지 않기 때문이란 점에서 가능한 것이다.

더욱이 鄧小平 등 北韓의 金日成과 개인적인 친분이 두터운 中國의 원로정치인들이 건재하고 있는 한 北京정권은 韓·中수교에 관한 北韓측 반대의사를 수용할 수밖에 없다는 분석이 지배적이다.

平壤측은 또 이번 李鵬총리의 방문을 계기로 金正日권력세습에 대한 中國측 지지를 받아낼 것으로 보이며 李총리를 맞이하는 金正日의 역할도 두드러 질 것으로 전망된다.

〈홍콩=禹弘濟특파원〉

李鵬 中國총리가 가까운 장래에 北韓을 방문한다고 11일 중국외무부가 밝혔다. 사진은 지난해 11월23일 중국을 방문한 延亨默 북한총리가 天安門광장 환영식에서 李鵬총리(왼쪽)와 함께 의장대를 사열하는 모습. 〈北京AP聯〉

0212

발 신 전 보

분류번호	보존기간

번 호 : WUN-0910 910412 1810 FL 종별 :

수 신 : 주 유엔 , 미 대사.~~총영사~~ WUS -1501

발 신 : 장 관 (국연)

제 목 : 기사 송부

1. 유엔가입문제에 관한 4.12자 서울신문 머릿기사를 별첨 FAX 송부함.

2. 동 보도는 기자가 지나친 희망적 관측을 자의적으로 기사화 한것으로 보임. 끝.

WUS(F) - 210
WUN(F) - 38

(국제기구조약국장 문동석)

보안통제	

앙고재	년 4월 12일	유엔과	기안자 성명		과 장		국 장		차 관	장 관
			여							

외신과통제

0213

朝鮮日報
1991. 4. 15. 月, 2면

北韓에 유엔가입 설득할듯

中国,「1국2체제」통일도

홍콩紙, 李鵬 平壤 방문때

【홍콩=朴勝俊특파원】李鵬중국총리가 가까운 시일내에 평양을 방문하기로한 것은 南北韓이 유엔에 동시가입한 뒤에 통일을 추구하는「1국2제도」방식의 통일정책을 북한의 金日成에게 설득하기 위한것이라고 홍콩의 明報가 14일 보도했다.

명보는「高麗안정번영공화국?」이라는 제목의 사설을통해「李鵬이 북한을 방문하는 목적은 金日成의 생일을 축하하기위한것은 결코 아니며, 남북한의 유엔가입문제를 북한측과 협의하기 위한것」이라면서 이같이 보도했다.

이 신문은 이어 중국은 남북한의 유엔가입문제와 관련, 美国과 日本등이 북한을 승인하고 蘇聯과 中国이 남한을 승인한 뒤에 남북한이 동시에 유엔에 가입하는 방식을 북한측에 권고할 것으로 보인다고 말했다.

중국은 또 소련도 한국의 유엔가입을 반대하지않기로 한 마당에 자신들만이 비토권을 사용할 수는 없는 입장이라는 점을 북한측에 설명할 것으로 보인다고 이 신문은 예상했다.

이 신문은 이와함께 한반도가 만약 중국이 최근에 선택한 것으로 보이는 1국2제도방식의 통일을 달성할 경우, 새로운 국호는「한국」도「조선」도 아닌「고려」가 들어간 이름이 될지도 모른다고 보[illegible]했다.

0214

北韓에 核사찰수락 촉구

蘇·日 2차頂上회담 兩수뇌 심각한우려 표명

京鄕新聞
1991. 4. 18. 木, 1면

【東京=李東柱특파원】訪日중인 고르바초프소련대통령과 가이후(海部俊樹)일본총리는 17일상오 제2차정상회담을갖고한반도의 안정을위해 관계각국이 노력을 기울여나가기로 합의하는한편 북한이 국제원자력기구의 핵사찰을 받아들여한다는데 의견의 일치를 보았다.

이그나텐코 소련대통령대변인은 회담이끝난뒤『양수뇌가 북한의 핵개발에 심각한 우려를 표명했다』고 전하고『북한의 핵시설이 국제원자력기구의 관리하에 놓여져야한다는데 의견이 일치했다』고 밝혔다.

이날 회담에서 가이후총리가『북한의 핵사찰 수락이 필요하며 한반도의 안정을 위해 가능한 노력을、다해나가겠다』고 밝힌데대해 고르바초프대통령은『쌍방의 기본적인 접근방법은 일치하고 있다』고 적극적인 자세를 표명하며 이같이 합의했다.

고르바초프대통령은 이어『한반도가 안정돼 세계와 아시아속에서 안정된곳이 되기를 바란다』며『소련 일본 중국 미국이 각자의 입장에서 노력해 긴장완화를 위해 힘쓰고 있으며 이런점에서 모두 공통성이있다고 생각한다』고 밝혔다.

고르바초프대통령은 또 아시아 태평양지역 안보논의를 위한 美·日·中·蘇·인도5개국회의를제안했으나 가이후총리는 한반도、캄보디아를 예로들며『이들지역분쟁은 별개로 해결해야하며 지역분쟁해결이 무엇보다 선결문제』라고 부정적 입장을 표시했다.

"韓國유엔加入 시기 성숙 濟州회담서 主議題 될것"

蘇 대변인

【東京=李東柱특파원】비탈리 이그나텐코 소련대통령대변인은 17일『한국의 유엔가입은 매우 중요한 일이며 이제는 가입할시기가 성숙했다』면서 한국의 유엔단독가입에 대해 긍정적 입장을 밝혔다.

그는『이문제가 濟州韓·蘇정상회담에서 반드시 논의될 것이지만 소련의 입장에 대한 최종결론은 고르바초프대통령이 내릴것』이라고 말했다.

이그나텐코대변인은 이날 KBS와 東京에서 가진 인터뷰에서 이같이 밝히고『유엔가입문제는 이념적차원보다는 정치적 차원에서 다뤄져야 한다』고 말했다.

0215

관리 번호	91-388

원 본

외 무 부

종 별 :

번 호 : UNW-1040 일 시 : 91 0425 1930

수 신 : 장관(국연,해신,기정)

발 신 : 주 유엔 대사

제 목 : 한국일보기자

1.4.26 자 한국일보 "한국 단독가입 거부권 부적절-유엔 중국대사 본국에 건의서" 제하 기사관련, 송혜란 기자에 알아본바에 의하면, 송기자가 중국대표부직원과 직접 접촉한 사실은 없다하며 4.24. 신화사 통신 YANG YUEHUA 특파원을만나 대화하는 과정에서 중국대표부에서의 한국의 유엔가입에 관한 현지 판단을 본국정부에 보고한 사실을 알게된 것으로 보임.

2. 송기자에 의하면, 본사 외신부 데스크로부터 4.24 밤 "께야르 유엔사무총장이 한국의 개별가입 신청을 지지할것"이라는 브뤼셀발 WPI 통신 보도내용을 확인해오면서 중국태도에 관한 문의가 있기에, 유엔의 외교 소식통을 인용, 현재의 유엔 분위기로 보아서는 중국이 거부권을 행(936)할것 같지는 않고 중국대표부로서도 거부권 행사는 적절치 않다는 판단을 본국정부에도 건의한 것으로 알고있다는 요지의 통화를 했다하며 본사 데스크에서 동 통화내용을 근거로 이붕 중국 총리의 북한 방문시기등을 고려 중국대표부의 고위관리를 인용 전항 기사를 작성, 게재한것으로 본다고 함. 끝

(대사 노창희-국장)

예고:91.12.31. 일반

국기국 안기부 공보처

PAGE 1

91.04.26 10:20

외신 2과 통제관 CA

0216

발 신 전 보

	분류번호	보존기간

번 호 : WUN-1101 910426 1652 CV 종별 :

수 신 : 주 유엔 대사. 총영사

발 신 : 장 관 (국연)

제 목 : 기사송부

4.26자 한국일보 기사 별첨 FAX 송부하니 참고바람.

첨 부 : 동 기사 1부. 끝.

(국제기구조약국장 대리)

보 안 통 제	

앙 고 재	91년 4월 26일	유엔과	기안자 성 명		과 장		국 장		차 관	장 관

외신과통제

0217

"한국 단독加入 거부권 부적절"

유엔中國대사 본국에 건의서

중국대표부관리 밝혀

【뉴욕支社=[illegible]기자】유엔주재 중국대표부는 한국이 금년 가을 유엔단독가입안을 신청하는 경우 중국이 거부권을 행사하는 것이 적절치 않다는 내용의 건의서를 본국정부에 보낸 것으로 25일 알려졌다。

중국대표부의 한 고위관리는 25일 「한국의 유엔가입에관한 우리의 입장을 밝히는 보고서를 지난주 본국 정부에 보냈다」고 밝히고 「내주쯤이면 본국정부로부터 반응이 있을 것」이라고 덧붙였다。

한편 유엔주재 외교소식통은 한국의 유엔가입 움직임과 관련한 중국대표부의 이번 건의서가 28일로 예정된 李鵬중국총리의 북한 방문과 때맞춰 작성됐다는 점을 지적하면서 李鵬총리가 訪北기간중 북한에게 유엔동시가입을 종용할 가능성이 크다고 말했다。

케야르, 단독가입지지

【브뤼셀=聯合】하비에르·페레스·데·케야르유엔사무총장은 최근 남북한의 유엔동시가입을 지지한다고 말하고 만약 북한이 동시에가입하기를거부할경우 한국의개별가입신청을 지지할것이라고 선언했다고 벨기에의 WPI통신이 24일보도했다。

4/26/91 한국일보

0218

관리 번호	

분류번호	보존기간

발 신 전 보

번 호 : WUN-1105 910426 1657 CV 종별 :

수 신 : 주 유엔 대사. 총영사

발 신 : 장 관 (국연)

제 목 : 기사출처

연 : WUN-1101

연호 기사관련, 상부 관심표명이 있었으니 기사출처등 관련사항을 송기자에게 자연스럽게 탐문하고 결과 보고바람. 끝.

(국제기구조약국장 대리)

보안 통제	

앙 고 재	91년 4월 26일	유엔과	기안자 성명		과 장		국 장		차 관	장 관

외신과통제

0219

GLGL
o0486 ASI/AFP-AF72-----
u i Vietnam-NKorea 05-02 0208
North Korean vice-president winds up visit to Vietnam

HANOI, May 2 (AFP) - A North Korean vice-president, Ri Djong-Ok, wound up Thursday a five-day official visit to Vietnam, a Vietnamese Foreign Ministry statement said.

Mr. Ri, a North Korean politburo member, arrived Saturday and during his stay met with both Vietnamese communist party secretary general Nguyen Van Linh and Vietnamese President Vo Chi Cong, the statement said.

The North Korean delegation met with a group of their Vietnamese counterparts, led by Vice-President Nguyen Quyet, to discuss economic and social issues and "the reinforcement of relations of friendship and co-operation" between the two countries, the statement said.

The Vietnamese group expressed its "strong support" for North Korean initiatives on reunification of the two Koreas, the foreign ministry said, adding that Vietnam "greatly appreciates the North Korean government's decision to provide it with interest-free credits" for a planned electrical power station on the Hinh River.

The statement did not say how large the credits were.

During the visit, a Vietnamese-North Korean cultural and scientific agreement for 1991 was signed, the statement said.

na/mig/vm

GLGL
o0600 ASI/AFP-AG77-----
u i China-SKorea 05-02 0201
China won't back Seoul U.N. bid

TOKYO, May 2 (AFP) - China cannot endorse South Korea's application for single membership of the United Nations, a senior Chinese Communist Party official was quoted as saying Thursday.

"We cannot support a South Korean bid for a single seat in the United Nations," Zhu Liang, head of the party's international liaison department, told Japanese reporters in Beijing, according to the Kyodo news agency.

Mr. Zhou, however, did not say if China would exercise its power of veto or abstain from voting when South Korea formally applies for membership in world body.

North Korea vigorously opposes separate U.N. membership by Seoul or Pyongyang and has insisted the two rival Koreas join as one member, which Seoul rejects as unrealistic.

Mr. Zhou was speaking before meeting with Makoto Tanabe, vice chairman o the Socialist Democratic Party, Japan's largest opposition force in parliament, Kyodo said.

The Soviet Union, for long the North's main supplier of aid and arms, ha indicated it would not oppose Seoul's bid for a U.N. seat as the two countr are expanding economic links after sealing diplomatic ties in September.

sps/gh
AFP 021628 GMT MAY 91

2

0220

한 국 일 보

1991. 5. 3. 금, 1면

李鵬 오늘平壤에

한국유엔加入 논의

【東京=文昌宰특파원】李鵬 중국총리는 한국의 유엔단독가입문제에대한 중국의입장에대해 북한의 판단에 맡길수밖에 없다는입장을밝혔다. 李총리는 1일하오 北京에서 나카소네(中曾根康弘) 前일본총리와 만난자리에서 『한국의 유엔가입문제로 중국이 이해를 표시할수 있겠느냐』는 물음에 대해 이같이 답변했다.

그는 3일 북한을 공식방문, 이문제를 논의하게 될것이라고 전한뒤『중국은 북한과 대화는 할수있지만 이래라 저래라할 입장이 아니다. 일본과 북한간의 국교정상화교섭에 진전이 있으면 한국의 유엔가입문제에도 진전이 있지않겠느냐』고 덧붙였다.

서 울 신 문

1991. 5. 3. 금, 2면

李鵬, 오늘平壤에

【도쿄聯合】李鵬 中國총리는 3일부터 北韓을 방문하는 동안 北韓 지도자들과 이번 가을 韓國의 유엔단독가입문제에 대해 논의할 가능성이 있음을 시사했다.

日本 교도(共同)통신에 따르면 李총리는 1일밤 中國을 방문중인 나카소네(中曾根)前 日本총리와 회담하는 가운데 나카소네 前총리가 『韓國의 유엔단독가입에 대해 中國은 이해를 표시하는 것이 아닌가』라고 질문하자 직접적인 답변을 회피한채 『3일부터 北韓을 방문하기 때문에 그 문제에 대해 언급할 기회가 있을지도 모른다』고 대답했다.

조 선 일 보

1991. 5. 3. 금, 1면

中国 李鵬총리 오늘 平壤방문

【홍콩=金泳秀특파원】中国의 李鵬총리가 3일 전용기편으로 평양에 도착, 나흘간의 공식 북한 방문일정에 들어갈 예정이라고 홍콩의 新晩報가 2일 北京發로 보도했다.

이 신만보는 李鵬총리의 이번 북한방문에는 중국인민해방군 遲浩田총참모장을 비롯, 黃毅誠동력부부장, 李嵐淸대외경제무역부 부장, 国務院비서장 羅幹등이 수행할 예정이며, 李총리의 부인 朱琳도 동행한다고 보도했다.

<관련기사4면>

0221

조선일보

1991. 5. 3. 금. 4면

李鵬총리 平壤왜 가나

외교고립 北韓돌파기 발걸음

전통友邦 재강조 核사찰 조언

유엔문제 입장 난처… "합의" 설득할듯

李鵬 中国총리가 3일北韓을 방문한다。李鵬의 이번 북한방문은 지난달 25일 北京과 평양에서 동시에 공식발표됐다。중국관영 新華통신은 이날「李鵬총리가 내달 3일부터 6일까지 조선민주주의 인민공화국 延亨默총리의 초청으로 조선을 공식친선방문한다」고 보도했다。

신화통신의 이같은 보도는 우선 李鵬의 이번 평양行이 작년 11월 23일부터 28일까지 있었던 延亨默북한총리의 訪中에 대한 答訪형식으로 이루어진다는 것을 말해주고 있다。당시 延亨默은 北京을 떠나기전날 李鵬에게 평양을 방문해주도록 초청했고,이에대해 李鵬은「양국 모두에 편리한,적당한 때에 방문하겠다」고 답했었다。

李鵬의 이번 訪北은 지난 88년 3월의 방문에 이어 두번째가 된다。

이와관련,중국관영 신화통신이 지난 30일「귀중한 이웃은 귀중한 것이라는 제목으로 타전한「두나라간의 우정에 얽힌 두가지 逸話」는 많은 시사를 던져주고 있다。

『오는 3일부터 시작되는 李鵬총리의 조선방문은 그동안 많은 감동적인 逸話들을 남긴 中朝우호관계를 새로운 단계로 올려놓을 것』이라는 전제를 달아 보도한 신화통신의「두가지 일화」는 중국과 북한 양국「인민」들이 위급할 때 서로 도와준 이야기를 소개했다。

첫번째 일화는 지난해 11월24일에 있었던 일。북한 자강道의 압록강변 차송에 있는 운봉발전소 부근에서 한밤중에 큰불이 났다。인근마을 사람들이 모두 잠에서 깨어나 화재현장으로 달려가 불길을 잡으려했지만 역부족이었다。이때 압록강 건너편의 吉林省국경마을에서도 마을 사람들과 파人들이 잠에서 깨어나 강을 건너 화재 현장으로 달려갔으며,두나라 사람들은 힘을 합해 불길을 잡았다。

두번째 일화는 앞서의 화재사건직후인 12월13일에 발생한 것으로 소개됐다。중국 遼寧省의 어부 5명이 탄 어선이 평양에서 멀리 떨어지지 않은 황해해상에서 난파됐다。어부들은 SOS를 쳤으며,이 신호를 받은 북한사람들과 관리들은 즉각 구조에 나섰다。북한사람들과 관리들은 어둠과 높은 파도,강한 바람에도 용감하게 구조작업을 벌여 결국 중국인어부들을 모두 구했다。

중국관영통신이 李鵬의 訪北을 앞두고 타전한, 많은 미사여구가 동원된 이「두 가지 일화」는 한 마디로 중국-북한 두나라는 서로 위급할 때 최선을 다해 돕는 관계라는 점을 거듭 강조하고 있다。

다시 말해 李鵬의 이번 訪北은 위기에 처한 북한을 돕기 위해 이루어지는 것이라는 시사를 강하게 풍기고 있는 것이다。

◇오늘부터 6일까지 北韓을 방문하는 李鵬 中国총리.

현재 북한이 국제사회에서 처한 가장 큰 어려움은 우선 미하일 고르바초프蘇聯대통령의 최근 訪韓으로 더욱 강화되고 있는 韓蘇관계로 인한 외교적인 고립상태와, 올가을 韓国의 UN가입시도를 저지할 명분과 가능성이 점차 희박해지고 있는 등의 두가지이다。따라서 李鵬은 이번 평양방문을 통해 金日成등 북한지도자들과 만나 이 두가지 문제에 대해 깊이 논의할 것으로 예상되고 있다。

李鵬이 이번 평양방문기간동안 북한지도자들과 만나 논의한 결과는 오는 15일 시작되는 江澤民중국공산당총서기의 모스크바방문을 통해 蘇聯수뇌부에 전달될 것이 분명하다。때문에 북한측은 李鵬에게 韓蘇수교에 대한 자신들의 불만, 한국의 UN가입을 반대하는 자신들의 논리등을 설득력있게 전달하기위해 최대한 노력할 것으로 분석된다。

그러나 한국의 UN가입문제와 관련해서는 중국도 난처한 입장에 빠져있는 것이 사실이다。신화통신이 상징적으로 전한「두가지 일화」대로 하자면 중국이 올가을 UN표결때 한국의 UN가입에 비토권을 사용하는 것으로 북한을 구해주어야 하겠지만, 현재 중국도 국제사회에서 立地가 그리 넓은 편이 못된다。

지난번 美国의 승리로 끝난 걸프戰때 이라크에 대한 UN의 무력사용결의안 표결에 5개안전보장 이사회 상임이사국가운데 유일하게 기권, 戰後처지가 안좋은데다가 非동맹국들의 盟主임을 자처하면서도 대부분의 비동맹국들이 승인하고있는 한국의 유엔가입에 비토권을 행사할경우 비동맹국가사회를 설득할 논리가 군색한입장이기도하다。

따라서 중국으로서는 올가을 유엔표결이전에 북한이 한국과 유엔가입문제에 대해 합의하도록 설득할 가능성이 높다。

이와함께 중국은 최근국제사회에서 커다란 문제가 되고있는 북한의 핵무기제조능력과 핵사찰수용문제와 관련, 북한을 돕는 입장에서 북한측의 설명을 듣고 이에대해 조언할 것으로도 진단된다。

또한 韓中수교문제도 자연스럽게 거론되겠지만,이 문제는 중국으로서는 그리 급한 문제가 아니므로 북한의 의사를 타진해보는 정도로 그칠 가능성이 크다。【홍콩=朴勝俊특파원】

0222

세 계 일 보

1991. 5. 3. 금、4면

李鵬 오늘 平壤에

韓國유엔단독가입案 논의 시사

【도쿄=연합】 李鵬 中國총리는 3일부터 北韓을 방문하는 동안 북한지도자들과 韓國의 유엔단독가입문제를 논의할 가능성이 있음을 강력히 시사했다.

李총리는 1일 밤 중국을 방문중인 나카소네 前 日本총리와 회담하는 가운데 나카소네 前총리가 『한국의 유엔단독가입에 대해 중국은 이해를 표시하는 것이 아닌가』라고 질문하자, 직접적인 답변을 회피한채 「3일부터 북한을 방문하기 때문에 그 문제에 대해 언급할 기회가 있을지도 모른다」고 말했다고 일본언론이 전했다.

【平壤=聯合】 3일부터 시작되는 李鵬中國총리의 北韓방문은 북한이 더 이상의 위험하고 적대적인 국제적 고립상태로 빠져들어가는 것을 막기 위한 北京당국의 시도라고 서방외교관들이 2일 분석했다.

한 서방외교관은 「중국이 한국의 유엔가입과 관련, 거부권을 행사하지 않을 조짐이 많이 나타나고 있다」고 말했으며 다른 외교관도 「李鵬총리가 남북한의 유엔동시가입이 잠정적이며 한반도가 통일된 이후에는 단일의 석을 보유한다는 양해하에 남북한동시가입 방안을 소련과의 합의하에 마련했을 것」이라고 관측했다.

0223

The Korea Times

1991. 5. 3. Fri., page 1

Li Peng's Visit Intended To Soften NK Isolation

PYONGYANG (Reuter) — A visit to Pyongyang by Chinese Premier Li Peng, which starts on Friday, is an attempt by Beijing to save its hardline communist neighbor from sliding further into a dangerous and hostile isolation, western diplomats said.

"An isolated, cornered North Korea would be a real menace. Nobody wants that," one diplomat said.

China is among the last of North Korea's trusted friends and by far the most important. That commitment is now being sorely tested by South Korea's announced intention of applying to join the United Nations, a move that has infuriated Pyongyang.

Diplomats said they believed Li would bring with him a face-saving formula that would allow both Koreas to join the world body and save China the embarrassment of having to take sides in the United Nations Security Council.

The success of Li's visit will have a decisive impact on peace and security on the Korean peninsula, the last potential Cold-War flash-point where China, the Soviet Union, the United States and Japan all have strategic interests, diplomats based in Pyongyang said.

North Korea has become a focus of world fears over its nuclear intentions. U.S. intelligence reports say Pyongyang is only a few years away from developing a nuclear bomb at a facility north of Pyongyang.

North Korea denies it is manufacturing a nuclear arsenal. Although it has signed the nuclear Non-Proliferation Treaty, it has never opened its nuclear facility to international inspection, demanding the United States allow similar inspection of its facilities in South Korea.

"It's very important that China stays on side with the North," one diplomat said. "The Chinese are about the only people who've got influence here."

China has made no public statement on whether, as a permanent member of the Security Council, it would veto Seoul's application to join the U.N. in a vote later this year.

"There are many signs that China will not use the veto," one diplomat said.

0224

The Korea Herald

1991. 5. 3. Fri., pagel

Li Peng due in Pyongyang today

China likely to pressure North Korea over U.N. membership

PYONGYANG (Reuter) — A visit to Pyongyang by Chinese Premier Li Peng, which starts Friday, is an attempt by Beijing to save its hard-line Communist neighbor from sliding further into a dangerous and hostile isolation, Western diplomats said.

Premier Li Peng

"An isolated, cornered North Korea would be a real menace. Nobody wants that," one diplomat said.

China is among the last of North Korea's trusted friends and by far the most important. That commitment is now being sorely tested by South Korea's announced intention of applying to join the United Nations, a move that has infuriated Pyongyang.

Diplomats said they believed Li would bring with him a face-saving formula that would allow both Koreas to join the world body and save China the embarrassment of having to take sides in the U.N. Security Council.

The success of Li's visit will have a decisive impact on peace and security on the Korean Peninsula, the last potential Cold War flash-point where China, the Soviet Union, the United States and Japan all have strategic interests, diplomats based in Pyongyang said.

North Korea has become a focus of world fears over its nuclear intentions. U.S. intelligence reports say Pyongyang is only a few years away from developing a nuclear bomb at a facility north of Pyongyang.

North Korea denies it is manufacturing a nuclear arsenal. Although it has signed the Nuclear Non-Proliferation Treaty, it has never opened its nuclear facility to international inspection, demanding the United States allow similar inspection of its facilities in South Korea.

"It's very important that China stays on side with the North," one diplomat said. "The Chinese are about the only people who've got influence here."

China has made no public statement on whether, as a permanent member of the Security Council, it would veto Seoul's application to join the United Nations in a vote later this year.

"There are many signs that China will not use the veto," one diplomat said.

China is trying to expand trade and investment with South Korea and the two countries have exchanged trade offices. It has not gone as far as the Soviet Union, Pyongyang's main backer, in opening diplomatic relations with the South.

0225

중앙일보

1991. 5. 3. 금. 4면

中國의 對北관계변화 시사

李鵬총리 平壤行의 의미

정치적 성격 최소화에 주력

韓半島문제 중립입장 추구

맹방관계이던 中國과 北韓의 位相이 일반적인 국가對국가의 수준으로 격하되어가고 있다.

그동안 엄격히 사회주의노선을 고수해온 中國과 北韓은 사회주의 국제주의에 입각, 黨對黨이라는 특수관계로 양국관계를 친밀하게 유지해왔었다.

최근 北京을 방문했던 東歐의 한 소식통은 3일 中國국무원 총리 리펑(李鵬)이 연례적으로 北韓을 방문했던 黨총서기를 대신해 平壤을 방문하는 것이 이를 상징한다고 지적했다.

이 소식통은 또 당초 李鵬총리의 訪北일정이 정치적 의미를 최소화하는 뜻에서 토요일인 4일로 잡혔으나 北韓측의 이의제기로 최종적으로 주말을 피한 3일로 조정됐다고 밝혔다.

그러나 지난해 北韓총리 延亨默의 訪中에 대한 답방으로 黨총서기 대신 李鵬총리가 平壤을 가는 것에 대해서까지 北韓이 반발하지는 못한 것으로 전했다.

이 소식통은 최근 北京에서 접촉한 中國관리들이 李鵬총리가 北韓방문동안 예상되는 현안들에 대해 어떠한 적극적인 태도도 표명하지 않을 것임을 밝혔다고 전했다.

반면 北韓이 韓國의 유엔가입신청에 대해 中國측의 거부권행사를 요구해올 경우 『韓半島문제는 南北韓간의 직접적인 대화에 의해 풀어가야 한다』는 자세를 北韓에도 적용함으로써 中國의 중립적 자세를 北韓에 인식시키려 할 것이라고 밝혔다.

이 소식통은 李鵬 총리의 이번 訪北은 몇가지 현안에 관해 北韓에 압력이나 이해를 구하려는것이 아니라 자신의 방문자체가 黨총서기를 대신하는 中國의 對北관계 변화를 알리는 것인 동시에 지금까지 中國이 일관해 왔던 개방·개혁 노선과 韓半島에서의 현상인정을 재확인하는 연장선에 머무를것으로 분석했다.

中國은 80년대이후 개방·개혁노선을 실행해오면서 中國을 방문한 金日成·金正日·延亨默·金永南등 고위층은 물론 北韓의 軍·경제및 행정 실무자들을 深圳·朱海·天津등 경제개방지구를 방문토록 주선, 사회주의 체제하의 개혁의 필요와 장점을 北韓도 받아들이도록 설득해왔다.

최근 또다른 한 中國전문가는 지난해 9월 中國최고 실력자 덩샤오핑(鄧小平)과 北韓주석 金日成과의 瀋陽회담에서 中國이 韓國과의 국교정상화를 추진하고 있는데 대해 金日成이 앞으로 「5년간의 준비시간」을 요청했던 사실을 밝힘으로써 中·北韓관계의 변화를 뒷받침했다.

당시 金日成은 蘇聯이 韓國과의 수교를 앞당기고 있는데 충격을 받고 이문제를 협의하기 위해 鄧小平에게 北京을 방문할 뜻을 전했으나 거절당했으며, 鄧은 최소한의 성의표시로 瀋陽에서의 회담을 허용했다는 것이다.

이회담에서 金日成은 北韓이 개방·개혁에 대비하기 위해서는 최소한 「5년기간」이 필요하다며 그이전에는 韓國과 수교하지 않는다는 보장을 요구했으나 鄧小平은 아무런 의사표시도 하지않은 것으로 알려졌다.

이같은 中國의 입장은 瀋陽회담직후 유엔총회에 참석중이던 첸치천(錢其琛)외교부장의 『中國은 아직 해결되지 않고있는 인접국가와의 관계를 정상화해 나갈것」이라는 표명을 통해 우회적으로 北韓에 전달됐었다.

錢其琛은 江澤民과 李鵬의 이번 방문일정이 발표된 직후에도 對外관계에 있어 자주·평등·평화·호혜등 사회주의 노선이나 체제에 한정되지않는 「5개원칙」을 준수할 것이라고 재천명함으로써 中國이 「모든 국가들」과의 관계발전을 모색하고 있음을 강조하기도 했다.

이에앞서 北韓은 88년9월 蘇聯이 크라스노야르스크선언을 통해 대외개방을 표명하고 韓國과의 국교정상화에 착수했을무렵 蘇聯과의 고위접촉을 통해 韓蘇수교에 北韓이 대응하기 위한 「3년유예기간」을 요청, 확인받았었다. 그러나 蘇聯이 이를 지키지 않음에 따라 北韓이 蘇

↓ 뒷면

0226

중 앙 일 보

1991 · 5 · 3 · 금 · 4면

(앞면에서 계속)

聯을「배신자」로 규정하며 반발했던 것은 이미 알려진 사실이기도 하다.

따라서 北韓은 中國의 對韓관계정상화를 저지할만한 유효한 방도를 갖지 못한채 자체개혁·개방과 주변관계변화 사이에서 시간에 쫓기고 있으며 中國은 李鵬의 訪北이후 對韓수교작업을 보다구체화할 것으로 이 전문가는 분석했다.

이 전문가는 이미 韓中국교정상화는 시간문제에 지나지 않으며 그런만큼 오히려 서둘러야할 이유가 없다고 말하고 北韓의 고립이나 반발을 줄이면서 실무적·단계적방식으로 접근해야할 것이라고 지적했다.

이 전문가는 韓中 관계의 발전으로 오는 7월말까지 仁川~天津간에 쾌속페리가 취항하고, 연말까지 서울~天津, 서울~上海간에 大韓航空 및 아시아나가 취항할 예정이라고 밝혔다.

한편 이같은 실무관계의 진전으로 中國과 美國관계의 급격한 악화사태가 없는한 오는 9월 韓國의 유엔가입실현에 이어 내년말까지 韓中국교수립은 충분히 예상할 수 있다고 이 전문가는 전망했다. 【臺北=全擇元특파원】

0227

동 아 일 보

1991 • 5 • 3 • 금 • 1면

南北 유엔同時가입 협조를

金大中 新民총재 케야르總長에 서한

新民黨의 金大中총재는 南北韓의 유엔가입문제와 관련, 케야르 유엔사무총장에게 『安保理의 이사국들, 특히 5대상임이사국들을 설득해 南北韓이 유엔에 동시 가입되도록 安保理명의로 南北韓정부를 초청해달라』는 내용의 서한을 3일 발송했다.

金총재는 이같이 南北韓 동시가입에 대한 협조를 요청하면서 『大韓民國의 단독가입은 한민족으로서 불완전한 의사표시이며 남북간의 긴장을 강화시켜 한반도평화에 부정적인 영향을 미칠것』이라고 밝혔다.

그는 유엔의 「南北韓 정부 초청」방안이 『北韓으로 하여금 체면을 잃지 않고 유엔에 들어올수 있는 계기를 만들어줄 것』이라고 주장했다.

그러나 金총재는 『이같은 기회에도 불구하고 北韓이 유엔가입의 결단을 내리지 않는다면 유엔은 당연히 大韓民國만의 가입을 승인할수 밖에 없을것』이라고 말했다.

중 앙 일 보

1991 • 5 • 3 • 금 • 1면

南韓만 유엔가입 평화에 도움안돼

金총재 유엔에 서한

金大中 新民黨총재는 3일 케야르 유엔사무총장에게 5개상임이사국들을 설득해 南北韓이 유엔에 동시가입 신청을 할수있게 해달라는 영문서한을 우편으로 보냈다.

金총재는 서한에서 『南北韓의 유엔가입은 南北韓이 공히 유엔에 가입해 7천만 한민족의 의사가 반영되고, 한반도평화에 기여해야하는 두가지 원칙에 기초해야 한다』고 전제, 『대한민국의 유엔단독가입은 한민족의 불완전한 의사표시이며 한반도 평화에 부정적인 영향을 끼칠 것』이라고 전했다.

그는 또 北韓의 「南北韓 유엔단일의석 가입론」에 대해 『유엔동시가입이 한반도의 영구분단을 가져온다는 北韓의 주장은 근거가 없으며 국제적 지지도 받지 못한다』고 반박했다.

0228

경 향 신 문

1991 • 5 • 3 • 금 、1면

金大中총재 유엔단독가입 반대

케야르에 「同時가입」 협력요청

金大中新民黨총재는 2일 케야르유엔사무총장에게 南北韓의 유엔 동시가입을 위해 적극적노력을기울여달라는 내용의 서한을 발송했다.

金총재는 서한에서『韓國의 유엔단독가입은 남북한의 긴장을 강화시켜 한반도평화에 부정적인 영향을 끼칠것』이라고 한국의 유엔단독가입에 반대하는 黨의입장을 밝혔다.

金총재는 이어 南北韓의 유엔동시가입의 필요성을 설명하고 『유엔사무총장이 안보리의 상임이사국들을 설득해 남북한의 동시가입을위해 안보리명의로 남북한 정부를 초청해달라』고 요청했다.

金총재는『그렇게해도 북한이 유엔가입의결단을 내리지않을때는 유엔은 당연히 대한민국만의 가입을승인할수밖에 없을것』이라고 밝혔다.

한 국 일 보

1991 • 5 • 3 • 금 、2면

南北韓 유엔同時가입노력 요청

金大中총재、케야르總長에 서한

金大中 新民黨총재는 2일 케야르 유엔사무총장에게 서한을 보내 남북한의 유엔동시가입을 위해 적극적인 노력을 기울여 줄것을 요청했다.

金총재는 서한에서 『유엔사무총장이 안보리의 상임이사국들을 설득해 남북한의 동시가입을위해 안보리명의로 남북한정부를 초청해달라』고 요청했다.

金총재는 이어 『그렇게해도 북한이 유엔의 가입결정을내리지 않을때는 유엔은 당연히 대한민국만의가입을 승인할수밖에 없을것』이라고 밝혔다.

서 울 신 문

1991 • 5 • 3 • 금 、1면

유엔 동시加入 협조

케야르總長에 서한 金大中총재

新民黨 金大中총재는 2일하오 케야르 유엔사무총장에게 南北韓 유엔동시가입을 위해 안보리 상임이사국들을 설득해달라는 내용의 서한을 발송했다.

세 계 일 보

1991 • 5 • 3 • 금 、2면

「同時가입」 협력 요청

金총재, 케야르에 서한

金大中신민당총재는 2일 오후 케야르 유엔사무총장에게 南北韓의 유엔동시가입을 위해 적극노력을 기울여 달라는 내용의 서한을 발송했다.

金총재는 서한에서 『한국의 단독 유엔가입이 한반도평화에 부정적 영향을 미치게 될 것이지만 北韓이 유엔가입결단을 내리지 않을 때는 유엔은 당연히 한국만의 가입을 승인할 수밖에 없을 것』이라고 강조했다.

	분류번호	보존기간

발 신 전 보

번 호 : WUN-1184 910503 1559 CO 종별 :

WUS -1874

수 신 : 주 유엔, 미 대사. 총영사

발 신 : 장 관 (국연)

제 목 : 기사 송부

유엔가입관련 김대중 총재의 케야르총장 앞 서한 발송과 중국 공산당 대외연락 부장의 기자회견에 관한 국내언론(5.3. 조간, 석간)과 외신의 보도내용을 별첨 FAX 송부하니 업무에 참고바람.

첨 부 : 동 자료 1부(13매). 끝.

보안통제	

앙고재	91년 5월 3일	유엔과	기안자 성명		과 장		국 장		차 관	장 관

외신과통제

0230

GLGL
o0600 ASI/AFP-AG77-----
u i China-SKorea 05-02 0201
China won't back Seoul U.N. bid

TOKYO, May 2 (AFP) - China cannot endorse South Korea's application for single membership of the United Nations, a senior Chinese Communist Party official was quoted as saying Thursday.

"We cannot support a South Korean bid for a single seat in the United Nations," Zhu Liang, head of the party's international liaison department, told Japanese reporters in Beijing, according to the Kyodo news agency.

Mr. Zhou, however, did not say if China would exercise its power of veto or abstain from voting when South Korea formally applies for membership in world body.

North Korea vigorously opposes separate U.N. membership by Seoul or Pyongyang and has insisted the two rival Koreas join as one member, which Seoul rejects as unrealistic.

Mr. Zhou was speaking before meeting with Makoto Tanabe, vice chairman o the Socialist Democratic Party, Japan's largest opposition force in parliament, Kyodo said.

The Soviet Union, for long the North's main supplier of aid and arms, ha indicated it would not oppose Seoul's bid for a U.N. seat as the two countr are expanding economic links after sealing diplomatic ties in September.

sps/gh
AFP 021628 GMT MAY 91

WUS(F) - 0276
WUN(F) - 0054

15-1

0231

조 선 일 보

1991. 5. 3. 금. 1면

"韓国 유엔 단독加入 반대"

新民 金大中총재, 케야르總長에 서한

"南北긴장만 악화" 동시가입 노력을 당부

金大中신민당총재는 정부의 年內 유엔단독가입추진과 관련, 하비에르 페레스 데 케야르 유엔사무총장에게 서한을 보내 한국의 단독가입에 사실상 반대한다는 입장을 밝히기로 했다.

이에따라 신민당은 2일 金총재의 서한을 인편으로 미국에 보냈으며, 이 서한은 訪美중인 趙昇衡의원을 통해 금명간 케야르사무총장에게 전달될 예정이다.

金총재는 이서한에서『대한민국의 유엔단독가입은 한민족으로서는 불완전한 의사표시이며 南北간의 긴장을 강화시켜 한반도평화에 부정적인 영향을 끼칠 것』이라고 단독가입에 사실상 반대의사를 피력한뒤 『우리는 꼭 南北韓의 유엔동시가입이 실현되기를 바란다』고 말했다.

金총재는 이를 위해『閣下께서 유엔안전보장이사회 이사국들, 특히 5대상임이사국들을 설득해 南北韓이 유엔에 동시가입되도록 安保理事會의 명의로 남북한 정부를 공동초청해달라』고 케야르총장에게 요청했다.

金총재는『이런 방법만이 북한으로 하여금 체면을 잃지않고 유엔에 들어갈수있는 계기를 만들어줄 것』이라고 주장했다.

그는 이어 南北韓의 유엔가입은 양측이 함께 가입해 7천만 한민족의 의사가 반영되어야하고 한반도평화에 기여해야한다는 두가지 원칙아래에서 해결되어야만 한다는 견해를 피력했다.

신민당은 남북한의 유엔가입에 대해 단일 国号로 가입하는 것을 원칙으로 하되 잠정적인 南北동시가입은 가능 하다는 입장을 밝혀왔다.

15-2

0232

경향신문

1991. 5. 3. 금. 1면

金大中총재 유엔단독가입 반대

케야르에 「同時가입」 협력요청

金大中新民黨총재는 2일 케야르유엔사무총장에게 南北韓의 유엔 동시가입을 위해 적극적노력을 기울여달라는 내용의 서한을 발송했다.

金총재는 서한에서 「韓國의 유엔단독가입은 남북한의 긴장을 강화시켜 한반도평화에 부정적인 영향을 끼칠것」이라고 한국의 유엔단독가입에 반대하는 黨의입장을 밝혔다.

金총재는 이어 南北韓의 유엔동시가입의 필요성을 설명하고 「유엔사무총장이 안보리의 상임이사국들을 설득해 남북한의 동시가입을위해 안보리명의로 남북한 정부를 초청해달라」고 요청했다.

金총재는 「그렇게해도 북한이 유엔가입의결단을 내리지않을때는 유엔은 당연히 대한민국만의 가입을승인할수밖에 없을것」이라고 밝혔다.

한국일보

1991. 5. 3. 금. 2면

南北韓 유엔同時가입노력 요청

金大中총재, 케야르總長에 서한

金大中 新民黨총재는 2일 케야르 유엔사무총장에게 서한을 보내 남북한의 유엔동시가입을 위해 적극적인 노력을 기울여 줄것을 요청했다.

金총재는 서한에서 「유엔사무총장이 안보리의 상임이사국들을 설득해 남북한의 동시가입을위해 안보리명의로 남북한정부를 초청해달라」고 요청했다.

金총재는 이어 「그렇게해도 북한이 유엔의 가입결정내리지 않을때는 유엔은 당연히 대한민국만의가입을 승인할수밖에 없을것」이라고 밝혔다.

서울신문

1991. 5. 3. 금. 1면

유엔 동시加入 협조

케야르總長에 서한 金大中총재

新民黨 金大中총재는 2일하오 케야르 유엔사무총장에게 南北韓 유엔동시가입을 위해 안보리 상임이사국들을 설득해달라는 내용의 서한을 발송했다.

세계일보

1991. 5. 3. 금. 2면

「同時가입」 협력 요청

金총재, 케야르에 서한

金大中신민당총재는 2일 오후 케야르 유엔사무총장에게 南北韓의 유엔동시가입을 위해 적극노력을 기울여 달라는 내용의 서한을 발송했다.

金총재는 서한에서 「한국의 단독 유엔가입이 한반도평화에 부정적 영향을 미치게 될 것이지만 北韓이 유엔가입결단을 내리지 않을 때는 유엔은 당연히 한국만의 가입을 승인할 수밖에 없을 것」이라고 강조했다.

15-3

0233

한 겨 레 신 문

1991. 5. 3. 금, 2면

중국 "한국 유엔단독가입 반대"

당 대외연락부장 남북 긴장완화에 도움안돼

【도쿄=이주익 주재기자】 주리앙 중국 공산당 중앙대외연락부장은 2일 남한의 유엔 단독가입 문제에 대해 "우리는 단독가입에 찬성할 수 없다"고 잘라 말했다고 일본의 〈교도통신〉 등이 보도했다.

중국의 고위 당관리가 이처럼 남한의 유엔 단독가입 계획에 대해 직접적이고 공개적으로 반대 의사를 밝힌 것은 이번이 처음이다.

주 부장은 이날 일본 기자들로부터 이 문제에 대한 질문을 받고 이렇게 대답했다. 그는 단독가입이 남북한의 대화 및 긴장완화에 도움이 되지 않는다면서 "남북 쌍방이 대화를 통해 유엔 가입문제를 타개할 수 있는 길을 찾기 바란다"고 말했다.

한편, 중국의 리평 수상은 3일부터 북한을 방문할 예정인데 북한 방문 기간중 남한의 유엔 단독가입 신청문제를 둘러싸고 북한과 어떠한 논의를 할 것인지 주목된다.

경 향 신 문

1991. 5. 3. 금, 2면

韓國 유엔單獨가입 中공산당 찬성안해

【東京=聯合】 朱良중국공산당 중앙대외연락부장은 2일 북한의 국제원자력기구(IAEA)핵사찰문제와 관련, 『중국과 북한간에 협력은 없지만 북한이 관계국들과 대화를 나누어 적당한 해결책을 찾아내기를 바란다』며 북한의 핵사찰수락을 촉구했다고 日교도(共同)통신이 보도했다.

朱부장은 이날 다나베(田邊)日사회당 부위원장과의 회담에 앞서 北京주재 일본기자들과 회견을 통해 이같이 밝히고 한국의 유엔가입 문제에대해『우리들은 단독가입에 찬성할수 없다』고 말했다.

한 국 일 보

1991. 5. 3. 금, 2면

한국유엔가입 不찬성 中國공산당 對外부장

【東京=聯合】 朱良 중국공산당 중앙대외연락부장은 2일 다나베(田邊) 日社會黨부위원장과 회담에 앞서 北京주재 일본기자들과 회견을 통해 한국의 유엔가입문제에 대해 「우리들은 단독가입에 찬성할수 없다」고 말했다.

그는 또 金正日북한 서기가 이달중에 중국을 방문할 것이란 일부보도와 관련, 「아직 그러한 접촉은 없다」고 밝히고 金日成주석의 방문에 대해서도 「아직 그러한 계획이 없다」고 잘라 말했다.

15-4

0234

한 국 일 보

1991. 5. 3. 금, 1면

李鵬오늘平壤에

한국유엔加入 논의

【東京=文昌宰특파원】李鵬중국총리는 한국의 유엔단독가입문제에대한 중국의입장에대해 북한의 판단에 맡길수밖에 없다는입장을밝혔다.

李총리는 1일하오 北京에서 나카소네(中曾根康弘)前일본총리와 만난자리에서 「한국의 유엔가입문제로 중국이 이해를 표시할수 있겠느냐」는 물음에 대해 이같이 답변했다.

그는 3일 북한을 공식방문, 이문제를 논의하게 될것이라고 전하고 중국은 북한과 대화는 할수있지만 이래라저래라할 입장이 아니다. 일본과 북한간의 국교정상화교섭에 진전이 있으면 한국의 유엔가입문제에도 진전이 있지않겠느냐고 덧붙였다.

서 울 신 문

1991. 5. 3. 금, 2면

李鵬, 오늘平壤에

【도쿄연합】李鵬 中國총리는 3일부터 北韓을 방문하는 동안 北韓 지도자들과 이번 가을 韓國의 유엔단독가입 문제에 대해 논의할 가능성이 있음을 시사했다.

日本 교도(共同)통신에 따르면 李총리는 1일밤 中國을 방문중인 나카소네(中曾根)前 日本총리와 회담하는 가운데 나카소네 前총리가 「韓國의 유엔단독가입에 대해 中國은 이해를 표시하는 것이 아닌가」라고 질문하자 직접적인 답변을 회피한채 「3일부터 北韓을 방문하기 때문에 그 문제에 대해 언급할 기회가 있을지도 모른다」고 대답했다.

조 선 일 보

1991. 5. 3. 금, 1면

中国 李鵬총리 오늘 平壤방문

【홍콩=金泳秀특파원】中国의 李鵬총리가 3일 전용기편으로 평양에 도착, 나흘간의 공식 북한 방문일정에 들어갈 예정이라고 홍콩의 新晩報가 2일 北京發로 보도했다.

신만보는 李鵬총리의 이번 북한방문에는 중국인민해방군 遲浩田총참모장을 비롯, 薛毅誠동력부부장, 李嵐淸대외경제무역부부장, 国務院비서장 羅幹등이 수행할 예정이며, 李총리의 부인 朱琳도 동행한다고 보도했다.

〈관련기사4면〉

15-5

0235

외교고립 北韓돕기 발걸음

9-51

조 선 일 보

1991. 5. 3. 금. 4면

李鵬총리 平壤왜 가나

李鵬 中國총리가 3일北韓을 방문한다。李鵬의 이번 북한방문은 지난달 25일 北京과 평양에서 동시에 공식발표됐다。중국관영 新華통신은 이날李鵬총리가 내달 3일부터 6일까지 조선민주주의 인민공화국 延亨默총리의 초청으로 조선을 공식친선방문한다」고 보도했다。

신화통신의 이같은 보도는 우선 李鵬의 이번 평양行이 작년 11월 23일부터 28일까지 있었던 延亨默북한총리의 訪中에 대한 答訪형식으로 이루어진다는 것을 말해주고 있다。당시 延亨默은 北京을 떠나기전날 李鵬에게 평양을 방문해주도록 초청했고、이에대해 李鵬은「양국 모두에 편리한、적당한 때에 방문하겠다」고 답했었다。

李鵬의 이번 訪北은 지난 88년 3월의 방문에 이어 두번째가 된다。

이와관련、중국관영 신화통신이 지난 30일 [illegible]옷은 귀중한 것」이라는 제목으로 타전한「두나라간의 우정에 얽힌 두가지 逸話」는 많은 시사를 던져주고 있다。

「오는 3일부터 시작되는 李鵬총리의 조선방문은 그동안 많은 감동적인 逸話를 남긴 中朝우호관계를 새로운 단계로 올려놓을 것」이라는 전제를 달아 보도한 신화통신의「두가지 일화」는 중국과 북한 양국「인민」들이 위급할 때 서로 도와준 이야기를 소개했다。

첫번째 일화는 지난해 11월24일에 있었던 일。북한 자강道의 압록강변 차송에 있는 운봉발전소 부근에서 한밤중에 큰불이 났다。인근마을 사람들이 모두 잠에서 깨어나 화재현장으로 달려가 불길을 잡으려했지만 역부족이었다。이때 압록강 건너편의 吉林省국경 마을에서도 마을 사람들과 軍人들이 잠에서 깨어나 강을 건너 화재 현장으로 달려갔으며、두나라 사람들은 힘을 합해 불길을 잡았다。

두번째 일화는 앞서의 화재사건직후인 12월13일에 발생한 것으로 소개됐다。중국 遼寧省의 어부5명이 탄 어선이 평양에서 멀리 떨어지지 않은 황해해상에서 난파됐다。어부들은 SOS를 쳤으며、이 신호를 받은 북한사람들과 관리들은 즉각 구조에 나섰다。북한사람들과 관리들은 어둠과 높은 파도、강한 바람에도 용감하게 구조작업을 벌여 결국 중국인어부들을 모두 구했다。

중국관영통신이 李鵬의 訪北을 앞두고 타전한 많은 미사여구가 동원된 이「두 가지 일화」는 한 마디로 중국-북한 두나라는 서로 위급할 때 최선을 다해 돕는 관계라는 점을 거듭 강조하고 있다。

다시 말해 李鵬의 이번 訪北은 위기에 처한 북한을 돕기 위해 이루어지는 것이라는 시사를 강하게 풍기고 있는 것이다。

전통友邦 재강조 核사찰 조언

유엔문제 입장 난처…"합의" 설득할듯

◇오늘부터 6일까지 北韓을 방문하는 李鵬 中國총리.

현재 북한이 국제사회에서 처한 가장 큰 어려움은 우선 미하일 고르바초프蘇聯대통령의 최근 訪韓으로 더욱 강화되고 있는 韓蘇관계로 인한 외교적인 고립상태와、올가을 韓國의 UN가입시도를 저지할 명분과 가능성이 점차 희박해지고 있는 등의 두가지이다。따라서 李鵬은 이번 평양방문을 통해 金日成등 북한지도자들과 만나 이 두가지 문제에 대해 깊이 논의할 것으로 예상되고 있다。

李鵬이 이번 평양방문기간동안 북한지도자들과 만나 논의한 결과는 오는 15일 시작되는 江澤民중국공산당총서기의 모스크바방문을 통해 蘇聯수뇌부에 전달될 것이 분명하다。때문에 북한측은 李鵬에게 韓蘇수교에 대한 자신들의 불만、한국의 UN가입을 반대하는 자신들의 논리등을 설득력있게 전달하기위해 최대한 노력할 것으로 분석된다。

그러나 한국의 UN가입문제와 관련해서는 중국도 난처한 입장에 빠져있는 것이 사실이다。신화통신이 상징적으로 전한「두가지 일화」대로 하자면 중국이 올가을 UN표결때 한국의 UN가입에 비토권을 사용하는 것으로 북한을「구해주어야」하겠지만、현재 중국도 국제사회에서 立地가 그리 넓은 편이 못된다。

지난번 美國의 승리로 끝난 걸프戰때 이라크에 대한 UN의 무력사용결의안 표결에 5개안전보장 이사회 상임이사국가운데 유일하게 기권、戰後처지가 안좋은데다가 非동맹국들의 盟主임을 자처하면서도 대부분의 비동맹국들이 승인하고있는 한국의 유엔가입에 비토권을 행사할경우 비동맹국가사회를 설득할 논리가 궁색한 입장이기도하다。

따라서 중국으로서는 올가을 유엔표결이전에 북한이 한국과 유엔가입문제에 대해 합의하도록 설득할 가능성이 높다。

이와함께 중국은 최근국제사회에서 커다란 문제가 되고있는 북한의 핵무기제조능력과 핵사찰수용문제와 관련、북한을 돕는 입장에서 북한측의 설명을 듣고 이에대해 조언할 것으로도 진단된다。

또한 韓中수교문제도 자연스럽게 거론되겠지만、이 문제는 중국으로서는 그리 급한 문제가 아니므로 북한의 의사를 타진해보는정도로 그칠 가능성이크다。

【홍콩=朴勝俊특파원】

0236

세 계 일 보

1991. 5. 3. 금, 4면

李鵬「오늘 平壤에

韓國유엔단독가입案 논의 시사

【도쿄=연합】李鵬 中國총리는 3일부터 北韓을 방문하는 동안 북한지도자들과 韓國의 유엔단독가입문제를 논의할 가능성이 있음을 강력히 시사했다.

李총리는 1일 밤 중국을 방문중인 나카소네 前日本총리와 회담하는 가운데 나카소네 前총리가 「한국의 유엔단독가입에 대해 중국은 이해를 표시하는 것이 아닌가」라고 질문하자, 직접적인 답변을 회피한채 「3일부터 북한을 방문하기 때문에 그 문제에 대해 언급할 기회가 있을지도 모른다」고 말했다고 일본언론이 전했다.

【平壤=聯合】3일부터 시작되는 李鵬中國총리의 北韓방문은 북한이 더이상의 위험하고 적대적인 국제적 고립상태로 빠져들어가는 것을 막기 위한 北京당국의 시도라고 서방외교관들이 2일 분석했다.

한 서방외교관은 「중국이 한국의 유엔가입과 관련, 거부권을 행사하지 않을 조짐이 많이 나타나고 있다」고 말했으며 다른 외교관도 「李鵬총리가 남북한의 유엔동시가입이 잠정적이며 한반도가 통일된 이후에는 단일의석을 보유한다는 양해하에 남북한동시가입 방안을 소련과의 합의하에 마련했을 것」이라고 관측했다.

15-7

0237

The Korea Times

1991. 5. 3. Fri., page 1

Li Peng's Visit Intended To Soften NK Isolation

PYONGYANG (Reuter) — A visit to Pyongyang by Chinese Premier Li Peng, which starts on Friday, is an attempt by Beijing to save its hardline communist neighbor from sliding further into a dangerous and hostile isolation, western diplomats said.

"An isolated, cornered North Korea would be a real menace. Nobody wants that," one diplomat said.

China is among the last of North Korea's trusted friends and by far the most important. That commitment is now being sorely tested by South Korea's announced intention of applying to join the United Nations, a move that has infuriated Pyongyang.

Diplomats said they believed Li would bring with him a face-saving formula that would allow both Koreas to join the world body and save China the embarrassment of having to take sides in the United Nations Security Council.

The success of Li's visit will have a decisive impact on peace and security on the Korean peninsula, the last potential Cold-War flash-point where China, the Soviet Union, the United States and Japan all have strategic interests, diplomats based in Pyongyang said.

North Korea has become a focus of world fears over its nuclear intentions. U.S. intelligence reports say Pyongyang is only a few years away from developing a nuclear bomb at a facility north of Pyongyang.

North Korea denies it is manufacturing a nuclear arsenal. Although it has signed the nuclear Non-Proliferation Treaty, it has never opened its nuclear facility to international inspection, demanding the United States allow similar inspection of its facilities in South Korea.

"It's very important that China stays on side with the North," one diplomat said. "The Chinese are about the only people who've got influence here."

China has made no public statement on whether, as a permanent member of the Security Council, it would veto Seoul's application to join the U.N. in a vote later this year.

"There are many signs that China will not use the veto," one diplomat said.

15-8

0238

The Korea Herald

1991. 5. 3. Fri., page1

Li Peng due in Pyongyang today

China likely to pressure North Korea over U.N. membership

PYONGYANG (Reuter) — A visit to Pyongyang by Chinese Premier Li Peng, which starts Friday, is an attempt by Beijing to save its hard-line Communist neighbor from sliding further into a dangerous and hostile isolation, Western diplomats said.

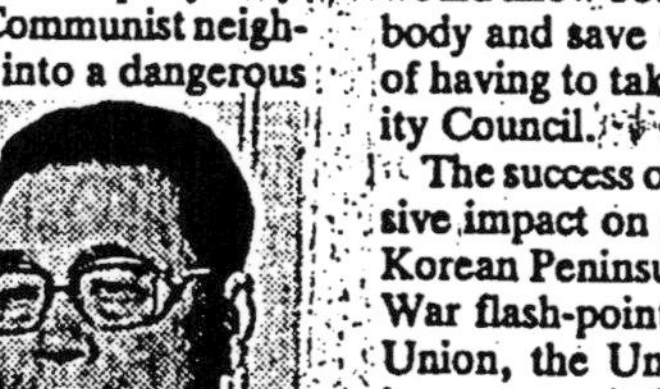

Premier Li Peng

"An isolated, cornered North Korea would be a real menace. Nobody wants that," one diplomat said.

China is among the last of North Korea's trusted friends and by far the most important. That commitment is now being sorely tested by South Korea's announced intention of applying to join the United Nations, a move that has infuriated Pyongyang.

Diplomats said they believed Li would bring with him a face-saving formula that would allow both Koreas to join the world body and save China the embarrassment of having to take sides in the U.N. Security Council.

The success of Li's visit will have a decisive impact on peace and security on the Korean Peninsula, the last potential Cold War flash-point where China, the Soviet Union, the United States and Japan all have strategic interests, diplomats based in Pyongyang said.

North Korea has become a focus of world fears over its nuclear intentions. U.S. intelligence reports say Pyongyang is only a few years away from developing a nuclear bomb at a facility north of Pyongyang.

North Korea denies it is manufacturing a nuclear arsenal. Although it has signed the Nuclear Non-Proliferation Treaty, it has never opened its nuclear facility to international inspection, demanding the United States allow similar inspection of its facilities in South Korea.

"It's very important that China stays on side with the North," one diplomat said. "The Chinese are about the only people who've got influence here."

China has made no public statement on whether, as a permanent member of the Security Council, it would veto Seoul's application to join the United Nations in a vote later this year.

"There are many signs that China will not use the veto," one diplomat said.

China is trying to expand trade and investment with South Korea and the two countries have exchanged trade offices. It has not gone as far as the Soviet Union, Pyongyang's main backer, in opening diplomatic relations with the South.

15-9

0239

동 아 일 보

1991. 5. 3. 금, 1면

李鵬 오늘 평양 도착

日紙 "韓國유엔가입 신청땐 기권설명"

【東京=李[illegible]特派員】中國의 楊尙昆주석은 3일 北韓을 방문, 6일까지 머무르면서 金日成주석등과 회담한다.

지난 81년 趙紫陽총리이래 10년만에 북한을 방문하는 楊주석은 韓國이 유엔 단독가입을 신청할 경우 중국은 기권할수 밖에 없음을 설명, 북한측의 이해를 구할 것으로 보인다고 日本의 마이니치(每日)신문이 北京發로 보도했다.

그러나 중국 공산당 朱良중앙대외연락부장은 2일 北京을 방문중인 일본 사회당의 다나베 마코토(田邊誠)부위원장과 회담한 자리에서 한국의 유엔 단독가입을 「지지하지 않는다」고 말했다고 일본언론들이 전했다.

朱부장은 회담에 앞서 가진 기자회견에서 楊주석은 한반도의 긴장완화와 대화가 성공, 통일로 진전되기를 바란다며 한국의 유엔단독가입에 찬성할 수 없다고 말했다.

이에 대해 마이니치신문은 朱부장이 한국의 유엔 단독가입에 「반대한다」고는 말하지 않음으로써 기권할 가능성을 남겨놓은 것으로 보인다고 보도했다.

중 앙 일 보

1991. 5. 3. 금, 1면

李鵬총리 訪北

【東京=共同】중국의 李鵬총리가 3일부터 6일까지 北韓을 공식방문한다.

<관련기사 4面>

中國총리로서 10년만에 처음 평양에 가는 李총리는 北韓정부 지도자들과 일련의 회담을 갖고 韓國의 유엔 단독가입 신청을 비롯한 南北·韓·中관계, 中國의 對北韓 원조문제등 양국간 상호 관심사를 폭넓게 협의한다.

15-16

0240

중앙일보

1991. 5. 3. 금. 4면

中國의 對北관계 변화시사

李鵬총리 平壤行의 의미

맹방관계이던 中國과 北韓의 位相이 일반적인 국가對국가의 수준으로 격하되어가고 있다.

그동안 엄격히 사회주의노선을 고수해온 中國과 北韓은 사회주의 국제주의에 입각, 黨對黨이라는 특수관계로 양국관계를 친밀하게 유지해 왔었다.

최근 北京을 방문했던 西方의 한 소식통은 3일 中國국무원 총리 리펑(李鵬)이 연례적으로 北韓을 방문했던 黨총서기를 대신해 平壤을 방문하는 것이 이를 상징한다고 지적했다.

이 소식통은 또 당초 李鵬총리의 訪北일정이 정치적 의미를 최소화하는 뜻에서 토요일인 4일로 잡혔으나 北韓측의 이의제기로 최종적으로 주말을 피한 3일로 조정됐다고 밝혔다.

그러나 지난해 北韓총리 延亨默의 訪中에 대한 답방으로 黨총서기 대신 李鵬총리가 平壤을 가는 것에 대해서까지 北韓이 반발하지는 못한 것으로 전했다.

李鵬 총리

이 소식통은 최근 北京에서 접촉한 中國관리들이 李鵬총리가 北韓방문동안 예상되는 현안들에 대해 어떠한 적극적인 태도도 표명하지 않을 것임을 밝혔다고 전했다.

반면 北韓이 韓國의 유엔가입신청에 대해 中國측의 거부권행사를 요구해올 경우 「韓半島문제는 南北韓간의 직접적인 대화에 의해 풀어가야 한다」는 자세를 北韓에도 적용함으로써 中國의 중립적 자세를 北韓에 인식시키려 할 것이라고 밝혔다.

정치적성격 최소화에 주력
韓半島문제 중립입장 추구

이 소식통은 李鵬총리의 이번 訪北은 몇가지 현안에 관해 北韓에 압력이나 이해를 구하려는것이 아니라 자신의 방문자체가 江총서기를 대신하는 中國의 對北관계 변화를 알리는 것인 동시에 지금까지 中國이 일관해 왔던 개방·개혁 노선과 韓半島에서의 현상인정을 재확인하는 연장선에 머무를것으로 분석했다.

中國은 80년대이후 개방·개혁노선을 실행해오면서 中國을 방문한 金日成·金正日·延亨默·金永南등 고위층은 물론, 北韓의 軍·경제및 행정 실무자들을 深圳·珠海·天津등 경제개방지구를 방문토록 주선, 사회주의 체제하의 개혁의 필요와 장점을 北韓도 받아들이도록 설득해왔다.

최근 또다른 한 中國전문가는 지난해 9월 中國최고 실력자 덩샤오핑(鄧小平)과 北韓주석 金日成과의 瀋陽회담에서 中國이 韓國과의 국교정상화를 추진하고 있는데 대해 金日成이 앞으로 「5년간의 준비시간」을 요청했던 사실을 밝힘으로써 中·北韓관계의 변화를 뒷받침했다.

당시 金日成은 蘇聯이 韓國과의 수교를 앞당기고 있는데 충격을 받고 이문제를 협의하기 위해 鄧小平에게 北京을 방문할 뜻을 전했으나 거절당했으며, 鄧은 최소한의 성의표시로 瀋陽에서의 회담을 허용했다는 것이다.

이회담에서 金日成은 北韓이 개방·개혁에 대비하기 위해서는 최소한 「5년기간」이 필요하다며 그이전에는 韓國과 수교하지 않는다는 보장을 요구했으나 鄧小平은 아무런 의사표시도 하지않은 것으로 알려졌다.

이같은 中國의 입장은 瀋陽회담직후 유엔總會에 참석중이던 첸치천(錢其琛)외교부장의 「中國은 아직 해결되지 않고있는 인접국가와의 관계를 정상화해 나갈것」이라는 표명을 통해 우회적으로 北韓에 전달됐었다.

錢其琛은 江澤民과 李鵬의 이번 방문일정이 발표된 직후에도 對外관계에 있어 자주·평등·평화·호혜등 사회주의 노선이나 체제에 한정되지않는 「5개원칙」을 준수할 것이라고 재천명함으로써 中國이 「모든 국가들」과의 관계발전을 모색하고 있음을 강조하기도 했다.

이에앞서 北韓은 88년9월 蘇聯이 크라스노야르스크선언을 통해 대아시아개방을 표명하고 韓蘇간의 관계정상화에 착수[illegible] 蘇聯측에 [illegible] 韓蘇수교에 北韓이 대응하기 위한 「3년유예기간」을 요청, 확인받았었다. 그러나 蘇聯이 이를 지키지 않음에 따라 北韓이 蘇

15-11

1 뒷면

0241

중 앙 일 보

1991. 5. 3. 금、4면

(앞면에서 계속)

平壤을「배신자」로 규정하며 반발했던 것은 이미 알려진 사실이기도 하다.

따라서 北韓은 中國의 對韓관계정상화를 저지할만한 유효한 방도를 갖지 못한채 자체개혁·개방과 주변관계변화 사이에서 시간에 쫓기고 있으며 中國은 李鵬의 訪北이후 對韓수교작업을 보다구체화할 것으로 이 전문가는 분석했다.

이 전문가는 이미 韓中국교정상화는 시간문제에 지나지 않으며 그런만큼 오히려 서둘러야할 이유가 없다고 말하고 불필요한 北韓의 고립이나 반발을 줄이면서 실무적·단계적방식으로 접근해야할 것이라고 지적했다.

이 전문가는 韓中 관계의 발전으로 오는 7월말까지 仁川~天津간에 쾌속페리가 취항하고, 연말까지 서울~天津, 서울~上海간에 大韓航空 및 아시아나가 취항할 예정이라고 밝혔다.

한편 이같은 실무관계의 진전으로 中國과 美國관계의 급격한 악화사태가 없는한 오는 9월 韓國의 유엔가입실현에 이어 내년말까지 韓中국교수립은 충분히 예상할 수 있다고 이 전문가는 전망했다. 【東京=金揆元특파원】

15-12

0242

동 아 일 보

1991. 5. 3. 금, 1면

南北 유엔同時가입 협조를

金大中 新民총재, 케야르總長에 서한

新民黨의 金大中총재는 南北韓의 유엔가입문제와 관련, 케야르 유엔사무총장에게 『安保理의 이사국들 특히 5대상임이사국들을 설득해 南北韓이 유엔에 동시 가입되도록 安保理명의로 南北韓정부를 초청해달라』는 내용의 서한을 3일 발송했다.

金총재는 이같이 南北韓 동시가입에 대한 협조를 요청하면서 『大韓民國의 단독가입은 한민족으로서 불완전한 의사표시이며 남북간의 긴장을 강화시켜 한반도평화에 부정적인 영향을 미칠것』이라고 밝혔다.

그는 유엔의 「南北韓 정부 초청」방안이 『北韓으로 하여금 체면을 잃지 않고 유엔에 들어올수 있는 계기를 만들어줄 것』이라고 주장했다.

그러나 金총재는 『이같은 기회에도 불구하고 北韓이 유엔가입의 결단을 내리지 않는다면 유엔은 당연히 大韓民國만의 가입을 승인할수 밖에 없을것』이라고 말했다.

중 앙 일 보

1991. 5. 3. 금, 1면

南韓만 유엔가입 평화에 도움안돼

金총재 유엔에 서한

金大中 新民黨총재는 3일 케야르 유엔사무총장에게 5개상임이사국들을 설득해 南北韓이 유엔에 동시가입 신청을 할수있게 해달라는 협조서한을 우편으로 보냈다.

金총재는 서한에서 『南北韓의 유엔가입은 南北韓이 공히 유엔에 가입해 7천만 한민족의 의사가 반영되고, 한반도평화에 기여해야하는 두가지 원칙에 기초해야 한다』고 전제, 『대한민국의 유엔단독가입은 한민족의 불완전한 의사표시이며 한반도 평화에 부정적인 영향을 끼칠 것』이라고 전했다.

그는 또 北韓의 「南北韓 유엔단일의석 가입론」에 대해 『유엔동시가입이 한반도의 영구분단을 가져온다는 北韓의 주장은 근거가 없으며 국제적 지지도 받지 못한다』고 반박했다.

0243

15—13

	분류번호	보존기간

발 신 전 보

번 호 : WUN-1202 910504 1434 DU 종별 :

WUS -1895

수 신 : 주 유엔, 미 대사.총영사

발 신 : 장 관 (국연)

제 목 : 기사 송부

김대중 신민당 총재의 유엔사무총장앞 서한 발송에 대한 국내 언론(5.4. 조간)의 보도내용을 FAX 송부하오니 업무에 참고바람.

첨 부 : 상기기사 1부(4매). 끝.

(WUNF-56, WUSF-282)

(국제기구조약국장 문동석)

보 안 통 제	

앙 고 재	년 월 3일	유엔과	기안자 성 명		과 장		국 장		차 관	장 관

외신과통제

0244

분류번호	보존기간

발 신 전 보

번 호 : WUN-1203 910504 1440 DU 종별 :

수 신 : 주 유엔 대사.총영사

발 신 : 장 관 (국연)

제 목 : 기사 송부

중국 강택민 당총서기의 방소관련 서울신문(5.4) 보도와 이붕 총리의 방북관련 국내 ~~및 일본~~신문의 기사내용을 FAX 송부하오니 업무에 참고바람.

첨 부 : 상기 기사 7 매. 끝.

(WUNF-57)

(국제기구조약국장 문동석)

보안통제	

앙고재	년 5월 3일	유엔과	기안자 성명		과 장		국 장		차 관	장 관

외신과통제

0245

서 울 신 문

1991. 5. 4. 토, 1면

中·蘇, 南北韓유엔加入 협의 활발

15일 頂上회담 공동성명文案事前 의견 조정

【모스크바=[illegible]특파원】 蘇聯과 中國은 南北韓의 유엔 단독가입문제에 대해 매우 심각한 견해차를 보이고 있으며 이 문제가 오는 15일부터 시작되는 蘇·中정상회담의 주요 현안인 것으로 3일 알려졌다.

蘇聯과 中國은 15일부터 시작되는 江澤民 중국공산당총서기의 訪蘇와 관련, 양국정상간에 발표할 공동성명 작성작업에 착수했으나 한반도문제에 대한 입장이 엇갈려 난항을 겪고있다. 이에따라 공동성명 사전협의를 위해 蘇聯을 방문했던 中國공산당대표단이 이 문제에 대한 합의점을 찾지못하고 귀국한데 이어 4일 蘇聯측의 두사트피 蘇공산당 국제부 제1부부장이 中國에 가 한반도 문제에 대한 합의점을 계속 모색할 예정이다.

모스크바의 한 외교소식통은 이날 공동성명에 담을 한반도 문제에 대해 양국이 매우 날카로운 입장차이를 보이고 있다고 전하고 주로 한국의 유엔 단독가입에 대한 입장조정이 정상회담을 앞둔 양국의 현안으로 등장하고 있다고 밝혔다.

최근 소련은 중국과 가진 정상회담·공동성명작성작업 협의에서 「남북한간의 대화를 환영하며 두나라 인민의 숙원인 통일을 지지한다」는 문구를 양국 공동성명에서 채택하기를 희망했다.

0246

조 선 일 보

1991. 5. 4. 토, 2면

李鵬 "韓半島 최근변화 긍정적"

어제 訪北 "통일위한 対話 지지"

【홍콩=金泳秀특파원】北韓을 공식방문중인 中国의 李鵬총리는 3일 『최근 몇년간 南·北韓간의 긴장완화를 비롯한 한반도의 정세변화에 대해 중국은 긍정적으로 평가하고 있다』고 전제하고 『중국은 북한이 제시한 평화적인 통일을 위한 각종 제안을 높이 평가한다』고 밝혔다고 중국관영 新華통신이 평양發로 보도했다.

신화통신은 李총리가 이날 북한측이 주최한 만찬석상에서 발표한 성명을 통해 이같이 말했다고 전하면서 李총리가 『중국정부와 인민은 평화적이고 독립적인 조국통일을 위해 노력해온 북한인민의 노력을 지지한다』고 말했다고 보도했다.

이 통신은 李총리가 지난해의 남·북한 국회회담을 비롯, 지난 몇년간 스포츠·예술·문화분야에 있어 남·북한간에 괄목할만한 관계진전이 있었다고 지적하면서 『중국은 현재는 물론 앞으로도 독립적이고 평화적인 통일을 주장하는 북한인민을 지지할 것』이라고 밝혔다고 보도했다.

李총리는 이어 『한반도의 통일은 외세의 불간섭이라는 전제아래 남·북한 양측간의 대화와 타협으로 성취되어야할 것』이라고 말했다고 이 통신은 전했다.

李鵬총리는 延亨默 북한총리와 상호 관심사에 대해 논의했다. 李鵬의 이번북한방문에는 羅干 국무원비서장, 遲浩田인민해방군총참모장, 黃毅誠에너지부장등 중국의 장관급 고위관리들이 수행했으며, 부인 朱琳도 동행했다.

경 향 신 문

1991. 5. 4. 토. 1면

李鵬총리 평양도착

어제 南北韓 유엔동시가입 권유할듯

李鵬 총리

【平壤·東京=聯合】李鵬 중국총리는 3일 나흘간의 공식친선방문을 위해 평양에 도착, 북한 진도자들과 평양시민들의 열렬한 환영을 받았다. <관련기사5면>

李鵬총리일행은 이날 공항에서 延亨默총리와 金영남외교부장을 비롯한 북한 고위인사들의 영접을 받은 뒤 무개 리무진에 탑승, [illegible]래스터 조화와 양국기를 흔드는 동원된 시민들의 환영을 받으면서 平壤시내로 향했다.

한편 東京에서 수신된 북한관영 중앙통신은 당기관지 로동신문의 사설을 인용, 『李총리의 방문은 북한과 중국의 인민이 사회주의혁명의 기치를 높이 들고 제국주의에 대한 사회주의의 공동대의를 완수하기 위한 투쟁에서 어깨를 나란히 전진하려는 굳은 결의와 의지를 강력히 입증한 것』이라고 말했다.

중국총리로서 10년만에 처음 평양에 간 李鵬은 북한정부 지도자들과 일련의 회담을 갖고 한국의 유엔단독가입신청을 둘러싼 대응, 한·중관계, 중국의 對북한원조문제등 양국간 공동관심사를 폭넓게 협의한다.

한편 李鵬총리의 북한방문 목적은 남한의 유엔가입 신청을 둘러싼 대결을 미연에 방지하기 위한 것이라고 北京의 외교관들이 3일 말했다.

외교관들은 李鵬이 이번 북한방문에서 남북한 유엔가입을 가능케하는 체면살리기 방안을 제시할것으로 보고 있다.

0247

7-2

한 국 일 보

1991. 5. 4. 토, 1면

李鵬·延亨默 회담

【서울=聯合】 북한총리 延亨默은 3일 3박4일간의 일정으로 북한을 방문차 이날 평양에 도착한 李鵬 중국 국무원총리와 한차례 회담을 가졌다고 「중앙방송」이 이날 보도했다.

이 방송은 북한에서 외교부장 金永南, 대외경제위원장 金達玄, 국가과학기술위원장 이자방, 당부부장 김양건, 인민무력부부장 金光鎭(대장) 등이, 중국측에서 국무원비서장 羅幹, 군총참모장 遲浩田, 동력부장 黃毅誠, 대외경제무역부장 李嵐淸 등이 배석한 가운데 열린 이 회담이 「동지적이며 친선적인 분위기 속에서 진행됐다」고 전했으나 회담내용에 관해서는 구체적으로 밝히지 않았다.

한편 李鵬총리는 이회담에 앞서 평양 대성산혁명열사릉을 참배했으며 이어 만수대의사당으로 북한총리 延亨默을 방문, 환담한 것으로 이방송은 덧붙였다.

【北京=聯合】 李鵬 중국총리의 북한방문 목적은 남한의 유엔가입 신청을 둘러싼 대결을 미연에 방지하기 위한 것이라고 北京의 외교관들이 3일 말했다.

서 울 신 문

1991. 5. 4. 토, 1면

"유엔同時가입 설득할듯"

李鵬, 延亨默과 어제 1차회담

【平壤도쿄北京聯合연합】 李鵬 中國총리는 3일 4일간의 공식친선방문을 위해 평양에 도착, 北韓 지도자들과 50만 평양시민들의 열렬한 환영을 받았다.

李鵬 총리일행은 이날 공항에서 연형묵총리와 김영남 외교부장을 비롯한 북한고위 인사들의 영접을 받은뒤 무개 리무진에 탑승, 플라스틱 조화와 양국기를 흔드는 동원된 시민들의 환영을 받으면서 평양시내로 향했다.

李鵬총리는 이날 연형묵총리와 1차회담을 가졌다.

한편 도쿄에서 수신된 북한관영 중앙방송은 당기관지 로동신문의 사설을 인용, 「李총리의 방문은 北韓과 中國의 인민이 사회주의 혁명의 기치를 높이 들고 제국주의에 대항, 사회주의의 공동대의를 완수하기 위한 투쟁에서 어깨를 나란히 전진하려는 굳은 결의와 의지를 강력히 입증할 것」이라고 말했다.

외교관들은 李鵬이 이번 北韓방문에서 南北韓 양자가 입을 가능케 하는 「체면살리기 방안」을 제시할 것으로 보고 있다.

세 계 일 보

1991. 5. 4. 토, 1면

李鵬-延亨默회담

내용은 안밝혀져

어제 평양도착

北韓 총리 延亨默은 3일 3박4일간의 일정으로 북한을 방문하기 위해 이날 평양에 도착한 李鵬 中國국무원총리와 한차례 회담을 가졌다고 중앙방송이 이날 보도했다.

이 방송은 북한측에서 외교부장 金永南, 대외경제위원장 金達玄, 국가과학기술위원장 이자방, 당부부장 김양건, 인민무력부부장 金光鎭(대장) 등이, 중국측에서 국무원비서장 羅幹, 軍총참모장 遲浩田, 동력부장 黃毅誠, 대외경제무역부장 李嵐淸 등이 배석한 가운데 열린 이 회담이 「동지적이며 친선적인 분위기 속에서 진행됐다」고 전했으나 회담내용에 관해서는 구체적으로 밝히지 않았다.

한편 李鵬총리는 이 회담에 앞서 평양 대성산혁명열사릉을 참배했으며 이어 만수대의사당으로 북한총리 延亨默을 방문, 환담한 것으로 이 방송은 덧붙였다. 〈관련기사5면〉

이날 李鵬총리일행이 도착한 공항과 平壤시내에는 50만명의 시민들이 나와 플라스틱 조화와 양측의 국기를 흔들며 이들을 열렬히 환영했다.

〈화〉

한 겨 레 신 문

1991. 5. 4. 토, 2면

리평수상 어제 평양 도착

중국 리평 수상 일행이 3일 오전 11시 특별기편으로 평양에 도착, 연형묵 북한 정무원총리와 한차례 회담을 가졌다고 북한 방송들이 이날 보도했다.

〈관련기사 7면〉

내외통신에 따르면 북한 방송들은 평양비행장에서 연 총리를 비롯, 외교부장 김영남, 군총참모장 최광 대장, 부총리들인 홍성남·김복신·강희원 등 고위간부들이 리평 수상 일행을 영접했다.

연형묵 총리 초청형식으로 방북한 리평수상 일행은 오는 6일까지 3박4일간 북한을 공식방문하면서 북한 지도자들과 일련의 회담을 갖고 쌍방 경제 및 군사협력 강화를 비롯해 △한국의 유엔가입 △한-소 관계증진 △북한-일본 수교회담 등 국제문제들에 관해 의견을 교환할 것으로 알려지고 있다.

0248

경 향 신 문

1991. 5. 4. 토, 5면

中國 한반도정책 "가늠자"

李鵬 平壤서 무얼 논의하나

韓國유엔가입「기권」귀띔할듯

經協으로 반발무마·開放권유

李鵬중국총리의 북한방문은 시기적으로 南北한반도정세에 중요한 의미를 갖는 것으로 한국은 물론 주변국가들도 큰 관심을 쏟고 있다.

방북일정은 지난해 11월 북한 延亨默총리의 중국방문에대한 답례방문이다.

[illegible]의 유엔단독가입 움직임이 본격화되고 있으며 소련 고르바초프대통령의 訪韓직후라는 점등을 감안할때 이번 李鵬총리의 平壤나들이는 북한과 중국간의 주요한 의견조정을 위한것으로 봐야할 것이다.

물론 의제는 한국의 유엔단독가입에대한 대응, 중국과 한국과의 관계, 중국의 북한에대한 경제원조등이 될 것임을 쉽게 짐작할 수 있다.

이들 의제들은 한마디로 중국의 對한반도정책과 깊은 관련을 갖는 것으로 중국이 과연 지금까지 북한지지 일변도의 외교정책을 수정할 것인지여부가 최대의 관심을 끌고있다.

아마도 이중 가장 분명히 보여줄 대목은 한국의 유엔단독가입에 대한 중국의 방침이 될 것이다.

한국의 유엔단독 가입에 대해 북한이 격렬히 반발하고 있으나 이미 유엔안보리 상임이사국 5개국중 소련을 포함, 4개국이 지지입장을 밝히고 있다.

북한으로서 최후로 기대한것은 중국의 거부권행사다.

중국은 지금까지 이문제에대해서는 언급을 피하고 있다.

앞서李鵬총리는 중국을 방문한 나카소네(中曾根康弘)전 일본총리와의 회담에서「북한과 이야기는 나눌수있지만 이래라 저래라 할 입장은 아니다」고 밝힌 바있다.

북한의 입장이 반대라는 것은 이미 주지의 사실인

[illegible]언은「뭐라고 말하고 싶지만 그런 입장이 아니다」는 정으로 해석할 수 있으며 그 무엇이란「동시가입」이 아닌가 추측할수 있다.

그러나 중국은 역시 북한을 자극하기 어려운 입장이며 최대우방인 북한을 더이상 국제적으로 고립시키는 것을 어떻게든 막아줘야할 형편이다.

그런점에서 중국의 입장은 2일 당중앙대외연락부장 朱良의 말로 대변되는 것 같다.

朱부장은 중국은 한국의 단독가입을 찬성하지 않는다[illegible] 남북간에 [illegible]다.

[illegible]을뿐 따부러지게「반대」「거부권행사」등의 표현은 사용치않았다.

중국으로서는 한국의 유엔단독가입에 찬성할 수는 없지만 앞장서서 반대하기도 힘든 형편이다.

이미 국제적인흐름이 한국단독가입찬성으로 흐르고있는 상황에서 중국만이 반대할경우 오히려 중국이 국제적으로 고립되는 경우에 빠질지도 모른다.

뿐만아니라 경제적으로 한국과 관계가 밀접해지고 있으며 이를 더욱 발전시켜 나가지않을 수 없는 중국으로서는 한국측이 섭섭해할 입장을 취하는 것도 피하고싶을 것으로 추측된다.

[illegible]은 중국의 방침은 기권이 아닌가 보고있다. 만일 거부권을 행사한다 하더라도 금년 1회에 한정될것이라는것이 전문가들의 지적이다.

李鵬총리가 이번 북한방문을 통해 과연 이러한 방침을 전달할것인지는 아직 확실치 않다.

북한은 중국의 이런방침에 강력히반발한것은 분명해 중국으로서는 북한측을 [illegible]

소련과의 관계가 소원해진 북한으로서는 중국의 원조가 절실한 입장이기 때문이다.

이와함께 중국은 북한의 국제적 고립을 회피하도록 몇가지 언질을 줄 것으로 보이기도 한다.

여기에는 북한·일본간의 국교정상화교섭에 대한 측면지원도 포함될것이며 북한과 미국간의 관계개선도 주선할 것임을 약속할수도 [illegible]

[illegible] 가능성이 크다.

그런 의미에서 李鵬총리의 訪北에서 韓·中관계에대한 논의도 있을 것으로 보이지만 북한을 더이상 자극시키지 않기위한 중국측의 배려로 북한이 놀랄만큼의 획기적인것은 자제할것이 아닌가 보아진다.

결국 이번 李鵬총리의 訪北은 중국으로서 말하기 거북한 의제들이 기다리고 있는만큼 유쾌한 방문은 아닐 것이다. 그러나 중국내부에서는 당총서기의 방문을 격을낮춰 총리의 방문으로 한 것이라는 분석도 나오고있다.

그러나 당총서기가 아닌 총리의 방문이라고 해도 앞으로 중국의 對韓반도정책을 분명히 엿보게 한 중요한 방문임은 부인할수 없다.

【東京=李東柱특파원】

세 계 일 보

1991. 5. 4. 토, 사설

李鵬의 平壤방문

中國은 5일동안 北韓 및 蘇聯과의 수뇌외교에 분주하다. 4일초의 전국인민대표대회에서 20세기말까지 改革과 開放의 노선에 따른 국가건설 기본방향을 세운데 이어 경제적인 국제환경의 조성을 위해 외교적 노력을 기울이고 있다. 李鵬총리가 3일부터 平壤을 방문하고 있고, 江澤民 黨총서기가 15일 모스크바를 찾게된 것은 모두 그와같은 배경에서 계획된 것이다.

蘇聯과의 오랜 이념대립을 해소한 후 中國이 아시아에서 평화적 국제환경을 조성하는데 가장 큰 장애가 되고 있는 것은 北韓의 폐쇄성이다. 북한과의 정치적 유대와 남한과의 경제교류 사이에서 적잖은 크게 제약받고 있는 中國은 南北韓이 대화를 통해 화해와 협력을 이루기를 기대하고 있다. 그러나 남북한 관계가 좀처럼 개선되지 못하고 있는 현상을 지켜보면서 그 원인이 어디에 있는가를 가려야할 처지에 있을 뿐 아니라 [illegible] 그 입장을 천명해야할 [illegible] 몰리고 있다.

中國정부는 올가을 유엔總會에 가입신청을 제출하겠다는 韓國의 [illegible]미 천명하였다. 북한이 남북한 동시가입을 끝내 거부할 경우 韓國단독가입에 대해 유엔의 의사를 묻겠다는 것이다. 이 신청에 대해 중국은 좋든 싫든 태도를 결정하지 않을 수 없는 것이다.

中國은 지금까지 南北韓 유엔가입문제는 당사자들간의 협의로 해결되기를 바란다는 태도로 일관해 왔지만 [illegible] 北韓의 입장을 [illegible] 여기고 있다. [illegible] 「남북한 유엔가입안」을 [illegible] 한 것이라 [illegible] 밝혔다. 이달 중순 모스크바를 방문할 江澤民 총서기도 고르바초프 대통령과 단 자리에서 유엔의 「보편성 원칙」에 관한 논의에 응하지 않을 수 없을 것이다.

오늘의 중국처지로 보아 李鵬은 金日成을 비롯한 평양수뇌들에게 무엇보다도 북한이 더 이상 국제적 고립에 몰려서는 안된다는 점을 강조할 것이다. 중국은 북한의 국제적 고립이 한반도와 동북아시아에 평화적 환경을 조성하는데 장애가 되고 있다고 믿고 있기 때문이다. 中·蘇화해, 韓·蘇수교, 韓·中교류증진은 말할 것도 없고 美國과 日本도 北韓의 개방을 관계개선의 조건으로 내세우고 있는 급변하는 정세속에서 오직 북한만이 도도한 역사의 흐름에 역행하고 있는게 현실이다.

북한의 변화는 南北韓의 대화와 대화를 통한 교류·협력에서 시작되어야 한다. 그들이 [illegible] 평화의 미소를 지닌다고 해도, [illegible] 수 없는 이유를 들어 대화를 중단시키고 南北의 정치정세를 선전에 이용하고 [illegible] 세력과 더불어 불안정세를 조성하는 한 한반도의 긴장은 결코 풀릴 수 없다.

李鵬총리가 북한측에 거는 기대는 南北韓이 통일을 위한 화해분위기를 조성하기 위해 평화적으로 공존하는 방법을 모색하는 것이다. 그것이 南北대화의 [illegible] 추진, 유엔동시가입, 核사찰을 포함한 국제사회의 [illegible] 을 의미하는 것임을 [illegible] 北韓 통치자들이 납득할것인지가 문제이다.

0249

세계일보

1991. 5. 4.토. 5면

中國 李鵬총리 北韓에 왜갔나

韓半島정세 '중대 영향' 관측

中國총리 李鵬의 이번 주말 平壤방문은 韓半島정세변화에 중대한 영향을 미칠 것으로 예상되어 주목되고 있다. 지난 1981년 趙紫陽이후 10년만에 이루어진 이번 중국총리의 북한방문은 90년11월 延亨默북한총리의 訪中에 대한 답례로 이루어졌다.

李鵬의 북한방문이 주목되는 이유는 최근 한국의 유엔단독가입 추진, 韓-蘇정상회담, 日-北韓 국교정상화회담, 그리고 5월로 예정된 중국당총서기 江澤民의 訪蘇등 남북한이 한반도 주위의 강대국들과 잇따라 접촉하며 자신에게 유리한 입지변화를 모색하고 있는 시기에 이루어졌기 때문이다.

특히 한국의 유엔단독 가입에 대한 중국의 향배가 이번 평양방문을 계기로 윤곽이 드러날 가능성이 크다.

북한은 중국의 경제원조 확보를 중심으로 하는 양국간 쌍무문제보다도 韓-中관계및 한국의 유엔단독 가입문제를 놓고 중국의 의중을 타진하고 협조를 요청할 것으로 예상된다.

북한은 국제원자력기구(IAEA)의 핵사찰을 받아들이라는 국제적 압력을 받고 있는 한편 불응시 핵개발 관련물자의 공급을 중단하겠다는 소련의 위협에 직면하고 있기 때문에 핵협력을 중국에 타진할 가능성도 있다.

또 내년에 공식적인 권력승계절차를 밟을 것으로 예상되고 있는 북한의 실질적인 통치자 金正日이 李鵬과 공식회담을 갖느냐도 주목된다.

김정일과 이붕의 회담이 성사될 경우 이는 그동안 북한이 선전해온 대로 김정일이 내정과 외교의 실권을 모두 행사하고 있음을 확인해줄 뿐만 아니라 중국이 김정일의 후계자 지위를 공산권에서 처음으로 공식인정하는 중요한 의미를 갖게된다.

이것은 韓·蘇접근과 반비례하여 소련과 소원해진 북한에 대한 중국의 영향력을 강화하는 전환과도 밀접한 관련이 있다.

최대관심사는 한국의 유엔가입에 따른 중국의 거부권행사 여부가 李鵬의 평양방문중 어떻게 판가름나느냐이다. 오랜 우방인 북한과의 정치적 우호관계를 택할 것인지 아니면 한국과의 경제관계를 중시할 것인지의 선택을 놓고 고민하고 있는 중국이 어떤 태도를 취할 것인가 예측하기 어렵다.

증가일로에 있는 한국과의 경제교류를 놓칠 수

한국 유엔가입 중국입장 드러날듯

「승계」관련 金正日과 회담여부 주목

없다는 실리적인 이유뿐 아니라 중국이 한국의 유엔 단독가입을 반대할 외교적 명분이 약하기 때문에 북한의 요구를 수용하는데 한계가 있는 것으로 지적되고 있다. 중국은 걸프분쟁 해결을 놓고 강대국들과의 협조를 외면함으로써 약화된 국제적인 입지회복이 절실한 상황이다. 한국의 국제적 역할증대와 유엔의 보편성 원칙을 앞세워 가입을 추진하는 한국의 유엔가입에 거부권을 행사하는 것은 安保理 상임이사국으로서의 중국의 이미지에 심각한 타격을 줄 가능성이 크다.

◇北韓을 방문중인 李鵬 中國총리(왼쪽)가 3일 平壤에서 延亨默 북한총리와 한차례 회담을 가진 뒤 나란히 회담장밖으로 걸어나오고 있다. 〈平壤=新華社〉

李鵬은 訪北에 앞서 한국의 유엔가입문제와 관련, 자존심이 강한 북한을 설득하기가 어렵다고 말해 중국의 어려운 입장을 시인했다. 남북한간 합의에 의한 유엔가입문제 해결을 주장하면서 한국의 단독가입에 반대하는 입장을 고수해온 중국은 한국의 단독가입 신청을 저지하기 위해 막후활동을 벌인 것으로 알려졌다.

그러나 중국은 소련이 한국의 유엔가입을 지지하고 미국과 일본이 찬성하는데다 90년 45차 유엔총회에서 북한의 입장을 지지하는 국가의 수가 예년에 비해 현저히 감소된 추세도 외면할 수 없게 되었다.

뿐만 아니라 금년 여름 서울에서 개최되는 아시아·태평양경제협력회의(APEC) 의장국인 한국이 중국의 APEC가입을 지원하여 중국에 한국의 유엔가입에 거부권을 행사하기 난처한 입장에 처했다고 2일 홍콩의 파 이스턴 이코노믹 리뷰誌는 지적하고 있다.

[illegible]대통령은 이 잡지와 가진 회견에서 중국의 거부권 불행사용의사를 비공식 경로로 듣고 받았으며 가까운 장래에 [illegible]中수교실현 가능성을 강력히 시사했다.

鄧小平을 포함한 중국의 최고정책지도기관인 원로위원회에서 한국의 유엔가입안에 대한 기권을 결정했다는 최근 중국소식통의 발언도 나오고 있어 북한측이 내세우는 중국의 [illegible] 지지는 체면치레에 그칠 공산이 높은 것으로 분석되고 있다.

따라서 李鵬은 북한지도자들에게 남북한의 유엔동시가입안을 종용하다가 북한이 응하지 않을 경우 마지막에 기권할 수밖에 없다는 중국측 입장에 대한 양해를 구할 것으로 예상된다. 대신 중국은 지난해 延亨默의 訪中때 약속한 경협이행을 다[illegible]는 한편 북한의 [illegible]방과 주한미군의 핵무[illegible] 철수를 연계시키는 [illegible]의 입장에 동조하여 [illegible]의 당혹감을 무마할 [illegible]로 보인다.

최근 일본및 미국[illegible] 관계개선에 의욕을 [illegible]고 있는 북한은 이들[illegible]와의 순조로운 관계[illegible]을 위해서도 남북한의 [illegible]존에 적극적인 자세를 [illegible]일 필요에 직면해 있[illegible] 한국정부 당국도 최근 [illegible]합의를 통해 북한이 [illegible] 고려연방제[illegible]안의 수정을 시사, 지[illegible]부에 군사·외교권을 [illegible]토록 한다는 입장을 [illegible]한 것으로 보아 유엔[illegible]가입쪽으로 정책을 [illegible]가능성이 있음을 지적했[illegible]

李鵬의 이번 평양방[illegible]은 5월 中·蘇정상회[illegible] 갖는 중국이 북한과 [illegible]정책을 조정하는 과[illegible]서 북한의 고립방지를 [illegible]중할 것으로 보여 향후 [illegible]한의 외교정책방향에 [illegible]당한 영향을 미칠 것[illegible] 예상된다. 〈[illegible]기자〉

0250

한 겨 레 신 문

1991. 5. 4. 토. 7면

남한 유엔가입 공세 대응 모색

중·소 정상회담 앞두고 리펑 북한방문

불가침선언 전제로 한 동시가입안 협의할듯

리펑 중국 수상이 3일 평양에 도착, 3박4일간의 북한 방문 일정에 들어갔다.

이번 리펑 수상의 북한 방문에 대해 중국언론들은 양국이 쌍방 지도자들의 상호방문을 통해 친선관계를 더욱 강화·발전시켜왔다고 강조하면서 이번 방문이 양국관계를 '새로운 단계'로 발전시키는 계기가 될 것으로 평가하고 있다.

이번 방문은 지난해 11월 연형묵 북한 정무원 총리의 중국 방문에 대한 답방형식을 띠고 있을 뿐만 아니라 89년 4월 당시 자오쯔양 당 총서기, 90년 3월 장쩌민 총서기의 잇따른 북한 방문에 이어 1년여 만에 이뤄지는 것으로 중국 지도부의 북한 방문이 정례화되고 있는 듯한 인상을 주고 있다. 또 중국 수상이 북한을 방문하는 것은 10년 만이며 리펑 개인으로서는 87년 11월 수상 취임이래 처음이다.

리펑 수상은 이번 방문에서 김일성 주석 등 북한 수뇌와의 회담을 통해 양국간의 쌍무현안을 비롯, 고르바초프 소련 대통령의 일본 방문과 제주도에서의 한·소 정상회담 그리고 5월15일로 예정된 장쩌민 총서기의 소련 방문, 20~21일 베이징에서 열리는 북한-일본의 3차 수교회담 등 한반도 주변 정세 변화와 아·태 지역의 정세 전반에 걸쳐 폭넓은 의견 교환과 공동대응 방안을 모색할 것으로 보인다.

이 가운데 특히 장쩌민 총서기 소련 방문에서 두나라 정상이 한반도문제에 관해 협의할 것으로 전해지고 있는 가운데 남한의 유엔가입 추진 공식화와 북한의 핵시설 사찰 및 한반도의 비핵지대화 등이 최대현안으로 부각되고 있다는 점에서 이에 대한 중국과 북한의 입장 조정이 어떤 형태로 나타날지에 최대의 관심이 쏠리고 있다.

이미 알려진 것처럼 정부는 지난달 5일 노창희 유엔주재대사를 통해 오는 9월의 "46차 유엔총회 이전에 회원국으로 가입하기 위해 필요한 절차를 밟겠다"는 각서를 안보리 의장에게 제출했다. 이는 그동안의 유엔가입 의사 표명과는 달리 유엔가입의 신청시점을 분명히 못박은 남한의 유엔가입 추진 공식화를 의미한다. 이후 제주도에서의 한-소 정상회담에 이르는 과정을 통해 정부는 소련으로부터는 남·북한간의 유엔가입문제 해결이 최선책이나 그것이 불가능하면 유엔의 보편성 원칙에 따르겠다는 단독가입 지지의 반응을 얻어낸 것으로 판단하고 있다.

따라서 문제는 상임이사국으로서 거부권을 행사할 수 있는 중국의 태도라 할 수 있다. 지금까지 나타난 중국의 입장은 남·북 쌍방이 협의를 촉진시켜 상호수락 가능한 방식을 찾아야 한다는 것이다. 일부 언론의 보도에 따르면 중국만이 유일하게 거부권을 행사하기는 어렵다는 점에서 기권할 가능성이 있다는 관측도 나오고 있으나 북한과의 관계는 차치하더라도 대만과의 관계에서 '1국가 2체제'를 고수해 온 중국으로서는 남한의 단독가입은 받아들이기 어렵다는 게 일반적 전망이다. 그러나 북한이 주장하고 있는 '단일의석 공동가입' 방안 역시 유엔 회원국들로부터 현실성이 없는 것으로 간주되고 있어 거부권을 행사해야 하는 부담을 안고 있는 중국으로서는 남·북한이 타협할 수 있는 방안을 마련할 필요를 느끼고 있다는 것이다.

이와 관련, 일부 동유럽 외교관들은 리펑 수상이 소련과의 합의아래 남·북한의 유엔동시가입이 잠정적이며 통일에 이르는 과정에서 단일의석을 갖도록 한다는 보장 하에 남·북한이 동시가입하는 방안을 북한쪽과 협의할 가능성이 있다고 관측하고 있다.

이 경우 북한은 남·북한의 유엔가입이 분단을 영구화하는 것이 아니기 위해선 유엔이 한반도의 긴장 완화와 평화를 보장할 수 있는, 즉 통일에 기여할 수 있는 적극적 역할을 해야 할 것이라는 논리를 내세워, 남·북한의 불가침선언에 대한 유엔의 보증, 그리고 유엔이 한국전쟁의 교전 당사자가 되고 있는 현행 휴전협정의 평화협정으로의 대체를 추진할 수 있는 계기로 활용할 수 있다고 이들은 보고 있다.

또 이는 북한이 '하나의 조선'을 수락한다는 원칙을 전제로 일본과의 수교교섭은 교차승인을 수용한 것이 아니라는 북한쪽의 논리와도 일맥상통하는 측면이 있다. 왜냐하면 유엔의 역할·기능에 따라서는 유엔가입 자체가 반드시 분단의 고정화로 귀결되는 것은 아니라는 논리도 가능하기 때문이다.

실제로 북한은 지난 2월27일 유엔 안보리에 제출한 '비망록'에서 유엔가입문제와 남·북불가침선언을 연계시키고 있으며 박길연 유엔주재 북한 대표도 "남북한이 단일의석으로 유엔에 가입하는 것이 이상적이지만 이런 접근방법을 절대적인 것으로 간주하지 않는다"는 입장을 밝히기도 했다.

일부에서는 북한의 이런 입장 표명을 남한의 유엔가입을 지연시키기 위한 정치적 행동으로 보고 있기도 하지만 중-소 양국이 남·북한의 유엔가입과 관련, 적극적 중재역할을 모색할 경우 남·북한이 타협할 수 있는 여지가 없는 것은 아니라는 전망도 조심스럽게 나오고 있다. 이런 점에서도 리펑 수상의 이번 방문에서는 남·북한이 대화를 통해 해결방안을 찾는 것이 중요하다는 점을 더욱 강조하게 될 것으로 보인다.

〈김태호 기자〉

0251

The Korea Herald

1991. 5. 4. Sat., page 1

Li Peng arrives in Pyongyang for 4-day visit

Receives lavish welcome

PYONGYANG (Reuter) — Tens of thousands of North Koreans waving red flowers, dancing and cheering wildly, greeted Chinese Premier Li Peng as he swept into Pyongyang in an open-topped limousine Friday.

North Korean leaders laid on a spectacular welcome for Li, whose country is among the last of Pyongyang's trusted friends, and certainly the most important.

As his motorcade passed under a soaring archway giving entrance to North Korea's showpiece capital, Li acknowledged with a broad smile the cheers of crowds mobilized by the government to line the roads.

Diplomats say they believe Li has brought with him a face-saving plan to solve a potentially embarrassing problem between Beijing and Pyongyang caused by Seoul's announced intention of applying for full membership in the United Nations.

It calls for both Koreas to join the world body on the understanding that it is a temporary arrangement until the Korean Peninsula is reunified, the diplomats say.

Seoul's intention of joining the United Nations has infuriated Pyongyang. The North Koreans are clearly pressing for China to use its veto power in the U.N. Security Council, an action diplomats say Beijing will be loath to take in the face of world opinion.

There was blanket security on the 28-km stretch of road leading from the city center to Pyongyang airport where Li's plane touched down. Li will stay in Pyongyang for four days.

Police guarding road junctions flagged down all cars except those flying diplomatic flags and official limousines, and checked the identity papers of the occupants.

There are no reports of dissent, civil unrest or any kind of disturbances in North Korea, where President Kim Il-sung, known as the "Great Leader," is worshipped almost as a god along with his son and designated heir Kim Jong-il, the "Dear Leader."

North Korea is technically at war with Seoul — North and South fought a three-year war that ended in 1953 — and is on a permanent state-of-war footing. Its propaganda proclaims that invasion from the South is imminent.

Pyongyang is more isolated than at any time since the Korean Peninsula was divided in 1945 after World War II.

The Soviet Union, Pyongyang's main military backer, has established diplomatic relations with Seoul in a search for desperately needed investment and trade.

China and South Korea have established trade offices in each other's capitals.

Eastern Europe, swept by democratic change, has been lost to Pyongyang's hard-line leadership.

Li's welcome, according to diplomats, was as lavish as any accorded to a foreign head of state.

0252

7-7

미·중 밀고 당기기 본격화

- 한국의 유엔 단독가입에 중국 난색 -

부쉬 미대통령의 한국 유엔 단독가입가입 지지발언에 대해 중국은 즉시 「찬성할 수 없다」고 대응하여(주량, 당중앙 대외연락부장), 올가을에 열릴 유엔총회의 큰 데마인 남북한 유엔가입을 둘러싼 미·중 양국의 밀고 당기기가 본격화 되었다.

그러나, 중국의 입장도 결코 편안한 것은 아니다. 개혁, 개방을 추진하고 있고, 한국과의 경제협력도 추진하기 위해서는 거부권행사가 바람직하지 않을 뿐 아니라, 소련까지 한국편에 기울어 있는 상황에서 국제적 고립은 어려운 일이다.

한편, 중국국내에는 김일성주석을 한국전쟁의 전우로 보는 원로그룹이 아직 발언권을 보유하고 있고, 기권을 통해 실질적으로 한국의 유엔가입을 인정하려는 것에 대해서도 저항이 있다. 중국은 현재, 남북대화를 주장 하면서 북한의 내심을 살피고 있는 중이며, 그런 맥락에서 3일부터의 이붕 수상의 북한방문은 큰 포인트가 된다. 평양에서의 일련의 회담을 통하여 중국측은 유엔가입과 핵사찰에 관한 중국의 생각을 북한 수뇌부에 전달, 깊숙한 대화를 나눌 것으로 보인다. 북경의 외교통 사이에는 걸프사태 때와 같이 「중국은 최종적으로는 기권으로 선회할 것이다」라는 견해가 많으나, 어떻게 되던 중국으로서는 괴로운 결단이 될 것 같다.

0253

The Korea Herald

1991. 5. 4. Sat., page 1

Li Peng arrives in Pyongyang for 4-day visit

Receives lavish welcome

PYONGYANG (Reuter) — Tens of thousands of North Koreans waving red flowers, dancing and cheering wildly, greeted Chinese Premier Li Peng as he swept into Pyongyang in an open-topped limousine Friday.

North Korean leaders laid on a spectacular welcome for Li, whose country is among the last of Pyongyang's trusted friends, and certainly the most important.

As his motorcade passed under a soaring archway giving entrance to North Korea's showpiece capital, Li acknowledged with a broad smile the cheers of crowds mobilized by the government to line the roads.

Diplomats say they believe Li has brought with him a face-saving plan to solve a potentially embarrassing problem between Beijing and Pyongyang caused by Seoul's announced intention of applying for full membership in the United Nations.

It calls for both Koreas to join the world body on the understanding that it is a temporary arrangement until the Korean Peninsula is reunified, the diplomats say.

Seoul's intention of joining the United Nations has infuriated Pyongyang. The North Koreans are clearly pressing for China to use its veto power in the U.N. Security Council, an action diplomats say Beijing will be loath to take in the face of world opinion.

There was blanket security on the 28-km stretch of road leading from the city center to Pyongyang airport where Li's plane touched down. Li will stay in Pyongyang for four days.

Police guarding road junctions flagged down all cars except those flying diplomatic flags and official limousines, and checked the identity papers of the occupants.

There are no reports of dissent, civil unrest or any kind of disturbances in North Korea, where President Kim Il-sung, known as the "Great Leader," is worshipped almost as a god along with his son and designated heir Kim Jong-il, the "Dear Leader."

North Korea is technically at war with Seoul — North and South fought a three-year war that ended in 1953 — and is on a permanent state-of-war footing. Its propaganda proclaims that invasion from the South is imminent.

Pyongyang is more isolated than at any time since the Korean Peninsula was divided in 1945 after World War II.

The Soviet Union, Pyongyang's main military backer, has established diplomatic relations with Seoul in a search for desperately needed investment and trade.

China and South Korea have established trade offices in each other's capitals.

Eastern Europe, swept by democratic change, has been lost to Pyongyang's hard-line leadership.

Li's welcome, according to diplomats, was as lavish as any accorded to a foreign head of state.

0254

한 겨 레 신 문

1991. 5. 4. 토. 7면

남한 유엔가입 공세 대응 모색

중·소 정상회담 앞두고 리펑 북한방문

불가침선언 전제로 한 동시가입안 협의할듯

리펑 중국 수상이 3일 평양에 도착, 3박4일간의 북한 방문 일정에 들어갔다.

이번 리펑 수상의 북한 방문에 대해 중국언론들은 양국이 쌍방지도자들의 상호방문을 통해 친선관계를 더욱 강화·발전시켜왔다고 강조하면서 이번 방문이 양국관계를 '새로운 단계'로 발전시키는 계기가 될 것으로 평가하고 있다.

이번 방문은 지난해 11월 연형묵 북한 정무원 총리의 중국 방문에 대한 답방형식을 띠고 있을 뿐만 아니라 89년 4월 당시 자오쯔양 당 총서기, 90년 3월 장쩌민 총서기의 잇따른 북한 방문에 이어 1년여 만에 이뤄지는 것으로 중국 지도부의 북한 방문이 정례화되고 있는 듯한 인상을 주고 있다. 또 중국 수상이 북한을 방문하는 것은 10년 만이며 리펑 개인으로서는 87년 11월 수상 취임이래 처음이다.

리펑 수상은 이번 방문에서 김일성 주석 등 북한 수뇌와의 회담을 통해 양국간의 쌍무현안을 비롯, 고르바초프 소련 대통령의 일본 방문과 제주도에서의 한-소 정상회담 그리고 5월15일로 예정된 장쩌민 총서기의 소련 방문, 20~21일 베이징에서 열리는 북한-일본의 3차 수교회담 등 한반도 주변 정세 변화와 아·태 지역의 정세 전반에 걸쳐 폭넓은 의견 교환과 공동대응 방안을 모색할 것으로 보인다.

이 가운데 특히 장쩌민 총서기 소련 방문에서 두나라 정상이 한반도문제에 관해 협의할 것으로 전해지고 있는 가운데 남한의 유엔가입 추진 공식화와 북한의 핵시설 사찰 및 한반도의 비핵지대화 등이 최대현안으로 부각되고 있다는 점에서 이에 대한 중국과 북한의 입장 조정이 어떤 형태로 나타날지에 최대의 관심이 쏠리고 있다.

이미 알려진 것처럼 정부는 지난달 5일 노창희 유엔주재대사를 통해 오는 9월의 "46차 유엔총회 이전에 회원국으로 가입하기 위해 필요한 절차를 밟겠다"는 각서를 안보리 의장에게 제출했다. 이는 그동안의 유엔가입 의사 표명과는 달리 유엔가입의 신청시점을 분명히 못박은 남한의 유엔가입 추진 공식화를 의미한다. 이후 제주도에서의 한-소 정상회담에 이르는 과정을 통해 정부는 소련으로부터는 남·북한간의 유엔가입문제 해결이 최선책이나 그것이 불가능하면 유엔의 보편성 원칙에 따르겠다는 단독가입 지지의 반응을 얻어낸 것으로 판단하고 있다.

따라서 문제는 상임이사국으로서 거부권을 행사할 수 있는 중국의 태도라 할 수 있다. 지금까지 나타난 중국의 입장은 남·북 쌍방이 협의를 촉진시켜 상호수락 가능한 방식을 찾아야 한다는 것이다. 일부 언론의 보도에 따르면 중국만이 유일하게 거부권을 행사하기는 어렵다는 점에서 기권할 가능성이 있다는 관측도 나오고 있으나 북한과의 관계는 차치하더라도 대만과의 관계에서 '1국가 2체제'를 고수해 온 중국으로서는 남한의 단독가입은 받아들이기 어렵다는 게 일반적 전망이다. 그러나 북한이 주장하고 있는 '단일의석 공동가입' 방안 역시 유엔 회원국들로부터 현실성이 없는 것으로 간주되고 있어 거부권을 행사해야 하는 부담을 안고 있는 중국으로서는 남·북한이 타협할 수 있는 방안을 마련할 필요를 느끼고 있다는 것이다.

이와 관련, 일부 동유럽 외교관들은 리펑 수상이 소련과의 합의아래 남·북한의 유엔동시가입이 잠정적이며 통일에 이르는 과정에서 단일의석을 갖도록 한다는 보장 하에 남·북한이 동시가입하는 방안을 북한쪽과 협의할 가능성이 있다고 관측하고 있다.

이 경우 북한은 남·북한의 유엔가입이 분단을 영구화하는 것이 아니기 위해선 유엔이 한반도의 긴장 완화와 평화를 보장할 수 있는, 즉 통일에 기여할 수 있는 적극적 역할을 해야 한다는 것이라는 논리를 내세워, 남·북한의 불가침선언에 대한 유엔의 보증, 그리고 유엔이 한국전쟁의 교전 당사자가 되고 있는 현행 휴전협정의 평화협정으로의 대체를 추진할 수 있는 계기로 활용할 수 있다고 이들은 보고 있다.

또 이는 북한이 '하나의 조선'을 수락한다는 원칙을 전제로 일본과의 수교교섭은 교차승인을 수용한 것이 아니라는 북한쪽의 논리와도 일맥상통하는 측면이 있다. 왜냐하면 유엔의 역할·기능에 따라서는 유엔가입 자체가 반드시 분단의 고정화로 귀결되는 것은 아니라는 논리도 가능하기 때문이다.

실제로 북한은 지난 2월27일 유엔 안보리에 제출한 '비망록'에서 유엔가입문제와 남·북불가침선언을 연계시키고 있으며 박길연 유엔주재 북한 대표도 "남북한이 단일의석으로 유엔에 가입하는 것이 이상적이지만 이런 접근방법을 절대적인 것으로 간주하지 않는다"는 입장을 밝히기도 했다.

일부에서는 북한의 이런 입장 표명을 남한의 유엔가입을 지연시키기 위한 정치적 행동으로 보고 있기도 하지만 중-소 양국이 남·북한의 유엔가입과 관련, 적극적 중재역할을 모색한 경우 남·북한이 타협할 수 있는 여지가 없는 것은 아니라는 전망도 조심스럽게 나오고 있다. 이런 점에서도 리펑 수상의 이번 방문에서는 남·북한이 대화를 통해 해결방안을 찾는 것이 중요하다는 점을 더욱 강조하게 될 것으로 보인다.

<강태호 기자>

0255

세계일보

1991. 5. 4. 토. 5면

中國 李鵬총리 北韓에 왜 갔나

韓半島정세 "중대 영향" 관측

한국 유엔가입 중국입장 드러날듯

「승계」관련 金正日과 회담여부 주목

中國총리 李鵬의 이번 주말 平壤방문은 韓半島 정세변화에 중대한 영향을 미칠 것으로 예상되어 주목되고 있다. 지난 1981년 趙紫陽이후 10년만에 이루어진 이번 중국총리의 북한방문은 90년11월 延亨默북한총리의 訪中에 대한 답례로 이루어졌다.

李鵬의 북한방문이 주목되는 이유는 최근 한국의 유엔단독가입 추진, 韓-蘇정상회담, 日-北韓 국교정상화회담, 그리고 5월로 예정된 중국당총서기 江澤民의 訪蘇등 남북한이 한반도 주위의 강대국들과 잇따라 접촉하며 자신에게 유리한 입지변화를 모색하고 있는 시기에 이루어졌기 때문이다. 특히 한국의 유엔단독 가입에 대한 중국의 향배가 이번 평양방문을 계기로 윤곽이 드러날 가능성이 크다.

북한은 중국의 경제원조 확보를 중심으로 하는 양국간 쌍무문제보다도 韓-中관계및 한국의 유엔단독 가입문제를 놓고 중국의 의중을 타진하고 협조를 요청할 것으로 예상된다.

북한은 국제원자력기구(IAEA)의 핵사찰을 받아들이라는 국제적 압력을 받고 있는 한편 불응시 핵개발 관련물자의 공급을 중단하겠다는 소련의 위협에 직면하고 있기 때문에 핵협력을 중국에 타진할 가능성도 있다. 또 내년에 공식적인 권력승계절차를 밟을 것으로 예상되고 있는 북한의 실질적인 통치자 金正日이 李鵬과 공식회담을 갖느냐도 주목된다.

김정일과 이붕의 회담이 성사될 경우 이는 그동안 북한이 선전해온 대로 김정일이 내정과 외교의 실권을 모두 행사하고 있음을 확인해줄 뿐만 아니라 중국이 김정일의 후계자 지위를 공산권에서 처음으로 공식인정하는 중요한 의미를 갖게된다. 이것은 韓-蘇접근과 반비례하여 소련과 소원해진 북한에 대한 중국의 영향력을 강화하는 전략과도 밀접한 관련이 있다.

최대관심사는 한국의 유엔가입에 따른 중국의 거부권행사 여부가 李鵬의 평양방문중 어떻게 판가름나느냐이다. 오랜 우방인 북한과의 정치적 우호관계를 택할 것인지 아니면 한국과의 경제관계를 중시할 것인지의 선택을 놓고 고민하고 있는 중국이 어떤 태도를 취할 것인가 예측하기 어렵다.

증가일로에 있는 한국과의 경제교류를 놓칠 수 없다는 실리적인 이유뿐 아니라 중국이 한국의 유엔 단독가입을 반대할 외교적 명분이 약하기 때문에 북한의 요구를 수용하는데 한계가 있는 것으로 지적되고 있다. 중국은 걸프분쟁 해결을 놓고 강대국들과의 협조를 외면함으로써 약화된 국제적인 입지회복이 절실한 상황이다. 한국의 국제적 영향증대와 유엔의 보편성 원칙을 앞세워 가입을 추진하는 한국의 유엔가입에 거부권을 행사하는 것은 [illegible] 상임이사국으로서의 중국의 이미지에 심각한 타격을 줄 가능성이 크다.

李鵬은 訪北에 앞서 한국의 유엔가입문제와 관련, 자존심이 강한 북한을 설득하기가 어렵다고 말해 중국의 어정쩡한 입장을 시인했다. 남북한간 합의에 의한 유엔가입문제 해결을 주장하면서 한국의 단독가입에 반대하는 입장을 고수해온 중국은 한국의 단독가입 신청을 저지하기 위해 다각적인 노력을 벌인 것으로 알려졌다. 그러나 중국은 소련이 한국의 유엔가입을 지지하고 미국과 일본이 찬성하는데다 90년 45차 유엔총회에서 북한의 입장을 지지하는 국가의 수가 예년에 비해 현저히 감소된 추세도 외면할 수 없게 되었다.

뿐만 아니라 금년 11월 서울에서 개최되는 아시아·태평양경제협력회의(APEC) 의장국인 한국이 중국의 APEC가입을 지원하여 중국에 한국의 유엔가입에 거부권을 행사하기 난처한 입장에 처했다고 2일 香港의 [illegible]지는 [illegible] 지적하고 있다.

[illegible] 이 잡지와 가진 회견에서 중국의 거부권 행사용의사를 비공식 경로로 밝히고 [illegible] 가까운 장래에 [illegible] 가능성을 강력히 시사했다.

[illegible] 중국의 최고[illegible] 한국의 유엔가입[illegible] 기권을 [illegible] 나오고 있어 북한측이 [illegible] 중국의 [illegible] 지지는 [illegible] 것으로 관측되고 있다.

따라서 李鵬은 북한지도자들에게 남북한의 유엔동시가입을 촉구하[illegible] 북한이 응하지 않을 경우 마지막에 기권할 수밖에 없다는 중국측 입장을 [illegible] 것으로 예상된다. [illegible]

[illegible] 경제[illegible] 다짐하는 한편 북한의 [illegible] 주한미군의 철수[illegible] 북한의 [illegible] 것으로 보인다.

최근 [illegible] 미국과의 관계개선 의욕을 보이고 있는 북한[illegible]

[illegible] 가능성이 있음을 지적했다.

李鵬의 이번 평양방문[illegible] (香港=[illegible]기자)

◇北韓을 방문중인 李鵬 中國총리(왼쪽)가 3일 平壤에서 延亨默 북한총리와 한차례 회담을 가진 뒤 나란히 회담장밖으로 걸어나오고 있다. 〈平壤=[illegible]〉

0256

경 향 신 문

1991. 5. 4. 토, 5면

李鵬 平壤서 무얼 논의하나

中國 한반도정책 "가늠자"

韓國유엔가입 「기권」귀띔할듯

經協으로 반발무마·開放권유

李鵬중국총리의 북한방문은 시기적으로 미묘한 한반도정세에 중요한 의미를 갖는 것으로 한국은 물론 주변국들도 큰 관심을 쏟고 있다.

방문형식은 지난해 11월 북한 延亨默총리의 중국방문에대한 답례방문이다.

그러나 시기적으로 한국의 유엔단독가입 움직임이 본격화되고 있으며 소련 고르바초프대통령의 訪韓 직후라는 점등을 감안할때 이번 李鵬총리의 平壤나들이는 북한과 중국간의 중요한 의견조정을 위한것으로 봐야할 것이다.

물론 의제는 한국의 유엔단독가입에대한 대응, 중국과 한국과의 관계, 중국의 북한에대한 경제원조등이 될 것임을 쉽게 짐작할 수 있다.

이들 의제들은 한마디로 중국의 對한반도정책과 깊은 관련을 갖는 것으로 중국이 과연 지금까지 북한지지 일변도의 외교정책을 수정할 것인지여부가 최대의 관심을 끌고있다.

아마도 이를 가장 분명히 보여줄 대목은 한국의 유엔단독가입에 대한 중국의 방침이 될 것이다.

한국의 유엔단독 가입에 대해 북한이 격렬히 반발하고 있으나 이미 유엔안보리 상임이사국 5개국중 소련을 포함, 4개국이 지지입장을 밝히고 있다.

북한으로서 최후로 기대하는것은 중국의 거부권행사다.

중국은 지금까지 이문제에대해서는 언급을 피하고 있다.

앞서 李鵬총리는 중국을 방문한 나카소네(中曾根康弘)전 일본총리와의 회담에서 "북한과 이야기는 나눌수있지만 이래라 저래라 할 입장은 아니다"고 밝힌 바있다.

북한의 입장이 반대라는 것은 이미 주지의 사실인 만큼 李鵬총리의 이러한발언은 "뭐라고 말하고 싶지만 그런 입장이 아니다"는 것으로 해석할 수 있으며 그 무엇이란 "동시가입"이 아닌가 추측할수 있다.

그러나 중국은 역시 북한을 자극하기 어려운 입장이며 최대우방인 북한을 더이상 국제적으로 고립시키는 것을 어떻게든 막아줘야할 형편이다.

그런점에서 중국의 입장은 2일 唐家璇대외연락부장 朱良의 말로 대변되는 것 같다.

朱부장은 "중국은 한국의 단독가입을 찬성하지 않는다"며 "이문제는 남북간대 [illegible] 을뿐 딱부러지게 「반대」하거부권행사등의 표현은 사용치않았다.

중국으로서는 한국의 유엔단독가입에 찬성할 수는 없지만 앞장서서 반대하기도 힘든 형편이다.

이미 국제적인흐름이 한국단독가입찬성으로 흐르고있는 상황에서 중국만이 반대할경우 오히려 중국이 국제적으로 고립되는 경우에 빠질지도 모른다.

뿐만아니라 경제적으로 한국과 관계가 밀접해지고 있으며 이를 더욱 발전시켜 나가지않을 수 없는 중국으로서는 한국측이 섭섭해할 입장을 취하는 것도 피하고싶을 것으로 추측된다.

[illegible] 은 중국의 방침은 기권이 아닌가 보고있다. 만일 거부권을 행사한다 하더라도 금년 1회에 한정될것이라는것이 전문가들의 지적이다.

李鵬총리가 이번 북한방문을 통해 과연 이러한 방침을 전달할것인지는 아직 확실치 않다.

북한은 중국의 이런방침에 강력히반발할것은 분명해 중국으로서는 북한측을 달랠 선물이 필요한것으로 보인다.

이선물로서 생각될수 있는 것은 경제원조의 확대 [illegible] 소련과의 관계가 소원해진 북한으로서는 중국의 원조가 절실한 입장이기 때문이다.

이와함께 중국은 북한의 국제적 고립을 회피한도록 몇가지 언질을 줄 것으로 보이기도 한다.

여기에는 북한·일본간의 국교정상화교섭에 대한 측면지원도 포함될것이며 북한과 미국간의 관계개선도 주선할 것임을 약속할수도 있을것으로 전문가들은 보고 있다.

중국이 한국의 유엔가입에 인정한 이해를 보일경 [illegible] 담히 [illegible] 가능성이 크다.

그런 의미에서 李鵬총리의 訪北에서 韓·中관계에대한 논의도 있을 것으로 보이지만 북한을 더이상 자극시키지 않기위한 중국측의 배려로 북한이 놀랄만큼의 對韓접근은 자제할것이 아닌가 보아진다.

결국 이번 李鵬총리의 訪北은 중국으로서 말하기 거북한 의제들이 기다리고 있는만큼 유쾌한여행은 아닐 것이다. 그런점에서 일부에서는 당총서기의 방문을 격(格)낮춰 총리방문으로 한 것이라는 분석도 나오고있다.

그러나 당총서기가 아닌 총리의 방문이라고 해도 앞으로 중국의 對한반도정책을 분명히 엿볼수 있는 중요한 방문임은 부인할수 없다.

【東京=李炳柱특파원】

세 계 일 보

1991. 5. 4. 토, 사설

李鵬의 平壤방문

中國은 5월 들어 北韓 및 蘇聯과의 수뇌외교에 분주하다. 4월초의 전국인민대표회의에서 20세기말까지 改革과 開放의 노선에 따른 국가건설 기본방침을 세운데 이어 평화적인 국제환경의 조성을 위해 외교적 노력을 기울이고 있다. 李鵬총리가 3일부터 平壤을 방문하고 있고, 江澤民 黨총서기가 15일 모스크바를 찾게된 것은 모두 그와같은 배경에서 계획된 것이다.

蘇聯과의 오랜 이념대립을 해소한 후 中國이 아시아에서 평화적 국제환경을 조성하는데 가장 큰 장애가 되고 있는 것은 北韓의 폐쇄성이다. 북한과의 정치적 우대와 남한과의 경제교류 사이에서 활동을 크게 제약받고 있는 중국은 南北韓이 대화를 통해 화해와 협조를 이루기를 기대하고 있다. 그러나 남북한 관계가 좀처럼 개선되지 못하고 있는 현실을 지켜보면서 그 원인이 어디에 있는가를 가려야할 처지에 있을 뿐만 아니라, 미묘한 그 공식입장을 천명해야할 선택에 몰리고 있다.

한국정부는 올가을 유엔總會에 가입신청을 제출하겠다는 뜻을 이미 천명하였다. 북한이 남북한 동시가입을 굳내 거부할 경우 한국단독가입에 대해 유엔의 의사를 묻겠다는 것이다. 이 신청안에 대해 중국은 좋든 싫든 태도를 결정하지 않을 수 없는 것이다.

중국은 지금까지 南北韓 유엔가입문제는 당사자들간의 협의로 해결되기를 바란다는 태도로 일관해왔지만 속으로는 분명히 북한의 입장을 못마땅히 여기고 있다. 고르바초프 대통령은 지난달 濟州에서 盧泰愚대통령에게 중국도 북한의 「단일의석 공동가입안」을 불합리한 것으로 보고있다고 밝혔다. 이달 중순 모스크바를 방문하는 江澤民 총서기도 고르바초프 대통령과 만난 자리에서 유엔의 「보편성 원칙」에 관한 논의에 응하지 않을 수 없을 것이다.

오늘의 중국처지로 보아 李鵬은 金日成을 비롯한 평양수뇌들에게 무엇보다도 북한이 더 이상 국제적 고립에 몰려서는 안된다는 점을 강조할 것이다. 중국은 북한의 국제적 고립이 한반도와 동북아시아에 평화적 환경을 조성하는데 장애가 되고 있다고 믿고 있기 때문이다. 中·蘇화해, 韓·蘇수교, 韓·中교류증진은 말할 것도 없고 美國과 日本도 北韓의 개방을 관계개선의 조건으로 내세우고 있는 급변하는 정세속에서 오직 북한만이 도도한 역사의 흐름에 역행하고 있는게 현실이다.

북한의 변화는 南北韓의 대화와 대화를 통한 교류·협력에서 시작되어야 한다. 그들이 겉으로 아무리 평화의 미소를 짓는다고 해도, 납득할 수 없는 이유를 들어 대화를 중단시키고 南韓의 정치정세를 선전에 이용하고 이른바 반정부세력과 더불어 통일전선을 획책하는 한 한반도의 긴장은 결코 풀릴 수 없다.

李鵬총리가 북한회담에서 거는 기대는 南北韓이 통일을 위한 화해분위기를 조성하기 위해 평화적으로 공존하는 방법을 모색하라는 것이다. 그것이 南北대화의 성과있는 추진, 유엔동시가입, 核사찰을 포함한 국제사회에서의 책임있는 행동 등을 의미하는 것임을 과연 북한통치자들이 납득할것인지가 문제이다.

0257

한국일보

1991. 5. 4. 토. 1면

李鵬·延亨默 회담

【서울=聯合】 북한총리 延亨默은 3일 3박4일간의 일정으로 북한을 방문차 이날 평양에 도착한 李鵬 중국 국무원총리와 한차례 회담을 가졌다고 「중앙방송」이 이날 보도했다.

이 방송은 북한측에서 외교부장 金永南, 대외경제위원장 金達玄, 국가과학기술위원장 이자방, 당부부장 金光鎮(대장) 등이, 중국측에서 국무원비서장 羅幹, 군총참모장 遲浩田, 동력부장, 黃毅誠, 대외경제무역부장 李嵐淸 등이 배석한 가운데 열린 이 회담이 「동지적이며 친선적인 분위기 속에서 진행됐다」고 전했으나 회담내용에 관해서는 구체적으로 밝히지 않았다.

한편 李鵬총리는 이 회담에 앞서 평양 대성산혁명열사릉을 참배했으며 이어 만수대의사당으로 북한총리 延亨默을 방문, 환담한 것으로 이 방송은 덧붙였다.

【北京=聯合】 李鵬 중국총리의 북한방문 목적은 남한의 유엔가입 신청을 둘러싼 대결을 미연에 방지하기 위한 것이라고 北京의 외교관들이 3일 말했다.

서울신문

1991. 5. 4. 토. 1면

"유엔同時가입 설득할듯"

李鵬, 延亨默과 어제 1차회담

【平壤도쿄北京外信綜合】 李鵬 中國총리는 3일 4일간의 공식친선방문을 위해 평양에 도착, 北韓 지도자들과 50만 평양시민들의 열렬한 환영을 받았다.

李鵬 총리일행은 이날 공항에서 연형묵총리와 김영남 외교부장 등 북한고위인사들의 영접을 받은뒤 무개 리무진에 탑승, 플라스틱 조화와 양국기를 흔드는 동원된 시민들의 환영을 받으면서 평양시내로 향했다.

李鵬총리는 이날 연형묵총리와 1차회담을 가졌다.

한편 도쿄에서 수신된 북한관영 중앙통신은 당기관지 로동신문의 사설을 인용, 「李총리의 방문은 北韓과 中國의 인민이 사회주의 혁명의 기치를 높이 들고 제국주의에 대항, 사회주의의 공동대의를 완수하기 위한 투쟁에서 어깨를 나란히 전진하려는 굳은 결의와 의지를 강력히 입증할 것」이라고 말했다.

외교관들은 李鵬이 이번 北韓방문에서 南北韓 양자가입을 가능케 하는 「체면살리기 방안」을 제시할 것으로 보고 있다.

세계일보

1991. 5. 4. 토. 1면

李鵬-延亨默회담 내용은 안밝혀져

어제 평양도착

北韓 총리 延亨默은 3일 3박4일간의 일정으로 북한을 방문하기 위해 이날 평양에 도착한 李鵬 中國국무원총리와 한차례 회담을 가졌다고 중앙방송이 이날 보도했다.

이 방송은 북한측에서 외교부장 金永南, 대외경제위원장 金達玄, 국가과학기술위원장 이자방, 단부부장 김양건, 인민무력부부장 金光鎮(대장) 등이, 중국측에서 국무원비서장 羅幹, 軍총참모장 遲浩田, 동력부장 黃毅誠, 대외경제무역부장 李嵐淸 등이 배석한 가운데 열린 이 회담이 「동지적이며 친선적인 분위기 속에서 진행됐다」고 전했으나 회담내용에 관해서는 구체적으로 밝히지 않았다.

한편 李鵬총리는 이 회담에 앞서 평양 대성산혁명열사릉을 참배했으며 이어 만수대의사당으로 북한총리 延亨默을 방문, 환담한 것으로 이 방송은 덧붙였다.〈관련기사5면〉

이날 李鵬총리일행이 도착한 공항과 平壤시내에는 50만명의 시민들이 나와 플라스틱 조화와 양측의 국기를 흔들며 이들을 열렬히 환영했다.〈全〉

한겨레신문

1991. 5. 4. 토. 2면

리펑수상 어제 평양 도착

중국 리펑 수상 일행이 3일 오전 11시 특별기편으로 평양에 도착, 연형묵 북한 정무원총리와 한차례 회담을 가졌다고 북한 방송들이 이날 보도했다.

〈관련기사 7면〉

내외통신에 따르면 북한 방송들은 평양비행장에서 연 총리를 비롯, 외교부장 김영남, 군총참모장 최광 대장, 부총리들인 홍성남·김복신·강희원 등 고위간부들이 리평 수상 일행을 영접했다.

연형묵 총리 초청형식으로 방북한 리펑수상 일행은 오는 6일까지 3박4일간 북한을 공식방문하면서 북한 지도자들과 일련의 회담을 갖고 쌍방 경제 및 군사협력 강화를 비롯해 △한국의 유엔가입 △한-소 관계증진 △북한-일본 수교회담 등 국제문제들에 관해 의견을 교환할 것으로 알려지고 있다.

0258

조 선 일 보

1991. 5. 4. 토. 2면

李鵬 "韓半島 최근변화 긍정적"

어제訪北 "통일위한 對話 지지"

【香港=金泳秀특파원】北韓을 공식방문중인 中國의 李鵬총리는 3일 『최근 몇년간 南-北韓간의긴장완화를 비롯한 한반도의 정세 변화에대해 중국은 긍정적으로 평가하고있다』고 전제하고 『중국은 북한이 제시한 평화적인 통일을위한 각종 제안을 높이 평가한다』고 밝혔다고 중국관영 新華통신이 평양發로 보도했다.

신화통신은 李총리가 이날 북한측이 주최한 만찬석상에서 발표한 성명을 통해 이같이 말했다고 전하면서 李총리가 『중국정부와 黨은 평화적이고 독립적인 조국통일을 위해 노력해온 북한인민의 노력을 지지한다』고 말했다고 보도했다.

이 통신은 李총리가 지난해의 남-북한 총리회담을 비롯, 지난 몇년간 스포츠·예술·문화분야에 있어 남-북한간에 괄목할만한관계진전이 있었다고 지적하면서 『중국은 현재는 물론 앞으로도 독립적이고 평화적인 통일을 주장하는 북한인민을 지지할 것』이라고 밝혔다고 보도했다.

李총리는 이어 『한반도의 통일은 외세의 불간섭이라는 전제아래 남-북한 양측간의 대화와 타협으로 성취되어야할 것』이라고 말했다고 이 통신은 전했다.

李鵬총리는 延亨默 북한총리와 상호 공동관심사에 대해 논의했다. 李鵬의 이번북한방문에는 羅幹국무원비서장, 遲浩田인민해방군총참모장, 黃毅誠에너지부장등 중국의 장관급 고위관리들이 수행했으며, 부인 朱琳도 동행했다.

경 향 신 문

1991. 5. 4. 토. 1면

李鵬총리 평양도착

어제 南北韓 유엔동시가입 권유할듯

李鵬 총리

【平壤·東京=외신綜合】李鵬 중국총리는 3일 나흘간의 공식친선방문을 위해 평양에 도착, 북한 지도자들과 평양시민들의 열렬한 환영을 받았다. 〈관련기사5면〉

李鵬총리일행은 이날 공항에서 延亨默총리와 金永南외교부장을 비롯한 북한 고위인사들의 영접을 받은 뒤 무개 리무진에 탑승, 플래스틱 조화와 양국기를 흔드는 동원된 시민들의 환영을 받으면서 平壤시내로 향했다.

한편 東京에서 수신된 북한관영 중앙통신은 당기관지 로동신문의 사설을 인용, 『李총리의 방문은 북한과 중국의 인민이 사회주의의혁명의 기치를 높이들고 제국주의에 대항, 사회주의의 공동대의를 완수하기 위한 투쟁에서 어깨를 나란히 전진하려는 굳은 결의와 의지를 강력히 입증한것』이라고 말했다.

중국총리로서 10년만에 처음 평양에 간 李鵬은 북한정부 지도자들과 일련의 회담을 갖고 한국의 유엔단독가입신청을 둘러싼 대응, 한·중관계, 중국의 對북한원조문제등 양국간공동관심사를 폭넓게협의한다.

한편 李鵬총리의 북한방문 목적은 남한의 유엔가입 시도를 둘러싼 대결을 미연에 방지하기 위한 것이라고 北京의 외교관들이 3일 말했다.

외교관들은 李鵬이 이번 북한방문에서 남북한 유엔가입을 가능케하는 체면살리기방안을 제시할것으로 보고 있다.

0253

The Korea Times

1991. 5. 4. Sat., page 2

Kim DJ Asks UN Leader To Help Seoul, P'yang Get Simultaneous Entry

Opposition leder Kim Dae-jung has requested the United Nations secretary general to invite both South and North Korean governments to apply for simultaneous entry into the world body. Kim also asked the chief UN official to check Seoul from bidding for the UN seat single-handedly.

In a letter mailed to Javier Perez de Cuellar yesterday, he warned that South Korea's admission alone to the United Nations would have "negative influence" on the peace of the Korean peninsula and heighten tension, a theory quite similar to that held by the North.

Yet he supported Seoul's old, and now discarded proposal for simultaneous entry by the South and the North and retorted as "without foundation" Pyongyang's argument that the simultaneous admission would perpetuate the division of the peninsula.

The South, which had long called on the North to join the U.N. separately but simultaneously, has recently declared it would apply for the UN membership this fall to press the still rival North follow suit. The North has come up with a compromising idea for the sharing of one UN seat for alternate representation as the economically-stronger South has turned deaf to its demand for the delay of getting UN membership till reunification.

"... I have the honor to request one favor from you. That is for Your Excellency to persuade the Security Council of the United Nations — particularly the five permanent members of the Security Council to invite the governments of ROK and DPRK to apply for simultaneous admission to the United Nations," he said.

"Above all, it will provide an opportunity for the DPRK (Democratic People's Republic of Korea, or North Korea) to enter the United Nations without losing its self-respect," said Kim, president of the New Democratic Union.

"Despite such opportunity being offered, if the DPRK still does not decide to enter the United Nations, then the United Nations will have no choice but admit ROK (Republic of Korea) to the United Nations."

The contents of the letter, dated April 25, are in line with his long-standing policy.

"The admission of ROK alone to the United Nations is an incomplete expression of the will of the Korean nation and will exercise a negative influence over peace on the Korean peninsula by heightening the tension between South and North Korea," the letter said.

"On the other hand, the North Korean argument that the simultaneous admission of ROK and DPRK will perpetuate the division of Korea is without foundation," Kim said, citing East and West Germany and North and South Yemen cases, popular examples for government theorists.

The Korea Herald

1991. 5. 4. Sat., page 2

Kim D.J.'s letter to U.N. triggers political dispute

Opposes Seoul's unilateral membership bid

Rival parties are at loggerheads over Seoul's U.N. membership.

The different positions of the ruling Democratic Liberal Party and the opposition New Democratic Union were highlighted with NDU leader Kim Dae-jung's letter to the world body which indirectly criticizes Seoul's position.

The DLP simply urged Kim to stay out of the government's conduct of diplomacy yesterday.

The government party accused Kim of creating "confusion" by sending a personal letter to U.N. Secretary-General Perez de Cuellar.

In the letter, Kim said that South and North Korea should be admitted to the United Nations "by all means simultaneously."

He called on Perez de Cuellar to pursuade the five permanent members of the U.N. Security Council to invite the governments of the two Koreas to apply for simultaneous admission to the international organization.

Ruling party spokesman Park Hee-tae expressed concern that Kim's letter would hurt the government's foreign policy.

Since non-partisan diplomacy is the norm in international politics, one nation's foreign policy must be voiced unanimously, he said. "At home it is alright to express dissent but abroad it causes confusion in our foreign policy."

Park asked the NDU leader to stay out of diplomacy as President Roh has been doing a good job.

However Kim told reporters he doesn't think that his party should blindly follow the government's foreign policy.

Kim's letter said, "The admission of ROK (South Korea) alone to the United Nations is an incomplete expression of the will of the Korean nation and will exercise a negative influence over the peace in the Korean Peninsula by heightening the tension between South and North Korea.

"Therefore, we desire that both ROK and DPRK (North Korea) should be admitted to the United Nations by all means simultaneously.

"Above all, it will provide an opportunity for DPRK to enter the United Nations without losing its self-respect. Despite such opportunity being offered, if DPRK still does not render its decision to enter the United Nations, then the United Nations will have no choice but admit ROK to the United Nations."

0260

한 국 일 보

1991. 5. 4. 토, 2면

金大中총재 對유엔서한 파문

유엔同時가입·南北조청 요청

金大中新民黨총재가 南北韓UN동시가입을위해 UN안보리가 南北韓을 함께 초청해달라는 내용의 서한을 케야르UN사무총장에 보낸것과 관련, 여야간에 조그만 논란이 일고있다.

民自黨은 UN가입과같은 중요한 외교문제에 정파의 목소리가 그대로 전달되는 것은 바람직하지않으며 정부와 충분한 사전협의가 있었어야 한다고 지적하고 있다.

그러나 新民黨은 UN동시가입을 위한 하나의 방안을 제시한것이며 초당외교의 일환이라고 맞서고 있다.

民自"정부와 事前협의 있어야" 新民"超黨的외교"맞서

서한 全文

먼저 본인은 사무총장께서 걸프전쟁의 평화적 해결을 위하여 세우신 위대한 공로를 높이 치하드리는 바이며, 이제는 UN이 명실공히 평화유지기구로서의 역할을 다하고 있음을 기쁘게 생각하는 바입니다.

본 서한의 목적은 한국의 UN가입에 관한 新民黨의 성실한 견해를 각하에게 직접 전달드리고 이와 관련하여 각하의 선처를 요청하는 것입니다.

한반도는 현재 세계에서도 가장 긴장이 심한곳입니다. 한반도의 평화는 동아시아및 세계평화에 극히 중요한것입니다. 본인 견해로는 남북한의 UN가입은 두가지 원칙에 기초하여 해결되어야한다고 생각합니다.

즉 첫째로 남북한이 동시 UN에 가입되어 7천만 한민족의 의사가 반영되어야 한다는 것이고, 둘째로는 우리의 UN가입은 한반도평화에 기여해야 한다는 점입니다.

이런의미에서 대한민국의 UN단독가입은 한민족으로서는 평화적인 의사표시이며 남북간의 긴장을 강화시켜 한반도 평화에 부정적인 영향을 끼칠 것입니다. 그러므로 우리는 꼭 남북한의 UN동시가입이 실현되기를 바라는 바입니다.

[illegible]

한 국 일 보

1991. 5. 4. 토, 사설

對UN外交 混線없을까

一新民黨의 서한發送 異例的이다

新民黨의 金大中총재가 南北韓의 유엔동시가입을 [illegible]

[illegible]

조 선 일 보

1991. 5. 4. 토. 3면

「金총재 유엔서한」 공방

민감반응 民自党

"事大발상" 성토…「金총재 意図」 추궁

"国家아닌 政派목소리 전달로 外交혼선 초래"

民自党은 金大中신민당총재가 케야르 유엔사무총장에게 서한을 보낸데 대해 『사려깊지 못한 행동』이라며 따가운 시선을 보내고 있다.

民自党은 朴熺太대변인의 논평을 통해 『南韓의 유엔단독가입 반대로 받아들여지는 金총재의 주장은 정부의 외교방침과 상치되는 것』이라고 지적하고 『국가의 목소리가 아닌 政派의 목소리가 외교무대에 그대로 전달되는 것은 바람직하지 않을 뿐아니라 외교적 혼선을 초래할 우려가 크다』고 밝혔다.

논평은 또 『南北유엔가입문제를 유엔사무총장을 통해 상임이사국에 호소하려는 것은 주권국가의 위신을 실추시킬 우려가 있다』며 『국가장래에 중요한 영향을 끼칠 행동을 할 때는 사전에 정부와 협의해야한다』고 주문했다.

金宗鎬원내총무는 『국가외교에 与野가 따로있는게 아니니만큼, 야당도 정부여당의 외교노력을 측면에서 도와야하는 게 아니냐』는 말로 金총재의 「편지」에 못마땅해하는 표정.

국회외무통일위 위원장 직무대리인 李珍雨의원(民自·浦項)은 『南北韓의 유엔동시가입을 위해 최대한의 노력을 기울이되, 불가피할경우 南韓만이라도 우선 유엔가입을 成事시켜 北韓의 유엔가입을 유도하자는게 우리 정부의 対유엔 정책』이라며 『이같은 정부 방침에 異見이 있을 수는 있지만, 이를 국내정치권에서 조정치 않고 국제기구에 호소하려는 자세가 문제』라고 지적.

외무통일위원인 李相回의원(民自·전북구)은 『유엔가입문제는 국내문제이고 반대의견이 있으면 국내에서 정부를견제하고 비판할 일이지, 국제기구에 公개적으로 서한을보내는것은 주체성을 상실한 事大主義的 발상에 다름 아니다』라고 흥분. 그러나 그는 『외무부가 올해 외교목표 1호로 유엔단독가입을 年内에 달성하겠다고 서두르는 것에는 나도 반대입장』이라고 피력.

같은 상임위 위원인 金炳泰의원(民自·서울江南甲)도 『우리가 유엔에 단독가입할경우 北韓의 고립화를 자초, 한반도정세를 악화시킨다는 金총재의 주장에 견해를 같이 하지만 공개서한을 보낸것은 외교관례에없는 잘하지 못한일』이라는 반응을 보였다.

한편 金淑三民自党 대표최고위원은 이날오전 국회를방문한 미셸 토카르 프랑스 총리를 만난자리에서 유엔가입문제에 언급, 『南北韓 유엔동시가입을 위해 최선을다하되 北韓이 끝내 이를 거부한다면 한국만이라도 먼저 유엔에 가입한다는게 우리정부에 기본입장』임을 분명히했다.

어쨌든 정가관측통들은 金총재의 이번 서한발송이 우리측 IPU(국제의회연맹) 대표단이 平壤총회에 참석하고 있는 시점에서 이루어진다는 점에 특히 촉각을 곤두세우고 있다. 이번 IPU平壤총회에서 유엔가입등 南北韓문제가 첨예한 관심사로 등장하고 있는 판에 결과적으로 北韓의 입장에 가까이 서는 듯한 유엔가입방안을 유엔사무총장에게 호소하는 金총재의 「의도」에 관심이 모아지고 있는 것이다.

그러나 여권은 이번 金총재의 편지문제를 크게 쟁점화할 생각은 아닌듯하다. 정국의 순항을 위해 지금 신민당과 함께 해야 할 일이 너무 많기 때문이다.

<李錫柱기자>

波紋우려 新民党

"北韓자극 無益" 강조…鎭火 부심

신민당은 訪美중인 趙尹衡의원을 통해 케야르유엔사무총장에게 「4일중 전달할 金大中총재의 서한이 사전에 언론에 유출되자 난감해 하는 표정. 특히 『유엔단독가입반대』의사가 부각돼 파문이 일 조짐이 있자 金총재가 3일 오전 직접 기자실로 찾아와 서한발송배경을 설명하는 등 조기鎭火에 부심하는 모습.

朴相千대변인도 북한의 주장과 유사한 「단일의석下의 南北유엔동시가입」의 기존 黨論이 자칫 불필요한 오해를 촉발시킬 소지가 있음을 의식한듯 「이를 또 키웠다」고 거듭 강조했다.

黨주변에서는 지난 89년 盧泰愚대통령 訪美때 한국의 人權문제를 거론해달라고 요청하는 서한을 美의원들에게 보냈다가 정가에 一波萬波의 파장을 일으킨 惡夢을 상기하기도.

金총재는 이날 기자와 만나 『정부가 좀더 인내심을 갖고 노력하면 북한도 유엔에 가입하지않을수 없는데 왜 북한을 고립시키는 쪽으로 가느냐』며 『외교문제라고 野党이 국 정부 与党을 따라갈 필요는 없다』고 말했다.

金총재는 또 『유엔회원국 90%이상이 동시가입을 지지한다』고 상기시키면서 자신의 주장을 超党외교차원에서 정부측이 수용해줄 것을 당부했다.

"安保理서 南北초청땐 同時가입 成事 가능성"

—이번 서한을 보내게된 동기는.

『북한이 일본과 수교를서두르는 점을 감안할때, 북한이 유엔에 가입한다는 것은 이제 멀지않았다. 유엔安保理가 남북한정부를 공동초청하면 북한의 체면을 세워주게되고 결국동시가입이 성사될것이란 판단에서이다』

—한국이 단독가입하면 한반도의 긴장이 고조된다고 한 주장의 근거는.

『남한만의 단독가입은 필연적으로 북한의 위기감을 조성할 것이며 따라서 상당기간 남북관계가 악화될 수밖에 없다. 때문에 남북관계를 해쳐가면서까지 유엔가입을 서두를 필요도 없고, 유엔가입여부가 우리國益과 직접 관계도 없지않은가』

—「단일國号下의 南北동시가입」이란 종래 党論을 뜨기했다고 대변인이 발표했는데.

『아직도 단일회원국 동시가입이 이상적이라는 소신엔 변함이 없다. 그러나 현실적 難題들이 워낙 많아 남북동시가입을 차선책으로주장하고있는것이다.』

—한국의 단독가입이 북한의 유엔가입을 결국 견인, 오히려 북한의 개방을 촉진할 수 있을 것이란 견해에 대해서는.

『그런 측면도 있을 수 있다. 하지만 남한만의 단독가입은 일시적이나마 남북관계를 악화시킬 것이다. 구태여 북한을 자극시키면서 國益과 직결되지도않는 유엔단독가입을 무리하게 추진할 필요성은 없다고 본다.』

—북한은 줄곧 단일國号下의 南北동시가입입장을 고수하고있는데 케야르 사무총장 중재로 그들의 방침이 바뀔것으로기대하는지.

『최근 북한은 北日회담이 잘될경우 유엔가입문제도 순조롭게 해결될 것이란 발언을 자주한데서 엿볼수 있듯, 북한도 동시가입의 현실적 당위성을 절감하고 있다. 또한 소련의 영향력도 무시할 수 없는 상황이기 때문에 成事가능성은충분하다는 생각이다.』

<金允秀기자>

◇私信배경 설명 金大中신민당총재가 3일 오전 기자간담회에서 자신이 케야르 유엔사무총장에게 보낸 私信배경등을 설명하고 있다.

경향신문

1991. 5. 4.토. 3면

유엔단독가입 공감대

정부·新民의 정책視角

南北문제에 있어 올가을은 중요한 시점으로 기록될 전망이다. 9월17일에 개막되는 제46차 유엔총회를 계기로 南韓정부가 최악의 경우 유엔단독가입을 실현시키기로 작정하고 있기 때문이다.

이를위한 국제적 분위기는 최고조로 성숙돼있는것도 사실이다.

이러한 시점에서 新民黨의 金大中총재가 3일 케야르 유엔사무총장에게 서한을보내 나름의 공식입장을 표명해 관심을 집중시키고 있다.

결론부터 말하자면 金총재의 서한내용은 정부의先유엔가입정책을 사실상 지지하는 것이라고 할수있으며 결국 南韓 단독가입의 불가피성을 인정한 것으로 해석된다.

따라서 金총재의 新民黨이 단순히 南韓의 단독가입을 반대해 외교노선에혼선을 초래했다는 집권民自黨의 비난성 논평은 편지내용의 가닥을 잘못잡은데서 비롯한것으로 여겨진다.

이는 新民黨의 당론변경과정을 살펴보면 금세 드러난다.

지난해 5월24일 金日成北韓주석이 최고인민회의 제9기 1차회의 시정연설을 통해 南北단일의석에의한 유엔가입방안을 제시했을때 당시 平民黨은 『긍정적으로 검토해볼만하다』는 일종의 당론을 표명했었다.

북한이 단일의석안을 제시하면서 내세운 논리는 南北韓동시가입이 분단을 고착시킨다는 것이었다. 平民黨은 그러한 논리에 부분적인 이해를 나타냈던것이라고 할수있다.

그러나 金大中총재는 이날 유엔에 보낸 편지에서 『남북한의 유엔동시가입이 한반도의 영구분단을 가져온다는 북한의주장은 근거가없다』고 단일의석가입안에 반대의사를 분명히 했다.

金총재는 그러면서 『韓國의 단독가입은 南北간의 긴장을 강화시켜 韓半島평화에 부정적인 영향을 끼친다』는 기존의 입장을 고수했다.

즉, 南北의 유엔동시가입이 실현돼야 한다는 주장이다.

金총재가 논리구성상 다소의 차이점에도 불구하고 결과적으로 정부의 유엔가입정책을 사신상 인정했다는것은 바로 이러한 논리적 귀결때문이다.

정부의 정책은 아직도 南北韓 동시유엔가입인 것이다.

「동시加入」 집념엔 차이

新民도 신축성두고 국제적大勢 수용

[illegible]黨案의 차이점은 무엇인가. 대차는 없는것 같다.

다만 북한으로하여금 어떻게하면 국제사회의 현실을 인식시켜 함께 유엔에 들어가는가하는 문제가 남게된다.

이점에 있어 정부가 현실을 더욱 강조하고 있는 입장이라면 新民黨은 다소 온정적이라고 할수있다.

정부의 한 고위당국자는 『정부로서는 앞으로도 북한과함께 유엔에 가입하기 위한 노력을 계속할것』이라면서 『그러나 북한이 끝내 호응해오지 않으면 금년 유엔총회개막전에 우리의 先가입을위한조치를 취할것』이라고 말했다.

이미 지난달 8일 유엔安保理공식문서로써 금년중가입 실현의지를 천명한 정부는 「루비콘강을건넜다」는 분위기이다.

특히 남북동시가입을 위한 노력은 할만큼 다했다는것이 보다 솔직한 정부의 생각인듯하다.

정부는 또 우리의 유엔가입이 기본적으로 韓國과 유엔간의 문제이지 南北韓문제가 아니라는 논리도준비해놓고 있다.

유엔가입을 위한 충분한 조건을갖춘 상태에서 북한에게 사실상의 비토권을부여하고있는 현상황은 매우 불합리하다는 얘기다.

이점에서 新民黨 金총재의 편지내용이 정부생각과 조금 다른것으로 보인다. 북한을 끌어들이는 노력을 강화하자는것이 金총재 주장의 알맹이인 것으로 파악된다.

金총재는 그 방안의 하나로서 유엔安保理 상임이사국들이 南北韓을 유엔에 초청하는 형식을 케야르사무총장에게 제의한것이다.

그러나 이것도 전혀 새로운것이 아니다. 이 방안은 외무부가 동시가입실현을 위해 검토해온 복안의 하나에 불과하다. 정부는 이미 中國이 남북한을 동시에 추천하는 방식을 타진하기도 했다.

[illegible] 작업을 우려한는 지적에대해 외무부의 한 당국자는 『우리의 先가입이 이루어지면 北韓도 결국 뒤따라 들어와 南北동시가입으로 결과가 나타날것』이라고 전망했다. 그러니까 동시가입의 전단계로서의 단독가입일뿐 정부의 전체구도는 동시가입 정책에서 이해돼야한다는 설명이다.

한편 정부가 유엔가입을 위해 총력을 기울이고있는 시점에서 野黨이「단독가입 반대로 비쳐질수있는」공개서한을 발송한것을두고 외교적 혼선야기를 우려하는데 대해 新民黨측은 『오히려 정부를 지원하려는 것』이라고 반박했다.

新民黨측의 이러한 반응은 金총재가 왜 이 시점에서 유엔사무총장에게 편지를 보냈느냐하는 「의문」을 시사하는 대목이다.

金총재는 多段的해석이 가능한 입장을 표명함으로써 사실은 당론을 수정하고 국제적 대세를 수용한 것으로 분석된다.

<宋永滋기자>

0263

서울신문

1991. 5. 4. 토, 1면

中·蘇 南北韓유엔加入 협의 활발

15일 頂上회담 공동성명文案事前 의견 조정

【모스크바=金築院특파원】蘇聯과 中國은 韓國의 유엔 단독가입문제에 대해 매우 심각한 견해차를 보이고 있으며 이 문제가 오는 15일부터 시작되는 蘇·中정상회담의 주요 현안인 것으로 3일 알려졌다.

蘇聯과 中國은 15일부터 시작되는 江澤民 중국공산당 총서기의 訪蘇와 관련, 양국 정상간에 발표할 공동성명 작성작업에 착수했으나 한반도문제에 대한 입장이 엇갈려 난항을 겪고있다. 이에따라 공동성명 사전협의를 위해 蘇聯을 방문했던 中國 공산당대표단이 이 문제에 대한 합의점을 찾지못하고 귀국한데 이어 4일 蘇聯측의 두사토프 공산당 국제부 제1부부장이 中國에 가 한반도 문제에 대한 합의점을 계속 모색할 예정이다.

모스크바의 한 외교소식통은 이날 공동성명에 담을 한반도 문제에 대해 양국이 매우 날카로운 입장차이를 보이고 있다고 전하고 주로 한국의 유엔 단독가입에 대한 입장조정이 정상회담을 앞둔 양국의 현안으로 등장하고 있다고 밝혔다.

최근 소련은 중국과 가진 정상회담 공동성명작성작업 협의에서 「남북한간의 대화를 환영하며 두나라 인민의 숙원인 통일을 지지한다」는 문구를 양국 공동성명에서 채택하기를 희망했다.

0264

세계일보

1991. 5. 5. 일, 1면

"한국 유엔가입여부는 內部문제"

江澤民, 北韓에 동조안해

日교도통신 보도

【도쿄=연합】江澤民 中國공산당 총서기는 4일 韓國의 유엔 단독가입문제에 대해 『南北韓 쌍방의 내부문제로 이에 관해 깊게 이야기하고 싶지 않다』면서 유엔 단독가입이 분단을 고착화시키는 것이라며 반발하고 있는 북한에 동조하지 않았다고 日本 교도(共同)통신이 보도했다.

江총서기는 이날 오전 北京을 방문중인 다나베(田邊) 日사회당 부위원장과의 회담에서 한반도 정세 전반에 관해 의견을 교환하는 가운데 이같이 밝혔다.

그는 이어 한반도 통일문제와 관련,『남북한이 오랫동안 분할되어온 만큼 긴 시간을 두고 대화를 나누어 통일을 이루는 것이 좋다. 중국의 속담에는 한번의 괭이질로 우물을 팔수 없다는 말이 있다』고 말해 한반도 통일이 장기화된다는 현실적인 인식을 중국 정상으로서는 자극히 솔직하게 표명했다고 교도통신은 전했다.

그는 또 북한의 핵사찰 의혹에 대해 『북한의 핵보유여부에 대해서는 알지 못하고 있다. 金日成주석이 다나베부위원장과 회담할때(작년 9월) 북한은 핵을 보유하고 있지 않으며 만들 능력도 없다고 말한 것 같다. 金주석의 말을 믿는 것이 좋다고 생각한다』며 중국과 북한간에 의사소통이 충분하지 못한채 벽이 있음을 시사했다.

0265

조 선 일 보

1991. 5. 5. 일, 5면

時論

韓·中의「유엔函数」

朴斗福

李鵬 訪北 관심사

李鵬 中国總理의 平壤방문은 韓国의 UN가입에 대한 中国의 태도표명이 초미의 관심사로 부각되고 있는 시기에 이루어짐으로써 우리의주목을 끌고 있다.

우선 이번 李의 平壤방문시 양국간에 韓国의 UN가입을 비롯한 中国의 対韓관계에관한 정책방향등이 심도있게 거론될 가능성이 크다.

작년3월 江澤民의 平壤방문시 양국간에최초로 韓国에 대한 中国의 정책방향이 정식으로 거론되었다는 說이있다. 이것은 中国이 北韓과 적대적 관계에있는 韓国과의 관계를 조정하기 위해서는 반드시 거쳐야 할 필수과정인 것이다.

그리고 이달 중순으로 예정된 江澤民-고르바초프간의 中蘇회담도 한국의 UN 가입문제에 대한 中蘇 양국의 공식적태도결정에 중요한 계기를 마련할수있을 것이다.

만약 UN가입문제에 대해 북한이 보다 긍정적인 입장을 취하게 되고, 中蘇회담에서 이에대한 양국의 공동인식이 성립될 경우, 이미 한국의 입장을지원하기로 확인한 소련은 북한의 정책이나 태도의 변화조정을위한 시간을 요구하고 나올 가능성도 없지 않은 것이다.

그러나 UN가입문제에 대한 北韓의 태도에 근본적인 변화가 없게되는경우, 中国과 소련의 정책선택은 서로 다른 방향으로 이루어질 수밖에 없을것이다. 즉 対한반도 정책전개에 있어서 北韓要因으로부터 이미 탈피한 소련의 경우 UN가입문제에관한 한 국과의 지지약속을 정책으로 이행하고 공식화해 갈 것이다. 반면 北韓要因으로 부터 벗어나지 못하고 있는 中国의 경우 그들의 내심과는 상관없이 北韓의 입장지지가 불가피 할 것이다.

그런데 中国의 対한반도정책이 한반도에 있어서 그들의 변화하는 인식과 이익개념에 적응하는 방향으로의 근본적 조정이 어려운 것은 中国의 지도체제의 성격과 국내정치상황과 긴밀한 관련을 갖는다.

「1国兩制」장애물

즉 北韓과 긴밀한 연대성을 갖는 鄧小平을비롯한원로집단의 절대적 영향력이 지속되고 있고, 천안문사태 발생이후 사회주의체제와 공산당 영도에 대한 中国人들의 신념의위기가 더욱 심화됨으로써 中国의 지도층은 北韓의 고립화나 체제붕괴가 그들자신의 체제위기와 직결된다는 연계인식을 갖고있기 때문이다.

따라서 한국의 UN가입문제에 있어서도 中国의 정책변화를 위해서는 우선 이에 대한 북한의 태도변화가 전제되어야 하는 것이다. 앞으로 中国은 韓国의 UN가입에 대한 거부권의 행사가 그들의 국가이익이나 국제적 이미지에 불리한 영향을 가져다줄 것으로 인식하고 있기 때문에 우선 北韓의 태도변화를 적극 유도해 가면서 이러한 北韓태도변화의 방향이나 속도에 따라 그들의 정책을 조정해가는 입장을 견지해 갈것으로 보인다.

그런데 지금까지 중국이 南北韓의 UN가입을 지지할수 없는데는 이러한 北韓요인외에 자신의 분단상황을 극복하기위한 기본논리인「두개의中国」논리를 적극 배격하는 「一国兩制」(1국가 2體制)에 기초한 그들의 통일원칙도 중요한 걸림돌로 작용해 왔다. 그러나 최근에와서 중국은 이러한 그들의 통일정책과 対한반도정책을 분리시키려는 추세를보여왔다. 예를 들어 중국은 북한과 일본간의 관계발전에 긍정적인 자세를 취하고 있다.

中国이 그들의 통일정책과 対한반도정책을 상호분리시켜감으로써 그들의 対한반도 정책조정에 나타난 통일정책의 부담으로부터 벗어날 수 있게 되었다. 이러한 추세는 한국의 UN가입이나 対韓정치적 관계발전에 있어서 그들의 실질적 內心과 공식적-표면적 정책태도간에 상당한 괴리를 형성케 하였다.

北韓입장 따를듯

즉 내면적으로는 한국과의 關係発展에 부정적 영향을 끼칠 수 있는 정면반대입장을 表明하지 않으려는 의지를 가지면서도 표면적으로나 공식적으로는 北韓과의 특수한 연대성에서 招來되는 慣性法則에따라 北韓이 적극反対하는 입장에 同調하지 않을수 없는 2重性을 띠게된 것이다.

따라서 中国의 지도체제의 중대한 변화나 天安門사건이후에 초래된 국내정치상의 후유증이나 문제점들이 보다 근원적으로 극복되지 않는한 한국의 유엔가입문제에 대한 中国의 2중성을 극복하는 길은 이에대한 北韓의 태도를 변화시키는 길밖에 없을것이다.

이와관련, 최근 이러한 北韓의 태도변화가능성에 대한 다양한 시각들이 개진되고있어 北韓의 태도변화 유도를 위한 中国의 외교적 노력에 대한 기대가 모아지고있다. 그러나 이러한 中国의 외교적 노력에도 불구하고 北韓의 태도에 변화가 없게 되는 경우 中国의 정책선택은 北韓의 입장을 지지 할 수밖에 없게 될것이며 다른 선택의 여지를 갖는다는 것이 당분간 어렵게 될것이다.

따라서 한국의 UN가입에 대한 中国의 태도나 정책선택의 평가도 바로 이러한 北韓의 태도변화에 대한 분석결과의 기초위에서 이루어져야 할 것이다.

〈外交安保研究院교수〉

0266

The Korea Herald

1991. 5. 5. Sun., editorial

Chinese premier's N.K. visit

Chinese Premier Li Peng is visiting Pyongyang at a time when North Korea is keeping inter-Korean multi-channel talks suspended on this peninsula, whose geopolitical position is proving again to be a linchpin around which the major powers maneuver as they seek a new political order.

On the first day of his stay there, he spoke highly of the efforts made by both sides of the divided land in recent years to ease tension, citing their premiers' meetings and sports and cultural exchanges. In fact, however, Pyongyang unilaterally suspended the fourth premiers' meeting, originally due for last February, by tritely blaming the annual joint military exercise that South Korea has for years held with the United States.

That citation may have been motivated by Li's desire to see the suspended dialogue resumed. He then emphasized the need for China and North Korea to make joint efforts for creating a new international order in this part of the world, for which moves are also afoot among the United States, the Soviet Union and Japan. Herein lies the importance of maintaining stability on the peninsula.

But it is primarily up to South and North Korea to reconcile for peaceful coexistence, the very basis on which stability can be assured. The Chinese premier must have had this in mind when he stressed the need for enduring inter-Korean dialogue.

Understandably, Premier Li, mindful of Beijing's warming relations with Seoul, seemed cautious not to damage the long-standing ties China maintains with Pyongyang. Yet, China should make its stand clear on the issues regarding North Korea's refusal to allow international inspection of its nuclear facilities and its opposition to Seoul's bid for simultaneous entry to the United Nations by the two sides of Korea. Irrefutably, Pyongyang's refusal stands in the way of freeing the peninsula from the potential danger of a military flare-up. Any attempt to use the nuclear threat as political leverage will only prove futile and counterproductive.

Premier Li is looked on to give reasonable advice to the North on these and other issues, if he earnestly wants to help remove the vestiges of the Cold War from the peninsula. Because doing so will help create a new, stable order for all.

0267

The Korea Times

1991. 5. 5. Sun., page1

Beijing Reaffirms Support For NK's Unification Effort

TOKYO (AP) — Chinese Premier Li Peng reaffirmed his government's support for North Korea, China's increasingly isolated ideological ally, on the first day of a four-day "family call" Friday, China's official news agency reported.

"The frequent exchange of visits between the leaders of the two (communist) parties and the two governments, just like family calls, has constantly strengthened and promoted the friendship and relations of cooperation between the two countries," Li said, according to the Xinhua report seen in Tokyo Saturday.

North Korean Premier Yon Hyong-muk said that "friendship and unity between the two countries 'conform to the aspirations of the two peoples and are being consolidated daily,' " the report said.

Li also expressed China's support for Pyongyang's efforts to reunify North and South Korea, the report said.

No schedule has been announced for the parley, but the leaders are expected to discuss United Nations membership for the two Koreas and China's growing trade ties with South Korea.

Pak Dong-chun, a North Korean delegate, repeated North Korea's demand for a single seat for the two countries in a speech to a session of the Interparliamentary Union conference being held in Pyongyang, the nation's capital, said a report on the North's official Korean Central News Agency Friday.

"The North and the South must have one seat in the U.N., we think," he said. The South calls the North's one-seat proposal unworkable.

KCNA on Saturday carried a commentary from the official newspaper Rodong Sinmun denouncing South Korea's U.N. seat plan. KCNA has carried similar commentaries almost daily for the past few weeks.

South Korea, which wants a seat of its own, calls the North's single revolving-seat plan unworkable.

North Korea is expected to pressure China to oppose Seoul, which has launched a major campaign to gain support from U.N. member countries for its seat plan.

The visit also comes as China is trying to open trade ties with capitalist South Korea, the North's bitter rival since division of the Korean peninsula after World War II.

China and South Korea recently opened trade offices with consular functions in each other's capitals. Chinese-South Korean trade in 1991 reached $3.2 billion.

0268

The Korea Herald

1991.5. 5. Sun., page1

2 Koreas alone must negotiate unification: Li

TOKYO (AFP) — Chinese Premier Li Peng has said the question of Korean reunification should be solved through negotiations between Seoul and Pyongyang without outside interference, the Korean Central News Agency (KCNA) reported.

Li was speaking at a banquet in Pyongyang Friday night hosted by his North Korean counterpart Yon Hyong-muk, the official North Korean agency said in a dispatch monitored here.

Li Peng flew in Pyongyang Friday for an official goodwill visit to North Korea at the invitation of Yon.

Li was also quoted as saying that China supported "all the reasonable initiatives and proposals of the Korean party and government to achieve peaceful reunification of the country."

He added that it was "an unshakable policy" of China to constantly "consolidate and develop friendship and unity" between China and North Korea, according to KCNA.

Marxist Pyongyang is one of China's few remaining ideological allies following the democratization of Eastern Europe.

TOKYO (AP) — Chinese Premier Li Peng reaffirmed his government's support for North Korea, China's increasingly isolated ideological ally, on the first day of a four-day "family call" Friday, China's official news agency reported.

"The frequent exchange of visits between the leaders of the two (Communist) parties and the two governments, just like family calls, has constantly strengthened and promoted the friendship and relations of cooperation between the two countries," Li said, according to the Xinhua report seen in Tokyo Saturday.

North Korean premier Yon Hyong-muk said that "friendship and unity between the two countries 'conform to the aspirations of the two peoples and are being consolidated daily,'" the report said.

0269

세 계 일 보

1991. 5. 5. 일. 2면

「曲解」된 金총재 유엔서한

崔秉默〈정치부기자〉

金大中 新民黨총재가 케야르 유엔사무총장에게 서한을 보낸데 대해 그 형식과 내용을 둘러싸고 정치권에서 말들이 많다.

民自黨의 朴熺太대변인은 「事大主義」라며 비난하고 나섰고 당직자들도 국론분열우려등을 이유로 「경솔」함을 지적하고 있다.

與측의 이같은 문제제기는 기본적으로 金총재가 우리의 단독유엔가입을 반대하고 나섰다는 「曲解」를 바닥에 깔고 있다.

金총재 서한내용을 처음부터 끝까지 살펴본 사람이라면 이같은 시비가 전혀 무의미한 것이라는 점을 바로 깨닫게 된다.

金총재서한은 韓國의 단독유엔가입을 반대하는 내용이 아니다. 그는 서한에서 南北韓유엔가입은 7천만 한민족의 意思를 반영하고 한반도 평화에 기여한다는 원칙위에서 다뤄져야 한다는 점을 우선 강조하고 있다. 그리고 이같은 기조위에서 한국의 단독가입은 한민족의 「불완전한 의사표시이며 「남북긴장을 강화시켜 한반도평화에 부정적 영향을 미친다는 「우려」를 표시하고 가능하다면 동시가입이 가장 바람직하다는 점을 지적했다.

金총재는 이어 동시가입을 「분단영구화」로 비난하는 北韓주장의 허구성을 지적하며 케야르총장에게 남북동시가입을 위해 유엔安保理상임이사국들을 설득해주도록 요청하고 「그래도 北韓이 결단을 내리지 않을 때」는 유엔이 남한의 단독가입을 승인해야 한다고 못박고 있다.

이것이 金총재서한의 전후 맥락이다. 전체 문맥을 볼때 어느 곳에서도 단독가입을 반대한다는 의사표시를 읽을 수 없다. 오히려 우리 정부의 유엔정책을 잘 설명해주고 있다. 정부는 유엔동시가입을 기본정책으로 하고 있기 때문이다.

다만 北韓이 끝내 동시가입을 거부한다면 남한만의 단독가입도 불사한다는 입장이며 이에따른 실천계획으로 올해 가입신청을 한다는 것이다.

따라서 굳이 정부측과 金총재 서한내용의 차이를 따진다면 정부가 금년중 단독가입에 비중을 두고 있는 반면 金총재는 동시가입노력을 좀더 촉구한 점이라 할 수 있다.

金총재서한의 「眞意」와 의미는 오히려 新民黨의 유엔정책변화에서 찾아야 한다. 新民黨은 지금까지 北韓측이 지난해 제의한 「단일국호에 의한 동시유엔가입」제안을 검토해봐야 한다는 입장이었다. 그런데 이번에 金총재가 정부의 유엔정책을 사실상 「지지」하고 나선 셈이니 비난을 할 일이 아니라 그가 이 시점에서 왜 유엔문제를 들고나왔는지 속뜻을 헤아려 보아야 할 상황인 것이다.

또한 케야르총장에 대한 「요청」을 두고 事大主義라며 비난하는 것도 온당치 못한 일로 보인다. 국제기구의 공직자에 대해서는 야당총재 아니라 국민 누구든지 협조요청의 의사표시를 할 수 있는 일이다. 외교창구의 단일화에 지나치게 집착할 필요가 없는 것이 작금의 국제기류가 아닌가. 더구나 정부입장을 뒷받침해 주는 내용이고 보면 두말할 필요가 없다.

與圈이 일부 보도만 보고 金총재 서한내용을 오해하여 비난하고 나선 것이라면 그 경솔함이 지적돼야 할 것이고, 야당의 행동에 대해선 무조건 반대하고 보는 生理를 비판받아 마땅할 것이다.

0270

서울신문

1991. 5. 5. 일, 1면

金日成-李鵬 회담

유엔加入등 兩國현안 논의

【北京聯合】李鵬中國총리는 4일 金日成주석과의 회담을 통해 한반도의 통일에 관한 북한의 제안을 지지했다고 중국 국영라디오방송이 보도했다.

이 방송은 이날 李총리가 金日成주석과의 회담에서 「中國정부、黨 및 인민들은 한반도의 통일을 위한 북한 인민들의 올바른 노력을 지지한다」고 밝힌 것으로 보도했다.

이 라디오방송은 「李鵬총리는 1국가 2정부에 기초를 둔 金日成주석의 한반도 통일정책을 지지했다」고 덧붙였다.

한편 金주석은 이날 상오 열린 회담에서 「북한은 中國이 개혁정책 및 4대기본원칙인 사회주의의 길、인민민주주의독재 공산당의 지도、마르크스주의등을 견지하고 있음을 높이 평가한다」고 밝힌 것으로 日本의 교도(共同)통신이 中國의 新華통신을 인용、보도했다.

新華통신은 「李총리는 金주석에게 지난 3월 개최된 제7기 全人代 제4차회의 내용 및 제8차 5개년계획에 대해 설명했다」고 밝혔다.

한편 이날 회담에서 북한측에서는 金正日서기가、중국측에서는 羅幹국무원비서장등이 배석했다.

"韓國 유엔단독 加入 南北간의 내부문제"

江澤民총서기

【도쿄聯合】江澤民 中國 공산당 총서기는 4일 韓國의 유엔 단독가입문제에 대해 「南北韓 쌍방의 내부문제로 이에 관해 깊게 이야기하고 싶지 않다」고 언급、유엔 단독가입이 분단을 고착화시키는 것이라며 반발하고 있는 북한에 동조하지 않았다고 日 교도(共同)통신이 보도했다.

江총서기는 이날 상오 북경을 방문중인 다나베(田邊) 日사회당 부위원장과의 회담에서 한반도정세 전반에 대해 이야기를 나누는 가운데 이같이 밝혔다.

조선일보

1991. 5. 5. 일, 1면

"韓国 유엔加入 저지"

金正日 곧 中国방문

【東京=姜天錫특파원】북한 金日成의 아들 金正日이 한국의 유엔가입에 반대하는 북한의 입장에 대한 지지를 구하기 위해 곧 중국을 방문하게 될것이라고 일본의 교도(共同)통신이 4일 보도했다. 이 통신은 북한 외교부 副부장 강석주의 말을 인용、이같이 보도했다.

김정일의 중국 방문이 이루어지게되면 이는 김정일의 첫번째 공식 해외방문이 된다.

金正日의 중국방문은 또 金日成의 후계체계를 확립하기위해 內政뿐만 아니라 外交면에서도 전면에 등장하는 상징적인 여행이될것으로 전문가들은 분석하고 있다.

金日成、李鵬과 회담

양국 현안 논의

【홍콩=金泳秀특파원】北韓을 방문중인 李鵬中国총리는 4일 북한의 金日成주석과 회담을 갖고 양국간의 관심사와 현안을 논의했다고 중국관영 新華통신이 이날 평양발로 보도했다.

0271

중 앙 일 보

1991. 5. 6. 월, 2면

유엔가입「타협안」시사

北韓 姜외교차관 "단독은 분열… 對話용의"

【東京=方仁徹특파원】북한의 姜錫柱외교부 제1부부장(차관급)은 유엔가입문제와 관련, 韓國이 주장하는 南北韓동시가입과 韓國단독가입안을 비판하면서 北韓측의 타협안을 중심으로 韓國과 대화할 용의가 있다고 밝힌것으로 日本신문들이 전했다.

姜부부장은 4일 국제의회연맹(IPU) 총회취재차平壤에 온 외국기자들과 가진 회견에서 『韓國측 주장은 분열을 국제적으로 인정시키는만큼 필요가 없다』고 말하고 「한개 의석에 의한 공동가입」이란 北韓측의 종래입장외에 별도의 타협안을 가지고 있음을 비쳤다.

姜부부장은 타협안의 구체적내용에 대해서는 『南北간의 대화와 직결됨으로 밝힐수없다』고 피하면서 세계탁구선수권대회에서의단일팀실현을 예로들어 『충분히 얘기를 나누는 것이 중요하다. 대화로 해결하고싶다』고 南北대화재개에 강한뜻을 나타냈다.

姜부부장은 이어 국제원자력기구(IAEA)에 의한 핵사찰수락문제에 대해 美蘇간에 韓國에서의 핵철수와 北韓의 핵사찰을두고 비밀교섭이 진행중이라는 일부보도와 관련, 『사실이라면 건설적인 측면으로 평가하고싶다』고 말했다.

"한국 유엔단독 가입 당사자 對話 바람직"

中國 江澤民총서기

【東京=方仁徹특파원】中國의 장쩌민(江澤民)총서기는 4일 韓國의 유엔단독가입문제와 관련,『南北쌍방당사자간의 대화로 해결되는게 좋다』고 말하는 한편 『南北내부문제이므로 깊이 언급하고 싶지않다』고 말해 적극적인 반대의사를 표시하지 않은 것으로 日本언론들이 보도했다.

0272

동 아 일 보

1991. 5. 6. 월, 2면

한국 유엔 단독加入 贊反의사 표명 보류

中國 江澤民

【東京=李洛淵특파원】中國의 江澤民黨총서기는 4일 北京을 방문중인 다나베 마코토(田邊誠)日本社會黨부위원장과 회담한 자리에서 韓國의 유엔단독가입문제에 대해 『남북쌍방의 내부문제이므로 깊게 말하고싶지 않다』는 贊否표명을 보류함으로써 최소한 北韓입장에 동조하지는 않았다고 일본 언론들이 보도했다.

江총서기는 또 북한의 核사찰문제에 대해 『북한의 핵보유 여부에 대해서는 알지못한다』며 『북한은 핵을 보유하고 있지 않으며 만들 능력도 없다는 金日成주석의 말을 믿는게 좋다고 생각한다』고 말해 중국과 북한 사이에 의사소통이 충분치 않음을 시사했다고 교도(共同)통신이 전했다.

이통신은 李鵬총리가 북한을 방문중인 시기에 江총서기가 이처럼 북한과 거리감을 두는 발언으로 일관한 것은 북한에 대해 핵사찰 수용과 유연한 유엔정책을 촉구하려는 것이 아닌가 하는 관측도 나오고 있다고 전했다.

0273

동아일보

1991. 5. 6. 월, 1면

北韓 통일방안 지지

金日成-李鵬회담

【北京·東京聯合】北韓을 방문중인 李鵬中國총리와 북한의 金日成주석은 4일 平壤에서 회담을 갖고 상호우정과 지지를 확신시켰다고 중국 관영 신문들이 5일 보도했다.

<5면에 관련기사>

이 신문들은 이날 李鵬총리가 金日成주석에게 「중국과 북한은 마치 입술과 이빨의 관계처럼 강과 산에 의해 연결돼 있다」고 밝히면서 국제정세가 어떻게 변하든 중국은 북한과의 만족스런 관계 유지를 위해 보다 공헌하게 될것이라고 말한 것으로 전했다.

관영 新華社 통신은 金李회담기사에서 한국의 유엔가입 노력에 대해서는 언급하지 않았으나 李鵬총리가 한반도 통일은 「1민족, 1국가, 2체제, 2정부」모델에 따라야 한다는 金日成주석의 계획을 지지했다고 밝혔다.

동아일보

1991. 5. 6. 월, 5면

李鵬 平壤방문 결산

「北韓개방 유도」 나들이

【홍콩=李英根특파원】中國총리 李鵬은 지난3일부터 6일까지 3박4일동안의 北韓방문을 통해 북한, 중국간의 우의를 재확인하면서 북한에 대해 계속 확고한 지지를 하겠다고 재다짐했다. 이는 전통적인 우방국가로서 변화하는 국제정세에 북한과 공동대처하자는 다짐인 동시에 국제적으로 고립돼가고 있는 北韓의 입지를 강화, 한반도에서의 세력균형을 보완하려는 의도를 보인것으로 분석된다.

李鵬과 북한총리 延亨默은 지난4일 회담에서 국제정세와 공동관심사를 토론한 가운데 美蘇긴장관계가 완화되고 군사대결추세가 약화됐으나 패권주의와 강권정치가 여전히 존재하고 있다는데 인식을 같이했다고 중국관영 新華社통신이 보도했다.

李鵬은 4일 金日成과 가진 회담에서 북한의 자주평화통일 노력을 확고히 지지하며 「하나의 국가, 하나의 민족, 두개(사회주의와 자본주의)의 제도, 두개의 정부」라는 원칙아래 마련된 연방제통일방안을 지지한다고 재천명했다. 연방제통일방안등에 대한 지지는 중국이 되풀이 해온 것으로 李鵬은 이번 平壤방문을 통해 중국이 이념적동지로 북한을 계속 지지하겠다는것을 재확인하는 자세를 취했고 북한이 이에 화답한 것으로 볼수있다.

李鵬은 특히 金日成과 가진 한반도 정세분석에서 『朝鮮반도의 정세가 긴장완화로 나가고 있는 것은 대세이다. 어떤 세력도 이를 바꿀수는 없다』고 말한것으로 보도됐다. 이는 북한을 고립시켜 한반도정세를 긴장고조상태로 몰고가서는 안된다는 의미도 담고있으나 北韓측에 대해 남북대화, 日本과의 수교추진, 美國과의 관계개선등에서 한반도 긴장완화 방향으로 나가라는 의견제시인것으로 해석돼 주목된다.

韓半島 긴장완화 공동인식

北 南北대화 교류 적극성떨듯

중국계 홍콩신문 大公報는 4일 논평기사에서 북한이 고립돼가고 있으며 이는 한반도정세안정에 불리한 요인이라고 주장했다. 이신문은 6일 논평기사에서도 北韓의 상대적고립은 한반도의 새로운 불안요인이됐으며 이위협요소를 해소시키기위해 李鵬이 북한을 방문한 것이라고 분석했다.

중국은 한반도의 긴장완화와 남북한간의 평형을 중시해왔으나 최근들어 평형상태가 남한쪽에 유리하게 기울면서 긴장완화추세가 오히려 후퇴할수도 있다고 우려하는 것으로 풀이된다. 따라서 북한에 대한 지지를 대내외에 과시하고 재다짐해 북한을 격려하고 남북한간의 평형을 유지시키려는 시도를 한것으로 볼수있다.

李鵬은 이번 북한방문기간중에 한국의 유엔단독가입문제에 대해 중국측 입장을 표시했을 가능성이 높은것으로 추측되나 대외적으로 발표된 것은 없다.

홍콩의 한 관측통은 중국이 한반도의 긴장완화와 남북한간의 평형에 관심을 기울이는 상황이므로 유엔 안전보장이사회 상임이사국으로서 반대표가아닌 기권표를던져한국이 단독으로 유엔에 가입되도록 하는 길을 열어줄 가능성은 높지않다고 지적했다.

0274

동 아 일 보

1991. 5. 6. 월, 2면

北韓 유엔문제 유연성

「단일의석」포기 타협 시사

姜 외교부副長 회견

【東京=李洛淵특파원】北韓외교부 姜錫柱 제1부부장(차관)은 4일 平壤에서 외국기자들과 회견, 단일의석에의한 남북한 유엔가입이라는 종래의 방침을 남북대화를 통해 수정할 수도 있을 것임을 시사했다.

姜은 또 金正日서기가 곧 中國을 방문할 가능성이 있음을 시사했다고 일본언론들이 平壤發로 보도했다.

姜은 유엔문제에 대해 『분열을 국제적으로 인정케 할 필요는 없다』고 한국측의 주장을 비판하면서도 『우리는 단일의석에 의한 공동가입을 주장해왔지만 그밖의 타협안도 있다. 남북간에 대화할용의가 있으며 시간여유도 있다』고 말했다.

姜은 金正日의 訪中에대해 『가까운 장래에 訪中할 가능성은 있으나 외교적교섭이 행해지지 않고 있기 때문에 시기를 말하기는 어렵다』고 밝혔다.

0275

발 신 전 보

	분류번호	보존기간

번 호 : WUN-1216 910506 1847 FL 종별 :

WUS -1912

수 신 : 주 유엔, 미 대사. 총영사

발 신 : 장 관 (국연)

제 목 : 기사 송부

유엔가입문제에 관한 북한 강석주 부부장 및 중국 강택민 총서기의 발언을 보도한 국내언론 기사(5.5-6)를 FAX 송부함.

첨 부 : 상기 기사 1부(11매). 끝.

WUS(F)-28f
WUN(F)-5f

(국제기구조약국장 문동석)

보 안 통 제	

앙 고 재	년 월 일	과	기안자 성 명		과 장		국 장		차 관	장 관

외신과통제

0276

WUN(F) - ~~1216~~ 59

WUS(F) - 2810

총 11매 (첨부)

동 아 일 보

1991. 5. 6. 월, 2면

北韓 유엔문제 유연성

「단일의석」포기 타협 시사

姜 외교부副長 회견

【東京=李洛淵특파원】北韓외교부 姜錫柱 제1부부장(차관)은 4일 平壤에서 외국기자들과 회견, 단일의석에의한 남북한 유엔가입이라는 종래의 방침을 남북대화를 통해 수정할 수도 있을 것임을 시사했다.

姜은 또 金正日서기가 곧 中國을 방문할 가능성이 있음을 시사했다고 일본언론들이 平壤發로 보도했다.

姜은 유엔문제에 대해 『분열을 국제적으로 인정케 할 필요는 없다』고 한국측의 주장을 비판하면서도 『우리는 단일의석에 의한 공동가입을 주장해왔지만 그밖의 타협안도 있다. 남북간에 대화할 용의가 있으며 시간여유도 있다』고 말했다.

姜은 金正日의 訪中에대해 『가까운 장래에 訪中할 가능성은 있으나 외교적교섭이 행해지지 않고 있기 때문에 시기를 말하기는 어렵다』고 밝혔다.

0277

중 앙 일 보

1991. 5. 6. 월, 2면

유엔가입「타협안」시사

北韓 姜외교차관 "단독은 분열… 對話용의"

【東京=方仁徹특파원】북한의 姜錫柱외교부 제1부부장(차관급)은 유엔가입문제와 관련, 韓國이 주장하는 南北韓동시가입과 韓國단독가입안을 비판하면서 北韓측의 타협안을 중심으로 韓國과 대화할 용의가 있다고 밝힌것으로 日本신문들이 전했다.

姜부부장은 4일 국제의회연맹(IPU) 총회취재차平壤에 온 외국기자들과 가진 회견에서 『韓國측 주장은 분열을 국제적으로 인정시키는만큼 필요가 없다』고 말하고 「한개 의석에 의한 공동가입」이라는 北韓측의 종래입장외에 별도의 타협안을 가지고 있음을 비췄다.

姜부부장은 타협안의 구체적내용에 대해서는 『南北간의 대화와 직결되므로 밝힐수없다』고 피하면서 세계탁구선수권대회에서의단일팀실현을 예로들어 『충분히 얘기를 나누는 것이 중요하다. 대화로 해결하고싶다』고 南北대화재개에 강한뜻을 나타냈다.

姜부부장은 이어 국제원자력기구(IAEA)에 의한 핵사찰수락문제에 대해 美蘇간에 韓國에서의 핵철수와 北韓의 핵사찰을두고 비밀교섭이 진행중이라는 일부보도와 관련, 『사실이라면 건설적인 측면으로 평가하고싶다』고 말했다.

"한국 유엔단독 가입 당사자 對話 바람직"

中國 江澤民총서기

【東京=方仁徹특파원】中國의 장쩌민(江澤民) 총서기는 4일 韓國의 유엔단독가입문제와 관련,『南北쌍방당사자간의 대화로 해결되는게 좋다』고 말하는 한편 『南北내부문제이므로 깊이 언급하고 싶지않다』고 말해 적극적인 반대의사를 표시하지 않은 것으로 日本언론들이 보도했다.

0278

세 계 일 보

1991. 5. 5. 일, 1면

"한국 유엔가입여부는 內部문제"

江澤民, 北韓에 동조안해

日교도통신 보도

【도쿄=연합】 江澤民 中國공산당 총서기는 4일 韓國의 유엔 단독가입문제에 대해 「南北韓 쌍방의 내부문제로 이에 관해 깊게 이야기하고 싶지 않다」면서 유엔 단독가입이 분단을 고착화시키는 것이라며 반발하고 있는 북한에 동조하지 않았다고 日本 교도(共同)통신이 보도했다.

江총서기는 이날 오전 北京을 방문중인 다나베(田邊) 日사회당 부위원장과의 회담에서 한반도 정세 전반에 관해 의견을 교환하는 가운데 이같이 밝혔다.

그는 이어 한반도 통일문제와 관련,「남북한이 오랫동안 분할되어온 만큼 긴 시간을 두고 대화를 나누어 통일을 이루는 것이 좋다. 중국의 속담에는 한번의 괭이질로 우물을 팔수 없다는 말이 있다」고 말해 한반도 통일이 장기화된다는 현실적인 인식을 중국 정상으로서는 지극히 솔직하게 표명했다고 교도통신은 전했다.

그는 또 북한의 핵사찰 의혹에 대해 「북한의 핵보유여부에 대해서는 알지 못하고 있다. 金日成주석이 다나베부위원장과 회담할때(작년 9월) 북한은 핵을 보유하고 있지 않으며 만들 능력도 없다고 말한 것 같다. 金주석의 말을 믿는 것이 좋다고 생각한다」며 중국과 북한간에 의사소통이 충분하지 못한채 벽이 있음을 시사했다.

0279

동 아 일 보

1991. 5. 6. 월, 2면

한국 유엔 단독加入 贊反의사 표명 보류

中國 江澤民

【東京=李洛淵특파원】中國의 江澤民총서기는 4일 北京을 방문중인 다나베 마코토(田邊誠)日本社會黨부위원장과 회담한 자리에서 韓國의 유엔단독가입문제에 대해『남북쌍방의 내부문제이므로 깊게 말하고싶지 않다』고 贊否표명을 보류함으로써 최소한 北韓입장에 동조하지는 않았다고 일본 언론들이 보도했다.

江총서기는 또 북한의 核사찰문제에 대해『북한의 핵보유 여부에 대해서는 알지못한다』며『북한은 핵을 보유하고 있지 않으며 만들 능력도 없다는 金日成주석의 말을 믿는게 좋다고 생각한다』고 말해 중국과 북한 사이에 의사소통이 충분치 않음을 시사했다고 교도(共同)통신이 전했다.

이통신은 李鵬총리가 북한을 방문중인 시기에 江총서기가 이처럼 북한과 거리감을 두는 발언으로 일관한 것은 북한에 대해 핵사찰 수용과 유연한 유엔정책을 촉구하려는 것이 아닌가 하는 관측도 나오고 있다고 전했다.

0280

동 아 일 보

1991. 5. 6. 월, 1면

北韓 통일방안 지지

金日成-李鵬회담

【北京·東京聯合】北韓을 방문중인 李鵬中國총리와 북한의 金日成주석은 4일 平壤에서 회담을 갖고 상호 우정과 지지를 확신시켰다고 중국 관영 신문들이 5일 보도했다. <5면에 관련기사>

이 신문들은 이날 李鵬총리가 金日成주석에게 중국과 북한은 마치 입술과 이빨의 관계처럼 강과 산에 의해 연결돼 있다고 밝히면서 국제정세가 어떻게 변하든 중국은 북한과의 만족스런 관계 유지를 위해 보다 공헌하게 될것이라고 말한 것으로 전했다.

관영 新華社 통신은 金·李회담기사에서 한국의 유엔가입 노력에 대해서는 언급하지 않았으나 李鵬총리가 한반도 통일은 「1민족, 1국가, 2체제, 2정부」모델에 따라야 한다는 金日成주석의 계획을 지지했다고 밝혔다.

동 아 일 보

1991. 5. 6. 월, 5면

李鵬 平壤방문 결산

「北韓개방 유도」나들이

【홍콩=李英根특파원】中國총리 李鵬은 지난3일부터 6일까지 3박4일동안의 北韓방문을 통해 북한, 중국간의 우의를 재확인하면서 북한에 대해 계속 확고한 지지를 하겠다고 재다짐했다. 이는 전통적인 우방국가로서 변화하는 국제정세에 북한과 공동대처하자는 다짐인 동시에 국제적으로 고립돼가고 있는 北韓의 입지를 강화, 한반도에서의 세력균형을 보완하려는 의도를 보인것으로 분석된다.

李鵬과 북한총리 延亨默은 지난4일 회담에서 국제정세와 공동관심사를 토론하는 가운데 美蘇긴장관계가 완화되고 군사대결추세가 약화됐으나 패권주의와 강권정치가 여전히 존재하고 있다는데 인식을 같이했다고 중국관영 新華社통신이 보도했다.

李鵬은 4일 金日成과 가진 회담에서 북한의 자주평화통일 노력을 확고히 지지하며 「하나의 국가, 하나의 민족, 두개의(사회주의와 자본주의) 제도, 두개의 정부」라는 원칙아래 마련된 연방제통일방안을 지지한다고 재천명했다. 연방제 통일방안등에 대한 지지는 중국이 되풀이 해온 것으로 李鵬은 이번 平壤방문을 통해 중국이 이념적동지로 북한을 계속 지지하겠다는것을 재확인하는 자세를 취했고 북한이 이에 화답한 것으로 볼수있다.

李鵬은 특히 金日成과 가진 한반도 정세분석에서 『朝鮮반도의 정세가 긴장완화로 나가고 있는 것은 대세이다. 어떤 세력도 이를 바꿀수는 없다』고 말한것으로 보도됐다. 이는 북한을 고립시켜 한반도정세를 긴장고조상태로 끌고가서는 안된다는 의미도 담고있으나 北韓측에 대해 남북대화, 日本과의 수교추진, 美國과의 관계개선등에서 한반도 긴장완화 방향으로 나가라는 의견제시인것으로 해석돼 주목된다.

韓半島 긴장완화 공동인식

北 南北대화 교류 적극성 떨듯

중국계 홍콩신문 大公報는 4일 논평기사에서 북한이 고립돼가고 있으며 이는 한반도정세안정에 불리한 요인이라고 주장했다. 이신문은 6일 논평기사에서도 北韓의 상대적고립은 한반도의 새로운 불안요인이됐으며 이위협요소를 해소시키기위해 李鵬이 북한을 방문한 것이라고 분석했다.

중국은 한반도의 긴장완화와 남북한간의 평형을 중시해왔으나 최근들어 평형상태가 남한쪽에 유리하게 기울면서 긴장완화추세가 오히려 후퇴할수도 있다고 우려하는 것으로 풀이된다. 따라서 북한에 대한 지지를 대내외에 과시하고 재다짐해 북한을 격려하고 남북한간의 평형을 유지시키려는 시도를 한것으로 볼수있다.

李鵬은 이번 북한방문기간중에 한국의 유엔단독가입문제에 대해 중국측 입장을 표시했을 가능성이 높은것으로 추측되나 대외적으로 발표된 것은 없다.

홍콩의 한 관측통은 중국이 한반도의 긴장완화와 남북한간의 평형에 관심을 기울이는 상황이므로 유엔 안전보장이사회 상임이사국으로서 반대표가아닌 기권표를던져 한국이 단독으로 유엔에 가입되도록 하는 길을 열어줄 가능성은 높지않다고 지적했다.

0281

서 울 신 문

1991. 5. 5. 일, 1면

金日成-李鵬 회담

유엔加入등 兩國현안 논의

【北京聯合】 李鵬中國총리는 4일 金日成주석과의 회담을 통해 한반도의 통일에 관한 북한의 제안을 지지했다고 중국 국영라디오방송이 보도했다.

이 방송은 이날 李총리가 金日成주석과의 회담에서 「中國정부·黨 및 인민들은 한반도의 통일을 위한 북한 인민들의 올바른 노력을 지지한다」고 밝힌 것으로 보도했다.

이 라디오방송은 「李鵬총리는 1국가 2정부에 기초를 둔 金日成주석의 한반도 통일정책을 지지했다」고 덧붙였다.

한편 金주석은 이날 상오 열린 회담에서 「북한은 中國이 개혁정책 및 4대기본원칙인 사회주의의 길, 인민민주주의독재 공산당의 지도, 마르크스주의등을 견지하고 있음을 높이 평가한다」고 밝힌 것으로 日本의 교도(共同)통신이 中國의 新華통신을 인용, 보도했다.

新華통신은 「李총리는 金주석에게 지난 3월 개최된 제7기 全人代 제4차회의내용 및 제8차 5개년계획에 대해 설명했다」고 밝혔다.

한편 이날 회담에서 북한측에서는 金正日서기가, 중국측에서는 羅幹국무원비서장등이 배석했다.

江澤民총서기 "韓國 유엔단독 加入 南北간의 내부문제"

【도쿄聯合】 江澤民 中國 공산당 총서기는 4일 韓國의 유엔 단독가입문제에 대해 「南北韓 쌍방의 내부문제로 이에 관해 깊게 이야기하고 싶지 않다」고 언급, 유엔 단독가입이 분단을 고착화시키는 것이라며 반발하고 있는 북한에 동조하지 않았다고 日本 교도(共同)통신이 보도했다.

江총서기는 이날 상오 북경을 방문중인 다나베(田邊) 日사회당 부위원장과의 회담에서 한반도정세 전반에 대해 이야기를 나누는 가운데 이같이 밝혔다.

조 선 일 보

1991. 5. 5. 일, 1면

"韓国 유엔加入 저지" 金正日 곧 中国방문

【東京=姜天錫특파원】 북한 金日成의 아들 金正日이

한국의 유엔가입에 반대하는 북한의 입장에 대한 지지를 구하기 위해 「곧」 중국을 방문하게 될것이라고 일본의 교도(共同)통신이 4일 보도했다. 이 통신은 북한 외교부 副부장 강석주의 말을 인용, 이같이 보도했다.

김정일의 중국 방문이 이루어지게되면 이는 김정일의 첫번째 공식 해외방문이 된다.

金正日의 중국방문은 또 金日成의 후계체계를 확립하기위해 內政뿐만 아니라 外交면에서도 전면에 등장하는 상징적인 여행이 될것으로 전문가들은 분석하고 있다.

金日成, 李鵬과 회담 양국 현안 논의

【홍콩=金泳秀특파원】 北韓을 방문중인 李鵬中国총리는 4일 북한의 金日成주석과 회담을 갖고 양국간의 관심사와 현안을 논의했다고 중국관영 新華통신이 이날 평양발로 보도했다.

0282

The Korea Herald

1991. 5. 5. Sun., editorial

Chinese premier's N.K. visit

Chinese Premier Li Peng is visiting Pyongyang at a time when North Korea is keeping inter-Korean multi-channel talks suspended on this peninsula, whose geopolitical position is proving again to be a linchpin around which the major powers maneuver as they seek a new political order.

On the first day of his stay there, he spoke highly of the efforts made by both sides of the divided land in recent years to ease tension, citing their premiers' meetings and sports and cultural exchanges. In fact, however, Pyongyang unilaterally suspended the fourth premiers' meeting, originally due for last February, by tritely blaming the annual joint military exercise that South Korea has for years held with the United States.

That citation may have been motivated by Li's desire to see the suspended dialogue resumed. He then emphasized the need for China and North Korea to make joint efforts for creating a new international order in this part of the world, for which moves are also afoot among the United States, the Soviet Union and Japan. Herein lies the importance of maintaining stability on the peninsula.

But it is primarily up to South and North Korea to reconcile for peaceful coexistence, the very basis on which stability can be assured. The Chinese premier must have had this in mind when he stressed the need for enduring inter-Korean dialogue.

Understandably, Premier Li, mindful of Beijing's warming relations with Seoul, seemed cautious not to damage the long-standing ties China maintains with Pyongyang. Yet, China should make its stand clear on the issues regarding North Korea's refusal to allow international inspection of its nuclear facilities and its opposition to Seoul's bid for simultaneous entry to the United Nations by the two sides of Korea. Irrefutably, Pyongyang's refusal stands in the way of freeing the peninsula from the potential danger of a military flare-up. Any attempt to use the nuclear threat as political leverage will only prove futile and counterproductive.

Premier Li is looked on to give reasonable advice to the North on these and other issues, if he earnestly wants to help remove the vestiges of the Cold War from the peninsula. Because doing so will help create a new, stable order for all.

0283

The Korea Times

1991. 5. 5. Sun., page1

Beijing Reaffirms Support For NK's Unification Effort

TOKYO (AP) — Chinese Premier Li Peng reaffirmed his government's support for North Korea, China's increasingly isolated ideological ally, on the first day of a four-day "family call" Friday, China's official news agency reported.

"The frequent exchange of visits between the leaders of the two (communist) parties and the two governments, just like family calls, has constantly strengthened and promoted the friendship and relations of cooperation between the two countries," Li said, according to the Xinhua report seen in Tokyo Saturday.

North Korean Premier Yon Hyong-muk said that "friendship and unity between the two countries 'conform to the aspirations of the two peoples and are being consolidated daily,' " the report said.

Li also expressed China's support for Pyongyang's efforts to reunify North and South Korea, the report said.

No schedule has been announced for the parley, but the leaders are expected to discuss United Nations membership for the two Koreas and China's growing trade ties with South Korea.

Pak Dong-chun, a North Korean delegate, repeated North Korea's demand for a single seat for the two countries in a speech to a session of the Interparliamentary Union conference being held in Pyongyang, the nation's capital, said a report on the North's official Korean Central News Agency Friday.

"The North and the South must have one seat in the U.N., we think," he said. The South calls the North's one-seat proposal unworkable.

KCNA on Saturday carried a commentary from the official newspaper Rodong Sinmun denouncing South Korea's U.N. seat plan. KCNA has carried similar commentaries almost daily for the past few weeks.

South Korea, which wants a seat of its own, calls the North's single revolving-seat plan unworkable.

North Korea is expected to pressure China to oppose Seoul, which has launched a major campaign to gain support from U.N. member countries for its seat plan.

The visit also comes as China is trying to open trade ties with capitalist South Korea, the North's bitter rival since division of the Korean peninsula after World War II.

China and South Korea recently opened trade offices with consular functions in each other's capitals. Chinese-South Korean trade in 1991 reached $3.2 billion.

0284

The Korea Herald

1991.5. 5. Sun., page1

2 Koreas alone must negotiate unification: Li

TOKYO (AFP) — Chinese Premier Li Peng has said the question of Korean reunification should be solved through negotiations between Seoul and Pyongyang without outside interference, the Korean Central News Agency (KCNA) reported.

Li was speaking at a banquet in Pyongyang Friday night hosted by his North Korean counterpart Yon Hyong-muk, the official North Korean agency said in a dispatch monitored here.

Li Peng flew in Pyongyang Friday for an official goodwill visit to North Korea at the invitation of Yon.

Li was also quoted as saying that China supported "all the reasonable initiatives and proposals of the Korean party and government to achieve peaceful reunification of the country."

He added that it was "an unshakable policy" of China to constantly "consolidate and develop friendship and unity" between China and North Korea, according to KCNA.

Marxist Pyongyang is one of China's few remaining ideological allies following the democratization of Eastern Europe.

TOKYO (AP) — Chinese Premier Li Peng reaffirmed his government's support for North Korea, China's increasingly isolated ideological ally, on the first day of a four-day "family call" Friday, China's official news agency reported.

"The frequent exchange of visits between the leaders of the two (Communist) parties and the two governments, just like family calls, has constantly strengthened and promoted the friendship and relations of cooperation between the two countries," Li said, according to the Xinhua report seen in Tokyo Saturday.

North Korean premier Yon Hyong-muk said that "friendship and unity between the two countries 'conform to the aspirations of the two peoples and are being consolidated daily,'" the report said.

0285

조 선 일 보

1991. 5. 5. 일, 5면

時論

韓·中의 「유엔函數」

朴斗福

李鵬 訪北 관심사

李鵬 中国総理의 平壌방문은 韓国의 UN가입에 대한 中国의 태도표명이 초미의 관심사로 부각되고 있는 시기에 이루어짐으로써 우리의 주목을 끌고 있다.

우선 이번 李의 平壌방문시 양국간에 韓国의 UN가입을 비롯한 中国의 対韓관계에 관한 정책방향등이 심도있게 거론될 가능성이 크다.

작년3월 江澤民의 平壌방문시 양국간에 최초로 韓国에 대한 中国의 정책방향이 정식으로 거론되었다는 說이 있다. 이것은 中国이 北韓과 적대적 관계에있는 韓国과의 관계를 조정하기 위해서는 반드시 거쳐야 할 필수과정인 것이다.

그리고 이달 중순으로 예정된 江澤民-고르바초프간의 中蘇회담도 한국의 UN가입문제에 대한 中蘇 양국의 공식적태도결정에 중요한 계기를 마련할수있을 것이다.

만약 UN가입문제에 대해 북한이 보다 긍정적인입장을 취하게 되고, 中蘇회담에서 이에대한 양국의 공동인식이 성립될 경우, 이미 한국의 입장을지원하기로 확인한 소련은 북한의 정책이나 태도의 변화조정을위한 시간을 요구하고 나올 가능성도 없지 않은 것이다.

그러나 UN가입문제에 대한 北韓의 태도에 근본적인 변화가 없게되는경우, 中国과 소련의 정책선택은 서로 다른 방향으로 이루어질 수밖에 없을것이다. 즉 対한반도 정책전개에 있어서 北韓要因으로부터 이미 탈피한 소련의 경우 UN가입문제에관한 한국과의 지지약속을 정책으로 이행하고 공식화해 갈 것이다. 반면 北韓要因으로 부터 벗어나지 못하고 있는 中国의 경우 그들의 내심과는 상관없이 北韓의 입장지지가 불가피 할 것이다.

그런데 中国의 対한반도정책이 한반도에 있어서 그들의 변화하는 인식과 이익개념에 적응하는 방향으로의 근본적 조정이 어려운 것은 中国의 지도체제의 성격과 국내정치상황과 긴밀한 관련을 갖는다.

「1国兩制」장애물

즉 北韓과 긴밀한 연대성을 갖는 鄧小平을 비롯한 원로집단의 절대적 영향력이 지속되고 있고, 천안문사태 발생이후 사회주의체제와 공산당 영도에 대한 中国人들의 신념의 위기가 더욱 심화됨으로써 中国의 지도층은 北韓의 고립화나 체제붕괴가 그들 자신의 체제위기와 직결된다는 연계인식을 갖고있기 때문이다.

따라서 한국의 UN가입문제에 있어서도 中国의 정책변화를 위해서는 우선 이에 대한 북한의 태도변화가 전제되어야 하는 것이다. 앞으로 中国은 韓国의 UN가입에 대한 거부권의 행사가 그들의 국가이익이나 국제적 이미지에 불리한 영향을 가져다 줄 것으로 인식하고 있기 때문에 우선 北韓의 태도변화를 적극 유도해 가면서 이러한 北韓태도변화의 방향이나 속도에 따라 그들의 정책을 조정해가는 입장을 견지해 갈것으로 보인다.

그런데 지금까지 중국이 南北韓의 UN가입을 지지할수 없는데는 이러한 北韓요인외에 자신의 분단상황을 극복하기위한 기본논리인「두개의 中国」논리를 적극 배격하는 「一国兩制」(1국가 2體制)에 기초한 그들의 통일원칙도 중요한 걸림돌로 작용해 왔다. 그러나 최근에와서 중국은 이러한 그들의 통일정책과 対한반도정책을 분리시키려는 추세를보여왔다. 예를들어 중국은 북한과 일본간의 관계발전에 긍정적인 자세를 취하고 있다.

中国이 그들의 통일정책과 対한반도정책을 상호분리시켜감으로써 그들의 対한반도 정책조정에 나타난 통일정책의 부담으로부터 벗어날 수 있게 되었다. 이러한 추세는 한국의 UN가입이나 対韓정치적 관계발전에 있어서 그들의 실질적 內心과 공식적-표면적 정책태도간에 상당한 괴리를 형성케 하였다.

北韓입장 따를듯

즉 내면적으로는 한국과의 関係発展에 부정적 영향을 끼칠수 있는 정면반대입장을 表明하지 않으려는 의지를 가지면서도 표면적으로나 공식적으로는 北韓과의 특수한 연대성에서 招來되는 慣性法則에따라 北韓이 적극反対하는 입장에 同調하지 않을수 없는 2重性을 띠게된 것이다.

따라서 中国의 지도체제의 중대한 변화나 天安門사건이후에 초래된 국내정치상의 후유증이나 문제점들이 보다 근원적으로 극복되지 않는한 한국의 유엔가입문제에 대한 中国의 2중성을 극복하는 길은 이에대한 北韓의 태도를 변화시키는 길밖에 없을 것이다.

이와관련, 최근 이러한 北韓의 태도변화가능성에 대한 다양한 시각들이 개진되고있어 北韓의 태도변화 유도를 위한 中国의 외교적 노력에 대한 기대가 모아지고있다.

그러나 이러한 中国의 외교적 노력에도 불구하고 北韓의 태도에 변화가 없게 되는 경우 中国의 정책선택은 北韓의 입장을 지지 할 수밖에 없게 될것이며 다른 선택의 여지를 갖는다는 것이 당분간 어렵게 될것이다.

따라서 한국의 UN가입에 대한 中国의 태도나 정책선택의 평가도 바로 이러한 北韓의 태도변화에 대한 분석결과의 기초위에서 이루어져야 할 것이다.

〈外交安保硏究院교수〉

0286

세 계 일 보

1991. 5. 5. 일, 2면

「曲解」된 金총재 유엔서한

崔秉默〈정치부기자〉

金大中 新民黨총재가 케야르 유엔사무총장에게 서한을 보낸데 대해 그 형식과 내용을 둘러싸고 정치권에서 말들이 많다.

民自黨의 朴熺太대변인은 「事大主義」라며 비난하고 나섰고 당직자들도 국론분열우려등을 이유로 「경솔」함을 지적하고 있다.

與측의 이같은 문제제기는 기본적으로 金총재가 우리의 단독유엔가입을 반대하고 나섰다는 「曲解」를 바닥에 깔고 있다.

金총재 서한내용을 처음부터 끝까지 살펴본 사람이라면 이같은 시비가 전혀 무의미한 것이라는 점을 바로 깨닫게 된다.

金총재서한은 韓國의 단독유엔가입을 반대하는 내용이 아니다. 그는 서한에서 南北韓유엔가입은 7천만 한민족의 意思를 반영하고 한반도 평화에 기여한다는 원칙위에서 다뤄져야 한다는 점을 우선 강조하고 있다. 그리고 이같은 기조위에서 한국의 단독가입은 한민족의 「불완전한 의사표시」이며 「남북긴장을 강화시켜 한반도평화에 부정적 영향을 미친다는 「우려」를 표시하고 가능하다면 동시가입이 가장 바람직하다는 점을 지적했다.

金총재는 이어 동시가입을 「분단영구화」로 비난하는 北韓주장의 허구성을 지적하며 케야르총장에게 남북동시가입을 위해 유엔安保理상임이사국들을 설득해주도록 요청하고 「그래도 北韓이 결단을 내리지 않을 때는 유엔이 남한의 단독가입을 승인해야 한다고 못박고 있다.

이것이 金총재서한의 전후 맥락이다. 전체 문맥을 볼때 어느 곳에서도 단독가입을 반대한다는 의사표시를 읽을 수 없다. 오히려 우리 정부의 유엔정책을 잘 설명해주고 있다. 정부는 유엔동시가입을 기본정책으로 하고 있기 때문이다.

다만 北韓이 끝내 동시가입을 거부한다면 남한만의 단독가입도 불사한다는 입장이며 이에따른 실천계획으로 올해 가입신청을 한다는 것이다.

따라서 굳이 정부측과 金총재 서한내용의 차이를 따진다면 정부가 「금년중 단독가입에 비중을 두고 있는 반면 金총재는 동시가입노력을 좀더 촉구한 점이라 할 수 있다.

金총재서한의 「眞意」와 의미는 오히려 新民黨의 유엔정책변화에서 찾아야 한다. 新民黨은 지금까지 北韓측이 지난해 제의한 「단일국호에 의한 동시유엔가입」제안을 검토해봐야 한다는 입장이었다. 그런데 이번에 金총재가 정부의 유엔정책을 사실상 「지지」하고 나선 셈이니 비난을 할 일이 아니라 그가 이 시점에서 왜 유엔문제를 들고나왔는지 속뜻을 헤아려 보아야 할 상황인 것이다.

또한 케야르총장에 대한 「요청」을 두고 事大主義라며 비난하는 것도 온당치 못한 일로 보인다. 국제기구의 공직자에 대해서는 야당총재 아니라 국민 누구든지 협조요청의 의사표시를 할 수 있는 일이다. 외교창구의 단일화에 지나치게 집착할 필요가 없는 것이 작금의 국제기류가 아닌가. 더구나 정부입장을 뒷받침해 주는 내용이고 보면 두말할 필요가 없다.

與圈이 일부 보도만 보고 金총재 서한내용을 오해하여 비난하고 나선 것이라면 그 경솔함이 지적돼야 할 것이고, 야당의 행동에 대해선 무조건 반대하고 보는 生理를 비판받아 마땅할 것이다.

0287

한겨레신문
1991. 5. 7. 화, 2면

북한, 유엔가입 타협 시사

외교부부장 "단일의석 아닌 방안 있다"

【도쿄=이주익 주재기자】 강석주 북한 외교부 부부장은 4일 유엔가입문제와 관련, 남한의 단독가입 움직임을 비판하면서 북한이 주장해 온 단일의석 공동가입안을 남북대화를 통해 수정할 수 있음을 비쳤다고 일본언론들이 밝혔다.

강 부부장은 이날 국제의회연맹(IPU) 총회를 취재하기 위해 평양에 온 외국기자들과의 회견에서 "분열을 국제적으로 인정케 할 필요는 없다"며 남한쪽의 입장을 비판하면서 "단일의석에 의한 공동가입 이외에 다른 타협안이 있다"고 말했다.

그는 "남북대화에 끼칠 영향을 고려, 타협안의 내용을 밝힐 수 없다"고 말한 뒤 세계탁구선수권대회의 남북한 단일팀을 예로 들어 "충분히 얘기를 나누는 것이 중요하다"고 말했다.

北 유엔정책 변경시사

姜 외교副部長 "협상으로 타협안 도출가능"

【東京=李東柱특파원】 북한의 姜錫柱 외교부제1부부장은 4일 북한이 주장해온 단일의석에의한 남북한의 유엔동시가입 방침을 남북대화를 통해 수정할수 있음을 밝혔다고 일본언론들이 5일 보도했다.

일본 언론들은 姜부부장이 이날 외국인 기자들과의 회견에서 한국의 유엔단독가입과관련,『중국은찬성하지 않을것으로 보고있다』면서도『중국이 거부권을 행사할지 기권할지에따라 남측의 단독가입이 실현될지 어떨지를 기다려보지않으면 알수없다』고 말했다고 전했다.

姜부부장은 또『우리는단일의석에의한 공동 가입을 주장해왔지만 협상을할 용의가있으며 서로 수락할수 있는 타협안을 발견해 낼수 있을것으로 본다』며『아직 시간적 여유가 있다』고 말해 유엔가입방식과관련, 북한이 양보할 여지가 있음을 시사했다.

京鄕新聞
1991. 5. 7. 화, 2면

世界日報
1991. 5. 7. 화, 2면

北,「유엔가입」신축성

姜외교副부장 「1개의석」수정시사

【도쿄=蔡宜錫특파원】 북한의 姜錫柱 외교부 제1부부장은 한국이 추진하고 있는 남북한 동시가입과 한국 단독가입안을 비판하면서 북한측의 타협안을 중심으로 한국과 대화할용의가있다고밝혔다.

姜은 4일 국제의원연맹(IPU)총회 취재차 평양에 온 외국기자들과 가진 회견에서 한국측 주장은 「분열을 국제적으로 인정시키는 것」이라고 말하고 「한개 의석에 의한 공동가입」외에 별도 타협안을 가지고 있음을 비쳤다.

한편 그는 金正日서기가 빠르면 이달중으로 中國을 방문할 것임을 시사했다.

0288

京鄕新聞 1991. 5. 7. 화, 3면

北 통일정책 바뀌나

尹基福회견에 비친 속뜻

북한은 예상대로 고려연방제의 수정의사를 표명했다. 尹基福 노동당서기는 IPU平壤총회기간중 南北의 2개정부에 외교·군사권을 부여하는 내용의 통일방안 수정가능성을 피력했다고 日本經濟新聞이 4일 보도한 것이다.

고려민주연방제는 ▲北과 南의 同數대표와 적당한數의 해외동포들로「최고민족연방회의」를 구성하고 ▲거기에「연방상설위원회」를조직해 北南의 지역정부를 지도하며 ▲이 연방회의와 연방상설위원회는 연방국가의 통일정부로서 政治·防衛·對外문제등을 토의, 결정토록 규정하고있다.

따라서 한반도내 사실상 2개 국가를 전제로한 南韓의 南北연합방식에 한발짝 접근한것임에는 틀림없다. 그러나 그것만으로 北韓이 통일방안을 근본적으로 궤도수정했다고 속단하기는 아직 이른듯하다.

정부는 북한의 이러한움직임을 예의주시하고 있으나 공식적인 입장표명을유보하고 있다. 그동안의 몇몇 시사와 尹基福의 발언(기자의 질문에 답하는 형식)만으로는 북한의 새로운 통일방안이 공식제기됐다고 판단할수 없다는 설명이다.

북한은 실제 이와관련한 언론보도를 하지않고있다.

정부의 한 고위당국자는 『외신들의 보도만을 근거로 우리의 입장을 개진할 필요는 없다』고 말했다.

북한이 현행 고려연방제 방안에 일종의 신축성을보인것은 갑작스런 결정은아니다. 金日成주석은 금년초 신년사에서『남북지역정부에 더많은 권한을 부여하는 문제를 논의할수있다』고 말했던것이고 그것의 구체적 내용이 최근 이런저런 경로를 통해 드러나고있는 상황이다.

정부는 북한의 이같은변화를 일단 긍정적으로받아들이고 있으나 이것이통일정책의 기본전략을 바꾼것이냐 하는데는 의문을제기하고 있다.

한 고위당국자는 북측의 입장이 보도된대로라면 일단 긍정적으로 평가할만하다면서도 그러나 고려연방제방안이 담고있는 전제조건이나 남북간 협의방식등 보다 중요한 문제에 대한 언급이 없는점에 주목한다고 말했다.

즉, 고려연방제의 전제조건은 ▲남한의 국가보안법철폐 ▲공산주의 활동 合法化 ▲주한미군철수등 南韓이 현실적으로 수용하기 어려운 사항들인데 이에대한 언급이 없다는 지적이다.

이당국자는 특히 北韓이 南北간 본격적인 통일접근에 있어 「정치협상회의」방식을 고수하고있는 것을 지적하면서『이는 북한이 아직도 對南혁명노선에 입각한 통일전선전략을 버리지 않고있다는 증거』라고 분석했다.

방법론에 신축성 부여

「유엔加入」발목잡을 전술일수도

북한의 통일정책이나 노선이 진정 변했는가를 가늠하려면 고려연방제방안 내용중 최고민족연방회의와 그 상임기구인 연방상설위원회의 구성방법에 대한 명확한 언급이 있어야한다는것이 정부의 시각이다.

이 기구들이 종전대로 정당,사회단체 대표들로 구성되는 정치협상회의 방식이라면 우리측案과 접근되기 어렵다는 설명이다.

「책임있는 당국간의 협의·결정방식이 아니면 의미가 없다」는것이 南韓정부의 기본 정책이기 때문이다.

북한의 통일정책은 정부수립이래 시대적인 適應性과 환경적인 전략성을 가지고 변화를 거듭해왔다.

이번에 북한이 고려연방제의 수정의사를 표명한것도 최근 東北亞질서의 재편움직임, 즉 韓·蘇수교, 北韓의 對美·日접근, 북한내부의 노선갈등에 대한 나름의 대응노력으로 보인다.

통일원의 한관계자는 南北지역정부에 외교·군사권을 부여할수있다는것은 북한이 南北韓간 상호實體인정의 불가피성을 수용한것으로 해석할수도 있다」고 말했다. 또다른 관계자는 『북한당국이 金日成이 제시한 고려연방제의 모순성을 스스로 인정한 정도로 의미있는 변화』라고 분석했다.

한 당국자는 북한은 유엔문제와 수정통일방안을 함께 묶어 정치협상회의에서 논의하자고 제의할 가능성이 높다면서 「그 시기는 오는8월 범민족대회일 것같다」고 전망했다.

이번 북측의 움직임은 단순한 전술적 변화일 가능성이 상존하고있다고 보아진다. 그와함께 전술적변화가 결국 전략적 변화로 발전할수도 있는것이 오늘의 北韓상황이기도 하다.

<宋永珞기자>

0283

韓國日報

1991.5.7. 화, 사설

北韓統一案 변화의 意味

국제의회연맹(IPU) 평양총회에 대한 우리의 기대는 그것이 중단된 남북대화를 재개하는 계기가 될수도 있을 것이라는 점이었다. 이러한 기대가 과연 실현될 수있을지 앞으로 두고 볼일이다.

IPU 평양총회의 폐막과 때를 같이해서 북한쪽에서 흘러나오는 몇가지 보도들은 아직 그 내용이 확실한 것은 아니지만, 낙관적인 빛깔을 띤 것으로 보인다. 먼저 주목되는 것은 북한 외교부의 姜錫柱 제1차관이 종래의 「유엔 단일의석가입」 주장을 포기할 수도 있다고한 시사다. 북한이 단일의석가입 대신 어떤 타협안을 내세울것인지는 아직 짐작할길이 없다.

또 한가지는 북한이 「고려연방제」 통일안을 고쳐서 「1국가 2정부」 연방에 앞서 『남북한이 일정 한도내에서 잠정적으로 외교·군사권을 보유할 수있다』는 일종의 과도기를 설정하는듯한 제안을 구상하고 있다는 보도다. 이것은 북한의 尹基福 당서기가 밝힌 것으로 보도됐다.

지금까지 보도된 내용들로 봐서 북한측의 소위 「새로운 구상」이 구체적으로 어떤 내용을 담고있는지 속단할 일은 아닌것같다. 그러나 최근 고르바초프 소련대통령의 동북아방문과 함께 발빠르게 변화해가고 있는 동북아정세로 보더라도 북한측이 「자세조정」을 해야될 입장에 몰리고 있음은 확실하다. 중국의 李鵬총리가 평양을 방문하고 있는 정도, 이러한 상황변화를 반영한다고 볼수 있다.

아마도 유엔가입문제에서 북한이 「단일의석가입」안을 고집할 수 없다는 것은 이제 거의 확실하다. 중국이 「남북한 동시가입」의 설득에 실패하고, 대한민국의 단독가입표결이 불가피할 경우 사실상의 지지를 뜻하는 「기권을 택할것이라는 관측은 신빙성이 있다고 본다.

그러나 臺灣과의 문제를 안고있는 중국인만큼 남북한 통일방안에 대해서는 역시 북한의 고려연방제지지라는 종래의 태도를 재조정하리라고 기대하기는 어려울 것이다. 중국의 新華통신이 4일의 평양회담에 관해서 李鵬총리가 김일성의 통일안을 지지했다고 보도한것도 이런 관점에서 해석해야할 것이다.

「2개 정부 군사·외교권보유」가 구체적으로 무엇을 겨냥한 것인지, 만일 이 구상이 사실이라면 응당 북으로부터 설명이 있을 것으로 기대한다. 그러나 우리의 입장에서 보자면 이것은 분단의 현실을 「통일」이라는 보자기로 덮어두자는 정도의 비현실적 구상으로 보인다.

더 부정적으로 보자면 그러한 눈가림 과도기설정에 어떤 底意가 있는가 하는 고려연방제의 의문점이 여기에도 적용될 수 있다. 결국 무엇보다도 중요한 것은 「신뢰성구축」임을 다시 한번 강조해둬야 할 것이다.

0290

世界日報
1991. 5. 7. 화, 사설

北의 統一노선 변했는가

北韓노동당의 對南담당 서기 尹基福이 국제의회연맹(IPU)총회를 취재하던 기자들에게 밝힌 「統一문제에 관한 구상」이 우리의 주목을 끌었다。尹은 북한이 구상하는 통일방안은 『南北韓의 2개정부가 잠정적으로 일정한 범위내에서 外交權과 軍事權을 보유할 수 있는 형태를 갖추는 것」이라고 말했다고 한다。그는 IPU한국대표단과의 만찬석상에서도 북한의 연방안이 『南北지역 자치정부에 보다 많은 외교권 군사권 내정권의 부여를 상정하고 있다』고 밝힌 바 있다。

尹基福이 새로 밝힌 「통일구상」이 80년 金日成에 의해 천명된 「高麗민주연방제」에 다소 손질을 가한 것만은 틀림없다。金日成 자신 91년 신년사에서 南北의 지역정부에 보다 많은 권한을 부여하고, 장차 그 권한을 통일정부에 집중토록 한다는 신축성을 보였었다。북한은 남한에서 통일열기가 고조되고 있는 사실에 유의하면서 북한에 대한 남한주민들의 불안을 불식하려고 그런 유화책을 쓰고 있는 것이다。

그러나 북한의 새로운 통일구상이 우리의 「한민족공동체 통일방안」에 접근해온 것이라고 단순하게 유추할 수는 없다。尹基福은 IPU한국대표단과 만난 자리에서 남북대화는 當局차원에서만 이루어질게 아니라 남북한의 정당-사회단체 대표들이 광범하게 참석하는 정치협상회의에서도 활발하게 이루어져야 한다고 주장했다。실제로 북한은 당국간의 대화보다는 남한당국에 대해 비판적인 입장에 있는 정치세력과의 접촉에 더 관심이 높은 것이다。국민의 대표성이나 대화결과에 대한 책임을 인정할 수 없는 정치세력과 접촉을 피하겠다는 것은 南北정부의 독립성을 전제로 하는 그들 통일구상과는 정면으로 상치되는 것이다。

統一이 이루어지기까지의 과도체제에 대해서도 南北간의 견해차이는 현격하다。金日成의 한결같은 주장은 「1민족 1국가 2제도 2정부 연방안」이다。그러나 이념과 제도를 달리하는 두개의 체제가 하나의 국가로 묶여있기란 현실적으로 불가능한 노릇이다。남북한은 각기 國家의 이름으로 세계 90개국과 동시에 국교를 맺고있는게 현실이다。東西獨은 「1민족 2국가」의 기초위에 분단됐지만 결국 통일을 이루었다。북한이 「1국가」를 고집하는 것은 남한에 대한 정치적 간섭을 계속하려는 속셈때문인 것이다。바로 이 고집으로 해서 그들은 유엔동시가입을 완강하게 반대하고 있으나 결국 그 환상은 멀지않아 현실의 힘앞에 무너지고 말 것이다。

尹基福은 그들 「통일구상」을 유연성있게 보이려고 들었지만 그들이 진정 南北韓의 평화로운 공존에 뜻이 없는 한 관계개선을 기대하기는 어렵다。그 뜻을 행동으로 보이려면 ①訪北者 석방②유엔동시가입 반대③非當局者간의 접촉④美軍철수를 겨냥한 南北불가침선언 우선채택등의 조건을 철회해야 할 것이다。

북한측은 위에 열거한 조건들에 대해 한국측이 성의를 보이지않기 때문에 대화에 진전을 보지못하고 있다고 주장하지만, 정말 변화를 보여야할 당사자는 폐쇄성과 국제적 고립, 그리고 지난날의 對南전략에서 벗어나지 못하고 있는 그들 스스로라는 것을 깨달아야 한다。

0291

世界日報
1991. 5. 7. 화, 5면

북한 對南노선 어정쩡

— 平壤 IPU총회 결산

기존信念-急變대응 자신감 없는듯
기대했던 수정 고려연방제 안나와
李鵬과 金日成의 회담내용 관심거리

4일 막을 내린 국제의회연맹(IPU)平壤총회는 외교고립탈피와 對西方접근모색이라는 북한당국의 애초 총회유치목적을 충분히 만족시켜 주지는 못한 것 같다. 세계 1백여개국 대표들 앞에 모습을 드러낸 「봄의 平壤」은 한마디로 급변하는 국제정세 속에서 분명한 방향을 잡지 못해 「어정쩡한」자세를 취하고 있었다고 우리측 참석자들이 전하고 있다. 기존노선에 대한 확고한 신념도, 변화를 준비하는 자신감있는 대응자세도 찾아볼 수 없었다는 것이다.

이번 IPU총회가 열리기전 가장 관심을 끌었던 대목은 북한의 「修正통일방안」공표가능성이었다. 북한은 올해초부터 여러차례 고려연방제통일방안의 핵심내용을 수정할 수 있다는 가능성을 시사해 이번 IPU총회에서 金日成주석의 개막연설을 통해 이를 공식발표할 것으로 기대됐으나 이같은 예상은 빗나갔다. 대신 북한은 尹基福통일정책심의위원장의 외신기자회견을 통해 외교-국방권을 남북한 지역정부가 각각 관장토록 할 수 있다는 수정방안을 제시한 것으로 日本언론들이 보도했다.

이같은 尹위원장의 발언은 북한당국의 공식적인 수정통일방안 발표로 볼 수는 없고 발언의 진위여부도 확인되지 않고 있다. 북한이 수정통일방안을 金日成주석의 발언이나 책임있는 공식기구를 통해 발표하지 않고 관계자들의 입을 통해서 운만 뗀 것은 아직 향후 對南노선에 대한 분명한 방향설정이 매듭되지 않았음을 의미한다고 볼 수 있다.

특히 李鍾九국방장관의 「북한核시설 응징가능」발언이나 북한청소년 축구대표단의 서울방문 문제를 둘러싼 북한의 대응에서도 북측은 자신감이 결여된 어정쩡한 태도를 보이고 있다. 북한은 지난달 하순 李국방장관의 발언을 문제삼아 남측 IPU대표단의 入北을 거부할 움직임까지 보였으나 이내 철회하고 말았다. 북한은 또 남북청소년축구단일팀의 서울훈련을 「姜慶大군장례식 이후」로 미루자고 한때 남측 내부사정을 걸고 나섰으나 다시 태도를 바꿔 6일 축구팀을 서울에 파견했다.

이같은 북측자세는 남북대화를 남한내부문제와 연계시키는 기존주장을 강하게 내세우지 않으면서도 그렇다고 완전히 포기하지도 않은 과도기적 몸가짐으로 보인다는 것이 정부관계자들의 분석이다.

또한 북한은 이번 IPU총회를 위해 많은 준비를 한 것으로 보이지만 서방 각국의 對북한시각을 교정하는 데는 성공하지 못한 것으로 보인다.

IPU총회는 국제원자력기구(IAEA)의 核사찰수락 의무를 지는 모든 국가에 대해 의무이행을 촉구하는 결의안을 채택함으로써 특히 북한당국을 곤혹스럽게 만들었다.

오스트리아등 서방대표들은 회의에서 북한의 人權문제를 집중거론했으며 심지어 獨逸대표는 북한의 인권문제를 이유로 金日成주석과의 면담을 거부했다고 독일언론들이 보도하고 있다.

다만 북한당국자들도 중단된 남북대화의 재개 필요성을 인식하고 있었다고 우리측 참석자들이 전했다. 북한-일본간 3차수교회담이 열리는 5월하순경에는 남북고위급회담이 재개될 것으로 예상되며 지난해 1월이후 중단된 남북국회회담 예비접촉도 곧 속개될 것으로 보인다.

남북대화가 재개되면 북한이 구상하는 남북관계의 장래와 향후 對南정책의 윤곽이 분명해질 것으로 전망된다.

북한의 향후 行步와 관련, 平壤을 방문한뒤 6일 北京으로 돌아간 李鵬중국총리와 북한 金日成주석및 延亨默총리와의 회담내용이 주목된다.

이 회담에서 논의된 구체적인 내용은 아직 밝혀지지 않았지만 딜레마에 처한 북한의 대외정책에 중국측의 의미있는 조율이 가해졌을 것으로 짐작되고 있다. 특히 유엔가입문제와 관련한 중국측의 고충이 전달됐을 것으로 분석되며 한국의 연내유엔가입이 실현될 경우에 대비한 북한의 대응방향도 논의됐을 것으로 보인다.

中國과의 조율을 거친 북한의 대외정책은 조만간 재개될 고위급회담및 한국의 유엔가입신청제출에 대한 북측 대응을 통해 가닥이 잡혀갈 것으로 전망된다.

5월의 平壤이 「평양의 봄」을 예비하고 있는 것인지 여부는 우리측 IPU대표단도 가늠할 수 없었던 것으로 보인다.

〈朴正薰기자〉

0292

The Korea Daily
1991. 5. 9. 木, 사설

IPU Meeting in Pyongyang

The significance of our National Assembly delegation's participation in the 85th general conference of the Inter-Parliamentary Union (IPU), held in Pyongyang last week, lies in the fact tha' it is the first official trip ever made by southern legislators to North Korea since the partition of the country 46 years ago.

Their rigid stance toward the South notwithstanding, the North Koreans kept their promise and received our delegates through the truce village of Panmunjom and accorded them due hospitality, though their hotel in Pyongyang was in such a beautiful but isolated location that they had difficulty renewing friendships with their colleagues from various foreign countries. This implies a hidden intention on the part of the hosts rather than being the mere outcome of mistaken kindness.

Since the IPU is a global organization of parliamentarians, the nomination of Pyongyang to host this year's meeting raises the question as to whether there is a parliament as such in that totally regimented society. Their Supreme People's Congress is considered an excuse for a parliament: representatives to that body are elected through balloting for a single candidate in each constituency, who is nominated by the party. Its main function is rubber-stamping all decisions made by the party and the government.

Even so, North Korea gathered lawmakers from around the world in Pyongyang and tried to put on its best face. Some delegates may have been impressed by what they witnessed, but obviously many saw through it all and were able to confirm for themselves what they had read and heard about North Korea.

At a general debate on world affairs Friday, some European delegates rightly called a spade a spade: they raised questions about political prisoners and press freedom in North Korea.

They went on to call upon Kim's regime to make democratic reforms, accusing it of denying basic civil and political rights to its people.

In contrast, our chief delegate chose to refrain from any such direct condemnation, merely urging North Korea to accept our appeals for simultaneous entry of both Koreas into the United Nations, for resumption of the South-North prime ministers' talks and for a summit meeting. Our delegation probably played a role behind the scenes in having a passage included in the final resolution of the general conference calling on all countries that have not signed the nuclear safeguards agreement, including North Korea, to sign it without further delay.

On the very day when our chief delegate was delivering his speech, most members of our delegation were on a tour taking in the scenic beauty of Mt. Kumgang. Here again, a North Korean trick is suspected. We cannot help but lament the human weakness of our lawmakers, who could easily see what that transparent trick meant but could not resist the temptation.

North Koreans' lack of willingness to reconcile with the South was clearly manifested again during informal talks between their high-ranking party officials and our delegates early during their stay there. Talking to their "guests" from the South, one party man barked accusations against the South and vowed that his government would not allow North Korea to be "absorbed" by the South the way East Germany was by West Germany. But, what he does not realize is that West Germany did not absorb the East but East Germany collapsed into the West.

At the end of the IPU meeting, a German delegate remarked that North Korea will not change a bit unless concerted pressure from outside is exerted on it. However unfortunate this may sound, we have to recognize the reality as it is, and we must, the government and people together, strive to bring international pressure to bear upon the North while continuing to engage in earnest dialogue with its leaders.

0293

Pyongyang's Unification Policy

North Korea has shown a sign of change in its main position vis-a-vis the South, on national reunification, raising a glimmer of hope for a compromise on the vital problem separating Seoul and Pyongyang.

Admittedly, North Korean President Kim Il-sung very recently reiterated Pyongyang's long-standing Koryo confederation unification policy, calling for the unity of the two Koreas under a political system bearing the name of the Democratic Confederal Republic of Korea. Kim's statement delivered at the recent Inter-Parliamentary Union (IPU) conference betrayed previous indications that he would present a new unification formula.

The Korea Times
1991. 5. 8. 7K, 사설

Yet, the Pyongyang regime later came up with a slight modification to this formula though basically it is maintained. Yun Kibok, secretary of the North Korean Workers Party in charge of unification problems, is said to have unveiled a new plan in which the government of South and North Korea would exercise sovereignty in diplomatic and military matters temporarily under the confederation system.

Yun's proposition is to grant the two Koreas limited sovereignty in diplomatic and military affairs until they achieve full unification, as compared with the previous formula granting these powers to the proposed confederation. In other words, the plan calls for one nation, one state, two systems and two governments.

The new Pyongyang plan, at any rate, can be appraised as moving one step closer to Seoul's unification formula. As Yun himself put it, it is "very similar" to the South's overture.

The Seoul unification plan, enunciated by President Roh Taewoo on September 11, 1989, incorporates a Korean National Community Unification Formula, calling for the merger of South and North Korea, under the principles of independence, peace and democracy, in a united democratic republic. Conspicuous in the formula is the intention that the united republic be built upon a Korean Commonwealth which would function during an interim stage.

The installation of a transitory stage is also seen in Pyongyang's new unification overture temporarily allowing the two Koreas to exercise sovereignty in diplomatic and military matters under a loosened confederation. And this leaves room for the rival Koreas to reach a compromise over the unification question through negotiations.

With the ultimate goal of integrating the divided countries into a single nation-state, the two Koreas may well set an interim stage before full national unity in which both recognize each other and seek co-existence and co-prosperity, thus accelerating the homogenization and integration of the national community.

There is no denying that Korea should be reunified to realize 70 million people's ardent aspirations. But it is utopian to expect the Korean people to achieve unification overnight without clearing away the deep-rooted mutual distrust and antagonism that has been formed during the past four decades since the national division.

Some negative developments seen recently in the new, unified Germany has provided us a good opportunity to review and rearrange our unification policies in terms of the process of integration and their impact on the outcome of unification.

For the present, the government authorities seem to think that Yun's statement has displayed some flexibility over the unity question but that the North's basic stand has not changed. In fact, the new plan has yet to be presented in detail to our side so that it can respond to it. Then, Pyongyang needs to come up with a more concrete overture, if it has really any intention of revising its stand.

0294

北韓측에 유엔同時가입 권유

서울신문
1991. 5. 24. 금, 2면

마르코議長 28일平壤에

"韓國단독加入 지지" 국제분위기 설명

30일 서울방문, 中·蘇의입장 전달

지난 22일부터 蘇聯·中國·南北韓등 4개국 순방길에 오른 기도 데 마르코 유엔총회의장은 서울및 平壤방문시 南北韓 유엔동시가입을 권유할 것으로 23일 알려졌다。

정부의 한 고위소식통은 이날 「몰타의 외무장관인 데 마르코의장은 모스크바및 北京방문을 마치고 오는 28일 平壤을 방문, 최근 걸프전 이후 국제사회에서 유엔의 보편성 원칙의 중요성이 더욱 증대되었으며 이에따라 韓國의 유엔가입 지지분위기가 한층 성숙되었다는 사실을 전하고 北韓도 이번 46차유엔총회에서 韓國과 함께 유엔에 가입하는 것이 바람직스럽다는 입장을 밝힐 것」이라고 말했다。

소식통은 「마르코의장의 南北韓동시방문및 유엔동시가입권유는 지난4월말 뉴욕의 유엔총회를 방문한 李相玉외무장관의 요청에 따른 것으로 안다」고 밝히고 「마르코의장은 지난 15일 모스크바 中蘇정상·외무장관회담이후 蘇聯및 中國을 공식방문한 최초의 국제기구 고위관리로 오는 30일 訪韓, 한반도문제및 南北韓유엔가입에 대한 中蘇간 협의 내용과 진전된 입장을 우리측에 전달할 것으로 기대된다」고 말했다。마르코의장은 서울에 머무르는 동안 盧泰愚대통령을 예방하며 李외무장관과 회담을 가진뒤 6월1일 離韓할 예정이다。

0295

기 안 용 지

분류기호 문서번호	국연 2031 - 18496	(전화 :)	시 행 상 특별취급	
보존기간	영구·준영구. 10. 5. 3. 1	장 관		
수 신 처 보존기간				
시행일자	1991. 5. 25.			

보조기관	국 장	전결	협조기관		문서통제
	과 장				1991. 5. 27 통제관
기안책임자		송영완			발송인

경 유 수 신 참 조	주뉴욕총영사 주유엔대사	발신명의		1991. 5. 27 외무부
제 목	기고문 송부			

한국사회연구소 연구원 이태섭이 월간중앙(6월호)에 기고한 "유엔가입 둘러싼 남북한의 속셈"을 별첨 송부하니 참고하시기 바랍니다.

첨부 : 상기 기고문 사본 1부. 끝.

0296

유엔가입 둘러싼 남북한의 속셈

이 태 섭
(한국사회연구소 연구원)

지난 4월20일 제주도에서 열렸던 한소정상회담에서의 노태우대통령과 고르바초프 소련대통령. 여기서 노대통령은 남한의 유엔가입에 대한 소련의 외교적 지원을 약속받은 것으로 알려지고 있다.

연내 유엔가입 강행의 배경

유엔가입문제가 한반도 비핵지대화문제, 북한의 핵사찰문제와 함께 남북관계에서 가장 첨예한 현안의 하나로 부각되고 있다. 이는 북한의 강력한 반대에도 불구하고, 정부가 올해 안으로 유엔가입을 실현하기 위해 본격적인 활동에 들어감으로써 현실화되고 있다. 정부는 제46차 유엔총회 개막 첫날인 9월17일에 유엔가입안을 통과시킨다는 방침을 세우고 8월 중순까지 유엔안보리 가입 심사를 마치기로 결정함으로써, 유엔가입을 위한 본격적인 외교활동에 들어갔다.

정부의 이러한 움직임에 대해 북한은 지난 2월27일 유엔 안보리에 회람된 외교부 비망록에서 「남북한 간에 상호 합의가 이루어질 때까지 유엔가입문제를 계속 협의해나갈 것」을 주장한 바 있다. 그러나 정부는 「유엔가입문제가 가입신청국과 유엔과의 문제임에도 불구하고 남북한 간의·합의가 선행되어야 한다고 강변하고 있다」고 북한의 입장을 일축해 버렸다.

0297

이어 정부는 4월5일 『제46차 유엔총회 이전에 회원국으로 가입하기 위해 필요한 절차를 밟겠다」는 「유엔가입문제에 관한 각서」를 안보리 의장에게 제출함으로써 연내 유엔가입 추진을 공식화하였다. 그리고 정부는 연내 유엔가입을 위해 제주도 한·소 정상회담, 그리고 ESCAP 총회와 북한에서 개최된 제85차 IPU 총회 등 각종 국제회의를 비롯하여 프랑스 총리의 방한, 이상옥 외무장관의 일본과 미국 순방 등 다양한 초청·방문외교를 활발하게 전개시키고 있다.

빨라진 정부의 유엔가입 행보

현재 정부는 유엔가입문제를 남북대화나 통일문제와 분리시켜 북한과의 협의를 완전히 배제한 채 일방적으로 강행하고 있는 것이다. 정부는 지난해 유엔가입문제를 남북한 사이에 실질적으로 존재하는 현안의 하나로 인정하였으며, 또 수차례에 걸쳐 유엔가입문제를 북한과 협의하는 자세를 보여주었다.

그럼에도 불구하고 지난해와 달리 정부는 올해 들어 유엔가입문제를 더이상 북한과 협의할 필요성이 없는 문제로 설정하고, 유엔가입을 위해 총력전을 펼치고 있다. 정부의 입장에서 볼 때 북한과의 협의는 연내 유엔가입이라는 목표를 실현하는 데 오히려 걸림돌이 될 수도 있다. 정부의 일정을 지체시킬 수 있기 때문이다. 정부는 유엔가입문제를 더 이상 당사자 간의 대화나 협의로 해결될 문제가 아니라 대화의 틀 밖에서 힘의 경쟁, 힘의 우위로 해결될 문제로 파악하고 있는 것이다.

물론 정부는 『북한이 동시가입을 끝내 반대한다면」이라는 단서를 붙인 조건에서 유엔단독가입을 추진하고 있다. 유종하 외무차관은 『우리의 유엔단독가입이 확실시되는 시점에 이르면 북한도 가입을 신청할 것으로 보인다」고 정부의 입장을 밝힌 바 있다. 연내 유엔가입을 목표로 하여 남북한의 합의를 거부한 채 단독가입을 강행함으로써 북한으로 하여금 동시가입을 수락지 않을 수 없도록 강력한 외압을 가하고 있는 것이다. 정부의 이러한 방침은 남한이 유엔에 먼저 가입하는 것을 통해 북한의 유엔가입을 유도하는 시차적 유엔동시가입도 고려하고 있는 것이기 때문에 남한의 단독가입은 충분히 강행될 수 있는 일이다. 어딘지 모르게 정부는 연내 유엔가입을 조급하게 서두르고 있다는 느낌을 주고 있다.

정부가 지난해와는 달리 유엔문제에 대해 극히 강경한 입장을 보여주고 있는 것은 과연 무엇 때문인가? 그리고 정부의 연내 유엔가입은 실현 가능한 것인가? 정부가 연내 유엔가입을 실현할 수 있기 위해서는 어떠한 조건들이 필요한가?

정부는 지난해부터 유엔가입문제를 가장 효과적인 대북정책의 하나로 활용하여 왔다. 정부의 대북정책의 기조는 한마디로 북한 고립화에 기초한 북한 개방화 정책이라 할 수 있다. 정부의 통일방안과 관련하여 살펴볼 때, 북한 개방화로 표현되는 정부의 이러한 대북정책의 당면목표는 북한을 실용주의 노선으로 개방화시켜 「남북연합」이라는 과도체제를 확립하는 데 있다. 그리고 그 궁극적 목표는 통일독일과 같이 남한의 자유민주주의 체제에 기반한 「통일민주공화국」을

수립하는 데 있다.

여기서 남북연합은 한반도에 2개의 다른 체제, 2개의 다른 국가, 대한민국과 조선민주주의인민공화국이 존재함을 상호 승인하고, 남북한이 국제관계에 있어서 국방권과 외교권 등을 각각 독자적으로 행사하는 2개의 주권국가로 남아 있는 것을 전제로 하고 있다. 즉, 남북연합은 1민족 2국가 2체제를 전제로 하고 있는 것이다.

지난해 정부는 이러한 북한 개방화 정책을 실현하기 위해 다각적으로 노력하였다. 먼저 북한 개방을 최종적인 귀착점으로 하는 북방정책을 들 수 있다. 북방정책은 우회접근을 통해 북한의 전통적인 맹방을 먼저 끌어들임으로써 종국적으로 북한과의 대화와 협상이 정부가 희망하는 내용과 방향으로 의미있고 순조롭게 진행되도록 한다는 목표를 갖고 있다. 북한에 대한 외교적 우위를 점하고 외부로부터 개방압력을 가한다는 구상이다.

이러한 구상을 더 효과적으로 추진하기 위해 정부는 미국 및 일본 등 우방과의 공동보조와 긴밀한 협조를 유지하고자 하였다. 이것은 북한-일본 수교협상에서 일본에 북한의 핵안전협정 가입문제를 최우선 과제로 삼아줄 것을 요청하는 한편, 일본의 대북관계 개선의 속도와 방향을 정부가 희망하는 방향으로 남북관계의 진전속도와 연계하고자 하는 데서도 잘 드러난다.

북한 개방유도 정책의 일환

정부의 북방정책은 상당한 성과를 거두었다. 동유럽권과의 공식수교는 말할 것도 없고, 한·소 공식수교와 3차례에 걸친 한·소 정상회담, 그리고 한·중 무역대표부 상호 교환설치 등의 가시적 성과를 거두었다. 소련과 동유럽권의 급격한 체제변화를 포함하여, 이러한 주변환경의 변화는 북한에 대해 어떤 형태로든 개방압력을 행사하는 의미를 지니는 것으로 해석되었다.

그러나 북한 개방에 대한 주변국가들의 압력의 성과는 정부가 희망하는 내용과 방향으로 남북관계가 의미있게 개선되는 것으로 가시화될 필요가 있다. 교차승인정책은 남북한 당사자 간의 상호 승인에 의해서만 종국적으로 완결될 수 있으며, 남북한이 국가적 실체로서 상호 승인을 거부하는 한 주변국들과 남북한의 교차 국교수립은 기껏해야 동시수교의 의미밖에 갖지 않는 것이다. 브란트의 동방정책도 동서독 정상회담과 2개의 독일을 잠정적으로 제도화한 동서독 기본조약 체결로 가시화되었다.

이에 따라 정부는 지난해 북방정책의 일정한 성과에 기반하여 남북고위급회담을 통해 자신의 직접적인 주도하에 남북관계를 개선해보고자 노력하였다. 즉, 정부가 고위급회담을 통해 북한으로 하여금 한반도에 2개의 국가적 실체가 현실적으로 존재함을 인정하도록 유도하고자 노력한 것이 그것이다. 이를 위해 정부가 제시한 「남북관계 개선을 위한 기본합의서」는 법적이고 제도적으로 남북관계를 상호 주권국가 간의 관계로 정상화시킨다는 의미를 내포하고 있었다. 나아가 정부는 「기본합의서」를 남북대화의 최고형태인 남북정상회담을 통해 채택할 수 있기를 희망하였다. 0298

그러나 고위급회담을 통해 달성하고자

한 정부의 목표는 2개의 정치적 실체는 인정할 수 있다 하더라도 2개의 국가적 실체를 인정하지 않는 북한의 거부에 의해 실현될 수 없었다. 오히려 회담의 전개과정에서 정부의 「기본합의서」보다 북한이 주장하는 「불가침선언」이 주된 쟁점으로 부각되었다. 재야·종교단체가 불가침선언을 채택할 것을 요구하는 등 불가침선언 채택안이 더 큰 관심을 끌었다. 세계적인 탈냉전의 추세 속에서 한반도 역시 긴장완화를 요구받고 있었으며, 그만큼 불가침선언 채택문제는 정부에는 약한 고리로 작용하였다. 군사력 경쟁은 북한의 개방을 유도해내기 위한 효과적인 방도의 하나로 간주되고 있다.

게다가 북방정책의 일정한 성과에도 불구하고 북한에 대한 소련 및 중국의 영향력이란 제한적일 수밖에 없었다. 또 주변정세의 불리함을 타개하기 위한 노력의 일환으로 북한이 일본과의 조기수교를 전격적으로 제의한 것을 일본이 수용함으로써 외부로부터의 압력도 성과를 제대로 낼 수 없었다. 한·소수교 등 북방정책을 성공시킴으로써 남북정상회담을 끌어낼 수 있으리라는 기대도 실현될 수 없었다.

정부로서는 북한 개방화 정책을 더 효과적으로 수행할 수 있는 강력한 대응책을 마련할 필요가 있었다. 유엔가입문제가 그러한 역할을 할 수 있을 것으로 판단되었다. 한반도 주변정세가 남한 쪽으로 유리하게 변화되는 속에서 유엔가입문제는 북한에 매우 취약한 고리로 작용하였다. 정부의 입장으로서는 잘 선택된 대북카드였다. 북한도 유엔가입문제에 대해 대단히 민감한 반응을 보여주었다.

유엔가입 위한 탐색기—1990년

작년 1년은 정부가 그동안 추구해온 북방정책의 일정한 성과에 기반하여 정부가 유엔가입을 실현하기 위한 일종의 탐색과정이었다. 지난해 국내외 여론은 남북한 당사자 간의 협의를 중시하는 분위기였다. 일본도 남북한의 대화를 희망하였다. 여기서 정부는 협의를 요구하는 북한의 제안을 받아들였다. 북한의 입장은 단일의석 공동가입이었다. 정부의 동시가입안은 북한의 태도변화를 유도할 수 있는 강력한 압력수단이 되기에는 한계가 있었다.

정부는 여론을 의식하여 당분간 북한과 계속 협의해나갈 자세가 되어 있음을 보여주는 한편, 남북대화라는 틀 밖에서 단독가입을 위한 다양한 외교적 노력을 기울였다. 북한과의 협의는 북한이 동시가입을 끝내 반대하기 때문에 남한의 우선적 유엔가입이 불가피하다는 여론을 조성하는 데 일정한 기여를 하였다. 그리고 남한의 단독가입 움직임은 북한에 대한 압력으로 작용하였다. 한·중 무역대표부 상호 교환설치의 합의, 특히 90년 9월에 있은 소련과의 공식수교 합의는 정부의 단독가입의 가능성을 증대하면서 유력한 대북압력으로 작용하였다.

남북한이 유엔가입문제를 둘러싸고 상호 치열한 경쟁과 대결을 벌이고 있는 가운데 제45차 유엔총회가 개최되었다. 유엔총회에서 1백55개국 대표들의 기조연설 중 1백18개국이 한반도문제를 거론하였는데, 그 중 71개국이 동시가입을 지지하는 발언을 하였다. 88년 당시의 38개국, 그리고 89년 당시의 48개국에 비하면 지지도의 급성장이었지만, 회원국 3분의 2 이상의 지지는 얻어낼 수 없는 상황이었다. 37개국은 남북대화 및 한반도 평화통일에 지지한다는 요지의 중도적 입장을 표명하였다. 단일의석 공동가입안을 지지한 것은 아니지만 북한의 통일정책을 지지한 국가는 중국·쿠바·이디오피아 등 9개 국가에 불과했다. 남한의 입장을 지지하는 EC국가들의 경우 중국의 태도변화를 촉구하는 분위기였다.

그러나 중국이 반대하는 한 남한의 유엔가입 신청은 안보리에서조차 통과될 수 없는 것이다. 결국 중국의 거부권 행사 가능성을 염두에 두지 않을 수 없는 정부는 정치적 무리수를 써가면서까지 단독가입을 강행할 수는 없는 것이었다. 그러나 중국이 거부권 행사만 유보해준다면 정부의 유엔가입은 실현될 수 있을 것으로 판단되었다. 걸프전은 정부에 희망을 주었다.

특히 걸프전 기간을 통해 미국은 유엔안보리를 거의 자기 뜻대로 움직일 수 있었다. 미국은 이라크에 대한 유엔안보리의 경제·군사 제재조치를 결의하는 과정에서 자신에 비협조적인 일부 이사국들에 다양한 압력수단을 행사함으로써 자신의 뜻을 관철할 수 있었다. 걸프전쟁 중 유엔안보리 상임이사국인 중국도 안보리의 對이라크 결의를 지지하였다. 유엔은 미국의 지배 하에 있었다. 걸프전을 경과하면서 유엔에서 보여준 중국의 태도는 미국의 외교력에 의지하고 있는 정부에 희망을 가져다주는 것이었다.

연내 유엔가입 위한 총력전

이제 정부는 유엔가입에 대해 더 큰 자신감을 가질 수 있게 되었다. 게다가 정부는 유엔가입문제를 더 이상 미루어 둘 수만도 없게 되었다. 물론 유엔가입문제는 북한과의 문제이며, 정부는 유엔가입문제를 북한 개방화정책의 일환으로 구사하고 있음은 분명한 사실이다. 그러나 이것만으로는 현재 정부가 왜 연내 유엔가입을 그토록 서두르고 있는지 그 이유를 설명해줄 수 있다. 정부가 북한을 개방화시키고자 한다 하더라도 북한이 당장 정책을 변경할 것 같지도 않고, 또 유엔가입문제는 내년, 또는 2, 3년 후에 해결될 수도 있는 문제이기 때문이다.

그럼에도 불구하고 정부가 연내 유엔가입을 목표로 총력을 기울이고 있는 것은 남한의 유엔가입을 올해 안으로 성사시킴으로써 노태우대통령의 임기내 외교적 성과를 극대화하고 그러한 성과를 차기대권구도와 연계하고자 하는 의도도 있는 것으로 보인다. 40여년의 한국정치사를 회고할 때, 한국의 모든 역대 정권은 남북관계나 통일문제를 항상 자신의 정치적 목적에 이용하여 왔다.

지난해부터 민자당 정권이 지배구조의 안정화와 차기대권구도를 위해 남북관계에서 이루어내고자 노력한 것은 남북정상회담이었다. 제2차 고위급 회담에서 북한이 불가침선언의 채택과 남북정상회담의 연계 가능성을 보여주었을 때, 청와대를 중심으로 한 정부 일각에서 정상회담의 조기 추진을 위해 불가침선언을 적극적으로 검토·수용하자는 견해가 나올 정도로 당시 정부는 정상회담에 상당한 관심을 두고 있었다.

그러나 북한이 「하나의 조선정책」을 포기하는 전제 위에서 남북관계를 개선한다는 의미를 충족시키지 못하는 남북정상회담은 장기적으로 보아 지배구조의 안정화에 도움이 되지 않는 것이었다. 북한은 남북정상회담을 시사하면서도 「하나의 조선정책」을 포기하지 않고, 정부의 「기본합의서」와 유엔동시가입안에도 반대하고 있었던 것이다.

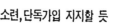

한국에 대한 안정적인 지배력을 관철하고자 하는 미국으로서도 그러한 방식의 정상회담은 자신의 국익에도 도움이 되지 않는 것이었다. 차기대권구도 등과 관련하여 특정한 정치세력이 남북관계에서 일시적이고 외형적인 정치적 효과를 얻기 위해 무원칙한 양보나 타협을 한다는 것은 받아들일 수 없는 것이었다. 결국 정부는 한반도정세가 남한 쪽에 유리하게 전개되고 있다는 판단에 기초하여 정상회담을 서두르지 않겠다는 쪽으로 입장을 정리하였다. 그리고 정부는 불가침선언의 채택이 아니라 유엔가입문제를 압력수단으로 하여 정상회담을 끌어내겠다는 구도를 채택하였다.

그러나 시간이 우리 편이고, 정세가 유리하게 전개되고 있다 해서 소극적으로 마냥 기다릴 수만은 없는 것이다. 민자당정권으로서는 차기대권구도를 위한 준비를 이번 1년 동안 어느 정도 구체화해야 할 과제를 안고 있는 것이다. 국내 정치일정과 관련하여 그 어느 시기보다 유리한 정세를 더 적극적으로 활용하여 올해 안으로 유엔단독가입을 강행하면서, 그 과정에서 가능한 한 남북정상회담의 조속한 실현을 이루어낼 필요가 있는 것이다.

물론 정부의 유엔가입의 성사, 그 자체만으로도 대단한 외교적 성과로 평가받을 수 있을 것이며, 지배구조의 안정화에 기여할 것이다. 그리고 유엔가입을 추진하는 과정에서 남북정상회담이 주어진다면 그것은 최상의 외교적 성과로 평가받을 것이다. 이상옥 외무장관이 연내 유엔가입을 실현하지 못할 경우 장관직위에서 물러나겠다고 배수진을 칠 정도로, 정부는 연내 유엔가입에 총력전을 펼치기로 한 것이다. 그렇다면 정부의 연내 유엔가입 방침은 과연 어느 정도 실현 가능성이 있는 것일까?

연내 유엔가입의 실현 가능성

정부가 연내 유엔가입을 추진함에 있어 가장 우려하고 있는 것은 중국의 거부권행사다. 게다가 정부는 그동안 추진해온 북방정책을 완결짓고, 외부로부터의 북한 개방압력을 극대화하기 위해 중국과의 수교를 필요로 하고 있었다. 이에 따라 정부는 연내 유엔가입과 중국과의 수교를 올해의 2대 외교목표로 설정하였다. 나아가 정부는 걸프전쟁중 중국이 유엔 안보리의 對이라크 결의를 지지한 점에 주목하면서 先 유엔가입, 後 중국과의 수교라는 구체적인 외교일정을 잡았다.

그러나 4월에 접어들면서도 정부의 외교적 노력은 별다른 가시적 성과를 내지 못하고 있었다. 정부는 4월 초 서울에서 개최된 유엔 아시아-태평양 경제사회이사회(ESCAP) 제47차 총회를 유엔가입을 위한 사전 정지작업의 일환으로 활용하고자 하였다. 즉, 노태우대통령이 개막연설에서 유엔가입문제를 거론하는가 하면, 이상옥 외무장관은 유화추 중국외교부 부부장에게 연내 한국의 유엔가입에 대한 지지를 공식적으로 요청하였다.

중국의 태도는 남한의 유엔가입에 있어서 가장 중요한 변수다. 사진은 지난 5월4일 북한을 방문한 李鵬 중국총리와 金日成 북한주석.

유화추의 반응이 냉랭한 가운데, 로가초프 소련 외무차관은 기자회견에서 소련과 중국은 유엔가입문제가 남북의 꾸준한 대화를 통해 해결되기를 희망하고 있다는 데 의견을 함께 하고 있음을 밝혔다. 중·소 외무장관은 작년 8월 한반도문제에 대해 공동보조를 취하기로 합의한 바 있으며, 또 금년 3월 말부터 있은 중·소 외무장관회담에서 두 나라는 한반도문제는 남북대화를 통해 해결되어야 한다는 데 의견을 함께 했다. 이러한 연장선상에서 중국과 소련은 유엔문제에 대해서도 공동보조를 취하면서 여전히 남북대화를 강조하고 있는 것이다.

소련으로부터 명확한 지지표시도 받아내지 못한 상태에서 정부의 연내 유엔가입은 불투명한 상태로 빠져들 수도 있다. 따라서 연내 유엔가입을 추진하기 위해서는 다소 무리가 따르더라도 소련으로부터 명확한 입장표명을 받아낼 필요가 있었다. 그리고 상호 공동보조를 취하고자 하는 중·소의 관계를 미루어보아 소련의 명백한 입장표시를 얻어낼 수 있다면, 그것은 그 자체로 중국의 태도변화에 일정한 영향을 미칠 수 있을 것이다.

소련, 단독가입 지지할 듯

정부는 지자세외교라는 일부 비판을 들으면서 4월20일 마침내 제주도 한·소 정상회담을 성사시켰다. 이 회담은 연내 유엔가입을 추진하고자 하는 정부에 대해 커다란 자신감과 의욕을 불어넣어주었다. 이 회담에서 노태우대통령은 고르바초프 소련대통령에게 남한의 유엔가입

0300

정책에 대한 명확한 입장 표시를 요청하였다. 이때까지 소련은 유엔가입문제와 관련한 정부의 입장에 대해 명확한 입장 표시를 유보하고 있었다. 그것은 소련의 정치적 영향력을 어느 정도 보존하면서 아-태지역에서 집단안보협력체제를 구현하여 이 지역에서의 평화와 안정, 그리고 협력을 증대시키고자 하는 고르바초프의 동북아정책과 관련되어 있다.

이러한 구상에 남한의 유엔단독가입은 도움이 되지 않는다. 남한의 단독가입은 남북관계를 악화시키고 남북한의 대결구조를 온존·강화시킬 수도 있기 때문이다. 고르바초프는 한반도의 분단을 승인하는 전제 위에서 이루어지는 한반도의 평화와 안정을 바라고 있으며, 따라서 유엔동시가입을 지지하고 있는 것이다. 이러한 소련의 입장에서는 북한의 단일의석 공동가입안도 비합리적인 것이다.

그러나 소련의 최소한의 희망은 단독가입이든 동시가입이든 유엔가입문제는 남북한의 합의에 의해 해결되어야 한다는 것이다. 남북한의 상호 합의가 없는 어느 한편의 일방적인 문제해결방식은 한반도의 긴장을 유지·고조시킬 수 있다는 판단에서다. 소련이 유엔가입문제에 대한 남한의 입장에 대해 명백한 입장 표시를 유보한 채 남북한의 대화에 의한 유엔문제 해결을 지속적으로 강조해온 것은 이러한 맥락에서 이해될 수 있다. 소련이 북한과 일본의 관계개선, 북한과 미국과의 관계개선, 남한과 중국과의 관계개선, 남북한의 관계개선 등을 지지하고 있는 것은 이러한 맥락에서다.

그러나 동북아 정세는 고르바초프의 신사고 외교력이 발휘될 수 있는 소지를 좁히고 있었다. 아-태지역에서 쌍무적인 안보관계를 중시하는 미국과 일본은 이 지역에서의 자신의 구도에 소련이 협조자로 들어올 것을 요구하면서 소련의 집단안보협력체제 구상을 거부하고 있으며, 정부는 남북한 문제가 먼저 해결되어야 한다는 점에서 소련의 구상을 거부하고 정부 주도 하의 남북관계 개선에 먼저 협조할 것을 요구하였다. 이번 정상회담에서 노태우대통령은 고르바초프의 새로운 집단안보협력체제 구상에 대해 한반도문제의 해결이 그 선결과제로 된다는 점을 강조하였던 것이다.

게다가 심각한 경제문제로 인해 고르바초프는 남한으로부터 더욱 적극적인 경제협력을 얻어내는 것이 필요하였다. 고르바초프가 남한으로부터 더 적극적인 경협을 얻어내기 위해서는 그에 상당한 댓가를 지불해야만 하는 것이다. 남한의 유엔가입에 대한 외교적 지원의 제공 약속이 그것이다. 김종휘 외교안보보좌관이 한·소 정상회담 직후 「고르바초프의 입장 표명에 만족한다」고 말한 것으로 보아, 결국 소련은 이 회담을 통해 북한이 기존의 입장을 계속 고수하는 한 남한의 단독가입에 대해 지지할 것이라는 명백한 입장표명을 한 것으로 보인다.

그러나 고르바초프는 유엔가입문제에 대한 남북한의 협의 필요성을 지적하는 것을 잊지 않았다. 소련의 태도에 뭔가 미심쩍은 부분도 남아 있는 것이다. 그러나 정부의 유엔단독가입안이 유엔 안보리에 상정될 경우 소련은 정부의 입장을 지지할 것이 거의 분명하다. 그리고 정부는 이번 한·소 정상회담을 통해 정부의 유엔가입정책에 하나의 전기가 마련되었다고 보고, 중국과의 수교를 위해 모든 외교적 노력을 기울이기로 하였다.

중국의 태도는 정부의 유엔가입을 위한 마지막 변수이자 가장 중요한 조건으로 남아 있다.

불투명한 중국의 태도

제주도 한·소 정상회담과 그 과정에서 보여준 소련의 태도는 북한을 포함하여 중국의 태도변화에 일정한 영향을 미칠 것임에 분명하다. 그러나 현재 중국의 태도변화의 가능성은 대단히 불분명하고, 그만큼 추측보도와 자의적 평가가 난무하고 있는 실정이다.

현재 대만의 1국가 2정부 방안을 거부하고 1국가 2제도 방안을 고수하고 있는 중국은 자신의 통일방안과 북한의 통일방안이 서로 상이함을 인정하면서도 1민족 1국가 2정부 2제도라는 북한의 연방제 방안을 지지하고 있다. 즉, 중국은 대만문제가 남아 있어 2개의 한국 승인을 명백히 거부하고 있는 것이다.

게다가 중국은 천안문사태 이후 사회주의 노선을 계속 고수하고자 노력해오고 있다. 단기적으로 중국이 소련이나 동유럽권과 같이 자신의 정책을 쉽게 변경시키지는 않을 전망인 것이다. 이러한 몇 가지 요인에 의해 중국은 북한과의 전통적인 맹방관계를 유지하면서 아직까지 북한에 대한 확고한 지지를 표명하고 있다.

이에 따라 중국은 남한을 국가적 실체로서는 일체 인정하지 않고 경제 관계의 증진을 모색하는 철저한 정경분리원칙에서 남한에 대해 대단히 신중한 입장을 취하고 있다. 그러나 아울러 중국의 이러한 원칙적인 태도에 변화를 가져올 수 있는 몇 가지 요인도 존재한다. 중국은 현재 사회주의노선을 고수하면서도 10개년 계획과 제8차 5개년 계획의 원활한 수행을 위해 개혁·개방정책을 계속 실행해나가고자 하고 있다.

이것은 미·일 등 서방과의 협력을 필요로 하는 것이다. 따라서 미·일 등 대다수의 나라가 유엔가입문제에 대해 남한의 입장을 지지할 경우 중국은 대단히 난처한 입장에 처할 수 있다. 이 경우에도 중국이 기존의 원칙적 입장을 계속 견지하리라고 예측하기에는 중국의 사정이 그리 견고하지 못하다.

게다가 중국과 소련이 상호관계를 개선하고 한반도문제에 대해 상호 공동보조를 취하고자 하는 조건에서 남한과 먼저 수교한 소련이 중국에 대해 남한과의 관계개선을 계속 권유하고, 또 소련이 중국에 앞서 남한의 입장에 이해를 표시하는 것도 중국을 난처하게 만들고 있다. 정부가 제주도 한·소 정상회담이 중국의 태도변화에 긍정적인 영향을 미칠 것이라고 평가하고 있는 것은 이러한 맥락에서다.

현재 중국은 유엔가입문제와 관련하여 남한의 단독가입에도 반대하고 있고 동시에 북한의 단일의석 공동가입안도 비합리적인 것으로 보고 있다. 그리고 중국은 소련과 같이 대화에 의한 문제해결 방식을 강조하고 있다. 이러한 중국의 태도에 대해 제주도 한·소 정상회담이 긍정적인 영향을 미칠 것으로 평가되고 있는 가운데 중국의 이붕 총리가 5월3일 북한을 공식방문하였다. 김일성 주석과의 회담에서 이붕 총리는 국제정세가 어떻게 변하든 북한과 만족스런 관계를 유지하겠다고 밝혔다. 강택민 총서기도 지난 3월 말 북한과 우호협조관계를 계속

0301

발전시켜나갈 것을 밝힌 바 있다.

그리고 5월2일 주량 중국공산당 대외연락부장은 『우리는 단독가입에 찬성할 수 없다』고 밝히면서 대화를 통한 문제해결을 강조하였다. 중국의 고위 당관리가 처음으로 직접적이고 공개적으로 남한의 단독가입 반대의사를 표시한 것이다. 중국의 이러한 원칙적 태도가 연말까지 지속된다면 정부의 연내 단독가입은 대단히 어렵게 된다. 특히 북한이 정책을 조정하고 남한과 협의하는 데 필요한 시간을 요청할 경우, 북한과 우호협조관계를 발전시키고자 하는 중국은 기존의 태도를 갑자기 변경할 수만은 없을 것이다. 상호공동보조를 취하기로 한 소련과 중국이 각각 남한과 북한과 접촉을 가진 뒤 각각 남한과 북한 쪽으로 기울어지고 있는 듯한 분위기다.

여기서 5월15일부터 있었던 강택민 총서기의 소련방문은 소련이 남한과, 중국이 북한과 각각 의견 교환을 가진 다음에 이루어진다는 점에서 많은 사람들의 관심을 모았다. 동북아의 안정과 균형유지에 큰 관심을 두고 있는 소련은 한반도현실을 인정하여 빨리 안정시키려는 생각에서 중국에 대해 한반도 분단현실을 인정하도록 요청할 가능성도 있다. 중국도 한반도의 안정을 희망할 것이다.

그러나 현재, 중국에 대한 소련의 영향력도 제한적이고, 북한에 대한 중국과 소련의 영향력도 제한적이다. 이러한 국면에서 중국과 소련은 그것이 동시가입이든 단독가입이든 당사자 간의 대화와 협의에 의한 문제해결방식을 원칙적 수준에서 다시 한번 강조하는 선에서 의견을 교환할 가능성이 크다.

중국 설득 위한 정부의 노력

따라서 중국의 태도 변화를 유도해 내기 위해서는 정부가 더 적극적으로 대응할 필요가 있다. 정부는 지금까지 先 유엔가입, 後 중국과의 수교라는 방침에 따라 중국에 접근하였다. ESCAP 총회에서도 그러하였으며, 평양에서 있은 제85차 IPU총회에서도 그러하였다. 즉, 정부는 정경분리의 원칙에서 남한을 국가적 실체로 승인하지 않고 있는 중국의 대표들에게 아무런 정지작업도 없이 남한의 유엔가입정책에 대해 지지해 줄 것을 요청하였다.

물론 중국이 남한과 국가적 차원에서의 정치적 접촉을 회피하고자 하는 조건에서 그러한 방식은 중국에 대한 정치적 차원의 접촉과 대화를 촉진하는 데 일정한 도움을 주었다. 그리고 중국의 태도변화 여부를 확인하는 데도 도움을 주었다. 어떻게 보면 유엔카드로 중국과의 수교교섭을 벌인다는 의미를 지녔다. 그러나 그러한 접근방식은 세련되지 못한 외교방식으로서 북한과 우호협조관계를 유지하고자 하는 중국의 태도변화를 유도하기에는 한계가 있었다. 중국과의 관계개선은 소련과의 수교방식과 같을 수 없으며, 소련보다 신중히 추진되어야 하는 것이다.

중국은 아직도 남한을 「남조선」이라 호칭하고 북한을 「조선민주주의인민공화국」이라고 호칭하고 있다. 중국은 북한만을 한반도의 유일한 합법정부로 승인하고 있는 것이다. 중국에서 코리아 하면 북한을 지칭하는 것이다. 지난 2월초 북경에 개설된 남한의 무역대표부는 현재까지 중국의 정부관리와 전혀 접촉

정부는 4월초 서울에서 개최된 아시아·태평양경제사회이사회 제47차 총회를 유엔가입을 위한 사전정지작업의 일환으로 활용하고자 했다. 사진은 총회 폐막 기자회견중인 이상옥 외무장관.

을 갖지 못하고 있다. 지난 4월 서울에서 열린 ESCAP 총회에 참석한 중국대표단도 한국을 공식적으로 인정하는 어떠한 언행도 하지 않았다. 심지어 지난 4월8일부터 열린 북경국제무역박람회에서 남한은 국기조차 게양할 수 없을 정도였다. 정부가 눈여겨 보지 않을 수 없는 대목이었다.

정부는 이러한 현실을 염두에 두면서 중국과의 수교에 총력을 기울임으로써 유엔가입도 성사시킨다는 동시추진방침으로 외교일정을 조정하였다. 이러한 방침에 따라 정부는 제주도 정상회담 이후 중국과의 공식수교 이전단계로서 교류협력을 강화하기로 하고 무역협정·관세협정·2중과세방지협정·항공협정 등 4개 경제관련 협정을 올해 안으로 체결하고자 구체적인 협상을 모색하고 있다.

여기서 주목되는 것은 경제관련 협정의 효력은 정부 간 협정과 다름없도록 한다는 정부의 방침이다. 정부의 이러한 방침이 중국에 의해 수용된다면 그것은 중국이 남한을 사실상의 국가로 인정하는 것이 된다. 중국이 남한을 사실상의 국가로 인정한다면 그것은 공식수교와 남한의 유엔가입을 실현하는 데 있어 중요한 교두보가 될 것이다.

유엔가입문제와는 달리 경제협력문제는 중국에 더 현실적인 요인이 될 수 있기 때문에 정부의 이러한 방침은 중국의 태도변화를 유도하는 데 있어 효과적일 수 있다. 중국이 경제협력에 관심이 있다면 중국은 이제 더 직접적이고 현실적인 고민을 해야 되기 때문이다. 정부의 연내 유엔가입의 관건이 중국의 태도라면, 그것은 곧 중국이 정경분리의 원칙을 고수하는가 또는 포기하는가의 여부문제이며, 이것은 다시 한·중수교의 관건이 될 것이다.

0302

단독가입에 협조적인 美·日

그러나 정부가 중국과의 수교에 총력을 기울이기로 했다고 해서 유엔가입문제를 한·중수교 뒤로 미루어두고 있는 것은 아니다. 특히 미국과 일본, EC회원국 등 대다수의 유엔 회원국이 한국의 입장을 적극 지원하면서 중국의 태도변화를 요구할 경우, 중국이 거부권행사를 유보할 가능성도 있다. 이것은 정부의 외교적 역량만으로 될 수 있는 것은 아니다. 중국뿐만 아니라 대부분의 유엔회원국들에 가장 유력한 영향력을 행사할 수 있는 나라는 미국이다. 유엔은 거의 미국의 주도 하에 놓여 있기 때문이다. 미국의 외교적 지원은 남한의 유엔가입을 위한 필수조건이다. 4월 말 미국을 방문한 이상옥 외무장관은 부시대통령으로부터 정부의 유엔가입에 대한 지지를 다시 한번 확인하였다.

그리고 이상옥 외무장관은 5월 말로 끝나는 중국에 대한 미국의 교역상 최혜국대우의 연장 여부를 놓고 미·중 관계가 악화될 경우 한국의 유엔가입에 새로운 악재가 될 가능성이 있다고 지적하면서 미국의 더 적극적인 협조를 기대하였다. 물론 현재로서는 중국에 대한 미국의 영향력이란 제한적인 것이지만, 미국이 더 적극적인 외교적 노력을 기울여 대다수 유엔회원국들을 한국의 입장 쪽으로 결속해 나간다면, 중국으로서는 대단히 곤란한 상황에 처할 것이다. 현재 미국은 고위급 간의 접촉에서 중국에 대해 남한과 접촉하도록 계속 영향력을 행사하고 있는 것으로 알려지고 있다. 그리고 미국이 한반도 비핵지대화에 반대하는 한편 북한의 핵안전협정 가입을 요구하면서 북한의 대미접촉 시도를 회피하고 있는 것도 북한으로서는 압력이 아닐 수 없다.

물론 정부는 유엔회원국을 상대로 한 활발한 외교적 노력을 기울이고 있다. ESCAP 총회와 IPU 총회 등 각종 국제회의를 비롯하여 다양한 초청·방문외교를 활발하게 전개하고 있는 것이 그것이다. 정부는 중국과 직접, 또는 안보리 이사국 등 우방을 통해 간접 접촉을 갖고 설득을 계속하고 있다. 특히 4월 말에 있은 한·일 정기 외무장관회담에서 나카야마 일본 외무장관은 북한의 단일의석 공동가입은 비현실적이라고 전제한 뒤, 북한이 앞으로도 종전의 입장을 고수한다면 한국의 단독가입을 지지하겠다고 밝혔다. 그동안 일본의 공식입장은 동시가입이었다. 그리고 이미 중국이 북한에 대해 동시가입을 수락하도록 촉구할 것을 중국측에 요청한 바 있는 일본 외무장관은 앞으로 동시가입을 북한에 대해 직·간접적으로 강력하게 촉구하겠다고 밝혔다. 일본도 남한의 연내 유엔가입에 외교적 지원을 하기로 약속한 것이다.

일본의 이러한 태도 역시 제한적이나마 중국과 북한에 대해 태도변화를 촉구하는 하나의 압력이 될 것이다. 물론 정부는 유엔가입과 중국과의 수교를 염두에 두면서 북한과 일본의 관계개선 속도를 남북관계와 한·중관계의 개선 속도에 연계하고자 하고 있다. 이에 비해 북한은 남북관계나 한·중관계와 무관하게 일본과의 관계를 개선하고자 하고 있다. 그러나 아시아에서의 정치적 영향력을 증대시키고자 하는 일본은 미국이나 남한의 입장을 어느 정도 고려하면서도 결국은 남북관계나 한·중관계의 개선속도에 관계없이 북한과의 관계를 진전해나갈 것으로 보인다. 유엔가입문제가 북한과 일본과의 수교협상에 영향을 미치지는 않을 것이다.

유엔가입 위한 몇 가지 조건

현재 국제적 여건은 아직 중국의 태도에 불분명한 점이 남아 있긴 하지만 정부의 연내 유엔가입의 실현 가능성을 증대시켜주는 방향으로 전개되고 있다. 동시가입이 국제적 명분을 얻은 상태에서 다시 정부의 단독가입이 설득력을 얻어가고 있는 것이다. 국제환경은 북한에는 극히 불리한 상황으로, 남한에는 매우 유리한 상황으로 치닫고 있는 것이다. 정부가 여러 경로를 통해 끊임없이 자신감을 피력하고 있는 것을 보면 정부의 유엔가입이 거의 현실화된 단계에까지 이르렀을지도 모른다.

그러나 정부가 국제적 여건을 조성하고 힘으로 밀어붙인다고 모든 것이 해결될 수 있는 것은 아니다. 동시가입이든 단독가입이든 정부는 그것을 실현하기 위해서라도 먼저 해결해야 할 많은 문제들을 안고 있다. 정부가 북한과의 경쟁과 협상에서 힘의 우위를 차지하여 정부의 구상을 힘으로 밀어붙인다고 하여, 그것이 곧 남북관계를 실질적으로 정상화 또는 개선시켜줄 수 있는 것도 아니며, 남북한의 상호 신뢰구축과 한반도의 평화와 통일에 실질적으로 이바지할 수 있는 것도 아니다.

이것은 남북한의 상호 합의에 의해서만 해결될 수 있는 것이다. 여기서 단독가입이든 동시가입이든 현재 정부가 추진하고 있는 유엔가입방식이 이미한 문제점을 내포하고 있으며, 따라서 정부의 유엔가입이 실현 가능하기 위해서는 어떠한 조건들이 필요한지 살펴보자.

먼저 유엔단독가입의 경우 현행 헌법 제3조 영토조항이 문제가 된다. 현행 헌법 제3조는 대한민국의 영토를 한반도와 그 부속도서로 규정하고 있다. 이 영토조항에 따르면 조선민주주의인민공화국은 반국가단체이며 북한지역은 반국가단체가 불법적으로 점령하고 있는 지역으로 된다. 이것은 현행국가보안법에 의해 지지되고 있다.

따라서 현행 헌법과 국가보안법은 대한민국 정부에 북한의 반국가단체를 해체하고 불법적으로 점령당한 북한지역을 회복시켜 북한주민을 반국가단체의 불법적인 점령상태로부터 해방시킬 법적 의무를 근거지워준다. 대한민국이 한반도의 유일합법정부라는 것이다. 그러나 이것은 48년 제3차 유엔총회가 채택한 결의문, 즉 대한민국은 「유엔감시 하에 총선이 개최된 지역」에서 유일합법정부임을 승인한 것과는 상치되는 것이다. 대한민국의 국내법상 북한이 반국가단체로 규정된다 하더라도 국제법상 북한은 반국가단체가 아니다.

그런데 지금까지 정부는 남북한의 신뢰구축과 한반도 평화를 저해하는 기본요인이 법적·제도적 수준에서 남북한이 국가적 실체로 상호 승인하지 않고 있다는 데 있다는 입장을 피력해왔다. 그리고 정부가 유엔가입을 실현하고자 하는 것은 이와 같은 남북한의 비정상적인 관계를 정상화해 한반도의 평화와 통일을 앞당기기 위한 것이라는 입장을 피력해왔다.

0303

그럼에도 불구하고 정부가 북한의 실

체를 법적·제도적으로 부정하는 헌법 제3조 영토조항과 국가보안법을 폐지하지 않은 채 단독가입을 강행한다면, 그것은 남북한의 비정상적인 관계를 더욱 심화시키면서 남북한의 대결과 한반도 긴장을 더욱 심화시키게 될 것이다. 이것은 세계평화를 추구하는 유엔의 기본정신에도 위배되는 것이다.

상호 국가 승인 위한 법적 조치 필요

따라서 단독가입을 위한 최소한의 법적 조치로서 현행 헌법 제3조 영토조항을 대한민국의 실질적 통치권이 미치는 지역으로 한정하는 헌법개정이 필요하며, 아울러 국가보안법의 폐지가 필요하다. 이러한 조치가 전제되지 않는 단독가입은 우선은 안보에 도움이 될지 모르나, 남북한의 상호 불신과 대결을 강화시켜 결국은 정권의 안정과 안보에 더 큰 위협이 될 뿐 아니라 민족통일에도 도움이 되지 않을 것이다.

남한과 마찬가지로 북한도 한반도에 현실적으로 존재하는 하나의 실체이며 국제사회에서도 하나의 실체로 인정받고 있다. 북한을 현실적으로 지배하고 있는 정부는 조선민주주의인민공화국이다. 이 현실을 무시하고는 진지한 평화통일 노력을 시작할 수 없다. 북한의 유엔가입을 유도하기 위해 정부가 유엔에 먼저 가입하는 경우에도 이와 동일하며, 이 경우에는 동시가입에서의 문제점까지 지닌다.

유엔동시가입을 추진하는 경우에도 문제는 여전히 남는다. 이것은 남북한의 관계가 비정상적인 상태에 놓여 있는 것과 관련된다. 현재 남북한은 53년 휴전협정의 체결로 전쟁은 중지되었지만 국제법상 전쟁상태에 있다. 게다가 현재의 전쟁상태를 유지시키고 있는 휴전협정의 일방 당사자는 국제연합이며, 따라서 국제연합도 한반도의 전쟁상태에 책임이 있다. 이렇듯 한반도의 전쟁상태에 책임이 있는 유엔이 한반도의 전쟁상태를 평화상태로 회복시키지도 못한 조건에서 남북한이 유엔에 동시가입한다면 그것은 국제법상으로 커다란 모순이 아닐 수 없으며, 세계평화를 추구하는 유엔의 기본정신에도 어긋나는 것이다.

평화상태에 있던 동서독도 72년 상호불가침을 약속한 상태에서 73년 유엔에 동시가입하였다. 따라서 남북 간에 평화상태를 회복하면서 유엔에 동시가입할 수 있기 위해서는 유엔가입 이전에 남북한이 상호불가침을 약속할 필요가 있다. 남북한이 상호 전쟁상태에 있으면서 상호 신뢰구축을 논의한다는 것은 모순이다. 전쟁상태→평화상태→상호 신뢰회복, 이것이 올바른 순서다.

상호불가침을 체결함에 있어서는 북한과 미국 사이에 평화협정도 아울러 체결되어야 할 것이다. 현재의 휴전협정의 일방 당사자는 국제연합으로 되어 있지만 실질적으로 그것은 미국이다. 미국과 북한은 전쟁상태에 있는 것이다. 게다가 현재 한국군의 작전지휘권은 미국에 의해 장악되고 있다. 이런 조건에서 북한과 미국 사이의 평화협정 체결 없이는 남북한 사이의 불가침조약 체결은 실효성을 거둘 수 없는 것이다. 이렇듯 유엔동시가입을 위해서는 상호 불가침조약의 체결을 전제로 하며, 불가침조약을 체결하기 위해서는 미국이 평화협정을 수용할 수 있는 대결단이 요구된다.

서독은 72년 동독과 불가침조약을 체결하기 전에 소련과 불가침조약을 체결하였다. 따라서 유엔동시가입을 실현하기 위해 중요한 조건의 하나는 미국이 평화협정을, 남한이 불가침조약의 체결을 수용할 수 있는 결단이다. 정부가 유엔동시가입을 추진하면서도 불가침조약이나 평화협정을 체결할 어떠한 움직임도 보여주지 않고 있는 것은 유엔동시가입을 추진할 준비가 되어 있지 않거나, 동시가입 이후에도 군사적 대결과 긴장을 온존·강화시킬 의도를 갖고 있는 것으로 비판받을 소지가 있다.

유엔가입 전에 통일안 합의 중요

그리고 현재 남북한의 관계는 분단국이라는 특수상황에 의해 국가와 국가 간의 관계가 아니다. 이것은 남북한의 국내법적으로도 그러하고 국제법적으로도 그러하다. 또 남북한은 모두 한반도 전체를 자신의 영토로 간주하고 있다. 여기서 정부가 추구하는 방식의 유엔동시가입은 남북 간의 상호 국가 승인의 문제 및 영토 확정의 문제와 밀접히 결합되어 있다. 동서독은 72년 상호합의에 의해 상호 국가로 승인하면서 국경선을 확정지은 다음 73년 유엔에 동시가입하였다.

따라서 정부가 추구하는 방식의 동시가입이 실현될 수 있기 위한 필수적 전제의 하나로서 현행 헌법 제3조 영토조항을 대한민국의 실질적 통치권이 미치는 지역으로 한정하는 헌법개정이 필요하며 아울러 북한을 반국가단체로 규정하고 있는 국가보안법을 폐지하는 것이 필요하다. 북한 역시 이와 동일한 조치를 취해야 할 것이다. 남북한이 각각 한반도 전체에 대한 유일합법정부와 유일영토권을 주장하는 상태에서 남북한이 유엔에 동시가입한다는 것은 국제법상으로도 모순이 아닐 수 없으며 국제사회에서 커다란 혼란을 조성하게 될 것이다.

물론 정부가 추구하는 유엔동시가입은 남북한의 상호 국가 승인의 문제를 전제로 하거나 그것을 요구하는 것이다. 그러나 이 문제는 남북한 사이의 통일방안과 밀접히 결합되어 있는 문제다. 현재 남한은 남북한이 하나의 독립된 주권국가로서 상호 승인하는 것을 한반도문제의 해결을 위한 모든 논의의 출발점으로 삼고 있다. 이에 비해 북한은 분단이라는 상황이 한반도의 평화와 안정을 저해하는 것으로 보고 「하나의 조선원칙」에 기초한 연방제방식에 의한 문제해결을 강조하고 있다. 즉 북한은 여전히 국가적 실체로서의 상호 승인을 거부하고 있는 것이다.

이러한 남북한의 입장차이가 유엔가입방식에서도 각각 동시가입과 단일의석가입이라는 입장차이를 노정시키고 있다. 남북연합이든 연방제든, 동시가입이든 단일의석공동가입이든 남북한이 상호 합의만 한다면 모두 실현 가능성이 있는 것들이다.

한편 남북한의 상호 국가적 실체 인정이나 유엔동시가입이 분단을 합법화·고착화하는 것이란 주장도 있다. 이 주장은 상호국가승인이나 유엔동시가입이 분단을 만드는 것이 아니라 분단현실을 인정하는 것에 불과하다는 사실을 간과하고 있다. 그렇지만 상호국가승인과 유엔동시가입이 남북한이 기존의 체제에 안주하거나 흡수통일 지향의 제로섬적인

0304

체제경쟁을 가속화하는 데 필요한 토대로 작용할 가능성이 없지는 않다.

따라서 평화통일과 관련하여 상호국가승인이나 유엔동시가입이 설득력과 현실성을 갖기 위해서는 제로섬 게임방식이 아니라 남한의 체제도 살고 북한 체제도 사는 민족통일을 평화적으로 성취할 수 있는 구체적인 방도가 상호국가승인과 동시가입 이전에 준비돼야 할 필요성이 제기된다. 이것은 단독가입이나 시차적 동시가입의 경우에도 반드시 필요한 조건이다. 또 이것은 결국 유엔가입 이전에 남북한이 평화통일의 구체적인 방안을 확정짓고 그 속에 유엔가입문제를 위치지을 것을 요구하는 것이라 하겠다.

북한,연방제案 수정 조짐

한편 북한은 변화되는 정세 속에서 단일의석공동가입안이 현실적 힘을 획득지 못하고 있음을 인식하고 있음이 분명하다. 북한 역시 유엔가입문제와 관련하여 다양한 초청·방문외교를 활발하게 펼치고 있으며,특히 중국의 지지를 묶어두기 위해 노력하고 있다. 그러나 북한에 불리하게 돌아가는 국제환경은 북한으로 하여금 양보를 하지 않을 수 없도록 요구하고 있다. 주변국들이 북한의 태도 변화를 요구하고 있는 것이다.

이러한 현실을 무시할 수 없는 북한은 자신의 방안을 절대적인 방안으로 생각지 않고 있음을 수차 밝힌 바 있다. 특히 지난 5월4일 북한은 강석주 외교부 제1부부장을 통해 다른 타협안이 있다면서 남북 간에 대화할 용의가 있음을 밝혔다.

북한이 수정하고자 하는 유엔가입안과 관련하여 북한은 현재 남북정부가 통일 과정에서 외교권과 국방권을 각기 보유할 수 있도록 하는 수정된 연방제안을 준비중인 것으로 알려지고 있다. 북한의 유엔가입방안은 북한의 통일방안과 밀접히 결합되어 있는 것이기 때문에 유엔가입방안의 수정은 통일방안의 수정과 연계될 수밖에 없는 것이다.

아직 북한이 수정된 유엔가입방식의 구체적인 형태와 내용을 밝히지는 않고 있지만 북한의 입지가 축소되고 있음을 염두에 둔다면 동시가입 쪽으로 기울어질 가능성이 매우 높다. 그러나 그 구체적인 형태와 내용에 있어서는 남한의 동시가입안과 일정정도 차이점이 있을 것이다. 북한은 자신의 구체적 방안을 적어도 남한의 유엔가입안이 유엔안보리에서 가입심사를 받기 전에 제시해야 할 것이다. 이렇듯 북한은 내부적으로 정책조정을 시사하면서,유엔가입문제와 관련하여 현재 남북한의 합의를 위해 협의를 계속할 것을 요구하고 있다.

여기서 정부가 여전히 힘에 의한 문제해결방식에 기초하여 일방적으로 유엔가입을 강행하고자 할 경우 단독가입이든 동시가입이든 그것은 긍정적인 정치적 효과를 발휘하기보다는 오히려 부정적 효과를 발휘할 수도 있다. 북한의 태도 변화가 예상되는 시점에서 북한과의 협의를 배제한 채 정부가 유엔가입을 일방적으로 강행한다는 것은 실익이 없다. 현재 여건 일각에서 북한의 태도변화의 가능성을 염두에 둘 것을 강조하면서 정부의 일방적인 유엔가입 추진의 속도와 방식에 문제를 제기하고 있는 것은 이러한 맥락에서 이해될 수 있다.

0305

힘에 의한 문제해결은 부작용 낳아

현재 정부는 힘에 의한 문제해결방식을 채택하고 있지만,그것이 협상에서의 유리한 고지집령을 위한 것이라면 남북한의 협의와 합의는 정부의 유엔가입을 위한 필수적 코스다. 정부의 최대 관심은 남북정상회담을 통해 유엔가입문제를 매듭짓는 일일 것이다. 북한이 실무접촉없이 곧바로 남북정상회담을 수용할 경우를 가정해볼 수 있으나,이는 실현 가능성이 적다. 고위급회담이나 다른 별도의 회담을 통해 남북대화가 진행될 것이며,그러한 성과 위에서 남북정상회담은 가능할 것이다.

정부는 현재 고위급회담의 재개를 형식적으로 요구하고 있는 정도이며,북한은 고위급회담의 재개를 무기한 연기하지는 않을 것으로 보인다. 남북한의 협의는 동시가입의 구체적인 형태와 내용,가입 시기와 절차 등을 두고 대화가 진행될 가능성이 크다. 그러나 앞에서도 보았듯이 동시가입을 위해서는 북한과 미국 사이의 평화협정 체결 문제,남북한의 상호불가침 문제,남북한의 국내법 개폐문제,그리고 7천만 민족의 총의를 모아 남북한 체제가 모두 사는 방식의 민족통일을 평화적으로 성취할 수 있는 구체적인 방안을 확정짓는 문제 등이 아울러 해결되어야 하는 것이다.

이러한 문제들은 유엔가입문제에 있어 정부에 약한 면이겠지만,이러한 문제들이 함께 해결될 때 동시가입의 형태와 내용이야 어떠하든 그것은 민족의 평화적 통일에 기여하게 될 것이다. 정부가 남북대화를 그 최고 형태인 남북정상회담으로 가져가고자 한다면,북한의 태도 변화를 힘으로 밀어붙이는 것만으로는 부족하며,자신의 태도도 변화시키고 양보할 필요도 있다. 이 경우 중앙정부를 구성해가는 과정에서 시한부 동시가입도 생각해볼 수 있고,중앙정부의 구성에 합의하면서 개별 동시가입도 생각해볼 수 있다.

중앙정부의 경우 외교권과 국방권·내정권 등 주권은 남북한 정부에 각각 보유시키면서 정치·군사적 대결과 긴장을 해소하고 남북한의 화해와 단합을 이룩하는 문제에 그 권한을 한정할 수도 있을 것이다. 어느 일방이 주권의 일부를 타국에 양도하는 것을 방지하는 것도 중요한 문제로 될 것이다. 또 유엔에서 민족 공동의 이익 또는 상대방의 이익과 관련된 문제에 대해 상호 공동보조를 취하는 남북협의회나 남북위원회 구성을 생각해볼 수도 있다. 이것은 실효성을 보장받기 위해서라도 구체적인 규정이 동시가입 이전에 남북한 사이에 합의될 필요가 있다.

동시가입과 관련된 많은 문제들은 오직 남북한의 합의에 의해서만 해결될 수 있으며,오직 이 경우에만 유엔가입문제는 남북정상회담을 가능하게 할 것이다. 게다가 동시가입의 구체적인 형태와 내용이야 어떠하든 남북한의 성실한 합의에 의한 문제해결만이 한반도의 평화와 통일에 기여할 수 있으며,힘에 의한 문제해결은 그에 역행할 수 있음이 강조될 필요가 있다.

가입이 바로 이날 이뤄질 수 있게 됐다. 더구나 한국만의 단독가입이 아니라 휴전선 양쪽의 사실상 두개 정부가 국제적으로 공인받는다는 점에서 이날은 역사성을 갖게 된다.

東西의 이념적 대결이 첨예해 어디서든 국지적 분쟁이라도 일어날 듯하던 70년대를 지나 이른바 신데탕트로 일컬어지는 훈풍이 전세계에 감돌고 있음에도 유일하게 냉전의 殘雪이 가시지 않던 한반도에서 눈이 녹기 시작한 것이다.

北韓이 외압에 의해 불가피하게 유엔가입신청을 결정함으로써 조성된 상황이기는 하지만 최근과 같은 변화는 지난85년 한국정부가 北方정책을 입안, 추진할때부터 잉태됐던 것이다.

그러나 아직도 지난달 28일 북한을 방문, 金日成주석과 金永南외교부장을 만난뒤 한국을 방문한 데 마르코 유엔총회의장이 밝혔듯 북한의 변화가 앞으로도 계속 이어질 것이란 확신이 서지 않는 것이 사실이다.

특히 6·25 南侵으로 인해 北韓은 美國이 주축이돼 16개 참전국으로 구성된 「유엔軍」과 전쟁을 벌였고 현재까지 유엔軍과의 敵對관계를 전제로한 휴전협정 당사자가 돼있는 실정이다. 따라서 北韓에 있어서 유엔은 南측과 한통속인 敵의 범주에 속하며 반대로 유엔은 안보리결의에 따라 아직도 北韓을 「침략자」로 규정하고 있다고 볼수 있다.

이번 북한이 유엔에 가입하게 되면 우선 이같은 상황과 북측 인식에는 변화가 불가피할 것으로 보이며 북한은 적잖은 국제적 부수이득을 보게되는 셈이다.

한반도와 「세계의 경찰」 유엔은 한국전쟁이전부터 뗄 수 없는 인연을 맺어왔다.

한반도 "냉전의 殘雪" 녹고있는

한국탄생의 産婆…6·25참전으로 "파병"효시

23년간 戰後재건 지원…"南北설전장" 부각도

「옥동자」를 낳는데 「산파역」을 해냈던 셈이다. 48년 12월12일 파리에서 열린 제3차 유엔총회는 한국을 한반도내 유일한 합법정부로 승인했으며 통일실현이라는 과제를 해결토록 「유엔한국위원단」(UNCOK)의 설치를 의결했다.

한국은 이 회의에 張勉박사를 수석대표로 하는 정부대표단을 파견, 정부수립후 처음으로 유엔의 문을 두드렸다.

49년 제4차유엔총회 정치위원회에서 우리측 趙炳玉수석대표는 △유엔한국위원단의 존속및 활동강화△유엔의 對한국 원조와 협조△한국의 유엔가입승인등을 요청, 유엔가입을 제외한 나머지 제안에 대해선 「유엔결의」라는 성과를 얻어내기도 했다.

50년 6월 北이 남침하자 유엔은 긴급安保理를 열고 「적대행위의 즉각중지와 38선以北으로의 북한군 즉시철수」를 요구하는 내용의 결의안을 의결했는데 당시 張勉駐美대사가 安保理에 참석, 결의안 채택을 강력 요구한 것이 주효했다.

北韓의 침략이 계속되자 트루먼 美대통령은 6월말 맥아더원수를 통합사령관으로 임명, 16개국으로 구성된 유엔연합군을 파병케 했다.

유엔회원국이 安保理결의에 따라 「침략자 격퇴」를 위한 파병을 결정한 것은 이때가 첫번째 케이스였으며 그후 올해초 걸프戰 발발시 유

업저버로 임명케 된다. 그만큼 유엔을 중시했다는 반증이다.

53년 7월27일 휴전협정이 조인됨으로써 3년1개월여

한국문제토의도 복잡한 양상을 띠게 되었다.

아프리카외교는 당시까지만 해도 한국외교의 불모지대나 다름없었기 때문이다.

대전환을 시도한 것으로 北韓의 국제기구 참여는 물론 통일때까지의 잠정장치로서 南北韓의 유엔동시가입을 반대치 않는다고 천명했다.

동 평화공세를 강화하는 가운데 75년 30차 유엔총회에서 상반되는 내용의 南北양측을 지지하는 두개의 결의안이 동시에 통과되는 이변

◇北韓의 남침직후인 50년6월27일 소집된 유엔安保理가 「북한의 무력공격을 격퇴한다」는 내용의 美國결의안을 찬성7, 반대1(유고), 기권2(인도-이집트)로 통과시키는 순간。 거부권을 갖는 蘇聯이 유엔을 보이콧하고 있던 중이어서 이결의안채택에 의한 유엔軍파병이 가능했다。

이 발생하게 된다. 남측이 제출한 △남북대화계속촉구△모든 직접당사자가 휴전협정 대안및 항구적 평화보장을 마련하기 위한 협상개시라는 골자의 결의안이 총1백42개 회원국중 찬반 59대51 기권29로 통과됐다.

그러나 총회는 또 유엔군사령부의 무조건해체, 주한외군철수, 휴전협정의 평화협정으로의 대체, 남북한의 동등한 군비축소를 내용으로 하는 북한측 결의안도 찬반 54대43 기권42로 통과시켰다.

내용이 상반되는 두 결의안을 모두 통과시킴으로써 문제해결능력의 한계를 드러냈던 것이다.

따라서 한국정부는 한반도문제가 유엔에서 소모적으로 토의되고 있는데 대한 반성으로 한반도문제를 유엔에 불상정한다는 정책전환을 시도, 76년부터는 유엔총회에서 한반도문제가 토의되지 않게 됐다.

北韓과의 관계

北韓은 48년 제3차 유엔총회가 한국을 한반도의 유일합법정부로 승인한데 이어 50년 安保理가 北韓·中國을 침략자로 규정한 이래 유엔의 권위를 부인해왔다.

기구 가입 현황

◇南北韓 유엔관련기구 가입현황

(1991년5월 현재)

기구명	한국가입	북한가입
(산하기구)		
아시아태평양경제사회위원회(ESCAP)	1957	—
유엔무역개발회의(UNCTAD)	1965	1973. 7.
(전문기구)		
세계보건기구(WHO)	1949	1973. 5.
유엔식량농업기구(FAO)	1949	1977. 11.
만국우편연합(UPU)	1949	1974. 6.
유엔교육과학문화기구(UNESCO)	1950	1974. 10.
국제전기통신연합(ITU)	1952	1975. 9.
국제민간항공기구(ICAO)	1952	1977. 9.
국제통화기금(IMF)	1955	—
국제부흥개발은행(IBRD)	1955	—
세계기상기구(WMO)	1956	1975. 4.
국제해사기구(IMO)	1961	1986. 4.
국제개발협회(IDA)	1961	—
국제금융공사(IFC)	1964	—
유엔공업개발기구(UNIDO)	1967	1980. 1.
세계지적소유권기구(WIPO)	1979	1974. 8.
국제농업개발기금(IFAD)	1978	1986. 12.
국제노동기구(ILO)	—	—

우리나라는 건국이래 유엔과의 특수한 관계를 바탕으로 유엔산하기관이나 각종 정부간 비정부간 기구에 적극 참여해왔다. 73년까지 우리는 이들 국제기구 가입에 주력하면서 동시에 北韓의 가입을 저지하는 봉쇄전략을 구사해왔다.

그러나 6·23선언이후 정부가 北韓의 국제기구가입을 반대하지 않는다는 입장을 표방한 이래 北韓은 73년 세계보건기구(WHO)를 필두로 상당수의 국제기구에 잇따라 가입했다.

南은 53개 각종기구에 참여…北선 73년이후 22개 가입

91년5월 현재 우리나라는 유엔산하기구 2개, 유엔전문기구 15개, 정부간 기구 36개 등 총 53개의 국제기구에, 北韓은 유엔산하기구 1개, 유엔전문기구 11개, 정부간 기구 10개등 총 22개의 국제기구에 가입한 상태다.(별표)

우리나라는 16개의 유엔전문기구 가운데 국제노동기구(ILO)를 제외한 15개에 이미 가입, 활동중이며 北韓은 국제노동기구 국제통화기금(IMF)등 5개를 제외한 11개에 가입해 있다.

유엔산하기구 중에는 아시아·태평양 경제사회이사회(ESCAP)와 유엔무역개발회의(UNCTAD)등 2개의 기관에 한국이 가입하고 있으며 지난 4월에는 ESCAP서울 총회를 개최한 바 있다. 北韓은 유엔산하기구중 UNCTAD에만 가입돼 있다. 한편 北韓의 핵사찰과 관련 주목을 받고 있는 국제원자력기구(IAEA)는 유엔 전문기구에 준하나 특수한 지위의 독립기구로 간주되고 있다.

분단국 사례

2차대전이후 분단을 경험했던 나라 가운데 현재 유엔회원국인 국가는 독일 예멘 中國 베트남 등 4개국을 들 수 있다.

독일의 경우는 지난72년 동서독간 기본조약을 체결한뒤 73년6월에 각각 유엔에 동시 가입했고 유엔가입 17년만인 작년에 통일이 되면서 하나의 회원국이 됐다. 예멘의 경우도 통일국가를 이루기 전에 각각 유엔에 가입한 상태였으나 이념문제로 일련의 전쟁을 치르는 등 우여곡절을 겪었으며 中國은 71년10월 대만의 유엔대표권을 이어받는 형식으로 유엔회원국이 되었고 대만은 오히려 유엔을 탈퇴, 비회원국으로 남아있다. 베트남의 경우는 75년 사이공함락으로 무력통일된 후 77년 유엔에 가입했다.

이 가운데 독일통일 과정은 특히 주목된다. 동서독은 지난72년 △상호무력사용금지△현존 국경선 인정△군축회담 개최△상호교류등을 주요내용으로 하는 기본조약을 체결한 뒤 상호교류에 치중, TV상호개방과 활발한 인적교류를 꾸준히 추진했다. 특히 TV상호개방은 동서독 국민간의 의식차이를 좁힐수 있는 좋은 계기가 됐다는 것이 사후 평가이기도 하다.

반면에 남예멘과 북예멘은 다 유엔회원국이었음에도 불구하고 이념차이로 인한 국경전쟁이 심각한 지경에 이르기도 했다. 예멘의 경우를 보면 유엔가입 자체가 분단국의 분쟁을 막아주는 보장장치가 될 수 없음을 깨닫게 한다.

0306 北韓은 "침략자" 낙인 찍힌채 유엔權威부정…73년에야 常駐대표부 두고

北韓은 73년9월 유엔본부에 상주대표부를 개설하고 그해에 유엔전문기구인 세계보건기구(WHO)에도 가입, 對유엔외교에 관심을 나타내기 시작한다.

75년 제30차 유엔총회에서 北측 지지결의안과 南측 지지결의안이 동시에 통과되는 기현상을 보인 이후 北韓은 한반도문제 상정을 자제하는 쪽으로 선회했다.

특히 작년 5월 金日成주석은 최고인민회의 제9기 1차회의에서 「통일前이라도 단일의석 아래 남북이 공동가입하는 案」을 새롭게 제시하는 등 전술적 변화를 보였다.

북한은 특히 90년 제45차 유엔총회에서 한반도문제를 언급한 1백18개 국가중 韓國의 유엔가입정책에 77개국이 지지를 한 반면, 단 한나라도 北韓의 단일의석안을 지지하지 않았던데 대해 적지않게 당황했을 것으로 추측된다.

사실 北韓의 단일의석 가입안은 자체모순을 내포하고 있다. 예컨대 현재 北韓은 12개의 유엔기구와 10개의 정부간 국제기구등 모두 22개의 국제기구에 가입하고 있으나, 北韓이 가입한 22개의 기구 대부분에 한국도 가입했다는 것을 감안하면 北측이 제시하고 있는 단일호에 의한 유엔가입안이나 두개조선 「고착화」 등주장은 설득력을 잃고 있다.

北韓의 對유엔정책 변화과정을 대별하면 4단계로 나눌 수 있다.

첫째는 한반도 문제에 대한 유엔의 간섭을 거부하는 단계로 48~53년 기간이며 이 기간중 北韓은 유엔에 의한 남한지역 단독선거를 반대했다.

둘째는 유엔상정 거부시기로 54~70년이 이 단계에 해당하며 이때에는 유엔을 美國과 동일시한 점이 특징이다.

세번째단계는 선별적 도전의안 유엔상정시기로 71년부터 이번에 北韓이 유엔가입 방침을 공표하기 직전까지를 이 단계로 볼 수 있다. 이단계에선 유엔동시가입에는 반대하지만 한반도문제의 쟁점화를 시도하는 이중적 행태를 보이고 있다.

네번째가 바로 지난달 27일 北韓외교부가 유엔가입사를 공식표명한 순간부터라고 볼 수 있다. 특히 관심을 끄는 것은 北韓이 이 단계에선 통일방안을 수정할 수 밖에 없지 않느냐하는 것이며 그 가능성이 적지 않은 것으로 보인다.

金東元 기자

91. 6. 3. <세계> 3면

유엔 同時가입 시대

〈5〉끝

한반도 "냉전의 殘雪" 녹고있는가

유엔과 韓半島

1991년9월17일。 대한민국 정부의 40여년 숙원이 해결되는 날이다。

「과연 이뤄질 수 있을까」라는 의문이 남아있던 유엔가입이 바로 이날 이뤄질 수 있게 됐다。 더구나 한국만의 단독가입이 아니라 휴전선 양쪽의 사실상 두개 정부가 국제적으로 공인받는다는 점에서 이날은 역사성을 갖게 된다。

東西의 이념적 대결이 첨예해 어디서든 국지적 분쟁이라도 일어날 듯하던 70년대를 지나 이른바 신데탕트로 일컬어지는 훈풍이 전세계에 감돌고 있음에도 유일하게 냉전의 殘雪이 가시지 않던 한반도에서 눈이 녹기 시작한 것이다。

北韓이 외압에 의해 불가피하게 유엔가입신청을 결정함으로써 조성된 상황이기는 하지만 최근과 같은 변화는 지난85년 한국정부가 北方정책을 입안、추진할때부터 잉태됐던 것이다。

그러나 아직도 지난달 28일 북한을 방문、金日成주석과 金永南외교부장을 만난뒤 한국을 방문한 데 마르코 유엔총회의장이 밝혔듯 북한의 변화가 앞으로도 계속 이어질 것이란 확신이 서지 않는 것이 사실이다。

특히 6·25南侵으로인해 北韓은 美國이 주축이돼 16개 참전국으로 구성된 「유엔軍」과 전쟁을 벌였고 현재까지 유엔軍과의 敵對관계를 전제로한 휴전협정 당사자가 돼있는 실정이다。 따라서 北韓에 있어서 유엔은 南韓과 한통속인 敵의 범주에 속하며 반대로 유엔은 안보리결의에 따라 아직도 北韓을 「침략자」로 규정하고 있다고 볼 수 있다。

이번 북한이 유엔에 가입하게 되면 우선 이같은 상황과 북측 인식에는 변화가 불가피할 것으로 보이며 북한은 적잖은 국제적 부수이득을 보게되는 셈이다。

한반도와 「세계의 경찰」 유엔은 한국전쟁이전부터 뗄 수 없는 인연을 맺어왔다。

한국탄생의 産婆…6·25참전으로 "파병"효시
23년간 戰後재건 지원…"南北설전장" 부각도

韓國과의 관계

大韓民國정부는 유엔한국임시위원단 감시하에 48년 5월10일 실시된 總選을 거쳐 그해 8월15일 정식수립을 선포했다。 「대한민국」이란 「옥동자」를 낳는데 「산파」역을 해냈던 셈이다。 48년 12월12일 파리에서 열린 제3차 유엔총회는 한국을 한반도내 유일한 합법정부로 승인했으며 통일실현이란 과제를 해결토록 「유엔한국위원단(UNCOK)」의 설치를 의결했다。

한국은 이 회의에 張勉박사를 수석대표로 한 정부대표단을 파견, 정부수립후 처음으로 유엔의 문을 두드렸다。

49년 제4차유엔총회 정치위원회에서 우리측 趙炳玉수석대표는 △유엔한국위원단의 존속및 활동강화 △유엔의 한국경제 원조와 협조 △한국의 유엔가입(승인)등을 요청, 유엔가입을 제외한 나머지 제안에 대해선 「유엔결의」라는 성과를 얻어냈다。

50년 6월 北韓이 남침하자 유엔은 긴급安保理를 열고 北韓으로의 북한군 즉시철수를 요구하는 내용의 결의안을 의결했는데 당시 蘇聯駐유엔대사가 安保理에 불참, 결의안 채택을 강력 요구한 것이 주효했다。

트루먼 美대통령은 6월말 北韓의 침략이 계속되자 맥아더원수를 통합사령관으로 임명, 16개국으로 구성된 유엔군을 파병케 했다。

유엔회원국이 安保理결의에 따라 「침략자 격퇴」를 위한 파병을 결정한 것은 이때가 첫번째 케이스였으며 그후 올해초 걸프戰 발발시 유엔 다국적군의 쿠웨이트 이라크 「응징」이 두번째 사례가 됐다。

유엔총회는 50년 10월 「유엔한국위원단」을 폐지하고 호주 터키 필리핀등 7개국으로 구성된 「유엔한국통일부흥위원단(UNCURK)」을 설치했으며 그해 12월엔 「유엔한국재건단(UNKRA)」을 추가로 설치, 한국의 재건지원에 나섰다。

한국 정부는 51년 11월6일 유엔본부 소재지인 뉴욕에 駐유엔 옵저버 대표부를 처음으로 설치하고 林炳稷외무장관을 초대 駐유엔 상임옵저버로 임명케 됐다。 그만큼 유엔을 중시했음은 물론이다。

53년 7월27일 휴전협정이 조인됨으로써 3년1개월여에 걸친 한국전쟁은 완전한 해결이 아닌 「중지」란 형태로 사실상 끝났다。

휴전이래 한국정부는 유엔의 統韓원칙(평화적 방법으로 통일한국을 세우고 한반도의 평화와 안정을 회복시킨다는 것)의 재확인과 유엔한국재건단활동의 존속을 확보함으로써 「유엔을 통한 평화통일방안」을 성공적으로 추진할 수 있었다。

그러나 「아프리카의 해」라고 불리던 1960년부터 아프리카 신생국이 유엔에 대거 가입함으로써 유엔내 세력판도가 달라지게 되어 한국문제 토론도 복잡한 양상을 띠게 되었다。

아프리카에선 당시까지만해도 한국외교는 불모지대나 다름없었기 때문이다。

아프리카 親北韓국가들이 유엔한국재건단해체등을 주장하는등 對韓외교공세를 펴면서 유엔은 한때 한국문제를 둘러싼 南北대결장이 되기도 했다。

71년 중국이 안보리상임이사국을 포함한 유엔대표권을 자유중국으로부터 넘겨받음에 따라 유엔내부 세력 판도는 한국에 더욱 불리한 국면으로 바뀌게 됐다。

73년 제28차 유엔총회에 앞서 정부가 발표했던 「6·23선언」은 對유엔정책에 일대 전환을 시도한 것으로 「北韓의 국제기구 참여는 물론 통일때까지의 잠정조치로서 南北韓의 유엔동시가입을 반대치 않는다」고 천명했다。

당시는 키신저 美국무장관이 北京비밀방문등으로 동북아지역의 데탕트분위기가 무르익던 시점이어서 유엔에서도 냉전적 표대결을 가능한한 피한다는 양해가 美·中간에 이뤄지게 됐다。

그래서 유엔은 △남북대화를 통한 평화통일의 추구△유엔한국재건단해체를 결의했으며 유엔한국재건단은 73년 11월 23년간의 한국활동에 종지부를 찍었다。

74년엔 北韓이 美國에 대해 평화협정체결을 제의하는 등 평화공세를 강화하는 가운데 75년 30차 유엔총회에선 상반되는 내용의 南北양측을 지지하는 두개의 결의안이 동시에 통과되는 이변이 발생하게 된다。 남측이 제출한 △남북대화계속촉구△모든 직접당사자가 휴전협정대안및 항구적 평화보장을 마련하기 위한 협상개시라는 골자의 결의안이 총1백42개 회원국중 찬반 59대51 기권 29로 통과됐다。

그러나 총회는 또 유엔군사령부의 무조건해체、주한외국군철수、휴전협정의 평화협정으로의 대체、남북한의 동등한 군비축소를 내용으로 하는 북한측 결의안도 찬반 54대43 기권42로 통과시켰다。 내용이 상반되는 두 결의안을 모두 통과시킴으로써 문제해결능력의 한계를 드러냈던 것이다。

따라서 한국정부는 한반도문제가 유엔에서 소모적으로 토의되고 있는데 대한 반성으로 한반도문제를 유엔에 不上程한다는 정책전환을 시도、76년부터는 유엔총회에서 한반도문제가 토의되지 않게 됐다。

◇北韓의 남침직후인 50년6월27일 소집된 유엔安保理가 「북한의 무력공격을 격퇴한다」는 내용의 美國결의안을 찬성7, 반대1(유고), 기권2(인도-이집트)로 통과시키는 순간。 거부권을 갖는 蘇聯이 유엔을 보이콧하고 있던 중이어서 이결의안채택에 의한 유엔軍파병이 가능했다。

北韓과의 관계

략자" 낙인 찍힌채 유엔權威부정…73년에야 常駐대표부 두고 활동시작

北韓은 48년 제3차 유엔총회가 한국을 한반도의 유일합법정부로 승인한데 이어 50년 安保理가 北韓·中國을 침략자로 규정한 이래 유엔의 권위를 부인해왔다。

60년대 이후 북한이 「自主外交」를 강조하면서부터 對유엔자세는 더욱 경직되어갔으며 심지어는 유엔의 권능 자체를 부인하며 비동맹외교에 치중하는 자세로 일관했다。

北韓은 70년대 들어 東西데탕트분위기와 중국의 유엔의석확보 그리고 뒤이은 남한측의 6·23선언 등 상황이 변하자 단일국호에 의한 유엔가입안을 내세우면서 남측의 유엔동시가입안에 반대한다는 입장을 분명히 했다。

北韓은 73년9월 유엔본부에 상주대표부를 개설하고 그해에 유엔자문기구인 세계보건기구(WHO)에도 가입, 對유엔외교에 관심을 나타내기 시작한다。

75년 제30차 유엔총회에서 北측 지지결의안과 南측 지지결의안이 동시에 통과되는 기현상을 보인 이후 北韓도 한반도문제 상정을 자제하는 쪽으로 선회했다。

특히 작년 5월 金日成주석은 최고인민회의 제9기 1차회의에서 「통일前이라도 단일의석 아래 남북이 공동가입하는」 案을 새롭게 제시하는 등 전술적 변화를 보였다。

북한은 특히 90년 제45차 유엔총회에서 한반도문제를 언급한 1백18개 국가중 韓國의 유엔가입정책에 77개국이 지지를 한 반면、단 한나라도 北韓의 단일의석안을 지지하지 않았던데 대해 적지않게 당황했을 것으로 추측된다。

사실 北韓의 단일의석공동가입안은 자체모순을 내포하고 있다。 예컨대 현재 北韓은 12개의 유엔기구와 10개의 정부간 국제기구등 모두 22개의 국제기구에 가입하고 있으나、北韓이 가입한 22개의 기구 대부분에 한국이 먼저 가입했다는 것을 감안하면 北측이 제시하고 있는 단일국호에 의한 유엔가입 방안이나 두개조선 「고착화책동」주장은 설득력을 잃고있다。

北韓의 對유엔정책 변화과정을 대별하면 4단계로 나눌수 있다。

첫째는 한반도 문제에 대한 유엔의 간섭을 거부하는 단계로 48~53년 기간이며 이 기간중 北韓은 유엔감시에 의한 남한지역 단독선거를 반대했다。

둘째는 유엔상정 거부시기로 54~70년이 이 단계에 해당하며 이때에는 유엔을 美國과 동일시한 점이 특징이다。

세번째단계는 선별적 한반도결의안 유엔상정시기로 71년부터 이번에 北韓이 유엔가입 방침을 공포하기 그

기구 가입 현황

우리나라는 건국이래 유엔과의 특수한 관계를 바탕으로 유엔산하기관이나 각종 전문기구 비정부간 기구에 적극 참여해왔다。 73년까지 우리는 이를 국제기구 가입에 주력하면서 동시에 北韓의 가입은 저지하는 봉쇄전략을 구사해왔다。 그러나 6·23선언이후 정부가 北韓의 국제기구가입을

구에 가입한 상태다。(별표) 우리나라는 16개의 유엔전문기구 가운데 국제노동기구(ILO)를 제외한 15개에 이미 가입 활동중이며 北韓은 국제노동기구 국제통화기

의 핵사찰과 관련、주목을 받고 있는 국제원자력기구(IAEA)는 유엔 전문기구에 속하나 특수한 지위의 독립기관으로 간주되고 있다。

17년만인 작년에 통일이 되면서 하나의 회원국이 됐다。 예멘의 경우도 통일국가를 이루기 전에 각각 유엔에 가입한 상태였으나 이념문제로 국경전쟁을 치르는 등 우여

은 지난72년 △상호무력사용금지△현존 국경선 인정△군축회담 개최△상호교류등을 주요내용으로 하는 기본조약을 체결한 뒤 상호교류에 치중、TV상호개방과 활발한

재) 가입 3.7. 가입 3.5. 7.11. 4.6. 4.10. 5.9. 7.9. 5.4. 5.4. 1. 4.8. 6.12.

0306-1

유엔가입의 빛과 그늘

徐東九
<언론인>

73년 28차 유엔총회는 獨逸총회 또는 분단국총회라고 불렸다. 東·西獨이 유엔에 가입했고 北韓이 처음으로 상주대표단을 설치해 南·北韓이 함께 유엔총회에 옵저버로 참석했기 때문이었다. 그때 워싱턴특파원이던 필자는 뉴욕에가 東·西獨의 유엔가입현장을 목격했다.

9월19일 상오10시 유엔총회 본회의장에 西獨의 셸외상과 東獨의 빈처외상이 들어와 의석한가운데에 나란히 자리잡았다. 먼저 西獨의 셸외상이 만장의 박수를 받고 등단해 연설했다.

「전쟁이 끝난지 28년만에 두명의 獨逸외상들이 유엔에 나타났다는 사실이 지금 獨逸국민들이 처한 운명을 상징하고있다.

타의에 의해 분단된채 두국가로 나뉘어 살면서 공통된 장래를 기약하지못하는 민족, 그게 오늘날 獨逸민족의 운명이다. 그래서 우리는 유엔의 문지방을 넘어서기를 주저했다. 유엔가입이 통일의 희망을 포기하는 인상을 주는게 아닌가 불안했기 때문이다. 한나라의 두부분이 유엔에 가입함으로써 獨逸민족간의 장벽이 더욱 높아지는게 아닌가 염려했기 때문이다.

그러나 우리의 목표는 뚜렷하다. 西獨은 자유로운 민족자결로 분단된 민족의 단결을 회복할것이다. 이제 우리는 새로운 시발점에 서있다」

셸외상은 한마디로 통일에 관해 거론하지 않았다. 한민족이 국제법상 두개의 국가로 떨어져 유엔에 들어온 현실을 자탄하듯 그의 어조는 다소 悲感했다.

회의석뒤 옵저버자리에는 韓國의 朴東鎭대사와 北韓의 權敏俊단장이 인사없이 떨어져 앉아 東·西獨의 유엔가입첫날을 지켜봤다. 그로부터 18년이 지났다. 세상이 크게 바뀌어 獨逸은 이제 통일됐고 南·北韓은 분단 48년만에 東·西獨이 거쳐온길을 따라 동시가입한 한민족 두국가형태로 유엔의 문지방을 넘는다.

그러나 獨逸이 보여준 분단극복사와 南·北韓이 지금 분단을 해소하기위해 움직이고있는 모습은 시차로 30년이 뒤져있고 내용적으로는 獨逸의 逆順을 밟고있다. 東·西獨은 이미 통일로가는 길목에서 절반의 과정을 완결해놓고 유엔에 들어갔다. 兩獨은 63년12월 西베를린 시민의 東베를린친척 방문협정을 통해 상호방문의 물꼬를 트고 72년5월 東·西獨교통에관한국가조약을맺어 인적·물적교류를완전정상화했다.

같은해 12월 東·西獨은 기초관계설정조약으로 한민족 두국가간의 기본합의, 공존체제를 굳힌뒤 유엔에 입성했다. 모두가 브란트수상의 동방정책이 일구어낸 결실이었다. 동방정책의 본질은 통일을 가능케하기위한 예비단계로서 분단된 민족의 화해와 신뢰의 구축이란 구체적 현실을 목표했고 그래서 성공하고 역사에 빛을 남겼다.

그런 東·西獨조차 유엔에 가입한뒤 한치앞도 통일을 기대할수없는 냉각기를 거쳤다. 유엔가입이듬해인 74년 10월 東獨의 호네커당수는 헌법을 개정, 전문에 독일민족이란 표현을 빼고 사회주의 건설을 못박아 통일요구를 꺾고 이데올로기경쟁을 강화했다. 70년 첫 정상회담을 통해 기본법을 체결해 세계를 감격시킨 東·西獨이 10년뒤인 81년에 가서야 두번째 정상회담을 연것도 東獨의 이런 반통일노선 때문이었다. 유엔가입이 통일의 담보와는 전혀 무관하다는 선례였다.

獨逸에 비해 南·北韓은 유엔가입과 동시에 모든 것을 백지에서부터 출발해야 한다. 이와관련, 李相玉외무장관은 최근 南北유엔협의체를 구성해 공통의문제를 논의할뜻을 비쳤고 가입전 兩側 외무장관회담을 열 움직임도 보이고있다. 그러나 휴전협정을 평화조약으로 대치하는 문제, 불가침선언이나 기본관계협정, 유엔군사령부의 존폐와 군축및 한반도 핵무기처리향방등 넘어야할 고비가 겹겹이 쌓여있다.

더구나 韓國은 西獨처럼 경제적으로 막강하고 정치적으로 안정돼있지 않고 北韓은 東獨처럼 구조적으로 취약하지 않다. 東獨의 지배이념은 소련에서 배워 승리를 쟁취하지 않았기때문에 85년이후 고르바초프의 개방·개혁정책으로 소련이 변화하자 급속하게 해체됐다.

그러나 金日成체제는 우리식으로 산다는 주체이데올로기로 반세기동안 무자비하게 국민을 세뇌하고 무장시켜 왔기때문에 北韓이 東獨처럼 단명하게 붕괴될 것으로 보기도 어렵다.

이런 냉혹한 현실을 놓고 유엔가입열기의 과열현상을 걱정하는 소리가 높다. 유엔가입이 자칫 설익은 통일의 환상으로 여론을 오도할까 두렵다는 경계론도 일고있다.

경제건설은 몰라도 역사나 정치는 속도전이 통하지 않는다. 지금은 통일을 생각하기 앞서 반세기 파괴된 민족의 동질성을 회복하고 離散의 아픔을 달래며 신뢰를 구축하여 분단의 장벽을 한단계씩 허물어 공존하는 작업에 국가에너지를 결집시킬때다. 그래야 유엔광장에서 손가락질 받지않고 민족의 자존을 지킬수있다.

0307

If You Can't Stop Them . . .

North Korea decides it's time to join the U.N.

So much for principles. North Korea last week glumly announced that it would do the once unthinkable: seek a seat of its own in the United Nations. In the past Pyongyang has always refused to consider separate memberships for the two Koreas. There is only one Korea, the North insisted, so how could the United Nations possibly accept two Korean delegations? That was in the days when North Korea's Security Council allies, Moscow and Beijing, were always ready to blackball any unilateral bid from Seoul. Pyongyang no longer can count on such support. Given the strong probability that South Korea's latest application will pass, North Korea couldn't afford not to join as well. "Important issues related to the interests of the entire Korean nation would be dealt with in a biased manner on the U.N. rostrum," Pyongyang declared in explaining its change of heart.

In all likelihood both Koreas will soon see their applications approved. Moscow gave its blessing to Seoul earlier this year when Mikhail Gorbachev traveled to South Korea, the first visit by a Soviet leader to either half of the divided peninsula. To show its appreciation for Soviet support during the previous year, last December Seoul promised Moscow a $3 billion economic-aid package. The South's cajoling of Beijing has been quieter, but no less effective. In the last three years South Korean officials and business representatives have worked to establish solid trade links with China. Western diplomats and South Korean Foreign Ministry officials say the payoff came in early May with Chinese Prime Minister Li Peng's trip to Pyongyang. Li reportedly told the North Koreans that South Korea is welcome to join the United Nations, pointedly suggesting that the North protect its interests by coming to the table as well.

FABIAN—SYGMA

Sudden pragmatism: *Northern leader Kim Il Sung*

Some of the toughest questions about North Korea's application are likely to focus on the country's nuclear program. Pyongyang seems to have anticipated that. Last week the Vienna-based International Atomic Energy Agency announced that the North has offered to reopen talks on allowing comprehensive international inspections at North Korea's nuclear installations. If the offer is sincere, it could help ease Western intelligence analysts' fears that North Korea is trying to develop an atomic bomb at its Yongbyon nuclear-research facility (NEWSWEEK, April 29). Pyongyang's party daily Rodong Sinmun last week denounced such allegations as "enough to make a weasel blush with shame"—but so far, outside investigators have been barred from the site. Unless North Korea is prepared to accept foreign inspections, however, it risks becoming the odd Korea out at the United Nations.

SAM SEIBERT *with* ROBIN BULMAN *in Seoul*

What Happened to Flight 004?

Pilot Thomas Welsh jotted "fire" on his flight record and circled it for emphasis before his Boeing 767 plummeted into a jungle hillside north of Bangkok. There were 223 people on Lauda Air Flight 004, and no one survived. Eyewitness reports that the Austrian plane descended in a "huge fireball" and landed in tiny fragments focused early speculation on a high-altitude terrorist bombing. But by late last week, no telltale shrapnel or torn metal had been found. Moreover, the debris seemed too narrowly spread (over an area only 1.5 kilometers square) to support the bombing theory. Investigators suggested instead that mechanical trouble in an engine or the tail section may have lead to an explosion at low altitude.

First on the scene were local villagers who vastly complicated the investigation by looting passports, jewelry, airplane parts and other evidence that could have helped explain the mysterious explosion. Rescuers did recover the "black box" flight recorders and sent them to Washington last week for decoding. Investigators said the left engine was intact at the crash site, while the right engine and right wing were found badly burned about two miles away—suggesting a fire or "implosion" in the right engine. But Pratt & Whitney, maker of the plane's engines, dismissed that theory, and Boeing insisted that both engines were found at the main crash site.

BANGKOK POST—AFP

The crash site: *Lauda (at right)*

Whatever the cause, the crash renewed concerns about airport security. During the gulf war, Bangkok's Don Muang airport required X-ray inspection of all luggage. Large airlines continue the practice, but many small carriers do not. On flight 004, only carry-on luggage was searched. "We've never even had a [terrorist] threat," said Lauda spokeswoman Karin Thiele. But the possibility of mechanical failure offers little consolation to victims' families, or to Niki Lauda, the former race-car driver who founded Lauda Air in 1979. Lauda, who flew to the scene of the crash last week, said he would give up his four remaining planes if it turns out that the disaster was due to "some stupidity of mine."

91. 6. 10 <중앙> 10면

U.N가입결정과 北의 統一方案

高麗연방제 수정 불가피

1국가·2정부 틀 스스로 깬셈
논리모순 불구 原案 고집할 듯

北韓의 유엔가입결정에 따라 내외의 관심은 이같은 변화가 北韓의 통일정책과 어떠한 상관관계가 있는지에 쏠리고 있다. 지금까지 北韓의 통일방안은 南北韓지역에 「지방정부」의 성격을 갖는 정부를 각각 두고 그위에 「중앙정부」로서의 연방정부를 구성하는 고려민주연방공화국을 창립하자는 것이다. 그러나 北韓이 유엔가입을 결정함으로써 南北韓정부가 「지방정부」의 성격을 갖기는 불가능해졌다. 외교권은 「정부」가 아니라 「국가」가 행사하는 것이기 때문이다. 이런 측면에서 北韓의 연방제에 대한 연혁및 내용, 향후 정책추이를 점검해 본다.

◇연혁및 내용=北韓이 연방제라는 형식으로 통일방안을 제기한 것은 60년8월14일. 金日成은 광복절 기념전야제인 이날 통일에 이르는 과도적 단계로서 연방제를 실시하고 이 연방제가 당장 어렵다면 南北경제교류부터 시작하자고 제의했다.

이 제의는 연방기구를 南北韓 정부당국대표로 구성하자고한 점이나 경제교류를 우선시한 점등에서 이 제의자체는 합리성을 띤 것으로 평가됐었다.

그러나 선결조건으로 駐韓美軍철수, 南韓정권의 인민정권화등을 내세웠기 때문에 南韓정부로서는 받아들일수 없었다.

北韓은 이어 73년 6월23일 金日成의 「평화통일 5대강령」에서 △대민족회의소집 △고려연방제 통일을 제시했다.

이렇게함으로써 北韓은 南韓정부당국을 배제하고 정당·사회단체들이 참가하는 「대민족회의」에서 채택한 통일방안으로 고려연방제를 확립했다.

北韓은 그후 80년 10월 제6차 黨대회에서 「고려민주연방공화국창립」이라는 통일방안을 확정, 지금까지 이를 주장해오고 있다.

이 안은 △선결조건 △연방정부의 구성및 운영원칙 △연방정부의 10대시정방침으로 구성돼 있다.

선결조건으로는 △반공법·국가보안법폐지 △모든 정당·사회단체들의 합법화 △駐韓美軍철수등이다.

연방제구성및 운영원칙은 南·北이 동등하게 참가하는 민족통일정부를 세우고 그밑에 南·北이 같은 권한과 의무를 지니고 지역자치제를 실시한다는 것.

구체적으로는 南·北에서 같은 수의 대표들과 적당한 수의 해외동포대표들로 「최고민족연방회의」를 구성한후 여기에서 「연방상설위원회」를 조직, 南·北의 지역정부를 지도하면서 연방국가의 전반적인 사업을 관할토록 한다는 것이다.

운영원칙은 최고민족연방회의와 연방상설위원회의장을 南·北이 각각 선출, 윤번제로 운영한다는 것만 현재까지 제시돼 있다.

연방정부의 10대 시정방침에는 △전지역·전사회·전분야에서의 민주주의 실시와 민족적 대단결 도모 △민족연합군 조직등이 포함돼있다.

◇유엔가입결정과 통일방안=고려민주연방제안의 핵심은 우선 南·北의 지역정부화다.

이에따라 北韓은 南·北이 각각 유엔에 들어가는 것을 허용할수 없었다. 지역정부가 외교권을 가질수는 없기 때문이다.

그렇기때문에 北韓은 유엔가입문제에 대해 처음에는 통일후에, 지난해부터는 단일의석가입까지 주장하면서 동시가입에 반대해온 것이다.

그러나 이번에 유엔가입 결정을 내림으로써 고려연방제안은 논리의 한 축을 상실하게 됐다고 볼수있다.

고려연방제의 또다른 축은 이같은 지역정부를 그대로 두면서 그 위에 연방정부를 설립하는 案 자체를 통일의 최종형태로 보는 것이다.

즉 완전히 「하나」가 되는게 아니라 「둘」로 되는 상태를 통일의 최종단계로 간주한다는 것이다.

이런 측면에서 볼때 北韓의 유엔가입은 「둘」로 되는 상태를 더욱 가속화시킬수 있는 요인으로 작용될수 있다.

이와관련, 통일원의 한 당국자는 『1민족·1국가·2제도·2정부인 北韓의 통일기조중 유엔가입결정으로 「1국가」가 아니라 「2국가」로 옮겨지는 첫걸음을 내딘 것』이라고 분석했다.

北韓은 현재 이같은 「괴리현상」을 의식, 「통일」과 「유엔가입」은 별개의 사안이라는 주장을 하고있다.

즉 「통일」은 南北韓 각계각층 인민들이 해결해야할 과제이고, 유엔가입은 對外정책상의 변경이라는 입장을 취하고 있는 것이다.

유엔가입결정후 연방제에 대해 南北의 인사들이 참여하는 토론회를 갖자고 결의한 것도 이같은 전략의 일환이라고 볼수있다.

또 유엔에 가입한다고 해서 「하나의 조선」이라는 정책이 포기된 것은 아니라고 鄭浚基부총리등 고위당국자들이 언급하고있는 것도 같은 맥락에서 파악될수 있다.

이렇게 볼때 北韓은 「논리의 모순」을 무릅쓰고라도 상당기간은 「통일」과 「유엔가입」을 별개의 사안으로 보는 정책을 유지할 것으로 보이나 언젠가는 유엔가입결정을 발표하듯이 새로운 통일방안을 제시할 것이라는게 전문가들의 관측이다.

즉 南韓정국이 안정된 기조로 들어서고 국제정세의 흐름을 거역하기가 곤란하다는 판단을 北韓당국이 하게되면 진정한 의미에서의 南北공존으로 가는 통일방안을 제의해올 가능성이 높다.

<安熙昌 기자>

北韓은 80년 10월 개최된 제6차 黨대회에서 고려민주연방공화국 창립이라는 통일방안을 확정했다. 北韓이 내년에 열릴 것으로 예상되는 제7차 黨대회에서 새 통일방안을 제시할 것이냐를 놓고 관심이 고조되고 있다.

0303

91. 6. 10 <중앙> 10면

UN가입결정과 北의 統一方案

오늘의 北韓

高麗연방제 수정 불가피

北韓의 유엔가입결정에 따라 내외의 관심은 이같은 변화가 北韓의 통일정책과 어떠한 상관관계가 있는지에 쏠리고 있다. 지금까지 北韓의 통일방안은 南北韓 지역에 「지방정부」의 성격을 갖는 정부를 각각 두고 그위에 「중앙정부」로서의 연방정부를 구성하는 고려민주연방공화국을 창립하자는 것이다. 그러나 北韓이 유엔가입을 결정함으로써 南北韓정부가 「지방정부」의 성격을 갖기는 불가능해졌다. 외교권은 「정부」가 아니라 「국가」가 행사하는 것이기 때문이다. 이런 측면에서 北韓의 연방제에 대한 연혁및 내용, 향후 정책추이를 점검해 본다.

1국가·2정부틀 스스로 깬셈

논리모순 불구 原案 고집할 듯

◇연혁및 내용=北韓이 연방제라는 형식으로 통일방안을 제기한 것은 60년8월14일. 金日成은 광복절 기념전야제인 이날 통일에 이르는 과도적 단계로서 연방제를 실시하고 이 연방제가 당장 어렵다면 南北경제교류부터 시작하자고 제의했다.

이 제의는 연방기구를 南北韓 정부당국대표들로 구성하자고 한 점이나 경제교류를 우선시한 점에서 이 제의자체는 합리성을 띤 것으로 평가됐었다.

그러나 선결조건으로 駐韓美軍철수, 南韓정권의 인민정권화 등을 내세웠기 때문에 南韓정부로서는 받아들일수 없었다.

北韓은 이어 73년 6월23일 金日成의 「평화통일 5대강령」에서△대민족회의소집△고려연방제 통일을 제시했다.

이렇게함으로써 北韓은 南韓정부당국을 배제하고 정당·사회단체들이 참가하는 「대민족회의」에서 채택한 통일방안으로 고려연방제를 확립했다.

北韓은 그후 80년 10월 제6차 黨대회에서 「고려민주연방공화국창립」이라는 통일방안을 확정, 지금까지 이를 주장해오고 있다.

이 안은 △선결조건 △연방정부의 구성및 운영원칙 △연방정부의 10대시정방침으로 구성돼 있다.

선결조건으로는 △반공법·국가보안법폐지 △모든 정당·사회단체들의 합법화 △駐韓美軍철수등이다.

연방제구성및 운영원칙은 南·北이 동등하게 참가하는 민족통일정부를 세우고 그밑에 南·北이 같은 권한과 의무를 지니고 지역자치제를 실시한다는 것.

구체적으로는 南·北에서 같은 수의 대표들과 적당한 수의 해외동포대표들로 「최고민족연방회의」를 구성한후 여기에서 「연방상설위원회」를 조직, 南·北의 지역정부를 지도하면서 연방국가의 전반적인 사업을 관할토록 한다는 것이다.

운영원칙은 최고민족연방회의와 연방상설위원회의장을 南·北이 각각 선출, 윤번제로 운영한다는 것만 현재까지 제시돼 있다.

연방정부의 10대 시정방침에는 △전지역·전사회·전분야에서의 민주주의 실시와 민족적 대단결 도모△민족연합군 조직 등이 포함돼있다.

◇유엔가입결정과 통일방안=고려민주연방제안의 핵심은 우선 南·北의 지역정부화다.

이에따라 北韓은 南·北이 각각 유엔에 들어가는 것을 허용할수 없었다. 지역정부가 외교권을 가질수는 없기 때문이다.

그렇기때문에 北韓은 유엔가입문제에 대해 처음에는 통일후에, 지난해부터는 단일의석가입까지 주장하면서 동시가입에 반대해온 것이다.

그러나 이번에 유엔가입 결정을 내림으로써 고려연방제안은 논리의 한 축을 상실하게 됐다고 볼수있다.

고려연방제의 또다른 핵심은 이같은 지역정부를 그대로 두면서 그 위에 연방정부를 설립하는 案 자체를 통일의 최종형태로 보는 것이다.

즉 완전히 「하나」가 되는게 아니라 「틀」로 되는 상태를 통일의 최종단계로 간주하는 것이다.

이런 측면에서 볼때 北韓의 유엔가입은 「틀」로 되는 상태를 더욱 가속화시킬수 있는 요인으로 작용될수 있다.

이와관련, 통일원의 한 당국자는 『1민족, 1국가, 2제도, 2정부인 北韓의 통일기조중 유엔가입결정으로 「1국가」가 아니라 「2국가」로 옮겨지는 첫걸음을 내딛 것』이라고 분석했다.

北韓은 현재 이같은 「괴리현상」을 의식, 「통일」과 「유엔가입」은 별개의 사안이라는 주장을 하고있다.

즉 「통일」은 南北韓 각계각층 인민들이 해결해야할 과제이고, 유엔가입은 對外정책상의 변경이라는 입장을 취하고 있는 것이다.

유엔가입결정후 연방제에 대해 南北의 인사들이 참여하는 토론회를 갖자고 결의한 것도 이같은 전략의 일환이라고 볼수있다.

또 유엔에 가입한다고 해서 「하나의 조선」이라는 정책이 포기된 것은 아니라고 鄭浚基부총리등 고위당국자들이 언급하고있는 것도 같은 맥락에서 파악될수있다.

이렇게 볼때 北韓은 「논리의 모순」을 무릅쓰고라도 상당기간은 「통일」과 「유엔가입」을 별개의 사안으로 보는 정책을 유지할 것으로 보이나 언젠가는 새로운 통일방안을 제시할 것이란게 전문가들의 관측이다.

즉 南韓정국이 안정된 기조로 들어서고 국제정세의 흐름을 거역하기가 곤란하다는 판단을 北韓당국이 하게되면 진정한 의미에서의 南北공존으로 가는 통일방안을 제의해올 가능성이 높다.

〈安熙昌 기자〉

北韓은 80년 10월 개최된 제6차 黨대회에서 고려민주연방공화국 창립이라는 통일방안을 확정했다. 北韓이 내년에 열릴 것으로 예상되는 제7차 黨대회에서 새 통일방안을 제시할 것이냐를 놓고 관심이 고조되고 있다.

0310

91. 6. 11 <동아> 14면

유엔가입후 南北韓관계

한국이 올해안에 유엔가입을 실현하겠다는 강한 의지를 표명했고 북한도 유엔가입의사를 밝혔다. 유엔가입後 南北韓관계는 어떤 방향으로 전개될 것인가. 유엔체제안에서 한반도평화체제는 과연 구축될 것인가. 민족통일연구원이「전환기의 동북아 질서와 남북한 관계」를 주제로 13일 개최할 학술회의에서 유엔가입後 南北韓관계를 전망한 韓英鳩교수(외교안보연구원)의 글이 관심을 끈다. 다음은 내용 요약. <편집자>

이論文

당분간 경쟁 대결적관계 지속 전망

긴장완화 통해 平和統一 계기 돼야

韓英鳩

한국정부는 韓蘇수교 韓中무역사무소설치 1백48개국가와의외교관계수립등을 배경으로 금년도에 유엔가입을 실현하겠다는 강한 의지를 표명했다. 북한에서 동시가입을 반대할 경우 한국이 먼저 유엔에 가입한 다음 북한가입을 촉구한다는 입장이다.

북한도 지난달28일 외교부성명을 통해 유엔가입의사를 표명했다.

南北韓의 유엔가입은 그동안 한국정부의 유엔가입 실현노력에 의한 북한의 불가피한 결정이었다는 점에서 상호 사전협의에 의한 동시가입이라고 볼 수 없다. 南北韓이 각각 유엔가입을 신청, 시기적으로 동시가입을 이루는 형태가 될 것으로 예측된다.

따라서 南北韓의 유엔가입후 유엔안에서의 상호관계및 활동에 관한 협의체제가 이뤄지기까지 경쟁대결관계가 계속될 가능성이 크다. 이런 점에서 양쪽의 유엔가입이 南北韓관계에 어떤 영향을 미칠수 있는지 유엔체제의 특성과 연관지어 알아볼 필요가 있다.

南北韓은 유엔가입에 있어 서로 반대입장을 취해왔다. 73년이전까지는 한국이 단독 가입, 북한이 동시가입을 추진하는 경향이 강했고 이후에는 한국이 동시가입, 북한이 단일國號에 의한 가입을 주장해왔다.

최근에는 한국이 동시가입과 단독가입을 상황에따라 병행추진함에 따라 북한은 동시가입을 택하게 됐고 따라서「분단고착화」「두개의 朝鮮책동」이라는 동시가입 반대이유는 근거를 상실하게 됐다.

이런점과 관련, 유엔가입後 南北韓관계가 어떤 방향으로 전개될 것인가.

첫째, 南北韓의 유엔가입은 그자체로서 상호 국가로서의 승인을 의미하지않는다. 그예로 73년에 가입했던 東西獨의 경우 유엔가입에 적극적이었던 동독은 서독과의 기본조약체결이 상호승인을 의미한다고 주장했으나 서독은 이조약에서 동독을 승인할 의사가 없음을 명백히했다. 이는 유엔가입에서도 그대로 적용된다고 볼수있다.

그러나 南北의 유엔가입은 상대방의 실체를 인정하는 계기가 될수있다. 북한은 지난5월 제3차「日北韓수교교섭회담」에서 南北韓이 유엔회원국이 될 자격이 있으며 따라서 한반도에 두개의 국가가 있다는 사실을 자인했다.

둘째, 南北韓은 유엔가입후 유엔헌장에 따라 한반도평화를 유지하기위해 상대방에 대한 무력위협이나 행사를 삼가고 적대시정책에서 탈피, 내정불간섭에 의한 상호존중을 이뤄가야 한다. 이런 점들은 南北韓간에 상호 불가침원칙을 확인하는 효과를 가져올 뿐 아니라 긴장완화등을 통해 평화통일의 조건을 조성하는 계기를 만들고 나아가 유엔체제내에서 한반도 평화체제를 이룩할 수 있다.

이와함께 南北의 유엔가입은 각각 미수교상태의 中國과 美國과의 관계개선을 피하는 계기가 될 것이다. 이는 앞으로 북한이 유엔에 가입해 한반도긴장완화와 평화정착에 어떤 태도를 취하느냐에 달려있다.

당분간은 한국과 대결자세를 취할 가능성이 높지만 南北이 유엔가입을 통해 한반도평화공존에 기본적인 합의를 이룰경우 南北은 동북아의 새로운 질서구축에 주도적이고 긍정적인 역할을 추구할수있다고 생각한다.

셋째, 南北韓이 유엔가입으로 유엔내 각분야의 활동에 적극 참여하는 기회를 가짐으로써 對內발전을 꾀하고 對外활동의 영역과 내용을 확대시켜 국제적 위치를 높일 것이다. 특히 脫냉전시대에 들어오면서 세계평화와 국제협력이 유엔체제를 중심으로 전개되는 경향이 높아지고 있는 점을 감안할 때 南北은 유엔활동을 통해 상호교류와 협력증진을 꾀할 수 있을 것이다.

결론적으로 유엔가입후의 南北韓관계는 가입형태에 따라 양상이 달라질수 있다.

상호합의에 의해 유엔가입이 이뤄질 경우 南北관계는 평화통일을 위한 여건조성이라는 점에서 한반도긴장완화 평화정착을 지향하는 방향으로 전개될 가능성이 크다. 이에비해 합의없이 유엔에 가입할 경우에는 협조관계를 기대하기 어려운 측면이있다.

현시점에서 볼때 南北韓 유엔가입은 각각 별개로 신청서를 제출, 같은 시기에 가입이 실현될 전망이다. 현재로선 유엔가입에 관한 합의를 이룰 가능성은 적고 따라서 유엔가입후에도 유엔안에서 각각 별개의 활동을 전개할 가능성이 크다.

북한의 유엔가입결정은 한반도에서 상호실체인정 평화공존가능성제시라는점에서 긍정적으로 평가해야 한다. 한국도 이를 계기로 한반도평화공존정책을 적극추진해나가야 할것이다.

그러나 우리는 유엔이 만능기구가 아닌점을 간과해서는 안된다. 유엔회원국사이에 무력행사가 빈번하고 그 해결이 반드시 유엔의 결정만으로 이뤄졌다고 보기 어렵기 때문이다.

<외교안보연구원 교수>

0311

日本「安保理상임이사국」노린다

유엔「敵國조항」삭제外交 속셈

제2차대전의 戰犯국가인 日本이 최근 유엔헌장에서 자신들을「敵國」으로 지칭하고 있는 조항들을 삭제하기 위해 적극적인 외교노력을 기울이고 있어 그 귀추가 주목되고 있다.

「敵國」조항이란 유엔헌장제53조1、2항과 107조를 가리키는 것으로 1945년 6월 샌프란시스코에서 51개 유엔헌장 가맹국이 서명할 당시 제2차대전추축국(樞軸國)들을 적으로 규정한 조항.

헌장53조는「敵國이란 용어는 제2차 대전중에 이 헌장의 어느 서명국의 적국이었던 국가에 적용된다」고만 규정, 구체적인 國名은 명기하고 있지 않다.

그러나 일반적으로 日本을 포함, 독일 이탈리아 헝가리 불가리아 루마니아 핀란드를 말하는 것으로 이해되고있다.

이 적국조항은 유엔안전보장이사회가 구성되기전 삽입된 것으로 현실적인 제재효과나 의미는 없는 것이다.

日本이 이 적국조항을 처음 거론한 것은 지난해9월. 나카야마 다로(中山太郞) 외상은 이때 유엔총회 연설에서 공개적으로 이 조항의 삭제를 요구하면서 이른바 같은 적국인 독일 이탈리아 등에 공동보조를 취해줄 것을 요청했다.

해설

이같은 日本의 움직임에 이탈리아와 루마니아는 동조하는 입장을 보였으나 같은 전범국가인 독일은 이에 명백히 반대했다.

독일은 지난73년 東西독의 유엔 동시가입과 90년 통일로 독일민족의 염원을 이뤘으며 헌장개정 주장으로 주변국의 경계심을 불러일으키기보다는 현실적으로 국제적 영향력을 증대시켜 나가는것이 현명하다는 주장이었다.

經援급한 蘇서 지원…당장실현 어려울듯

또 안보리 5개상임이사국도 日本의 주장에 대해「이해는 하지만 비현실적」이라며 부정적인 반응을 보였다.

우선 이 조항을 건드리면「판도라의 상자」처럼 유엔의 현안이 한꺼번에 표출될 우려가 있기 때문이다.

현 안보리 5개상임이사국들은 지난 45년간 국제정세가 크게 바뀌었는데도 종전 구조를 그대로 유지, 불합리한 점이 많은데다 이들의 거부권이 극히 비민주적이라는 비판을 많이 받아왔기 때문에 자칫이 조항을 삭제할 경우 그들의「특권」을 잃어버릴 우려가 있다는 것.

또 이 조항을 삭제할 경우 다른 국가들이 이를선례로삼아 자국의 이익과관련해 헌장조항개정을 요구할때 이를 마은 명분이 없다는 것이었다.

유엔헌장은 지난 65년8월 △안보리상임이사국교체 (자유중국에서 중국으로)△안보리상정안 표결정족수△경제사회이사회회원국증설등으로 단한차례 개정됐을뿐이었다.

한편 日本정부의 이같은노력이 지지부진해진 즈음 소련이 적극적인 지지움직임을보여 日本의 용기를 북돋웠다.

지난해12월 미국 휴스턴에서 열린 美蘇외무장관회담에서 예두아르트 세바르드나제 당시 蘇외무장관이 『적국조항을 무효로 할 것을 양국성명에 포함시키자」는 제안을 했던것.

日本의 경제원조를 목표로 한 듯한 이같은 소련측 제안에 제임스 베이커美국무장관은 『법적효과가 의문」이라며 일단 거부했다.

日本이 적국조항 삭제를 요구하고 있는 표면적 이유는 유엔에 대한 그들의 분담금과 관련해서다. 日本은 지난해 1억5백만달러의 분담금을 내 美國 (2억7천2백만달러)에 이어 두번째인데도 유엔에서「敵國」취급을 받는것은 부당하다는것.

그러나 외교분석가들은 일본의 적국조항 삭제움직임이「순수한 완도」만으로 끝나지 않을 것이라는데 문제가 있다고 보고 있다.

일본의 적국조항삭제 의도는 현존 안보리 상임이사국체제를 흔들어 그들이 상임이사국으로 편입하기 위한 야심의 전치(前置)절차라고 보고 있는 것이다.

즉 세계 제2위의 막강한 경제력을 구축한 일본이 동서냉전구조의 붕괴와 함께 주요국제 이슈에서 유엔의 역할이 점점 증대되고 있는 점을 감안, 적극적인 유엔무대 공략을 통해 자신들의 정치적 입지를 한층 강화하자는 것이라는 분석이다.

일본은 지난70년대부터 印度 브라질과 함께 안보리상임이사국의 개편을 주장해 왔었다.

이같은 일본의 주장은 지난77년 지미 카터 당시 美대통령으로부터 긍정적인 반응을 얻었고 지난달28일 일본을 방문한 브라이언 멀로니 캐나다총리로부터도 『일본은 안보리상임이사국 가입자격이 충분하다」는발언을얻어냈다.

이에대해 대부분의 국가들은 △유엔은 日獨등 전범국가의 전쟁재발방지와 평화수호에 창설목적이 있었고 △상임이사국을 추가할 경우 비동맹국에서 나와야하며 △대국으로서의 비중이 감소되고 있는 英國 프랑스등은 자극한다는 등의 이유로 반대해왔다.

日本의 적국조항 삭제움직임이 당장은 실현가능성이 희박해 보이지만 언젠가는 엔貨의 위력을 등에 업고 국제무대에서 크게 부각될 가능성이 높다. 〈黃有成기자〉

동아
(91. 7.2.)

0312

한국일보 (91.7.20)

0313

國益事案 결의안·발언 가능

유엔가입후 달라지는 권리와 의무

盧泰愚대통령이 19일 유엔헌장 의무수락 선언서에 서명하고 李相玉외무장관이 유엔가입신청서에 서명함으로써 우리나라의 유엔가입을 위한 국내절차는 모두 끝났다.

정부는 이 날자로 된 신청서와 헌장수락선언서를 조만간 외교행낭을 통해 뉴욕 유엔대표부로 보낼 예정이며 오는 8월2일께 盧昌熹유엔대사가 케야르유엔사무총장에게 이를 직접 접수시킴으로써 가입신청절차를 끝맺게 된다. 우리측의 가입신청서가 접수되면 유엔 안보리는 즉시 가입심사위를 구성, 서류의 하자여부를 검토한 뒤 8월15일 이전에 본회의에서 남북한가입을 단일안건으로 통과시킬 것이 예상된다.

9월17일 제46차 유엔총회개막과 함께 남북한 가입안이 만장일치로 통과되면 우리나라는 그동안 옵서버국으로 받아왔던 「설움」을 벗어던지고 정식회원국으로서의 당당한 권리를 행사하게 된다. 물론 그에 상응하는 의무가 늘어나는것도 사실이다.

유엔가입국으로서 누리는 가장 큰 권리는 한반도문제를 비롯, 경제·사회등 국익과 관련된 각종 사안에대해 자체적이고독자적으로 우리입장을 개진할 수 있게됐다는 점이다. 우리나라는 그동안 유엔산하 각위원회에서 주요현안이 다뤄질 때마다 비회원국이란 이유로 우리입장을 자유롭게 밝힐 수 없었다.

의제가 아무리 우리와 관계가 깊은 내용이라 할지라도 위원장으로부터 「당연한 권리가 아니다」란 점을 통고받은뒤 다른 회원국들의 반대가 없어야 가까스로 일정발언의 기회를 얻었다. 결의안제출등을 할 수 없었음은 물론이다.

그러나 유엔에 정식가입함에 따라 우리도 관련사안에 대해 발언,결의안제출, 투표, 투표이유설명등 자유로운 의사표현의 권리를 획득하게된다. 뿐만아니라 향후 유엔에서의 역할을 증대시켜가면서 위원장이나 부위원장, 보고자등 주요의사결정과정에 참여할 수 있는 기회를 부여받게 됐것이다.

安保理 비상임理事國등 「주요자리」기회

분담금·기여금 수년내에 3배이상늘듯

특히 가입후 4~5년이 지나면 우리도 안보리의 비상임이사국에 선출될 가능성이 있다. 지난 73년 가입한 서독이 4년뒤인 77년에, 함께가입한 동독이 7년뒤인 80년에 안보리 비상임이사국에 선출됐던 사실을 상기해보면 우리가 비상임이사국이 되는것도 그리 먼이야기는 아니다. 이렇게 될 경우 자연히 한발씩 높아가며 맡는 안보리 의장국으로도 활동하게돼 명실상부한 국제사회의 주요국가로서 인정받게된다.

이밖에 향상된 유엔회원으로 국제사회에서의 위상이 높아짐에 따라 유엔사무차장이나 총회의장, 더 나아가 사무총장등 유엔의 주요임원에 선출될 수도있다.

유엔가입으로 얻게되는권리에는 이같이 국가위상과 관련된 거창한 것뿐아니라 외교관의 신분이나 의전절차등 사소한 부분까지도 포함된다.

우선 우리의 유엔대표부는 유엔가입과 동시 대표부 현판으로부터 자동차번호판 외교관신분등 많은 것을 바꾸게된다. 이제까지 편법으로 「옵서버」를 떼고 「대한민국대표부」란 현판을 사용해 온 우리대표부는 상주대표부 (Permanent Mission)」란 명칭을 사용하게된다. 또한 뉴욕총영사관소속의 영사로 되어있던 대표부직원들의 신분은 정식으로 외교관으로 바뀌며 이에 맞는 자동차번호판과 신분증등 외교면책특권을 획득한다.

이밖에 부임시 대통령의 추천서를 비공식적으로 사무총장에 제출했던 유엔 대사는 정식으로 신임장을 다시 제출하게된다.

그러나 권리가 늘어나는 만큼 의무도 커진다.

의무중 가장 큰것은 뭐니 뭐니해도 분담금 부담. 유엔은 각회원국의 GNP·인구·외채비율 등을 고려해 총회 경상비와 산하 기구의 운영비등을 부담시킨다. 또한 기금으로 운영되는 유엔기구는 회원국들로부터 자발적인 기여금을 받고있다.

우리나라는 현재 FAO(세계식량농업기구) WHO(세계보건기구)등 유엔전문기구에는 정식회원국으로서, 총회에는 옵서버국으로서 모두 1천만달러정도의 분담금및 기여금으로 내고 있다. 유엔이 정한 우리나라의 유엔총회경비 (연간약15억달러)분담률은 0.22%. 우리나라는 그동안 옵서버국이기때문에 다시 이 분담률의 15%를 내왔다. 유엔가입과 함께 우리나라는 분담금 1백%를 내야하는데 이때 예상되는 추가금액이 3백50만달러정도이다. 그러나 이 분담금비율도 우리의 국력에 비해상당히 적게 책정됐다는게 유엔회원국들의 시각이어서 분담률은 금년말 유엔기여금위원회에서상향조정될 것으로보인다.

현재 우리와 비슷한 분담률을 갖고있는 국가는 뉴질랜드(0.24%)이스라엘(0.21%) 헝가리 (0.21%) 등이며 이웃 일본은 11.38%, 미국은 25%이다. 한편 북한은 0.05%로 책정돼있다.

이와 함께 우리나라는 자발적인 기여금도 더 늘려야 한다는 무언의 국제적압력도 받고있다. 이에 따라 정부는 내년부터 UNDP(유엔개발계획)등에 대한 기여금을 최소한 3백만달러 증액할 계획이다. 따라서 유엔가입후 우리의 분담금및 기여금은 최소 6백50만달러가 추가 증액돼 1천5백50만달러가 될 전망이며 수년내에 이 전체액의 2배가량인 3천만달러 이상으로 늘어날 것으로 보인다.

【鄭光哲기자】

Korea Times

President Roh Tae-woo signs a declaration pledging to abide by the United Nations Charter, completing all domestic procedures for the nation's U.N. membership application at Chong Wa Dae Friday, while Foreign Minister Lee Sang-ock, left, and U.N. Ambassador Roe Chang-hee look on.

ROK to Submit Application in Aug.

UN Entry to Bring About S-N Reconciliation: Roh

President Roh Tae-woo, after signing a declaration pledging to abide by the United Nations Charter, said yesterday that South and North Korea's joining the world body will help bring about reconciliation and cooperation between the two halves of the Korean peninsula.

Roh said, "The U.N. entry carries an important meaning as an end to South-North Korean confrontation and a beginning of reconciliation and cooperation."

With the President signing the bill that the National Assembly passed last week, all domestic procedures for Seoul's U.N. membership application were completed.

The declaration reads: "On behalf of the Government of the Republic of Korea, I, Roh Tae-woo, in my capacity as head of state, have the honor to solemnly declare that the Republic of Korea accepts the obligations contained in the Charter of the United Nations and undertakes to fulfill them."

The government plans to submit the application early next month to U.N. Secretary General Perez de Cuellar. North Korea already handed in its application July 8.

The applications of South and North Korea are expected to be handled as a single item at the U.N. General Assembly opening Sept. 17 in New York. The Security Council is likely to adopt a recommendation to accept the two Korea's entry into the world body in the middle of August.

On Sept. 24, Roh will deliver a speech at the U.N. General Assembly session on the occasion of Seoul's becoming a member country of the world organization.

After signing the bill, Roh had lunch with current and former foreign ministers and heads of the U.N. observer mission at Chong Wa Dae.

In the luncheon, Roh said, "The South and North on an international level must cooperate for the mutual benefit of the Korean people which, in the long run, will hasten the day of peaceful national unification."

He said South Korea would be playing a role corresponding to its ability and international status in the world body as a full member.

"Our entry into the U.N. is significant in that we will be able to work actively for world peace and common prosperity of the entire mankind," the President stressed.

타임즈 : 91. 7. 20.

0314

"통일大長征 출발점"

盧대통령, 「유엔헌장의무 수락」 서명

盧泰愚대통령은 19일 유엔가입 신청에 필요한 「유엔헌장 의무수락 선언서」에 서명하고 『우리는 앞으로 유엔에서 우리의 능력과 국제적 위상에 상응하는 역할과 기여를 적극적으로 해 나갈 것』이라고 밝혔다.

盧대통령은 이어 『이번 우리 유엔가입과 함께 북한도 유엔에 가입하기 때문에 남북한이 대결과 대립에서 화해와 협력의 관계로 전환하는 출발점이 될 수 있을 것』이라고 말하고 『남북한의 유엔가입은 한반도통일이 이루어지기 전까지의 잠정조치인만큼 남북한은 국제무대에서 민족의 공동이익을 위해 협력하여 궁극적으로는 조국의 평화적 통일을 앞당길 수 있도록 노력해 나가야 할 것』이라고 강조했다.

盧대통령은 『東西獨의 유엔동시가입이 독일통일의 출발점이 되었다는 점을 교훈으로 삼아 남북한의 유엔가입이 남북한간의 신뢰회복과 교류·협력을 증진시켜 나가는 계기가 되도록 해야 할 것』이라고 역설했다.

정부는 지난 13일 「유엔헌장수락동의안」이 국회에서 의결된데 이어 盧대통령의 유엔헌장의무수락선언서 서명으로 가입신청에 필요한 절차가 마무리됨에 따라 오는 8월2일 가입신청서를 유엔사무총장에게 제출키로 했다.

유엔安保理는 8월16일 우리측 신청서와 북한이 이미 제출한 유엔가입 신청서를 단일의제로 심사, 가입권고결의안을 채택해 총회에 회부할 예정이며 유엔총회는 총회개막일인 9월17일 南北韓동시가입안을 의결케 된다.

세계일보 : 91. 7. 20

盧대통령, 「유엔憲章의무수락서」 署名

"南北韓 화해·協力의 출발점"

盧泰愚대통령은 19일 상오 청와대집무실에서 『나는 대한민국을 대표하여 대한민국이 국제연합헌장에 규정된 제반의무를 수락하고 이를 이행할것임을 국가원수의 자격으로 엄숙히 선언합니다』라는 역사적인 「유엔헌장의무수락선언서」에 서명했다.

盧대통령은 이날 상오11시47분 서명절차를 지켜보던 기자들이 유엔가입에 대한 소감을 묻자 『건국후 43년동안 冷戰의 냉엄한 국제현실속에서 우리 국민의 소망은 유엔가입과 통일 두가지였다』고 말하고 『이제 그중 하나인 유엔가입이 실현되게 됐다』며 깊은 감회를 피력했다.

...vernment of the Republic of Korea, I, ...acity as Head of State, have the honour ...at the Republic of Korea accepts the ...the Charter of the United Nations and ...

Roh Tae Woo

Seoul, 19 July 1991

盧대통령 英文사인

盧대통령은 『우리의 유엔가입이 눈앞에 다가오자 오늘 아침 나에게 신임장을 제정한 어느나라대사가 유엔사무총장국으로 자기나라를 지원해줄것을 요청하더라』고 소개하면서 『이는 벌써부터 우리의 국제적 위상이 달라지고 있는것을 말하는것』이라고 흐뭇함을 표시했다.

盧대통령은 남북한유엔가입으로 한반도긴장완화와 통일여건에 어떤 변화가 올것이냐는 질문에 『유엔의 기능과 역할이 바로 분쟁당사국을 화해와 협력으로 이끌어나가는것』이라고 지적한뒤 『그러한 유엔의 권능과 분위기때문에 남북한간에도 지금까지 풀지못했던 화해와 신뢰및 동질성회복의 물결이 미쳐오게 될것으로 본다』고 기대와 함께 낙관적인 전망을 피력했다.

盧대통령은 金大中新民黨총재가 金泳三民自黨대표와는 유엔에 함께 갈 수 없다고 밝혔다는 말에 『金총재가 농담을 한것이겠지요』라고 조크로 받아넘기면서도 『유엔가입은 국민적 축제이므로 모두 함께 가는것이 좋지않겠느냐』며 여야대표의 유엔동행방문 의사를 거듭 확인했다.

盧대통령은 또 「43년만의 경사인데 우리의 유엔가입일을 임시공휴일로 하면 어떻겠느냐」는 질문에 『아직 거기까지는 생각해보지 않았다』면서 『언론이 국민여론을 잘 경청해 주기 바란다』고 덧붙였다.

盧대통령은 이어 본관대식당으로 자리를 옮겨 李相玉외무장관과 盧昌熹유엔대사가 배석한 가운데 金溶植·金東祚·韓豹頊씨 등 前職외무장관 및 유엔대사 14명과 오찬을 함께 했다.

盧대통령은 이 자리에서 『우리는 앞으로 유엔회원국으로서 우리의 능력과 국제적 위상에 상응하는 역할과 기여를 적극적으로 해나갈 것』이라고 다짐했다.

盧대통령은 특히 『이번 우리의 유엔가입은 북한도 함께 유엔에 가입하는 것이기 때문에 남북한이 대결과 대립에서 화해와 협력의 관계로 전환하는 출발점이 될 수 있다는 중대한 의미가 있다』고 말하고 『남북한의 유엔가입은 한반도 통일이 이뤄지기전까지의 잠정적인 조치인만큼 남북한은 국제무대에서 민족의 공동이익을 위해 협력하여 궁극적으로는 조국의 평화적 통일을 앞당길 수 있도록 노력해나가야할 것』이라고 강조했다.

盧대통령은 『이제 남은 과제인 통일도 지금과 같은 상황에서 외교적 노력을 가속해나가면 90년대중반까지는 결정적인 시기가 도래할 것』이라고 말했다.

盧대통령은 이어 『우리의 유엔가입은 모든 국민의 참여와 지지속에 축복받아야 할 국민적 경사로서 국민적인 화해와 화합의 계기가 되어야 한다』고 말했다.

盧대통령은 이와함께 『유엔테두리에서 남북한이 대화의 폭을 넓히는 협력을 확대해나갈 수 있는 방안에 대한 종합적인 계획을 수립, 보고하라』고 李외무장관에게 지시했다.

〈李慶衡 기자〉

서울신문 91. 7. 20

0315

Roh signs declaration on U.N. Charter in prep for admission

President Roh Tae-woo, after signing a declaration pledging to abide by the United Nations Charter yesterday, said he expects that the entry of South and North Korea into the world body will help improve inter-Korean relations.

"I also believe that our U.N. membership will enable us to play a bigger role and make greater contributions in the international community," he told reporters after signing the declaration at Chong Wa Dae.

By signing the declaration motion passed by the National Assembly last week, Roh completed all domestic procedures for Seoul's membership application to the United Nations.

The declaration reads: "On behalf of the Government of the Republic of Korea, I, Roh Tae-woo, in my capacity as head of state, have the honor to solemnly declare that the Republic of Korea accepts the obligations contained in the Charter of the United Nations and undertakes to fulfill them."

Seoul is expetfd to submit its membership application to the U.N. secretary-general early next month, a government official said.

Pyongyang handed in its application earlier this month, breaking from its long-held opposition to both Koreas separately entering the world organization.

The two Koreas' applications are likely to be handled as a single item at the U.N. General Assembly opening Sept. 17, according to the officials.

"I am confident that inter-Korean relations will develop in a desirable way when the two sides enter the United Nations, whose major function is promoting peace and resolving conflicts," Roh stated.

While being presented credentials by President Roh, the new Nigerian ambassador asked for help regarding his country's bid to secure the next U.N. secretary-general's post. Roh said, "I can already feel the enhanced international prestige of our nation."

Roh said he hopes to visit New York with both opposition leader Kim Dae-jung and ruling party Executive Chairman Kim Young-sam in September when he is to address the U.N. General Assembly on Seoul's entry into it.

After signing the declaration, Roh had lunch with 14 present and former foreign ministers and heads of Korean U.N. observor missions.

"The U.N. entry will signal a starting point for South and North Korea to end their confrontational relations and move toward conciliation and cooperation," Roh was quoted as saying during the luncheon.

He said the two Koreas' separate U.N. membership is only a provisional step until the eventual unification of the divided Korean Peninsula.

헤럴드 : 91. 7. 20

0316

'031.7

한국일보(91.7.20)

남북 2일 유엔加入 신청

安保理심의후 9월17일 總會의결 확실

정부는 19일 盧泰愚대통령이 「유엔헌장의무수락선언」에 서명함으로써 유엔 가입 신청을 위한 국내절차를 모두 마침에 따라 수락선언서 및 신청서를 오는8월2일께 유엔사무총장에 제출키로했다.

유엔안보리는 우리의 유엔가입 신청서가 접수되면 남북한가입안을 단일안건으로 심의, 오는8월15일까지 통과시킬것으로 전망된다.

이에따라 남북한은 오는 9월17일 제46차 유엔총회 개회와 함께 사실상, 동시가입하게될것이 확실시된다.

한국경제(91.7.20)

남북 UN가입 신청

盧대통령,「헌장수락선언서」에 서명

盧泰愚대통령은 19일상오 청와대에서 유엔가입신청에 필요한 유엔헌장의 무수락선언서에 서명했다.

지난 13일 국회에서 유엔헌장수락동의안이 통과되고 이날 盧대통령이 이를 재가함으로써 유엔가입을 위한 국내절차는 모두 마치게 됐으며 이에따라 정부는 내달초 정식으로 가입신청서를 제출할 예정이다.

盧泰愚대통령은 이를 재가한뒤 李相玉외무장관과 盧昌熹유엔대사와 金溶植 韓約振씨등 전외무장관및 전유엔대사 14명과 오찬을 함께했다.

42년 소모전 일단마감

南北韓 유엔가입 신청史

45년 10월24일에 창설된 유엔에 들어가기 위한 南北韓의 가입신청史는 시종 좌절의 역사였다.

인구 몇만명의 小國들도 전혀 어려움없이 회원국이 되는게 유엔 보편성의 원칙인데 비해 大韓民國과 조선민주주의인민공화국만은 유엔의 문을 두드릴때마다 예외없이 門前박대를 감수해야했다.

그것은 韓半島가 냉전의 전초기지였다는점과 어느면에서는 分斷상황에 슬기롭게 대처하지못한 '우리'의 자업자득이기도 했다.

지난 42년동안 南韓은 모두 14번, 北韓은 5번씩 유엔가입을 시도했었다.

○…南北韓이 각각의 정부를 수립한뒤 유엔가입신청서를 처음 제출한 것은 49년 벽두.

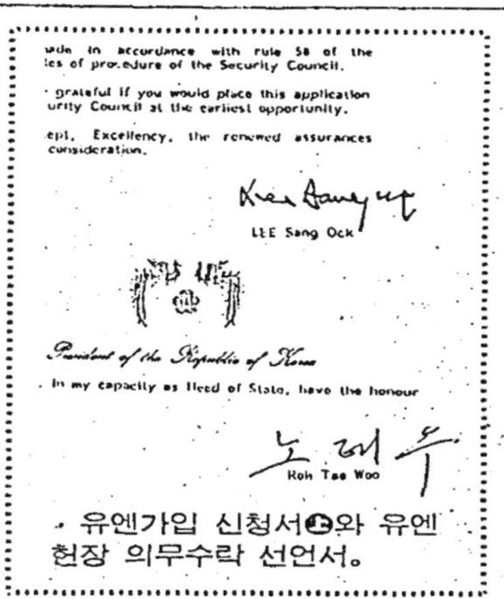

...ade in accordance with rule 58 of the
...les of procedure of the Security Council.

... grateful if you would place this application
...urity Council at the earliest opportunity.

...ept, Excellency, the renewed assurances
...consideration.

LEE Sang Ock

President of the Republic of Korea

... In my capacity as Head of State, have the honour

노태우
Roh Tae Woo

・유엔가입 신청서(上)와 유엔 헌장 의무수락 선언서.

49년 첫시도 蘇거부로 부결

냉전기류속 南14·北5차례 노크 수포로

그해 1월19일 南韓은 高昌一외무장관서리 명의로 유엔사무총장에게 가입신청서를 제출했고 北韓의 朴憲永외교부장은 2월9일 가입신청문안을 역시 사무총장에게 발송했다.

당시 南韓의 가입안은 「新회원국가입위」를 통과했으나 安保理 전체회의에서 蘇聯의 거부권 행사로 부결됐다. 북한의 그것은 결의안 자체가 성립되지않았다.

南과 北의 첫 좌절은 이후 42년간 두 정부가 유엔가입을 향해 걸어야할 險路를 예고하는 것이기도 했다.

○…南韓은 49년 4월8일 自由中國의 가입권고결의안제출 형식으로 재시도했으나 蘇聯대표는 安保理에서 『니예트』를 되풀이했으며 같은해 10월31일 濠洲가 재심을 요구했으나 소련은 요지부동이었다.

한국동란중인 51년12월22일 정부는 張勉총리명의로 신청서를 냈으나 처리조차되지않았고 52년1월2일 북한도 역시 朴憲永외교부장이 신청전문을 발송했으나 결과는동일했다.

이후 南韓은 자유중국, 美國등 우방국의 힘을 빌려 거듭 유엔을 노크했으나 결과는 불문가지였으며 57년 1월24일 蘇聯이 남북한및 南北베트남등 4國의 동시가입을 安保理에 촉구, 새로운 상황을 조성했으나 유엔特政委는 이를 부결시켰다.

이를 전후해 南北韓을 대리한 美·蘇의 입장은 첨예하게 부딪친다. 이무렵은 최근상황과 달리 북한과 소련이 남북동시가입을 추진했고 남한과 美國은 6·25발발 책임을 들어 북한의 유엔가입을 극력 저지했다.

지루한 美·蘇의 代理戰을 거쳐 제2공화국의 鄭一亨외무장관이 61년4월21일 가입신청再審을 요청했지만 처리되지 못했다.

○…그후 14년간 남북한 유엔가입신청러시는 잠복기에 들어간다. 그리고 70년대 초·중반은 유엔을 둘러싼 국제사회의 상황변화가 대두된다.

71년 中國이 臺灣을 축출하고 유엔에 入城했으며 신탁통치에서 해제된 신생독립국가가 대거 유엔의석을 차지, 유엔의 票분포도를 바꿔놓은 것이다. 또 베트남전쟁은 共産진영의 승리로 귀착했다.

이렇듯 變轉된 분위기속에서 75년8월 페루 리마 非동맹회의는 南韓에게 커다란 외교적 패배를 안겨줬다. 베트남전쟁직후 국제사회의 새로운 상황하에서 북한만이 비동맹그룹에 가입하고 南韓은 거부당했던 것이다.

75년은 한반도문제가 유엔의제에 오르는 마지막연도이기도 했다.

그해 7월29일 金東祚외무장관은 가입신청 再審을 요청했으나 安保理의제 채택도 되지 못했으며 더구나 9월 제30차 유엔총회에서는 南韓측(美國주도)결의안과 共産측결의안이 동시에 채택되는 사건이 발생했다.

당시 朴東鎭駐유엔대사는 더이상 한반도문제를 유엔에 상정하지 말자고했으나 金장관은 특유의 밀어붙이기를 강행했다가 쓴잔을 든것이다.

이로인해 12월 개각에서 朴正熙대통령은 金장관을 경질, 朴대사를 외무장관에 기용했다. 당시는 南北표대결 결과가 외교관능력의 지표였다.

그후 지금까지 한반도문제 유엔不上程정책이 지속되는 가운데 南北의 유엔가입정책은 다시 역전돼 남한은 동시가입을, 북한은 통일후加入→단일의석가입안을 주장해왔다.

국제정치에서는 영원한 敵도 친구도 없는것. 상황은 또 바뀌어 남한의 유엔가입을 그렇게 좌절시켰던 蘇聯의 대통령이 濟州道에 오고 美國도 북한의 가입을 환영한다는 입장으로 선회했다.

오는 8일 유엔安保理는 南北韓가입권고안을 만장일치로 통과시킬것이 확실시된다.

유엔을 향한 40여년간의 南北외교대결과 소모전이 일단 종료되는 것이다.

〈宋永丞기자〉

(경향, 91. 8. 6.)

0318

유엔時代 〈1〉

당면과제와 南北관계(対談)

南北韓 UN동시가입이 눈앞에 다가왔다.

정부수립 이듬해인 49년 1월 UN의 문을 처음 두드린지 42년만에 이루어지게 될 UN가입을 앞두고 駐UN대사와 외무부장관을 역임한바 있는 朴東鎭 전 장관과 고려대 정경대 韓昇洲교수를 초청, UN가입의 의미와 향후 南北관계의 변화전망및 UN외교과제등을 들어봤다. 〈편집자注〉

▲韓昇洲교수=우리나라와 UN은 다른 어느 정회원국보다 각별하고도 밀접한 관계를 유지해 왔습니다. 해방후 UN결의안에 따른 남한지역만의 총선과 48년 12월의 한반도 유일합법정부승인, 한국전쟁참전결정 및 전후복구사업지원등 뗄래야 뗄수없는 관계에있었던 것입니다.

국제적 위치 격상

그럼에도 여태껏 UN에 가입지못해 UN이란 무대에서는 「고아」와 같은 취급을 받아왔던게 사실입니다.

"韓国외교 새地平…北변화 急流탈것"

북방정책 이어 多辺외교 가속

「共存틀」 진입… 실질대화 촉진

▲朴東鎭 전장관=UN과 맺어온 여러측면에서의 특수한 관계로 미루어, 그리고 우리나라의 국제적 위상등 이론과 실제에 비추어 볼때 한국은 당연히 회원국으로 가입했어야 합니다.

그러나 지난49년 UN가입신청을 낸 이래 안전보장이사회에서의 소련의 거부권행사등 동서냉전의 祭物이 돼, 번번이 가입의 문턱에서 좌절됐던 것이지요.

▲韓=우리가 이번 UN가입신청을 두고 상징적이고도 실질적인 의미를 부여하는게 바로 그때문입니다. 이에는 올림픽을 치르고난 후 우리나라의 국제적위상이 높아졌고 다른 한편으로는 북방정책등을 꾸준히 추진, 주변요인을 변화시킨데 따른 결과이기도 할 것입니다.

▲朴=우선 UN 회원국이 됨으로써 지금까지의 옆에서 관찰하는데 그쳤는 위치에 있던 한국은 국제정치및 경제질서를 형성하는데 상당한 영향력을 행사할수있는 자리로 국제적인 위치가 격상된다는 얘기입니다.

▲韓=南北韓동시가입으로 45년중전후 계속 문제돼온 중국, 독일, 한국등 분단국가의 문제가 차례로 정리되고있다는 느낌입니다. 동시가입을 반대해온 北韓이 이번에 마지못해서 들어오는 것처럼 얘기하고있지만 사실 속으로는 체제안정이나 북한의 이익에 부합된다고 판단하지 않았을까요.

◇朴 東 鎭씨 〈前 외무장관〉

▲朴=저도 개인적으로는 견해를 같이합니다. 北이제 아무리 동원사회이고 공산당통제가 강력한 형태로유지되는 사회라곤 하지만 소련이 마르크스-레닌이즘을 수정할정도로 바뀌고있고 중국 또한 美·日과의 경협을통한 自救노력에 골몰해있는 상황에서 북한내부 변화의 가능성은 증대되고 있다고 봐야 할것입니다.

◇韓 昇 洲씨 〈고려대 교수〉

말하자면 대남적화통일이란 최선책에서 공산정권유지 즉 金日成·金正日체제의 기득권보장으로 정책이 변화하고 있고 UN가입신청도 그의 산물이라 보여집니다.

▲韓=어쨌든 南北韓동시가입으로 우리는 또하나의 대화채널을 가지게 됐습니다. 더욱 중요한 것은 평화애호등 회원국으로서의 의무조항을 준수해야 되므로 남북한불가침선언 효과를 사실상 거두게 됐습니다. 동시가입이 특별히 통일을 앞당긴다고 얘기할 수 없을지 모르지만 통일을 저해하는 불상사가 생기지 않게하는 안전판은 확보된다고 할수있겠지요.

▲朴=그렇습니다. 南北공히 UN헌장을 수락하고 들어감으로써 최소한 평화적인 공존관계를 간접적으로 제도화하는데 기여할것입니다.

거기에 南과 北이 대화를 원활히 할수 있는 광장이 조성됨으로써 긴장해소 및 통일촉진을 위한 실질적협의도 가능하리라 봅니다.

北·日수교 당겨질듯

▲韓=지금까지 UN 가입의 배경과 의미를 간단히 살펴봤습니다. 가입이후의 상황은 어떻게 전개되리라 보십니까.

▲朴=속단할수 없으나 상식적으로 볼때 北은 변하지 않을수 없을 것입니다. 국제적 고립화가 체제존립에 위협요인이 된다는것을 모를리 없을 것이고 가령 日本과의 수교노력이나 対美유화자세도 그의 일환일 것입니다.

▲韓=북한이 국제사회에 동참할 기회가 제공됨으로써 日本과의 수교, 미국과의 관계개선, 서방과의 관계확대는 가속화되리라 예상됩니다.

한가지 분명한 것은 우리에 비해 북한은 UN동시가입쪽으로 정책이 달라지기까지 겪은 변화보다 가입이후 더 많은 변화에 직면할 것입니다.

▲朴=여담입니다만 최근 UN가입문제가 현안이 되면서 주위로부터 가입의 실질적인 효과내지 혜택이 어떤것이냐는 질문을 자주 받았습니다.

앞에서도 얘기했지만 駐UN대사를 지낸 저로서는 옵서버국으로서 庶子취급만 받아오다 명실상부한 회원국이 된다는 사실이 피부에 와닿는다고 답해주곤 했습니다.

표결권도 안가진채 총회장 구석진 옵서버석에 앉아있었을 때, 만찬에 각국 대표를 초청해도 정회원국이 아니라는 이유로 참석을 거절당했을때, 休회중 건물내 로비에 모여있는 회원국대표들 사이에서 웬일인지 어깨가 움츠러만 들 때 느낀굴욕감은 이만저만한 게 아니었지요. 더욱이 인구 10만안팎에 국력이나 문화수준이 우리만도 훨씬 못한 나라의 대표들을 상대로 득표활동을 할때엔 모욕감도 많이 받았습니다.

▲韓=다른 측면에서 이번 UN가입은 우리외교의 또 다른場 즉 대외관계의 다변화와 글로벌化(Global-ization)를 가져오는 기회와 길목을 제공했다고 여겨집니다.

후속조치 신경 써야

UN및 국제기구에서 美등우방국을 통해 우리입장을 전달하고 국가이익을 추구했던 시점을 1단계로 보고, 蘇·中및 東欧와의 관계개선을 통한 북방정책을 2단계라할때 이제는 다변화와 지구화의 외교3단계에 접어들었다 할수있습니다. 요컨대 강대국의존형 외

(조선, 91. 8. 6.) #1

0319

유엔加入 길목

中國태도 '아리송'…

4월에야 "北가입 설득하겠다" 韓國지지 선회
작년 總會땐 中蘇서 "곤란하다" 메시지로 포기
49년이후 南14 北5차례 신청…거부권에 霧散

0320-1

○…가입신청서 제출 때까지 정부가 가장 신경을 썼던 것은 역시 中國의 태도. 中國은 올해 3, 4월 들어 비로소 거부권을 행사하지 않겠다는 뜻을 비치기 시작했지만 마지막 순간까지도 떠부러지게 얘기를 안해 우리측 실무자들은 내심 가슴을 태웠다.

中國의 입장변화 가능성이 처음 감지된 때는 지난 2월 錢其琛 中國외교부장이 유럽 8개국을 순방했을때. 우리측은 사전에 이들 8개국에 錢을 상대로 韓國의 유엔가입입장을 설명하고 지지를 얻어주도록 부탁을 해놓았는데 의외로 성과가 있었던것.

中國은 그후 3월 한 고위관리가 우리측의 盧昌熹 유엔대사를 만난 자리에서 『韓國의 가입은 시간문제일 뿐이다』고 귀띔, 태도변화를 처음 시사했고 다시

○…정부는 中國을 설득하기위해 올해들어 北京에 가는 프랑스 濠洲 日本 이탈리아등 우방국들의 외무장관이나 총리등을 통해서 우리의 입장을 전달케 하는등 외교수단을 총동원했다.

中國의 입장변화에는 걸프戰과 올해가 天安門사태 2주년이라는 점등 두가지 외적요소도 크게 작용했다.

걸프戰을 계기로 美蘇등 주요 강대국들이 對이라크 제재에 있어서 거의 한목

을 끝까지 고수했더라면 적어도 명분면에서는 밀리지 않았을 것이라고 외무부 관계자들은 분석했다.

○…盧泰愚대통령은 지난해 12월 외무부로부터 유엔가입대책을 보고 받으면서 외무부가 준비한 「유엔가입 추진노력의 경과및 향후 대책방향」이란 보고서 겉 표지위에다 만년필로 「明年目標로 着實히 準備」라고 써서 흘려줄만큼 유엔가입에 집착을 보였다

▲安保理 전체회의
南北韓의 유엔가입은 8일밤 유엔안보리 전체회의에서 가입권고결의안이 통과됨으로써 사실상 확정된다. 사진은 지난 6월17일 이라크의 대량살상무기 폐기비용을 이라크가 지불하도록 결의하는 안보리 전체회의 모습.

산하團體 이미 참여

保健기구등 南26 北13개 가입활동
南北韓교류 협력의 광장으로 기대

0320

韓國은 유엔회원국이 아니면서도 그동안 유엔산하기구나 전문기구에서는 비교적 자유롭게 활동해 왔다. 이것은 유엔의 기구가 거의 대부분 보건 식량 우편 기상문제등을 연구하는 비정치적 비이념적 기구여서 비교적 활동이 자유로웠던 까닭이다. 그러나 그럼에도 불구하고 주요기구의 집행부가 된다든가 핵심적인 역할을 한다든가 하는 면에서는 알게 모르게 불이익을 당해온 것도 사실이다. 이런 불이익은 이제 유엔가입과 함께 말끔히 사라지게 된다. 어떤 기구에서나 국가의 힘에 비례하는 위치와 역할이 주어지게 된다.

유엔가입은 또한 각종 유엔기구내에서 南北韓간의 교류와 협력을 증대시킬 것으로 크게 기대되고 있다. 北韓은 韓國에 비해 유엔기구에서의 활동이 활발하지 못했고 국제통화기금(IMF)과 같은 국제경제기구에는 가입하지 않았다. 그러나 유엔가입은 필연적으로 北韓을 다양하고 넓은 국제기구의 세계로 밀어넣을 것으로 보인다.

유엔기구는 크게 산하기구와 전문기구로 나뉜다. 두 기구에 큰 차이는 없으나 산하기구는 유엔의 직접적인 관할권아래에 있는 기구고 전문기구는 유엔밖에 있되 다소 독립성을 갖는 기구다.

韓國은 현재 14개의 유엔산하기구중 亞太경제사회이사회(ESCAP) 유엔무역개발회의(UNCTAD)등 11개 기구에 가입, 참여하고 있으며 北韓은 UNCTAD 한 기구에만 가입해 있다.

또 16개의 전문기구중 韓國은 국제노동기구(ILO)를 제외한 15개기구에 가입해있는 반면, 北韓은 11개기구에 가입해있다. 韓國이 가입해있는 전문기구는 세계보건기구(WHO) 유엔식량농업기구(FAO) 만국우편연합(UPU) 유엔교육과학문화기구(UNESCO) 국제전기통신연합(ITU) 국제민간항공기구(ICAO) 국제통화기금(IMF) 국제부흥개발은행(IBRD) 세계기상기구(WMO) 국제해사기구(IMO) 국제개발협회(IDA) 국제금융공사(IFC) 유엔공업개발기구(UNIDO) 세계지적소유권기구(WIPO) 국제농업개발기금(IFAD) 등이다. 北韓은 이중 IMF IBRD IDA IFC ILO등 모두 5개기구를 제외한 나머지기구에 가입해있다.

北韓이 가입하지 않았거나 못하고 있는 기구들의 공통점은 차관 원조 금융에 관한 기구란 것. 폐쇄체제를 고집하고 있는 北韓으로서는 이들 기구에의 가입이 곧 개방과 개혁의 시작을 의미하기 때문에 유엔회원국이 된 후에도 당분간 가입은 어려울 것으로 전망되고 있다.

관심을 모으고 있는 ILO의 경우 韓國은 가입한다는 방침이지만 北韓은 역시 힘들 것으로 보인다. ILO헌장은 공무원노조 및 복수노조의 허용을 명시하고있는데 北韓에 그수준을 요구하는것은 무리다.

따라서 北韓의 유엔기구 활동의 초점은 개발도상국을 상대로 하고 또 개도국이 활동의 중심이 되는 기구에 모아질 것으로 예측되고 있다. 예를들어 北韓이 오는9월7일 주平壤에서 열기로 돼있는 UNCTAD산하 77그룹 亞洲각료회의는 한 예다. 또 北韓을 위해 두만강유역 경제특구개발계획을 도와주고 있는 유엔개발계획(UNDP)도 앞으로 北韓을 개방사회로 끌어내는 창구역할을 할 것으로 기대되고 있다.

南北韓은 그러나 유엔사무국이나 안보리 경제사회이사회등 「기구」가 아닌 유엔의 「기관」에서는 보다 큰 발언권을 위해 대결할 가능성도 있다.

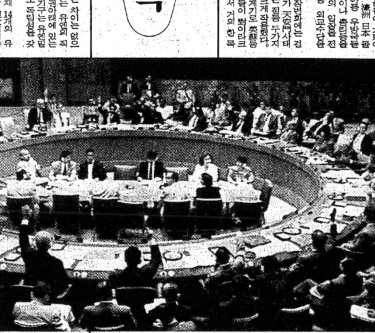

中國태도 '아리송'… 숱한고비

유엔加入 길목

신청서 제출까지의 뒷얘기들

韓國의 유엔가입이 6일의 가입신청서 제출로 시간과 절차만을 남겨 놓고 있다. 88년 서울올림픽, 89년 北方외교의 시작등을 계기로 본격화된 우리의 유엔가입 노력은 그동안 거부권을 쥐고 위협하는 中國, 단일의석가입을 고집하는 北韓등 크고 작은 많은 고비를 넘어왔다. 가입신청서제출에 이르기까지 숨겨진 얘기들을 모아본다.

○…가입신청서 제출 때까지 정부가 가장 신경을 썼던 점은 역시 中國의 태도. 中國은 올해 3、4월 들어 비로소 거부권을 행사하지 않겠다는 뜻을 비치기 시작했지만 마지막 순간까지도 똑부러지게 얘기를 안해 우리측 실무자들은 내심 가슴을 태웠다.

中國의 입장변화 가능성이 처음 감지된 때는 지난 2월 錢其琛 中國외교부장이 유럽 8개국을 순방했을때. 우리측은 사전에 이들 8개국에 錢을 상대로 韓國의 유엔가입입장을 설명하고 지지를 얻어주도록 부탁을 해놓았는데 의외로 성과가 있었던것.

中國은 그후 3월 한고위관리가 우리측의 盧昌熹 유엔대사를 만난 자리에서 『韓國의 가입은 시간문제일 뿐이다』고 귀띔, 태도변화를 처음 시사했고 다시

○…정부는 中國을 설득하기위해 올해들어 北京에 간는 프랑스 濠洲 日本 몰타 이탈리아등 우방국들의 외무장관이나 총리등을 통해서 우리의 입장을 전달케 하는등 외교수단을 총동원했다.

中國의 입장변화에는 걸프戰과 올해가 天安門사태 2주년이라는 점등 두가지 외적요소도 크게 작용했다. 걸프戰을 계기로 美蘇등 주요 강대국들이 對이라크 제재에 있어서 거의 한목소리를 내는 전략적인 협조분위기속에서 中國만 어떤 [illegible] 등을 취하기는 어려웠다는 것.

○…정부는 지난해 10월 제45차총회때도 가입신청서 제출을 진지하게 고려했었다.

그러나 정부가 그때 신청서제출을 하지않은 것은 中國은 물론 蘇聯까지도 만류했기 때문. 中國은 그해11월18일 비공식 외교경로를 통해 「韓國은 곤란하다」는 메시지를 보내왔었다. 정부는 中國의 이같은 [illegible]

4월에야 "北가입 설득하겠다" 韓國지지 선회

작년 總會땐 中蘇서 "곤란하다" 메시지로 포기

49년이후 南14 北5차례 신청…거부권에 霧散

4월18일에는 우리측 실무자에게 北韓의 가입을 설득하겠다고 말해 韓國지지 쪽으로 선회했음을 간접 통보해왔다.

中國의 北韓에 대한 「최후통첩」 [illegible] 5월3일 李鵬총리의 平壤방문때. 李총리는 金日成에게 「南北韓이 함께 가입하는 것이 최선의 방법이다」는 메시지를 보냈었다라고 설명했다는 것.

[illegible]

○…韓國의 유엔가입신청은 지난 1949년부터 [illegible]

[illegible] <李載昊기자>

0320-1

▲安保理 전체회의 南北韓의 유엔가입은 8일 밤 유엔안보리 전체회의에서 가입권고결의안이 통과됨으로써 사실상 확정된다. 사진은 지난 6월17일 이라크의 대량살상무기 폐기비용을 이라크가 지불하도록 결의하는 안보리 전체회의 모습.

專門기구등 南6 北3개 가입활동

[illegible] 이미 참여

韓國은 유엔회원국이 아니면서도 그동안 유엔산하기구나 전문기구에서는 비교적 자유롭게 활동해 왔다. 이것은 유엔의 기구가 거의 대부분 보건 식량 우편 기상문제등을 연구하는 비정치적 비이념 기구여서 비교적 활동이 자유로웠던 까닭이다. 그러나 그럼에도 불구하고 주요기구의 집행부가 된다든가 핵심적인 역할을 한다든가 하는 면에서는 알게 모르 [illegible]

두 기구에 큰 차이는 없으나 산하기구는 유엔의 직접적인 관할권아래에 있는 기구고 전문기구는 유엔밖에 있되 다소 독립성을 갖는 기구다.

韓國은 현재 14개의 유엔산하기구중 亞太경제사회이사회(ESCAP) 유엔무역개발회의(UNCTAD)등 11개 기구에 가 [illegible]

[illegible] 준을요구한다는것은 무리다.

따라서 北韓의 유엔기구활동의 초점은 개발도상국을 상대로 하고 또 개도국이 활동의 중심이 되는 기구에 모아질 것으로 예측되고 있다. 예를들어 北韓이 오는9월7일 平壤에서 열기로 돼있는 UNCTAD산하 77그룹 亞洲각료회의는 한 예다. 또 北韓을

(91.8.6. 동아일보)

0321

多者間 經協무대 본격 참여

선·후진국 교량역할 증대도

北韓 대외開放 획기적 轉機

유엔加入… 韓半島 새氣象 <2>

우리나라의 UN加入으로 당장 가시적인 경제적 프리미엄 효과가 있는 것은 아니라는게 전문가들의 공통된 지적이다.

UN비회원국이라도 각종 국제경제기구에의 문호가 열려 있었고 특히 우리나라는 급속한 경제성장과 함께 국제노동기구(ILO)를 제외한 각종 기구에 적극적인 자세로 참여, 활동해왔기 때문이다. 따라서 UN가입이 실현됐다 해서 우리의 경제적 위상이 크게 달라질게 없다는 것이다.

그렇더라도 UN자체가 지구촌 최대의 「政治외교무대」라는 점을 감안할때 지금까지 非회원국으로 각종 국제기구에의 참여및 활동을 雙務間협의에 매달려야 했던 불편한 입지를 떨치고 국제사회에서 당당한 「多者間의 일원」으로 목소리를 낼 수 있게 된 점은 과소평가되기 어렵다.

일각에선 경제적인 측면만 국한시켜 본다면 국제기구분담금 등 부담액만 금년 1천1백20만달러에서 내년부터 1천7백만~2천만달러로 대폭 늘어나게 돼 오히려 손해라는 부정적인 시각도 없지 않은게 사실이다.

그러나 이같은 평가는 지극히 편협된 견해란 지적이 많다.

GNP(국민총생산)나 교역규모상 전세계 12~13위권에 드는 경제대국으로서 지금까지 상당한 면제특권을 누렸던 게 오히려 비정상적이며 장기적으로 우리나라의 국제적 위상을 강화해 나가기 위해서는 경제력에 걸맞는 국제적 부담을 져야 한다는 게 전문가들의 의견이다. 때문에 우리의 UN가입이 경제적 측면에서 즉각적인 플러스효과를 가져오지는 못한다 하더라도 중장기적으로 몇가지 전제요건이 충족된다면 적지않게 긍정적인 효과를 거둘 수 있을 것으로 분석된다.

우선 UR협상, 경제적 이해관계가 첨예하게 걸린 다자간협상무대에서 先進國과 開途國간의 조정자 역할을 보다 당당하게 수행할 수 있을 뿐 아니라 발언권도 강화할 수 있을 것으로 기대되고 있다.

또 장차 中國 베트남등과 관계정상화 및 經協등의 추진과정에서 韓·蘇수교때처럼 經協자금제공등 수교대가를 지불하지 않고도 보다 떳떳한 입장에서 소기의 성과를 달성할 수 있지 않겠냐는 것.

특히 南北韓의 동시가입은 그동안 악화일로를 치달아온 군사적 대결구도청산 및 경협무드조성에 크게 이바지할 것이 틀림없고, 인는 궁극적으로 재정의 25~30%(북한은 GNP의 30%)수준에 달하는 방위비를 크게 낮출 수 있게 돼 경제개발등을 위해 자원을 돌려 쓸 수 있는 여유가 커지는 것을 의미한다.

北韓이 아우타르키 경제체제의 실패를 인정한 이상 이번 유엔가입을 계기로 장차 △IMF(국제통화기금) △IBRD(국제부흥개발은행) △ADB(아시아개발은행) 등 국제경제기구에 가입, 개도국지원자금과 함께 우리의 경제개발 모델을 접목해 갈 가능성도 그만큼 커졌다고 볼수 있다.

물론 이번 유엔가입이 北韓의 UN경제기구가입→經協촉진→南北긴장완화→군비축소 등으로 이어질 일련의 성과는 北韓의 「상황에 걸맞는 태도변화」라는 전제요건이 맞아 떨어져야 함으로 단시일 내에 가시적인 효과를 기대하기는 어려울 것이다.

그러나 소련 中國 등 공산권 국가들이 GATT(관세 및 무역에 관한 일반협정) IMF등에의 가입을 요청해 놓은 것을 상기하면 北韓도 이번 유엔가입을 계기로 비슷한 패턴을 밟을 가능성을 배제하기 어렵다.

최근 北韓이 두만강 유역개발과 관련, UNDP(UN개발계획)자금 4백만달러를 끌어들이기로 하고, 淸津 羅津 등을 경제특구로 지정해 우리측에 3國을 경유하여 자본지원을 요청한 것만 봐도 이미 변화의 물결을 타고 있음을 반영하는 것으로 평가된다.

경제기획원이나 외무부 관계자들은 『北韓이 UN가입

◇국제기구분담금 <단위=천달러>

	86	87	88	89	90	91계획
국제경제기구	1,290.5	1,750.5	1,994.2	2,013.0	2,103.3	2,617.1
국 제 기 구	3,646.7	4,003.2	4,734.3	6,931.6	8,217.3	8,591.0
·UN직속기구	943.9	1,190.9	1,265.5	2,055.5	1,707.7	2,291.7
·UN전문기구	1,868.0	1,680.3	2,393.2	3,177.4	4,291	4,437
·정부간접기구	706.6	894.7	920.6	1,211.5	1,464.6	1,301.3
·비정부간기구	105	125	150	190	190	200
·기 타	23.2	112.3	5.0	297.2	564	361
합 계	4,987.2	5,803.7	6,778.5	8,994.6	10,320.6	11,208.1

유엔時代 〈2〉

南北 협조체제 전망

現實노선불가피…대화진전 예상

北, 단기적으로 기존 선전외교 고수
가입후 군사·인권부문 대립 가능성

공조여부 北에 달려

남북한 유엔동시가입이후 南北관계는 어떤 변화를 겪게 될 것인가.

동시가입이 현실로 다가옴에 따라 지난 40여년간 南北양측이 유엔에서 벌여온 대결외교가 앞으로 어떻게 변해갈지에 관심이 집중되고 있다.

현재 정부는 가능한한 유엔가입후 남북대결을 피하고,南北韓협조체제를 유지하도록 노력하겠다는 입장을 밝히고 있다. 정부는 이를위해 지난 5월末 유엔대표부를 통해 南北韓유엔대사협의체구성등을 제의해 놓고 있으나, 北韓측은 아직 반응을 보이지 않고있다. 따라서 앞으로 유엔에서의 南北韓간 협조체제가동여부는 北韓이 어떤 태도를 취할것인가에 달려 있다고 볼수있다.

유엔가입이후 북한은 단기적으로는 기존의 對南정책들을 선전하는 공세적인 외교를 펼 가능성이 크나, 중장기적으로는 최근 국제사회의 분위기를 수용, 현실적인 입장을 취하게 될 것이란 전망이 지배적이다.

먼저 단기적으로 북한은 총회나 산하위원회, 안보리등에서 한반도 非核化나 유엔군사령부해체, 駐韓미군철수등의 기존입장들을 각종 연설이나 문서등을 통해 부각시키려 할 것으로 보인다.

이는 북한당국이 북한주민 설득과 對外的인 일관성 유지를 위해 절실히 필요한 대목이다. 「남측의단독가입으로 통일문제가 일방적으로 논의되는것을 막기위한 조치」라는 유엔가입논리를 뒷받침하기 위해서도 북한은 통일관련 기존입장을 부각시키려할 가능성이 큰 것이다.

그러나 북한의 이같은제의들은 지난달 30일 외교부 성명으로 나온「南北韓비핵화공동선언제의」처럼 과거 선전일변도의 제안보다는「현실성」을 띠게될 것이라는 관측이 많다.

非核化등 주장할듯

이에대해 우리측은 한반도非核化논의에 앞서 북한이 核확산방지조약(NPT)회원국으로서의 의무사항인 核사찰을 완전히 수락하라고 촉구하고, 휴전협정의 평화협정대체나 유엔사해체는 한반도에「항구적인 평화보장장치」가 마련된 후에 가능하다는 기본입장을 밝힐 것으로 보인다.

결국 올가을 유엔총회에서는 한반도문제가 주요현안의 하나로 부각되겠지만 과거와 같이 극한적인 南北간 표대결로 이어지지는 않을 것으로 보인다. 北韓역시 東西화해와 실리추구로 대변되는 최근의 유엔분위기에서 예전과 같은 논리로는 지지확보가 어렵다는 점을 인식하고 있기 때문이다.

북한외교가 중장기적으로 현실노선을 추구할 것이라는 관측도 이같은 국제환경의 변화에서 출발한다.

南, 평화장치 先決강조

이미 공산권의 사회주의적 유대관계가 무너져 내린데다 한국의 북방정책이 성과를 거둔상황에서 북한의 주장을 일방적으로 지지할 회원국은 극소수일수 밖에 없다. 더욱이 유엔가입을 계기로 美日등 서방국들과의 관계개선을 적극화하려는 북한으로서는 유엔전반에 형성된 현실적인 분위기를 수용하지 않을수 없을 것으로 보인다. 관계자들은『북한은 당장 유엔가입후 평화이미지 고양을 위해 남북대화참가에는 성의를 보일것』이라며『이같은 변화가 축적되면 결국 북한의 對外및 對南정책 변화를 앞당기게 될것』이라고 전망하고 있다.

유엔가입후 남북한은 총회뿐아니라 총회산하 7개위원회와 수십개 유엔산하 국제기구에서 협력여부를 선택해야 한다.

남북간 협력이 이뤄지면 위원장당선이나 현안별 의사표시에서「공조」가 가능하다. 그러나 반목과 경쟁이 일게되면「누워서 침뱉기」식의 안쓰러운 장면이 연출될 공산도 크다.

현재 논란이 촉발될 가능성이 가장 높은 위원회는 정치군사문제를 다루는 제1위원회와 人權문제를 다루는 제3위원회다. 그밖에 마약, 환경문제등을 다루는 위원회나 국제기구에서는 남북간 큰 마찰이 없을 것으로 보이며, 개도국지원 경제개발등을 다루는 분야에서는 적극적인 협력도 가능할 것으로 예상된다.

극한 대립은 없을듯

정부관계자들은『가능한한 남북한 공동관심분야에서 협력체제를 쌓아가고, 군사문제등 한반도관련문제는 총리회담등 남북당사자간 직접논의를 통해 해결한다는 입장』이라고 설명하고 있다.

결국 남북한의 유엔동시가입은 남북한 평화공존체제의 정착이란 의미와 함께, 세계적인 화해무드를 한반도에 연결시키는 효과를 지닐 것으로 보인다.

그리고 그 과정들은 북한의 현실노선수용에 대한 정부의 대응이 유연한 상태를 유지하면 더욱 가속화될 수 있을 것으로 보인다. 〈金昇泳기자〉

(91. 8. 7. 조선 일보)

0322

민주개혁 지속 필수… 성급한統一論 삼가야

교를 지양하고 우리의 국제적위치에 걸맞도록 東南亞나 아프리카, EC등 유럽국가와의 실질외교를 전개해야 될 때가 온 것입니다.

▲朴=UN이란 무대는 바로 韓교수가 지적한 다변외교를 가능케 하는 곳입니다. 무엇보다 가입이후 UN총회나 사무국의 요직을 우리가 차지할수 있는 기회가 열리게 될것이고 원하기만 한다면 안보리의 비상임이사국 회원자격도 따낼수 있습니다.

문제는 새로운 외교지평선이 열림에따라 그를 최대한 활용할 자질과 기술, 지식 등을 우리가 충분히 길러야 한다는 것에 있다고 봐야 할 것입니다.

▲韓=UN가입과 관련해 국내적으로 그에 합당한 법적 행정적 조치가 마련돼야하며 기존의 제도를 융통성있게 운용해야 한다는 논의가 나오고 있습니다. 南北韓 양당사자가 상호체제를 실질적으로 인정하고 공존을 수용하려는 상황에서 현행 국가보안법이 그대로 유지되어야 하느냐, 林秀卿양등 방북과 관련된 인사를 계속구속, 처벌해야 온당하느냐는 문제입니다. 또 UN司등 기존의 군사체제에 어떤 변화가 올수 있느냐하는것도 검토해볼 대상입니다.

▲朴=우리내부에서 민주개혁의 추진을 멈추어선 안될 것입니다. 우리사회의 민주화가 対UN관계의 위치를 강화시키는 요소이고, 또 민주를 토대로한 南北간의 동질화작업이 북쪽 체제를 변화시킬수 있다고 봅니다.

▲韓=최근 논의가 분분한 UN司해체 내지 駐韓美軍역할변경문제에 관해서는 고려해야할 요인이 많다고 봅니다. 결론적으로 UN司의 존립문제와 韓-美간의 군사협력관계는 동일시 할수 없다는게 제 견해입니다. 이를테면 휴전체제의 변화가 없는한, 북한의 군사안보정책과 태세가 변하지 않는한 韓-美군사협력관계에는 어떠한 변경도 가져올수 없다는 얘기입니다.

▲朴=휴전체제와 연결지어 신중한 대처가 필요하다는 견해에 동의합니다. 주한미군은 UN사령부와는 별개로 한-미상호방위조약과 관련된 군사적 장치이지 제3국이 왈가왈부할 문제가 아닌 것입니다.

統独, 가입후 17년걸려

▲韓=가입논의와 함께 한가지 지적할것은 우리사회에 대두되고있는 조기통일론입니다. 東西独은 지난 73년9월 UN에 동시가입한후 통일이 되기까지 17년이 걸렸고 그것도 그들 스스로도 예기치않았던 소련과 東欧의 변화에 힘입은 것입니다. 게다가 南北韓은 東西独과 다른 정치·군사적 환경에 둘러싸여 있습니다.

우리는 이제 통일로 가는 신뢰구축과 상호공존의 단계로 접어들었을 뿐입니다.

▲朴=南北문제는 과거 UN안팎에서 표대결을 벌이던 각축과 대결에서 화해와 공존의 기류를 타고 있다고 해야할 것입니다.

▲韓=지구화-추체화-다차원화의 새로운 외교지평이 우리앞에 열려있다고 봐야지요.

▲朴=이제 UN의 정회원국 위치로 전환되는 시점에서 우리의 외교전략과 비전이 보다더 성숙해야될 대목에 와있는 것입니다.

〈정리=金昌洙기자〉

(조선, 91. 8. 6.) #2.

0323

安保理 사전조정 表決없이 채택할듯

유엔加入 신청서처리 절차는

「北가입」일부國 한때 異意…정치적 마무리

정부, 대결 外交지양 화해·협력의 場 모색

President of the Republic of Korea

Declaration

On behalf of the Government of the Republic of Korea, I, Roh Tae Woo, in my capacity as Head of State, have the honour to solemnly declare that the Republic of Korea accepts the obligations contained in the Charter of the United Nations and undertakes to fulfill them.

노태우
(Roh Tae Woo)

Seoul, 15 July 1991

◇盧泰愚대통령이 서명한 「유엔헌장 의무수락 선언서」.

우리나라가 5일하오(현지시간 한국시간 6일새벽) 뉴욕의 유엔사무국에 가입신청서를 제출함으로써 남북한 유엔가입을 위한 유엔내에서의 심질절차가 시작됐다.

유엔안보리는 우리측의 가입신청을 지난 8일 북한이 제출한 가입신청서와 함께 오는 8일 본회의에서 최종 통과시킬것으로 전해졌다.

유엔안보리의 심사절차는 남북한의 가입의사와 상임이사국들의 사전협의에 따라 별문제없이 순조롭게 진행될 것으로 보인다.

따라서 이번 안보리심사는 사실상 통과의례에 불과한 것일수도 있다. 정부수립이후 43년만에 유엔회원국이 되는 우리에게는 특별한 의미를 지닌다고 할 수 있다. 정부는 이에 따라 외무부간부를 현지에 급파하는등 안보리심사과정에 각별한 신경을 쓰고있다.

盧昌熹 駐유엔대사로부터 우리측의 가입신청서를 접수한 케야르유엔사무총장은 이 사실을 곧바로 아랍라·랏소안보리의장에게 문서형태로 통고한다. 이어 안보리는 본회의를 열고 이를 정식의제로 채택한 뒤 안보리내의 가입심사위원회에 회부한다.

안보리는 이때 지난번 접수된 북한의 가입신청도 함께묶어 남북한가입안을 단일안건으로 처리할 예정이다.

가입심사위는 남북한가입신청에 대한 심사결과보고서와 가입권고결의안초안을 채택해 안보리본회의로 넘기게된다. 현재 가입심사위는 6일(현지시간) 구성되며 안보리본회의는 8일상오(〃) 열릴것으로 알려졌다.

안보리는 8일로 예정된 본회의에서 가입심사위원회보고서를 검토, 회원국가입의 추천여부를 최종 결정하게 되는데 이때 안보리의 심사내용은 신청국가의 평화애호성과 유엔헌장수행가능성에 중점이 두어진다.

이와관련 일부 서방국가에선는 북한이 테러국가인 점을 들어 유엔가입에 반대해야한다는 국내여론도 있었던 것으로 알려졌다. 그러나 상임이사국간의 사전 [illegible] 이의제기는 없을 것으로 전해졌다.

[illegible] 우리측도 북한의 가입자격에 대한 시비가 일어나는 것을 원치않고있다. 미국이나 일본이나 프랑스가 북한에 거부권을 행사할 경우 당장 중국도 우리의 가입에 반대를 표시할 것이 분명하기 때문이다. 북한 한때전에 가입신청서를 제출하고도 남북한 단일안건으로 처리되 [illegible] 로 채택한 가능성이 크다.

이 과정은 지난 73년 동·서독가입의 경우와 유사할 것으로 예상된다.

당시 동·서독은 6월21일 가입신청을 함께 제출했으며 이어 가입심사가 곧바로 열려 30분만에 안건을 처리, 안보리 본회의에 회부했다.

다음날인 6월22일 열린 안보리회의에서 의장은 「마추에서 협의한 결과 컨센서스로 처리하기로 했다」면서 [illegible] 「이의 없느냐」고 물은뒤 [illegible] 동서독가입권고결의안의 통과를 선언했다. 따라서 남북한 [illegible] 이에따라 오는 8일의 안보리 본회의에서는 남북한 [illegible] 이사국들의 사전협의결과에 따라 비슷하게 처리될것으로 전망된다.

정부는 남북한 유엔가입을 남북관계의 새로운 전기로 삼기 위해선 과거의 대결외교가 되풀이되지 않아야한다는 인식아래 유엔 [illegible] 긴장감없는 외교를 [illegible] 치열한 외교전을 펼쳐왔다.

〔李光哲기자〕

(한국, 91. 8. 6.)

0324

〈4〉

남북한 經協관계

北, 경제교류에 강박감 벗을듯

「先 정치해결」 주장서 후퇴기미
두만강特区 관련 호의적 "손짓"
정부, 총리회담때 「협력기구」 설치등 재촉키로

0325

(91.8.10 ; 조선)

직간접 교역 급증추세

남북한의 UN동시가입은 남북경제관계에도 적지않은 변화를 가져다 줄 것으로 예상되고 있다. 최근들어 북한이 쌀 직교역, 몽골UNDP(유엔개발기구)회의등을 통해 경제교류에 관한 지금까지의 태도를 조금씩 바꾸려는 조짐을 보이고 있는데다, UN이라는 국제기구를 제대로 활용할 경우, 남북경제교류는 그 폭이 더 넓어지고 다원화될 가능성이 적지않기 때문이다.

작년 9월부터 12월까지 3차례 열렸던 남북고위급회담때까지만 해도 북한은 적어도 외견상으로는 경제교류의 빗장을 계속 굳게 걸어잠갔던게 사실이다. 한국이 「정치·군사및 교류협력분야 병행논의」를 내세워 ▲경제협력 공동기구 설치 ▲3通협정체결 ▲자원및 관광자원 공동 개발 ▲물자교류등의 다양한 교류협력 방안들을 제시했음에도, 북한측은 경제분야에 관한 구체적인 응답없이 「불가침선언의 우선채택」만을 거듭 고수해왔다.

그러나 88년10월부터 작년말까지 2년여동안 4천9백만달러에 불과하던 対북한물자반출입량이 올들어서는 6월말까지만 8천6백만달러에 이를정도로 급격한 증가세를 보이면서부터 변화의 조짐은 감지되기 시작했다고 볼수있다.

지난달에는 비록 우여곡절이 있긴했지만 사상첫 남북쌀직교류가 실현되기도 했다. 또 지난달초 몽골울란바토르에서 열렸던 UNDP주최 동북아개발협력회의에서 북한측이 보인 태도는 더욱 주목할만한 것이었다는게 정부관계자들의 설명이다.

"報道 괜찮다" 이례적

이 회의에서 북한대외경제위원회 국장급을 단장으로한 북한대표단은 처음으로 두만강하구일대의 경제무역지대(경제특구)개발계획을 공개하면서 우리측의 참여문제에도 호의적인 반응을 나타냈기때문이다.

정부의 한 관계자는 「비록 우리측이 먼저 질문하는 형태였으나 북한은 지도까지 보여주며 우리측에 특구계획을 상세히 설명했고, 특히 「이런 사실들이 한국언론에 보도되어도 괜찮으냐는 질문에도 사실상 「괜찮다」는 반응을보여 더욱놀라왔다」고 밝히고있다. 과거 남한언론에 경제교류사실이 조금만 비쳐도 맹렬한 거부반응을 보였던데 비하면 상당한 태도변화였다는 설명이다. 이런 상황하에서 마침내 UN동시가입이 이루어지고 중단됐던 고위급회담까지 재개됨에 따라 남북한 모두 새로운 변신의 場으로 접어들고 있는 국면인 셈이다.

그러나 정부는 남북경제교류 문제에 관한 한 아직 신중한 자세를 고수하고 있다. 북한의 개방협력의지가 공식적으로 가시화된 적이 거의 없어 좀더 북한측의 진의를 파악해볼 필요가 있기 때문이다.

경제기획원당국자는 「남북한 UN동시가입등으로 경제교류협력추진을 위한 여건이 점차 개선되고 있고, 최근 북한내부에서 대외관계자 중심으로 외부세계와의 협력및 교역증진을 의가 일고 있는데다 이같은지 대외개방협력에 대한 확고한 정책선회는 가시화되지 않고있는 상태」라며 「종래 북한의 UN동 문제 해결주장에 대한 태도변화가 관건」이라고 말하고 있다.

따라서 정부는 오는 27일 평양에서 개최되는 이번 4차 남북고위급회담이 북한의 진의와 태도변화여부를 확인할수 있는 시험장으로 보고 있으며, 북한의 개방협력의지가 실제로 확인되면 보다 전향적인 자세로 대북경제교류협력을 추진한다는 방침이다.

3通협정등 적극 추진

구체적으로 이번 회담에서는 북한측이 비교적 받아들이기 쉬운 ▲북한산품 재반입 ▲대전엑스포 북한참관단초청 ▲북한경제특구에의 한국기업참여 ▲금강산 공동개발문제등을 중점 논의하고 ▲3통협정체결 ▲경제분야 별도 분과위발족 ▲무역협의 경제협력 공동기구 조기발족등 제도적 장치마련에도 역점을 둘 계획이다.

정부는 또 북한이 특구개발자금조달을 위해 UN가입을 계기로 ADB(아시아개발은행)등 국제금융기구 가입을 서두를 것으로보고 각종 외교경로를 통해 이를 적극 지원한다는 계획도 갖고있다.

安秉俊(안병준)연세대교수는 「남북한 UN동시가입은 내용이야 어떻든 북한이 한국의 실체를 사실상인정한다는 의미이고, 따라서 남북경제관계를 확대하는데 있어서의 심리적 장애요인이 걷혔다는 뜻」이라며 「당장의 급격한 변화를 기대하기는 어렵지만, 한국이 북한의 자존심을 건드리지않는 범위내에서 교류를 추진할경우, 특히 두만강하구등입부지역등 중심으로 북한의 개방이 가시화될 소지가 많다」고 말했다.

〈金光顯기자〉

〈끝〉

◇축하받는 南北대사 8일 유엔安保理에서 南北韓유엔가입권고결의안이 만장일치로 채택된뒤 盧昌熹한국대사(왼쪽)와 朴吉淵북한대사(오른쪽)가 호세 아얄라 라소安保理의장(돌아선사람)의 축하를 받고있다. 【유엔본부=AP聯合】

朝鮮漫評 吳龍

	분류번호	보존기간

발 신 전 보

번 호 : WUN-2362 910827 1427 FO 종별 :

수 신 : 주 유엔 대사. 총영사 (국연)

발 신 : 장 관

제 목 : 기사 송부

소련의 안보리이사국 대표권의 러시아 공화국 이전 가능성 보도 관련 국내기사(조선, 8.27.화) 내용을 FAX 송부하니 업무에 참고바람.

(국제기구조약국장 문동석)

보안통제	

앙고재	91년 8월 27일	국제연합과	기안자 성명		과 장	심의관	국 장		차 관	장 관
			장혜경							

외신과통제

0326

WUNF-0132 910827 1427 FO

조 선 일 보

1991. 8. 27. 화. 2면

蘇 安保理 이사국지위 러시아共 이전 가능성

【뉴델리=AP聯】소련의 유엔안전보장이사회 상임이사국지위가 러시아 공화국으로 넘어갈 가능성이 크며 蘇연방내 다른 공화국들도 곧 유엔가입을 모색할지도 모른다고 토마스 피커링 유엔주재 美대사가 26일 밝혔다. 인도를 방문중인 피커링대사는 이날 뉴델리에서 기자들에게 이같이 밝히고 그러나 향후 안보리 상임이사국 대표권 문제는 모스크바에서 결정돼야 할 것이라고 말했다. 그는 소련의 안보리상임이사국 대표권 문제는 상호 합의에 기초, 해결되길 희망하고 있다고 말하고 유엔은 독립을 달성한 蘇연방 공화국들을 회원국으로 포함시킬 가능성이 있다고 밝혔다.

발트해 연안 3개공화국을 포함한 蘇연방내 6개공화국이 연방으로부터의 독립을 선언했는데 우크라이나 공화국과 백러시아 공화국은 이미 유엔회원국으로 가입해있다.

0327

東亞日報
1991. 8. 30. 금, 1면

盧대통령 24일 유엔연설

멕시코 공식방문
부시와 정상회담

盧泰愚대통령은 9월22일부터 25일까지 美國뉴욕의 유엔총회에 참석하고 이어 멕시코를 사흘간 공식 방문한다.

盧대통령의 측근들은 연설내용에 △세계의 이념대립으로 빚어진 東西관계, 즉 냉전체제의 종식문제 △韓半島비핵화 제안 △지역분쟁종식 및 평화유지문제 △환경 테러리즘문제등에 관해 포괄적인 韓國의 입장과 비전을 밝힐 것이라고 예고했다.

盧대통령은 뉴욕에서 조지 부시美國대통령과 회담을갖고 韓美간의 주요관심사를 논의하며 다른 국가원수와도 접촉할예정이다.

그는 9월25일 우리나라 대통령으로서는 처음으로 中南美국가인 멕시코를 방문, 살리나스대통령과 회담한뒤 9월30일 귀국예정.

中央日報
1991. 8. 30. 금, 1면

9월24일 유엔연설

盧대통령 訪美 23일 부시와 회담

盧泰愚대통령내외는 제46차 유엔총회에참석키위해 9월22일부터 25일까지 美國뉴욕을 방문한다고 李秀正청와대 대변인이 30일 공식발표했다. <관계기사 2面>

盧대통령은 24일 유엔총회에서 유엔회원국 국가원수자격으로 기조연설을 한 예정이며 23일에는 부시美대통령과 韓美정상회담을 갖고 駐韓美軍의 핵운용및 北韓의 核사찰문제등 한반도 긴장완화와 통일방안등을 논의하게된다.

盧대통령은 뉴욕방문에 이어 25일부터27일까지 멕시코를國賓방문할 예정이다.

盧泰愚대통령

盧대통령은 24일 유엔총회기조연설을 통해 東西냉전및 南北문제해결을 위한 각국의 노력을 호소할 예정이며 특히 통일문제에 있어서 北韓측의 우려를 씻을수있는 방안도 제시할것으로 보여 주목되고있다.

盧대통령은 뉴욕방문기간중 말레이시아 총리와도 정상회담을 가질 예정이며 케야르 유엔사무총장·주요국 수뇌들과도 만나 상호관심사를 논의한다.

盧대통령은 유엔총회 참석및 멕시코 방문을 위해 9월20일 출국, 시애틀을 경유하며 멕시코 방문을 마친 후 귀로에는 하와이를 거쳐 30일 귀국할 예정이다.

한편 金泳三民自黨대표최고위원과 金大中新民黨총재도 따로 뉴욕에가 24일盧대통령유엔연설을 참관한다.

0328

中央日報
1991. 8. 30. 금, 2면

통일로 가는 길「선언」 방침

盧대통령 유엔行 의미와 기대

첫 회원국 자격 연설 국제현안 거론
두金씨와「깊은 대화」나늘지 큰관심

盧泰愚대통령의 유엔총회 기조연설은 냉전체제 청산이란 상징성으로 그자체의미도 크지만 앞으로 국내정치에 미치는 영향이 어느정도일는지와 관련해서도 관심을 끌고있다.

盧대통령의 유엔총회 연설은 정식 회원국으로 가입한 이후 첫 기조연설이란 점에서 상당히 폭넓은 주제에 관해 정부의 입장을 밝힌다는 방침이다.

그동안 옵저버 국가로서 비정상적인 입장에 처해 있었던 우리 외교의 입지를 확대강화한다는 점에서 광범한 국제현안에 대해 우리의 첫 공식입장을 천명하는 기회가 되기 때문이다.

東西진영의 각축 속에 南北韓은 별무소득의 무한경쟁이라는 대치외교로 일관했고 그런 가운데 우리 외교가 남북 대결의 兩者관계 차원에 머물러왔던게 현실이었지만 앞으로는 국제무대위에서 多者외교에도 완전한 참여를 이룩, 우리의 국제적 위상에 상응하는 총체적 외교역량을 발휘하는 계기가 될 것이라고 정부측은 기대하고 있다.

따라서 盧대통령은 기조연설을 통해 對北韓관계개선 의지를 천명하고 南北韓관계의 새로운 미래상을 제시하는외에 이와 같은 선상에서 세계의 분쟁종식과 평화유지및 환경·마약등 국제적 관심사에 대해서도 우리의 의지를 밝힌다는 계획이다.

특히 盧대통령은 北韓측에 대해서도 흡수통일에 대한 의구심을 해소하는 분명한 의사를 보일 것으로 예상돼 주목되고있다.

盧대통령은 이와함께 유엔총회에 참석할 부시 美대통령과 재회동하고 고르바초프 蘇聯대통령이 오면 새로운 시대로 접어든 蘇聯과의 협력문제논의도 계획하는등 유엔무대에서의 활발한 정상외교를 펼칠 예정이다.

한편 유엔총회연설후 이어질 盧대통령의 멕시코 공식방문은 우리나라 국가원수로서 최초의 中南美 공식방문이 되는 셈인데 中南美 최대의 교역국인 멕시코(수출 5억6천만달러·수입 2억6천만달러, 90년기준)와 경제·통상등 실질적 협력관계의 확대를 도모함으로써 對中南美 진출의 여건을 더욱 확대한다는 것이다.

그러나 한국의 국제적위상을 과시하는 盧대통령의 유엔연설에 비쳐지는 화려한 각광과 함께 그 뒤안에 이뤄질 국내 정치의 흥정여부에 대한 관심도 대단하다.

盧대통령의 유엔연설이 남북관계나 통일에 대한 원칙을 제시하는등 앞으로의 정국에 대해 어떤 방향을 제시할는지에 따라 국내정치에 파급효과가 미칠수도 있고, 盧대통령이 동행하는 金泳三民自黨대표최고 위원이나 金大中新民黨총재와 이런 문제등에 대해 의견을 나늘 기회를 가질수도 있기 때문이다.

현재로서 청와대나 民自黨측은 盧대통령과 두金씨의 유엔총회 참석이「유엔가입 축하」이상의 의미는 없을것이며 그곳에서 특별한 회담같은 것을 준비하지 않고 있는 것으로 말하고 있다.

新民黨측도 뉴욕에서 盧金밀담이 이뤄질 가능성을 배제하고 있다.

청와대측은 이런 국내정치적 요소들로 盧대통령에 쏠릴 스폿라이트의빛이 바래는것을 원치 않는 느낌이다.

두金씨등도 이런점을 감안해 따로 뉴욕으로가는 일정을 잡는등 신경을쓰고있다.

또 지나치게 떠들썩한 유엔가입축하 모입에대한 국내의 비판적 여론들도 감안하지 않을수없을 것이다.

하지만 남북한의 유엔동시가입으로 한국의 국제적위상에대한 재조명이 이뤄진다면 그에 상응하는 새로운 정치의 모습에 대한 요구도 강렬해질 것이라는게 청와대의 내밀한 희망이기도하다.

<金玄鎬기자>

0329

서울신문
1991. 8. 31. 토, 1면

盧대통령, 9월24일 유엔演說

20일 出國 韓半島평화정착 構想 천명

세계指導者들과 연쇄회담
25일 國賓으로 멕시코訪問

盧泰愚대통령

살리나스대통령

盧泰愚대통령 내외는 제46차 유엔총회에 참석하기 위해 오는 9월22일부터 25일까지 뉴욕을 방문하며 이어 살리나스 멕시코대통령의 초청으로 25일부터 27일까지 멕시코를 國賓자격으로 공식 방문한다고 李秀正청와대 대변인이 30일 상오 발표했다.

盧대통령 내외는 이를 위해 9월20일 출국, 美國 시애틀을 경유하여 뉴욕으로 가며 멕시코방문후 하와이를 거쳐 9월30일 귀국할 예정이다.

盧대통령의 유엔총회참석에는 金泳三 民自黨대표최고위원과 金大中 新民黨총재도 동행한다.

李대변인은 『盧대통령이 우리나라 대통령으로서는 처음으로 유엔회원국 국가원수 자격으로 9월24일 유엔총회에서 기조연설을 하며 유엔사무총장과 美國등 주요국 수뇌들과도 만나 유엔을 비롯한 국제사회에서의 협력방안등 상호관심사를 논의할 것』이라고 밝혔다.

주요국가 수뇌들 가운데는 부시美대통령, 마하티르 말레이시아총리 등이 포함될 것으로 알려졌다.

李대변인은 『盧대통령은 유엔연설에서 회원국 국가원수로 세계평화·환경·마약·테러등 국제적인 관심사와 한반도 평화정착을 위한 구상과 포부를 밝히게 될 것』이라고 말했다.

또 『盧대통령은 멕시코방문에서 25일 살리나스대통령과 정상회담을 갖고 韓·멕시코 두나라 간의 우호협력관계 발전방안과 같은 태평양 연안국가로서 지역협력증진방안에 대해 논의할 것』이라고 말했다.

盧대통령의 유엔및 멕시코 방문에는 李相玉외무·李鳳瑞상공장관·丁海昌청와대비서실장 등이 공식수행한다.

공식수행원은 다음과 같다(괄호안은 멕시코수행원).

▲李相玉외무장관▲李鳳瑞상공장관(멕시코)▲盧昌熹 駐유엔대사내외(李福衡 駐멕시코대사내외)▲丁海昌대통령비서실장▲李賢雨대통령경호실장▲鄭鎬根합참의장▲金鎭載총재비서실장▲孫柱煥대통령정무수석비서관(金鍾仁대통령경제수석비서관)▲金宗輝외교·안보보좌관▲李秀正공보수석비서관▲李丙琪의전수석비서관▲崔圭完대통령주치의▲張瑄燮외무부의전장▲文東錫외무부국제조약국장(潘基文외무부 美洲국장)

0330

서울신문 1991. 8. 31. 3면

멕시코 개관

△국체=연방공화국
△면적=1백95만8천㎢
△인구=8천1백만명(수도 멕시코시 2천만)
△언어=스페인어
△종족=혼혈55% 원주민(인디안)29% 白人15%
△종교=가톨릭(92.6%)
△국내총생산=2천3백36억달러(90년추정)
△1인당국민소득=2천8백70달러

統一환경을 조성

마련·北美공동시장 형성 대처

새로운 位相 과시

0331

멕시코로서는 盧대통령이 유엔에 참석하는 것을 계기로 우리의 對유엔활동에 새롭게 시작됐다. 이것은 세계13위 무역규모와 15위의 GNP규모 등 우리의 국제적 위상에 걸맞는 총체적 외교역량을 발휘할 수 있는 場을 새롭게 구축했다는 의미를 갖는다.

따라서 盧대통령의 유엔참석이 의미하는 상징적 의미뿐만 아니라 실질적 외교적으로도 기대할 수 있을 것으로 보인다.

우선 盧대통령은 유엔연설을 전후로 유엔사무총장은 물론 부시美대통령을 비롯한 주요국가수뇌들과 연쇄회담을 가질 것으로 알려지고 있다.

유엔회원국 정상들과의 잇단 회담은 유엔을 무대로 한 우리의 국제사회에서의 위상을 새삼 과시하는 계기가 될 것이다.

따라서 우리는 국가원수가 기조연설을 하는데 비해 북한은 총리급이나 그 이하의 인사가 연설을 할 것으로 알려지고 있어 유엔가입에 대한 남북간의 입장이나 수용태도에 큰 대조를 보이고 있다.

유엔창설 이후 盧대통령의 멕시코방문은 국가원수로서는 최초의 中南美방문을 실현하는 것이다.

특히 21세기 태평양시대에 대비하기 위해서는 태평양연안국가의 상호협력증대가 필수적이고 이번에 韓·멕시코가 실질협력관계의 확대를 도모함으로써 우리로서는 對中南美진출의 교두보를 확보한다는 의미가 있다. 또 멕시코는 美國·캐나다와 함께 이미 금년 6월부터 북미자유무역협정체결을 서둘러서 北美공동시장형성을 꾀하고 있기 때문에 이같은 움직임에 적극 대처해야 한다는 뜻도 내포하고 있다. 盧대통령은 지난 88년 10월18일 유엔연설을 했지만 당시는 유엔의 「한반도의 평화와 통일」에 대한 「대화촉진」이라는 의제를 위해 한반도 회원국이 아닌 옵서버국가원수로서 연설을 했다.

따라서 이번 연설은 우리가 유엔의 局外者가 아니라 법적이든 실질적이든 국제사회의 분쟁에 참여, 적극적인 국제평화기구의 당당한 일원으로서 동서냉전·남북문제·평화유지·환경등 국제문제 전반에 관한 입장과 의지를 밝힌다는데 큰 뜻이 있는 것이다.

〈李慶衡기자〉

유엔「多者외교시대」본격화

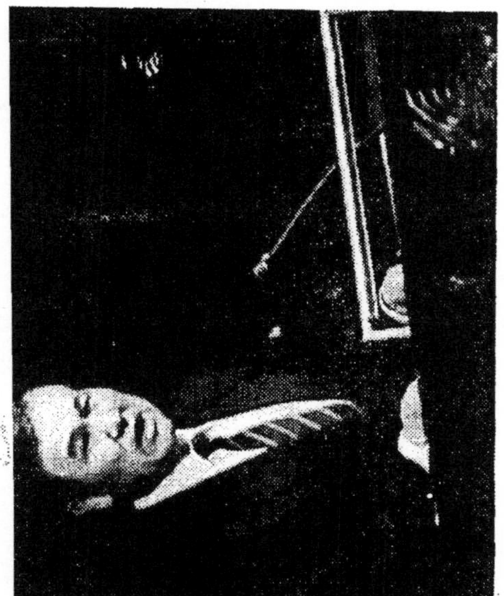

盧泰愚대통령이 오는 9월24일 유엔총회에서 회원국인 한국의 국가원수로서 총회기조연설을 한다. 사진은 지난 88년 10월18일 유엔총회본회의에서 연설을 하고 있는 盧대통령.

盧대통령 유엔·멕시코방문 意義

盧泰愚대통령의 유엔총회에서의 기조연설은 한국외교의 「유엔시대」의 개막을 선언하는 역사적 의미를 갖는다. 이것은 우리 외교무대를 한층 넓히는 것이며 국제사회에 새롭게 등장한 韓國을 재인식시키는 계기이기도 하다.

남북분단 46년만에 유엔가입을 실현시킨 盧대통령은 유엔의 정식회원국 국가원수로서 총회기조연설을 통해 남북한관계는 물론 우리의 대외정책 전반에 걸쳐 비전과 포부를 밝히게 된다.

盧대통령의 유엔참석 및 기조연설은 우선 2가지면에서 큰 의미를 지니고 있다.

첫째는 평화적 통일을 앞당기는 새로운 전기를 마련하게 되었다는 것이다.

남북한의 유엔회원국이 됐다는 것은 남북이 국제사회의 틀과 그 규율에 의해서 서로를 인정하고 모든 문제를 평화적으로 풀어나간다는 전제를 받아들이고 있다는 의미이다.

실제 회원국은 유엔헌장상 분쟁의 평화적 해결과 무력불사용의 의무를 지게된다.

아니 두 회원국이 모두 가입하는 것은 남북한이 통일로 가기위해 불가피하게 거쳐야하는 중간단계라는 점을 지적, 분명한 통일의지를 강조할 것으로 보인다.

南北화해 재천명…

中南美교두보

국제무대서 韓國이

이러한 상황에서 盧대통령이 우리의 對北韓관계개선의지를 재천명, 남북간의 화해와 협력의 시대를 열어갈 것을 다짐하는 것은 바로 한반도에서의 긴장완화와 평화정착을 위한 국제적 환경조성에 큰 도움이 될 것이라는 분석이다.

盧대통령은 남북이 한나라가 있다.

둘째,우리 외교에 있어 본격적인 多者간 외교시대의 개막을 초래한다는 점이다.

정부수립후 한국외교는 유엔에 가입하지 못함으로써 韓美, 韓日 등 兩者관계에 치우쳐온 것이 사실이다.

그러나 유엔정식회원국 국가

世界日報

1991. 8. 31. 土, 1면

24일 유엔총회연설

盧대통령 23일 부시와 頂上회담

25~27일 멕시코 방문

盧泰愚대통령은 제46차 유엔총회에 참석, 기조연설을 하기 위해 9월22일부터 25일까지 美國 뉴욕을 방문한다고 李秀正청와대대변인이 30일 발표했다.

盧대통령은 24일 유엔회원국 국가원수 자격으로 연설을 하며 23일에는 부시 美대통령과 韓·美정상회담을 갖고 駐韓미군의 核운용및 북한의 핵사찰문제등 한반도긴장완화와 핵정책등에 관해 협의할 예정이다.〈관련기사 2면〉

盧대통령은 뉴욕방문에 이어 25일부터 27일까지 살리나스대통령 초청으로 멕시코를 국빈자격으로 방문한다.

盧대통령은 유엔총회연설에서 한반도문제와 관련,'한반도 非核化'를 중심으로 한 긴장완화및 군축방안을 제시하고 한국정부의 통일정책을 천명할 계획이다.

盧대통령은 뉴욕방문기간중 케야르 유엔사무총장, 마하티르 말레이시아총리등과 만나 유엔을 비롯한 국제사회에서의 협력방안등을 논의할 예정이다.

盧대통령은 뉴욕에서 유엔가입축하리셉션을 주재할 예정인데, 이 자리에는 북한의 朴吉淵駐유엔대사도 초청될 것으로 알려졌다.

盧대통령은 유엔총회참석과 멕시코방문을 위해 9월20일 출국, 시애틀을 경유하며 멕시코방문을 마친후 귀로에는 하와이를 거쳐 9월30일 귀국한다.

韓國日報

1991. 8. 31. 土, 1면

盧대통령, 24일 유엔총회 연설

부시와 회담·멕시코國賓 방문

청와대 공식발표

盧泰愚대통령은 제46차 유엔총회에 참석, 기조연설을 하기위해 오는9월22일부터 25일까지 뉴욕을 방문하며 이어 살리나스대통령의 초청으로 9월25일부터 27일까지 멕시코를 국빈방문한다고 李秀正 청와대대변인이 30일 발표했다.

盧대통령은 우리나라 대통령으로서는 처음으로 유엔회원국 국가원수 자격으로 9월24일 유엔총회에서 기조연설을 하고 케야르유엔사무총장과 주요국 수뇌들과도 만나 국제사회에서의 협력방안등 상호 관심사를 논의한다.

정부는 盧대통령의 유엔방문기간 뉴욕에서 부시美대통령과의 韓美정상회담개최를 추진하고 있는 것으로 알려졌다.

盧대통령은 오는 9월20일 출국, 미국 시애틀을 경유해 뉴욕으로 가며 멕시코 방문후 하와이를 거쳐 9월30일 귀국할 예정이다.

京鄕新聞

1991. 8. 31. 土, 1면

24일 유엔연설

盧대통령 부시와도 회담

20일출국…멕시코 공식방문

盧대통령

盧泰愚대통령은 제46차 유엔총회에 참석하기 위해 오는 9월22일부터 25일까지 美國 뉴욕을 방문하고 이어 살리나스대통령의 초청으로 25일부터 27일까지 멕시코를 국빈자격으로 방문한다고 李秀正 청와대대변인이 30일 발표했다.

盧대통령은 9월20일 출국, 귀로에 하와이를 거쳐 30일 귀국할 예정이다.〈관련기사 2면〉

盧대통령은 24일 유엔총회에서 유엔회원국 국가원수자격으로 기조연설을 하며 뉴욕방문기간중 부시美國대통령, 마하티르 말레이시아총리등 주요국가수뇌및 케야르유엔사무총장과 연쇄회담을 갖고 유엔을비롯한 국제사회에서의 협력방안등 상호관심사를 논의한다.

朝鮮日報

1991. 8. 31. 土, 1면

24일 유엔연설

盧대통령, 멕시코 공식방문

盧泰愚대통령 내외가 유엔총회에 참석, 연설하기 위해 오는9월22일부터 25일까지 美國 뉴욕을 방문한다고李秀正청와대대변인이 30일발표했다. 盧대통령은 유엔총회참석에 이어 9월25일부터 27일까지 國賓자격으로 멕시코를 공식방문한다.

盧대통령은 秋夕 연휴를 피해 9월20일 출국, 시애틀을 거쳐 뉴욕을 방문하며, 30일 귀국할 예정이다.

盧대통령은 24일 유엔연설에 앞서 23일 부시美國대통령과 정상회담을 갖고 蘇聯사태이후의 對북한 정책조정방향등을 협의할 계획이다.

0332

世界日報 1991. 8. 31. 토, 2면

「한반도平和」획기적 제안 가능성

盧대통령 유엔방문 의미

정식회원국 자격… 국제무대서 "첫발언"

두金씨와 회동…「향후大權」조율에 관심

오는 9월24일 盧泰愚대통령의 유엔총회 기조연설은 그 연설의 상징성 역사성으로 인해 한국외교가 오랫동안 간직할만한 기념비적 연설이 될것같다。

盧대통령은 지난 88년 10월18일 유엔총회에서 한번 연설한 적이 있다。그때는 유엔이 「한반도평화와 화해 촉진」이라는 특별의제를 채택、연설기회를 제공해 「非회원국」대통령으로 주로 한반도문제에 관한 한국정부의 입장을 밝혔다。

그러나 이번에는 유엔이란 국제무대의 「국외자」가 아닌 「당사자」로서 「天下大勢」에 대해 당당히 의견을 개진하게 됐다。

盧대통령의 유엔연설문을 준비중인 청와대관계자들은 연설내용에 대해 △이념대립으로 빚어진 東西냉전체제의 종식△인류평화를 위협하는 南北빈부격차 해결△지역분쟁의 방지및 세계평화유지문제△환경오염 마약 테러리즘 문제등에 관해 한국의 입장과 비전을 포괄적으로 밝힐 것이라고 예고하고 있다。즉 유엔이란 국제무대에 첫발을 내디딘 한국이 광범위한 국제현안에 대해 첫「발언」을 하게 된 것이다。

소련사태이후 큰 변화를 보이고 있긴 하나 東西이념대결과 관련、盧대통령은 동서냉전으로 가장 큰 고난을 겪었고 아직도 상처를 치유하지 못한 한국의 국가원수로서 「東西간 이념대결의 벽을、허물고 화해와 번영、평화를 추구하자」고 강조할계획。

盧대통령은 그러나 한국이 전쟁까지 치렀으며 아직도 南北으로 분단돼 한반도에 냉전이 존재하고 있는 엄연한 현실을 직시하고 이를 해소하기 위한 방안을 제시할 계획이어서 주목된다。청와대관계자들은 이에 관해 언급을 피하고 있으나 최근 韓-美당국자간에 긴밀히 협의해온 한반도 核문제를 본격 거론、南北韓관계개선의 획기적인 전기를 마련하고 이를 바탕으로 南北韓평화정착、민족번영및 평화통일로 나아가는 한민족의 미래상을 제시할 것으로 알려지고 있다。

한편 盧대통령의 뉴욕방문、유엔총회연설은 한국의 유엔무대진출이란 화려한 성과와 함께 이른바 「유엔정국」의 실체가 윤곽이나마 드러날 것으로 전망돼 관심이 고조되고 있다。

盧대통령이 기조연설에서 밝힐 남북관계나 통일정책에 대한 원칙은 內治와 大權정국의 방향을 좌우할 가능성이 크고 뉴욕체류중 金泳三 民自黨대표나 金大中 新民黨총재와의 회동은 유엔이란 화려한 무대를 배경으로 大權구도의 「뼈대」를 짜는 자리가 될 것이란 관측이 무성한게 사실이다。

남북한 동시유엔가입이란 한반도정세、南北관계의 변화는 국내정치에도 근본적인 변화를 몰고올 것이라는 게 기정사실화되고 있어 盧대통령의 유엔行은 더욱 관심을 끌고 있다。

〈徐形來기자〉

0333

京鄕新聞

1991. 8. 31. 토, 2면

「한반도 非核化」 선언할듯

盧대통령 유엔연설 의미

국제문제에 公式참여의 첫걸음
金총재「密談」여부는 政局변수로

盧泰愚대통령의 오는 9월24일 유엔총회 기조연설은 46년간 韓國외교의 숙제였던 유엔가입을 실현함으로써 그동안「국외자」로 머물렀던 유엔무대에서 당당히 회원국가원수의 자격으로 정부의 입장을 밝힌다는점에서 우선 의의를 찾을수 있다.

또 소련사태이후 초미의 관심사로 떠오른 한반도문제에 대해 기본적 입장을 다시 밝히게 된다는 점과 국내정치면에서도 與野 대표들이 동행하게돼있어 시선을 모으게 될것같다.

○…盧대통령은 유엔기조연설에서 한반도문제보다는 범세계적인 관심사에 대해 주로 언급할것이라고 청와대측은 밝히고 있다.

李秀正대변인은『한반도문제에대한 기본적인 테두리를 88년 유엔연설에서밝힌데다 한반도문제는 남북한이 자주적으로 해결해야 된다는 원칙이어서 유엔을 통해 특별히 새롭게 제시할 내용은 없을 것』이라고 설명했다.

88년10월에 盧대통령이 비회원국가원수로서 유엔연설을 한것은 당시 유엔이「한반도 평화와 화해촉진」이라는 특별의제를채택했기때문에 주로 한반도문제에 관한 견해만을 밝혔었다.

따라서 이번 연설에서는 ▲이념대립으로 빚어졌던 東西관계, 즉 냉전체제의 종식문제▲선·후진국간의 경제적장벽등 南北문제▲지역분쟁의 종식과 세계평화 유지문제▲환경보호, 마약방지, 反테러리즘등에 대한 우리정부의입장과 비전을제시할것으로 알려졌다.

東西문제에 관해 盧대통령은 유일한분단국가로 냉전체제의 마지막 희생자로 남아있는 한국의 대통령으로서「동서간의 벽을 허물고 화해로운 인류공동체로 나가자」는 점을 강조하고 東歐와 소련의개혁이 질서있게 진행되도록 전세계가 지원할것을 호소할 방침이다. 또 경제적인 南北문제에대해서도 과거 최빈국에 속했던 우리나라가 시장경제를통해 발전한 경협을바탕으로「국제사회의 빈부격차해소와 저개발국 지원을 통한 공동번영」을 촉구할 것으로 보인다.

한반도 문제에 대해서는「지역분쟁해결 및 평화정착」을 언급하는 대목에서 주로 다루게될 것인데 이에대해 청와대의 한당국자는『한반도의 정치·군사문제해결방향을 언급하게 될 것』이라고 말해 비핵화문제, 유엔군문제등에대한 입장을 밝히게 될것임을 시사했다.

특히「한반도 비핵화」를 골자로한 선언을 함으로써 북한의 핵개발을 저지하고 한반도의 핵문제를 둘러싼 시비의 종식을 촉구할 것으로 예상된다.

○…그동안 여러차례에 걸친 盧대통령의 해외순방에도 공식수행원에 전혀 포함되지않던 孫柱煥청와대정무수석이 뉴욕방문에 포함돼 눈길.

盧대통령의 유엔방문에 金泳三民自黨대표최고위원과 金大中新民黨총재가 동참함에 따라 이번 유엔行이 향후 국내정치에 미치는 영향이 적지 않을 것이라는 관측은 孫정무수석의 공식수행으로 뒷받침된 셈이다.

청와대측은 孫수석의 수행이 與野지도자가 경축사절단의 일원으로 총회연설을 참관하기 때문에 그 뒷바라지를 위한것이라며 그 의미를 축소하면서 盧대통령과 金총재와의 별도회담은 전혀 고려하고 있지않다고 밝히고 있다.

그러나 金新民총재가 盧대통령의 유엔방문에 동참한는것 자체가 새로운 여야관계의 정립가능성을 보여주는 것이고 청와대의 부인에도 불구하고 뉴욕에서의 자연스런 만남을통해 새로운 인식의 일치를 도출할수도 있다는점에서 향후 정치일정과 與圈후계구도등에 예상외의 변수로 작용할 가능성도 있다.

○…盧대통령의 이번 멕시코방문은 지난해 캐나다와 함께 방문하려다 국내사정으로 연기됐던 것인데 우리나라 국가원수로는 中南美지역 국가의 최초방문이다.

멕시코는 우리와같이 태평양연안국가로서 환태평양지역협력을 주요정책으로 추진하고있어 21세기태평양시대에 대비한 연안국협력을 강조하고있는 우리와는 이해가 맞아떨어지는 국가다.

특히 멕시코는 美·캐나다와 북미 자유무역협정체결을 통한 북미공동시장형성을 추진하고있어 이번방문은 멕시코를통한 우리의 북미및 중남미시장 진출을 위한 교두보구축의 전기가 될것이라는게 정부측의 설명이다.

<姜信澈기자>

0334

Pres. Roh will address U.N. Assembly Sept. 24

Then fly to Mexico for state visit Sept. 25

The Korea Herald 1991. 8. 31. 토, page 1

President Roh Tae-woo will address the United Nations General Assembly Sept. 24 on global and regional issues, which may include inter-Korean arms reduction and the nuclear question, Chong Wa Dae announced yesterday.

Roh will also meet with U.S. President George Bush during his visit to New York, where the U.N. headquarters is located, Sept. 22-25, officials said.

Following the trip to New York, he will make a three-day state visit to Mexico from Sept. 25 for talks with Mexican President Carlos Salinas, the announcement said.

"President Roh, in his U.N. speech, will likely mention steps designed to resolve political and military problems between South and North Korea," presidential spokesman Lee Soo-jung said.

Roh, who addressed the U.N. General Assembly in October 1988, will speak this time as head of state of a member nation of the world body.

South and North Korea will be admitted into the United Nations as separate members this year. The vote at the U.N. General Assembly Sept. 17 on the two Koreas' application for membership is considered only a formality.

Diplomatic analysts say Roh is expected to put forth more progressive ideas on the nuclear question on the Korean Peninsula.

In his Aug. 15 Liberation Day speech, Roh expressed willingness to discuss with North Korea any issues, including political and military matters, "without restrictions."

Seoul has been urging North Korea to open its nuclear facilities to outside inspection without conditions. It

President Roh

asserts that it cannot accept the North's call for a similar surveillance over U.S. nuclear weapons allegedly posted in the South.

The analysts say, however, that Seoul may ultimately move toward accepting the idea of linking nuclear questions on both sides.

A considerable portion of the presidential speech will also be devoted to discussion of global issues such as eliminating the vestiges of the Cold War and tackling the problem of the wealth gap between industrialized countries and less developed nations, spokesman Lee said.

"As a nation which suffered most because of the Cold War system, and also as a nation which is developing into a prosperous country from being one of the poorest ones, I think we can offer some ways to solve global problems on the basis of our own experience," he said.

The President is also expected to mention such international problems as environmental contamination and narcotics trafficking, according to the spokesman.

Roh and Bush, in a meeting slated for around Sept. 23, are likely to review changes in world situations following the recent political upheaval in the Soviet Union, Chong Wa Dae officials said.

The two leaders may also discuss fostering international conditions favorable for progress in inter-Korean dialogue and ultimately Korean reunification.

While visiting New York, Roh will also meet other foreign leaders, including Malaysian Prime Minister Mahathir, and U.N. Secretary-General Javier Perez de Cuellar.

Ruling party Executive Chairman Kim Young-sam and opposition leader Kim Dae-jung will attend the U.N. General Assembly session to hear Roh's speech Sept. 24.

Roh and Mexican President Salinas, meeting in Mexico City Sept. 25, will discuss ways to expand cooperation between the two countries as Pacific nations, the spokesman said.

Roh originally planned to visit Mexico in May last year, but the trip was put off because of the domestic political situation in Korea.

"Roh's visit to Mexico is the first ever by a Korean president to a Latin American country, and is expected to serve as an important landmark toward strengthening cooperative relations between Korea and Mexico as well as other countries in the region," the spokesman said.

Roh's Mexican visit is also related with Seoul's efforts to cope with the move among Mexico, the United States and Canada to create a free trade zone.

Roh will leave Seoul Sept. 20 and make a stop-over in Seattle on his way to New York. He is to return home Sept. 30 via Hawaii from Mexico.

0335

中央日報
1991. 8. 31. 土, 2면

유엔가입 總會 결의안 南北 단일안처리 합의

南北 유엔대사 두차례 회동

南北韓 유엔주재대사는 오는 9월17일 유엔총회에서의 가입을 위해 南北韓이 단일안을 작성, 공동 노력으로 추진키로 합의했다고 외무부가 30일 발표했다.

유엔의 신규 회원국 가입을 위해서는 安保理의 가입권고 결의안과는 별도로 총회의결을 위한 회원국들의 가입결의안이 총회에제출돼야 한다.

盧昌熹 駐유엔대사는 지난 27일(韓國시간) 北韓의 朴吉淵대사를 유엔본부내 외교관휴게실에서 만나 南北韓의 유엔가입결의안을 공동제안국이 단일안으로 제출하도록 하자고 제의했으며 朴대사도 이에 동의했다고 외무부 당국자가 밝혔다.

南北韓대사는 공동제안국을 동시수교국이며 安保理이사국인 印度에 맡기기로 합의하고, 30일 자리칸 印度대사를 포함한 3者가 다시 만나 이같은 방침에 서로 합의했다.

유엔가입 신청과 安保理에서의 南北韓가입권고결의안을 단일안으로 처리하기 위해 공동노력할 것을 제의했을때는 응하지 않았던 北韓이 이같은 협력방안에 보조를 같이 한것은 南北韓유엔동거시대의 전망을 밝게해주는 것으로 주목된다.

한편 印度는 오는 9월2일(현지시간)부터 駐유엔印度대표부에 공동제안국 서명부를 비치해 서명을 받게되며 9일부터는 유엔사무국에 비치한뒤 9월13일 유엔총회에 제출하게 된다.

東亞日報
1991. 8. 31. 土, 1면

유엔加入 단일案합의

南北대사 뉴욕서 두차례 접촉

盧昌熹駐유엔대사와 北韓의 朴吉淵유엔대사는 지난 26일과 29일 유엔에서 두차례 접촉을 갖고 지난달 8일 안보리를 통과한 南北韓유엔가입권고결의안을 다시 단일결의안으로 만들어 총회에 제출키로 합의했다고 외무부가 30일 밝혔다.

이에 따라 南北韓 유엔가입결의안은 단일안으로 다음달 13일 유엔총회에 제출돼, 제46차 총회 개막일인 17일에 통과될 예정이다.

南北韓유엔대사들은 또 이번 접촉에서 단일결의안 제출을 위해 南北韓동시수교국인 印度의 도움을 받기로했는데 印度는 다음달 2일부터 1주일동안 다른 회원국들의 서명을 받아 南北韓유엔가입안을 서명국들(1백개국이상예상)의 공동발의형식으로 총회에 제출한다.

0336

The Korea Times
1991. 8. 31. 토, page 1

Summit With Bush Due

Roh to Visit Mexico After UN Address

President Roh Tae-woo will visit New York Sept. 23-25 to attend the 46th session of the United Nations General Assembly to deliver a key-note speech as the head of state of a member country.

Roh will also make a state visit to Mexico Sept. 25-27 at the invitation of President Carlos Salinas, presidential spokesman Lee Soo-jung announced yesterday.

The President will make the address before the U.N. session on Sept. 24, the first Korean president to do so. North and South Korea will become the 160th and 161st member of the world body around Sept. 17.

Roh is expected to address global questions as well as Korean problems and to pledge that South Korea would double its contribution to world peace and prosperity in the speech, the spokesman said.

During his visit to the United Nations, Roh will meet with U.N. Secretary-General Javier Perez de Cuellar and world leaders attending the session to exchange views on matters of common concern, including the promotion of international cooperation.

A Chong Wa Dae official said that a summit meeting with U.S. President George Bush is also on the itinerary.

After the trip to the U.N., the Chief Executive will fly to Mexico City for a three-day visit, the first trip ever by a Korean president to a Latin American country.

Roh and his Mexican counterpart Salinas will hold a summit meeting on Sept. 25 to discuss ways of promoting Korea-Mexico bilateral cooperation as well as Asia-Pacific regional cooperation.

His Mexico trip is expected to serve as an important landmark toward strengthening relations between Korea and Mexico as well as other countries in the region.

Roh will make stopovers in Seattle on his way to New York and in Hawaii on his return trip. He is due home on Sept. 30.

Opposition leader Kim Dae-jung and Roh's ruling Democratic Liberal Party executive chairman Kim Young-sam will join the President in New York to celebrate the two Koreas' simultaneous entry into the world body.

0337

東亞日報
1991. 9. 3. 화, 2면

유엔가입 경축사절단 30명확정

정부는 2일 南北韓의 유엔가입을 경축하기 위해 정계 재계 언론계 문화예술계 여성계 법조계 노동계등 각계대표 30명으로 유엔가입경축사절단을 구성, 유엔총회에 보내기로 했다.

각계 경축사절단 명단은 다음과 같다.

△정계=金泳三民自黨대표최고위원 金大中新民黨총재 △前총리=盧信永 姜英勳 盧在鳳 △국회=朴定洙외무통일위원장 朴寬用통일정책특위위원장△통일관련기관=閔寬植남북조절위공동위원장대리 洪性澈민주平統수석부의장 趙永植1천만이산가족재회추진이사장△경제계=劉彰順전경련회장△언론계=金炳琯신문협회장 安秉勳신문편집인협회장 徐基源방송협회장△교육계=玄勝鍾교원단체총연합회장△문화예술계=姜善泳예총회장△예비역군인=蘇俊烈재향군인회장 △前외무장관=金溶植 朴東鎭·崔侊洙 △여성계=李季順정무제2장관△체육계=金雲龍IOC위원△청년계=趙忠勳청년회의소중앙회장△법조계=金洪洙대한변협회장△노동계=朴鍾根노총위원장△농어민대표=韓灝鮮농협회장 明宜植축협〃 李方鎬수협〃 △학생대표=徐가람(서울大 외교학과4년)高信卿(梨花여대영문과3년)

中央日報
1991. 9. 3. 화, 2면

유엔가입 경축사절 30명 파견

정부는 유엔가입 축하를 위해 유엔에 파견할 경축사절단 30명을 확정했다. 金泳三民自黨대표·金大中新民黨총재를 비롯, 각계 대표로 구성되는 대표단은 유엔총회의장과 유엔가입 경축연, 교포를 위한 리셉션등에 참석한다.

경축사절단 명단은 다음과 같다.

▲前총리=盧信永 姜英勳 盧在鳳▲국회=朴定洙 (외무통일위원장) 朴寬用 (통일특위위원장) ▲통일관련기관=閔寬植 (南北조절위공동위원장대리) 洪性澈 (平統수석부의장) 趙永植 (1천만이산가족재회추진이사장) ▲경제=劉彰順 (全經聯회장) ▲언론=金炳琯 (신문협회장) 安秉勳 (신문편집인협회장) 徐基源 (방송협회장) ▲교육=玄勝鍾 (敎總회장) ▲문화예술=姜善泳 (예총회장) ▲예비역軍人=蘇俊烈(향군회장) ▲前외무장관=金溶植·朴東鎭 崔侊洙 ▲여성=李季順 (정무2장관) ▲체육=金雲龍 (IOC위원) ▲청년=趙忠勳(JC회장) ▲법조=金洪洙(변협회장)·▲노동=朴鍾根 (노총위원장) ▲농어민=韓灝鮮 (농협회장) 明宜植 (축협회장) 李方鎬 (수협회장) ▲학생=徐가람 (서울大외교4) 高信卿 (梨大영문3)

0338

'유엔가입' 좋아만 할 일 아니다

그동안 평양은 온 겨레가 하나의 국호로 하나의 국기를 들고 유엔에 가입할 것을 주장해왔다. 서울은 그에 반해 남한만이라도 가입하면 남북 긴장완화와 통일달성에 기능적으로 공헌할 수 있다고 설명해왔다. 그러던 것이 결국은 두 쪽이 동시에 가입하게 됐는데 따지고 보면 그건 수세에 몰린 북한정권의 자업자득이요, 공세로 전환한 남한정권의 승리였다.

그러나 남북한의 유엔 동시가입은 안전보장이사회의 아얄라 라소 의장이 그의 성명에서 말한 것처럼 "두나라 정부와 국민들의 염원이 조화롭게 일치"됐기 때문이 아니라 오히려 5월27일 평양의 외교부가 성명했다시피 남측만의 유엔가입으로 "민족이익이 왜곡반영되는 것을 막기 위한 불가피한 조치"로써 북측이 마지못해, 그러나 개별적으로 신청했기 때문에 일어난 것이다. 그렇기 때문에 또한 유엔은 적어도 당분간은 남북녘의 '토론장'이라기보다는 '대결장'이 될 가능성도 배제할 수 없는 것이다.

남북한 대결장될 가능성 배제 못해

이 '분단상태로의 가입'은 다시 말해 두쪽의 실질적이고 초정권적인 통일노력이 뒷받침되지 않을 경우 평화의 정착이 아니라 분단의 고착으로 이어질 수 있다. 독일의 통일은 동서독이 유엔에 동시가입했기 때문에 유도된 것이 아니라 동시가입했음에도 불구하고 동유럽 격변의 물결을 타고 이뤄진 것이다. 반면 남북한의 동시가입은 유엔에서 공공연히 통일과 연관해서 다루어졌다. 이것을 우리는 최대로 이용해야 할 것이다.

남북한 유엔시대 : 통일을 앞당기기 위한 기회로 최대한 이용해야 할 것이다.

동서독의 유엔가입은 서로가 통일을 완전히 포기한 두 독립국가로서 진전된 것이었기 때문에 축제무드같은 것은 전혀 없었다. 그러기는커녕 발터 셸 당시 서독외상은 통일포기가 국제적으로 선포된 것을 안타까워했다. 이것 또한 서울정부의 축제무드와 얼마나 대조적인가. 우리에게 시사적인 것은 73년에 유엔에 동시가입한 동서독이 70년대말께에 이르러서는 유엔 안에서 서로 비방하지 말자는 '신사협정'을 맺어 좋은 효과를 보았다는 점이다. 그 특징은 무엇보다도 그것이 일체 공식발표된 바 없이 막후에서 진행되었다는 것이다.

위에서 우리가 무엇을 참고로 할 수 있을까. 남북한의 유엔가입은 서로가 바깥에서 협력할 수 있는 틀을 마련했다는 의미와 함께 분단의 국제적 공인이라는 쓰라린 측면을 동시에 내포하고 있다. 유엔 동시가입이 분단의 고착화가 이루어지는 것이 아니라는 것은, 소련내의 백러시아공화국과 우크라이나공화국이 각기 독립적인 회원으로 유엔에 가입해 있음을 봐도 알 수 있다는 말을 한국에서 이따금 듣는다. 그러나 그것은 유엔 형성 초기에 스탈린의 협력을 얻어내기 위하여 한번만의 예외로 취해진 조치였다는 역사적 배경을 잊고 하는 말이다. 게다가 백러시아나 우크라이나가 '독립적인 회원'으로서라기보다는 소련의 사실상 '종속'국가로서 추가가입했다는 것은 주지하는 바 아닌가.

신사협정에 기초한 비밀 막후접촉 가져야

불행 중 다행으로 평양은 서울과 다른 국호로 독립된 주권국가로 유엔에 가입함으로써 여태껏 그들이 주장해왔던 '연방국가'가 아니라 이남이 주장하는 '남북연합', 즉 국제법상의 '국가연합'에로 가는 서곡을 마련한 셈이다. 이제 열쇠는 어떻게, 언제 국가연합을 이룩할 것인가에 있다. 남북고위급회담이나 유엔의 공개접촉 이외에 '신사협정'에 기초한 비밀 막후접촉이 필요하다.

유엔가입 후 경제실적에 따라 서울은 유엔재정 10억달러의 0.69%인 7백만달러, 평양은 0.05%인 50만달러를 부담하게 될 것이다. 즉 평양의 부담은 서울의 14분의 1밖에 안되지만 이북의 경제난을 감안해 남측이 북측에 유리한 '공동부담'같은 것을 제의하면 좋을 것이다. 남북한이 이같이 슬기로운 협조를 한다면 국가연합까지 멀어도 3년, 그런 후 연방국가까진 1년, 그리하여 단일국가라는 마지막 셋째 단계까지는 4~5년 안에 도달하리라고 본다.

결론적으로 9월17일은 희희낙락만 할 경축일이 아니라 노태우 대통령이 유엔에서 위와 같이 '흡수통일'아닌 '국가연합'식 통일의 각본을 전세계에 향하여, 그러나 누구보다도 북녘의 겨레에게 엄숙히 선언하는 '통일약속의 날'이 되어야 할 것이다. ◇

趙明勳 (독일 함부르크 영문계간지 《북한》 편집주간)

동 아 일 보

1991. 9. 17. 화, 2면

"南北외무「유엔會談」추진"

「南北동시가입」산파역 盧昌熹대사

인터뷰

양측「定例접촉」성사 노력

『西方외교관들은 요즘 「韓國에 유엔가입이 그렇게 대단한 것이냐」고 묻곤하는데 그들은 우리의 감정을 이해하지 못할 겁니다』

南北韓 유엔가입의 현지 사령관격인 盧昌熹駐유엔대사는 17일 유엔가입을 맞는 자신의 감회를 이렇게 표현했다。『남의 힘에 의해 해방되고 또 분단되고…。근대국가가 되고난후 1백여년간 한번도 국제사회의 당당한 일원이 되지못했던 우리의 恨과 설움을 그들이 어떻게 알겠느냐』는것이었다。그는 9월들어 연일 계속되는 철야근무로 눈이 충혈돼 있었다。

—가입안 제출과정에서 朴吉淵유엔주재北韓대사와는 몇번 접촉했는지。

『지금까지 네차례 만났습니다。마지막 만남은 南北韓 유엔가입결의안을 단일안건으로 총회에 제출하는 문제를 논의하기 위해서였는데 北측에서 먼저 제의가 있었습니다。北측은 가능한한 많은 국가가 南北韓가입결의안을 공동발의토록 하자고 말하는등 협조적이고 우호적이었습니다』

—南北유엔대사간 만남(접촉)을 정례화, 상설화하자는 제안을 해놓고 있는것으로 아는데 北韓의 반응은…。

『완전히 거부한 것도, 그렇다고 완전히 동의한 것도 아닌 상태입니다。北측은 그때그때 필요에 따라서 만나자는 입장인 것 같습니다。지금 당장 정례화를 기대하기는 어렵겠지만 시작이 중요한 것 아니겠습니까』

—이번 총회기간중 南北외무장관간의 접촉이 가능하다고 봅니까。

『지금까지의 대사간 만남에서 지나가는 얘기로 그런 제안을 하기는 했습니다。앞으로 北韓대사에게 공식적으로 제의는 하겠지만 현단계에서 회담은 어렵고 단순한 접촉이나 조우도 딱부러지게 된다, 안된다 말할 수 없는 상황입니다。北韓의 延亨默총리의 기조연설이 있게되는 10월2일 전후가 되어야 알 수 있을 것 같습니다』

—北韓의 姜錫柱외교부副부장이 가입수락연설에서 어떤 얘기를 할 것으로 봅니까。

『유엔헌장을 준수한다는 극히 일반적인 얘기만 할 것으로 예측하고 있습니다。우리에 대한 비난이나 외교공세같은 짓은 안하리라고 봅니다。北韓도 그만한 양식은 있을 것이니까요』

〈뉴욕=李載昊특파원〉

0340

조 선 일 보

1991. 9. 18. 水, 3면

盧昌熹 駐유엔대사 인터뷰

"우리国力걸맞는 위치 차지"

이번총회는 「견습会期」… 北측접촉 확대

◇盧昌熹대사

『이번 46차 유엔총회는 한국에겐 어쩔수 없이 「배우는 총회」가 될 수밖에 없겠습니다.』

유엔가입을 하루앞둔 16일오후(뉴욕시각)기자들과 만난 盧昌熹 駐유엔대사는 『이번에는 가입자체이외에는 거의 준비가 없어서 어느 분과위원회에도 주요회원이 아닌 상태로 총회를 맞게됐다』고 말했다.

그러면서 盧대사는 내년 제47차 총회부터 우리국력에 걸맞는 위치를 차지하면서 유엔외교를 다져가겠다」고 밝혔다.

—앞으로 유엔외교는 어느정도 수준에 도달해야 한다고 봅니까.

『우리나라가 유엔가입후 부담하게 되는 분담금이 유엔회원국 전체에서 20위정도가 됩니다. 따라서 유엔에서는 당연히 세계20위정도에 드는 기능과 역할과 권한을 맡아가야 할 것입니다.

—유엔에서 南北접촉은 어떻게 진행되고 있습니까.

『지난 5월이후 지금까지 4차례 대사간접촉이 있었고 참사관급 접촉은 수시로 열리고 있습니다. 대부분 우리측이 만나자고 제의하고 있고, 北측은 그때 그때 사정을 봐가면서 응해오고 있습니다. 대사급 정례 접촉은 현재로서는 굳이 무리해서 추진하려 하지 않고 있습니다. 오히려 지금과같은 만남이 계속되다 보면 자연스럽게 형식이 갖춰질 수 있을 것으로 봅니다.』

—남북외무장관회담 성사 가능성은.

『남북외무장관간의접촉을 갖자고 북한대사에게 지나가는 얘기로 제의를 했는데, 북측이 반대의사를 밝히지않고 있습니다. 앞으로 대사간접촉에서 공식적으로 제의할 생각입니다. 외무장관 접촉이 이뤄진다면 사전약속을 해서 5~10분정도 만나, 상견례 정도를 가지는 형식일 것입니다. 아직 형식을 갖춘 본격적인 회담개최는 어려울 것으로 봅니다.

그러나 현재로선 접촉성사여부를 예측하기가 어렵습니다.』

—延亨默총리와金永南외교부장등 북한 고위인사들의 유엔방문을어떻게봅니까.

『북한은 동맹국으로 어떤 얘기를 하든 결국 이번 유엔가입의 의미를 평가하고 이를 활용하려는것 같습니다. 북한은 이번 총회기간중 동남아와 서유럽등의 국가들과 외상회담 추진등 관계개선노력을 기울이고 있는 것으로 파악되고 있습니다.』

【유엔본부=金昇泳기자】

0341

세계일보
1991. 9. 18. 수, 2면

“유엔대표부는 南北정부 메신저”

유엔加入 하루전에 만난 盧昌熹대사

대사協議體 구성 제의 北韓도 반대안해

올핸 「배우는 총회」: 내년부터 본격활동

0342

『남북한의 駐유엔대표부는 남북정부의 의사를 서로 전달하는 메신저 역할을 할 수 있을 것입니다』

유엔가입을 하루앞둔 16일 뉴욕 유엔플라자호텔에서 기자들과 만난 盧昌熹駐유엔대사의 표정은 상기돼 있었다。

—9월30일~10월5일간 李相玉외무장관과 金永南북한외교부장이 동시에 뉴욕에 머물게 되는데 외무장관회담 가능성은。

『최근 북한의 朴吉淵유엔대사를 만났을때 지나가는 얘기로 외무장관간 접촉을 제의한 적이 있다。朴대사는 이에 대해 동의는 하지 않았지만 그렇다고 반대도 안했다。姜錫柱북한외교부副부장도 지난12일 뉴욕도착회견에서 외교적 수사인지는 모르지만 적극적·호의적 반응을 보인만큼 「李相玉·金永南접촉」가능성을 완전히 배제할 수는 없다。물론 격식을 갖춘 공식회담은 어렵겠지만 단순한 조우 이상의 의미를 갖는 만남은 가능할 수도 있다。필요할 경우 북한측에 공식제의할 방침이다』

—공식회담도 아니고 조우도 아니라면。

『1시간씩 만나 실질의 제를 논의하는 식의 공식회담은 현실적으로 어렵다。그렇다고 리셉션장 같은데서 우연히 만나는 것은 의미가 없다。시간과 장소를 약속해 따로 10분가량 상견례 형식으로 만나는 것、우리가 생각할 수 있는 것은 이런 정도다。성사전망에 대해서는 이렇다 저렇다고 말할 근거가 아직 없다』

—朴吉淵북한대사하고는 자주 만나나。

『북한의 유엔동시가입 발표전날인 5월27일 첫 접촉이래 지금까지 네번 만났다。대부분 우리가 만나자고 제의했고 가장 최근(9월4일)의 접촉은 북측 요청으로 이뤄졌다。만날때마다 대사간 정례협의체를 갖자고 촉구하지만 朴대사는 동의도 거부도 않고 있다。朴대사는 「필요하면 그때그때 만나면 되지않느냐。대사가 얘기할 일은 대사가 만나고 그렇지 않은 일은 실무선에서 만나면 된다」면서 분명한 대답을 주지않는다。우선 시작이 중요하다。이런식으로 남북대사끼리 자주 만나다보면 일정한 틀이 생길 것으로 생각한다。북측이 아직 방향을 잡지 못하고 왔다갔다 하는 느낌은 주지만 장기적으로는 정례협의체로 발전될 수 있을 것으로 본다』

—대사간 협의체와 관문점회담간에 기능이 겹치지 않는가。

『완전히 구분된다。정부간 대화와 교섭은 관문점에서 이뤄지는게 마땅하고 유엔에서는 유엔관련 문제가 주로 논의된다。다만 정부간 메신저탈까 의사전달수단의 역할은 할 수 있을 것이다』

—金永南외교부장이 유엔방문중 서방국가들과 외무장관회담을 추진중이라는 얘기가 있는데。

『북측이 외무장관회담을 위해 동남아및 西歐의 몇 나라와 접촉중이라고 들었다。그러나 아직 회담합의는 되지 않은 것으로 안다』

—유엔외교를 담당해온 일선大使로서 유엔가입을 맞는 소감은。

『직업외교관으로의 기쁨과 보람을 느낀다。서구국가 대사들이 「한국은 유엔가입이 뭐 그리대단한 일이라고 그렇게 신경을 쓰느냐」고 하는데 그럴때마다 「유엔에 대한 한국민의 감정은 유별나다」며 우리의 정부수립、한국전쟁과 유엔의 특별한 유대를 설명해주곤 한다』

—유엔가입후 계획은。

『우선 올해 46차유엔총회는 「배우는 총회」로 삼겠다。내년 47차총회부터는 우리국력에 걸맞은 기여를 적극모색할 방침이다。우리가 내야할 유엔분담금 규모가 전체 1백66개 회원국가운데 20번째인데 이 정도의 지위는 확보해야겠다는 생각이다』

〈유엔본부=朴正薰특파원〉

	분류번호	보존기간

발 신 전 보

번 호 : WUN-2973 910918 1355 FO 종별 :

수 신 : 주 유엔 대사. ~~총영사~~

발 신 : 장 관 (국일) 연

제 목 : 기사송부

노창희 주유엔대사의 인터뷰관련 국내기사 (동아, 조선, 세계일보) 내용을 별첨 Fax 송부하니 업무에 참고바람.

첨부 : 상기기사 3매. 끝.

WUN(F)-146.

(국기국장 대리 금정호)

보안 통제	

앙 고 재	91년 9월 18일	국제연합과	기안자 성명		과 장	심의관	국 장		차 관	장 관
			장혜경							

외신과통제

0343

	분류번호	보존기간

발 신 전 보

번 호 : WUN-3375 911002 1436 FO 종별 :

수 신 : 주 유엔 대사. ~~총영사~~ (국기국장님)

발 신 : 장 관 대리 (~~미주형 대상~~)

제 목 : 기사송부

~~외상무 외무~~장관의 CFR연설 관련 국내기사(조선, 한겨레, 10.2) 내용을 별첨 Fax 송부합~~니다~~.

(유엔1과장)

첨부 : 상기기사 1매. 끝.

WUN(F)-172

보 안 통 제	

앙 고 재	91년 10월 2일	유엔1과	기안자 성 명		과 장		국 장		차 관	장 관

외신과통제

0344

중 앙 일 보

1991. 10. 31. 목. 2면

北韓 核서명촉구

盧대사 유엔연설

【뉴욕=朴晙善특파원】 盧昌熹駐유엔대사는 30일 유엔 제1위원회 (정치·군사·안보분야)에서 군축에 관한 韓國의 입장을 밝히고 北韓의 조속한 국제핵안전협정 서명을 촉구했다.

盧대사는 이날 연설에서 韓國은 냉전의 종식이 범세계적 군축노력에 새로운 기회와 자극을 제공했다고 말하고 핵무기 확산금지·화학·생물·세균무기의 개발·생산·저장및 사용금지등에 대한 유엔의 노력을 적극 지지한다고 말했다.

盧대사는 또 韓國이 무기이전의 등록제와 지역군축의 제안등을 세계안보의 공고화라는 견지에서 환영한다고 밝혔다.

동 아 일 보

1991. 10. 31. 목. 1면

在來무기統制 지지

北 核사찰서명촉구

盧유엔대사

【뉴욕聯合】 盧昌熹유엔대사는 30일『한국은 재래식무기의 이전통제를 위한 국제적 노력을 적극 지지한다』고 밝혔다.

盧대사는 이날오전 유엔 제1위원회(정치 군사 안보분야)에 참석, 군축문제에 관한 우리 정부의 입장을 약20분간 밝히는가운데 이같이 말하고『유엔 주관아래 보편적이고 비차별적인 재래식무기 이전등록체제를 갖출경우 각국의 재래식 무기 증강을 자제하고 좀더 책임있는 태도를 취하는 풍토를 조성하게 될것이라는 하비에르 페레스 데 케야르사무총장의 의견에 전적으로 동감』이라고 덧붙였다.

盧대사는 특히 핵무기문제에 언급,중국 프랑스 같은 나라가 핵확산금지조약(NPT)에 서명할뜻을 비친것은「바람직한 추세」이나 이미 NPT에 가입한 나라가 국제핵안전협정에 서명하지않은 사례가 있음에 유감을 표명,北韓의 핵안전협정 비서명을 간접 비판하고『조선민주주의 인민공화국(DPRK)은 더이상 지체하지말고 그들에게 부하된 국제의무를 완수해 주기를호소한다』고말했다。

국 민 일 보

1991. 10. 31. 목. 2면

北韓에 核협정서명 촉구

盧대사,유엔1위원회서 밝혀

【뉴욕=聯合】 盧昌熹유엔대사는 30일『한국은 재래식무기의 이전통제를 위한국제적 노력을 적극 지지한다』고 밝혔다。

盧대사는 이날 오전 유엔 제1위원회(정치·군사·안보분야)에 참석,군축문제에 관한 우리 정부의 입장을 약 20분간 밝히는 가운데 이같이 말했다。

盧대사는 특히 핵무기문제에 언급,중국 프랑스 같은 나라가 핵확산금지조약(NPT)에 서명할 뜻을 비친 것은『바람직한 추세』이나 이미 NPT에 가입한 나라가 국제핵안전협정에 서명하지 않은 사례가 있음에 유감을 표명,北韓의 핵안전협정 비서명을 간접 비판하고『조선민주주의인민공화국(DPRK)은 더이상 지체하지 말고 그들에게 부하된 국제의무를 완수해 주기를 호소한다』고 말했다。

0345

서 울 신 문

1991. 10. 31.목.1면

"北韓은 核협정 조속체결해야"

IAEA도 효과적 안전체제 강화를

盧유엔대사, 총회제1위원회 기조연설

【뉴욕=林春雄특파원】盧昌熹駐유엔대사는 30일 상오(현지시간)유엔총회 제1(정치·군사)위원회에 참석, 기조연설을 통해 『北韓은 핵확산금지조약(NPT)체결 당사국으로서 의무사항인 국제원자력기구(IAEA)와의 핵안전협정을 조속히 체결해야 한다』고 말하고 이를 위해 IAEA는 효과적인 안전체제를 강화시켜 나가야 한다고 강조했다.

盧대사는 『최근 유엔내에서는 지역군축에 관한 관심이 대두되고 있으며 지역군축을 위해서는 신뢰구축이 무엇보다 필요하다』면서 『우선 각 지역의 제반 특성이 고려된 지역군축의 개념이 정립되어야 한다』고 말했다.

盧대사는 『국제안보환경의 변화는 유엔의 역할증대를 요구하고 있다』며 『韓國정부는 국제사회의 평화와 안전및 군비축소를 위해 노력해나갈것』이라고 강조했다.

경 향 신 문

1991. 10. 31.목. 2면

"北 불응땐 강제核사찰을"

盧UN대사 기조연설서 강조

盧昌熹 駐유엔대사는 30일 낮(한국시간 30일새벽) 제46차 유엔총회 제1위원회(정치·군사·안보)에 참석, 기조연설을 통해 국제원자력기구(IAEA)가 신뢰성있고 효과적인 核사찰을위해 강제사찰을 포함한 안전체제를 강화해야할 필요성이있다고 강조했다.

盧대사는 한반도 신뢰구축문제와 관련, 최근 平壤에서 개최된 제4차 南北고위급회담에서 南北韓 양측이 가시적인 합의를 도출하는등 성과가 있었다고 설명하고 한국정부는 南北韓간의 기본문제에대한 인식의 차이에도 불구하고 대화를 통해 관계가 진전되기를 희망한다고 말했다.

0346

한 국 일 보

1991. 10. 31. 목. 2면

제1위원회 基調연설

北韓 核협정 再촉구

盧유엔大使 軍縮 지역특성 고려도

【유엔본부=金首宗특파원】 盧昌熹 駐유엔대사는 31일 새벽(한국시간) 유엔총회산하 제1위원회 (정치·군축)에서 기조연설을 통해 북한의 핵안전협정서명을 거듭 촉구하고 『국제 원자력기구 (IAEA)는 보다 효율적인 사찰방식등을 통해 핵안전체제를 강화해야할것』이라고 강조했다.

盧대사는 이날 연설에서 범 세계적 군축과 지역군축 문제, 우리정부의 군축정책등을 폭넓게 언급 했다.

우리 정부대표가 유엔의 핵심위원회인 1위원회에서 연설하기는 이번이 처음이다.

盧대사는 연설에서 美蘇의 전술핵무기 폐기선언을 환영하면서 한반도를 포함한 지역군축문제에 대한 유엔의 관심을 촉구했다.

조 선 일 보

1991. 10. 31.목. 2면

IAEA「安全의무조항」강화 촉구

盧昌熹유엔대사 "北韓 核사찰 즉각 응해야"

【뉴욕=金昇泳기자】 盧昌熹駐유엔대사는 30일 오전(현지시각) 유엔 제1위원회(정치-안보분야)에서 행한 기조연설을 통해 『북한은 核확산금지조약 (NPT)체약당사국으로서 국제원자력기구(IAEA)와의 核안전협정 서명및 사찰의무 이행에 즉각 응해야한다』고 촉구했다.

盧대사는 이날 韓国정부대표로 나선 연설에서 이같이 말하고, 『IAEA의 核사찰이 보다 현실적이고 실효성있게 이행되기 위해서는 안전의무조항(Safeguards)이 강화돼야 한다』고 밝혔다.

盧대사는 『각 지역의 제반 특성이 고려된 지역군축 개념이 정립될 필요가 있다』고 지적하고, 『한반도에서의 신뢰구축은 남북한간 기본문제 인식의 차이에도 불구하고 대화를 통해 착실히 발전돼 나가기를 희망한다』고 말했다.

盧대사는 또 『한국은 이미 NPT등 주요 국제군축협약에 가입, 활동중』임을 언급하고, 국제사회의 평화와 안전및 군비축소를 위해 끝까지 노력할 것임을 강조했다.

0347

	분류번호	보존기간

발 신 전 보

번 호 : WUN-3788 911031 1923 FN 종별 :

수 신 : 주 유엔 대사. ~~총영사~~

발 신 : 장 관 (연일)

제 목 : 기사 송부

~~제46차 유엔총회~~ 10.30 제1위원회~~에서의~~ 귀직의 기조연설관련 국내언론 보도내용을 별첨~~과 같이~~ Fax 송부합~~니다~~.

첨부 : 상기 기사 1부(3매). 끝.

(국제기구국장 문동석)

보 안 통 제	

앙 고 재	91년 10월 31일	유엔1과	기안자 성명		과 장	심의관	국 장		차 관	장 관
			장혜경							

외신과통제

0348

정 리 보 존 문 서 목 록					
기록물종류	일반공문서철	등록번호	2020080019	등록일자	2020-08-19
분류번호	731.12	국가코드		보존기간	영구
명 칭	남북한 유엔가입관련 홍보 및 언론보도, 1990-91. 전5권				
생 산 과	국제연합1과	생산년도	1990~1991	담당그룹	
권 차 명	V.4 해외언론보도				
내용목차	남북한 유엔가입 후 대통령, 장관 연설 관련 보도내용 포함				

0001

2/6

외 무 부

종 별 :

번 호 : UGW-0087 일 시 : 91 0304 1100

수 신 : 장관(아프이,정홍,국연)

발 신 : 주우간다대사

제 목 : 남북한 유엔 가입 관련 기사

공람	변신인	정보1과	정보2과	홍보과	문화과	외신1과	외신2과
			9	✓			

당지 3.2.자 NEW VISION 지는 북한이 2.22.자 안보리문서를 통해 한국의 단독 유엔 가입을 반대하는 입장을 밝혔고, 한국측은 이에대해 2.28.자 문서를 3.1.에 유엔안보리문서로 배포하였다고하고 한국측 문서내용을 상세히 보도하였음.끝.

(대사김재규-국장)

중아국 1차보 국기국 정문국 안기부 총리실 공보처

PAGE 1

91.03.04 23:27 BX

외신 1과 통제관

0002

외 무 부

종 별 :

번 호 : UGW-0087 일 시 : 91 0304 1100

수 신 : 장관(아프이,정홍,국연)

발 신 : 주우간다대사

제 목 : 남북한 유엔 가입 관련 기사

당지 3.2.자 NEW VISION 지는 북한이 2.22.자 안보리문서를 통해 한국의 단독 유엔 가입을 반대하는 입장을 밝혔고, 한국측은 이에대해 2.28.자 문서를 3.1.에 유엔안보리문서로 배포하였다고하고 한국측 문서내용을 상세히 보도하였음.끝.

(대사김재규-국 장)

중아국	1차보	국기국	정문국	안기부	총리실	통일원

PAGE 1

91.03.04 23:27 BX

외신 1과 통제관

0003

'91年 3月 8日 7:38 駐日本大韓民国大使館 P. 1/12

駐日大使館

(Page 4－1)

JAW(F) : 0861 日時 : '91 3-8 -7 29

受 信 : 長 官 (아일, 정이)

発 信 : 駐日大使 (일정 , 일경)

題 目 : 아주 · 북한 관계

(3 8 朝 夕 刊)

朝日新聞 2 面

アジアの懸念無視する自衛隊のPKO参加論

日朝交渉「償い」へ対応慎重に

金大中氏語る

【ソウル7日＝杉本宏】韓国の野党、平民党の金大中総裁は七日、朝日新聞記者とのインタビューに応じ、国連の平和維持活動（PKO）への自衛隊参加問題について、「日本の政治家たちは、過去に日本の被害を受けたアジア・太平洋諸国の懸念を過小評価、あるいは無視している。湾岸戦争が終わっても、自衛隊を海外派遣したいと言っている人は、（日本）国民の拒絶反応や周辺国の懸念を薄めることを狙っているのではないか」と述べ、反対の考えを示した。

また、南北朝鮮の国連加盟問題では、「韓国の単独加盟は南北対話を悪化させる。わが党は反対だ」として、韓国政府の単独加盟の動きを批判、南北双方の合意で同時加盟を推進するため、日本や米国が影響力を行使するよう求めた。

日本と朝鮮民主主義人民共和国（北朝鮮）との国交正常化交渉で、対立点になっている北朝鮮の核査察受け入れ問題について、（北朝鮮が求めている）朝鮮半島の「非核地帯化構想を肯定的に受け止める必要がある」とし、その実現に向けて議論が活発化される必要があるとの考えを表明した。ただ、「これが実現しないならば、北は核をつくるというような主張が正当化されることには賛成できない」とした。

戦後四十五年の「償い」問題では、「日本が認めれば、韓国は南北平等の原則から日本に新たな賠償を要求できる権利があると思う。少なくとも、差別だという世論が韓国で高まるだろう」と、慎重な対応を求めた。さらに、日朝交渉が南北統一に与える影響については、「一部の日本の政治勢力は、統一で強い単一国家ができることを懸念している」と指摘。「南北を分断するために交渉で影響力を使っているのではないか、という懸念がある」とし、今後の日本の出方を注意深く見守っていく姿勢をみせた。

朝日新聞 2 面

日朝交渉

第3回は5月開催を提案へ

政府方針 本格的協議へ準備考慮

政府は七日、平壌で十一、十二両日に予定されている朝鮮民主主義人民共和国（北朝鮮）との国交正常化に向けた第二回政府間交渉で、北京での第三回交渉の日程について五月開催を提案する方針を決めた。四月にはソ連のゴルバチョフ大統領の来日など外交日程がたて込んでいるうえ、二月に予定されていた南北首相会談が延期されていることなどを考慮したものだ。交渉の早期決着に意欲を示す北朝鮮側は四月開催を強く求めるものと見られる。

日本側としては、第二回交渉までに、戦後四十五年の「償い」問題、北朝鮮の国際原子力機関（IAEA）による核査察受け入れ問題などについて、基本的な対立点を整理、第三回交渉以降、本格的な協議に入る構えだ。条約などの策定を担当する外務省条約局がゴルバチョフ大統領来日時に締結する協定、覚書などの準備に忙殺されていることから、第三回交渉を五月とする方向を提案することになった。

二月に予定されていた南北会談は、北朝鮮が米韓合同軍事演習「チームスピリット91」を理由に拒否した経緯があるため、日本政府としても再開の見通しを見極めたいとしている。

0004

외 무 부

종 별 :

번 호 : CAW-0366 일 시 : 91 0310 1640

수 신 : 장 관(해신,정홍)

발 신 : 주 카이로 총영사

제 목 : UN 가입관련 기사

주재국 언론은 유엔가입 노력에 관해 다음과 같이 보도했음.

. 매체명: THE EGYPTIAN GAZETTE 및 AL WAFD일간지

. 제목: SOUTH KOREA SEEKS UN MEMBERSHIP

. 일자: 91.3.9

. 크기: 2단 X 5CM

. 출처: 서울 REUTER

. 요지: 이상옥 외무부장관은 금년에 남북한 동시 유엔가입을 모색하고 있으며, 만약 북한이 반대하면 한국교단독이라도 가입토록 추진하겠다고 언급했음.끝.

(총영사 박동순-과장,국장)

공보처 정문국 1차보 안기부 중아국 국기조약국

PAGE 1 91.03.11 13:07 DQ

외신 1과 통제관

0005

원 본

외 무 부

종 별 :

번 호 : BAW-0140 일 시 : 91 0311 1430

수 신 : 장관(국연,아서)

발 신 : 주방대사

제 목 : 유엔문제

대: EM-0006

대호 외무장관 정례기자 간담회에서 유엔가입문제 관련 언급한 내용이 당지 BANGLADESH OBSERVER 3.11자 1면에 게재되었음을 보고함.끝.

(대사 이재춘-국장)

국기국 1차보 아주국 정문국

PAGE 1

91.03.11 22:29 DP

외신 1과 통제관

0006

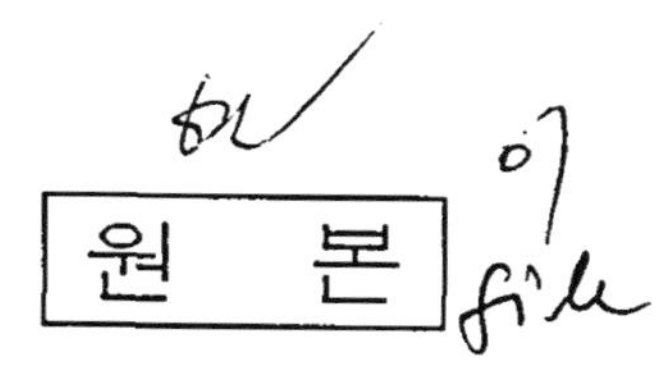

외 무 부

종 별 :

번 호 : GHW-0125 일 시 : 91 0311 1540

수 신 : 장 관(유엔,아프일,정일,기정)

발 신 : 주 가나 대사

제 목 : 한국 유엔가입 관련 기사

대:EM-0006

당지 3.9일자 GHANAIAN TIMES지는 서울발 REUTER통신을 인용,'ROK SEEKS UN MEMBERSHIP'제하 2면2단기사로 대호 장관님 기자회견 내용을 아래요지 보도했음.

- 한국정부는 금년중 남북한이 유엔에 가입되도록 최선의 노력 위계임.

- 북한이 유엔가입을 하지 않으려해도, 한국의 유엔가입은 북한의 유엔가입을 촉진하는 역할을 할 것임.

- 한국정부는 남북한이 국제사회의 책임있는 구성원으로서 역할을 하기위해 유엔동시가입을 추진해 왔으나 북한측은 이것을 한반도 분단영구화의 책략이라고 주장해 왔음.

- 그러나 남북예멘과 동서독 통일의 예는 유엔에의 별도가입이 통일의 장애가 되지 않음을 보여주었음.끝.

(대사 오 정일 - 국장).

국기국 1차보 중아국 정문국 안기부

PAGE 1 91.03.12 09:03 WG

외신 1과 통제관

0007

가입 연구원

駐 日 大 使 館 (Page 2 − 1)

JAW(F) 0940 日 時:

受 信：長 官 (아일, 정이, 국연) 사본: 주유엔대사

発 信：駐日大使 (일정, 일경)

題 目 : 일본 신문, 북한 관계 기사

'91 3·13 ·7 :05 (3/13 朝 夕 刊)

韓国の国連単独加盟

9月総会前にも申請

大使表明

【ソウル12日薄木秀夫】韓国の盧昌熹・新任国連大使は十二日、韓国記者との記者会見で、国連への単独加盟問題について、九月の国連総会前にも申請する可能性があることを示唆した。また、同大使はその準備のため、今月末から安全保障理事会常任理事国との接触を深めることも表明、韓国の国連加盟の動きが本格化しそうである。

盧大使は朝鮮民主主義人民共和国（北朝鮮）が単一議席による南北共同加盟を提案していることに触れ、「南北首相会談が再開されたら北韓（北朝鮮）の意思を最終確認したい。しかし、北の姿勢が変わらなければ、早急に（加盟申請を）決断しなければならない」と指摘。時期については九月の国連総会前でも、いつでも加盟申請を提出できる」と述べた。また韓国の単独加盟申請後に北朝鮮がこれまでの姿勢を変え、南北同時加盟支持を表明すれば、単独申請案を撤回する用意がある、としている。

中国から好感触得る

強い意思示し国際世論作り

（解説）韓国政府が九月の国連総会以前にも国連への単独加盟申請を提出する方針を固めた背景には、安保理常任理事国のソ連が賛成に回り中国も強硬な反対姿勢を取らないとの見通しが強い、と判断したためだ。韓国政府は朝鮮民主主義人民共和国（北朝鮮）側と国連加盟問題で協議を続けても北側の軟化は望み薄とみている。むしろ単独加盟に向けた強い意思を内外に明確にすることが国連内の世論作りにプラスになる、とみている。

韓国の国連加盟問題のカギは北朝鮮と密接な関係にある中国の動向。国連安保理理事国(米、英、仏、中、ソ)メンバーの中国が拒否権を発動した場合、加入申請は直ちに挫折するからだ。このため韓国は国連や米国ルートを通じて中国側の意思を打診。さらに盧昌熹・新任国連大使を最近、訪中させて中国側の姿勢を探ってきた。この結果、韓国側は「中国も次第に（韓国側に）好意的に考えてきている」（盧大使）との心証を強めた。

韓国側は国連単独加盟が実現した場合、北朝鮮側も対抗上、追従して加盟すると見ており「今秋最大の外交目標」（盧大使）として国連内の世論作りを進める方針だ。

（ソウル・下山正晴）

毎日新聞 6 面

米韓合同演習始まる

【ソウル十二日＝小山利信】米韓あわせて十四万人の兵力が参加する米韓合同野戦演習「チームスピリット91」の上陸作戦演習が十二日午前十時、韓国慶尚北道の浦項市近郊の海岸で始まった。二十一日までの十日間行われる。

韓国国連加盟申請早期に

【ソウル十二日＝小山利信】韓国の盧昌熹・新任国連大使は十二日、聯合通信との会見で、韓国の国連加盟申請は「九月の国連総会開催前のいつでも提出できる」と、早い時期に加盟申請する可能性を示唆した。

また、中国は拒否権を発動しないとの見方を示した。

読売新聞 5 面

0008

0940

毎日新聞 4 面

きょう ニュース あす

活発な北朝鮮"南方外交"

孤立脱却へアジア重視

韓国の「北方外交」（対社会主義圏外交）に対抗するように、朝鮮民主主義人民共和国（北朝鮮）の「南方外交」、特に対アジア外交が活発化してきた。日朝国交正常化交渉だけでなく、東南アジア、台湾、オーストラリアを含めた関係改善への動きが見られる。ソ連・東欧との関係悪化を背景に、アジア諸国との関係を強化し、国際政治面での孤立と経済的苦境からの脱却を図る狙いがあるようだ。

民間次元の交流拡大

二月下旬の金容淳・朝鮮労働党国際部長の訪日について、韓国側は総部首相（同党総裁の資格で会談）ら与野党政治家との会談以外にの自民党とのスポーツ、文化、芸術交流推進の合意の関西財界との懇談―などに注目。国交正常化以前に民間レベルで日朝関係を進展させる契機を作ったと分析している。国交交渉の難航が予想されるため、まず非政府次元での接触を拡大していくのではないかという見方だ。

民間次元での交流拡大は、台湾との間でも進んでいる。国民党籍の張付良・立法委員（国会議員に相当）を代表とする台湾の民間代表団が二月上旬、平壌を初めて訪れ許錟・平壌市副市長と会談した。同月末には台湾の天栄丸約四十人が北朝鮮に向かった。北朝鮮は最近、マカオでビザ発給を開始。これを受け、台北にも民間の「ビザ発給代行事務所」がオープンした。観光客と投資誘致が主な目的といわれる。

未知数の台湾関係

北朝鮮の台湾接近は明らかに、韓国と中国の民間貿易代表部設置をけん制する動きだ。しかし、台湾当局はアジアで唯一の台湾承認国である韓国に遠慮して北朝鮮への接近には慎重姿勢。また中国の銭其琛外相は「民間交流や経済交流には反対しない」と述べつつも、台朝交流が政府関係にまで発展しないようクギを刺した。今後、台湾・北朝鮮関係がどう進展するかは未知数の部分が多い。

北朝鮮のアジア重視は、金日成（キム・イルソン）主席の新年の辞で明確になった。同主席は「アジアは新たな発展段階に入った」と述べ、アジアとの関係強化の方針を打ち出した。

延亨黙・北朝鮮首相のタイ、インドネシア、マレーシア歴訪（一月二十九日から二月七日）は、その端的な例といえる。いずれも東南アジア諸国連合（ASEAN）の主要メンバー国。金達玄・副首相兼軽工業相が同行。タイでは貿易代表部の大使館格上げや貿易共同委員会の再開で合意するなど、経済協力面での接触拡大が目立った。タイ産米の輸入（二、三年間で百万トン）とバーターのセメント輸出（約四十万トン）、インドネシア産原油輸入などがその成果だ。

昨年十一月、オーストラリアの外務次官補が平壌を訪問、国交断絶以来十五年ぶりに北朝鮮高官と会談するなどの動きもある。

北朝鮮は金永南外相のアフリカ五カ国歴訪、金正宇・対外経済事業部次官の訪独、金容淳・党国際部長の訪中、崔光・軍総参謀長のキューバ訪問と、今年に入り活発な訪問外交を展開した。平壌では四月二十九日から列国議会同盟（IPU）総会が予定され、諸外国へのアプローチはこの機会にさらに強まろう。

外貨不足がネック

これに対し韓国サイドでは「国際的信用度の低い北朝鮮と各国との交易拡大が順調に進むとは思えない」（韓国外務省筋）というのが一般的な見方。極端な外貨不足に悩む北朝鮮は、交易手段としてバーター貿易に依存せざるを得ないからだ。タイとの関係改善も二月のクーデター（北朝鮮は報道せず）で先行き不安。一時期のためらいから脱しつつある北朝鮮の"アジア進出"は、なお紆余曲折を迎えられそうだ。（ソウル支局・下川正晴）

韓国 「顔のない詩人」逮捕

素顔は反体制活動家

【ソウル12日＝岸木秀夫】肉体労働を送りながら、ペンネームで反体制の詩を発表、労働者や学生から「顔のない詩人」と人気を集めていた韓国の詩人、朴ノへさん（三三）＝写真左、AP＝が十二日、国家保安法違反容疑で逮捕された。

朴さんが有名になったのは八三年末。「迫害される 労働者 解放」というスローガンをもじったペンネームで同人誌に作品を発表。詩集「労働の夜明け」には、七万部も売れ労働文学賞を受賞。

上陸演習行う

チームスピリット

【ソウル12日＝岸木秀夫】米韓合同軍事演習（チームスピリット91）のクライマックスである上陸作戦が十二日、韓国南部浦項市付近の海岸で行われた。同作戦を含む機動演習には米韓合わせて十四万人が参加。

0003

정

주 볼 리 비 아 대 사 관

볼비(정) 700-072 1991. 3. 19.

수 신 : 장 관

참 조 : 국제기구조약국장, 미주국장, 정보문화국장

제 목 : 한국의 유엔가입 관련 사설기사 게재

연 : BVW - 0085

표제 사설기사 게재 3.15.자 EL MUNDO 지 (5 페이지)를 별첨 송부합니다.

첨 부 : 상기 일간지 1부. 끝.

주 볼 리 비 아 대

선 결			결재(공람)		
접수일시	1991. 4 1	번호			
처리과			18153		

0010

외 무 부

종 별 :
번 호 : BAW-0198 일 시 : 91 0402 1300
수 신 : 장 관(경기,국연,아서,정홍)
발 신 : 주 방 대사
제 목 : 에스캅 총회(언론보도)

1. 4.2자 당지 THE BANGLADESH OBSERVER 지는 노대통령의 ESCAP 총회 연설내용을 보도하면서 유엔가입문제에 대한 남북한의 정책등에 대해 중점 설명하였음.

2. 동 기사 파편 송부예정임.

(대사 이재춘-국장)

경제국 1차보 아주국 국기국 정문국 안기부

PAGE 1

91.04.02 16:43 WG
외신 1과 통제관

0011

외 무 부

종 별 :

번 호 : ITW-0478 일 시 : 91 0402 1140

수 신 : 장관(해신,정홍,구일,기정)

발 신 : 주 이태리대사(공)

제 목 : 한국 UN 가입 관련기사

1. 주재국 LA NAZIONE 4.2.자는 서울발, 표제관련 다음 요지게재 (1단)함.

- 제목: 노태우, 남북동시 가입 UN 요청 예정

- 요지 : 한국의 노태우 대통령은 남북관계의 미묘한 점을 다시 지적하고 남북한 동시 UN 가입이전후 분단된 나라에 평화를 가져오는 열쇠가 될것이라고 연설을 통해 강조했음.

2. 주재국 미민당(여당) 지지 신문인 IL POPOLO 지는 3.31.자는 도교발, '서울 UN 가입요청 예정' 이란 제하에 서울에서 개최되는제 47차 ESCAP 회의는 두한국의 UN가입 문제가 주요 논제로 토의될 것이라는 요지의 기사를 제 18면 3단으로 게재함.

끝

(대사-국장)

공보처 1차보 구주국 정문국 안기부

PAGE 1

91.04.02 22:15 DA

외신 1과 통제관

0012

외 무 부

종 별 : 지 급

번 호 : GAW-0049 일 시 : 91 0403 1800

수 신 : 장 관 (경기,국연)

발 신 : 주 가봉 대사

제 목 : 제47차 에스캅 총회

대:AM-0072

대호건 아래와 같이 보고함.

1.4.2자주재국 일간지 L'UNION은 해외 단신란에서 1단 10행 기사를 게재한바, '노태우 대통령은 제47차 ESCAP 총회 개막식 연설을 통해서 한국의 유엔가입을 희망하였다.'노태우 대통령은 한국의 유엔가입이 동지역과 세계에서 한국의 역활을 보다훌륭히 책임 맡는데 기여할 것이라고 하였다'고 하였음.

2.4.1자 주재국 국영 RTG (TV)방송은 20:00 뉴스에서 '한국의 노태우 대통령이 오늘 제47차 ESCAP 총회 개막식연설에서 유엔가입을 희망하였다'고 하였음. (방송시간-30초)끝.

(대사대리 이강웅-국제경제국장)

경제국 2차보 국기국 정문국 청와대 안기부

PAGE 1 91.04.04 09:41 WG

외신 1과 통제관

0013

'소득은 정당하게, 소비는 알뜰하게'

주 인 도 대 사 관

인도(정)2031- 236 1991.4.5.

수신 : 외무부장관

참조 : 국제기구조약국장, 국제경제국장, 아주국장

제목 : 인도 상무장관 아국 유엔가입지지등 보도

연 : NDW-556

연호로 기보고 드린바 있는 ESCAP총회 참석차 방한중인 인도 Subramaniam Swamy 상무장관의 아국 유엔가입지지, ESCAP에서 서울선언지지등을 내용으로 하는 관련기사를 별첨과 같이 송부합니다.

첨부 : 관련기사 4종 각 1부. 끝.

주 인 도 대 사

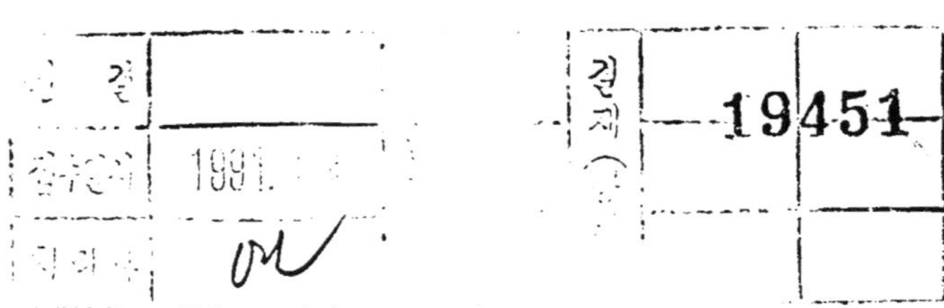

0014

INDIAN EXPRESS

APRIL 4, 1991

RIL 4. 1991

BUSINESS & ECONOMY

Entry into UN

Indian support to S.Korea assured

SEOUL, April 3 (UNI) – India has assured support to South Korea in its bid to enter the United Nations.

The Commerce Minister, Dr Subramaniam Swamy, who is heading the Indian delegation to the United Nation's Economic and Social Commission for Asia and the Pacific (ESCAP) conveyed this to South Korean Foreign Minister Mr Lee Sang-Ock.

Dr Swamy told newsmen that India would also support South Korea's co-sponsoring of the Seoul declaration of Industrial Restructuring in Asia and the Pacific at the ESCAP.

Both the countries saw vast scope for strengthening economic and political relations.

South Korea on Tuesday established the highest level of official contact with China when Mr Lee met Chinese Deputy Foreign Minister, Mr Leu Huaqiu, who is here as the head of the Chinese delegation to the ESCAP meeting.

During the meeting South Korea also sought Chinese support for Seoul's bid to enter the United Nations.

Mr Liu reiterated Beijing's stand on the issue, saying that his country wanted the two Koreas to continue their discussion on the subject in order to find mutually agreeable solution.

The Korean side also asked the Chinese Government to remove tariff discrimination against Korean goods and to provide Most Favoured nation treatment in bilateral trade with Korea.

Mr Liu assured the Korean delegation that he would convey their proposal to his Government when he returned home. Korea however, pledged Seoul's full support for China's bid to host the 48th ESCAP conference in Beijing next year.

The two countries, which do not have diplomatic relations had agreed to exchange non-government trade officials last year.

The Vietnamese foreign minister Vu Khoan on Wednesday called for lifting an economic blockade against Vietnam.

Addressing the plenary session of the 47th UN Economic and Social Commission for Asia and the Pacific (ESCAP) here, he said "in a world of increasing interdependence, it is obvious that the economic blockade against Vietnam is running contrary to the interests of the business circles of countries".

Mr Khoan was apparently referring to the US – initiated sanctions imposed against Vietnam.

Referring to the Uruguay Round of multilateral trade talks, the United States Ambassador to Korea, Mr Donald P. Gress told the ESCAP that the US was prepared to make hard decisions in domestically sensitive areas such as textiles and agriculture and tariffs needed to help bring about a comprehensive agreement. This was the best means of strengthening the multilateral trading system.

He felt that a successful Uruguay Round would stimulate an increase in world economic growth, it could provide for over $ 4 trillion of global economic expansion over the next 10 years.

Mr Gregg urged all nations to continue the close cooperation necessary to bring the Uruguay Round to a successful conclusion.

Referring to concerns expressed by delegates earlier at the plenary about the U.S. Government's announcement regarding free trade agreement along with Canada and Mexico, Mr Gregg assured them that such an agreement would not lead to a "trade block".

0015

THE STATESMAN

APRIL 4, 1991

U.N. MEMBERSHIP

India to support S. Korea

SEOUL, April 3. — India has assured support to South Korea in its bid to enter the U.N., reports UNI.

The Commerce Minister, Dr Subramaniam Swamy, who is heading the Indian delegation to the United Nations' Economic and Social Commission for Asia and the Pacific, conveyed this to the South Korean Foreign Minister, Mr Lee Sang-ock.

Dr Swamy told reporters that India would also support South Korea's co-sponsoring of the Seoul declaration on industrial restructuring in Asia and the Pacific at the ESCAP.

Both the countries saw vast scope for strengthening economic and political relations.

(South Korea yesterday established the highest level of official contact with China when Mr Lee met the Chinese Deputy Foreign Minister, Mr Liu Huaqiu, who is here at the head of the Chinese delegation to ESCAP meeting.

During the meeting South Korea sought Chinese support for Seoul's bid to enter the U.N.

Mr Liu reiterated Beijing's stand on the issue, saying that his country wants the two Koreas to continue their discussion on the subject in order to find mutually agreeable solution.

The Korean side also asked the Chinese Government to remove tariff discrimination against goods and to provide most-favoured nation treatment in bilateral trade with Korea.

Mr Liu assured the Korean delegation that he would convey their proposal to his Government when he returns home. Korea however pledged Seoul's full support for China's bid to host the 48th ESCAP conference in Beijing next year.

The Vietnamese Foreign Minister, Mr Vu Khoan, today called for lifting an economic blockade against Vietnam.

He said: "In a world of increasing interdependence, it is obvious that the economic blockade against Vietnam is running contrary to the interests of the business circles of countries."

Mr Khoan was apparently referring to the U.S.-initiated sanctions imposed against Vietnam.

"While the process of globalization has reached an unprecedented degree and the trend towards cooperation for development is gaining momentum, deep concern has been expressed over policies of trade protectionism, economic blockades being pursued by a number of countries, the failure of the Uruguay round and the debt problems", he added.

Referring to Uruguay round of multilateral trade talks, the U.S. Ambassador to Korea, Mr Donald P. Gregg, told the ESCAP that the USA was prepared to make hard decisions in domestically sensitive areas such as textiles and agriculture and tariffs needed to help bring about a comprehensive agreement. This is the best means of strengthening the multilateral trading system.

He felt that a successful Uruguay round would stimulate an increase in world economic growth. It could provide for over four trillion dollars of global economic expansion over the next ten years.

Mr Gregg urged all nations to continue the close cooperation necessary to bring the Uruguay round to a successful conclusion.

Referring to concerns expressed by delegates earlier at the plenary about the U.S. Government's announcement regarding free trade agreement along with Canada and Mexico, Mr Gregg assured them that such an agreement would not lead to a "trade block". "There will be no common external tariff. Each country will continue to conduct its own trade relations with its partners. The agreement will be fully consistent with the rules of GATT."

0016

THE HINDU

APRIL 4, 1991

India assures support to S.Korea to join U.N.

SEOUL, April 3.

India has assured support to South Korea in its bid to enter the United Nations. The Commerce Minister, Dr. Subramaniam Swamy, who is heading the Indian delegation to the United Nation's Economic and Social Commission for Asia and the Pacific (ESCAP), conveyed this to the South Korean Foreign Minister, Mr. Lee Sang-Ock.

Dr. Swamy told presspersons that India would also support South Korea's co-sponsoring of the Seoul Declaration on industrial restructuring in Asia and the Pacific at the ESCAP.

South Korea on Tuesday established the highest level of official contact with China when Mr. Lee met the Chinese Deputy Foreign Minister, Mr. Liu Huaqiu, who is here at the head of the Chinese delegation to the ESCAP meeting.

0017

NATIONAL HERALD

APRIL 4, 1991

India assures support to S. Korea

SEOUL, April 3 (UNI)—India has assured support to South Korea in its bid to enter the Un[illegible] Nations.

The Commerce Minister, Mr Subramaniam Swami, who is heading the Indian delegation to the United Nation's Economic and Social Commission for Asia and the Pacific conveyed this to the South Korean Foreign Minister, Mr Lee Sang-Ock.

Dr Swami told newsmen that India would also support South Korea's co-sponsoring of the Seoul declaration on industrial restructuring in Asia and the Pacific at the ESCAP.

Both the countries saw vast scope for strengthening economic and political relations.

South Korea on Tuesday established the highest level of official contact with China when Mr Lee met the Chinese Deputy Foreign Minister, Mr Liu Huaqiu, who is here as the head of the Chinese delegation to ESCAP meeting.

During the meeting South Korea sought Chinese support for Seoul's bid to enter the United Nations.

Mr Liu reiterated Beijing's stand on the issue, saying that his country wants the two Koreans to continue their discussion on the subject in order to find mutually agreeable solution.

The Korean side also asked the Chinese Government to remove tariff discrimination against Korean goods and to provide most favoured nation treatment in bilateral trade with Korea.

0018

원 본

외 무 부

종 별 :

번 호 : MMW-0058　　　　일 시 : 91 0408 1500

수 신 : 장 관 (국연, 미북, 정홍, 영재)

발 신 : 주 마이애미 총영사

제 목 : UN 가입 신청관련 보도 (자응 : 7호)

1. 당지 MIAMI HERALD 지 4.8자는 해외 단신란에 'SOUTH KOREA' 제하로 한국이 유엔가입 신청을 공식적으로 표명하였다고 짧게 보도하였음.

2. 동기사 파편 송부하 겠음.

(총영사 김동호 - 국장)

국기국　1차보　미주국　정문국　영교국　안기부

PAGE 1

91.04.09　09:18 WG

외신 1과 통제관

0013

원 본

외 무 부

종 별 :

번 호 : ANW-0070 일 시 : 91 0408 1730

수 신 : 장 관(국연)

발 신 : 주 아틀란타 총영사

제 목 : 유엔가입에관한 정부각서

대:WUSM-0026

1.당지 ATLANTA CONSTITUTION 지는 4.8일, BOOMINGSOUTH KOREA PLANS BID TO JOIN U.N.제하 UN발 AP통신을 전제함.

2.한편 당지 CNN (TV 및 라디오)은 HEADLINE NEWS시간에 동 사실을 간략히 보도하였음.

3.신문보도 및 CNN TRANSCRIPT사본 차주파편 송부함.

(총영사 김현곤-국장).

끝.

국기국

PAGE 1

91.04.09 09:40 WG

외신 1과 통제관

0020

외 무 부

종 별 :

번 호 : SZW-0180　　　　　　　　　일 시 : 91 0408 1800

수 신 : 장 관(구이,국연)

발 신 : 주 스위스 대사

제 목 : 한국 유엔가입 신청

주재국 91.4.8.자 JOURNAL DE GENEVE 지는 UN 발 로이터 통신을 인용, 한국의 유엔가 입 신청관련 하기요지 보도함.

1. 한국은 91.9.유엔총회 개막전에 앞서 가입 신청을 할것으로 알려짐. 노창희 주유엔대사는 유엔 안보리 의장앞으로 4.5. 제출한 각서에서 언급된 유엔가입 신청은 91.8. 월경 제출할 가능성이 있다고 기자회견을 통해밝힘.

2. 한국 정부는 유엔단독 가입의사를 표명하면서 동 단독가입이 남북한의 궁극적통일을 저해할 위험이 있다는 북한의 입장을 반박함. 동 각서는 동서독 및 남북예멘의 단독 유엔 가입이 동 국가들의 통일을 방해하지 않았음을 강조하였음.끝

(대사 이원호-구주국장)

구주국　　국기국

PAGE 1　　　　　　　　　　　　　　　91.04.09　02:40 CT

외신 1과 통제관

0021

a1960ALL r
r i BC-UN-KOREA-(EMBARGOED) 04-07 0464
BC-UN-KOREA (EMBARGOED)

SOUTH KOREA TO APPLY FOR U.N. MEMBERSHIP THIS SUMMER

—창희 유엔대사, 금년 유엔총회 시작전인 8월경 유엔가입 신청서 제출할 것이라고 언급. (4.8.)

By Anthony Goodman

UNITED NATIONS, April 7, Reuter - (RELEASE AT 0100 GMT MONDAY APRIL 8)

South Korea has told the Security Council it will apply for United Nations membership before the start of this year's General Assembly session in September.

South Korea's U.N. observer, Chang Hee Roe, told reporters the application would probably be submitted in August.

A South Korean memorandum sent to the Council president on Friday rejected communist North Korea's long-held claim that separate membership for the two Korean states would prejudice the ultimate goal of reunification.

It cited the examples of former East and West Germany and North and South Yemen, whose separate memberships did not preclude eventual unification.

In its memorandum, South Korea said it still hoped both Koreas might join the world body during the course of this year.

But if North Korea continued to oppose this, South Korea, "exercising its sovereign right, will take the necessary step toward its membership before the opening of the 46th session of the General Assembly."

Citing the views of U.N. members at last year's assembly, the memorandum said that "it has become the sense of the international community that the admission of the Republic of Korea to United Nations membership should be realised without further delay."

The two Koreas, which fought a war from 1950 to 1953, have U.N. observer status. This permits some participation in the work of the organisation but does not include the right to vote.

South Korea is already a member of many international organisations, including almost all U.N. specialised agencies.

It has applied for full membership on eight previous occasions, most recently in 1975.

Admission to the United Nations requires a recommendation from the 15-nation Security Council and the endorsement of the 159-member General Assembly.

Four of the South Korean applications were vetoed by the Soviet Union -- the last occasion was in 1958 -- while the Council took no action on the other four requests.

South Korea established full diplomatic relations with the Soviet Union last September and in practice the only obstacle to U.N. membership would be a veto by China, which has close links with North Korea.

But South Korea and China recently exchanged trade offices, with limited consular functions. And Beijing is in any case loathe to use its veto and has done so only twice, neither time against South Korea.

The Korean war ended with an armistice agreement that remains in force.

During the war, the United States and more than a dozen other countries supported South Korea while North Korea received the backing of Chinese so-called "volunteers."

REUTER MHR EO MTR
Reut12:02 04-07

1

0022

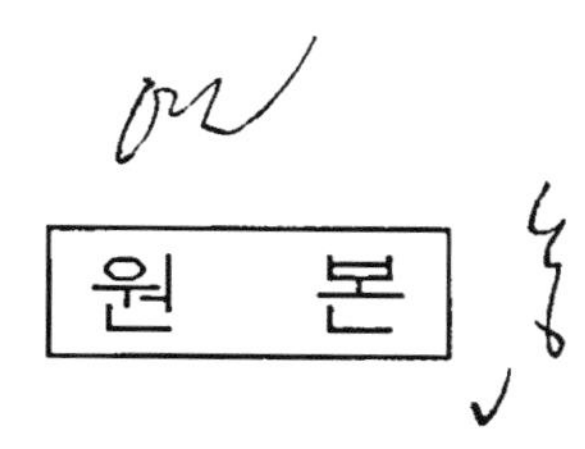

원 본

외 무 부

종 별 :

번 호 : AKW-0043 일 시 : 91 0408 1800

수 신 : 장 관(국연)

발 신 : 주 앵커리지 총영사

제 목 : UN 가입 정부각서관련 언론보도

대: WUSV-26

당지 양대 일간지는 4.8 자로 대호 UN가입에 관한 정부각서 요지를 UN 발 보도를 인용, 다음과 같이 게재하였음을 보고함.

1.ANCHORAGE TIMES : 'S.KOREA TO SEEK MEMBER SHIP IN UNITEDNATIONS.'제하에 정부각서 요지 및 금년 8.10 경 UN가입서 제출예정내용 (노창희 UN 대사언급)을 정치면 2단기사로 크게보도.

2.ANCHORAGE DAILY NEWS : 'SOUTH KOREA SEEKS UN MEMBERSHIP'제하의 3단기사로 정부각서 요지를 WORLD NEWS란에 간략히 보도.끝.

(총영사 허방빈- 국장)

국기국 1차보 정문국 안기부 미주국

PAGE 1

91.04.09 11:44 WG

외신 1과 통제관

0023

<解說> 유엔加入 분위기 위한 公論化시도

韓國 早期가입신청 각서제」 배경

한국의 유엔가입 신청에 대해
중. 소도 반대 어려우나
낙관할 수는 없는 상태

中.蘇도 반대 어려우나 낙관못해

南北대화 촉진위한 전략적 의미도

(서울=聯合) 吳左錫기자= 정부는 8일 유엔安保理 문서형식을 빌어 우리의 유엔가입신청시기를 오는 9월 총회개막이전으로 못박은것은 그동안 기본입장만 밝혀왔던 유엔가입의사를 구체적인 行動으로 실천하겠다는 의지를 표명한 것으로 유엔가입을 위한 외교적 노력이 본격화될 것임을 예고한 것이라고 볼수 있다.

우리정부의 요청으로 美.英.佛.蘇.中등 안보리 5개 상임이사국을 포함한 全회원국들에게 전달된 이번 문서는 문자 그대로 <비망록>에 불과한 것으로 아무런 법적인 효력을 갖고 있는것은 아니다.

그럼에도 불구하고 정부가 안보리에 유엔가입에 대한 입장을 밝히는 각서를 제출, 안보리문서로 배포해 줄것을 요청하게 된 배경에는 우선 그동안 걸프사태로 인해 우리의 의도와는 달리 南北韓의 유엔가입문제가 별다른 관심을 불러 일으키지 못했다는 판단이 작용한 것으로 보인다.

다시 말해 정부는 지난 7일 이라크가 유엔의 걸프戰 휴전결의안을 수락함으로써 유엔차원에서의 걸프사태는 사실상 종결된 것이나 다름없다고 보고 오는 9월 제46차 유엔총회이전에 가입신청을 제출하기 위해서는 南北韓의 유엔가입문제가 가급적 빠른 시일내에 유엔에서 <公論化>될 필요성을 느꼈을 것이기 때문이다.

특히 정부가 지난 5일 盧昌熹駐유엔대사를 통해 노틀담安保理의장에게 전달한 각서에서 "화해와 협력의 새로운 정신으로 특징지워지는 전례없는 최근 국제정세의 변화속에서 이제는 한국의 유엔가입문제가 해결되어야 한다"고 밝힌 것은 韓國의 유엔가입문제가 걸프전이 끝난 이상 더 이상 지체돼어서는 안된다는 입장을 강조한 것으로 해석된다.

이번 안보리문서에서 찾아볼 수 있는 또하나의 특성은 유엔가입신청서 제출시기를 보다 구체적으로 명시했다는 점이다. 정부는 그동안 연내가입추진방침을 수차례 걸쳐 밝힌 바 있으나 <9월총회개막이전>으로 제출시기를 구체적으로 명시한 것은 이번이 처음이다.

9

0024

정부가 이같이 9월이전 가입방침을 공개적으로 거론한 것은 5월중에 재개될 것이 확실시 되고 있는 제4차 南北고위급회담을 앞두고 北韓측에 우리의 <연내가입의지>를 보다 명확히 전달함과 동시에 국내적으로도 對유엔정책에 확고한 의지를 표명한 것으로 해석된다.

玄鴻柱駐美대사가 최근 사석에서 "지난해 유엔가입을 적극적으로 추진하지 못한데는 對北韓및 中國과의 관계를 고려한 점도 있으나 보다 근본적인 이유는 우방상대국의 관심부족과 국내여론의 불일치에 있었다"고 술회했던 점을 감안할때 이번 안보리문서는 안보리 5개상임이사국에 대한 적극적인 관심을 촉구하는 한편 국내여론도 적극적으로 주도하겠다는 의지를 담고 있는 것으로 볼 수 있다.

그러나 우리 정부의 적극적인 의지표명과는 달리 연내유엔가입 成事에 대한 전망이 반드시 낙관적인 것만은 아니라는게 외교가의 공통적인 견해이다.

이같은 견해는 특히 최근들어 美國주도의 세계질서재편에 대해 심한 거부감을 보이고 있는 蘇聯과 中國이 긴밀한 유대관계를 형성하고 있는 가운데 최근 北京에서 개최된 양국 외무장관회담에서 "유엔가입을 포함한 한반도문제가 南北韓간의 대화를 통해 해결돼야 한다"는데 합의했다는 지난 4일 로가초프 蘇聯외무차관의 발언으로 더욱 확산되고 있는 느낌이다.

특히 韓.蘇수교직후 우리의 유엔가입에 대해 비공식경로를 통해 <기권이 아닌 적극적인 찬성표를 던지겠다>고 확고한 지지의사를 표명했던 것으로 알려지고 있는 蘇聯이 로가초프차관의 말대로 유엔문제에 관해 中國과 모종의 <합의>를 이뤘냐는 것은 중요한 문제가 아닐 수 없다.

왜냐하면 과거 강대국들이 자기들의 이해관계로 인해 적극적인 의사표명이 어려울 경우 <당사자 해결원칙>을 들어 문제를 해결하기 보다는 현상태로 덮어둔 사례가 다반사였기 때문이다.

이러한 최근 일련의 변화에 기초한 <비관론>에 대해 외무부측은 다른 시각에서 다소 낙관적인 전망을 펴고 있어 주목을 끌고 있다.

로가초프차관의 발언은 기자회견이라는 공개적인 자리를 이용해 北韓에 대해 보다 전향적인 태도를 촉구한 對북한용 메시지라는게 외무부 당국자들의 시각이다.

이와관련, 한 고위 당국자는 "蘇聯은 韓國을 국가로 인정해 정식수교를 맺은 이상 회원가입자격을 갖춘 국가가 유엔 보편성원칙에 따라 가입을 신청하는데 대해 반대할 수 있는 명분이 전혀 없다"고 밝히면서 蘇聯과는 별문제가 없다는 점을 강조했다.

외무부는 유엔가입에 적대입장인 中國에 대해서도 만약 中國이 국제사회의 대세에 역행할 경우 '大國 ≡서의 국제적인 영향력과 위상≡ 명석인 손상을 입게 될 것"이라고 최소한 기권표를 던질 수 밖에 없을 것이라는 희망섞인 기대를 갖고 있는게 사실이다.

그러나 연내 유엔가입 성사여부를 떠나 유엔가입을 둘러싼 우리 정부의 기본입장과 中.蘇등 주변 강대국의 시각에 현격한 차이가 있다는 점은 분명한 사실인듯하다.

다시말해 유엔가입은 한반도문제와는 별개로 韓國이라는 개별국가와 유엔이라는 국제기구사이의 문제라는 것이 정부의 입장인데 반해 제3자인 中.蘇 양국은 한반도문제해결의 일부분으로 인식하고 있다는 것이다.

이와함께 우리 정부가 이번에 先단독가입추진에 대해 공식적인 입장을 밝힌 것은 고착상태에 빠진 南北대화를 조속히 재개, 진전시켜야겠다는 소위 위력한 카드의 전략적인 측면도 포함되고 있는 것으로 분석된다.

유엔에 단독가입할수 있다는 확고한 보장도 없이 이를 추진하겠다고 선언한데는 한국측이 유엔가입을 밀고나가면 밀고 나갈수록 북한측은 이를 저지하기위해 주변강대국이 요구하는 남북대화진전에 성의를 보이지 않을수 없는 현실이기때문이다.

여하튼 이번 安保理문서 제출을 계기로 우리의 오랜 숙원이었던 유엔가입노력은 본격화 됐으나 北韓의 입장변화가 없는 한 성사여부는 아직 속단하기 어려운 상태다.(끝)

11

0026

4. 8 요미우리 석간 (5면)

韓国、国連への単独加盟
8月中にも申請へ
安保理に覚書提出

【ソウル八日＝小山利信】韓国政府は八日、今年九月の国連総会開幕前に国連加盟を申請するという内容の覚書を国連安保理に提出したことを明らかにした。

この覚書は、今月五日、盧昌熹・国連大使が安保理議長（ベルギー大使）に提出した。

それによると、韓国は今後、北韓（朝鮮民主主義人民共和国＝北朝鮮）と共に国連に加盟するため努力していく」としながらも、北朝鮮が同時加盟に応じない場合、九月十七日開幕予定の第四十六回総会開幕前に「加盟に必要なすべての措置を取る」と、単独加盟実現の意思を明確に示した。

韓国が公式文書を通じて、時期を明示して国連単独加盟申請の意思を安保理に示したのはこれが初めて。

今後、加盟申請を審議する安保理で拒否権を有しているソ連、中国の出方が焦点となる。

盧大使は七日、ニューヨークで記者らに「八月中にも申請する予定だ」と述べるとともに、中国は拒否権は行使しないとの考えを示した。

4. 9 조간

朝日新聞 1 面

9月にも単独申請
韓国 国連加盟で覚書提出

【ソウル8日＝波佐場清】韓国外務省は八日、南北朝鮮の国連加盟問題で、北朝鮮（朝鮮民主主義人民共和国）が「南北同時加盟」に引き続き反対する場合、ことし九月の国連総会開幕前に韓国だけの「単独加盟」に必要な措置をとる、と国連安保理に公式に伝えたと発表した。

盧昌熹・国連大使が五日、国連安保理議長のベルギーのノッテルダム・国連大使に直接、覚書の形で伝え、各加盟国や傘下機構に覚書の配布を要請した。

今回の覚書は、韓国と国交を結ぶ国が百四十六カ国に達して北朝鮮の百五カ国を上回り、うち九十六カ国が南北双方と国交を持つ現実を強調している。

0027

駐 日 大 使 館

(Page 1 − 1)

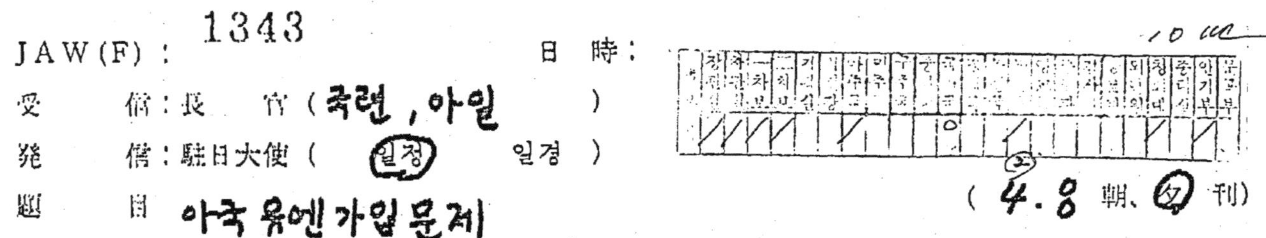

JAW(F) : 1343

日 時 :

受 信 : 長 官 (국련, 아일)

発 信 : 駐日大使 (일정 일경)

題 目 : 아국 유엔가입문제

(4.8 朝、夕 刊)

国連加盟

9月までに申請

韓国、安保理に覚書提出

【ニューヨーク七日＝守田記者】韓国政府は国連オブザーバー代表部を通じて国連安全保障理事会に覚書を提出、九月の国連総会開幕までに国連加盟を申請する意向を表明した。韓国は七〇年代半ばまで数度にわたって多数国の支持獲得に失敗、以後は加盟問題での表立った動きを控えてきたが、国際情勢の変化に伴い、北朝鮮（朝鮮民主主義人民共和国）が唱える「南北単一議席」論を押し切れると判断した模様だ。

覚書で韓国は北朝鮮側の加盟について「韓国と同時か、北朝鮮が適切と考える時期に加盟すればよい」と指摘。さらに分離国家から統一に至った東西ドイツや南北イエメンの例を引いて「分離国家が統一をめざすうえで不利益となることはない」と述べ、当初から単一議席で加盟すべきだとする北朝鮮の主張をけん制した。

韓国が覚書提出に踏み切ったのは、ソ連との国交樹立（九〇年九月）、中国との貿易代表部相互設置（同年十月）などで、この両国を含めた安保理常任理事国が拒否権を行使する可能性が薄らいだからだ。韓国は過去八回にわたって国連加盟申請をしているが、うち四回は安保理でソ連が拒否権を行使、残り四回は多数国の支持を得られなかった。

覚書は韓国の国連加盟を「即刻」審議すべきだとし、その理由として、百四十八カ国と「大半の国」との外交関係を樹立、貿易額でも世界十二番目となるなど世界での役割が拡大していることを強調した。そのうえで「北朝鮮があくまで単一議席に固執して加盟実現を妨げ続けるようなら、韓国は国家主権の権利を行使して（単独で）国連加盟を申請する」としている。

日本経済新聞 1 面

0028

외 무 부

종 별 :

번 호 : THW-0832　　　　일 시 : 91 0409 0900

수 신 : 장 관(해신,정홍,국연)

발 신 : 주 태 국 대사대리

제 목 : 주요기사보고

1. 주재국 영자지 4.6자 THE NATION지 사설면 하단 WORLD PRESS 소개난은 'FLASHPOINTS INASIA'제하, 4.1자 THE ASIAN WALL STREET JOURNAL 게재'THE NEXT SADDAMS MAY LURK IN ASIA'기사내용 전재함.동기사는 4.2자 KPS 송고내용임

2. 또한 4.8자 BANGKOK POST지 및 THE NATION 지 외신면은 'SEOUL TO APPLY FORUN MEMBERSHIP THISYEAR'및 'SEOUL WANTS UN MEMBERSHIP THISSUMMER'제목, 노창희대사가 기자들에게 밝힌 아국 유엔가입정책 내용, 유엔발 REUTER기사각기보도함

(대사대리 주진엽-관장)

공보처　1차보　국기국　정문국　안기부

PAGE 1　　　　91.04.09　12:37 WG

외신 1과　통제관

0023

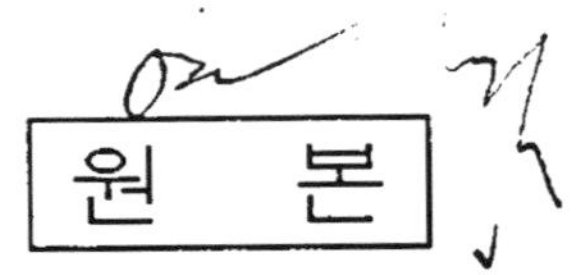

외 무 부

종 별 :

번 호 : SDW-0322 일 시 : 91 0409 1500

수 신 : 장관(국연,구이)

발 신 : 주스웨덴 대사

제 목 : 유엔가입 신청관련 보도

4,9 자당지 양대일간지인 DAGENS NYHETER 및SVENSKA DAGBLADET 는 외신란에 'SOUTH KOREAAPPLIES FOR UN MEMBERSHIP 제하, 전세계 거의 모든국가와 외교관계를 맺고있으 며 세계 12대 무역국가인 한국이 유엔 가입하여 유엔의 활동에 공헌코자 한다는정부 성명 내용을 소개하고, 북한은 이에 반대하여 단일의석 가입안을 주장하고 있다고 1단 및 2단 기사로 보도함.끝

(대사 최동진-국장)

국기국 1차보 구주국

PAGE 1

91.04.10 00:14 DN

외신 1과 통제관

0030

외 무 부

종 별 :

번 호 : MXW-0389 일 시 : 91 0409 1830

수 신 : 장 관(해신,정홍,미중,기정)

발 신 : 주 멕시코 대사

제 목 : 기사게재

노재봉 총리의 대북한 전화 메세지 전달관련 주재국 언론중 EL SOL DE MEX 가 4.9일 동지 7면에 '한국, 북한에 대화 재개를 제의' 제하의 2단26센치 크기로 게재, 가) 남북총리회담 제의의 노총리 서한, 나) 아국, 유엔가입 의사를 전유엔회원국에 전달코 북한에도 가입을 촉구, 다)90년 9월 남북총리회담후 남북한간 문화-체육교류가 증대, 탁구와 축구에 대한 단일팀 구성 및, 라) 4.25일경 IPU 총회 한국대표단이 38선을 넘어 방북할 예정등 내용을 서울발 AP 통신 인용 보도함.

(대사 이복형-외보부장)

공보처 1차보 미주국 국기국 정문국 안기부

PAGE 1

91.04.10 11:38 WG

외신 1과 통제관

0031

원 본

외 무 부

종 별 :

번 호 : ANW-0074　　　　일 시 : 91 0415 1230

수 신 : 장관(국연)

발 신 : 주 아틀란타총영사

제 목 : 유엔가입 신청

대:WUSM-0026

당지 ATLANTA CONSTITUTION 지는 4.13 U.N. SEAT FORSOUTH KOREA LONG OVERDUE 제하 아래와 같이 사설을 게재하였음을 보고함.

'U.N. SEAT FOR SOUTH KOREA LONG OVERDUE'

SOUTH KOREA IS EMBOLDENED ENOUGH BY ENCOURAGING SIGNS FROMMOSCOW AND BEIJING TO APPLY ONCE AGAIN FOR UNITED NATIONSMEMBERSHIP, FIGURING THE NINTH TIME WILL BE A CHARM. THEFIRST EIGHT TRIES MET WITH FAILURE BECAUSE THE SOVIET UNIONAND CHINA SUBSCRIBED TO THE IDIOCY THAT THE TWO KOREAS,NORTHAND SOUTH, SHOULD BE ACCEPTED AS A WHOLE ENTITY OR NOT ATALL.

WELL, IT'S TIME THAT A ROBUST SOUTH KOREA, WHOSE RESCUEFROM AGGRESSION IS ONE OF THE UNITED NATIONS' MAJOR FEATS,GOT SOME CONSIDERATION. AFTER ALL, IT HASWON ALMOSTUNIVERSAL DIPLOMATIC REPRESENTATION AND ESTABLISHED ITSELFAS THE 12TH LEADING TRADING NATION IN THE WORLD.

IT WAS THIS ECONOMIC MUSCLE, THIS POTENTIAL FOR TRADE ANDINVESTMENT,THAT FINALLY GOT SOUTH KOREA LISTENED TO INMOSCOW AND BEIJING,LEAVING THE HERMIT-LIKE NORTH KOREANS ASTHE LONE OUTSPOKEN OPPONENT.

OTHER DIVIDED COUNTRIES, THE GERMANYS AND THE YEMENS, HAVEHELD SEPARATE U.N.SEATS, BUT THAT HASN'T IMPEDED THEIRREUNIFICATION. FOR NORTH KOREANS TO RAGE ABOUT THEDIVISIVENESS OF SEOUL'S U.N. BID IS TO ENGAGE IN WEARYCLICHES. THEY ALONE STAND BETWEEN THEIR PEOPLES ANDRECONCILIATION. THE QUICKER NORTH KOREA OPENSITSELF TO THEWORLD, INCLUDING ITS OWN U.N. MEMBERSHIP, THE BRIGHTER WILLBE THE PROSPECTS FOR A REASONABLE MODUS VIVENDI ON THEKOREAN PENINSULA.

(총영사 김현준 - 국장)

국기국 1차보

PAGE 1　　　　91.04.16 06:49 DA

외신 1과 통제관

0032

원 본

외 무 부

종 별 :

번 호 : BVW-0122 일 시 : 91 0416 1800

수 신 : 장 관(국연,미남,정홍,정일)

발 신 : 주 볼리비아 대사

제 목 : 한국 유엔가입 관련 사설기사 게재(자료응신제 17호)

1.당지 주요일간 HOY지는 금 4.15자 '한국의 유엔가입'제하 사설기사를 게재하였는바, 동 기사요지는 아래와 같음.

가.대한민국은 UN 가입을 원하고 있음.

나.대한민국이 UN에 가입되어야 할 당위성은 아래와 같음.

- 냉전은 이미 지구상에서 사라졌음.
- 한국은이미 148개국과 외교관계가 수립 됨.
- 한국은 세계 12번째의 교역국임.
- 한국은 UN의 15개 산하 기구에 가입되어있음.
- 남북한은 각기 한 국가로서 어떤국가건 가입신청 가능 (UN헌장 4조).

다.현재 5개 상임 이사국중 중국이 비토권을 행사할 수 있으나 그 가능성은 희박하며 만약 비토시 세계제국은 중국을 재고케 될것이며, 세계제국과 중국간에 냉전의 앙금이남게 될것임.

라.한국의 UN가입은 전폭적으로 지지되어야 함.

2.동 사설기사는 정파편 송부함.끝.

(대사 대리 -국제기구조약국장)

국기국 1차보 미주국 정문국 정문국 안기부

PAGE 1

91.04.16 09:28 WG

외신 1과 통제관

0033

주 마 이 애 미 총 영 사 관

주 마이애미 35260-160 1991. 4. 17.

수 신 : 장 관

참 조 : 국제기구조약국장, 미주국장, 정보문화국장, 영사교민국장

제 목 : UN가입 신청관련 보도

연 : MMW-0058

연호 91. 4.8자 MIAMI HERALD지 표제관련 기사를 별첨 송부합니다.

첨 부 : 기사 1부. 끝.

주 마 이 애 미 총 영

24061

0034

마이애미 헤럴드 (1991.4.8, 월)

■ **SOUTH KOREA** — South Korea announced on Sunday it will formally seek to join the United Nations this summer and urged rival North Korea to request separate membership.

0035

	분류번호	보존기간

발 신 전 보

번 호 : WUN-1254 910508 1629 FO 종별 :

수 신 : 주 유엔 대사. 총영사 주 벨기에대사 대사 WCP -0522

발 신 : 장 관 (국연)

제 목 : 기사 송부

유엔가입문제 관련 일본 경제신문(5.8)의 보도내용을 FAX 송부하니 업무에 참고바람.

첨 부 : 상기 기사 1부. 끝.

WUNF-62, WCPF-1

(국제기구조약국장 문동석)

보안통제	

앙고재	91년 5월 8일	유엔과	기안자 성명		과 장		국 장		차 관	장 관
			여							

외신과통제

0036

"남북간에 협의를"

- 한국유엔가입에 대해 중국수상 -

(북경 8일 이이노기자)

중국의 이붕수상은 8일 자민당의 니카이도 전 부총재등 일본의 의원단과 회견을 하고 한국의 유엔단독가입 문제와 관련하여 "일방이 다방에게 자신의 생각을 강요하면(한반도의) 분열이 확대됨. 남북수상회담을 통하여 쌍방이 받아들일 수 있는 가능한 방법을 찾아내야 한다"라고 말했다.

이붕수상은 최근 북한방문시 김일성 주석등과의 회담의 내용에 관해서 구체적으로는 언급하지 않았으나, 한국의 단독유엔가입 문제가 중요한 테마였다는 것을 시사한 것으로 보임.

이 수상은 또한 남북동시가입을 북한이 받아들일 것을 중국이 설득해야 하지 않을까라는 질문에 대하여 북한은 자존심이 강하고 타인으로부터 이래라 저래라 말 듣는것을 좋아하지 않는다라고 지적, 이문제 해결을 위해 중국이 적극적인 이니셔티브를 발휘하는 것은 어렵다는 것을 밝혔다.

한편 북한의 핵사찰문제에 관해서는 지난번 방북시에는 대화가 없었다고 설명했다. (일본경제신문 5.9 조간)

공람 91년 5월 9일	담당	과장	국장
	(서명)	(서명)	(서명)

K/UN
FAX
송신

0037

駐 日 大 使 館　　(Page 5－1)

JAW(F)：1687　　日 時：

受　信：長　官

発　信：駐日大使

題　目

'91 5 - -9 -7 :39　(5.9 朝 夕刊)

「南北で協議を」

韓国国連加盟で中国首相

【北京八日＝飯野記者】中国の李鵬首相は八日、自民党の二階堂元副総裁ら日本の議員団と会見し、韓国の国連単独加盟問題について「一方が他方に自分の考えを押しつければ（朝鮮半島の）分裂が拡大する。南北の首相会談を通じて双方が受け入れ可能な方策を見つけるべきだ」と述べた。李首相は先の北朝鮮（朝鮮民主主義人民共和国）訪問、金日成主席らとの会談の内容について具体的には触れなかったが、韓国の国連単独加盟問題が主要テーマだったことを示唆した格好。

李首相はまた、南北同時加盟の形で北朝鮮が受け入れるよう中国が説得すべきではないかとの問いに対し、北朝鮮は自尊心が強く、他の人からあれこれ言われるのを好まないと指摘、この問題解決のために中国が積極的にイニシアチブを発揮するのは難しいとの考えを示した。

一方、北朝鮮の核査察問題に関しては今回の訪朝では話し合わなかったと説明した。

統一チーム作りへ サッカー選考試合 韓国と北朝鮮

【ソウル八日＝吉川記者】韓国と北朝鮮（朝鮮民主主義人民共和国）が千葉市での世界卓球選手権大会に続いて、六月の世界ユースサッカー選手権大会に南北統一チームを送るための選考第一戦が八日、ソウル市内のオリンピック競技場で開かれた。北朝鮮のスポーツ選手が韓国で競技したのは昨年十月の南北サッカー対抗戦に次いで二度目。南北九人ずつの混成二チームが紅白に分かれて熱戦の成果を披露、会場に詰めかけた約二万人の観衆から盛んな拍手を浴びた。

政局の混乱長期化

韓国の野党 在野団体 学生殺害事件で抗議

【ソウル八日＝鈴置記者】機動隊に学生が殺された事件に抗議する韓国の学生、在野団体は九日、全国で糾弾大会を開く。野党も八日、盧在鳳内閣の総辞職を要求した。野党は六月末の地方議会選挙を意識し、一歩も引かぬ構えで、学生殺害事件による政局の混乱は長期化しそうだ。

八日午前、韓国の在野運動家が学生殺害事件に抗議しソウル市内の大学の屋上から投身自殺した。四月二十六日に学生が殺害されて以来、政権に抗議した自殺（未遂も含む）はこれで四人目だ。

野党第一党、新民党の金大中総裁と同第二党の民主党の李基沢総裁は八日、それぞれ記者会見し、内閣総辞職を要求したうえ、「挙国内閣の組成」「与党・民自党の解体」を主張した。[illegible]月十八日までで[illegible]し、そのエネルギーを六月末の地方議会選挙につなげる作戦のようだ。政府・与党は[illegible]内相の更迭などで収拾を図ろうとしたが、野党は[illegible]の収拾策の手を欠いているのが現状だ。

国民の間には八七年の[illegible]の[illegible]の[illegible]はない。ただ、[illegible]

末に発足した盧在鳳内閣の即刻[illegible]する[illegible]一方、[illegible]な行政運営に対する不信感が根強く、野党や在野勢力は「盧泰愚政権の[illegible]」を国民に訴えて反政府勢力の結集を図っている。有力紙、東亜日報は「[illegible]べきだ」と[illegible]など、世論[illegible]ている。

0038

韓国野党

内閣の退陣迫る

盧大統領の離党も要求

【ソウル八日＝大江志伸】機動隊の暴行による活動家学生死亡事件でにわかに高まった韓国の反政府運動は八日、新民（金大中総裁）、民主（李基沢総裁）の両野党が盧在鳳内閣の退陣を公式に迫り、いっそう拡大する様相が出てきた。

金大中・新民党総裁は同日行った会見で、政局混乱の収拾策として盧在鳳内閣の退陣のほか、①公安事件取り締まりの根拠となってきた国家保安法などの民主的改正②私服機動隊「白骨団」の解体と示威的集会、デモの保証——などを盧政権に要求した。

金総裁はさらに、「混乱と不幸の根本原因は、議院内閣制の導入を推進しようとしている盧泰愚政権の野望にある」として内閣制改憲の動きをけん制するとともに、盧大統領の与党・民自党からの離党を求めた。

同じくこの日記者会見した民主党の李総裁も、「現在の危機は盧泰愚政権の重大決断なしには解決できない」として、盧在鳳内閣の退陣を要求した。

ソウルで焼身自殺の活動家は二セ学生

【ソウル八日＝小山特派員】ソウル市西江大学で八日朝、焼身自殺した全国大学生代表者協議会（全大協）幹部の金基設さんは大学生ではなく、高校中退後兵役につき、除隊後は休学中の大学生と偽って全民連に加わった活動家であることがその後の警察の調べで分かった。

南北首相会談 早い時期に再開 北朝鮮保健相語る

【ソウル八日＝小山特派員】ジュネーブ発聯合通信によると、朝鮮民主主義人民共和国（北朝鮮）の李鍾律保健相は七日、現在中断している韓国との南北首相（高位級）会談について「早い時期に再開できるだろう」と述べた。

サッカー統一チーム 選手選抜の試合開催 ソウル

【ソウル八日＝小山特派員】サッカー世界ユース選手権への南北統一チーム選手選抜のための第1次評価試合が八日、ソウル市蚕室のオリンピック・メーンスタジアムで行われた。

1687

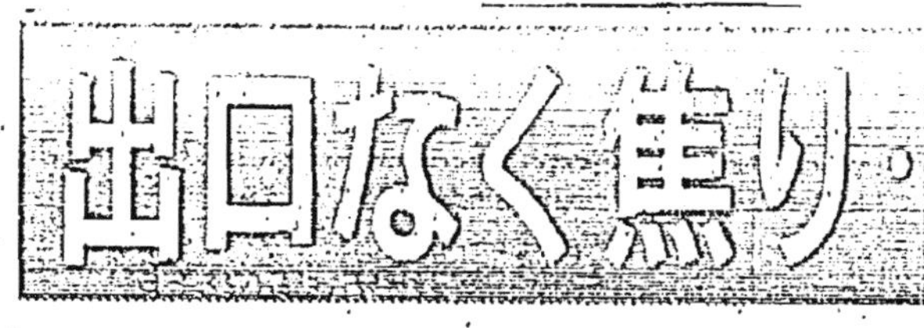

出口なく焦り…

韓国の学生運動先鋭化

【ソウル8日＝小田川興】警官の殴打による学生の死亡事件を契機とする韓国の反政府デモは、女子学生を含む大学生ら四人が抗議の連鎖自殺に走るという、韓国学生運動史上でも例のない事態に発展。九日には再び、急進労組などと全国的な反政府デモを予定している。民主化を掲げて盧政権がスタートして三年余。内攻し、先鋭化する学生運動の背景には、かつて、二人三脚を組んでいた野党や在野勢力との間に生じたミゾ、悪法の治安法の改廃をはじめとする盧政権の民主化の遅れに対するいら立ち、焦りが横たわっている。

在野勢力は政治に活路

野党も与党と妥協の道模索

袋小路 発端はソウルの私立、明知大二年、姜慶大君(20)が同大正門付近でデモ中に「白骨団」と呼ばれる私服のデモ鎮圧隊の警官数人に鉄パイプで殴られ死亡した事件（四月二十六日）。その後十余日の間に光州の国立全南大二年の女子学生、慶尚北道の安東大二年生、ソウル近郊の城南市の暻園大二年生、そして八日には在野団体の全国民族民主運動連合（全民連）幹部が相次ぎ抗議の焼身自殺を図り、三人は死亡、女子学生も重体が続いている。

暻園大生の千世容君(20)の遺書はこう訴える。「政権と独占資本家たちが労働者と民族を弾圧する間、我々は何をしたか。学友が鉄パイプに死んだ悲しみと怒りをそれ自体で終わらせず、権力と正面闘争しよう」

千君は、昼は働き、夜間学部に通っていた。仲間のある学生は「現政権は民主化の遅れに対する国民の不満を抑えつけ、学生、在野の連帯を断とうとしてきた」と批判。「千君は身を犠牲にして、袋小路に追い込まれた学生運動を切り開こうとした」と語った。

疎外感 盧政権は今春から三十年ぶりの地方自治復活に踏みきり、第一弾の選挙を実施するなど一定の民主化を進めてきた。しかし、在野団体のある幹部は「民主化の恩恵を受けているのは中流以上のみ」と指摘。全国で百万人を超すバラック住まいの労働者（国土開発研究院調査）をはじめ低所得層は疎外感を深めていると強調する。在野、学生団体の活動家らは「盧政権は全政権と変わるところがない」と決めつけ、学生デモの主導者に対するより巧妙な圧迫、催涙弾の多用、労働運動の封じ込めなどを例としてあげる。

韓国では学生、在野の不満や怒りを野党がすくい上げ、政治改革の推進力にしてきた。しかし、昨年五月の政界の保守合同以後、大与党である民自党が議会を主導し、野党の政策が反映されにくくなった。金大中氏の率いる新民党も、与党との妥協を模索しながら、民主化の前進をはかる道を選び、今回の学生デモについても、同党は「当面は、院内闘争に全力を挙げる」と、距離を置いている。

在野勢力もこのなかで既成の「政治圏」への参入に活路を求め、学生や小規模企業の労働者の声は届きにくくなっている。

治安法 与野党は、今回の事態収拾を目指し、臨時国会の会期を十一日まで延期、学生が強く批判する国家保安法など治安法の改廃問題の審議を急いでいる。

新民党が国家保安法の廃止と、それに代わる「民主秩序維持法」の立法を主張するのに対して、小幅改正で決着を図ろうとする与党。政府検察庁は、南北分断の現実を強調し、「国家安保に重大な影響を及ぼす」と、政府に意見書を提出した。

「現政権に根深い不信感の[illegible]、制度を[illegible]する必要がある」（[illegible]ソウル大教授）というのが[illegible]知識人らの見方だが、与野党双方の妥協は、いまのところかなり難しいもようだ。

朴正煕、全斗煥両政権下で反体制運動の旗手だった詩人、金芝河氏は有力紙に「生命は政権より大きい」と[illegible]、「死の賛美を中止し、創造的な選択をせよ」と[illegible]、学生らに自重を求めた。

朝日新聞 6 面

0033

1687　　5-3

反体制派きょう大規模デモ

緊迫する韓国政情　新民党も院外闘争へ

【ソウル8日石塚特派員】機動隊による学生致死事件で揺れる韓国の学生、在野勢力など反体制側は与党・民自党結党大会一周年の九日、同事件に抗議して全国で再び大規模な反政府デモを行う。これと合わせ野党、新民党の金大中総裁は八日の記者会見で、盧泰愚大統領が野党の政治要求を受け入れない場合、院外での大衆闘争も始めると言明し、対政府攻勢を一段と強化している。民自党は八日、盧在鳳内閣の改造など収拾策の検討に入ったが、盧泰愚政権が思い切った収拾策を提示しない限り、収拾打開は困難であり、韓国政情はヤマ場を迎えた。

金総裁は会見で▽政府と民自党は議院内閣制への改憲改正方針を公式に放棄する▽盧大統領が民自党の党籍を離れる▽盧在鳳内閣が総辞職し、野党も加えた「挙国内閣」をつくる——ことなどを政権に要求した。

金総裁はこれまで反体制派と基本的には一線を画しながらも、彼らの反政府機運を最大限利用して政権に打撃を加え、来年の総選挙をはじめ今後の政局を有利に導くことを狙ってきた。しかし、この日の会見で盧大統領が要求を受け入れない場合、院外での大衆闘争に入ると言明した。

民自党は金総裁の要求を院路線みの不純路線として非難してきた。しかし、与野党が事態収拾策の一つとして国会中の臨時国会で行っていた国家保安法改正などの交渉が七日、決裂。金総裁を院内にとどめておくために、民自党は決断を迫られている。

金泳三・民自党代表最高委員は八日、「近々、国民の支持を得られる収拾策を発表する」と表明、内閣改造などで事態収拾を図る意向を示した。

しかし、民自党内の旧民主党系議員の間からも「盧在鳳内閣が発足以来とってきた強硬政策が今回の事態の原因」と批判の声が起こり、新民党の要求はあくまで内閣総辞職である。盧大統領は既に、治安責任者の内相を更迭したものの、これまでのような小手先の収拾策では効果が期待できない段階にきている。

反体制派は九日、ソウル、釜山など、これまでの二十一都市を上回る全国四十一都市で盧泰愚政権打倒と民自党解体を求める「全国民大会」を開く。治安当局は多数の機動隊を動員してあくまで大会阻止の構えであり、反体制派と機動隊との衝突は避けられない。政治収拾がモタついた場合、盧泰愚政権の打撃は大きく一層の窮地に立たされることになろう。

南北が容認できる方式を

国連加盟申請で　中国首相語る

【北京8日清水美和】今月六日、朝鮮民主主義人民共和国(北朝鮮)訪問から帰国したばかりの中国の李鵬首相は八日、二階堂前自民党副総裁一行との会見で韓国の国連単独加盟申請の動きに触れ、「南北の首脳会談で、意見が一致することが望ましい。双方が受け入れられる方式がよく、一方で他方に意見を押しつけるのは分裂を拡大させるだけだ」と述べた。

これは韓国の国連単独加盟申請に中国が反対であることを示唆、南北対話の推進で韓国の単独加盟申請を避けることを要望したとみられる。

同首相は朝鮮半島の統一について「二つの国家に二つの制度が存在するという事態を認め合うことが肝要だ。相互不可侵条約の締結という意見もある。平和的に統一へ次第に進め、連邦制による統一が望ましい」と述べた。

また、中国の北朝鮮に対する働きかけについて、「われわれの考え方を押しつけはしない。朝鮮(北朝鮮)は自尊心の強い国だ」と語った。北朝鮮への核査察問題について「われわれは[illegible]朝鮮へ)勧告していたので会議では核査察には触れなかった。南(韓国)には米軍の核兵器があるので、南に核査察が必要だという声も聞く」と積極的な態度を示した。

ソウルで紅白サッカー試合

南北統一チーム

【ソウル8日石塚特派員】来月ポルトガルでの世界ユースサッカーに出場する韓国と朝鮮民主主義人民共和国(北朝鮮)の統一チームは八日、ソウルの蚕室競技場で紅白に分かれ選抜試合を行った。

南北サッカーチームがソウルで対戦するのは、昨年十月の親善ゲーム以来。選抜試合は分断後初めてテレビで北朝鮮へ生中継された。開会の式辞で朴哲彦・韓国体育青少年相は、「今度の統一チームが契機となって、祖国の統一が早まることになるだろう」と述べた。

東京新聞 7面

北朝鮮へも国際ダイヤル通話に

国際電信電話(KDD)は十日から、朝鮮民主主義人民共和国(北朝鮮)あての国際ダイヤル通話サービスを始める。当面は平壌市内に限られるが、通話料金は最初の一分までの料金が六秒単位で三十六円(一分通話で最高百十九円)とオペレーター通話(最初の三分間千六百二十円)に比べ大幅に安くなる。

毎日新聞 3面

0040

東京新聞 3面

命かけ国民決起訴えるが…

反応弱く焦り、目標失う

韓国反政府運動の苦悩 なぜ相次ぐ焼身自殺

韓国で八日、盧泰愚政権の打倒を叫ぶ若者の一人が、また焼身自殺した。先月二十六日、ソウルの明知大生、姜慶大君(20)がデモに参加中、警察機動隊に鉄パイプで殴られて死亡したのを機に、韓国全土に政府糾弾の波が広がったが、衝撃的なのはそれからわずか二週間足らずの間に姜君の事件に抗議して五人の学生、労働者が自殺を図り、うち四人が死亡したことだ。「韓国に民主主義を根付かせる」ことを名目にした盧泰愚政権のもとで、なぜ若者は命を捨ててまで、反政府運動に走るのか。その背景を追った。（ソウル・山本[判読不明]）

女子含む5人 自殺を図る

ソウルの西江大構内で八日、在野団体「全国民族民主運動連合」（全民連）の活動家（二五）がシンナーをかぶって体に火をつけ、「盧政権を倒せ」と叫びながら、五階の屋上から飛び降りて自殺した。

韓国ではこれまで女子学生を含む学生三人、労組委員長一人が自殺を図り、この活動家をはじめ五人のうち四人までが多くの学生が見ている前での焼身自殺だ。

共通するのは遺書や友人への遺言を通じ、自分が死んだ後に、仲間が政権打倒闘争に加わるよう呼びかけていることである。

韓国のマスコミ、有識者は、現在の韓国社会が矛盾にあふれ、警察の過剰なデモ鎮圧に抗議する学生の心情を理解しながらも、「命を粗末にするな」と呼びかけている。大学の学長や教師、キリスト教、仏教などの宗教人も相次いで声明を発表し、繰り返し自制を求めている。

こうした「死をもって不義をただす」という若者の行為は、一九七〇年代までの韓国ではわずかしかなかった。それが八〇年代に入り、軍政の「デモ鎮圧で百九十人余が殺された光州事件を境に、学生や労働者が民主化の実現を叫んで自殺する事件が急速に増えた。

光州事件の後 急速に増加

一人の若者が政府に抗議して自殺すれば、仲間たちは死者を「烈士」としてたたえ、盛大な葬儀を営み、反政府運動を一層拡大、強化していく。特に八六年以降は「烈士」が出るたびに、国民の民主化要求がふくらんでいき、全斗煥前政権打倒へつながる八七年の「六・二九民主化宣言」を実現させた。

しかし、今回は全国大学生代表者協議会（全大協）や全民連が呼びかける民主化闘争の内容よりも、一日おきに自殺者が出るという韓国社会の"病理現象"が大きな関心を集めている。八七年のように一般市民が学生デモに加勢する場面は、いまのところみられない。

「若者たちは死をかけて政権打倒を叫んでいるのに、国民は昔のように反応しない。その怒りがさらに新たな自殺を生むのではないか」というのは、東京特派員の経験を持つソウル新聞の辺南洙論説委員だ。辺委員によれば、政権が一定の民主化を容認し、しかも韓国社会が急激に変動しているので、学生運動が闘争目標を失いがちになり、その焦燥感が相次ぐ抗議自殺の原因と指摘する。

南北朝鮮の統一は学生、在野団体の最大のテーマだが、韓国政府は朝鮮民主主義人民共和国（北朝鮮）との首相会談やスポーツ交流を実現し、学生らが「盧政権は分断を固定化しようとしている」と主張しても一般国民には訴えるような強い説得力を持たない。

名門大学では運動離れが

辺論説委員はさらに①治安当局が北朝鮮の思想に同調する学生指導者を徹底的に検挙したため組織が弱体化し、いまの社会問題に十分な対策を示せない②学生のパワーを受け止め、政治問題としていくはずの野党と在野勢力が力不足③学生運動は地方大学まで拡大したが、かつて強い指

韓国の反政府運動の動き

4・26	ソウルの明知大でデモ中の同大生、姜慶大君が警察機動隊に鉄パイプで殴られ死亡
27	政府、デモ鎮圧の行き過ぎを認め、安応模内相を更迭
29	全大協、全民連などが全国で4万人を集め、姜君事件の糾弾集会を開く
〃	全南大の女子学生が抗議の焼身自殺を図る
〃	盧在鳳首相が国民に謝罪
5・1	メーデーに合わせ、労組団体も加わって全国で5万人規模の糾弾集会
〃	安東大生が抗議の焼身自殺を図る
3	慶園大生が焼身自殺
4	全国で5万人が集会。各地で学生と機動隊が衝突
6	労働争議で拘置中の韓進重工労組委員長が入院先の病院で飛び降り自殺
8	全民連の活動家が焼身自殺

『機能なき闘争』にはなお時間

0041

1687

労力派したソウル大、延世大、高麗大といったソウルの名門大学では、逆に学生運動離れが広がっている——などと指摘する。

金芝河さんは 愚かさ訴え

七〇年代に権力を激しく批判した作品で長く獄中生活を送った詩人、金芝河さんは「朝鮮日報」に手記を寄せて「若い友たちよ、生命は政権よりも尊いものだ」と自殺の"愚かさ"を訴えたうえで、現在の学生運動に対して「君たちの行為が既存の社会主義に基づくものだとすれば、新たな展望はない。人の死というのは、右とか左とかの、政治的目標に利用されてはならない」と厳しく言い切った。

韓国では今でも、学生が最大の組織力を持つ民主団体である。日本と違って労働運動の歴史が浅く、公害や物価高を追及する市民団体も十分に育っていない。辺誠教授は「政府が権威主義の残滓を打ち出しても、政権打倒を掲げる若者たちは聞く耳を持たないだろう。現状は当分続くのではないか。私たちは、若者の目が出せない、新しい示威行動のパターンをつくりたいが、それには相当な時間がかかる」と悲観的な見方をしている。

韓国 54

対応迫られる政府

きょう大規模デモ 内閣総辞職の声も

【ソウル八日＝黒田勝弘】韓国の内政がデモ学生死亡事件をきっかけに緊張しているが、学生や反政府組織は与党の民主自由党結成一周年にあたる九日、全国的に「盧泰愚（ノ・テウ）政権打倒」の大規模な街頭デモを計画しており、警備当局との衝突などでかなりの混乱が予想される。野党の新民党や民主党は八日、事態収拾のための盧在鳳内閣総辞職を要求する声明を発表したが、政府に対する世論の不満も高まりつつあり、盧泰愚政権としては政局不安解消のため内閣総辞職を含めなんらかの対応は避けられない情勢となってきた。

デモ学生死亡事件は警備陣の過剰規制が原因だったが、学生たちは秩序回復を理由にした盧政権の民主化後退に原因があるとして政権批判に乗り出し、大学街では活動家学生たちの抗議の焚身自殺が相次いだ。これに刺激されて反政府デモが広がった。

また、ソウル大の教授ら七十五人が民主化を求める声明を発表。国民の間でも年初からの政界汚職や公害問題、物価高などを背景に政府に対する不満が高まりつつあり、民心の政権離れを憂慮する声さえ出始めている。

とくに盧内閣がスタートした昨年末以来、一般犯罪防止とともにデモや争議、対北関係などでいわゆる「公安統治」を強化し、民主化引き締めに乗り出していることに対し、野党や反政府派の不満が強い。九日に計画されている反政府行動には全国の急進派労組も政治ストを構えており、四日の五万人を上回る規模の街頭デモが予想される。

「主権の侵害」と反発しながらも事態拡大を避ける措置をとってきていた。

産業経済新聞 4 面

0042

	분류번호	보존기간

발 신 전 보

번 호 : WUN-1234 910507 1921 FN 종별 :

수 신 : 주 유엔 대사. 총영사

발 신 : 장 관 (국연)

제 목 : 기사 송부

유엔가입문제 및 북방정책에 대한 Far Eastern Economic Review 지의 최근 기사를 Fax로 송부하니 참고바람.

첨 부 : 기사 4매. 끝.
WUN(F)-61

(국제기구조약국장 문동석)

보안 통제	

앙 고 재	91년 5월 7일	유엔과	기안자 성명		과 장		국 장		차 관	장 관
							전결			

외신과통제

0043

WUNF-62, WCPF-1 105081630.

중국 거부권 행사안함

한국의 유엔단독 가입, 방북시 이수상 시사(북경 7일 지지통신)자

신뢰할수 있는 중국소식통이 7일 밝힌바에 의하면 북한의 김일성 주석은 4일 방북한 이붕 중국 수상과의 회담에서 한국이 유엔단독 가입을 신청하는 경우 중국이 거부권을 행사할 것을 요청했으나 이수상은 확답을 피하고 "남북간에 대화해서 해결할 것을 바람" 이라고 답하는 것에 그쳤다. 동 소식통은 또한 "거부권은 신중히 취급하지 않으면 안된다" 고 말하여 현재로서는 단독가입에 대하여 거부권을 사용할 생각이 아님을 시사했다.

- 5. 8자 일본경제신문 8면 -

0044

日本経済新聞 8 面

中国、拒否権行使せず

韓国の国連単独加盟 訪朝で李首相示唆

【北京七日時事】信頼できる中国筋が七日明らかにしたところによると、北朝鮮（朝鮮民主主義人民共和国）の金日成主席は四日、訪朝した李鵬中国首相との会談で、韓国が国連単独加盟を申請した場合、中国が拒否権を行使するよう求めたが、李首相は確約を避け、「南北で話し合って解決するよう望む」と答えるにとどめた。

同筋はまた、「拒否権は慎重に扱わねばならない」と述べ、今のところ、単独加盟に対し拒否権を使う考えのないことを示唆した、

0045

연 고시이

주 독 일 대 사 관

GEW(F) - 010 105101130)

수 신 : 장 관 (구주국장, 정보문화국장, 국제기구국장)

발 신 : 주 독 대 사

제 목 : 기사 보고

(표지 포함 총 5 매)

보 처	장관실	차관실	차보	二차보	기획실	의전장	아주국	미주국	구주국	중아국	국기국	경제국	통상국	정문국	영교국	총무과	감사관	공보관	외연원	청와대	총리실	안기부	공보부
	/	/	/	/					O		/			/				1		/		/	/

10

1

0046

노대통령정부 또 위기에 놓여

(Die Welt, 5.10, 2면 사설, Fred la Trobe 기고)

4년간 비교적 조용했던 한국이 다시 데모사태에 말려들게 되었다. 지난 며칠간 과격학생들과 경찰의 충돌이 어제는 최고조에 달했는데 이번 데모를 조직한 반체제 기구에 따르면 지금까지 전국적으로 거의 100만명이 참가했다고 한다. 이는 터무니 없이 과장된 숫자이기는 하나, 노대통령 정부가 3년전 출범이후 최대의 위기를 맞고 있다는 것을 증명해 주고 있다.

이번 시위의 발단은 20세의 학생이 경찰에 맞아 죽은데 기인한다. 게다가 그간 4명의 학생이 분신자살을 시도했다. 한국학생들이 과격하기는 하나 이들중 공산주의자나 북한에 동조하는 숫자는 극히 소수이다. 한국대학생을 대상으로 한 여론조사에 따르면 단지 5% 학생만이 북한에서 사는 것을 선호할 따름이다. 근로자와 야권이 목소리를 높여 노대통령정부의 사퇴요구와 시위를 하는 근본적인 원인은 고위공직자가 연루된 일련의 뇌물사건과 스캔달에 대해서 국민들이 크게 불쾌해 하고 있다는 점이다. 노대통령은 몇몇장관과 고위관리를 해임시켰으나 국민의 불만은 계속 끓고 있다.

0047

한국의 경제상황도 좋지 못해서, 지난해에 비해 20%의 인플레를 보이고 있다. 노대통령의 소련접근정책과 고르비와의 밀월관계는 야권의 비판의 대상이 되었다. 야권과 학생들은 한.소관계 접근이 한반도 분단을 고착화 시킨다고 주장하고 있다. 3년전 국민 직접선거에 의해서 선출된 노대통령은 거리의 시위압력에 굴하지도 말고 물러나지도 않는 것이 올바른 일이라고 하겠다. 다음 대통령 선거가 1993년 2월에 예정되어 있으므로 야권은 자신들이 더 나은 정부를 제시할수 있는 지를 그때가서 국민들의 심판에 의해서 보여줄 수 있을 것이다.

0048

남북한, UN가입에 관한 협상?

- 중국, 북한에 협상을 권고 (F.A.Z, 5.10일, 8면 2단, Peter Kolonko 기고)

북한정부는 중국의 이붕총리에게 한국과 UN가입문제에 관해서 협상할 준비가 되어 있다고 전한 것으로 알려졌다. 중국의 외교부 대변인도 목요일 북경에서 지난 화요일까지 북한을 방문했던 이붕총리가 북한정부와 이 문제에 대해서 협의했음을 처음으로 확인했다. 한국은 남북한이 UN에 동시가입하는 것을 북한이 거부하면 UN에 단독으로 가입하려고 하는데, 북한은 이러한 한국의 계획이 한반도 분단을 국제적으로 공인시킨다는 이유로 거부하고 있으며 남북한이 하나의 의석으로 가입하는 것을 희망하고 있다.

북한은 중국이 한국의 UN 단독 가입안에 대해서 확실히 거부권을 해주리라고 기대하고 있었다. 그러나 중국 외교부 대변인은 이제 중국이 한국의 UN 가입문제가 남북한이 수용할 수 있는 협상을 통해서 해결되기를 희망한다고 밝혔다. 이붕총리의 4일간 북한방문에 따른 공식발표문에는 UN 가입문제가 거론되지 않았다. 서방관측통들은 일치된 결론을 내리고 있지는 않으나, 중국이 북한에게 남.북한 양국이 UN에 동시에 가입하는 문제를 고려하도록 권고했을 가능성이 많다고 믿고 있다.

0043

몇주전 북한의 두번째 중요한 동맹국인 소련은 UN가입에 대한 북한의 입장이 비현실적이라고 간주하고 북한에게 남북한이 각각 UN에 동시 가입하도록 권고한 것으로 알려졌다. 중국과 소련은 경제적으로 강국인 한국과 접근하는데 관심을 보이고 있다. 지난 4월 고르바쵸프대통령은 한국을 방문한 바 있으며, 중국도 한국과 외교관계 수립은 하지 않았으나 금년초 양국은 상호 무역대표부를 개설했다.

중국은 한국과의 관계개선에 매력을 느끼고 있으나 북한과의 우호관계는 지속하려 하고 있다. 이붕은 북한방문중 한국전쟁당시 군사동맹 관계를 여러번 인용하면서, 양국과의 관계가 "순치의 관계"와 같이 밀접하다는 점을 강조했다. 이붕은 경제 상황이 어떻게 변화되는 양국간의 우호관계는 지속되리라는 점을 확인했다. 지난해 11월 중국은 북한에 대한 경제원조 협정에 서명한 바 있는데, 이 협정에는 중국이 북한의 대중국 부채를 탕감해 주고 북한에 대한 기술과 자본을 지원해 주는 내용이 포함되어 있다.

0050

022, 38

북한의 유엔가입

"한국과 동시"를 요청할 것으로(일·북 교섭시 방침)
- 정부 "단일의석" 전환을 촉구 -

정부는 금월 20.21. 양일간 북경에서 열리는 북한과의 국교정상화를 향한 제3회 정부간 교섭시에 한국과 북한의 유엔가입문제와 관련하여 북한측에 대해 지금까지의 "공동가입"의 방침에서 "동시가입" 방침으로 전환하여 금추 유엔 총회에서 한국과 함께 가입수속을 취하도록 촉구할 방침을 정했다.

지난달 25일의 일한 외상 정기협의에서 나까야마 외상은 북한이 공동가입 입장을 바꾸지 않는 경우에는 일본으로서는 한국의 단독가입을 지지할 방침임을 전달했음. 이에 대하여 북한측은 이제까지 공식반응을 보이지 않고 있는 바 정부는 유엔총회에 대비한 북한측의 동향을 주시하고자 하는 생각임. 유엔가입 문제에는 한국이 "동시가입"을 제창. 이에 대해 북한은 남북 별도는 분단을 고정화한다고 남북 단일의석에 의한 "공동가입"을 주장, 대립하고 있음. 한국은 금추 유엔총회에서 단독으로 가입을 신청할 준비를 하고 있고 각국의 지지를 구하고 있는 중임. 정부가 동시가입을 촉구하는 것은 단일의석에 의한 공동가입은 현실적이 아니라는 판단에 근거한 것임.

한편, 한국의 단독가입이 실현된다면 북한의 국제적인 고립상황이 심화되고 한반도, 북동아시아의 평화와 안정이 불안재료로 될 것이라는 의견도 있음. 일북 국교정상화 교섭에서 취급하는 것에 관해서 정부소식통은 "일북교섭에는 북한을 국제사회에 끌어내는 의의도 있다"고 말함.

유엔가입문제의 향방은 거부권을 가진 상임이사국, 특히 북한과 밀접한 관계에 있는 중국, 소련의 의향이 열쇠로 보여짐. 북한의 김일성 주석은 금월 4일 중국의 이붕수상을 평양에 초청하여 회담하는 등 관계국의 의향 파악에 전력을 다하고 있음. 정부로서는 북조선이 얻고있는 감촉에 관하여도 북경에서의 교섭에서 파악하고자 하고 있음.

(91.5.14. 아사히신문)

공람 91년 5월 14일	담당	과장	국장
	김세수	(서명)	(서명)

0051

변혁, 구주에서 아시아로

조선반도, 공존에로의 고동

오렌지 색깔의 탁구공을 바라보는 남자의 시선은 왠지 안정되어 있지 않았다. "코리아" "코리아" 뜨거운 합성이 가득한 치바市 마꾸하리의 제41회 세계탁구 선수권 대회장, 그 남자는 북한선수단의 수행원. 사람눈에 띄는것을 피했음인가, 상의 가슴에는 언제나 달고있던 김일성 뺏지가 없다. 떠들석한 가운데 의외의 말을 하였다. "한국의 유엔단독가입에 중국은 거부권을 발동하지 않음. 중국이 (유엔안보리에서) 기권으로 도는것은 명백함. 유엔가입을 저지하는 것에는 가입 신청 자체를 포기케 하는 것 밖에 없음". 북한측의 인물이 입에올린 말이었다. 한국의 유엔가입에 열쇠를 쥐고 있는것은 북한과 동맹관계에 있는 중국의 태도- 중국은 거부권을 행사할 것인가? 관심은 그 한점에 집중되어 있다. 그남자는 그 가능성을 간단히 부정하고 있는 것이다. 한편, 금 4월 평양에서 강석주 외무 제1차관은 외국인 기자단에게 미묘한 발언을 하였다. "(한국의 단독유엔 가입신청에) 중국정부는 찬성하지 않는다고 우리들은 보고있다". 중국이 반대 한다라고 확실히 말하지 않았다는 것이 포인트 이나, 강차관은 또한 "시간적 여유가 있다"고 언급, 한국측과 유엔문제를 다시 협의할 용의를 강조하였다.

그러나 한국측의 반응은 냉담한 것이었다. 작년 9월에 시작된 남북 총리회담 에서 북한측이 긴급과제로서 제기한 것이 한국의 유엔단독가입문제. 북한측은 단일의석에 의한 남북공동가입을 제안했다.

"넌센스입니다. 하나의 의석에 두나라의 국가대표가 앉고, 남북이 교대해서 유엔대사를 근무한다는 것이기 때문에, 제대로(다른나라들이) 상대로서 인정해 줄리가 없다"고 한국 유엔가입문제에 정통한 서울의 박치영 한양대교수(국제 정치학)가 말했다.

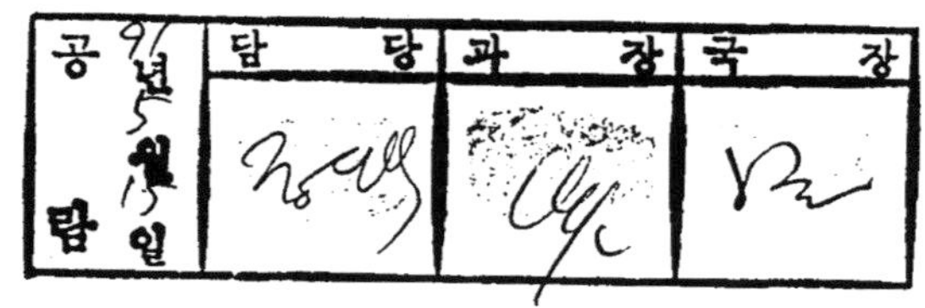

공람 91년 5월 15일	담당	과장	국장

0052

북한측의 남북재협의론도 한국측에게는 유엔가입신청을 지연시키려는 방편으로 밖에 비춰지지 않고 있다.

노태우 대통령이 추진해온 '북방정책". 한국의 유엔가입은 그 성과를 결집해서, 교착상태에 빠진 남북관계를 타개하려는 강력한 카드이다. 동구, 소련과의 국교수립을 계속 해왔던 사실과는 달리 한국의 대중국 접근은 무역대표부 설치로 도리어 "정경분리"라는 벽에 부딪쳤다. "모스크바와 북경을 경유하여 평양에 다다른다"는 노대통령의 개방화전략, 그와 같은 신 전개를 도모하기 위하여서도 우선 유엔에 가입하여 북한의 추종을 촉구하는 것이 불가결하게 되었다.

한국정부는 9.17부터 열리는 유엔총회 전인 8월 초순에 가입신청서를 제출한다.

한국 외무부에 의하면 작년 가을 유엔총회에서 기조연설을 행한 151개국중에 71개국이 한국지지의 연설을 하였다. 무엇보다도 고르바쵸프 정권에 의한 한국승인이 유엔가입에의 방향을 결정지었다. 그리고 중국에는 비밀리에 요인을 보내어 공산당 상층부의 의향을 파악하고 있다.

유엔문제로 한국에 의해 몰리게 된 것 같이 보이는 북한은 금후 남아있는 짧은 시간을 어떻게 사용할 것인가?

청와대(대통령관저)에서 가까운 정부종합청사 6층, 한국 외무부 사무실에서 젊은 관료의 한사람은 우울한 표정을 보이고 있었다. 지난달 말부터 학생데모로 정부불신의 여론이 높아지고, 6월 중순의 지방선거 제2라운드를 계기로 야당세력의 진출도 예상되고 있다.

"외국의 찬성과는 대조적으로 국내에서는 반대로, 북한과의 알력을 피하여, 유엔가입신청은 신중히 해야할 것이다라는 목소리가 강해질지도 모르겠다"고 그 젊은 관료는 우려한다.

학생데모가 한창인데, 북한은 세계청소년축구대회(7월 폴투칼)에 남북통일팀 파견을 위해 70인의 선수단을 서울에 보내올 예정이다. 남북선수가 손을 서로 서로 잡은 7일, 북한 보도기관은 남한당국이 남북대결, 전쟁정책을 추구하고 있다고 맹렬히 비난하였다.

(91.5.15일 마이니찌 - 서울에서 시모까와기자 계속)

0054

변혁, 구주에서 아시아로 (3)

조선반도, 공존에로의 고동

"딜렘마의 중국"

- 유엔가입 : "우호" "경제" 사이에서

설(구정) 준비로 떠들썩한 2월초 어떤 한국고관을 태운 자동차가 북경을 달리고 있었다.

중·한간 정식국교는 아직 없으나 북경에서는 한국기업의 간판광고나 한국인 사업가의 모습은 신기한 것이 아님. 그렇지만 이 고관의 행동은 지금도 두꺼운 비밀의 장막에 숨겨져 있다.

중국의 소식통은 이 고관이 과거 한국 중앙정보부(KCIA), 현재의 국가안전기획부(KNSP)를 지휘하는 서동권 부장이었다고 증언한다. 서부장은 노태우 대통령과 동향인 대구 출신으로서 검찰총장으로부터 정계에 투신한 노대통령의 심복임. 중국과 정치교류가 없는 한국에서 대통령의 심복이 중국을 방문한다는 것은 중국의 우호국인 북한의 비위를 상하게 하지 않을 수 없음. "따라서 극비로 취급되고 있다"고.(동 소식통)

비밀방중의 목적은 한국이 올가을에 단독으로라도 유엔총회에 가입을 신청한다는 것을 중국의 수뇌에 전달하는 것과, 이에 대한 중국수뇌의 반응을 알아내는 것이었다고 함.

중국이 유엔안보리 상임이사국으로서 거부권을 행사하는 것과 관련, 한국의 단독가입에 반대하는 북한을 계속 지원할 것인가 말것인가. 중국수뇌의 뱃속 생각은 아무리해도 알아 낼수 없다는 정보다. "중국은 기권의 가능성이 높다" - 중요한 감촉을 얻고 서부장은 귀국했다는 것이 소식통의 이야기다.

공람 91년 5월 17일	담당	과장	국장
	(서명)	(서명)	(서명)

0055

물론 한국에 있는 소식통은 서부장의 방중을 부정하지만 이와 같은 정보 자체가 오늘날 중·한관계를 상징하고 있다.

중국의 입장에서는 남북한의 유엔가입문제는 생각하기도 싫은 뜻밖의 물벼락과도 같은 것.

유엔안보리 상임이사국 5개국중에서 한국의 가입신청에 "불찬성"으로 보이는 국가는 중국 뿐이다.

소련이 한국과 국교정상화를 하였기 때문에 중국은 북한 최대의 우방국이 되었다. 그러나 동시에 북경과 서울에는 영사사무를 취급하는 무역대표부가 개설되었고, 한국과의 경제관계는 급속히 확대되고 있다. 특히 한국에 "홰리"가 다니고 있는 산동성은 한국기업전용의 공업구를 건설할 계획에 들떠있다.

지금까지는 북한에나 남한에나 쌍방에 좋은 얼굴을 보여왔던 중국이지만, 유엔가입문제만은 양자택일을 해야할 처지다. 최근에도 중국의 양상곤 국가주석과 비공식적으로 회담한 한국의 전각료는 "중국이 기권하지 않을 때에는 한국으로부터의 투자는 기대하지 않는 것이 좋겠다"고 다짐해 두었다고 한다.

중국이 북한을 택할것인가, 남한을 택할것인가 하는 딜렘마에서 탈출하는 방법은 하나 밖에 없음. 한국이 단독으로 가입신청을 결행하기 전에, 남북회담을 재개시켜 당사자간에 타협안을 만들도록 하는 것이다.

금월 북한방문 전에 북경에서 나까소네 전 수상과 회담한 이붕수상은 "북한은 자존심이 강한 국가이기 때문에 이것 해라 저것해라고 중국이 말하는 것은 불가능하다"고 말하였다. 그렇지만 평양에서 이붕수상은 인사말중에 "중·소는 (조선전쟁의) 피로써 맺어진 우의"라는 정해진 문구를 사용치 않고 대신에 '산수를 접한관계(지리적 인국)"라고 표현했다.

0056

중·조관계도 특수한 동맹관계에서 보통의 선린관계로 바뀌는 때가 왔다는 것을 통고하는 듯 하였다. 이붕수상이 평양에서 돌아온 뒤 나까소네 전 수상은 어떤 중국지도자에게 "중국은 거부권을 행사할 것인가"라고 정곡을 찔러 보았다. 잠시 아무말 않고 있다가 그사람은 "한국이 단독가입 신청을 결행하기까지는 아직 시간이 있지요"라고 답했다.

남북회담 재개에 거는 중국의 기대가 배어있는 말이다.

(북경, 가네꼬기자, 5.16일 마이니찌 신문 1면)

0057

외 무 부

종 별 :

번 호 : HKW-1990　　　　　　　　　　일 시 : 91 0521 1900

수 신 : 장 관(아이)

발 신 : 주 홍콩 총영사

제 목 : 장관님 대구 세미나 언론반응

1. 당지 주요 영문일간지인 HONG KONG STANDARD 지는' SEOUL DEFENDS LINKS WITH CHINA 제하의 5.21 자 기사에서 이상옥 외무장관이 대구 세미나 연설을통해 '서울과 북경간의 외교관계 수립이 중국-북한 관계에 전혀 영향을 미치지않을것이며, 한국은 중국과 의 공식관계 수립노력에 있어 중국-북한간 기본관계를 손상시키게 하려는 의도는 없다' 고 언급한것으로보도함

2. 또한 동기사는 이장관이 작년 취임이래 첫번째로 중국관계에 관해 행한 동 세미나 논평에서 '한반도의 평화안전은 한.중 양국이익에 모두 합치된다' 고 언급하였으며, 유엔가입문제와 관련, '중국도 남북한 유엔가입이 중국이익에 합치된다는것을잘안 고 있다'하면서 한국으로서는 특히 안보리 상임이사국인 중국의 협소와 공정적태도를 기대하고 있다고 말한것으로 보도함.끝

(총영사 정민길-국장)

아주국　정문국　장관 차관 국기국

PAGE 1　　　　91.05.21　23:21 FO

외신 1과　통제관

0058

주 국 련 대 표 부

주국련(공) 35260- **388** 1991. 5. 23.

수신 장 관

참조 해외공보관장, 국제기구조약국장, 정보문화국장

제목 친한 기고가 활용

중남미 국가 언론 대상 Feature 기사를 제공하고 있는 당지 Interco Press 의 친한기고가 John Fercsey 는 당관 제공 자료등을 활용 아국 유엔가입문제. 북한의 핵사찰문제 및 한.소 제주 정상회담등 관련 2종의 기사를 집필. 배포한바 동기사를 우선 별첨과 같이 송부합니다.

첨 부 : 1. South Korea Should Join The United Nations
영.서어 각 1부.
2. The Nuclear Dream of Kim Il Sung
영. 서어 각 1부. 끝.

주 국 련 대 사

29885

0053

SOUTH KOREA SHOULD JOIN THE UNITED NATIONS

- "Kim Il Sung could fall down between two seats."

by John Fercsey

"We will continue to make efforts to get UN membership. We've tried to convince North Korea to seek admission together, but anyhow I am confident that the Republic of Korea will be able to join the United Nations, where we will be able to cooperate with substantial contributions", said South Korea's Foreign Minister Sang Ok Lee to UN correspondents after he spoke with the Secretary General.

Will the Soviet Union and China agree to the admission? "The Soviet Union's position is clear in this matter", answered the foreign minister. And China's? "We are currently holding talks through our friends, and we await a favorable response." After I had spoken to the foreign minister, Ambassador Roe Chang Hee told me: "We are determined to seek membership this year. We continue our talks with North Korea, but cannot defer our request indefinitely." The request should be made in early August -- according to the rules, 35 days before the inauguration of the General Assembly.

The United Nations currently has 158 member states, yet two important countries with a combined population of 55 million inhabitants are not represented: the two Koreas, North and South. In the last decades many governments have called attention to this anomaly urging membership for both the South and the North of the Korean Peninsula, yet Kim Il Sung -- the Stalinist dictator of North Korea -- has refused to consider membership, stubbornly stating that the two Koreas should have one single seat. It is difficult for two people to sit on a single seat, UN observers said half serious, half jokingly.

Year by year more member states have urged for a solution to the problem: give two seats simultaneously, to both North Korea and South Korea. Were Kim Il Sung to remain inflexible, vote for a seat for South Korea, the world's tenth largest trading country, and which has diplomatic relations with 145 countries. South Korea -- the Republic of Korea -- is the best example ever for Third World countries: with strengthened democratic institutions and a realistic economic policy, the per capita income rose from 280 to nearly 4,000 dollars in 28 years. Seoul helps 56 countries through credits and investments, and even the communist giants --

0060

-2-

once firmly supportive of Stalinist Kim -- are now looking forward to cooperation and investments from South Korea.

"President Roh Tae Woo has made United Nations membership a priority objective for this year", said Ambassador Roe Chang Hee, head of the South Korean Observer Mission to the U.N. "President Gorbachev expressed his full appreciation of our position on the matter. Furthermore, after the two leaders discussed the U.N. issue on Cheju Island, President Roh was fully satisfied with the Soviet reaction to our position. The Soviet president spoke out strongly in favor of the principle of universality, and as a nation which emerged to be among the largest trading countries in the world, the Republic of Korea qualifies strongly for full membership in the United Nations. I should add that a solid majority of U.N. member nations support our Republic."

Asked about the possibility of simultaneous membership for the South and the North, the Ambassador said: "We have no objection to North Korea's full membership. The problem is that North Korea demands that we share a single seat in the world body, a proposition which we judge to be unworkable and unrealistic. We are pursuing simultaneous yet separate entry." Ambassador Roe Chang Hee added that "significantly, the Soviets told us at the Summit that China also agrees that the North's position calling for shared membership is unrealistic."

A few days ago 79-year old Kim Il Sung repeated to Tokyo's Mainichi Shimbun that he envisages "a confederation" for the two parts of the Korean Peninsula, with different systems but with one single seat in the United Nations. He argued that two seats in the U.N. would "perpetuate" the division of the Korean people. However, there used to be two Germanies and two Yemens in the United Nations, and both achieved reunification successfully. "The U.N. could serve as a forum in which South and North can work towards mutual trust and confidence building."

At the end of April the Secretary General of the U.N. stated in Brussels that he backed South and North Korea entering the United Nations at the same time, but would support an application for South Korea joining without the North if Pyongyang resisted simultaneous admission. The WPI news agency of Belgium reported that Perez de Cuellar judged it "natural that South Korea, which has contributed to world peace and the well-being of mankind, should carry out its responsibilities and duties as a full member of the world body."

0061

-3-

It seems certain that the new General Assembly will vote for the membership of South Korea in the Fall, recommending it with over 130 votes to the Security Council, which then decides on the issue. We should be reminded of the 1950's, when Gromyko prevented the admission of numerous coutries by using the Soviet veto: hence his nickname, "Mr. Nyet." Now, it seems probable that the Soviets will vote for the admission of the Republic of Korea; China would not use its veto power -- possibly abstaining, thus giving a green light to Seoul.

The Korean Peninsula is the best example of the achievements of the two systems: South Korea is prospering, while the Communist North is a prison for its people, oppressed and hungry.

Should Kim Il Sung refuse to see reality, he could well fall down between two seats.

INTERCO PRESS

0062

Room 705 ▪ 815 Sixteenth Street, N.W. ▪ Washington, D.C. 20006 ▪ TEL: (202) 637-5059 ▪ FAX: (202) 637-5325

COREA DEL SUR DEBE INCORPORARSE A LAS NACIONES UNIDAS
- "Kim Il Sung podría caerse entre dos escaños"

por Juan Fercsey

"Continuaremos con nuestros esfuerzos por lograr la incorporación a la ONU. Hemos intentado convencer a Corea del Norte para que solicitemos juntos el ingreso, pero de todos modos tengo confianza que la República de Corea se podrá incorporar a las Naciones Unidas, donde podremos cooperar con contribuciones sustanciales", dijo el Ministro de Relaciones Exteriores de Corea del Sur, Sang Ok Lee a corresponsales de la ONU luego de conversar con el Secretario General.

¿Aceptarán la Unión Soviética y China el ingreso? "La posición de la Unión Soviética es clara en este asunto", respondió el Ministro de Relaciones Exteriores. ¿Y China? "En la actualidad se están llevando a cabo conversaciones a través de nuestros amigos y estamos teniendo una respuesta favorable." Luego de la conversación con el ministro de relaciones exteriores, el Embajador Roe Chang Hee me dijo: "Estamos decididos a lograr la incorporación este año. Continuamos las conversaciones con Corea del Norte, pero no podemos postergar nuestra solicitud indefinidamente." La solicitud deberá presentarse a comienzos de agosto -según los reglamentos, al menos 35 días antes de la inauguración de la Asamblea General.

En la actualidad las Naciones Unidas cuentan con 158 estados miembros, pero dos países importantes, con una población combinada de 55 millones de habitantes, no están representados: las dos Coreas, Norte y Sur. En las últimas décadas numerosos gobiernos han llamado la atención acerca de esta anomalía, urgiendo la incorporación para tanto la parte Norte como Sur de la Península de Corea. Sin embargo, Kim Il Sung, el dictador Stalinista de Corea del Norte se rehúsa a considerar la incorporación, declarando tozudamente que las dos Coreas deben tener un único escaño. Observadores de las Naciones Unidas han dicho mitad en serio y mitad jocosamente, que es difícil para dos personas sentarse en un único asiento.

Por otra parte, año a año, más estados miembros han urgido la resolución del problema dando escaños simultáneamente a ambas Coreas o, si Kim Il Sung ha de permanecer inflexible, habrán de votar por un escaño para Corea del Sur - el décimo país en el comercio mundial, y que tiene re-

0063

laciones diplomáticas con 145 países. Corea del Sur - la República de Corea es el mejor ejemplo para los países del Tercer Mundo: con instituciones democráticas fortalecidas y una política económica realista, el ingreso per cápita ha ascendido en 28 años de 280 a cerca de 4.000 dólares. Seúl otorga asistencia con créditos e inversiones a 56 países, y aún los gigantes comunistas - anteriormente firmes partidarios del Stalinista Kim - ahora buscan las inversiones y la cooperación con Corea del Sur.

"El Presidente Roh Tae Woo ha hecho de la incorporación a las Naciones Unidas su objetivo prioritario para el corriente año", dijo el Embajador Roe Chang Hee, jefe de la Misión Observadora de Corea del Sur ante la ONU. "El Presidente Gorbachev ha expresado su plena apreciación de nuestra posición en este asunto. Lo que es más, luego de que los dos líderes discutieran la cuestión de la ONU en la isla Cheju, el Presidente Roh se mostró plenamente satisfecho con la reacción soviética a nuestra posición. El presidente soviético habló enérgicamente a favor del pricipio de la universalidad, y como nación que ha emergido hasta estar entre los mayores países comerciales del mundo, la República de Corea está plenamente calificada para gestionar su incorporación plena a las Naciones Unidas. Debo agregar que una sólida mayoría de las naciones miembros de la ONU apoyan a nuestra república."

Al preguntársele acerca de la posibilidad de la incorporación simultánea para el Norte y el Sur, el embajador respondió que "no tenemos objeción alguna al ingreso de Corea del Norte como miembro pleno. El problema reside en que Corea del Norte exige que compartamos un único escaño en el organismo internacional, una propuesta que juzgamos irrealizable y poco realista. Buscamos el ingreso simultáneo pero por separado." El Embajador Roe Chang Hee agregó que "significativamente, los soviéticos nos han dicho en la cumbre que también China está de acuerdo con que la postura del Norte de un ingreso compartido es poco realista."

Hace unos días, Kim Il Sung, de 79 años de edad, repitió al periódico "Mainichi Shimbun" de Tokyo que tiene en mente "una confederación" para las dos partes de la Península de Corea, con sistemas distintos pero con un único escaño ante las Naciones Unidas. Argumentó que dos escaños en la ONU habrían de "perpetuar" la división del pueblo coreano. Sin embargo, hubo dos Alemanias y dos Yemens en las Naciones Unidas y ambos tuvieron reunificaciones exitosas. "La ONU puede servir de foro donde el Norte y el Sur pueden trabajar para lograr la mutua confianza y seguridad." 0064

Hacia fines de abril el Secretario General de la ONU declaró en Bruselas que apoya el ingreso de Corea del Norte y del Sur al mismo tiempo, pero que apoyaría la incorporación de Corea del Sur sin el Norte si

Pyongyang se resiste al ingreso simultáneo. La agencia de noticias WPI de Bélgica informó que Pérez de Cuéllar juzgó "natural que Corea del Sur, que ha contribuído a la paz mundial y al bienestar de la humanidad, lleve a cabo sus responsabilidades y sus deberes como miembro pleno del organismo internacional."

Parece seguro que la nueva Asamblea General de otoño habrá de votar por el ingreso de Corea del Sur, y que lo recomendará por más de 130 votos al Consejo de Seguridad, que es el que decide en el asunto. Recordemos la década del '50, cuando por años Gromyko impidió el ingreso de numerosos países utilizando el veto soviético: es por ello que se lo llamó en ese entonces "Sr. Nyet". Ahora parece probable que los soviéticos habrán de votar por la incorporación de la República de Corea y que China no utilizará su veto, tal vez absteniéndose, pero de ese modo dando la luz verde a Seúl.

La Península de Corea es el mejor ejemplo de los logros de dos sistemas. Corea del Sur está prosperando, mientras que el Norte comunista es una prisión para su pueblo, oprimido y hambriento.

Si Kim Il Sung se rehúsa a ver la realidad, bien puede caerse entre dos escaños.

INTERCO PRESS

0065

THE NUCLEAR DREAM OF KIM IL SUNG

by John Fercsey

Who will be the next Saddam Hussein? Another irrational dictator who dreams of a nuclear bomb to destroy his neighbors?

U.S. Secretary of Defense Dick Cheney has said that North Korea is the country most likely to attack U.S. forces without warning. Together with Fidel Castro, Kim Il Sung is one of the two last Stalinists in power. While world socialism is crumbling around him, Kim has built a nearly one-million men army -- it is precisely at 870,000 men -- and an arsenal of Scud-type missiles that could be armed with nuclear weapons. U.S. satellite photographs show the plant of a new nuclear reactor at Yongbyon, 100 kilometers from Pyongyang, the capital city. It is feared that the new plant may be capable of separating plutonium, and North Korea could thus begin to build nuclear bombs. Kim signed the Non-Proliferation Treaty in 1985, but has yet to sign the Nuclear Safeguards Accord, refusing to open his nuclear facilities to inspection by the IAEA (the International Atomic Energy Agency).

Experts in nuclear science believe that with the Yongbyon reactor and another reactor under construction, North Korea could triple its plutonium output, and by the mid-1990s Pyongyang could build several nuclear bombs. The United Nations -- having proved over Kuwait that it is not a "paper tiger", and can implement its resolutions -- should press the North Korean regime to stop developing plutonium usable for nuclear weapons and to allow the IAEA to verify the situation month by month.

While North Korea's Vice Foreign Minister Chon In Chol recently said that his country has been working to obtain nuclear capability even the Soviet Union is contemplating concernedly the consequences of this project. High-ranking Soviet spokesmen said during Gorbachev's Asian trip that North Korea should open its facilities for inspection -- or face a Soviet embargo.

Under the threat of Pyongyang's nuclear program South Korea and Japan could well change their security measures. These two prosperous countries are currently nuclear-free and have only defensive forces, but threatened by North Korea's nuclear bombs in the making they could start to build nuclear bombs themselves or they could destroy the North Korean nuclear facilities by preemptive strikes.

0066

While South Korea has prospered and in less than 30 years has become one of the ten largest trading nations, the economy of North Korea is in a state of near collapse. The 22 million Koreans imprisoned in the northern part of the peninsula live in misery under the most severe oppression. The collapse of communism in Eastern Europe has left North Korea isolated politically, diplomatically, and economically. Some observers fear that "great leader Kim Il Sung" may become desperate, and could launch a "final offensive" accross the DMZ -- the 4-kilometer demilitarized zone separating the two parts of the Korean Peninsula is the last frontier of the Cold War.

"I am sure Kim has a vision of his close ally Ceausescu lying against the wall in his own blood", said an Asian diplomat, referring to the execution of the Rumanian dictator and his wife Elena.

On a "national holiday" Kim Il Sung celebrated his 79th birthday somberly, observing that while his people are subjected to serious food shortages his "Big Brother" allies are on the way of dropping him. China is improving relations -- albeit slowly -- with Seoul, and Mikhail Gorbachev after his Tokyo trip landed in South Korea and held the third "Soviet-South Korean summit" in ten months on Cheju Island. The first summit was held in San Francisco last June, when the two leaders agreed to establish full diplomatic relations between their two countries. The second summit took place in Moscow, where President Roh Tae Woo went on a historic visit.

Kim Il Sung's birthday cake tasted bitter, in the knowledge that at that same time Mikhail Gorbachev and the South Korean President were reviewing the issue of North Korea's non compliance with the Nuclear Non-Proliferation Treaty.

Suh Hwan Jong informed United Nations correspondents that Gorbachev and Roh Te Woo "agreed on the urgent need for North Korea to submit to IAEA inspection its nuclear facilities. President Roh thanked President Gorbachev for his support on this issue, and reiterated his appreciation for the firm commitment that President Gorbachev expressed in his joint communique with Japanese Prime Minister Kaifu. The Soviet President made it clear that for his country the question of nuclear inspections was a matter of principle."

Military observers think that should Kim refuse to comply with verification by the IAEA (a United Nations specialized agency), in view of the imminent danger posed by North Korea's reactors for building nuclear weapons, they could be destroyed by commando units. This could trigger another attempt by Kim to attack South Korea. In the last decades he tried to infiltrate troops to the South through tunnels. Seoul, South Korea's 10-million capital city is only 30 kms. from the DMZ.

INTERCO PRESS 0067

Room 705 ▪ 815 Sixteenth Street, N.W. ▪ Washington, D.C. 20006 ▪ TEL: (202) 637-5059 ▪ FAX: (202) 637-5325

EL SUEÑO NUCLEAR DE KIM IL SUNG

por Juan Fercsey

¿Quién habrá de ser el próximo Saddam Hussein? ¿Otro dictador irracional cuyo sueño es una bomba nuclear para destruir a sus vecinos?

El Secretario de Defensa de los EE.UU. Dick Cheney ha dicho que Corea del Norte sea el país que probablemente ataque a las fuerzas de EE.UU. sin preaviso. Junto con Fidel Castro, Kim Il Sung es uno de los dos últimos Stanilistas en el poder. Mientras el socialismo a nivel mundial se está derrumbando a su alrededor, Kim ha armado un ejército de cerca de un millón de hombres - más exactamente, 870.000 - y un arsenal de misiles de tipo Scud que pueden ser equipados con armas nucleares. Fotografías de satélites norteamericanos muestran una nueva planta del reactor nuclear en Yongbyon, a 100 kilómetros de Pyongyang, la ciudad capital: el temor reside en que la nueva planta sea capaz de separar plutonio y Corea del Norte pueda comenzar a construir bombas nucleares. Kim firmó el Tratado de No-Proliferación Nuclear en 1985, pero aún no ha firmado el Acuerdo sobre Salvaguardas Nucleares y se rehusa a abrir sus instalaciones nucleares a inspecciones de la AIEA (Agencia Internacional de Energía Atómica).

Expertos en ciencias nucleares consideran que la utilización del reactor de Yongbyon y de otro reactor que está en construcción puede triplicar la producción de plutonio de Corea del Norte y para mediados de la década del '90 Pyongyang podría construir varias bombas nucleares. Las Naciones Unidas - que en Kuwait han probado no ser un "tigre de papel", y que pueden hacer implementar sus resoluciones - deben presionar al régimen de Corea del Norte para que deje de producir plutonio utilizable para armas nucleares y permita a los inspectores de la AIEA verificar las condiciones mensualmente.

Mientras que el Vice Ministro de Relaciones Exteriores de Corea del Norte, Chon In Chol recientemente ha dicho que su país está trabajando para lograr capacidad nuclear, hasta la Unión Soviética contempla con preocupación las consecuencias de tal proyecto. Portavoces soviéticos de alto rango dijeron durante el viaje a Asia de Gorbachev que Corea del Norte deberá abrir sus instalaciones nucleares a las inspecciones - o enfrentará un embargo soviético.

0068

la amenaza del programa nuclear de Pyongyang Corea del Sur y Japón bien podrían alterar sus medidas de seguridad. Estos dos prósperos países no cuentan en la actualidad con armas nucleares y solamente con fuerzas de defensa, pero amenazados por las bombas que Corea del Norte puede estar fabricando pueden o comenzar ellos mismos a construir bombas nucleares o destruir las instalaciones nucleares norcoreanas con ataques preventivos.

Mientras Corea del Sur prospera y en menos de 30 años se ha transformado en una de las diez mayores naciones comerciales del mundo, la economía de Corea del Norte está al borde del colapso. Los 22 millones de coreanos encerrados en la parte norte de la península viven en la miseria bajo la más severa opresión. La caída del comunismo en Europa del Este ha dejado a Corea del Norte aislada, política, diplomática y económicamente. Algunos observadores temen que, desesperado, "el gran líder Kim Il Sung" pueda lanzar una "ofensiva final" a través de la ZDM - la última frontera de la Guerra Fría - la zona demilitarizada de 4 kilómetros que separa las dos partes de la Península de Corea.

"Estoy seguro que Kim ha tenido una visión de su aliado cercano Ceausescu caído contra la pared en su propia sangre", dijo un diplomático asiático, haciendo referencia a la ejecución del dictador rumano y su esposa Elena.

En una "fiesta nacional" Kim Il Sung celebró su 79mo. cumpleaños sombríamente, observando que mientras su pueblo se ve sometido a una severa escasez de alimentos, su "Hermano Mayor" y sus aliados están a punto de abandonarlo. China está mejorando sus relaciones - aunque lentamente - con Seúl y Mikhail Gorbachev luego de su viaje a Tokyo aterrizó en Corea del Sur y mantuvo la tercera "cumbre soviético-sudcoreana" en diez meses con el Presidente Roh Tae Woo en la isla de Cheju. La primera cumbre tuvo lugar en San Francisco en junio pasado, acordando ambos líderes el establecimiento de relaciones diplomáticas plenas entre ambos países. La segunda cumbre se llevó a cabo en Moscú, donde viajó el Presidente Roh Tae Woo en una histórica visita.

La torta de cumpleaños de Kim Il Sung fue amarga, sabiendo que en esos mismo momentos Mikhail Gorbachev y el Presidente de Corea del Sur estaban tratando la cuestión de la falta de cumplimiento de Corea del Norte con el Tratado de No-Proliferación Nuclear.

0063

Suh Hwan Jong informó a los corresponsales de las Naciones Unidas que Gorbachev y Roh Tae Woo "estuvieron de acuerdo en la urgente necesidad de que Corea del Norte acepte la inspección de la AIEA de sus instalaciones nucleares. El Presidente Roh agradeció al Presidente Gorbachev por su apoyo a la cuestión y reiteró su apreciación por el firme compromiso que el Presidente Gorbachev expresó en su comunicado conjunto con el Primer Ministro japonés Kaifu. El Presidente soviético dejó en claro que para su país la cuestión de las inspecciones nucleares es un asunto de principios."

Observadores militares creen que en el caso de que Kim se rehúse a aceptar la verificación de la AIEA - una agencia especializada de las Naciones Unidas -, dado el peligro inminente del reactor para la construcción de armas nucleares, éste podría ser destruído por unidades comando.

Esto podría detonar otro itento de atacar a Corea del Sur por parte de Kim. En las últimas décadas ha tratado de infiltrar tropas en el Sur por medio de túneles. Seúl, la capital de Corea del Sur, y que cuenta con 10 millones de habitantes, se encuentra a tan sólo 30 kms. de la ZDM.

INTERCO PRESS

0070

외 무 부

종 별 :

번 호 : ESW-0096 일 시 : 91 0524 1155

수 신 : 장 관(정홍,미중,국연 사본:주유엔대사+중계필)

발 신 : 주 엘살바돌 대사

제 목 : 언론 홍보

1. 주재국 최대 일간 LA PRENSA지는 '한국, 유엔가입되어야한다 (COREA DEL SUR DEBE INCORPORARSE A LASNACIONES UNIDAS)' 제하 6면 논설면에 5.22, 5.24 2회에 걸쳐 JUAN PERECSY 유엔주재원 송고를 게재조치하였는바, 동 주재원은 이상옥 외무장관과 노창희 주 유엔대사 회견 내용, 유엔 사무총장발언 인용과 함께 아국의 유엔가입당위성을 안보리 제출 메모렌덤과 일치하게 강조하고, 소련포함 회원국 절대다수의지지와 중국의 거부권 불행사로 가입이 확실시 된다고 전망함.

2. 91.4.29-5.6 방한한 동지 HERNANDEZ COLORADO편집국장은 방한기사를 연재중에 있는바, 5.23밤에는 세라톤 호텔에서 산살바돌 로타리크럽 회원을 상대로 강연회(활영 스라이드 영사포함)를 개최하였으며, 본직도 참석 연설 및 계기홍보함.동 편집국장은 체한중 환대와 취재편의에 각별한 사의를 표하였음.

(대사 조기일-국장)

정문국 1차보 미주국 국기국 안기부

PAGE 1

91.05.25 09:13 WG

외신 1과 통제관

0071

주 나 미 비 아 대 사 관

1991. 6. 18

나미비아 20244- 143

수 신 : 장 관

참 조 : 중동아프리카국장, 국제기구 조약국장, 외교정책기획실장, 문화협력국장

제 목 : 아국관련 기사

1. 당지 시사주간지인 WINDHOEK OBSERVER 지는 별첨과 같이 남북한 유엔가입 문제와 관련한 당관과의 인터뷰 내용을 게재하였는 바, 이를 송부합니다.

2. 당관은 당지 제반 언론기관과의 자연스런 접촉 기회에 한반도의 실상을 전달함으로써, 이를 기사화하는 노력을 계속 경주해 나갈 것임을 첨언합니다.

첨 부 : 상기 기사. 끝.

주 나 미 비 아 대 사

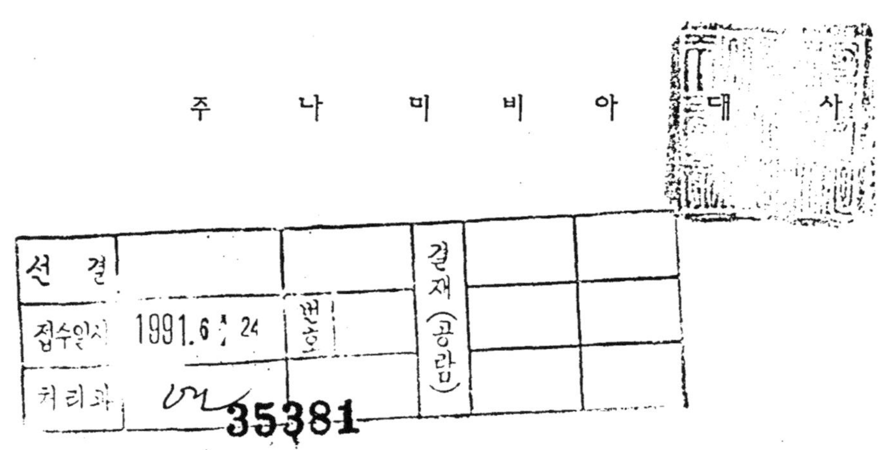

선 결			결재(공람)		
접수일시	1991.6.24	번호			
처리과	35381				

0072

외 무 부 암호수신

종 별 :

번 호 : CAW-0761 일 시 : 91 0702 1825

수 신 : 장관(중동이)

발 신 : 주 카이로 총영사

제 목 : 이집트 외무장관,아국의 유엔가입지지 입장천명

연:CAW-0754

1. 당지에서 발행되는 아랍어 일간지 AL AHRAM 지(주재국 정부정책을 반영하는 아랍어 최대일간지)및 영자일간지 THE EGYPTIAN GAZETTE 지는 각각 91.7.2 일자 조간신문 1 면에 본직의 7.1.AMR MOUSSA 외무장관 면담관련, 본직 면담후 동장관의 기자회견 내용을 아래와 같이 보도함.

가. AL-AHRAM 지 기사(전문)

EGYPT BACKS SOUTH KOREA'S JOINING OF THE UNITED NATIONS

EGYPT ANNOUNCED ITS OWN SUPPORT TO SOUTH KOREA'S APPLICATION FOR THE U.N MEMBERSHIP.

THE EGYPTIAN FOREIGN MINISTER, MR.AMR MOUSSA SAID THAT HE INFORMED THESOUTH KOREAN CONSUL GENERAL TO CAIRO OF EGYPT'S SUPPORT IN THIS CONCERN DURING THEIR MEETING YESTERDAY.

나. GAZETTE 지 기사(전문)

EGYPT SUPPORTS S.KOREA BID FOR UN SEAT

EGYPT, IN AN APPARENT POLICY SHIFT, SAID YESTERDAY IT SUPPORTED SOUTH KOREA'S ATTEMT TO OCCUPY A SEAT AT THE UNITED NATION.

EGYPTIAN FOREIGN MINISTER AMR MOUSSA TOLD REPORTERS HE TOLD THE SOUTH KOREAN GENERAL CONSUL IN CAIRO THAT EGYPT WOULD SUPPORT HIS COUNTRY'S EFFORT TO BE ADMITTED TO THE WORLD ORGANISATION.

'EGYPT SUPPORTS SOUTH KOREA'S ADMITTANCE TO THE UNITED NATIONS MOUSSA SAID, AFTER TALKS WITH THE SOUTH KOREAN DIPLOMAT.

EGYPT IN THE PAST REFRAINED FROM SUPPORTING THE ADMISSION OF EITHER NORTH

중아국 장관 차관 1차보 2차보 국기국 외정실

PAGE 1 91.07.03 00:53

외신 2과 통제관 CA

0073

Korea was liberated in 1945, after 36 years of Japanese rule. The Koreans welcomed the defeat of Japan in World War II, but their joy was short-lived. Within three years they faced the division of their country, a result of the polarisation of post-war global politics. Korea, like Germany, became a trustee of the allied visitors. In accordance with this exclusive pact, the United States and the Soviet Union occupied Korea after the War. They brought with them the cold war rivalry, which later divided the peninsula. The strictly communist northern half, one of the world's most authoritarian regimes, however remains the bane of modern Korean history.

Reunification nevertheless remains a sacred goal for people on both sides of the vigilantly guarded Military Demarcation Line.

The world is witnessing a climate of openness and reconciliation throughout the globe, Mr Soong Chull Shin of the South Korean Embassy in Windhoek this week told the Observer.

In view of the latest developments concerning the reunification of Korea, he said the parallel United Nations (UN) membership of both Koreas, which was announced late last month, was an interim measure pending unification. He further expressed his hope that this latest development in the unification process between North and South Korea would be a milestone in the consolidation of peace and stability in Northeast Asia as well as the Korean Peninsula.

"This inspires all of us. In line with this world-trend, there has been remarkable progress in South-North Korean relations over the past two years," he said.

"In this context we sincerely welcome North Korea's decision of formally submitting its application for United Nations membership, which was announced on May 28. We hope that this mutual entry of both Koreas will be a milestone in Korean history.

"It is our belief that we have to find any possible means of reconciliation between the two regions continuously: all possible means of building mutual trust and confidence between us, so that our ultimate objective of reunification can be achieved," Shin said. He went on to explain the current turbulent situation amongst students in the country:

"The sixth Republic of the Republic of Korea under the leadership of HE President Roh Tae Woo has made a series of sweeping democratic reforms. This changed the image of South Korea to a free and just country. In this context, the student demonstrations are quite understandable, when seen in the light of democratisation.

"However, it is regrettable to note that recent demonstrations have been managed in a very violent manner, causing inconvenience to the normal daily life of the country's citizens," he said.

"It is nevertheless encouraging that recent development has shown that the demonstrations, which are organised by a student minority, are not supported by the middle-class people of South Korea.

"In view of this current situation, we are hopeful that the demonstrations will soon calm down," he added.

In an interview with the Managing Editor of a Japanese newspaper, President Kim Il Sung of the Democratic People's Republic of Korea (North Korea) said reunification was a vital demand and of great importance in ensuring the peace and security of Asia.

"Our country has been divided for nearly half a century primarily because the United States has continued its occupation of the South, obstructing the unification process.

"Settling this question however, is a matter of great importance in ensuring the peace and security of Asia," Kim said.

* A mutual Cultural Agreement between The Democratic People's Republic of Korea and Namibia was signed shortly after independence. Discussions on technical and other assistance to Namibia are presently underway.

* Grant aid in the form of the supply of equipment (10 cars) was implemented after 1990. This kind of general aid and technical assistance, including the training of Namibians, is presently under discussion. The country also has a major involvement in the envisaged Usakos Oil Refinery.

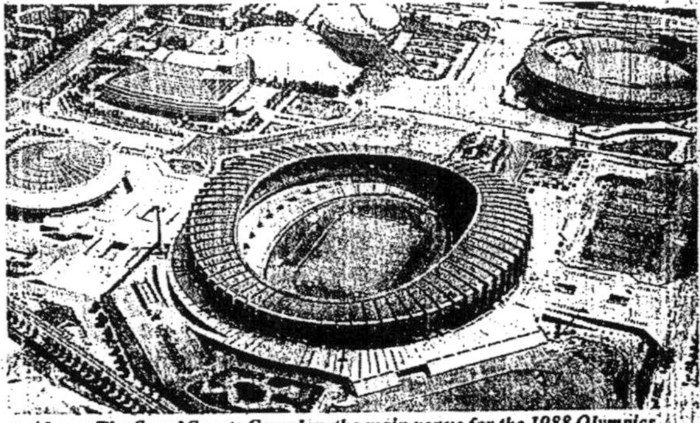

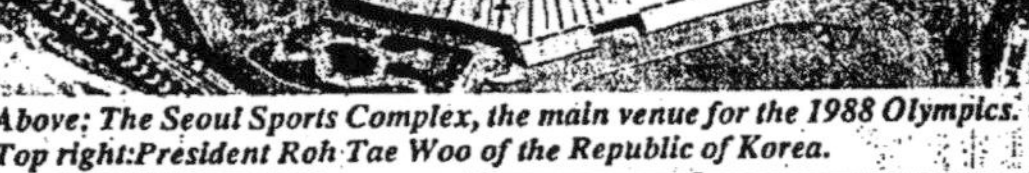

Above: The Seoul Sports Complex, the main venue for the 1988 Olympics.
Top right: President Roh Tae Woo of the Republic of Korea.

OR SOUTH KOREA TO THE UNITED NATIONS WHILE THE STATES WERE INVOLVED INUNIFICATION EFFORTS.

2. 주재국 외 2. 주재국 외무장관이 북한의 유엔가입에 관해 언급함이 없이 아국의 유엔가입

지지를 언론에 천명한 것은 이례적인 것으로써 아국의 유엔가입 당위성을 재천명한것으로 해석되며, 상기 아국의 가입지지 의사표명이 북한의 유엔가입에대한 반대를 의미하는 것은 아닌것으로 관측됨. 끝.

(총영사 박동순-국장)

0075

주 스 위 스 대 사 관

스위스(정) 790-353 1991.7.16.

수신: 장관

참조: 국제기구조약국장, 외교정책기획실장, 구주국장

제목: 한국 UN가입 신청관련 보도

주재국 7.15자 Neue Zuricher Zeitung지는 서울발 AP통신을 인용 한국 UN 가입 신청관련 하기 요지로 보도하였는 바, 동 기사 사본을 별첨 송부합니다.

- 아 래 -

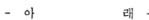

가. 한국국회는 7.13. UN 헌장 수락 동의안을 승인하였는 바, 한국은 91.8초 UN 가입 신청을 할 것으로 알리짐. 이와관련, 유넨 안보리는 8.5.-8.9간 회동, 남북한 유엔가입 신청문제를 처리 예정임. 북한은 남북한 단일 의석 유엔가입안을 고수하여 왔던 방침을 번경, 지난 7.8. 유엔 가입 신청을 하였음.

나. 한편, 연합통신 보도에 의하면 한국은 오는 8.27. 남북 총리회담을 평양에서 개최키로 하는 내용의 북한측 제안을 수락하였다고 함. 북한은 91.2. 한미 합동군사 훈련개시를 이유로 동 회담을 일방적으로 중단 하였으며, 한국측은 이미 91.4. 남북 총리회담 재개를 촉구한 바 있음.

첨부: 상기기사 사본. 끝.

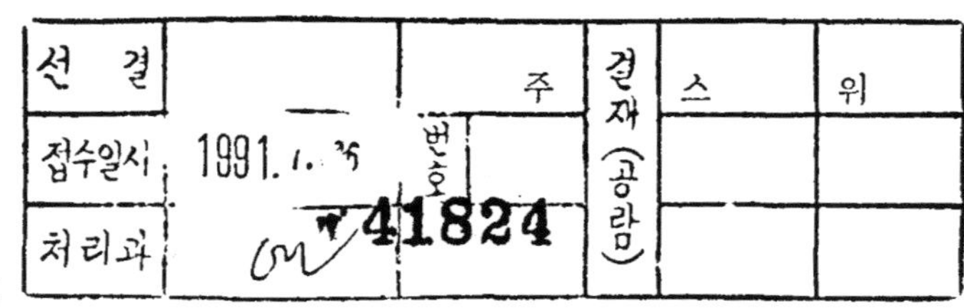

선 결			주	결재(공람)	스	위	스	대
접수일시	1991.7.16	번호	41824					
처리과								

0076

NEUE ZURICHER ZEITUNG 91.7.15.

Entspannungsbemühungen der beiden Korea

Seoul, 13. Juli. (afp) Das Parlament von Südkorea hat am Samstag einstimmig einem Antrag zur Anerkennung der Uno-Charta zugestimmt und damit den Weg frei gemacht für den Beitritt des Landes zu den Vereinten Nationen. Nach offiziellen Angaben aus Seoul will sich Südkorea Anfang nächsten Monats um Aufnahme in die Uno bewerben. Der Uno-Sicherheitsrat soll zwischen dem 5. und dem 9. August zusammentreten, um über die Bewerbungen der beiden Korea um Mitgliedschaft zu befinden. Nordkorea hatte zuerst darauf bestanden, dass das seit Ende des Zweiten Weltkrieges geteilte Land in der internationalen Gemeinschaft nur mit einem einzigen Sitz vertreten sein sollte. Es reichte aber am Montag einen eigenen Antrag um Mitgliedschaft ein.

Südkorea hat am Samstag die Einladung Nordkoreas zu einem Treffen der Ministerpräsidenten beider Staaten am 27. August in *Pjongjang* angenommen, wie die staatliche Nachrichtenagentur Yonhap meldete. Der südkoreanische Ministerpräsident Chung Won Shik habe allerdings Wert auf die Feststellung gelegt, die Initiative zur Wiederaufnahme der Gespräche sei im April von Seoul ausgegangen. Nordkorea hatte im Februar den Kontakt zu Seoul abgebrochen, nachdem südkoreanische und amerikanische Truppen gemeinsam Manöver abgehalten hatten.

0077

외 무 부

종 별 :

번 호 : CAW-0836 일 시 : 91 0721 1540

수 신 : 장관(해신,정홍)

발 신 : 주 카이로총영사

제 목 : 유엔가입 관련기사

주재국 일간지들은 아국 유엔가입에 따른 유엔헌장준수 서명 관련 기사를 다음과 같이보도했음.

. 매체명: THE EGYPTIAN GAZETTE, AL-WAFD 일간지

. 제목: ROH TO ABIDE BY UN CHARTER

. 일자: 91.7.21

. 크기: 1단 X 10CM

. 출처: 당관제공 KPS (7.20일자)

. 요지: 노대통령은 유엔헌장 준수 선언문에 서명한후 남북한의 세계기구 가입은 남북한 관계개선에 도움이 될것으로 기대한다고 언급했음.또한 우리의 유엔가입은 국제사회에 크게 기여하게되고 매우 큰 역할을 하게 될것으로 믿고 있다고말했음.

이미 지난주 유엔가입건은 국회에 통과되었으며,한국의 유엔가입 신청에 따른 국내절차는완전히 이루어졌음.

남북한 유엔가입 신청은 9.17 일에 개최되는 유엔총회에 단일안으로 제출될 것으로 보임.끝.

(총영사 박동순-관장)

공보처 1차보 중아국 문협국 정와대 안기부

PAGE 1 91.07.21 22:22 BU

외신 1과 통제관

0078

1

駐 日 大 使 館

(Page 1 / 1)

JAW(F) : 3715 日 時 :

受 信 : 長 官 (국련, 아일)

發 信 : 駐日大使 (일정, 일경)

題 目 한국 유엔가입 신청

'91 8 -5 18:17 (8. 5 朝、夕 刊)

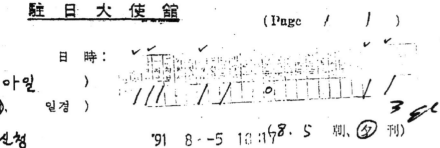

日本経済新聞 1 面

韓国、国連加盟あす申請

【ニューヨーク4日＝宇田川記者】韓国は五日午後（日本時間六日午前）デクエヤル国連事務総長に国連加盟を申請する。韓ソ、韓中や米朝関係の改善を映し各国の反対はない見通し。安全保障理事会は早ければ七日にも、すでに加盟申請を終えている朝鮮民主主義人民共和国（北朝鮮）と同時加盟決議を決議、国連総会に勧告する。総会は九月十七日から始まる今回の日程に合流し、三分の二以上の賛成を得て南北朝鮮の同時加盟を承認することになる。

韓国は五日午後三時（日本時間六日午前四時）から玄鴻柱国連オブザーバー大使が国連事務総長を訪ね、加盟申請と国連憲章の義務順守の宣誓文を提出する。安保理は審査委員会で申請内容を協議したうえ、加盟決議を総会に勧告する決議を採択する。

南北両国の加盟が実現されているのは、韓ソ国交樹立や韓中の貿易代表部相互開設、米朝間の関係改善の動きなど国際情勢が変化するなかで、加盟に拒否権を持つ安保理常任理事国（米、ソ、英、仏、中）が両国の同時加盟の支持を前面に打ち出しているからだ。

0079

3732 5-4

東京新聞2面

統一の夢と現実

先週、ソウルを訪れたが、滞在中、朝鮮民主主義人民共和国（北朝鮮）に関する議論に、先行きへの楽観と懸念が交錯していることを知った。

ソウルでは、北朝鮮の経済危機や国際的孤立の問題は小手先の"ごまかし"だけでは対応しきれないだろう、との見方が広まっている。

同時に、北朝鮮がその強硬な政策を根本から変えれば、南北統一の目標も幻想や夢ではない、との期待が高まっている。そして、将来への新たな不安の源はそこにある。

韓国のある財界人が、それを次のように説明してくれた。一韓国人としてはいうべきではないのだろうが、正直なところ、統一はもっと先であってほしい。北の政府が東ドイツのように倒れたりすると、われわれ南にかかる経済的負担は西ドイツよりはるかに深刻になる」

さらに彼は「韓国にとって最もいいのは、北の政策が着実にゆっくりと変わっていくこと」と言い、「個人的な意見だが、金日成氏が今後十年ぐらいは健康で権力の座にあるのが望ましい」とも付け加えた。

ソウルでは、同じ見方をする指導層が多いばかりでなく、韓国主導型の南北統一があり得ると思う過激な学生たちもいるようだ。ソウルの有名大学のある教授は、過激派の学生たちが大学構内の壁に張った統一反対のポスターを見て驚いた。そのポスターに描かれたイデオロギー的な表現は難しくて分かりにくいが、要するに「北を南の資本主義システムに組み込む統一」に反対と書かれてあったという。これまで韓国政府が統一を妨害すると糾弾してきた活動家の学生たちが、今は逆に北朝鮮の経済危機を統一促進に利用していると抗議する。

北朝鮮に何が、いつ起きるかは、だれにも分からない。北朝鮮の人々は、他に類をみないほど外部の世界の情報としゃ断されており、自分たちの政府の失敗を知った時にどう反応するかも、よく分からない。まして金日成氏の死後のことなど、なおさらである。

しかし、劇的な変化の時は危険な時でもある。北朝鮮は韓国との緊張緩和によって経済危機や外交的孤立のジレンマに対処しようとするか、あるいは軍事的な危機をかきたてて国民を動かそうとするのか。もはやソ連から新鋭戦闘機や化学兵器の供与は期待できないが、それでも核兵器の自主開発で軍事力強化に努めるのだろうか。

核兵器の問題については、日本も重要な役割を担う立場にある。北朝鮮は日本の経済援助を必要としているだけに、日本は北朝鮮に核兵器開発を断念させるためにそれをうまく使えるし、そうすることが日本の国益にもかなう。

北朝鮮の核武装は安全保障だけでなく、事故の恐怖という点でも脅威である。北朝鮮が核兵器プラントの建設を急ぐあまりに事故を起こせば日本は放射能の危険にさらされる。それは、朝鮮半島での戦争の危険より確率が高いかもしれない。

北朝鮮にとって受け入れが可能な国際原子力機関（IAEA）の査察は、核兵器の秘密開発を防ぐ保証としては十分でない。日本は北朝鮮に対し、それ以上の査察システム、もしくは核再処理施設の撤去を要求することで、北東アジアの安全保障の環境づくりに貢献できる。

核の問題では、米国も大事な役割がある。それは韓国から米国の核兵器すべてを引き揚げることだ。抑止力としての核兵器を韓国に配備しておく必要はもうなく、配備の継続は北朝鮮に核の自主開発の口実を与えるだけになる。

南北朝鮮の国連加盟が目の前にある今、韓国政府は朝鮮半島の非核化を提案し、領土内から核廃絶を決めて、米国はその政策の受け入れを公式に表明すればよい。近い将来、米韓両政府が非核宣言をしても驚くにあたらない。

いまや国際政治の舞台で要求される革新的な思考と大胆な行動が、朝鮮半島にも適用されるべきである。

北朝鮮は世界の歴史の流れ、つまり共産主義の後退をいつまでも否定できるはずがない。硬直した政治体制だけに、揺さぶりが始まれば、崩壊が早いかもしれない。ソウルの知識人たちが、今後の歴史の展開に不安を抱きつつも、その将来に楽観的になるのも当然といえる。

（本社客員、米コロンビア大教授）

0080

3732　5-5

東京新聞 4面

国際インタビュー

国連同時加盟で共存時代へ

韓国あす申請

韓国外交安保研究院教授
柳 錫烈氏

韓国政府は五日午後（日本時間六日未明）、国連加盟を申請する。先に申請した朝鮮民主主義人民共和国（北朝鮮）の加盟案とともに近く、国連安保理にかけられ、九月の総会で承認される見通しだ。東欧・ソ連の激変を受けて、慌ただしく動いた朝鮮半島情勢の中で南北国連同時加盟は、最大の〝事件〟といえる。これまでかたくなに国連加盟を拒否してきた北朝鮮が方針を転換した背景は何か。同時加盟は今後、南北統一にどう影響するのか。南北朝鮮問題の権威、韓国外交安保研究院の柳錫烈教授（写真）に聞いた。（ソウル・石塚伸司、写真も）

―北朝鮮が国連加盟を決めた背景は何か。

柳教授　対内的にみたらまず、経済困難に直面している北朝鮮の経済事情があげられる。経済問題を解決するために北朝鮮は、これまでのようにソ連や中国に頼ることができず、米国、日本やその他の西側国家との経済交流が必要だ。しかし日本は北朝鮮との国交正常化で南北対話の促進や核査察受け入れとともに、北朝鮮の国連加盟を前提条件として求めており、米国も南北朝鮮の国連同時加盟を迫っている。日本や米国と関係を改善し経済支援を受けるためには国連加盟は避けられなかった。

―国際的な孤立感も理由の一つではないか。

柳教授　国際的孤立は北朝鮮を支持してきたイラクが湾岸戦争で敗北して以降、特に深刻になった。昨年の国連総会では多くの国が韓国の国連加盟を支持した。北朝鮮自身も国連へ入らざるを得ないと困ったのではないか。最も決定的だったのは、中国の動きだ。李鵬首相は五月、平壌に行き、北朝鮮の単一議席による国連加盟案は非現実的だといい、「韓国の国連加盟には拒否権を使ってくれ」という北朝鮮の要請にも「南北朝鮮の当事者同士が決めることだ」と色よい返事をしなかった。

湾岸戦争でイラク制裁措置を決めるなど、国連がめっきり「力」をつけたことも北朝鮮には打撃だ。国連に顔を背け続けた場合、どんな不利益を受けるか分からず、そのような国連へ韓国だけの単独加盟を許したらとんでもないことになると危機感を持った。北朝鮮が加盟を見送り、後で改めて入ろうとしても、米国が拒否権を使わないという保証はない。韓国と一緒に加盟申請すれば、その心配はないと判断したとみられる。

―国連加盟は北朝鮮の外交路線の変化を意味するのか。

柳教授　南北共存体制を築くための一つの転機となる。北朝鮮は東欧やソ連の変化で自分の体制が崩壊するのではないかとの心配から、韓国の共産化を狙った従来の対南赤化統一路線を進めるより、体制維持の方を優先させざるを得なくなった。金日成主席は先に訪朝した日本の議員団と会った際、「地球の動きに合わせてやっていく」と現実を認めながら、社会主義の原則だけは維持する決意を表明した。

現在の体制を維持するには、北朝鮮が最近、盛んに心配するドイツ式の「吸収統一」を避けねばならず、北朝鮮が国際的な影響力を回復する時まで、韓国とともに国連へ入って韓国との共存体制を築くのが一番と判断したとみられる。北朝鮮は国連に加盟しても「二つの朝鮮」を放棄したわけではないといっているが、対南赤化路線を事実上、留保した以上、韓国の固定化につながる「二つの朝鮮」を受け入れたといわざるを得ないだろう。

―国連同時加盟が朝鮮半島情勢に与えるインパクトは。

柳教授　北朝鮮が国連へ加盟し、さらに国際原子力機関（IAEA）の核査察を受け入れれば、

朝鮮半島の安定に国際的保障

日本が対北修好の前提にして提示した条件が満たされ、国交正常化交渉が本格化になる。日朝の動きにつれ米国も北朝鮮と関係改善に乗り出し、日朝修好も実現、行き着くところは朝鮮半島のクロス承認だ。

南北が同時に国連へ入れば朝鮮半島の平和と安定に国際的な保障を得ることになる。いずれも朝鮮半島の緊張緩和という点から大きな意味を持つ。

―当然、南北統一にもプラスになる？

柳教授　その通りだ。朝鮮半島の緊張緩和や平和定着なしに統一は不可能であり、緊張緩和は統一への重要な前段階といえる。またこれまで南北対話は中断されることが多かったが、今後は国連の場で南北が恒常的に対話することが可能になる。北朝鮮の国連加盟で米国や日本との経済交流が活発になれば、北朝鮮の経済難も徐々に解消され、長期的にみると、（主に韓国が負担することになる）統一の費用を節約することになる。

南北が一つの国家になることだけが統一ではない。相互に人が往来し経済交流が実現すれば、これも統一と考えてよい。南北間では国連加盟で共存共栄の時代に向けた具体的な協力が進み、九〇年代後半から統一への兆候が現れるだろう。

0081

발신: 주유엔 공보관
수신: 유엔 一 과장
FAX: 011-822-739-5986

NEW YORK TIMES **INTERNATIONAL** TUESDAY, AUGUST 6, 1991

Seoul Applies to Join the U.N.; Approval Is Seen This Week

By JERRY GRAY

Special to The New York Times

UNITED NATIONS, Aug. 5 — South Korea applied for separate membership in the United Nations today in a bid that diplomats, including those of North Korea, said was certain to succeed after nearly a half century of failures.

"This step definitely will improve the international standing of both Koreas and will help smooth and improve relations between the two Koreas," the head of the South Korean observer delegation, Roe Chang Hee, said at a news conference shortly after meeting with Secretary General Javier Pérez de Cuéllar to submit the application.

"This is a positive step for peaceful reunification," Mr. Roe said.

The warming of East-West diplomatic relations, the example of a reunified Germany and North Korea's yielding to the idea of having two Koreas represented in the United Nations paved the way for what is expected to be an unchallenged acceptance of the Republic of Korea into the world body.

North Also Applies

North Korea, officially known as the Democratic People's Republic of Korea, applied for separate membership on May 29, ending its insistence going back to the end of the Korean War in 1953 that the North and South enter only as one nation and only under the North's Communist leadership. North Korea's application is also expected to win easy approval.

The Security Council is to meet on Thursday to vote on the applications.

North and South Korea, rivals since the division of the peninsula in 1945, now have nonvoting observer status at the United Nations, but they are expected to be admitted as the 160th and 161st member nations when the annual General Assembly opens Sept. 17.

Mr. Roe said the vote on the applications will be under one resolution, meaning that both nations will become members at the same time. But he said North Korea would be seated 160th, just ahead of his nation, because its name is first alphabetically.

The Federated States of Micronesia and the Republic of the Marshall Islands have also applied and are expected to be voted in this fall, bringing membership to 163 nations.

Over four decades, North Korea relied on the Soviet Union and China to use their Security Council vetoes to block South Korea's attempt to join the United Nations independently.

But a warming of diplomatic relations between South Korea and the two giants of the Communist world led Moscow and Beijing to make it known this year that they would no longer oppose Seoul's attempt to enter.

South Korea had applied for admission into the United Nations five times between 1949 and 1975, and resolutions on its behalf were introduced three other times, but all the attempts failed.

North Korea's attempts at joining the world organization alone met with failure twice — in 1949 and in 1952 — and two resolutions by the Soviet Union on behalf of its ally were vetoed by Western nations in 1957 and 1958.

"The East-West conflict was the force that kept the two Koreas from joining," Mr. Roe said.

0082

원 본

외 무 부

종 별 :

번 호 : CPW-1932 일 시 : 91 0806 1500

수 신 : 장 관(국연,아이,정특,정보,기정)

발 신 : 주 북경대표

제 목 : 유엔갑입 신청 보도

주재국 국제라디오 방송은 금 12시 뉴스에 아국의 금일 새벽 유엔가입 신청서 제출사실을 사실 보도하였음.끝.

(대사 노재원-국장)

국기국 1차보 아주국 외정실 외정실 안기부

PAGE 1

91.08.06 16:24 WH

외신 1과 통제관

0083

외 무 부

종 별 :

번 호 : HKW-2713 일 시 : 91 0806 1730

수 신 : 장 관(해신,아이,국련,기정)

발 신 : 주 홍콩 총영사

제 목 : 현지 언론반응

대: AO-22

1. 당지 중문지 성도일보는 8.6자 사설을 통하여 아국 유엔가입 신청과 연계한 중국의 대외정책을 '중국은 월남과 한국을 끌여들여 자국을 보호하려함' 제하 게재함

2. 동지는 중국이 일국 양체제를 원하지 않음에도 불구하고 김일성을 설득하여 북한이 남북한 유엔동시가입신청을 하도록한것은 독일에서의 경우와 같이 한국이 북한을 흡수통합하지 않을까 염려하여 마지못한 조치라고 설명하고 중국이 국제사회에서'신사 회주의연맹'을 지속시키기 위해 북한, 월남, 쿠바등을 끌여들이고 있다고 분석함

3. 기사원문 및 번역문 해공팩스 송부함.끝

(총영사 정민길-외보부장)

공보처 아주국 국기국 외정실 분석관 안기부

PAGE 1

91.08.06 22:00 CT

외신 1과 통제관

0084

駐日大使館

(Page 7 - 1) 10 매

JAW(F) : 3760 日 時 :

受 信 : 長 官 (아주, 국연)

発 信 : 駐日大使 (일정 일경)

題 目 남북한 유엔가입

1111/11o 1 / / 1

(8.7 朝、夕 刊)

'91 8-7 -7 :45

南北朝鮮同時加盟へ

国連、外交合戦の舞台に

基調演説

双方「平和提案」か

周辺国との接触も活発化

【ソウル6日下山正晴】九月十七日開幕する第四十六回国連総会は、南北朝鮮の同時加盟という歴史的イベントを機に、南北の当事国と周辺各国が交流・接触しあう外交合戦の舞台になりそうだ。

南北朝鮮の国連同時加盟は、国連安保理の全員一致で加盟勧告が八日採択される見通し。韓国政府筋によると、すでに理事国の非公式接触による"根回し"が完了しており、理事会・国連総会ともにスンナリ加盟が認められることになろう。

総会開幕時、李相玉・韓国、金永南・朝鮮民主主義人民共和国（北朝鮮）両外相を首席とする代表団が出席する見通しだ。アルファベット順により、北朝鮮（DPRK）が百六十番目、韓国（ROK）が百六十一番目の加盟国になる。双方の国連負担金は、国民総生産（GNP）などの格差から、韓国が年間二千万ドルに対して、北朝鮮は同七十万ドルになると推計されている。

両国の基調演説は、韓国の盧泰愚（ノ・テウ）大統領が九月二十四日ごろ、北朝鮮は延亨黙首相が十月上旬ごろに行う。この場で双方ともに、朝鮮半島の緊張緩和・安定策についての"平和提案"を行い、それぞれの主張の優位性を競い合うことになりそうだ。

注目されるのが、国連総会を舞台にした南北朝鮮と周辺国の外務省首脳同士の交流と接触。日本の中山外相と金永南外相、中国の銭其琛外相と李相玉外相、さらに南北外相同士の接触など、さまざまな組み合わせが考えられる。「二つの朝鮮」が国際舞台に公式的に登場することで、従来以上に熱を帯びた外交合戦が繰り広げられることになる。

毎日新聞 6 面

0085

'91年 8月 7日 8:23

3760　　7-2

社説

A

共存の時代に入る朝鮮半島

アジアに残る「冷戦の化石」といわれた朝鮮半島に、大きな転機がおとずれた。南と北に分かれた国が、半世紀近い反目と対立の時代を過去のものとし、国際社会の平等な一員として「共存する時代」の幕を開けようとしている。

韓国が正式に国連加盟の申請手続きをとった。一方、朝鮮民主主義人民共和国（北朝鮮）は先月、「南北単一議席による共同加盟」という従来の主張を取り下げて、ひと足先に加盟手続きを済ませている。出そろった二つの申請は九月の国連総会で一括審議され、南北がそれぞれ一議席で同時加盟が認められる運びだ。

体制の違いを超えて緊張緩和と協調に向かおうとする世界の潮流が、両者の国連加盟の背景にあるのはもちろんだ。八九年に欧州から始まった「冷戦後」の新秩序づくりが、旧秩序の傷跡を最も深く刻んだ北東アジアにも、やっと本格的に及んできたことは大いに歓迎すべきことである。

世界はいよいよ相互依存を強め、国連の役割は高まっている。南北朝鮮がその国連を舞台に、安定した対話のパイプを新たに獲得した意味も大きい。国連憲章を始めとする国際的なルールが、両者の共通の土台になり、合理的かつ公正な対話がすすめられることを期待したい。

だが、これで一気に具体的な動きが出て、半島が「平和的共存」の時代に入るとは残念ながら楽観できない。内戦と分断によってつちかわれた不信の根はやはり深い。休戦ラインを挟んで強力な武装力が向き合う事態もいますぐには変わるまい。

とはいえ、国連加盟という新たな情勢は、八月下旬に再開される南北首相会談にも影響を与えよう。これまでの「休戦体制」にかわる「平和体制」へ移行するため、戦争回避の枠組みをどうつくり出すか。建設的な対話をすすめてもらいたい。

南北の統一モデル案の「韓民族共同体統一案」と「高麗民主連邦共和国創立方案」は、実はかなり中身が接近してきている。不可侵宣言や三通（通行、通信、通商）協定など、当面の緊張緩和と信頼醸成の面での提案合戦でも、両者に歩み寄りの姿勢が見えるのは好ましい兆候である。

民族を引き裂いた歴史的背景に責任を持つ日本はもちろんのこと、アメリカ、ソ連、中国といった国々は、両者が平和的な建設に力を集中できるよう周辺環境を整える努力を、これまで以上に積極的に果たしてもらいたい。

最近、北朝鮮の金日成主席はわが国の代表団に対し、「わが国も地球の上に住んでいる。地球の動きに合わせていきたい」と語ったと伝えられる。

世界は、ゴルバチョフ・ソ連大統領とサミット参加国首脳との対話実現や戦略兵器削減条約（START）の調印など、さらに和解の時代への変化を加速させている。金主席の言葉は、こうした新時代のすう勢を冷静に見極めたうえで、より柔軟な政策へ転換しようとの決意をにじませたもの、と理解したい。

日本はこうした北朝鮮の「開かれた国」への道のりが、できるだけ転換期の矛盾や混乱を避けられるよう協力を惜しむべきではない。近く再開される日朝政府間交渉の場でも、その意思を相手方にはっきりと伝える必要があろう。

国交正常化の事実上の前提としてきた南北の国連加盟と対話の促進という条件は前進した。政府は引き続き北側に核査察の無条件受け入れを求めつつ、積極的かつ誠意ある態度で交渉にのぞむべきだ。

朝日新聞 2面

0086

3760

7-3

毎日新聞 5面

M5

社説

南北の国連加盟を歓迎する

韓国が国連加盟を正式に申請した。朝鮮民主主義人民共和国（北朝鮮）は七月にすでに申請をすませている。安全保障理事会は八日にも、南北両朝鮮の加盟申請を一括案件として処理し、国連総会に対する加盟承認勧告を決議する。

南北朝鮮がそれぞれ独立した「国家」として、平等の立場で国際社会に受け入れられる運びになったことを、私たちは心から祝福する。同時に、双方が国連加盟国として果たすべき諸義務を、完全に引き受けるよう期待してやまない。

また両者の国連加盟が、南北関係の将来にどのような影響をもたらすのか、期待感をもって見守りたいと思う。南北の国連同時加盟によって、朝鮮半島が平和共存志向の新しい段階に入り、平和と安定への確実な足音が聞こえるようになるのではないかと予想されるからだ。

国連憲章は加盟国が相互に主権を尊重するよう求めており、南北とも加盟にあたって憲章を順守することを誓約している。双方は今後、板門店でもニューヨークでも随時話し合うことができるし、国連加盟国との対話の機会も増える。そのいずれの場合にも、国際ルールを厳格に守ることが求められるだろう。

だがそのことが、北朝鮮が恐れるような、分断固定化につながるとは思われない。統一は全朝鮮民族の強い願望である。国連加盟でこの願望がつぶされるとは考えられない。南北両政府とも、分断の現実を公式に認識したことを説明しただけで、分断の固定化を承認したわけではないであろう。

二十七日から平壌で南北首相会談を開くことが決まっている。この会談は昨年九月ソウルで第一回が開かれ、今度が四回目である。本来二月に開かれるはずだったが、米韓合同軍事演習（チームスピリット）のため、北朝鮮が一方的に延期していたものだ。

北朝鮮が首相会談再開を提案したのは七月十一日である。国連加盟申請はその直前の八日。それまでに盧泰愚、ゴルバチョフ両大統領の韓ソ首脳会談（四月二十日、済州島）、北朝鮮の国連加盟意思表明（五月二十七日）、北朝鮮の国際原子力機関（IAEA）査察受け入れ表明など、朝鮮半島情勢を揺るがす重大な動きがあった。

北朝鮮の外交攻勢は極めて積極的になっており、一方的に中断していた日朝国交交渉も、八月末に再開することで日本側と合意した。こうした一連の活発な行動をみると、国連加盟の決定にともなって、ある種の政策的な重要決定があったことがうかがわれる。

金日成主席は七月二十四日、日朝友好促進議員連盟訪朝団に「わが国も地球の上の一つの国であり、地球の動きに合わせてやっていく。しかし社会主義の旗印だけは守る」と述べた。これは実に興味深い発言で、これまで孤立がもたらす威信ともいうべき効果を求めてきた外交を一転させて、国連加盟以降は国際社会の動きに合わせて行動することを宣言したとも読める。

北朝鮮が、国連加盟に合わせるように南北首相会談再開を提案したのは、加盟とは関係なく統一への対話を続ける意思をはっきりさせたものである。韓国側の盧泰愚大統領は今世紀内の統一は可能」と発言するかたわら、統一がドイツ型の吸収統一になるとチラつかせている。

韓国ペースに乗らず、北朝鮮が独自のイニシアチブで統一を進めるには、絶えざる対話を仕掛けていかねばならない。国連加盟が現実のものとなったいま、両者の対話はいっそう厳しくならざるを得ない。

北朝鮮首相が演説の見通し

来月からの国連総会

【ソウル6日＝小田川興】朝鮮民主主義人民共和国（北朝鮮）の延亨黙首相は、南北朝鮮の国連同時加盟が予定される九月の国連総会に出席し一般演説をする見通しだと、韓国紙が六日報じた。延首相が国連総会で演説すれば、北朝鮮首相として初めてのこととなる。

0087

3700

毎日新聞 6 面

7-4

≪南北朝鮮と国連問題などの推移≫

48. 8.15 大韓民国（韓国）成立
48. 9. 9 朝鮮民主主義人民共和国（北朝鮮）成立
48.12.12 第3回国連総会で韓国を「朝鮮の唯一合法政府」と認定
49. 1.19 韓国、最初の国連加盟申請
49. 2. 9 北朝鮮、最初の国連加盟申請
49. 4. 8 中華民国、国連安保理に韓国加盟勧告決議案提出。ソ連が拒否権行使
49. 9 韓国、国連常駐オブザーバー資格を取得
49.10. 1 中華人民共和国成立
50. 6.25 朝鮮戦争ぼっ発。米軍は国連軍として参戦
51.12.22 韓国、国連加盟再審請求
52. 1. 5 北朝鮮、国連加盟再申請
53. 7.27 休戦協定調印
57. 9 米国などが安保理に韓国の国連加盟勧告決議案提出。ソ連は北朝鮮加盟勧告も含む修正案提出。いずれも否決。58年も同じ動き
71.10.25 中華人民共和国国連入り、台湾は脱退
72. 7. 4 自主・平和・民族大団結をうたった南北共同声明
73. 6.23 朴正熙大統領が平和統一外交政策を発表し、南北同時加盟に反対せずと表明
73. 9 第28回国連総会。東西ドイツ、国連同時加盟。北朝鮮は常駐オブザーバーの資格取得。南北一括加盟の動きを、北朝鮮などが阻止
74.12. 9 在韓国連軍解体を求める北朝鮮支持国の決議案は賛否同数、総会議事規則により否決
75. 9 韓国、5度目の国連加盟申請
75.11.18 国連総会、韓国支持と北朝鮮支持の矛盾する決議案をともに採択。これ以後、国連総会での朝鮮問題討議はなし
80.10.10 金日成主席、第6回朝鮮労働党大会で高麗民主連邦共和国構想を提示。連邦共和国としての国連加盟を主張
88. 7. 7 盧泰愚大統領特別宣言。北朝鮮を「同伴者」と規定
88.10 盧泰愚大統領と姜錫柱・北朝鮮外務次官が国連総会で相次ぎ演説
89. 2. 1 韓国、ハンガリーと国交樹立。以後、東欧諸国と次々と国交樹立
90. 5.24 金日成主席、最高人民会議で南北統一前の単一議席による共同加盟に言及
90. 9. 5 第1回南北首相会談で北朝鮮は単一議席での国連加盟問題を緊急提案
90. 9.28 日朝3党共同宣言
90. 9.30 韓ソ国交樹立
90.12.14 訪ソした盧泰愚大統領にゴルバチョフ大統領は南北同時加盟支持を表明
91. 1. 8 盧泰愚大統領、年頭会見で国連単独加盟申請方針を表明
91. 5. 3 李鵬・中国首相、平壌訪問。「国連問題は南北で話し合い解決を」と表明
91. 5.27 北朝鮮外務省、国連加盟方針を声明
91. 7. 8 北朝鮮、国連に加盟申請書を提出
91. 7.11 北朝鮮、南北首相会談の8月末再開提案、韓国受諾
91. 8. 5 韓国、国連に加盟申請書を提出

毎日新聞 3 面

政府

南北朝鮮の国連同時加盟
「日朝」進展には慎重

政府は、韓国の国連加盟申請により九月の国連総会での韓国と朝鮮民主主義人民共和国（北朝鮮）の同時加盟承認が確実になったことを「日朝国交正常化交渉のよい環境づくりになる」（外務省筋）と将来的には歓迎しながらも、これによって日朝交渉が一気に進展するかどうかは「国連加盟後の北朝鮮の態度を見ないとわからない」（同）と慎重な見方を崩していない。

日朝国交正常化交渉は、今月下旬北京で第四回交渉を開くことで合意しており、両交渉で日本側は、察、国連同時加盟、南北対話に関する北朝鮮側の度について一定の評価をき、「基本問題」「経済題」「国際問題」「その他」の四つの議題について実質的な話し合いに入りたいしている。しかし、外務は北朝鮮が無条件で核査察を受け入れる用意があるどうかは九月に予定されいるIAEA理事会や国総会での北朝鮮側の対応見ないと判断できないとており、第四回交渉につて「大きな進展はないだう」（幹部）との見通し示している。

0088

3760

1-5

毎日新聞 6 面

「悪口にはあきあき」国連の南北朝鮮史

東西対立受け45年論争

47—91年

南北朝鮮の国連加盟申請が出そろい、安保理による加盟勧告と九月総会での同時加盟承認を待つばかりとなった。国連を舞台に、南北はどんな外交戦を繰り広げるのか。新しい出発点からの展望のために、国連における南北朝鮮国連論議の経過をまとめてみた。

（外信部・小島哲夫）

「朝鮮問題で毎年、東西が悪口の言い合いを繰り返すのにはあきあきした」。中立国マルタの代表が、率直な演説をぶったのは一九六八年の国連総会だった。朝鮮半島に関する不毛な論議と、問題打開の難しさを象徴するエピソードとして、国連史に残るだろう。

国連はその誕生の直後から、米ソ対立によって南北に分断された朝鮮半島と深いかかわりを持った。一九四七年の第二回総会で「臨時朝鮮委員会」が設立され、その監視下で総選挙を実施することになったが、結局、三八度線以南での単独選挙。そのまま韓国と朝鮮民主主義人民共和国（北朝鮮）の建国へとなだれこんだ。

翌年の総会では韓国のみを「合法政府」とし、朝鮮戦争では米軍が「国連軍」として参戦した。

朝鮮戦争休戦後の五五年からなんと七〇年まで毎年、東西両陣営は国連総会を舞台に、論争と多数派工作にシノギを削った。東側は①既にオブザーバー資格を得ていた韓国に加えて北朝鮮も討議の場に招請する②米軍を韓国から撤退させる——などを訴えたが、十六連敗に終わった。

二年間の朝鮮問題討議タナ上げを経た七三年は、台湾政府に代わり代表権を得たばかりの中国の支援や、東西ドイツの加盟といった情勢もあって、事態は若干様変わり。北朝鮮はオブザーバー資格を獲得し初めて国連に代表団を送り込んだ。七四年の総会では在韓国連軍（実質は米軍）の解体を求める北朝鮮支持国の決議案が賛否同数。総会議事規則で否決されたが韓米日三国を青ざめさせた。

七五年総会では、在韓国連軍司令部の解体に関して矛盾する決議案がともに採択され、翌年以降、国連総会での朝鮮問題討議は消滅した。韓国が繰り返してきた加盟申請も、七五年を最後に中断した。

その後も南北の対立は続き、北朝鮮は、韓国の南北同時加盟ないし単独加盟の動きに対しては「南北分断を固定化するもの」と反対。統一後の加盟を原則とし、昨年初めて、「統一前でも単一議席でなら加盟してよい」との姿勢を打ち出した。

しかし韓国は経済成長した経済力を背景に、ソ連・東欧諸国との外交関係樹立に成功。外交関係設定国数は現在百四十七カ国と、北朝鮮の百六カ国に大差をつけた。中国でさえ韓国の単独加盟に拒否権を行使しないような状況をつくり、北朝鮮を防御的な加盟申請へ追い込んだ。

0089

3760

9-6

朝日新聞 6 面

南北朝鮮国連加盟

「国家連合」の序曲に

趙明勲
ドイツ・アジア問題研究所常任研究委員

一部では、東西ドイツ統一の例をあげて、南北朝鮮の国連同時加盟がイコール統一へ向かう道だと見る向きもあるが、それはドイツの状況をよく知らないからだ。ドイツの統一は東欧圏の崩壊によって可能になったのであって、国連同時加盟によって実現したわけではない。

南北朝鮮は国連同時加盟が分断の固定化につながらないよう、努力しなければならない。が、国連同時加盟は二つの主権国家が条約に基づいて並立する「国家連合」へと進む序曲であるとみなせる。

つまり、北は六〇年代以来、連邦国家を主張してきたが、今回、独立した国号で国連に加盟することにより、実質的に国家連合の方向に旋回したとみることができる。南の「韓民族共同体統一案」も実質的には国家連合だ。

ドイツの統一は「早産」で多くの副作用をもたらしている。南北がこうした試行錯誤をしないためにも、国家連合形成に進むべきだと私も考える。これは、北の体面を保つ一方南側も当面、統一のための費用を一方的に負担する必要がないから、お互いにとって有益だ。南北統一は、国家連合、次いで連邦国家、そして単一国家という三段階を経るべきだ。南北国連加盟の機会を上手に活用すれば、国家連合まで三年、連邦国家までは五年以内に到達できるだろう。

北の体制の変化は今後、急速に進むと見る。一年前までは、金正日書記がいったんは権力を受け継ぐが、維持することが出来るかどうか、と疑う見方がほとんどだった。しかし最近、ドイツで北の外交関係高官らとの接触を通じて判断すると、金正日書記が権力を受け継げるかどうかすら疑わしい。

（ソウル＝小田川興）

0090

7-7

3760

北朝鮮、現実を重視

韓国、まず関係改善に力

国連南北同時加盟へ

韓国政府が国連加盟を申請したことで、すでに申請済みの朝鮮民主主義人民共和国（北朝鮮）と合わせて南北朝鮮の国連同時加盟の実現が確実となった。東西冷戦構造が崩壊する中で、南北双方はそれぞれの生き残りをかけて共存という現実路線を選択したといえる。これにより、南北の統一は早まるのか、あるいは分断が固定されるのか、また中断している日本と北朝鮮の国交正常化交渉への影響は――。朝鮮半島は「南北共存時代」へ第一歩を踏み出した。

N3

統一加速か 分断固定か

【ソウル6日＝鈴置記者】「南北関係は来年には必ず前進する。そして国連加盟を機に来年中に韓中も、日朝関係も進展するだろう」――。ソウルの青瓦台（大統領府）で対北朝鮮政策を担当する金[illegible]政策調査補佐官は南北朝鮮の国連同時加盟についてコメントし、こんな見通しを明らかにした。

金補佐官によれば、南北朝鮮の国連同時加盟とは「北（北朝鮮）の軟化のサイン」である。北朝鮮はかねて単一の議席による国連加盟を主張、韓国との同時加盟には反対してきたからだ。同補佐官は「従来の路線では国際的孤立や経済困難から脱出できないと北朝鮮の金日成主席自身が十分に承知しているはず。北朝鮮はさらに現実路線を進めるだろう。経済交流にも応じる気配だ」と指摘する。

中国は国連加盟を渋る北朝鮮に対し「韓国に吸収されたくなかったら国連に加盟し平和共存を打ち出すしかない」との論理で説得した、とされる。そして南北同時加盟で、中韓国交正常化に北朝鮮も反対しにくくなった。韓国では中韓国交樹立は秒読みの段階、と受けとめられている。米朝関係は今のところ進展を見せていない。しかし北朝鮮が核査察を受け入れればのどに刺さったトゲが抜けた格好となり、急進展すると見る向きも多い。

国連加盟で南北の対立がむしろ激化する、と恐れる向きも一部にはある。北朝鮮は「平和共存への合意」を示かし、これまで韓国が拒否してきた南北不可侵宣言の早期採択、在韓米軍の撤収、そして朝鮮半島の非核地帯化などを強力に主張する可能性が強いという見方だ。

だが韓国も譲歩すべきところは譲歩する構えだ。最近、[illegible]条件付きながら米軍核兵器の撤去や核査察問題の交渉にも応じる姿勢を打ち出している。八月末に平壌で開催される南北首相会談は、従来とは雰囲気が変わり、こうした問題が前向きに討議される可能性が強い。

韓国の[illegible]国連オブザーバー大使も五日、韓国のテレビのインタビューに答え「我々は北朝鮮の崩壊に[illegible]期待していない。北朝鮮を吸収しようとも意図していない」と述べた。もちろん北朝鮮の[illegible]攻勢に対抗する意図もある。しかし北朝鮮をあまりに追い詰めるのはかえって危険との判断があるのも事実だ。

ドイツ統一以後、韓国には「吸収統一」の[illegible]が広がった。だが実は経済力のあった旧西独でさえ旧東独を[illegible]しんでいるのを見て、すっかり醒めた。「吸収統一につながる」北朝鮮の経済的研究を実施した[illegible]シンクタンク、韓国開発研究院（KDI）の研究では[illegible]北朝鮮は深刻な[illegible]経済難、[illegible]しているといわれる。[illegible]意図しなくとも、[illegible]体制が崩壊すれば[illegible]難民が韓国を目指すと[illegible]と韓国内ではみている。

とりあえずは関係改善[illegible]北の経済力を支え、南北の[illegible]を促すことが大事。[illegible]合意がようやく韓国政府[illegible]されつつある。七月の[illegible]から[illegible]大統領は「吸収統一[illegible]とらわれるべきではない」[illegible]で強調。その後、政府は「吸収（併合）」という言葉をピタリと使わなくなった。これも韓国側のサインであるに違いない。

南北の共存体制への歩み[illegible]双方の"現実派"の[illegible]始めたといえる。[illegible]北朝鮮でも事情は同じだ。何かの突発事件があれば[illegible]の合意は崩れるかもしれ[illegible]「[illegible]は統一への出発[illegible]（[illegible]）ではあるが[illegible]るべきハードルは[illegible]

韓国		北朝鮮
4,238万人	人口	2,138万人
0.97%	人口増加率	1.64%
9万9千平方キロ	国土面積	12万2千平方キロ
2,101億ドル	国民総生産（GNP）	211億ドル
4,968ドル	1人当たりGNP	987ドル
6.7%	経済成長率	2.4%
4.4%	GNPに対する軍事費の割合	21.3%

南北朝鮮の主要経済指標（1989年）

（注）韓国の経済指標は暫定値。韓国のデータは韓国経済企画院、北朝鮮は韓国国土統一院の調べによる。人口関連のデータ及び国土面積は年末時点。

日本経済新聞 3 面

「統一への影響と時期は？」専門家緊急アンケート

	統一への影響は？	統一はいつ？
小牧輝夫・アジア経済研究所動向分析部長	国連を舞台に南北政策協調の場が増え、統一の前段階となる協力関係にプラスに働く	今世紀末
[illegible]・静岡県立大助教授	南北がお互いを尊重しつつ併存するということになり、統一へのひとつのステップになる	2つの制度を残しての統一合意は早ければ3年程度で可能
武貞秀士・防衛研究所研究部長（アジア太平洋担当）	良い影響はない。北朝鮮は韓国に統一論争を挑む場をつくったと認識、対立点が浮き彫りに	今世紀中は難しい。北朝鮮の後継体制がカギ
深川由起子・長銀総合研究所副主任研究員	安保理常任理事国である中国の影響力が増大、北朝鮮に開放圧力が強まり、統一に弾み	10年以内に韓国への吸収合併の形で
元英樹・朝鮮時報（本社東京）政経部長	米国を中心とする外部勢力を排除する方向で統一に向かうことになる	1995年
康仁徳・極東問題研究所所長（韓国）	信頼関係が生まれ、北が従来のドグマ的発想を転換させることも期待できる	21世紀

0091

국연

외 무 부

종 별 :

번 호 : MIW-0107 일 시 : 91 0807 1530

수 신 : 장 관(아프이,국연,정보)

발 신 : 주 말라위 대사

제 목 : 한국의 UN가입에 관한 관계기사보고(응신자료제91-7호)

1. 주재국 영자신문인 DAILY TIMES지는 'SOUTHKOREA SUBMITS APPLICATION TO JOIN UN'제하에 한국의 UN가입신청에 관한 기사를 금일(8.7)자 게제하였음. 동 신문은한국이 8.5(월)UN가입 신청서를 공식으로 제출하였다고 외무부대변인 말을 인용보도하고 UN가입신청서 및 UN헌장의무 수락선언서를 노창희 UN대사가 UN사무총장에게 전달하였다고 언급하였음.

2. 또한 북한은 별도로 7.8일 UN가입신청서를 제출하였으며, 이는 남북한 두개국가로의 가입을 반대해온 북한의 수십년에 걸친 종전입장에 종지부를 찍은 것이라고논평 하였음. 한편 별개국가로의 가입은 남북분단을 고착화하려는 것이라고 주장해온 북한은 서울의 UN가입시도가 안보리에서 동맹공산국가들에 의하여 실패로 돌아갈것을 믿어왔으나, 서울의 성공적인 북경및 모스크바 외교노력으로 북한은 어쩔수없이UN가입신청을 하게되었다고 보도함. 끝.

(대사 박영철-국장)

중아국 1차보 국기국 외정실 분석관 청와대 안기부

PAGE 1 91.08.08 02:26 FN

외신 1과 통제관

0092

302 가

駐 日 大 使 館

(Page 4 -1)

3791

JAW(F) : 日 時 :

受 信 : 長 官 (국련, 아일)

発 信 : 駐日大使 (일정, 일경)

題 目 유엔가입 (8.9 朝, 夕 刊)

韓国紙一様に冷静

国連加盟決定 市民は安どと不安

【ソウル九日＝河田卓司】南北朝鮮の国連同時加盟が事実上、決定したのに対し、韓国では一夜明けた九日、新聞各紙が一面、特集面で報じているが、各紙ともその論調は今後の南北関係、統一への展望を中心に極めて冷静なトーンとなっている。実際、韓国の市民たちは総じて、国連加盟を「歴史的な出来事」と感じてはいるものの、これによって統一へ近づいたなどと、単純な受け止め方は全くしておらず、複雑な思いで見つめているようだ。

一般市民たちが今回の国連加盟で、まず感じるのは「これで当面、南北間で戦争が起きる可能性は遠のいた」というホッとした思いだという。それほどにかつての朝鮮戦争の記憶は生々しい。しかし、同時に、「南北とも国際社会で正式に二つの国として認められてしまい、将来本当に統一ができるのだろうか」＝ソウルの会社員（二七）＝という不安も感じるといい、喜びと不安が交錯した複雑な心境をのぞかせている。

読売新聞 2 面

0093

4-2

3791

毎日新聞 2面

南北朝鮮国連同時加盟勧告決議

「悲願の統一」へ一歩

喜ぶ市民 国際的地位向上も期待

韓国

【ソウル9日[illegible]】南北朝鮮の国連同時加盟が事実上決まり、ソウル市民はその歴史的瞬間に胸を高ぶらせ、民族の悲願・統一への大きな一歩と期待を寄せている。

時差の関係で、安保理の勧告決議が行われたのは韓国の九日未明。生中継を見逃した国民のため、KBSテレビ（韓国放送公社）はこの日午前七時から特別番組を組み、その「瞬間」を繰り返し放映した。

ソウル駅でテレビをみていた六十歳の男性は「これで南と北の平和共存体制が確立したと思う。あとは統一に向かって進むだけだ。国連は平和定着の条件作りは後押ししてくれるが、統一はわれわれ自身が推し進めなければならない」と話した。

この男性は朝鮮戦争直前に平壌からソウルに移り住んだ。北朝鮮には両親と兄弟を残してきたという。「両親は亡くなったと思うが、兄弟は生きているはずだ。会える日はきっとやってくる」。南北合わせて離散家族は一千万人いるといわれる。対面実現の日は近い—この男性と同じ感慨を持った国民は多いだろう。

一方、若い世代は「国連加盟を機に韓国はさらに発展する」と現実的に受け止めているようだ。ある女子大生(22)は「国際社会で一つの国家としてものを言えるようになるのが非常にうれしい。韓国の国際的地位はこれでさらに向上するでしょう。北韓（北朝鮮）とも国連の資格で交渉ができるし、南北関係の改善は早いスピードで進むと思う」と話していた。

安[illegible]・ソウル大教授（政治学）は「平和定着のための舞台が作られたことを意味する。従来の休戦協定を平和協定に代える問題や核の査察、南北貿易などの懸案解決のため、南北は持続的な努力をしなければならない」と指摘した。

北朝鮮は冷静

【平壌8日共同】国連安保理で八日、朝鮮民主主義人民共和国（北朝鮮）と韓国の同時加盟が事実上認められることについて、北朝鮮は冷静にこれを受け止めている。

(町)

ロネシ[illegible] 平壌放[illegible] 加盟」は 9日の 「国連」ソ 日、南 総括の えた。 北朝鮮 まり大 か、プ ニコフ の統一 始まり」 ソ連 を樹立 府を認 る。冷 府、南 の外交・ しない。 が深み、 が強まり 関係の 方がソ連 る。

対韓正常化進むと歓迎

中国

【北京9日金子秀敏】南北朝鮮の国連同時加盟が事実上決まったことは、中国にとって韓国との国交正常化への障害がまた一つ減ったことを意味する。今後、中韓関係の正常化交渉のテンポも早まるだろう。

中国の国営放送は九日朝の全国ニュースで国際ニュースのトップに国連安保理の決議をとりあげ、安保理の採択を示した。また国営通信新華社の英文ニュースは、国連本部発で勧告決議を伝えたが、韓国をこれまでの「サウス・コリア」（南朝鮮）でなく、「リパブリック・オブ・コリア（ROK）」（大韓民国）と正式国名で報じた。

中国はこれまで、北朝鮮支持を一貫して強調してきたが、中韓両国は経済的にはすでに貿易代表部の相互設置にこぎつけている。中国にとって北朝鮮は経済的メリットが大きくなく、中国と北朝鮮の政治的関係も一般的に指摘しているほどよくはない」（中国の朝鮮関係筋）のが現実だ。

国際的孤立の加速を懸念

台湾

【香港9日上村幸治】南北朝鮮の国連同時加盟の動きを台湾は極めて深刻に受け止めている。台湾住民が中国の存在によって国連再加盟の道を閉ざされているうえ、外交関係のある諸国がこれを受けて中国と国交を結びそうだからだ。今後は一人国連の外にいて、有力国との外交関係を切られるという二重の苦しみを味わうことになる。

台湾当局は立法院（国会に相当）からの国連再加盟要求に「現実的でない」と拒否する一方、韓国との断交の危機に対し「それなりの手を打っている」と説明している。しかし、台湾に有効な対策を示しているわけではない。一部台湾独立派から「台湾共和国として独立し、新たに国連加盟を目指せ」などという過激な議論が出てくるのも、危機感の反映とみられている。

米朝、10月にサッカー試合

初の親善スポーツ

【ソウル9日下山正晴】ワシントン発の聯合通信によると、米国と朝鮮民主主義人民共和国（北朝鮮）間の親善サッカー試合が十月十九日、ワシントンのロバート・F・ケネディ・スタジアムで開かれる。米朝間で親善スポーツ競技が行われるのは初めて。

同試合を推進している米国関係者が聯合通信に明らかにした。

0094

南北朝鮮 対話の動き加速

国連同時加盟 専門家座談会

国（北朝鮮）の国連同時加盟を勧告する決議案が採択されたことで、分断以来四十三年間敵対関係を続けてきた南北朝鮮は共存体制に向けて歴史的第一歩を踏み出すことになった。双方は今後、八月末に再開する南北首相会談などの対話を通じ、共存を保証する枠組み作りを模索していくことになろう。南北統一問題の行方と、日本をも含む新たな地域安全保障の展望を専門家三氏に語り合ってもらった。

出席者

小此木政夫 慶応大学教授
小牧 輝夫 アジア経済研究所動向分析部長
猪口 孝 東京大学教授
（発言順）
司会 鈴木康雄・本社外報部長

共同宣言あり得る 小此木
北は基本方針堅持 小牧
米軍完全撤退ない 猪口

――まず、国連加盟に至った南北朝鮮の内部事情から。

小此木 韓国は、一九七三年の平和統一外交宣言で、共産圏への門戸開放、北朝鮮との平和共存、南北国連同時加盟を掲げて新しい外交を打ち出した。二十年たってようやく実現したわけで、歴史的な出来事だ。

当時は、韓国が国際的孤立化や北朝鮮による武力解放を恐れてこうした政策をとった。だが、現在では立場が全く逆転し、北朝鮮が国際的孤立化を恐れて韓国との平和共存を望み、国連同時加盟を受け入れた。

小牧 北朝鮮は、可能なら単一の国号で、ないしは統一後に国連に加盟したいという基本政策だった。韓国の「北方外交」（対共産圏関係改善）、ソ連・東欧の情勢変化でやむを得ず判断したが、加盟したからには国際舞台を最大限に活用したいと考えているのではないか。

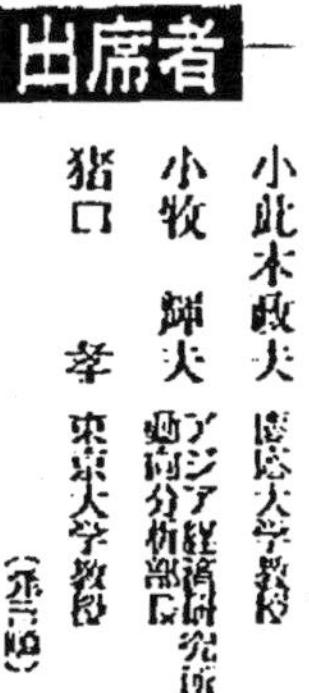

小牧輝夫氏

――ソ連・東欧の変化と、さらに米国、中国、日本の影響はどう評価するか。

猪口 相当あっただろう。米ソ関係が好転し始めた八〇年代半ばごろから、米ソ緊張緩和の影響力が南北両方に対して極めて強力になってきた。中ソがそれほど当てにならないとすると、北朝鮮は日本が好転しかけてにできない。韓国も日本との経済力ギャップがむしろ拡大しつつある。

南北関係は、米ソ緊張緩和[illegible]朝鮮は周辺諸国の影響力を見ずえつつ動いてきた。経済的にも、最近、日本経済[illegible]を強化する北朝鮮地域で日本においては兵力を削減している。猪口政権[illegible]イリピンではクラーク空軍基地を放棄したが、アジアには行くまい。米国は、ソ体制を考えてみると、米軍が全くなくなるという方向ではない。ただ、アジア地域の安保

――南北国連加盟によって、東アジア地域における朝鮮半島の緊張度は低下するか。

猪口 それは低下するとみてよいだろう。

小此木 北朝鮮は、冷戦終結後の国際情勢の変化の現状を承認したと言い換えていい。ただ国際的現状承認は当然、南北関係の現状承認につながっていく。今後は南北対話が二つの政府間の対話にならざるを得ない。昨秋ごろからの金日成主席や北朝鮮要人の発言を見ていると、二つを北朝鮮的な形に[illegible]しとえ見られる。

小此木 （米国の）核はあっても構わない、ということになる。実際に韓国から（米国の）核が撤去されたとしても核の脅威がなくなるわけではない。北朝鮮もそのことはわかっている。

小牧 第一歩という認識だろう。

猪口 北朝鮮は（停戦協定）[illegible]核査察を受けにやらなければ、韓国周辺から半島に向けて米軍のミサイルを大量に撃ち込まれたらどうするか。その可能性はあるかもしれない。北朝鮮が国連に加盟したのは、それを前提として国連軍が存在するのは非常に不自然だからだ。さらに、非核化問題では北朝鮮が、南北で非核宣言、それを周辺の核大国が保障し、非核保有国も支持するよう求めている。北朝鮮が査察を受け入れれば、米国は核の存在を明らかにしないとの政策を維持しても、韓国が核は存在しないことを宣言するということも考えられる。

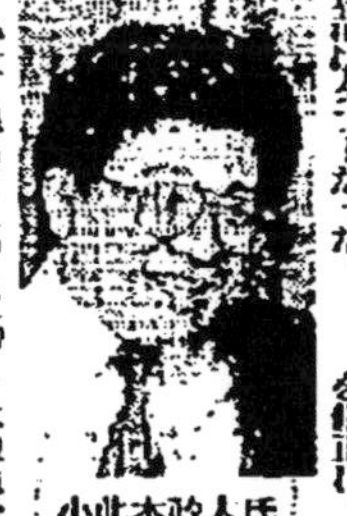

猪口 孝氏

小此木 一部には北朝鮮が実際に核査察を受け入れるかどうか疑問視する向きもあるが、[illegible]北が当事者となり朝鮮問題を解決しようとの動きが加速すると思う。

実際、盧泰愚・韓国大統領は七月初め、現在の休戦協定を平和協定に変えようと提案した。在韓国連軍司令部の解体も比較的早い時期にあるかもしれない。

小牧 休戦協定の署名者は国連軍、中国、北朝鮮の三者だが、韓国は、南北二者に米国で平和協定問題を討議しようと主張してきたが、韓国側は（米国を除き）南北間で協議する方向に誘導してきた。北朝鮮の非核化提案に韓国側が応じることも自体が変化と言えよう。

――北朝鮮は今後、対日交渉、対米関係改善に積極的に乗り出してくるか。

猪口 そうだろう。ただ、それは大きな譲歩をすることと意味しない。ないし認め合い、自国の立場を固めようとしている。この時期に統一したら混乱するだろう。その点は南北の指導者ともよく認識しているはずだ。

小牧 北朝鮮の立場からすると、さしあたって「二つの国家」という形にはな

日、日本経済の影響力拡大、米国のアジア・太平洋における軍事的プレゼンスの行方といった文脈で位置付けるべきだろう。

――米国はどうか。過度の北朝鮮孤立化は避けるべきだと考えているのか。

小此木 今回の国連同時加盟に関しては米国は表面に出ていないが、ソ連、韓国、日本によるある種の暗黙の連係プレーの下、北朝鮮の変化を誘導してきた。米国はこういう状況を歓迎しているものの、北朝鮮はまず日本や韓国と交渉し、米朝関係改善はその一連の外交的変化の最後だとの態度を今回も崩していない。

――北朝鮮はこれで、朝鮮半島に「二つの国家」があることを認めたと言って

ドツニー ［illegible］インドネシア、ベトナム…八〇年代を見て、また米軍の存続を望む声も見ている。韓国は、在韓米軍が削減されたとしても地域全体では米軍は十分な抑止力を維持していると判断している。

小此木 韓国国防省は日米の軍事協力に非常に積極的になっている。湾岸戦争以前はタブーだった。

小牧 恐らくこうした動きを見ているのだろうが、北朝鮮は米国に対して、韓国に核兵器を置かなくても有事に対応できるではないか、との立場に不思議でない状況が生まれたと言えよう。

逆説的だが、国連同時加盟で朝鮮問題が、南北間で統一という方向に近づくことはない。されても一向に、二つの自治政府を修正し、南北関係を一気に動かそうという戦略的な思考をしているのではないか。

北朝鮮は、南北対話を（[illegible]）により共同宣言が出されることもあり得る。[illegible]していくのではないか。

小此木政夫氏

読売新聞 久面

0095

4-4

3791

読売新聞 ２面

앞면에 이어서

ったが、だからと言って分断を固定化しないというポリシーは堅持する。これを土台に漸進的統一を進めていく立場に変化はなかろう。

小此木　マクロ的に見れば、八八年にソウル五輪、八九年に東欧激変、九〇年に韓ソ国交樹立があり、少なくとも外交、経済で戦後四十数年続いた南北間の競争に決着がついた。この結果、北朝鮮に経済立て直しの発想が生まれた。そのためには日本から資本、技術を導入するしかない。

小牧　当面は、日朝交渉を[illegible]し、あわせて米朝関係正常化を進めようとするだろう。（中ソが韓国を、日米が北朝鮮を承認する）「クロス承認」の中で、韓ソに続いて日朝が成立すれば、日中、米朝がほぼ同時期に成立するのではないか。北朝鮮は、米朝が促進されれば韓中国交樹立もやむを得ないと考えていると思う。

――一方、韓国の外交目標はどうか。

小此木　国連総会での盧泰愚大統領の演説では、平和協定、核査察問題を含め、朝鮮半島の安全保障の問題に関して踏み込んだ提案をしてくるのではないか。南北対話が進展すれば日朝交渉は追随せざるを得ない。日朝が進めば米朝関係改善も進むだろう。これに朝鮮半島の信頼醸成措置（CBM）などが加われば、米朝関係は正常化の方向に向かう。そうなれば米中も必ず正常化する。すると[illegible]す「2プラス4」の体制が出てくるだろう。この場合、「2」とは南北の平和共存体制、「4」とはそれを保証する周辺四か国の協調体制を指す。

小牧　北朝鮮の国連演説は盧大統領の演説を聞いてからだろう。私の聞いているところでは、延亨黙首相が登場するそうだ。

――北朝鮮の国内体制の変革は？

小此木　政治体制は南北共存に自信がついた後でないと手をつけられない。

小牧　国内体制を守っていくためにも、対外関係を現実に適応させていかなければならない。次に経済開放、改革が来る。国内体制が最後だろう。

――ソ連の影響力が世界的に後退しているが、今後北東アジアを含めたアジア地域全体を規定していく構図は何だと見るか。

猪口　先に調印された戦略兵器削減条約（START）ではアジア・太平洋地域の陸・海における米核兵器の保有枠がかえって拡大された。この地域で米国の優位がある核戦略が継続されていくことの証左だろう。その中で朝鮮半島やインドシナなどで新たな紛争が活発化し、その余波が日本の活力だ。撹乱（かくらん）要因にもなりうる。地域の混乱を防ぐために日米の協力体制が続くだろう。

――北朝鮮は対日交渉をどう進めるつもりか。

小牧　日朝交渉については今年中にまとめたいと考えていたようだが、それは難しい。ただ、来年中にはヤマ場に差しかかるのでは。

小此木　北朝鮮は、まず国交を樹立してから経済問題を話し合おうと言ってきている。その方が問題が早く片付くと考えているのではないか。

――日本側が注意すべき点は何か。

猪口　経済問題については二点ある。一つは韓国とのバランス。南北間の競争的共存が始まる以上、日韓調整は難しいだろう。

もう一つは北朝鮮の経済開発に日本はどの程度関与すべきかだ。地域の安定のためどの程度介入すべきかは高度の判断が必要だ。さらに、極東沿海地域開発プランまで考えるのか。人口二千万に満たない旧東ドイツでさえ困難な状況にあるのに、異民族の日本が全面的に協力できるのか当然、反発も予想される。これは日本の国際貢献の大きなテストケースと言っていい。

日米協力体制続く　猪口

北の経済再建疑問　小此木

日朝交渉来年ヤマ　小牧

小牧　韓国でも二つの見方がある。一つは、日本の経済協力が北朝鮮を強化し、脅威となって南北対話にも悪影響を及ぼすというもの。もう一つは、ドイツ統一を例にとり、東を吸収した西は大変で、むしろ当分、北朝鮮を日本に〝預けよう〟というものだ。

小此木　日本からたとえ五十―百億ドル入ったとしても、北朝鮮経済が再建されるかは疑問だ。いま[illegible]面で行われているのは、一言でいえば不確実な実験だ。その結果は分からない。

小牧　北朝鮮経済の不振には原因が三つある。設備の老朽化と膨大な軍事費、そして経済政策、経済体制そのものの問題だ。日本の経済協力は設備の改善には役立つが、軍備負担は南北交渉が進展しなければ解決しない。さらに日本との経済協力と国交正常化の過程で、北朝鮮の経済政策が変わっていく可能性が出てくるだろう。

小此木　（体制
ら自主的な技術へ転
を回避しつつ資本
させなければならない
のためには、日本か
と技術の移転は必
す）の条件だ。そ
れる五十年、体制
されれば、それに
経済的コントロール
れていくだろう。

小牧　中国は改
社会主義、経済で
を導入した。北朝鮮
に近いモデルにす
ところまで行けるの
いか。

【南北朝鮮の国力比較】

（韓国は韓国経済企画院の資料、北朝鮮は韓国国土統一院の推計＝89年末現在、兵力データはミリタリー・バランス90―91年版）

	韓国	北朝鮮
面積（千平方キロ・概）	99.3	122.1
人口（万人）	4238	2137
GNP（億ドル）	2101	211
1人当たりGNP（ドル）	4968	987
財政規模（億ドル）	588	149
貿易総額（億ドル）	1182	47.9
国際収支（億ドル）	46	―
外債（億ドル）	294	67.8
穀物生産（万トン）	7[illegible]6	548
国防予算（億ドル）	108.9	41.5
	（90年）	（89年）
総兵力（万人、現役）	75	111
戦車（両）	1550	最大3500
艦艇（隻）	469	716

0096

駐日大使館 (Page 3-1)

JAW(F): 3791 日時:

受信: 長官 (아일, 국연)

発信: 駐日大使 (일정, 일정)

題目: 남·북한 유엔가입

'91 8-10 (-7 8.0.0 朝・夕刊)

南北朝鮮
国連加盟勧告

平和共存へ船出

周辺のクロス承認加速

【ソウル9日下山正晴】国連安保理の勧告で国連同時加盟への道が開かれた南北朝鮮は、本格的な平和共存体制に向かう出発点に立った。南北間の不信はなお根強いが、「冷戦後」の流れの中で、米、日、中など周辺国による"クロス承認"への動きを加速させ、ひいては南北両政府の統一政策にも現実主義的な変容が次第に迫ることになろう。

終戦後の一九四八年、大韓民国(韓国)、朝鮮民主主義人民共和国(北朝鮮)が相次いで成立。朝鮮戦争を経て、対決と不信の歴史が続いてきた。七二年の米中接近という国際情勢の激変に促される形で、南北は七二年、「自主・平和・民族大団結」の共同声明を発表したが、すぐに国内体制の締め付けに逆戻りした。

今回、国連同時加盟への軌道に乗ったのは、ソ連・東欧社会主義国の崩壊と「冷戦終息」の国際情勢の構造的変化に起因している。

韓国は、盧泰愚(ノ・テウ)大統領が推進してきた北方外交(対社会主義外交)がソ連・東欧の変化とうまく連動し、一方の北朝鮮も事実上「二つの朝鮮国家」の存在を前提とする外交政策に根本的に転換した。

昨年九月の韓ソ国交に端を発した"南北クロス承認"も視野に入ってきた。

南北朝鮮が将来「平和統一」の道へと向かうのか、北朝鮮の自壊による混乱に

毎日新聞 9 面

国連での役割強調へ

韓国大統領、来月24日演説

外相会見

【ソウル九日＝河田卓司】南北朝鮮の国連同時加盟が実現したのに関連し、韓国の李相玉外相は九日午後、記者会見し、盧泰愚大統領が国連総会出席のため来月二十二—二十四日、米ニューヨークを訪問、この間にブッシュ米大統領と会談する計画だ、と明らかにした。

外相によると、米韓首脳会談は来月二十三日になる可能性が高いという。また、ソ連との会談については「ゴルバチョフ大統領が出席するか外相が出席するかはっきりしないので、見守らなければならない」と述べた。

盧大統領は来月二十四日、国連で演説するが、その内容については「歴史的意味がある。国連での韓国の役割、今総会の主要問題への基本姿勢、そして朝鮮半島の平和統一についての構想が含まれよう」とした。

読売新聞 5 面

社説

新しい時代を迎える朝鮮半島

韓国と朝鮮民主主義人民共和国（北朝鮮）の国連同時加盟が事実上決まった。第二次大戦後の南北分断から四十余年、両国は平和的統一に向けた新時代へ突入する。

韓国と北朝鮮の国連同時加盟を総会に勧告するという歴史的決議案が国連安全保障理事会で採択されたため、九月の国連総会で同時加盟が間違いなく承認される運びになった。両国連加盟申請はこれまで韓国が八回、北朝鮮も四回を数えたが、その都度米ソの拒否権によって阻まれてきた。その意味で今回のように双方の申請がそろって国連に受け入れられる、などというのは全く新しい出来事であり、冷戦終結を象徴する動きと受け取っていい。

国連への南北同時加盟については「民族分断を国際的に認知することになる」として反対してきた北朝鮮が心変わりの上、変針したのは、韓ソ国交樹立、中韓接近という国際情勢の中で、韓国の単独国連加盟だけが実現した場合、北朝鮮が孤立状態に追いやられるという危機感からであった。湾岸戦争でのイラクの孤立が同国と友好関係にあった北朝鮮を国連加盟に踏み切らせた、という側面もあったかもしれない。

だがどういう背景があろうと、国連への南北同時加盟が実現するというのは、朝鮮半島の平和と安定を図るうえからも大いに歓迎していい事柄だ。

第一に、南北同時加盟の実現は、南北朝鮮がそれぞれ相手の政府の存在を法的にも、現実のうえでも認めることであり、それは結局、平和統一に向けて南北双方が「対決」ではなく「対話」を続けてゆく条件ができたことを示すものでもあるからだ。

第二に南北朝鮮が国連に加盟するというのは、言ってみれば「国際平和と安全の維持」を目的とする国連に「取り込まれる」ことを意味するもので、今後、平和に逆行する行為は南北ともにとるわけにはいかなくなる。

もっとも国連がそうした抑止力を発揮するにはまずもって「強い国連」でなければならないことは言うまでもない。

国連同時加盟が現実のものとなったいま、朝鮮半島に、平和統一を目指した「南北共存」時代を開く歴史的な転機が訪れることを期待したい。

南北間では当面、その「共存」を実現するための交渉が活発化することは必至で、その意味でも二十七日から平壌で開催予定の南北首相会談の推移、とりわけ現在の休戦状態にどう終止符を打とうとするか注意深く見守りたい。

相手の政府の存在を認めた北朝鮮は今後、その韓国と対抗するうえからも、日本との国交正常化、米国との関係改善を急ぐに違いない。

今月末に予定される日朝交渉にも南北同時加盟の動きは当然影響してくる。例えば管轄権の範囲の問題については、北朝鮮が事実上「二つの朝鮮」を認めた現在、問題はなくなったわけで、おそらくスムーズに片付くだろう。

だが難問はほかにもある。核査察問題もそのひとつ。北朝鮮と国際原子力機関（IAEA）の保障措置（査察）協定交渉はすでにまとまり、九月に協定調印の運びになっているが、北朝鮮が無条件で核査察を受け入れるかどうかについてはまだ疑念が残っている。日本としてはこの問題をうやむやにしてはいけない。

米朝関係改善も核査察問題がカギを握っている。だが南北同時加盟の動きが南北朝鮮の「クロス承認」を促す契機になることだけは間違いあるまい。

東京新聞　面

0098

同時加盟テコに半島の安定を

国連安保理が日本時間九日未明、韓国と北朝鮮から出されていた国連加盟申請の一括承認を総会に勧告する決議を採択した。五常任理事国を含む全会一致による採択だったことから、来月十七日から始まる国連総会での承認も確実となり、韓国と北朝鮮の同時加盟は事実上、決まった。

もちろん、「すべての紛争の平和的解決」をうたう国連憲章の順守を約束して国連に加盟したからといって、イラクによるクウェート侵攻が示すように加盟国同士の武力行動がなくなる保証は決してない。ただ、侵略すれば必ずイラクが受けたような軍事制裁をいつも受けるかどうかはともかく、少なくとも経済制裁は受ける覚悟をしなければならない。

その意味で、今度の同時加盟は、とくに依然として対南武力解放路線を捨てていない北朝鮮に路線放棄の国際的圧力をかけやすくさせる。北朝鮮も韓国に対して従来のように敵対意識をむき出しにはしにくくなろう。少なくとも従来よりも南北の武力衝突を起こしにくい外枠の役目は果たせるだろう。

その結果、一九四八年に南北別個の政権が樹立されて以降、朝鮮戦争を含めて四十三年間にもわたって一触即発の軍事対決が続き、"世界最後の冷戦地帯"と言われてきた朝鮮半島も、初めて緊張から解放される可能性が出てきたのである。南北双方の住民にとってはもちろんのこと、最も近い隣人であるわたしたちにとっても喜ばしいことであり、歓迎したい。

しかし、北朝鮮にとって、この同時加盟は"国際環境の激変"という外圧に屈した結果であって決して自発的に応じたものでなかった、ということを考えれば、この外枠はきわめてもろいものと言わなければならない。北朝鮮は今後、国際環境や南北の力関係が変われば、国連憲章などは簡単に無視してこれまでよりも激しく韓国と敵対する姿勢をあからさまにしない保証はないのである。

それを防ぐためには、この同時加盟を契機にして、南北間双方が内枠としての戦争再発防止機構そのものを一刻も早く作り上げなければならない。具体的には相互不可侵の合意や現行の休戦協定から平和協定への切り替えを確定するための協議である。

従来、韓国は北朝鮮による相互不可侵協定案を"在韓米軍の撤退を導くための戦術的提案"とみて拒否してきた。しかし、韓国はこのほど、「不可侵の相互検証装置を設ける」など三項目からなる「実効性」さえ保証されれば相互不可侵協定案に同意する方針に転換することになったという。これが事実ならば、南北対話に大きな進展をもたらすだろう。

その意味で、来る二十七日から予定されている第四回南北首相会談が期待される。今度こそ実のある対話が行われることを切望したい。

産業経済新聞

0093

駐 日 大 使 館

(Page 1 − 1)

JAW(F) : 3795　　日 時 :　　10

受　信 : 長 官 (아일, 국연, 정특)

発　信 : 駐日大使 (　　　　일정)

題　目 : 유엔가입과 북한의 대서방외교　　　(8. 10 (朝) 夕 刊)

'91 8-10 -7 :07

北朝鮮 西方外交強める

韓国の「北方」に対抗

国連加盟踏まえ 改善に積極姿勢の英

【ソウル九日＝黒田勝弘】北朝鮮（朝鮮民主主義人民共和国）は韓国との国連同時加盟や対日接近など対外路線の変化が目立つが、韓国政府筋が九日明らかにしたところによると、北朝鮮は最近、英、独、仏などヨーロッパ主要国への接近を強めており、このうち英国が、国連安保理での南北国連加盟勧告決議採択を踏まえ、北朝鮮との関係改善に積極的な姿勢を見せている。これはソ連・東欧や中国などへの接近という韓国の「北方政策」に対抗する、北朝鮮の「西方政策」とみられる。韓国政府としては北朝鮮の対西欧接近は、結果的に西側情報の北社会への流入をもたらし開放・改革につながるものとみて、歓迎の方針という。

北朝鮮はこの間、東欧崩壊後の欧州における影響力からドイツに対する接近工作を試みてきたが、ドイツは当面、北朝鮮との関係改善に消極的で、北朝鮮自身も朝鮮半島におけるドイツ型統一に対する懸念があり、関係改善は進んでいない。旧東ドイツとの関係から残留している北朝鮮関係者が本国に送っている報告のなくは、統一ドイツにおける旧東ドイツ官吏や機関員たちの惨めな実態に関するものだという。

また仏も高速鉄道の売り込みなど対韓関係強化の方に関心が強く、今のところ北に関心を示しているのは英米だけ。こうした北朝鮮の「西方政策」は当然、懸案の日朝交渉促進への一定の圧力になるとの計算も含まれているという。

一方、同筋によると、対外路線手直しにいたる過程で北朝鮮の党、政府指導層の間にもこれまでの現状に対する不満、批判が徐々に出始めている。これは海外に出掛けたり外部情報に接する機会の多い知識人や高級官僚に目立ち、亡命者筋

報によるとモスクワ駐在外交官たちが留学生を前に北の体制の矛盾や政策ミスを非難することさえあった。

とくに金日成（キム・イルソン）主席に対してはあからさまな批判はしないものの、後継者の長男、金正日書記については政策や指導力に対する不満、批判が強く、同時に東欧社会主義の崩壊と北における深刻な経済難から指導層に自信喪失の状態が出ている。この傾向は国際会議などに現れる北の関係者にも見られるという。

韓国の「朝鮮日報」はこのほど、関係機関の内部資料を引用し、中朝国境の都市、新義州には最近、キリスト教徒を中心に不満派による秘密地下組織が生まれるなど、北社会に反体制的な兆候が感じられると伝えている。

産業経済新聞 5面

0100

駐北京代表部

CPW(F): 056 日時: 0810 1000 (PAGE 2-2)

受信: 長官 (국연, 아대, 정보)

發信: 駐北京代表

題目: 유엔가입결의안 안보리통과 (언론반응)

8.10 人民日報 4면 (국제란)

联合国安理会一致同意

推荐朝北南方同时加入联合国

新华社联合国8月8日电 联合国安理会今天一致同意推荐朝鲜北南双方同时加入联合国。

安理会本月主席、厄瓜多尔常驻联合国代表阿亚拉·拉索在安理会通过这项决议后说，朝鲜北南双方被同时接纳加入联合国将有助于缓和朝鲜半岛的紧张局势，为朝鲜北南双方建立信任关系创造有利的气氛。

根据联合国宪章，朝鲜北南双方要求加入联合国的申请还需经联合国大会以2／3的多数票批准。如果在定于9月17日召开的联合国大会上能获批准，朝鲜北南双方将分别成为联合国的第160和第161个成员国。

朝鲜北南双方是在今年7月8日和8月5日分别提出加入联合国的申请的。

8月8日，联合国安理会全体会议一致通过决议，建议联合国大会接纳朝鲜北南双方为联合国正式会员国。

刘心宁摄（新华社稿 传真照片）

2-1

0101

Korean UN applications accepted

UNITED NATIONS (Xinhua) — The UN Security Council has unanimously adopted a resolution on the applications of the Democratic People's Republic of Korea (DPRK), and South Korea, for full membership of the United Nations.

The two at present have observer status in the UN, and submitted their separate applications for membership on July 8 and August 5 this year.

Since 1949, the DPRK has submitted four applications to join the world body, but all were blocked by the United States and its allies.

The application of South Korea this year is its ninth, also dating back to 1949. The previous ones were similarly rejected by the Soviet Union.

The DPRK and South Korea are expected to be separately admitted by the UN General Assembly when its annual session opens on September 17.

.10 CHINA DAILY 1면)

2 - 2

0102

日本経済新聞 11 面

3800 8-1

南北朝鮮の同時加盟 国連安保理が勧告

国連安全保障理事会が八日午前（日本時間九日未明）、韓国と朝鮮民主主義人民共和国（北朝鮮）の国連加盟を総会に勧告する決議を採択したことで、南北朝鮮の国連同時加盟が事実上決まった。九月十七日からの総会で承認され、「南北共存時代」がスタートすることになる。十七年間の国連での共存後に昨年、劇的な統一を成し遂げたドイツのように今回の同時加盟が統一へのワンステップになるのか。国際社会の関心は朝鮮半島統一の時期と方法に移ってきた。

信頼醸成へ共存期間

「南北朝鮮の国連同時加盟は、ドイツの歩んできた道を考えると統一への大きな一歩になる」。ドイツ事情に詳しい塚本哲也防衛大学教授は今回の安保理決議を朝鮮半島雪解けの象徴的な出来事と評価する。国連を舞台に両国が公式な接触を深めるようになり、それによって相互理解が醸成されるという見方である。

だが、塚本教授はドイツと朝鮮半島の事情の違いを付け加えることも忘れない。①旧東西ドイツの場合は国際社会が両国を承認し、両国も関係正常化の基本条約を結んでから国連に同時加盟したが、南北朝鮮の場合は核査察問題とからんでまだ米国が公式に北朝鮮を認めていないなど障害も多い②韓国が北朝鮮を支えられるだけの経済力を持たない③ドイツでは民衆の意思が大きな流れとなったが、朝鮮では今のところ上からの統一志向が強い——などである。

慶応義塾大学教授は当初、ドイツ型の統一を考えていたが、最近になって韓国が北朝鮮を吸収する形の統一については及び腰の姿勢が強くみえる。統一の時期は二十[illegible]から四半世紀後で、吸収統一となるとさらに天文学的な負担が韓国に求められるという試算まで出ていることもその背景にありそうだ。「ドイツ型の統一を想定するのは難しい」（伊豆見元・静岡県立大助教授）という専門家の意見が聞かれるようになったのも故あることである。

ただ、南北朝鮮の場合はドイツの統一を目のあたりにしており、これを検証するだけの時間があることも確か。「統一のためには共存期間が必要」という指摘は、冷戦の終結や湾岸戦争を経て、朝鮮半島の武力統一という事態が考えにくくなった現在、専門家の一致した見方になっている。北朝鮮が唱える「連邦制統一論」と韓国が提案する「南北国家連合論」の二つの統一方法は、両政府の権限を最大限に認める方向で似通ったものになりつつある。ベトナム型でもドイツ型でもない新しい形の統一が実現される可能性も出てきた。

（アジア部 鈴木信記者）

米ソ中日の4大国 現状維持で一致

韓国と朝鮮民主主義人民共和国（北朝鮮）の平和共存、統一への展望はドイツ統一を生んだ欧州とどう違うのか。韓国の統一・国際平和安保研究所長＝写真＝に聞いた。発言要旨は次の通り。

米ソ和解を契機に両国が地域問題の解決で歩調を合わせているが、韓（朝鮮）半島では中国と日本ががんばっているので好き勝手はできない。中国にとって同地域の問題は安全保障と直結している。日本は統一を望むよりも「ソウルカード」「平壌カード」を使って影響力を強めようと考えるだろう。米、ソ、中、日の四大国に共通するのは韓半島で「物騒な事態」が起きるのを避ける姿勢だ。各国は現状維持で一致している。

ドイツをモデルにした南北統一は困難だ。北韓（北朝鮮）の金日成体制がルーマニアのチャウシェスク政権と異なるのは権力だけでなく思想をも支配している点だ。一方で韓国は成長政策で民主化の基盤が一応整ったが、国際的レベルではない。従って、統一を願う民族心からみれば寂しいことだが、南北の共存体制はかなり続くと思われる。

（ソウル＝吉川記者）

0103

3800 8-8

日本経済新聞 11 面

海外論調

南北統一へ歩み着実に

北朝鮮の国連活動注視

われわれの国連加盟は一九四九年に初めて加盟申請書を提出して以来、十五回の挫折を経て実現する。つらい忍耐と国力蓄積の結果でもある。この間、われわれの国連外交は南北が国連加盟を競った時代、(加盟案が)国連総会に上程されなかった時代と数多くの紆（う）余曲折を経てきた。ついにわれわれの北方(対共産圏)外交が成功した。米ソ間で冷戦秩序が解体され、新しい国際協力時代が幕を開けるのと同時に、われわれの国連外交は実を結ぶことになったのである。

南北のいずれもが冷戦秩序という国際秩序に乗る最後のチケットを受け取った。国連加盟が承認されれば、われわれの対外関係は正常ではない状態から脱し、国際社会の一員として正当な地位を確保することになる。

また、これまで友好国の力を借り、利益を代弁してもらっていた外交から脱皮して、堂々と発言権を行使する主体性のある外交ができるようになる。

さらに、南北の国連同時加盟は何よりも南北いずれもがお互いの実体を事実上認定することであり、平和統一のための新しい環境をつくるという意味を持つ。国連憲章により、紛争の平和的解決と武力不使用などの義務を履行しなければならないからだ。

しかし、国連同時加盟の実現が韓（朝鮮）半島の平和安定の絶対的な保障手段にはならない。この点がわれわれが持っている不安であり、悲劇である。統一が実現するまでこの点に特に留意して、対応策を備えなければならない。

まず第一に、国連の舞台での北韓（北朝鮮）の活動を鋭意注視する必要がある。北韓が韓国を誹謗（ひぼう）する宣伝の場として国連を利用するという憂慮を排除することができないためである。北韓は国連加盟申請の決定を発表するときには「韓国の国連加盟推進によってもたらされた一時的難局を打開するため、やむを得ない措置」と釈明した。しかし、わずか十日もしないうちに「祖国統一に有利な環境醸成」のためのものだと態度を急変している。

次いで、政府当局者が指摘しているように、国連加盟は加盟それ自体が目的ではない。祖国統一と南（韓）北の民族全体が繁栄するための中間段階に過ぎないということだ。それゆえに、南北の平和共存を保障する装置（システム）を細密に研究するとともに、統一実現に必要な措置を着実に準備していかなければならない。

したがって、休戦体制を平和体制に転換し、韓半島の非核地帯化のために南北間の軍事的対立を克服しなければならない。米、日、中、ソの周辺四強国と（南北朝鮮と）クロス交流を深めることなどについて、綿密な対策を講じていかなければならない。

（韓国・京郷新聞十日付）

0104

駐 日 大 使 館 (Page 2－1)

JAW(F): 3808 日 時:
受 信: 長 官 (아일, 국연, 정특
発 信: 駐日大使 (외정, 외정.)
題 目: 남.북 한계 기획기사 (8. 12 (朝) 夕 刊)

91 8-12 -7 :01

毎日新聞 3面

南北朝鮮 共存新時代 ②

「日本の資金」テコに

北の経済開放

作戦の新たなシンクタンク

の研究員が、謝罪を条件に新合意を明かした。

「年内には、交通、物流を含めた本格的調査のための経済ミッションを、訪朝に送りたい」

指すのは、朝鮮民主主義人民共和国(北朝鮮)北東部の日本海に面した羅津・先鋒地区。ここを北朝鮮が計画中の経済特区の「本命」とにらんでいるのだ。

平壌では、総合商社を含む多数の日本企業が[illegible]との コネクション作りに動いてい

る。当面の標的が、日朝国交樹立で日本から流れ込む政府資金であることは言うまでもない。

ほとんど水面下で展開されているこうした動きは、北朝鮮指導部の意図にも沿って

いるようだ。

日本の植民地支配は三十六年にわたった。「その見返りとして要求できる日本の資金をテコに経済を再建するのは、賢明な選択だ。遅すぎたくらいだ」と、北朝鮮をよく知る商社マンは話す。

その道は韓国もかつて歩

した。一九六五年の日韓基本条約を機に導入された日本の資金を活用して、韓国は高度経済成長を成し遂げた。それが結局、ソ連・東欧諸国との

国交樹立や中国との関係改善、ひいては「単一議席での共同加盟」を主張する北朝鮮を引きずり込む形での南北国連同時加盟につながった。もちろん、冷戦終結という追い風もあったが、韓国との経済競争に後れを取った北朝鮮が政治的にもピンチに陥ったのは間違いない。

南進への前線中部からほぼ九カ月後の八月三日、朝鮮労働党の機関紙「労働新聞」は、消費物資の生産拡大を呼びかける社説を掲げた。金日成(キム・イルソン)主席の後継者である金正日書記の指導に基づく「八月三日人民消費品生

産運動」もすでに七年が経過した。

同じ八月上旬、このところ経済外交の中心人物として注目を集めている金達玄副首相(対外経済委員長)は訪問先のイランで政府高官と会談を重ねていた。ソ連からの原油供給が大幅に削減されたため、友好国イランに安く提供してくれるよう頼んだ、といわれる。

韓国と競争関係にある以上、極端な経済開放は韓国にのみ込まれた東独の二の舞いになる危険をはらむ。「北朝鮮が韓国と長期にわたって共存できる体制を作ろうとす

るなら、今が最後のチャンスだろう」(小[illegible]・慶大教授)との[illegible]すらある。

このチャンスを生[illegible]フル剤は日本の資金[illegible]的な社会主義国の経[illegible]んど及んだことと[illegible]と、韓国は韓国と同[illegible]「貿易立国」に次め[illegible]い。どの程度まで[illegible]かは別にして経済を[illegible]るを得ない。

今年一月と七月、[illegible]で平壌を訪問したア[illegible]研究所の小牧輝夫・[illegible]部長は「せめて中国[illegible]経分離が必要」と期待[illegible]が高まる独自の社会[illegible]しながら、実際にど[illegible]体経済体制に踏み込[illegible]うか。(外信部・中島[illegible]

0105

3808-2

東京新聞 3 面

国連同時加盟 南北共存の時代 ▶下◀

統一へのカギ握る

中ソの影響力と 日米の経済協力

南北朝鮮の国連加盟が、平和共存への第一歩として大きな意義を持つことは間違いない。

だが、韓国外務省の担当者は「四強に入るからといって、四強が韓（朝鮮）半島問題を解決できるわけではない。カギは北東アジアの四強が握っている」と率直な期待を戒める。韓国がいう「四強」とは、米国とソ連、中国、そして日本を指す。

朝鮮半島の安定左右

韓ソの国交樹立を皮切りに、韓国、朝鮮民主主義人民共和国（北朝鮮）と周辺の四カ国との間には、イデオロギーを超えたクロス（交差）接近が速い速度で進んでいる。韓国政府は、四つの国々がどのように北朝鮮を開放体制に導くかが朝鮮半島の安定を左右すると、その動向に最大の関心を払っている。

最初に動く日朝交渉

南北の国連加盟を受け、最初に動き出すとみられるのは日朝国交正常化交渉だ。今月末には北京で四回目の会談が行われる。

日本は早期の国交を求める北朝鮮に対し①国連への加盟②国際原子力機関（IAEA）の査察を受け入れる核保障（査察）協定調印③南北対話への誠実な対応——の条件を示した。北朝鮮が九月のIAEA総会で核保障協定に調印すれば、とりあえず三原則はクリアする。その後に、日本が交渉の速度を速めるかどうか、韓国にとっては、今後を占う第一のポイントだ。

米国は韓国内に軍隊を駐留させ、北朝鮮と正面から対峙（たいじ）しているだけに、関係改善は日朝より時間がかかりそうだ。米国は北朝鮮に核開発の断念を迫るが、北朝鮮は「それより先に在韓米軍の核撤収を」と反論、平行線が続く。

米政府は核に絡む交渉には極めて慎重であり、まず北朝鮮がIAEAの協定に調印した後、北朝鮮側の譲歩を引き出しつつ、北京での米朝外交官接触の格上げなどを通じて関係改善に着手する意向という。

関係が冷却化したとはいえ、ソ連もやはり北朝鮮に強い影響力を持つ。北朝鮮は原油輸入の約四〇%をソ連に頼り、兵器や生産設備も相当部分がソ連製だ。だが、経済破たんのソ連は北朝鮮への援助を徐々に減らしており、これが北朝鮮の外交変化を促す結果をもたらした。

社会主義体制を堅持する中国は北朝鮮にとって、いま最も頼りになる同盟国だが、中国もこれからは韓国との経済交流の拡大、国交樹立へと進んでいくだろう。

突出すれば均衡崩壊

「朝鮮半島もドイツと同様、当事者と周辺国の"2プラス4"の協力が不可欠だ」というのは慶南大極東問題研究所の朴在圭所長だ。韓国外務省のある当局者も「四強のうちどこか一国だけが突出すれば、半島の均衡が崩れる。彼らが力を合わせて統一を支援してくれるのを望んでいる」と話す。

しかし、朝鮮半島の安定のためには北東アジア全体の和解が不可欠であり、それには米ソのアジア戦略の変化を待たなければならない。また、ドイツの例をみるように、南北の場合も巨額の統一コストが必要で、その額は韓国の国家予算の十一年分に相当する四千億ドルといわれる。いまの韓国には相当の負担だ。

南北の当事者自らが統一の費用を準備するためにも、米国と日本は韓国の経済成長を助け、同時にソ連と中国が北朝鮮の体制改革を促していく必要がある。平和共存から統一へ歩を進めるには、こうした"四強"の支援が欠かせない。（ソウル・山本勇二）

"四強"の支援

0106

3800 8-5

毎日新聞 3 面

南北朝鮮 共存新時代 ①

「北」経済の試金石に

実用主義路線

南北朝鮮が九月の国連総会で、正式メンバーとして承認されることが確実になった。事実上「二つの朝鮮」の共存時代がスタートする中で、韓ソ国交に続く中国、日本、米国による南北クロス承認も現実的な課題として視野に入ってきた。南北朝鮮と朝鮮半島をめぐる関係諸国の思惑を探った。

「南北朝鮮にとって歴史的瞬間である」。九日未明（日本時間）国連安保理はアヤラン議長の祝賀あいさつに拍手がわき、わずか七分間で"儀式"は終わった。国連加盟をめぐって対立してきた南北朝鮮にとって、その結末はきわめてあっけなかった。韓国の盧昌熙、朝鮮民主主義人民共和国（北朝鮮）の朴南淵・両国連オブザーバー大使が歩み寄り軽く握手した。朴大使に韓国人記者団が追いすがるが、大使は「話すことはない」とすげなかった。

南北朝鮮の国連同時加盟は、韓国が単独加盟も辞さず、との態度をちらつかせ、北朝鮮が折り切る形で実現した。北側は「単一議席」での共同加盟を主張したものの、「二つの朝鮮」論は"過去の関係"にあるといわれた中国を含む諸外国の間にはもはやフィクションに過ぎなかった。

「これで南北は平和統一の時代の入り口に立った。来年末までに中国と韓国、日本と北朝鮮の修好が実現するだろう」。ソウルの青瓦台（大統領官邸）で金学俊・大統領政策補佐官は楽観的な見通しを語った。北方政策のブレーン役で元ソウル大教授。「脱冷戦という国際環境の中では、南北外交の対決局面も減っていく」と述べ、一部で懸念されている平和攻勢による対立激化説を否定した。

ソ連・東欧社会主義圏の崩壊という"順風"に乗って、韓国の北方外交（対社会主義圏外交）は一気に突き進み、国連加盟の宿願を達成した。盧泰愚（ノ・テウ）大統領が最近「北の変化がすでに始まった」と述べたのは、変化の波が朝鮮半島にも押し寄せてきたとの判断を明確に語ったものだ。

もっとも政府内部にはもっと慎重な見方もある。ある統一院当局者によると、韓国政府は「北の外交政策は国連加盟申請を契機に根本的に変化した。しかし、対南政策はこれまでと同様、政府間対話と反政府運動支援の両面戦術であり、対内政策も不変」との認識に立っているという。ポイントは対南・対内政策の変化をどう誘導するかだ。

「変化は外交を皮切りに、経済部門へ波及するだろう。北の指導部の中で実用主義路線が本格的に推進されてくるはずだ」。金補佐官はこう予測する。

さらなる変化の兆候はある。「国連機関の一員としてなら、平壌を訪問してもよい」。六月末、ウランバートルで開かれた国際会議に出席した韓国の若手官僚は、北朝鮮の参加者から重要な発言を聞いた。北朝鮮が最近、積極姿勢を見せている中ソ国境の「豆満江（図們江）地域開発計画」の調査に、韓国側の参画を認めたのだ。韓国政府は国連開発計画（UNDP）の同調査団に、科学技術庁の技術陣などを送るのだ。豆満江プロジェクトが北朝鮮経済が本当に開放へ向かうかどうかの試金石と見てのことである。

昨年十一月、中国を訪問した北朝鮮の延亨黙首相は、深圳経済特区と天津の合弁企業を視察した。北朝鮮首相の経済特区視察は実に[illegible]ぶり。しかし北側報道機関はこの事実を伏せて伝えた。北朝鮮の実務ナンバーワンの行動は、何のための伏線だったのか？

水面下で始まった南北間の交易は今年二億ドルに達する見通しだ。

（ソウル・下山正晴、一つづく）

0107

3800 8-6

東京新聞 5 面

国連同時加盟

南北共存の時代 ▶中◀

「攻め」から「守り」へ

経済面で力蓄え 金日成路線継承

危機脱出

ドイツ式統一は悪夢

朝鮮民主主義人民共和国(北朝鮮)が最近、平壌放送や労働新聞を通じ、韓国が北朝鮮の「吸収統一」を画策している、と非難を強めている。

金日成主席も昨年十月、平壌での第二回南北首相会談で姜英勲・韓国首相(当時)と会った際、「だれかがだれかを食うとか食われるとかでなく、平和的な方法で統一を実現すべきだ」と強調。「北」を吸収することに警戒感をあらわにした。

金日成主席には、旧西ドイツが経済力をバックに旧東ドイツを事実上、吸収合併したドイツ式統一が悪夢にみえるらしい。消息筋によると、北朝鮮はドイツ統一で駐旧東ドイツ大使館を閉鎖した後も、駐ドイツ中国大使館にスタッフを残し、統一後に旧東ドイツの軍隊や警察がどうなったか調べているという。

韓国を共産化して統一する「赤化統一戦略」が長年、北朝鮮の対韓戦略の基本だった。一九六四年には北朝鮮の「革命基地化」、韓国の反政府勢力や共産圏国家の支持勢力との連帯など「統一」への手順も公式に決めた。その意味で「吸収統一」は本来、北朝鮮の路線だったといってよい。

しかし、東欧が共産主義に見切りをつけ、ソ連でも「脱共産」の動きが強まって、北朝鮮の支援どころでなくなった。韓国の反体制勢力も保守政権の民主化で袋小路に追い込まれた。

『革命』より『パン』

何にも増して、北朝鮮自身が経済の行き詰まりで「革命」より「パン」や「バター」に目を向けざるを得なくなっている。

「北は一昨年からの東欧共産主義の崩壊を契機に、対南革命から体制維持に路線の重点を移した。金日成主席にとって最大の関心事は、今の体制を金正日書記にいかにして引き継ぐかにある」と、ソウルの北朝鮮専門家の多くは指摘する。

北朝鮮が国連加盟を決めたことも、韓国と共存体制に入り、韓国の「吸収統一」をかわすための時間稼ぎをしたいという一心から、という見方が生まれるゆえんである。

韓国にはなお慎重論があるものの、北朝鮮が対南政策の基調を「攻め」から「守り」に変えたのは、どうやら間違いなさそうだ。

北朝鮮は今後も南北対話を推進するだろう。だが、北朝鮮の力点が自らの体制を守ることにある限り、急進展は期待できない。特に政治レベルでそうだ。

国連でも"守勢"に徹し、時間を稼ぎながら北朝鮮が力を入れるのは、食糧危機やエネルギー不足で行き詰まった国内経済の立て直しだ。韓国の「吸収統一」をはね返し、金正日書記に無事に政権を渡すには、それしかないと金日成主席は考えているといわれる。

韓国紙によると、北朝鮮は最近、中朝国境・豆満江地域に計画中の経済特区に韓国企業の参加を要請した。また、北朝鮮は先に、韓国と初めての直接貿易で韓国米を輸入するなど対南経済の取り組みでも若干の変化をみせた。

権力移譲まだ先?

韓国外交安保研究院の柳錫烈教授は「北のモデルは中国だ。金日成主席体制を[illegible]にする政治改革はやらず、経済改革で危機を切り抜ける可能性が高い」といい、東亜日報・極東問題研究所長は「経済改革のような重大な路線変更は、金日成主席でなくてはできない。だから金正日書記への権力移譲はしばらく先になる」とみる。

「革命」を通じた体制拡張から「パン」による体制維持へ。これが南北国連同時加盟を機に、北朝鮮が描く対韓戦略の基本パターンであろう。

(ソウル・石塚伸司)

0108

주 우 간 다 대 사 관

1991. 8. 19.

우대(정) 700 —150

수 신: 외무부장관

참 조: 중동아프리카국장, 국제기구조약국장, 문화협력국장

제 목: 유엔가입관련 기사

남.북한의 유엔 가입관련 당지 일간지에 보도된 기사를 별첨과 같이 보고합니다.

첨 부: 관련기사 4매. 끝

주 우 간 다 대

선 결		결재 (공람)		
접수	1991. 8. 27	번호		
처리과				

48012

0103

6 The NEW VISION, Wednesday, August 7, 1991

FOREIGN NEWS

Seoul applies to UN

UNITED NATIONS, Tuesday

SOUTH Korea formally applied yesterday for U.N. membership and is expected to be admitted, together with communist North Korea, which submitted its application a month ago, when the annual General Assembly session opens on September 17.

The Security Council is due to give its required endorsement to both on Thursday.

The two Koreas, which fought a war from 1950 to 1953, at present have U.N. observer status, enabling them to take part in meetings without a vote.

After handing Seoul's application to Secretary-General Javier Perez de Cuellar, South Korean U.N. observer Chang Hee Roe told a news conference that simultaneous entry would "definitely improve the international standing of both Koreas" and help smooth relations between them.

"And we would like to think that this is a positive step forward to the road for eventual peaceful reunification of the country," he added, drawing a parallel with the two Germanys, which joined the U.N. separately in 1973 and were reunified in October 1990.

Reuter

16 The NEW VISION. Saturday, August 10, 1991

FOREIGN NEWS

Koreas given support

UNITED NATIONS, Friday

THE Security Council approved without a vote yesterday a resolution recommending U.N. membership for long-time antagonists North and South Korea.

Both will be formally admitted by the General Assembly at the start of its annual session on September 17.

A statement read out by council President Jose Ayala Lasso of Ecuador said the "aspirations of the peoples and governments of those two countries have harmoniously coincided."

That was why the council decided to take a simultaneous decision on the admission of the two countries of the Korean peninsula, he said.

"This is a historic occasion for the Democratic People's Republic of Korea, the Republic of Korea, the Asian continent and the world community of nations," Ayala Lasso said.

Alluding to the bitter war between the South and communist North, from 1950 to 1953, he said: "We have recently seen how countries that were once enemies have found the necessary strength to put aside their differences in favour of their shared interest in promoting the well-being of their peoples and of the world in general."

The council president said he was certain that, as new members of the world organisation, the two Koreas would "contribute positively to efforts to enhance the effectiveness of the work of the United Nations and strengthen respect for its purposes and principles."

Reuter

0110

THE STAR THURSDAY 15 AUGUST, 1991 3

Korea happy with UN resolution

THE Government of the Republic of Korea is pleased to note that the Security Council unanimously adopted a resolution recommending ROK's admission to the United Nations on August 8.

In particular, Korea attaches great significance to the fact that both North and South Korea's applications for UN membership were settled under a single resolution by the Security Council.

The Government of the Republic of Korea considers its eventual entry into the UN, a long-cherished wish of the Korean people, the result of Northern Diplomacy that the Republic of Korea has pursued unremittingly. As the Republic of Korea joins the UN, we intend to contribute as much as we can towards the United Nations' lofty ideals of International Peace and Security as well as human development and prosperity.

We also intend to redouble our efforts to enhance cooperation with North Korea within the United Nations system so that both Koreas can improve Inter-Korean relations and accelarate the process towards peaceful reunification of our homeland."

The Governmnt of the Republic of Korea, together with all Korean people, looks forward to becoming a full-fledged member of the UN at the beginning of the 46th General Assembly with the blessings of the whole Interantional community. " We are deeply grateful to all peace loving countries in the world.

0111

Ngabo Newspaper
Friday August 16, 1991
Page 3

S. Korea Eager to join UNO

S. Korea yeesunga okwesogga UNO

GAVUMENTI ya Republic ya Korea yategeezezza nga bwe yasanyukidde ekikolwa ky'Akakiiko ka UNO aka kuuma eddembe ly'ensi yonna okukkiriza awatali kwesalamu ne kasemba eky'eggwanga eryo okubera mmemba enzijuvu mu kibiina ky'Amawanga Amagatte (UNO).

Bwe yabadde eyogera ku kikolwa ekyo, Gavumenti ya Republic ya Korea yategeezezza nti abantu ba Korea bamaze ebbanga ggwanvu bulijjo nga baagala nnyo ensi yaabwe okubeera mmemba mujjuvu mu UNO.

Ekiwandiiko ekyafulumizibbwa mu Seoul, Ministitule Yensonga Ezebweru yategeezezza nti nga Republic ya Korea yeegasse mu bwa mmemba bwa UNO ejja kufuba okulaba ng'etuukiriza ebiruubirirwa by'ekibiina

Biraze ku 6

S. Korea

Bivudde ku 3

ekyo eby'okuleetawo emirembe, obutebenkevu n'okukulaakulana mu nsi yonna.

"Mu ngeri y'emu era tujja kwongera amaanyi mu kutumbula enkolagana ne North Korea nga tuli mu kibiina kya UNO kisobozese Korea zombi okweyongera okukolagana.

0112

Ngabo Newspaper
Friday August 16, 1991
Page 3

S. Korea Eager to Join UNO

The Government of the Republic of Korea stated that it is pleased by the adoption of resolution recommending the Republic of Korea's admission to the United Nations by the Security Council.

The Government of the Republic of Korea considers its entry into United Nations Organisation as a long-cherished wish of the Korean people and the government looks forward to becoming a full member of the United Nations.

The Press release from the Ministry of Foreign Affairs in Seoul stated that as the Republic of Korea joins the UN membership, it intends to contribute as much as it can towards the United Nations' satisfaction of International Peace and security and human development.

"We also wish to redouble our efforts in order to achieve cooperation with North Korea within the United Nations Organisation system to enable both Koreas improve Inter-Korean relations"

0113

9

외 무 부

종 별 :

번 호 : PHW-1268 일 시 : 91 0917 1330

수 신 : 장 관(해신,문홍)

발 신 : 주 필리핀 대사

제 목 : 유엔가입 기사보고

대: AO-28

1. 필리핀 타임즈 저널지는 9.17.자에 +PROSPECT FOR PEACEONE THE KOREAN PENINSULA+ 제하 사설을 게재한바, 요지는 다음과 같음.

- 남북한은 유엔 가입으로 항고적이고 영속적인 대화의 장이 마련됨으로써, 평화적인 공존을 위한 대화를 회복할수 있게 되었으며 나아가서는 통일문제로 이어질수 있을 것임.

- 냉전이후 지금 많은 관심을 갖고 있는 신세계질서 수립에도 기여하게 될것이므로 유엔의 진실한 회원국이 됨을 축복함.

2. 관련기사 팩스 송부 예정임.

(대사 노정기-관장)

공보처 1차보 국기국 문협국 외정실 안기부

PAGE 1 91.09.18 10:20 BE

외신 1과 통제관

0114

원 본 이

외 무 부

종 별 :

번 호 : ANW-0156 일 시 : 91 0917 1630

수 신 : 장 관(연일)

발 신 : 주 아틀란타 총영사

제 목 : 유엔가입

대:WUSM-0026

당지 ATLANTA CONSTITUTION 지는 9.17자 서울발 특파원보도로 HOPES FOR DIALOGUE AS KOREANS JOIN U.N.TODAY 제하 기사를 게재하였기에 보고함. (기사파편송부).

(총영사 김현곤-국장).

끝.

국기국

PAGE 1 91.09.18 09:45 WG

외신 1과 통제관 0115

원 본

외 무 부

종 별 :

번 호 : HKW-3266 일 시 : 91 0917 1900

수 신 : 장 관 (국일)

발 신 : 주 홍콩 총영사

제 목 : 유엔총회 관련 사설

당지 중국계 일간지 대공보 9.17.자는 제 46차 유엔총회 금일 개막이라는 제하에사설을 게재하였는 바, 한국 및 일본관련 주요 요지 하기보고함.

0. 금번 유엔총회는 급변하는 국제정세속에서 개최되는 것으로 한국, 조선민주주의 인민공화국등 7개국이 유엔에 새로 가입함에 따라 회원국은 현재 159개국에서 166국으로 늘어날 것임.

0. 남.북 조선의 유엔가입은 바로 동북아 정세의 안정추세를 반영 하는 것이며,특히 조선(북한)의 유엔가입은 조선이 이제까지의 고립된 국제적 지위에서 벗어나는데 크게 유리할 것임.

0. 일본은 내년 안보이사회 비상임 이사국으로 선출되기를 희망하고 있는데, 이미 일부 아시아국가들의 지지를 얻고 있어 일본이 원하는대로 될 것으로 봄.

0. 금후 만약 소련 중앙정부와 공화국들간에 원만한 타결이 이루어지지 않아 소련의 유엔대표권 대체 문제가 제기될 경우 유엔헌장 수정이 필요하며, 유엔헌장 수정문제가제기 되면 일본은 이기회를 놓치지 않고 안보이사회 상임이사국 자리를 요구할 것으로 예상되므로 향후 1-2년내의 상황 변화가 주목됨. 끝.

(총영사-국장)

국기국 1차보 청와대 안기부 외정실 분석관

PAGE 1

91.09.18 08:00 WH

외신 1과 통제관

0116

연일

"한사람이 지킨질서 모아지면 나라질서"

주 아 틀 란 타 총 영 사 관

아틀란타 700-540　　　　　　　　　　1991. 9. 17

수 신 : 장 관

참 조 : 국제기구국장

제 목 : 유엔가입기사보고

연 : ANW-0156 (91.9.17)

연호 당지 일간지에 보도된 기사내용을 별첨과 같이 송부합니다.

첨 부 : 관련기사 1부. 끝.

주 아 틀 란 타 총 영 사

52182

0117

The Atlanta Constitution. Sep. 17, 1991

Hopes for dialogue climb as Koreas join U.N. today

South savors chance to work with North

By Bob Deans
Journal-Constitution correspondent

SEOUL — With a nod to sweeping global change and amid mounting hopes that their divided people might someday reunite, North and South Korea will separately join the United Nations today.

Officials in Seoul believe the move will provide a forum that could help reduce tension on the Korean Peninsula, one of the most heavily militarized regions on Earth.

"We really hope that we'll be able to increase contacts and cooperation between our two [U.N.] delegations," said a senior South Korean Foreign Ministry official. "As a U.N. member, you're obliged to work with other members."

Full U.N. membership signals a major victory for South Korea, a recently democratized economic powerhouse whose achievements have dwarfed those of its Communist neighbor.

South Korean newspapers are full of articles and essays on Seoul's U.N. membership. About 200 South Korean journalists are in New York to report on today's General Assembly admission ceremony, which will be carried live on national television back home.

By the time the United Nations gets around to admitting South Korea, it's expected to be close to 5 a.m. Wednesday in Seoul.

Asked whether he plans to rise early to watch the coverage, Lee See-Young, assistant foreign minister for policy planning, smiled and nodded. "Oh yes," he said, "I'll be watching."

Seoul's efforts to gain U.N. membership had been thwarted for three decades by China and the Soviet Union, Communist allies of North Korea that have used their Security Council veto authority to oppose admission. But South Korea's emergence as a regional power with growing ties to Beijing and Moscow has coincided with the wane of Soviet communism to leave North Korea increasingly isolated and lacking the influence to block Seoul's U.N. entry.

For both Koreas, today brings a stunning initiation into the world body that was founded as Soviet and American armies divided the Korean Peninsula in 1945. In 1950, in an early test of U.N. will, the organization rushed in its own U.S.-led military coalition to enforce that division.

In a time that finds Moscow and Washington cooperating closely on a broad range of important global and bilateral issues, Seoul and Pyongyang remain locked in a virtual state of war, with 1 million heavily armed troops facing one another across the 100-mile-long border that cuts across this rugged and ancient land.

0118

원 본

암호수신

외 무 부

종 별 :

번 호 : GAW-0144 일 시 : 91 0918 0940

수 신 : 장관(연일,아프일)

발 신 : 주 가봉 대사

제 목 : 남북한 유엔가입 보도

1. 본직은 9.17 남북한 유엔가입과 관련, 주재국 L'UNION 지의 외신부장 MOUKETOU 와 회견을 가졌는바, 동 회견 기사가 동지 9.18 자에 4 단으로 보도됨.

2. 동 기사는 차파편 송부함. 끝

(대사 박창일-국제기구국장)

국기국 1차보 중아국

PAGE 1

91.09.18 19:09

외신 2과 통제관 BW

0113

외 무 부

종 별 :

번 호 : PHW-1271　　　　　　　　　　일 시 : 91 0918 1030

수 신 : 장 관(해신,해기,문홍)

발 신 : 주 필리핀 대사

제 목 : 유엔가입 기사 보고

대: AO-28

1. MANILA BULLETIN 지는 9.18.일자에 SOUTH AND NORTH KOREANOW UNITED NATIONS MEMBERS 제하 다음 요지의 사설을 게재함.

- 유엔 46차 총회가 최종적으로 승인 함으로써 남북한이 오늘 유엔의 정회원국이됨. 말할 필요도 없이 남북한의 유엔 동시 가입은 궁극적으로 남북한을 통일로 이끌수 있는 위대한 조치임.

- 38선은 인위적인 경계선이라는 것과, 42년간의 유엔가입 노력에도 불구하고 유엔 가입이 불가 하였던 이유를 들면서 고르바쵸프의 개방 및 개혁 정책이유엔 가입에 주역할을 하였음을 지적함.

- 남북한이 유엔의 새로운 회원국이 됨으로서 통일의 전망은 대단히 좋아졌으며, 우리는 89년 11월에 베르린 장벽이 무너지는 것을 보았는데, 38선도 이와같이 붕괴 되기를 희망하면서 남북한 유엔 가입을 축하함.

2. 관련 기사 팩스 송부 예정임.

(대사 노정기-관장)

공보처　1차보　국기국　문협국　외정실　청와대　안기부　공보처

PAGE 1　　　　　　　　　　91.09.18　13:01 WG

외신 1과 통제관

0120

외 무 부

종 별 :

번 호 : HKW-3273 일 시 : 91 0918 1100

수 신 : 장 관 (해신,국일,아이,기정)

발 신 : 주 홍콩 총영사

제 목 : 특별 홍보활동

1. 주요일간 SOUTH CHINA MORNING POST 9.18 자는 FIRST STEP TO MAKE TWO COUNTRIES BECOME ONE 제하 아국의 UN 가입을 환영하는 사설 게재함.

2. 동지는 한국에게 국제 포름에서 발언할 권한을 부여하는 것은 지당하다. 한국은 정치, 경제적으로 비중이 높아지고 있으며, 지금부터 서울은 동북아 지역 및 세계의 안보와 번영을 유지, 발전시켜 나아가는데 보다 영향력 있는 역활을 수행할수 있는 위치에 서게 되었다고 논평함.

3. 사설 원문 별전 FAX 송부함.

(총영사-외보부장)

공보처	1차보	아주국	국기국	외정실	분석관	청와대	안기부

PAGE 1

91.09.18 13:10 WG

외신 1과 통제관

0121

HKW(F)-001 (1매)

HKW-3273 (첨부물)

Page 22

South China Morning Post

Founded in 1903

WEDNESDAY, SEPTEMBER 18, 1991

First step to make two countries become one

THE scheduled admission of South Korea to the United Nations (UN) early this morning was long overdue, but it is a cause for regret as well as rejoicing. Seoul had previously applied for UN membership five times over a 26-year period, while resolutions on Seoul's behalf had been introduced three times, in 1955, 1957 and 1959. On each occasion, the application was rebuffed by the Soviet Union, which for decades allied itself with the Stalinist "paradise on earth" of North Korean President Mr Kim Il-sung.

The collapse of communism, and the thirst of tottering regimes in Eastern Europe and China for South Korean funds, has changed all that. The Soviet Union and China have now acceded to South Korea's membership, having pressured a reluctant North Korea to join the UN, also this morning.

On the positive side, it is only right that Seoul should have been given a voice in the international forum. South Korea is a country of growing importance, politically as well as economically, and Seoul will now be better placed to play an influential role in helping to maintain and develop regional and global security and prosperity.

Despite its enormous economic strength, Japan has been remarkably slow in providing leadership in the international arena, and the higher profile South Korea can now adopt might have the side-benefit of nudging Tokyo out of its introspection.

However, it is regrettable that the two Koreas should have obtained membership separately, nearly four decades after the end of the Korean War. Koreans experienced terrible suffering in that war and its aftermath, and the suffering continues in North Korea.

To outsiders, Pyongyang appears a comical regime, with the bizarre personality cult that surrounds "Great Leader" President Kim and his son, the "Dear Leader" Mr Kim Jong-il. However, the grotesque regime is no joke for northern Koreans, who live in miserable isolation from the outside world, enjoying no personal freedom and even having to endure food shortages, according to recent reports, because of the problems of an economy starved of Soviet aid, including oil supplies vital to basic transport systems.

Neither has South Korea been much of a paradise for opponents of the government in Seoul, which continues to hold political prisoners. However, Seoul's repressive national security laws cannot be compared to Pyongyang's apparatus of terror. South Korea is a democracy governed by the rule of law, and President Roh Tae-woo should not shrink from further liberalisation of his country's laws. Young Koreans may be badly misguided, but they are idealistic and patriotic, and should not be treated as enemies of the state.

For Pyongyang, the future is bleak as communism collapses around the world. North Korea may feel it is insulated from such currents, but it is difficult to see how the country can counteract the erosion of vital support from

0122

원 본

외 무 부

연일

종 별 :

번 호 : AEW-0399 일 시 : 91 0918 1130

수 신 : 장관(연일,정홍,중동일)

발 신 : 주UAE대사

제 목 : 남.북한 유엔가입

대:AM-0198

1.주재국 언론은 금9.18.제46차 유엔총회에서전회원국 찬성으로 남.북한이 동시유엔가입 되었음을 보도함.

2.또한,금번 유엔의 한반도에서의 두개의 국가승인이 남.북한 상호간 국가승인을 의미하는 것은 아니나 아측은 사실상 남.북한상호국가 승인을 의미한다고 주장하고 있음을 보도함.끝.

국기국 중아국 문협국

PAGE 1

91.09.18 21:22 ED

외신 1과 통제관

0123

외 무 부

종 별 :

번 호 : CHW-1535　　　　　일 시 : 91 0918 1140

수 신 : 장 관(해신,문홍,기정)

발 신 : 주 중 대사

제 목 : 유엔가입기사보고

대:AO-0028

연:CHW-1528

주재국 일간지 중앙일보는 9.18. '남북한등 7개국 유엔가입 확정' 제하에 동지 서울특파원 기사를 다음요지 보도함.

- 남북한 유엔가입은 한반도 냉전과 긴장완화로 평화와 안정을 가져 올것이며, 이는 남북한 통일에도 기여할 것임.

- 이상옥 외무장관은 그간 한국의 유엔가입을 위해 지지와 협조를 해준 각 우방국에게 사의를 표명함.

- 한국등 유엔가입으로 회원국이 166개국으로 늘어났음. 끝

(대사 박노영-해외공보관장)

공보처　1차보　국기국　문협국　외정실　분석관　청와대　안기부

PAGE 1　　　　91.09.18 13:15 WG

외신 1과 통제관

0124

외 무 부

연일

종 별 : 지 급

번 호 : GVW-1768 일 시 : 91 0918 1150

수 신 : 장관(해신,문홍,연일,기정동문) 사본:박수길대사

발 신 : 주제네바대사대리

제 목 : UN 가입 관련 언론 반응

1. TRIBUNE DE GENEVE 지는 금 9.18 'UN 총회개막' 제하 기사에서 9.17.개막한 UN 총회에서 남.북한이 발트 3개국등 다른 6개국과 함께 UN의 정식 회원국으로 가입하였다고 보도하고 A.NAEF 외신부장 기명의 별도 해설기사(2단)에서 아래와 같이 논평함.

0 북한은 하는수 없이 UN 에 가입했음. 과거의 맹방인 소련과 중국이 더이상 한국의 UN가입을 반대하지 않는다는 사실을 알고 점점고립되어 가고 있는 북한은 체념과 함께 한국을 따라가기로 했음.

이는 발트 3개국의 UN 가입과 함께 공산진영의 붕괴를 뜻하는 것임.

한편 동.서 대결의 종식으로 비동맹 운동도 심각한 IDENTITY CRISIS 를 겪고 있음.

2. 한편 금일자 JOURNAL DE GENEVE 는 P.DENTAN 특파원발 'UN 총회 남.북한 및발트제국영접' 제하 기사에서(2단) 아국의 UN 가입 사실을 보도하고 LA SUISSE, LEMATIN, '24 HEURES' 지도 외신을 인용 동 사실을 보도함.끝

(차석대사 김삼훈-해공관장)

공보처	차관	1차보	국기국	문협국	외정실	분석관	청와대	안기부

PAGE 1

91.09.18 21:13 ED

외신 1과 통제관

0125

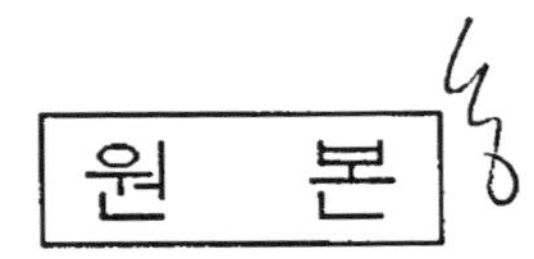

외 무 부

종 별 :

번 호 : NMW-0754 일 시 : 91 0918 1200

수 신 : 장관(연일,아프이)

발 신 : 주나미비아대사

제 목 : 유엔가입관련 당관조치및 반응

1. 당관은 아국의 유엔가입과 관련, 당관 명의 PRESS RELEASE를 작성,사전배포하였으며,본직은NBC 라디오와의 인터뷰를 가졌음.

2. 이와관련 9.18자 당지 언론은 뉴욕발 유엔가입사실 보도와 함께 당관의 보도자료내용(유엔가입이한반도의 조속한 통일에 기여할것임과 나미비아의 아국입장지지에 대한 사의표명)을 아울러 보도하였기 보고함.

3. NBC라디오는 금일 13:00본직과의 인터뷰내용을 보도하였음. 끝.

(대사 송학원-국장)

국기국 차관 1차보 중아국

PAGE 1

91.09.18 22:16 ED

외신 1과 통제관

0126

외 무 부

종 별 :

번 호 : GEW-1894　　　　일 시 : 91 0918 1600

수 신 : 장 관(해신,문홍,구일,국연,기정동문)

발 신 : 주 독 대사

제 목 : 남북유엔가입 관련기사

1.남북 유엔가입과 관련 당지 FRANKFURTER ALLGEMEINE ZEITUNG 지는 91.9.18.자 6면'북한은 아직도 변화의 필요성을 절실히 느끼고 있지않아' 제하 UWE SCHMITT 동경특파원이 기고한 4단짜리 장문의 해설기사에서

0 '줄곧 남북한 단일의석 가입을 주장해오던 북한이 자신의 입장을 바꾸게 된것은 중국과 소련의 압력때문이었음에 틀림없다', '북한이 변화의 필요성을 절실히 느끼고 있다고는 말할수없기 때문에 남북한이 결정적으로 평화의 길로나가고 있다고 감히 말해서는 안된다'라는등 북한이 주변의 압력때문에 마지못해 이에 응한것이라고하면서

0 '북한의 유엔가입이 국제사회의 건설적인 기대에 보답하지 못한다면 북한자신은 이에 대한 책임을 저야만 한다'고 논평함으로서 금번 남북한 유엔 분리가입이 국제사회에서 한국외교의 승리이자, 북한의 패배를 의미한다는 논평기사를게재했기 전문 번역 별첨 보고함.

0 동 기사내용 아국특파원을 통해 순환 홍보함.

2. 아울러 당지 주요 방송매체들은 남부한과 발틱국가들의 유엔가입 사실을 단신으로 보도했으며, 특히 DEUTSCHLANDFUNK 라디오 방송은 91.9.17. 1830 뉴스 해설시간에 '북한은 유엔가입을 국제사회에 대해 폐쇄된 체제를 개방 하는 계기로 삼아야 하며, 세계 12대 무역국가인 한국은 유엔가입을 국제적으로 승인을 되었다'는 해설방송을 한바 있음.끝

(대사-해공관장)

별첨: GEW(F)-043

공보처	1차보	구주국	국기국	문협국	외정실	분석관	청와대	안기부

PAGE 1　　　　91.09.19 09:17

외신 1과 통제관

0127

주 독 일 대 사 관

GEW(F) - 043 10918 1600

수 신 : 장 관 (해신, 문홍, 구일, 국연, 기정동문)

발 신 : 주 독 대 사

제 목 : GEW - 1894의 별첨

(표지 포함 총 7 매)

1

0128

북한은 아직도 변화의 필요성을 절실히 느끼고 있지 않아

- 소련과 중공의 압력
- 남북 유엔가입의 배경

(F.A.Z, 9.18일 6면 4단, Uwe Schmitt 기고)

종전 십년간에 냉전시대에 있어서 그리고 동족상잔의 전쟁에 있어 한반도 분단의 역사는 항상 유엔과 관련이 있었다. 이같은 관계는 1947년 유엔감시하의 남북한 총선거를 소련과 북한이 거부한데서 부터 발단이 되었다. 1950년 미국은 북한의 침략에 대항하기 위해 16개국으로 구성된 유엔군을 파견하는데 주도적 역할을 했다. 비록 정전후에 미군이 주축이 되긴 했지만 오늘날까지 한국에는 "유엔군 사령부"란 명칭으로 다국적 보장군이 남아 있다.

수십년간 한국은 유엔에서 옵서버의 지위에서 정회원국이 되려는 여러차례의 시도를 하였다. 복잡다단한 남북한간의 주고받기식의 제안은 세계정치의 현주소를 반영해주고 있다. 1982년 한국은 남북한의 유엔가입 실현을 위해서 미국과 일본이 북한을 승인하는 반면 소련과 중공이 한국과의 국교관계를 수립하는 시나리오를 고안해 냈다. 남북한은 이후 유엔이란 무대에서 논쟁의 상대로 또는 꼭 나서야할 필요가 생겼을때 무대뒤의 배우로서 등장했다 : 1983년 9월 안보리에서는 강대국

- 1 -

0129

대표들간에 소련사할린 상공에서 격추된 한국여객기 문제로 격렬한 토론이 벌어진 바 있다 ; 최근 1988년 2월에는 일본과 한국이 북한 테러범들에 의해 자행된 것으로 보여지는 100여명의 생명을 앗아간 1987년 11월의 한국 여객기의 격추 사건을 조사하기 위해 안보리의 긴급회의 소집을 요구했었으나 중국은 이러한 긴급 회의가 한반도 안정에 기여하지 못한다는 이유로 이 회의를 거부한 바 있다. 이제 남북한의 동시가입은 한반도의 안정과 나아가 한반도의 통일에 기여할 것인가 ?

금년 5월 28일 북한 관영통신인 중앙통신은 역사적인 보도를 했다. 이는 냉전의 마지막 교리들중의 하나가 죽음을 고하는 것이었으며 아울러 이는 패배를 자인할때 흔히 그러하듯 의기소침해서 기어들어가는 말투였다 : 즉, 북한은 유엔가입을 위해 "필요한 조치"를 취할 것이라는 보도였다. 그러나 이 보도는 누가 뭐래도 개인 우상화라는 타락의 길로 들어선 스탈린주의식 북한이 적국에서 반대급부를 얻지 못하고 "두체제, 한개의 의석"이란 자신의 교리를 포기하도록 강요 받음으로써 분노와 수치심을 느끼고 있다는 것을 숨기지는 못했다 : "한국정부가 단독가입을 고집하기 때문에 우리로서는 남북한에 공동의 이해관계에 속하는 문제가 장차 유엔이라는 토론의 장에서 일방적으로 다루어질 것을 우려해야만 한다"

내키지 않은 가입 욕구

유엔의 역사에 있어서 한 국가가 내키지 않는 심정에서 이를 갈아가면서 얼마만큼은 항의를 하면서 유엔가입 희망을 한 예는 거의 찾아보기 힘들다. 그러나 북한의 가입에는 이러한 기괴한 표현이 들어 맞는다. 이제 거의 80살에 이른 소위 "위대한 수령" 김일성의 지배하에서 점차 고립되어가고 경제적으로 폐허화되어 가는 북한은 자신이 7월초 유엔가입 신청을 하고 한달후 한국이 승리감에 젖어 이에 뒤따랐을때 이중의 압력에 의해 희생당했다는 느낌을 가졌음에 틀림없다. 중국과 소련은 의도적이 아닌지는 몰라도 서로 상충되는 이유에서 북한이 수십년간 완전히 자신들에게 의존하고 있었던 점을 자신들의 이익을 위해서 이용하려고 서로 노력했다. 언제 어떻게 북한이 자신들의 입지가 약화된 양 강대국의 상충되는 이해관계속에 끼어 들게 되었는지는 다음 사실에서 재조명해 볼수 있다 : 남북한 총리가 비록 성과는 없었지만 역사적으로 만난 바 있던 바로 일년전 중국은 심양에서 개최된 북한측과의 비밀회담에서 북한 대표단에게 장차 한국과의 긴밀한 경제관계를 도모하겠으며 자신과 북한간의 상품거래에 경화사용을 해야할 것이라는 점을 명백히 했다. 중국은 북한인들에게 서방의 투자자들을 위해 개방하라고 강력히 권고한 바 있으며, 이는 명령과 같은 것이었다. 흔히 중국과 북한과의 관계가 "순치관계"와 같이 뗄래야 뗄수 없는 긴밀한 관계로 일컬어져 왔는데, 이같은 관계가 이제와서는 의도적인 새로운 강한 압력이 되고 있다.

추측컨대 중국의 압력은 또하나의 압력에 비하면 대단한 것이 못된다 : 한국과 소련간의 외교관계 수립협상이 수개월간 진행된 끝에 1990년 9월 30일에는 마침내 양국간에 국교관계가 수립되었음이 엄숙히 선포되었다. 물론 양 공산강대국의 충성스러운 예속국가인 북한은 적어도 외부세계로부터는 영향을 받지 않지 않았다. 지난해 10월 평양에서의 남북총리회담에서 북한은 지난 50년대 이래 조금도 변치 않아온 도발적이고 비화해적인 교리에서 털끝만큼도 이탈하는 빛을 보이지 않았다 : 즉, 외교적으로 한국 승인불가, 한.미 군사합동 훈련인 팀스피리트의 포기, "북한과 접촉한" 모든 반체제인사들의 석방, 유엔 단일의석 가입 등의 주장을 북한은 계속 고수했는데, 북한측의 설명에 따르면 기타 모든 다른 해결방안은 "분단을 결정적으로 고착화시킨다"는 것이었다. 한국의 대표단은 북한이 진부한 대립의 도식관계를 지양하고 "혁명수출"을 그만두라고 촉구했었다. 1989년과 1990년 남북한간에는 여러가지 관계개선이라는 희망의 조짐이 보여졌었으나, 또다시 대화두절 상태가 되었다.

금년 1월 한.소간의 외교승인은 처음으로 그 몫을 했다 : 소련이 30억 달라의 차관을 한국으로부터 얻은 것이다. 북한은 금년 2월말 이에 대응하는 외교조치를 시도한 바 있다. 즉, 북한 고위관리가 금년중에 일본과 국교관계를 수립할 것이라고 예견하고, 쟁점이되는 전쟁보상문제에 있어서 유연성을 보일것이라는 시사를 한 것이다. 이러한 북한의 시도는 성과를 얻지못했다 ; 일본과 북한간의 협상은 오늘까지 제자리에 머무르고 있다.

금년 4월 고르바쵸프 대통령은 일본에서 실망스러운 회담후 귀국길에 노태우대통령과 제주도에서 회담했으며, 처음으로 한.소관계가 소.북한간의 관계만큼 중요하다는 점을 명백히 했으나, 고르바쵸프는 남북한 유엔분리가입을 안보리에서 거부권 행사를 통해 저지하지 않겠다는 약속을 하지는 않았다. 그러나 그는 줄곧 남북한 단일의석 가입이 "비현실적"이라는 중국지도부의 태도와 같은 견해는 갖고 있었다. 누군가가 이에 대해서 이야기해야만 했었다.

드디어 이 문제에 관해 이야기가 나왔다. 5월 9일 중국수상 이붕은 북한방문후 북한이 남북한 유엔분리가입에 대한 협상할 준비가 되어 있다는 센세이셔날한 주장을 폈다. 이와 관련 사람들은 북한이 이붕총리에게 한국의 유엔단독가입에 대해 안보리에서 중국이 거부권을 행사해 저지해주도록 성가시게 졸랐는데, 이러한 보장을 얻기는 커녕 이붕의 공개적인 공표로 웃음거리가 되었다고 보고 있다. 중국인들이 얼마나 남북한 동시유엔가입을 진지하게 생각하고 있었는지는 다음과 같은 사실에서 잘 알수 있었다. 즉, 지난 1월 한국과 중국은 이미 상호 무역대표부를 개설했고 외교관계 수립도 단지 시간문제일 뿐인 것이다. 이로써 북한은 결정적으로 압력을 받게 되었고 이에 굴복하지 않을 수 없었다. 2주반 후에 중앙통신은 북한이 방향을 선회 했음을 보도했다.

오늘날 발틱 3국의 유엔가입으로 남북한의 유엔동시가입의 중요한 의미가 가려워져 있는 것은 이해할 만한 일이기는 하지만 유감스러운 일이기도 하다. 북한의 유엔가입이 국제사회의 건설적인 기대에 보답하지 못한다면 북한자신은 이에 대한 책임을 져야만 한다. 북한이 비엔나 소재 국제 핵에너지기구회의에서 "한국에 배치된 미국의 핵무기 위협이 존재하는 한", 사신들의 핵시설에 대한 사찰을 허용할 수 없다고 거부 의사를 밝힌 것이 바로 일주일 전이다.

북한 핵무기 보유 ?

북한이 자체핵무기를 개발하기 때문에 핵사찰을 거부하고 있는지에 대한 의심은 사라지기보다 점점 더해만 간다. 적대하에 있는 남북한의 유엔 동시가입이 "한반도 평화와 전체 아시아의 평화"를 위한 열쇠가 될 것이라는 노태우 대통령의 평가가 비로소 그 유용성을 증명해야만 하게 되었다. 유엔가입 문제에 대해서 줄곧 남북한이 단일의석으로 가입하여, 상호 교대로 유엔에서 대표가 되고, 쟁점에 관해서는 투표에 기권해야한다는 입장을 북한이 바꾸게 된 것은 지난날 자신의 동맹국이었던 소련과 단 하나 남은 지원국인 중국의 압력에 의한 것이라는 사실은 의심의 여지가 없다. 북한이 변화의 필요성을 절실히 느끼고 있다고 말할수는 없다. 때문에 남북한이 결정적으로 평화의 길로 나가고 있다고 감히 말해서는 안될 것이다.

외 무 부

종 별 :

번 호 : CNW-1305 일 시 : 91 0918 1600

수 신 : 장 관(해신,문홍)

발 신 : 주 카나다 대사

제 목 : 유엔가입 언론 반응

대 : AO-0028

91.9.18. 자 주재국 언론은 남.북한유엔가입관련, N.Y. 발 AP 통신등 인용다음과같이 보도함.

1. GLOBE AND MAIL

'SEVEN COUNTRIES WELCOMED BY UN: INFLUENCE ENHANCED BY TUMULTUOUS CHANGES, GENERAL ASSEMBLY OPENS SESSION'..9AP 11면 4 단 15 CM)

2. GAZETTE

'UN ASSEMBLY PICHS LEADER, WELCOMES 7 COUNTRIES'

(AP 9 면 1 단 28 CM)

3. LA PRESSE

'UN SEVEN NEW MEMBER' FROM THREE BALTIC COUNTRIES'

(AFP E 1 면 3 단 18 CM)

4. OTTAWA CITIZEN

'BALTIC NATIONS TAKE SEATS IN UN'

(SOUTHAM NEWS, 8 면 2 단 22 CM).끝

(대사-국장)

공보처 미주국 국기국 문협국 분석관 안기부

PAGE 1 91.09.19 09:48 BE

외신 1과 통제관

0135

외 무 부

종 별 :

번 호 : SPW-0646 일 시 : 91 0918 1630

수 신 : 장 관(해신 연일 문홍 기정 국방부)

발 신 : 주 스페인 대사

제 목 : 남북한 유엔가입 반응 보고

대:A0-0028

1. 9.17. 일 제46차 유엔총회에서의 남북한의 유엔가입에 대하여 9.18.자 당지 언론 (EL PAIS,ABC)은 발틱 3개국가를 위시하여 남북한등 새로히 7개 회원국의 가입이 총회 개최초에 승인되였다고 보도하고 발틱 3개국중 1국 대표의사진 (환호 또는 악수하는 장면)을 게재하였음.

2.당지 유력지인 ABC 지는 전기 가입사실 보도에 더하여 유엔외교가에서는 남북한의 유엔가입을 환영하면서도 북한의 핵 사찰거부에 대하여 개탄하는 소리가 높다는 현지 특파원의 논평도 함께 보도하였음.

(대사 권태웅-국장)

공보처	1차보	국기국	문협국	외정실	분석관	정와대	안기부	국방부

PAGE 1 91.09.19 09:05 WG

외신 1과 통제관

0136

외 무 부

종 별 :

번 호 : MXW-1368　　　　일 시 : 91 0918 1750

수 신 : 장 관(해신,문홍)

발 신 : 주 멕시코 대사

제 목 : UN 가입 언론반응

AO-0028

1.대호 관련 9.18.자 EL FINANCIERO 지 '냉전종식의 상징, 한국과 발틱 3국의 유엔 가입' 제 UN 발 외신용 3단기사게재 하였음.

요지: 제 47차 UN 총회가 남북한등 7개국을 새 회원국으로 가입시키며, 개막, 발틱3국 및 남북한등 7개국의 유엔가입은 냉전시대의 종말을 상징하고 있으나, 쏘련연방의해체로 인한 새로운 UN 시대와 유럽에서의 민족주의의 팽배를 예고하고 있다. 한국의 이상옥 외무장관과 북한의 강석주 차관은 남북한의 유엔가입은 획기적인일이며, 한반도의 장래 통일에 기여할것으로 평가, 지금까지 북한과 2의 동맹국 쏘련,중국이 한국의 단독 UN 가입을 반대해왔기때문에 남.북한은 UN 의 옵저버의 지위를 가져왔었다 그러나 냉전종식의 결과로 북한은 그들의 종전의 입장을 포기해야만 하겠되었다.

2.EXCELSIOR 지 ' 유엔총회 7개 새회원 가입승인' 제하 전단기사, EL SOL DE MEXICO 지 ' 발틱 3국 UN 가입 ' 제하 전단기사, EL HERALDO 지 '새로운 7개국 국기 유엔 본부게양' 제하 3단기사, NOVEDADES 지' 한국과 발틱 3국 UN 가입' 제3단 기사, EL UNIVERSAL 지 ' 발틱 3국 유엔 가입'제하 3단기사, UNO MAS UNO 지 ' 발틱 3국 유엔가입' 제하 2단기사 각각 게재하였음.

(대사 이복형-외보부장)

공보처　1차보　국기국　문협국　외정실　분석관　안기부

PAGE 1　　　　91.09.19 10:18 WG

외신 1과 통제관

0137

외 무 부

연일

종 별 :

번 호 : AVW-1163　　　　일 시 : 91 0918 2000

수 신 : 장 관(문홍,연일,구이,해신)

발 신 : 주 오스스트리아 대사

제 목 : 유엔 가입에 관한 언론 반응

대:AO-0028

9.18자 주재국 신문과 방송은 아국을 포함 7개국이 유엔에 가입하였으며, 이로써 유엔회원국은 166개국으로 늘어낫사고 외신인용 논평없이 아래 제하에 사실 보도하였음.

- DER STANDARD(1면1단):'UNO NIMMT SIEBEN NEUEMITGLIEDER AUF'
- WIENER ZEITUNG(1면 1단):'BEIDE KOREA UND BALTEN IN DERUNO'끝.

문협국　1차보　구주국　국기국　외정실　분석관　청와대　안기부　공보처

PAGE 1　　　　91.09.19　09:31 WG

외신 1과 통제관

0138

주 아 일 랜 드 대 사 관

예란(정) 20700-127 1991. 9 . 19 .

수신 : 장관

참조 : 구주국장, 국제기구국장

제목 : 유엔가입 언론보도

아국의 유엔가입관련 주재국 최대 유력지인 The Irish Times 의 보도 기사를 별첨과 같이 보고합니다.

첨부: 관련 기사 1부. 끝.

주 아 일 랜 드 대 사

0139

UN session opens with Baltic states and Koreas joining

UNITED NATIONS

Sean Cronin, New York

THE UN General Assembly admitted seven new member states yesterday at the opening of the 46th annual session — Lithuania, Latvia, Estonia, North Korea, South Korea, the Marshall Islands and Micronesia.

Saudi Arabia's Mr Samir S Shihabi, who was elected president of the assembly, receiving 83 votes against Papua New Guinea's Sir Michael T Somare and Yemen's Mr Abdalla Saleh al-Ashtai. The Asian states did not have an agreed candidate.

Mr Shihabi said: "46 years have passed in the life of the United Nations. I don't know how the world would look today if the United Nations was not in existence. It is the hope of humanity in its future generations."

The opening session began with "a minute of silent prayer or meditation", presided over by the outgoing president, Professor Mario de Guido of Malta, who in his concluding speech to the outgoing session commented on the assembly's failure to play a greater role in international affairs.

Mr Javier Perez de Cuellar

He said there is "a unique opportunity to unleash the vast potential for deliberation and decision-making that have lain dormant in our assembly for over four decades".

Before the session began, the secretary-general, Mr Javier Perez de Cuellar, who is retiring this year, laid a wreath at UN headquarters in memory of one of his most notable predecessors, Dag Hammarskjold, who was killed in a plane crash 30 years ago in what is now Zambia, while trying to negotiate a ceasefire in the Congo War.

A 22-nation panel is offering a draft plan to reorganise the UN secretariate, below the secretary-general, which in practice had become the fiefdoms of the superpowers during the Cold War. The idea is to make these officials answerable as international civil servants to the secretary-general rather than to their home governments.

The draft plan proposes four departments: political and security affairs; humanitarian and human rights; development and environmental; and management and finance. Each department will be headed by a deputy secretary-general chosen by the secretary-general. The administrative tier below these four would consist of about 20 under secretaries.

Mr Perez de Cuellar said of the proposed plan: "It is for my distinguished successor to see whether he is pleased or not. I think, however, that the membership of the United Nations should not forget that the secretary-general is the chief administrative officer and they should not interfere with the right of the secretary-general to manage the house."

The Security Council — in effect the five permanent members — will choose a successor to Mr Perez de Cuellar by the end of next month. The leading candidates are Prince Sadruddin Aga Khan, the UN High Commissioner for Refugees, and Mr Boutros Ghali, the Deputy Prime Minister of Egypt. The General Assembly will endorse the selection.

Professor Guido, presiding at yesterday's opening, noted that under Article 19 of the UN Charter, members in arrears in contributions "shall have no vote in the assembly". He asked the members to take note of that information.

Member states owe hundreds of millions of dollars to the UN. The US owes $531,590,325 and the Soviet Union $46,019,313. Rich countries, including Japan, which owes $61,304,149, and South Africa, at $45,007,168, also do not pay their contributions in full for various reasons.

Debts for UNIFIL, the operation ordered by the Security Council to restore the sovereignty of the Lebanese government over the entire country, are of staggering proportions. The US owes $126,893,338, the Soviet Union $84,934,565, Britain $7,165,624, France $5,718,848, China $726,203 — the five permanent members of the security council that authorised UNIFIL.

The 46th session's packed agenda is detailed in 480 typewritten pages, and includes a host of "questions", some of which "have lain dormant" for decades, including Palestine, Cyprus, the Middle East, Central America, the Falkland Islands (Malvinas), Afghanistan and even Antarctica.

Having been concluded on Monday, items now off the agenda include "The armed Israeli aggression against the Iraqi nuclear installations" and "Iraqi aggression and the continued occupation of Kuwait in flagrant violation of the United Nations." Some questions and situations are resolved, though hardly peacefully.

Mr Perez de Cuellar is holding talks at the UN with the President of El Salvador, Mr Alfredo Cristiani, and the leaders of the FMLN guerrillas, Mr Schafik Handal and Mr Joaquin Villalobos. The secretary-general said he has had two "useful meetings" and "we have made very good progress in the sense of clarifying the positions of the parties."

0140

외 무 부

종 별 :

번 호 : THW-1877 일 시 : 91 0919 1000

수 신 : 장 관 (해신,문홍)

발 신 : 주 태국 대사

제 목 : 남.북한 유엔가입 기사보고

1. 주재국 현지어신문 DAILY NEWS지 9.18자 외신면은 'KOREA AND UN' 제하, 외신부장 MR.PIROON 1회 기사게재함

2. 동부장의 1회기사는 제46회 유엔총회에서 의결된 역사적인 남.북한 유엔가입의의를 설명하고 향후 남북한간 긴장완화와 통일에크게 기여할 것으로 전망함

동기사는 오랜열망끝에 성취한 한국의 유엔가입 기사를 9.19 계속할것을 예고함

(대사 정주년-관장)

공보처 1차보 국기국 문협국 외정실 분석관 안기부

PAGE 1

91.09.19 14:09 WG

외신 1과 통제관

0141

19/09 '91 11:18 ☎5053067 KOREA BEIJING .00

駐北京代表部

CPW(F): 0083 日時: 109191030 (PAGE 2-1)

受信: 長 官 (아이,국연)

發信: 駐北京代表

題目: 남북한 유엔 가입 기사

第46届联合国大会开幕

接纳朝鲜北南双方等7个新成员

本报联合国9月17日电 记者张亮报道：第46届联合国大会今天上午在联合国总部开幕。

大会以83票的多数选举沙特阿拉伯现任常驻联合国代表萨米尔·希哈比为本届联大主席，并接纳朝鲜民主主义人民共和国、大韩民国、密克罗尼西亚、马绍尔群岛、爱沙尼亚、拉脱维亚和立陶宛为联合国成员。至此，联合国成员增至166个。

新任主席希哈比发表了讲话，他对最不发达国家与发达国家之间巨大的贫富差距表示不安。他认为，如果人类社会的这种严重不平衡状况不能尽快得到解决，其它各个领域的平衡就会受到破坏。

这位新主席还呼吁联合国和国际社会为完全实现巴勒斯坦人民的权利和结束南非的种族隔离制度而努力。

列入本届联大的临时议程共有145项，其中包括裁军、发展与经济合作、地区性问题、环境保护和社会发展等重要问题。

本届联大从9月23日开始进行为期3周的一般性辩论。

9.19. 人民日报

0142

002

2-2

UN welcomes 7 new members

UNITED NATIONS (Xinhua) — The UN General Assembly on Tuesday approved the applications of seven countries for membership in the United Nations.

At its first plenary meeting, the assembly, which opened its 46th session in the morning, adopted, by acclamation, resolutions admitting to the United Nations the Democratic People's Republic of Korea (DPRK), the Republic of Korea, the Federated States of Micronesia, the Marshal Islands, Estonia, Latvia and Lithuania, thus increasing the number of UN members from 159 to 166.

The decision of the General Assembly was made on the recommendation of the Security Council which approved the applications of the seven countries last month and earlier this month.

Both the DPRK and South Korea used to be non-member states maintaining permanent observer status at the United Nations.

In the case of the three Baltic republics, which have recently declared independence from the Soviet Union, the UN Security Council waived, under Rule 60 of its provisional rules of procedure, the requirement that there will be a 25-day period between the council's action and the opening of the regular session of the General Assembly.

The Federated States of Micronesia and the Marshal Islands, both archipelagoes in the Pacific Ocean, used to be part of the UN trust territory of the Pacific islands. But the trusteeship agreement was terminated for the Marshal Islands and Micronesia last year after they formed a free association with the United States, the administering authority.

Speaking after the admission, Kang Sok Ju, first Deputy Foreign Minister of the DPRK, expressed the belief that the unanimous adoption of his country's application for UN membership without voting "is an indication of the deep attention" paid by the international community to the Korean peninsula.

In his speech, Lee Sang-Ock, the Foreign Minister of South Korea, said that by simultaneously joining the UN "both sides of Korea have now taken a giant first step forward."

The General Assembly opened its 46th session on Tuesday at its headquarters in New York.

Apart from enlarging its membership from 159 to 166, Selecting the next secretary-general is the item that has drawn the most attention the world over.

Among the most discussed candidates for the post are Prince Sadruddin Aga Khan, the Secretary-General's personal representative for humanitarian relief in the Gulf and former UN High Commissioner for Refugees; Jan Eliasson, Sweden's ambassador to the UN; and six African candidates.

In the history of the UN, there has never been a secretary-general from Africa.

The Security Council will reach a decision on a candidate in early October and it is up to the 46th General Assembly to accept or reject the council's recommendation.

9.19. CHINA DAILY

0143

원 본

암호수신

외 무 부

종 별 : 지 급

번 호 : FUW-0373 일 시 : 91 0919 1130

수 신 : 장 관(연일,아일)

발 신 : 주 후쿠오카 총영사

제 목 : 유엔가입관련 현지반응보고

남북한 유엔동시가입관련 현지반응을 종합 아래보고함

1. 당관주재지 유력일간지 니시니혼 신문은 9.18 자 조간과 석간에 남북한 유엔가입기사를 1 면톱으로취급함

2. 동지는 9.19 자조간에 냉전후 짊어질 유엔에의 기대 제하 사설을 게재

0 제 46 회 유엔총회는 냉전후의 과실을 독점하는 무대가 되었으며, 40 년전 한국전쟁으로 격열한 전쟁을한 남북한이 나란히 유엔에 가입했고, 또한 소련연방붕괴에따라 발트 3 국도가입이 인정됨

0 유엔에 새로운 가능성을 부여한것은 냉전의 종결 그자체임. 냉전종결은 미소의 화해라기보다 소련붕궤의 한과정 이었음. 소련형 사회주의가 동구를 잃고독일통일을 인정, 미국과의 군비확장 경쟁을 단념, 북한을 버리고 한국과 결합하고, 발트 3 국의 독립을 인정하지 않을수 없었기 때문임

0 물론 남북한이 유엔에 가입했다고 곧 남북화해가 아루어지는 것은아님. 북한은 냉전을 끌고가면서 냉전후의 무대에 들어선 형태가 된것이며, 당분간은 남북대립의 장이 유엔으로 옮긴 결과밖에 되지 않을것임

0 남북한을 참된 화해로 유도하는 것이 새로운 유엔의 최초의 대작업이 될것임 끝.

(총영사-국장)

국기국 장관 차관 1차보 2차보 아주국 외정실 분석관 청와대
안기부

PAGE 1 91.09.19 13:37

외신 2과 통제관 BS

0144

외 무 부

종 별 :

번 호 : GEW-1898 일 시 : 91 0919 1200

수 신 : 장 관(해신,문홍,구일,국연,기정동문)

발 신 : 주 독 대사

제 목 : 유엔가입 관련기사

연: GEW-1894

대: AO-0028

1. 당지 유수일간지 DIE WELT 지는 9.19. 5면'정상회담 제의, 단지 허망한 기대만 일깨워 '제하 동지 FRED LA TROBE 특파원의 4단짜리 해설기사에서

0 '남북한 유엔 동시가입으로 남북한이 유엔에서 공동의 행동을 취한다면 남북한 관계를 강화시키는데 기여할 것이다'

0 '그러나 남북한 관계에 있어 좋지못한 징후의 하나는 북한이 자신의 핵안전협정 서명을 또다시 거부함으로 나타났으며, 북한의 이같은 거부는 서방국가들 사이에서철저한 공산주의 북한이 핵무기를 제조할 의사가 있는것이 아닌가 하는의심을 높여주었다'

0 '한국의 노태우 대통령은 지난달 남북한 관계개선을 위해 북한의 합작기업 설립,지하자원 공동발굴, 관광개발등의 사업을추진할 용의가 있다는 새로운 제안을 하였다'

0 '북한의 김일성이 한국의 노태우 대통령과 회담할 용의가 있는것으로 알려졌는데 이것이 실현되면 46년간의 분단의 역사에있어 최초로 정상이 만나는것이 된다' 는 요지의 보도를 했는바, 전문번역 별첨 송부함.

2. 기타 3개의 당지 주요일간지의 아국 유엔가입관련기사 아래 요약 보고함.

0 GENERAL ANZEIGER 지 9.19. 2면 2단 사설

- 유엔의 건물앞에는 금주부터 166개의 깃발이 나부끼고 있는데 이번에 가입한 국가들중 남북한은 제2차 대전과 냉전의 결과로 분단에시달리는 국가들임.

- 냉전의 종말이 유엔에서도 새로운 기상도를창출해 내었음.

0 FRANKFURTER ALLGEMEINE ZEITUNG, 9.19 일 1면 1단

공보처 구주국 국기국 문협국 외정실 안기부

PAGE 1 91.09.20 05:24 FO

외신 1과 통제관

0145

- 남북한의 유엔가입은 한반도 정책의전환점에 해당되는 것으로 주목할만한 일임.

- 남북한이 회원국이 된것은 분단이 국제적으로공식 인정된것이며, 북한으로서는 자신들이 주장해온 남북한 단일의석 가입을 포기한것이됨.

O FRANKFURTER RUNDSCHAU, 9.19 일 2면 2단

- 남북한 동시가입은 분단을 공식인정하는 것이며 북한이 지금까지의 요구를 포기한 것임.

- 강석주는 김일성이 한국의 노태우 대통령과만날 용의가 있다고 발언함.

첨부: '정상회담 제의, 단지 허망한 기대만일깨워' 기사번역문 1건(GEW(F)-044).

끝

(대사신동원-해공관장)

주 독 일 대 사 관

GEW(F) - 0 44　　　10919 1230

수 신 : 장 관 (

발 신 : 주 독 대 사

제 목 : GEW-1898의 별첨

(표지 포함 총 3 매)

3 - 1

0147

"정상회담 제의, 단지 허망한 기대만 일깨워"

- 남북한 유엔가입, 새로운 발전 유도 가능
- 북한의 동요 ?

(Die Welt, 9.19일, 5면 4단 Fred la Trobe 기고)

남북한의 유엔가입후 북한의 김일성은 한국의 노태우대통령과 회담할 용의가 있는 것으로 알려졌다. 한국의 연합통신은 북한외교부부장 강석주의 어제 뉴욕에서의 발언을 인용하여, 김일성이 노태우대통령과의 정상회담을 희망하고 있다는 사실을 보도했다.

이같은 회담이 실제 실현된다면 이는 46년간의 한반도 분단의 역사에 있어서 최초의 정상회담이 되는 것이다. 강 부부장의 말에 따르면 구체적인 사항은 북한의 외교부장이 오는 9월 27일 뉴욕에 와서 한국의 외부부장관과 협의할 것이라고 한다. 이번 남북한 유엔동시가입으로 남북한이 유엔에서 공동의 행동을 취한다면 남북한 관계를 강화시키는데에도 기여할 것이라는 여론이 한국내에 지배적이다.

남북한 관계 접근에 있어 좋지 못한 하나의 징후는 북한이 자신의 핵시설에 대한 사찰을 허용하는 것을 골자로 하는 국제핵에너지 기구와의 핵안전협정 서명을 또다시 거부함으로 나타났다. 1985년 이미 핵확산 금지조약에 가입한 북한은 다시 미국의 핵무기가 한국에 배치되어 있는 한 서명할 수 없다는 태도를 취했다. 북한의 거부는 서방국가들 사이에서 철저한 공산주의국가인 북한이 핵무기를 제조한 의사가 있는 것이 아닌가하는 의심을 강화시켜 주었다.

북한이 이같은 핵무기 제조사실에 대해 이의를 제기하고 있으나, 최근 한국에 망명한 전 북한외교관 고영환은 지난주 북한이 빠르면 1년 늦어도 3년 이내에 핵무기를 제조할 수 있을 것이라고 밝혔다. 이러한 평가는 미국 CIA의 분석과 일치하는 것이다.

한국의 노태우대통령은 지난달 남북한 관계개선을 위한 새로운 제안을 했다 : "우리는 북한에 합작기업 설립, 지하자원 공동 발굴, 관광개발 등의 사업을 추진할 용의가 있다"

그러나 북한은 지금까지 줄곧 한국에 주둔하고 있는 43,000명의 주한미군 철수를 정치.군사적인 긴장완화의 전제조건으로 내걸어 왔다. 8월말로 예정되었던 남북총리회담은 북한측의 요구로 10월 22일로 연기되었다.

한국에는 금년과 내년에 남북한간의 관계개선이 실현될 것으로 보는 사람들이 많이 있다. "한국에 대해서 북한이 개방한다는 것은 북한정권의 안정성을 위태롭게 하는 것"이라는 것이 인하대학의 박희춘 교수의 설명이다. 그러나 홍콩을 통해서 간접적으로 이루어지는 남북한간의 교역은 눈에 띌 정도로 증가하고 있다.

원 본

외 무 부

종 별 :

번 호 : TUW-0701 일 시 : 91 0919 1230

수 신 : 장 관(연일,구이,문홍)

발 신 : 주 터키 대사

제 목 : 한국관계 기사

9.17 남북한의 유엔 가입과 관련, 9.19자 당지 TURKISH DAILY NEWS, CUMHURIYET 및국영 T.V방송인 TRT 에서 사실 보도함.끝

(대사 김내성-국장)

국기국 구주국 문협국

PAGE 1

91.09.20 03:12 DW

외신 1과 통제관

0150

외 무 부

종 별 :

번 호 : MAW-1311 일 시 : 91 0919 1400

수 신 : 장 관(해신,문홍,사본:주 말련 대사)

발 신 : 주 말련 대사대리

제 목 : 유엔 가입보도

1. 9.18 당지 TV 는 표제건 다음과 같이 보도함.

0 TV-3 (하오 7시뉴스) : 외신톱 5분 (남북한 유엔가입사실, 이상옥 장관의 수락 연설 2분, 강석주연설 30초, 기타국가의 유엔가입사실, 착석장면, 유엔광장의 국기 게양식)

0 RTM-1(하오 10시 뉴스): 미국의 대 이락 보복 가능성 뉴스에 이어 한국 완군 피살과 남북한 유엔가입을 역어 약 1분 방영

0 RTM-2 (하오 11시 뉴스 30분 뉴스): 7개국의 유엔가입 사실과 국기게양식 약 1분 방영

2. 9.19자 당지 조간은 다음과 같이 보도함.

0 NST (외신면 7단 톱): UN ADMITS 7 NEW MEMBERS (뉴욕발)

- 공보처 장관 성명(서울발 로이타 1단)

- N.KOREA LEADER LEADY TO TALK TO ROH (서울발 로이타4단)

0 BUSINESS TIMES (외신면 1단): S.KOREA PLEGE (공보처 장관 성명내용)

0 BERITA HARIAN(외신면 2단):

- 공보처 장관 성명(2단)

- 김일성 남북 정상회담 희망(1단)

0 UTUSAN MALAYSIA (외신면 1단): S. KOREA CELEBRATEDLONG-WAITED MOMENT OF JOINING UN (공보처 장관 성명)

0 남양상보 (외신면 8단톱): 남북한 등 7개국 UN가입 (유엔발 AP, 3단 국기게양사진)

- 북한: 1개조선 정책 불변

- 남북한 동시 가입은 한반도 평화기여

공보처 1차보 아주국 국기국 문협국 외정실 분석관 청와대 안기부

PAGE 1

91.09.19 15:59 WG

외신 1과 통제관

0151

(공보처 장관 성명, 서울발 외신 종합 5단)

0 동지 (종합면 6단 톱): 쌍방 유엔 가입으로 구원해소 될지도

- 북한, 한국과 정상회담 용의 (서울발 로이타, 연통기사 인용)

0 성주 일보(외신면 8단톱)

- 남북한 동시 유엔 가입

- 통일에 서광

- 김일성 노대통령과 회담원해

(서울발 로이타, 양국 국기게양 AP 3단 사진 포함)

3. 한편 9.19자 중국보 (2단), 통보 (4단), 성주일보 (2단), 남양상보 (5단), STAR (4단), 9.18자 MALAY MAIL (3단)는 학생, 경찰 충돌 및 한국 완군 피살 사건을 서울발 외신 인용 각각 사실 보도함. 끝

(대사대리 장철균-국장)

PAGE 2

0152

외 무 부

종 별 :

번 호 : DJW-1704 일 시 : 91 0919 1255

수 신 : 장 관(해신,문홍)

발 신 : 주 인니 대사

제 목 : 유엔가입 관련기사 보고

대:AO-0028

표재관련 기사 주재국 메디아의 보도요지 다음과같이 보고함.

가. TV

0 9.18. 06:30, 18:30, 21:00 뉴스시간에 유엔총회에서 통과장면 보도

나. 신문

0 9.17. PELITA 지 '남북한의 유엔가입 통일에 고무적'제하 3단기사

0 9.18. INDONESIA OBSERVER 지 및 INDONESIA TIMES 지유엔 사무국이 준비하고 있는 아국 및 북한의회의장 명패 사진 4단

0 9.19. MERDEKA 지 '남한 외무장관 북한 외교부부부장과 악수' 제하 동 사진과 관련 기사 3단

0 9.19. INDONESIA OBSERVER, INDONESIA 지가 아국 외무장관과 북한 외교부 부부장과의 악수장면사진 3단

0 9.19. JAKARTA POST 지 '남한 오래 기다리던 유엔가입에 환호'제하 아국의 환영 무드 5면 3단톱으로 보도

다. 유엔가입 관련 학생 데모 기사가 9.19일 조간에 서울발 외신을 인용, 3개지가 2-3단 기사로보도함.끝.

(대사 김재춘-해공관장)

공보처	1차보	국기국	문협국	외정실	분석관	청와대	안기부

PAGE 1

91.09.19 16:02 WG

외신 1과 통제관

0153

원 본

외 무 부

연일

종 별 :

번 호 : FJW-0255 일 시 : 91 0919 1530

수 신 : 장 관(국연,아동)

발 신 : 주 휘지 대사

제 목 : 남북한 유엔가입

주재국 주요 일간지인 FIJI TIMES (9.19자)지는 9.17자 로이타 통신을 인용, 국제면 머리기사로 'TWO KOEREASJOIN UNITED NATIONS'라는 제하로 남북한을 비롯한 7개국이 17일 개최된 유엔 총회에서 동시가입이 결정되었으며 새로운 회원국들은 냉전의 종말에 의한 극적인 변화에 영향을 받았다는 요지의 내용을 개제하였는바, 참고바라며 동기사는 차 파송부함.끝

(대사 백영기-국장)

국기국 1차보 아주국 외정실 분석관 청와대 안기부

PAGE 1 91.09.19 13:14 WG

외신 1과 통제관

0154

관리번호 91-6059

외 무 부

연일

종 별 :

번 호 : EQW-0300 일 시 : 91 0919 1540

수 신 : 장 관(미남,연일)

발 신 : 주 에쿠아돌 대사

제 목 : 유엔가입 반응 보고

1. 9. 18(수) 주재국 일간지, TV 및 라디오는 제 46 차 유엔총회에서 남북한은 마샬군도, 마이크로네시아, 발트 3 국과 함께 유엔에 가입하였다고 보도하고, 금번 남북한의 유엔 동시가입은 동서냉전의 종식이며, 과거에 가입치 못한 것은 안전보장 5 개 상임이사국의 거부권 행사때문이라고 보도함

2. 한편 동일 주재국 주재 칠레대사관의 국경일 기념 리셉션에서 본직은 다수의 외무성 국장급 인사 및 주재 외교 공관장들로부터 유엔가입 축하인사를 받은 바 있음. 끝.

(대사 정해융 - 국장)

예고:91.12.31. 일반

19 에 예고문에 의거 일반문서로 재분류됨

미주국 장관 차관 1차보 2차보 국기국 분석관 청와대 안기부

PAGE 1

91.09.20 08:03

외신 2과 통제관 BS

0155

외 무 부

종 별 :

번 호 : PHW-1281 일 시 : 91 0919 1610

수 신 : 장 관(해신,해기,문홍)

발 신 : 주 필리핀 대사

제 목 : 유엔가입 기사보고

대: AO-25

1. MANILA TIMES 지는 9.19일자에 THE TWO KOREAS 제하다음 요지의 사설을 게재함.

0 남북한을 비롯 7개국이 새로히 유엔에 가입 하였지만 우리 아시아 지역으로 보아서는 가장 의미있는 유엔 가입은 남북한의 유엔 가입임.

0 동서독도 이념적으로 분단 되었지만, 상상하지 못한 가운데 현기증이 날정도의속도로 재통일이 되었는데 왜 남북한이라고 통일 못하겠느냐 ?

0 자유로운 여행, 통신, 무역을 보장하는 협정부터 시작할수 있을 것임. 수십년동안의 분단으로 많은 이산가족이 발생하였으나 이들 이산 가족들도 이제는 자유와 품위를 지키면서 생래적 행복속에서 재결합 할때임. (관련기사 팩스 송부 예정임)

2. 한편 여타 지에서는

0 DAILY GLOBE 지 (4면): 남북한 유엔 가입을 환영하는 만화 게재

0 크로니클지 및 뉴우스데이지는 서울발 AP 인용, 공보처 장관 유엔가입 관련 담화 내용보도

0 필리핀 인콰이어지: 남북한 외무부 장관 악수 장면사진 보도 (2면)

(대사 노정기-관장)

공보처 1차보 국기국 문협국 외정실 분석관 정와대 안기부 공보처

PAGE 1 91.09.19 17:52 WG

외신 1과 통제관

0156

원 본

외 무 부

암 호 수 신

종 별 :

번 호 : OKW-0086 일 시 : 91 0919 1630

수 신 : 장관(연일,아일)

발 신 : 주 나하영사

제 목 : 주재지 언론 보도

(자료응신:91-18)

당지 류규신보(9.19. 자)는 "7 개국 유엔가입 축하"제하의 사설을 게재 하였는바, 요지 아래 보고함.

-제 46 회 유엔총회는 한국, 북한, 발트 3 국등, 7 개국의 가입을 총회 만장일치로 승인함으로써 유엔가입국은 총 166 개국이됨.

-이는 단순한 가입국 수적증가가 아닌, 미.소화해, 소련등 동구제국의 민주화를 향한 국제적 긴장완화의 흐름이 유엔에 구체적으로 반영된 것임.

-특히 남북한의 동시 가입은 사카모토 관방장관의 담화문에서도 언급 되었듯이 일본으로서도 즐거운 일임.

-총회 회장에서 양국 대표의 연설에서 표현된 것처럼 남북관계 개선에 급속한 진전은 없을것이나 양국관계의 거리는 확실히 가까와 질것이 사실이며, 이로서 한반도 긴장완화, 남북통일이 촉진되기를 기대하고 싶음.

-일본정부는 남북한의 동시 가입을 일본정부의 북한을 국가로 승인하는 문제는 별도 문제로 하고 있는바, 북한의 핵사찰 수락 문제등을 포함, 일.조국교 정상화 교섭의 급진전을 기대하는 것은 시기 상조이나, 양국 동시 가입은 일.조 관계 개선에도 플라스 작용을 할것이라는 기대는 가능 할것임.

-북한은 지금까지와 같이 주체사상을 기초로 독자적인 사회주의의 길을 갈것임을 강조하고 있으나, "고립화"의 길은 가지 않을 것이며, 경제 활성화를 위하여도 전보다 한층 대외 경제교류를 촉진할 것으로 보임.

(영사 백선군-국장)

국기국 차관 1차보 아주국 외정실 분석관 청와대 안기부

PAGE 1 91.09.19 16:55

외신 2과 통제관 BN

0157

외 무 부

종 별 :

번 호 : SPW-0649 일 시 : 91 0919 1630

수 신 : 장 관(해신,문홍,연일,기정,국방부)

발 신 : 주 스페인 대사

제 목 : UN 가입 반응 보고

대: AO-0028

연: SPW-0646

연호 주재국 최대 국영 TV 는 18일 저녁 심야뉴스시간에 이 외무장관의 연설장명과 함께 남북한유엔가입 사실을 보도하였음.

(대사 권태웅-국장)

공보처 국기국 문협국 외정실 안기부 국방부

PAGE 1

91.09.20 05:51 FO

외신 1과 통제관

0158

원 본

외 무 부

종 별 :

번 호 : NGW-0285 일 시 : 91 0919 1640

수 신 : 장 관(연일,아일,재일 사본:주일대사)

발 신 : 주 나고야 총영사

제 목 : 남북한 유엔가입 관련 기사보고

1.당지 최대 일간지인 쥬니찌신문은 9.18조간 1면, 3,4면에 각각 남북한 유엔가입관련기사를 대서특필하였으며, 9.19조간 사회면에 당지교민등 각계의 환영 분위기를 대대적으로 보도함.

2.또한 중부지역의 도까이, 아이찌, 나고야, 쥬교 4개 T.V방송국도 이상옥장관님의 유엔총회연설등 남북한 유엔가입내용을 장시간 방영하였음.

3.이와관련, 본직은 9.18(화) 남북한 유엔가입의 의의와 한반도 통일전망에 관해 도까이 T.V (체널1)와 단독인터뷰 하였음을 보고함.끝

(총영사 권찬-차관)

국기국 1차보 아주국 영교국 외정실 분석관 청와대 안기부 차관

PAGE 1

91.09.19 17:30 WG

외신 1과 통제관

0153

외　　무　　부

종　별 :

번　호 : COW-0401　　　　　　　　　　일　시 : 91 0919 1720

수　신 : 장 관(문홍,연일,미중)

발　신 : 주코스타리카대사

제　목 : 아국 유엔가입 관련 언론보도

1. 주재국 일간 'LA PRENSA LIBRE'(9.18일자)지는 아국 유엔가입 관련 아래 요지보도함.

0 북한은 동서냉전의 종식으로 중.소가 한국의 유엔가입에 반대를 철회하게 되자 종전의 유엔 단일의석 주장을 포기할 수 밖에 없었음.

0 남북한은 북한과, 동맹국인 중.소가 친서방적인 한국의 별도 유엔가입을 반대한 탓으로 옵서버 지위를 유지하여 왔음.

0 전문가들에 의하면 남북한의 유엔가입은 평화공존에의 구체적인 이행(PASO CONCRETO)이며,남북한측에서 이야기한대로 한반도의 궁극적인 통일을 위한 대화에 기여하여야 할 것임.

2. 또한 주재국 'LA NACION', 'LA REPUBLICA'등 주요일간지와 TV, 라디오 등 언론매체는 9.17-18간 아국 유엔가입을 보도하였음.끝.

(대사 김창근-국장)

문협국	1차보	미주국	국기국	외정실	분석관	정와대	안기부

PAGE 1　　　　　　　　　　　　　　　　91.09.20　09:26 DQ

외신 1과　통제관

0160

UNI 기사

주 휘 지 대 사 관

휘정 2031 - 239 1991. 9. 19.

수신 : 장 관

참조 : 국제기구국장, 아주국장

제목 : 남북한 유엔가입

연 : FJW - 0255, 0257

연호 표제 신문기사를 별첨과 같이 송부합니다.

별첨 : 기사 2부. 끝.

주 휘 지 대

선 결			결재 (공람)		
접수일시	19 10. 1				
처리과		54433			

0161

The World

TWO KOREAS JOIN UNITED NATIONS

0162

UNITED NATIONS, Sept 17, Reuter — The general assembly today admitted seven new members, whose entry into the United Nations would have been unthinkable at the height of the Cold War.

The new members — North and South Korea, the Baltic states of Estonia, Latvia and Lithuania and the two Pacific island nations of Micronesia and the Marshall Islands — were admitted by the assembly by acclamation.

All had been unanimously endorsed by the Security Council, where a veto by the five permanent members could have blocked their path.

The United Nations now has 166 members, compared with 51 at its founding in 1945.

The new members reflect the dramatic changes that have come with the end of the Cold War.

Estonia, Latvia and Lithuania recently regained their independence, 51 years after annexation by Moscow.

South Korea was no longer barred by repeated Soviet vetoes.

The United Nations waged war from 1950 to 1953 against communist North Korea.

For many years afterwards, North Korea opposed separate UN membership for the two Korean states on grounds it would perpetuate their separation.

The Federated States of Micronesia and the republic of the Marshall Islands are two Pacific island nations previously administered by the United States as part of a un trust territory.

The admission of the seven new members marked the biggest single influx since 1960, when 17 countries were admitted to the world body.

Six joined in 1962 and six in 1975.

At its opening session in the morning, the assembly elected as president Saudi Arabia's veteran UN Ambassador, Jerusalem-born Samir Shihabi, 66.

After a hard-fought campaign involving intensive lobbying, he obtained 83 votes out of the 150 valid votes cast, handily defeating Papua New Guinea Foreign Minister, Sir Michael Somare, who garnered 47.

The third candidate, Yemeni UN envoy Abdalla Saleh al-Ashtal, received 20 votes.

The slightly built, bespectacled Mr Shihabi, who entered the assembly hall wearing a dark business suit, changed to Saudi ceremonial robes and headdress before delivering his acceptance speech from the assembly podium.

Speaking in Arabic, one of the six official UN languages, he said: "We are all happy that the occupation of Kuwait has ended and that legitimacy and sovereignty have been restored to its government and brotherly people."

Mr Shihabi, whose own country was one of the pillars of the US-led coalition that expelled Iraq from the neighbouring emirate, expressed appreciation for the UN role in the Gulf crisis.

Mr Shihabi — of Palestinian origin — said: "The tragedy of Palestine and the rights of the Palestinian people are a commitment of the United Nations to realise their rights fully in accordance with United Nations resolutions and what the charter and international legitimacy require."

9/20 FT

S Korea celebrates UN entry

SEOUL, (Sept 18), Reuter — South Korea, rebuffed eight times, celebrated its long-delayed entry to the United Nations today, in a move seen by many as a possible stepping stone to reunification of the divided Korean peninsula.

"The government joins the entire nation in celebrating the fact that the 46th General Assembly of the United Nations unanimously voted today to admit both South and North Korea into the world body, thereby making this republic its 161st member," said Minister of Information Choi Chang-Yoon.

But underlying the hope lies bitterness that it took so long to admit a country of 42 million people to the world body that sent troops to fight on the south's side in the 1950-53 Korean war.

"We applied eight times and failed while watching smaller countries walking in," said a South Korean diplomat recently returned from an overseas posting.

Seoul is looking to the future, however, not the past.

For president Roh Tae-Woo simultaneous north-south entry to the United Nations vindicates his policy of 'nordpolitik'.

Admission to the united nations crowns three years of adept diplomatic footwork on the part of South Korea to take advantage of the thawing in the Cold War in northeast Asia to woo Pyongyang's wartime allies, the Soviet Union and China.

South Korea's successful bridge-building efforts neutralised the threat of a communist veto that had blocked Seoul's entry in the past, backing isolationist North Korea into a corner.

Unable to rely on its one-time allies, Pyongyang was forced to apply independently to the United Nations or remain out in the cold.

North Korea had resolutely opposed separate UN seats for north and south on the grounds this would perpetuate the 46-year-old partition of the country at the 38th parallel.

The first step complete, Mr Roh is now pinning hopes on closer relations with the north to help mend the rift between the Koreas, still technically at war after 38 years.

These hopes were given a considerable boost by reports from the United Nations today that North Korean leader Kim Il-Sung had expressed a willingness to hold talks with Mr Roh.

"President Kim il-Sung hopes to hold a summit with (Roh) although the time can't be released at the moment," the domestic yonhap news agency quoted north Korean vice Foreign Minister Kang Sok-Ju as telling reporters in New York.

No meeting has taken place between the leaders of north and south, divided at the end of World War II, although Roh has made several offers of talks.

The glacial relationship between the two has shown only minimal signs of improvement since their prime ministers met for the first time in 1990.

Academics and diplomats question whether even a limited rapprochement is possible.

SOUTH Korean Foreign Minister Sang Ock Lee (left) and North Korean deputy Foreign Minister Sok Ju Kang shake hands outside the United Nations on Tuesday after the flags of their nations were hoisted.

0163

24 South African policemen suspended

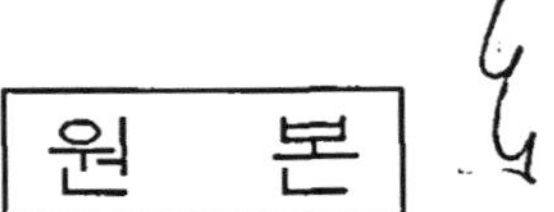

외 무 부

종 별 :

번 호 : POW-0604 일 시 : 91 0919 1900

수 신 : 장 관(연일,구이)

발 신 : 주 폴투갈 대사

제 목 : 남북한 유엔가입 보도 반응

1. 9.18자 당지 유수일간 PUBLICO 지는 -7개의신회원국-제하, 남북한 포함, 발틱제국 등 7개국의 유엔가입에 대해, 상세 보도하면서, 각국별 가입배경에 대한 상세 설명기사 내용중에, 오랜기간동안 남북한의 별도유엔가입에 반대해 왔던 북한으로서는 금번 유엔가입이 사실상의 실패였으며, 반면 한국측으로서는 성공을 거둔것 이라고 보도함

2.기타 신문들은 별반 논평없이 남북한 포함7개국의 회원국 아입 사실만을 보도하였음.끝

(대사조광제-국장)

국기국 1차보 구주국 외정실 분석관 청와대 안기부

PAGE 1 91.09.19 09:28 FB

외신 1과 통제관

0164

외 무 부

원일

종 별 :

번 호 : THW-1886 일 시 : 91 0920 0930

수 신 : 장 관(해신,문홍)

발 신 : 주 태국 대사

제 목 : 남.북한 유엔가입 기사보고

1. 대호관련 DAIRLY NEWS지 외신부장 MR.PIROON은 9.19 'KOREA AND UN'제하, 제2회분기사 아래요지 게재함

0 남북한은 각기 수차 유엔가입을 신청한바 있으나 안보리에서 각각 부결되는 불운한 역사를 가진바있음. 이러한 가운데서도 한국의 눈부신 경제발전과 동구개혁이후 소련.중공등 최강공산국들과의 우호개선은 남.북한 유엔가입을 순조롭게 했음

0 북한의 일관된 체제고수 주장과 통일후 한국에 부담되는 북한경제 지원문제등을 감안할때 남.북한 유엔가입을 통일문제와 직결시키기는 어려우나 금번 남.북한 유엔가입으로 북한이 변하여 한국을 따를수밖에 없다는점과 국제사회의 변화를 북한이 알도록 일깨울수있는 유엔의 역할을 기대할수 있음

2. 태국어지 THAI RATH지 9.19자도 'TWO KOREAS ENTEREDUN'제하 MR CHAROON 기고기사 아래 요지 게재함

0 제46차 유엔총회에서의 남.북한 유엔가입은 46년동안 적대시해온 남북한간의 화해를 의미함

0 소련과 중공과의 우호관계 수립및 12위 세계최대 교역국인 한국의 유엔가입은 부담없는 당연한 수확이라고 볼수있으나 북한의 경우 이익과 불이익이 병존하고 있음. 즉 북한이 미국, 일본 및 서방국들과 문호를 개방하여 외교관계를 수립할시 어려운 상황에 있는 경제만회를 예측할수 있는 반면 고립사회개방이 동구공산권과 같은 김일성체제 몰락으로 달리는 상황을 배제할수 없다는것임

0 현재 남.북한 대치상황을 감안할때 남북한 유엔가입을 긴장완화및 적대감 해소의 특효약으로 예측하기는 어려움

3. 영자신문 BANGKOK POST지 및 THE NATION지 9.19자 외신면은 'KIM IL-SUNG

공보처 1차보 국기국 문협국 외정실 분석관 정와대 안기부

 91.09.20 13:40 WG

외신 1과 통제관

0165

OFFER TALKS WITH SOUTH KOREA'SROH' 제하, 서울발 AP 및 REUTER기사와 '3BALTIC STATES AND BOTH KOREAS JOIN UN'제하, UN발 REUTER,ANTHONY GOODMAN 송고기사 각기 보도함

(대사 정주년-관장)

원 본

외 무 부

암호수신 (handwritten: 영일)

종 별 :

번 호 : NDW-1510 일 시 : 91 0920 1030

수 신 : 장 관(국연, 아서, 해신)

발 신 : 주 인도 대사

제 목 : 유엔가입 관련 사설

당지 유력일간지 중의 하나 (32만부)로서 델리지역과인도 중부지역에 영향력이 있는최대일간지인 THE HINDUSTAN TIMES 는 금 9.20.자 등지에서 아래와같이 남북한 유엔가입과 관련하여 H.K. DUA주필 (89.9 방한)의 사설을 게재하였음을 보고함.

KOREAS IN UN

SEPARATE MEMBERSHIP OF THE UNITED NATIONS FOR NORTH AND SOUTH KOREA IS A FALL-OUT OF THE CHANGED INTERNATIONAL SCENARIO.

FOR SO LONG AS MOSCOW AND BEIJING WERE WILLING TO BACK IT, THE COMMUNIST PYONGYANG REGIME HAD INSISTED ON A JOINT SEAT WHILE SEOUL WAS FOR THE TWO OF THEM JOINING THE INTERNATIONAL BODY PENDING THEIR REUNIFICATION. IN SEPTEMBER 1990, AT THE FIRST MEETING BETWEEN NORTH AND SOUTH KOREAN PREMIERS IN SEOUL, THE LATTER HAD AGREED TO DEFER ITS BID FOR UN MEMBERSHIP. WHILE NO AGREEMENT WAS REACHED IN FURTHER DISCUSSIONS, SEOUL MANAGED TO GET BOTH MOSCOW AND BEIJING TO AGREE NOT TO VETO ITS MEMBERSHIP BID. THIS FORCED PYONGYANG TO ALSO APPLY.

KOREA HAS AN ANCIENT IDENTITY. IT WAS ALWAYS ONE NATION AND ONE PEOPLE TILLTHE END OF WORLD WAR II WHEN, LIKE GERMANY, OCCUPATION BY WESTERN AND SOVIET FORCES LED TO THE CREATION OF TWO COUNTRIES WITH IDEOLOGIES IN CONSONANCE WITH THOSE OF THE OCCUPATION FORCES. WHILE UNDER PRESIDENT KIM IL SUNG'S RULE NORTH KOREA REMAINS A STALINIST BASTION, ITS ECNOMY ISIN EVEN WORSE SHAPE THAN OF OTHER COUNTRIES WHICH FOLLOWED THE SAME PATH. SOUTH KOREA, ON THE OTHER HAND, HAS PERFORMED AN ACKNOWLEDGED ECONOMIC MIRACLE AND POLITICALLY TOO ISSHEDDING THE AUTHORITARIAN PATH.

국기국 1차보 아주국 외정실 분석관 청와대 안기부 공보처

91.09.20 16:27 WG

외신 1과 통제관

0167

IN SEPTEMBER LAST YEAR, THE TWO COUNTRIES HAD EMBARKED ON A HIGH-LEVEL DIALOGUE AIMED AT REUNIFICATION. BUT NOT MUCH HAS BEEN ACHIEVED SO FAR. SEOUL APPEARS TO BE GETTING RATHER WARY AFTER SEEING THE COSTS OF UNION TO WEST GERMANY AS THESE COULD PROVE BACK-BREAKING TO IT. NORTH KOREA'S GNP FOR 1989 WAS ESTIMATED AT 21.2 BILLION AND 987 PER CAPITA, ROUGHLY ONE-TENTH AND ONE-FIFTH RESPECTIVELY OF SOUTH KOREA'S. MOREOVER, UNLIKE WEST AND EAST GERMANY'S FOUR TO ONE POPULATION RATIO, SOUTH KOREA'S POPULATION AT 42 MILLIONIS ONLY DOUBLE THAT OF NORTH KOREA'S (21 MILLION). THUS WHILE SEOUL STILL TALKS OF REUNIFICATION BEING A 'SACRED GOAL' AND GIVES THE EXAMPLES OF SEPARATE MEMBER SHIPS OF THE UN NOT STANDING IN THE WAY OF THE TWO GERMANYS AND TWOY EMENS UNITING, IT IS NOW PUTTING EMPHASIS ON A GRADUAL EASING OF TENSIONS AND A SLOW EXPANSION OF BUSINESS AND OTHER LINKS. BUT NORTH KOREA COULD WELL COLLAPSE WITH JAPAN AND THE US NOT SHOWING EAGERNESS TO STEP INTO THE SOVIET UNION'S AND CHINA'S SHOES TO HELP OUT THE PYONGYANG REGIME ECONOMICALLY. KIM IL SUNG'S DREAMS OF UNITING THE KOREA SUNDER HIS BANNER HAVE COLLAPSED. THE QUESTION ACTUALLY IS : HOW LONG HE CAN CONTINUE TO KEEP AN IRON GRIP ON NORTH KOREA?

(대사-국장)

외 무 부

종 별 :

번 호 : GEW-1908 일 시 : 91 0920 1200

수 신 : 장 관(해신,문홍,구일,국연,기정동문)

발 신 : 주 독 대사 사본:주유엔경유 장관-직송필

제 목 : 한국관계 기사보고

1. 당관은 아국의 UN 가입과 대통령각하의 UN 총회 기조연설 계기에 맞추어 당지유력일간지인 DIE WELT 를 통해 아국의 민주화업적과 북방정책, 남북통일정책,경제.문화등 하국의 전반정책을 홍보하기 위한 8면에 걸친 특집을 추진하고 있음.

2. 9.26. 발간될 동 특집을 위해 동지의 FRED LATROBE BKLSK특파원은 최근 본국정부의 적극적인 주선으로 최호중 부총리등 정계.행정부.경제계등 여러분야 전문가와의 인터뷰를 가졌는바, 최근 서울에서 발생한 대학생 소요와 관련 과격학생들의 난폭한 시위를 비판하는 사설을 9월 20일자 동지에 게재하였기 전문 번역 별첨보고함.

3. 아울러 아국의 UN 가입의 계기로 역시 당지유력 일간지인 FRANKFURTER ALLGEMEINE ZEITUNG 지도'북한은 아직도 변화의 필요성을 절실히 느끼고있지 않아' 제하 장문의 해설기사를 9월18일자에 게재하였기 전문 번역 별첨 보고함.

첨부: GEW(F)-045

1. ' 한국에서의 꽁무니 빼면서 벌이는 투쟁'기사번역문 1건

2. '북한은 아직도 변화의 필요성을 절실히 느끼고있지 않아' 기사 번역문 1건.끝

(대사신동원-해공관장)

공보처 1차보 구주국 국기국 문협국 외정실 안기부 , 청와대

PAGE 1 91.09.20 22:26 FN

외신 1과 통제관

0163

49 228 213444 KOREAN EMBASSY D-5300 BONN 1 W/GERMANY 394 P01 20.09.91 11:49

주 독 일 대 사 관

GEW(F) - 0 45 10920 1200

수 신 : 장 관 (해신, 연홍, 구일, 국연, 기정동문) 사본 : 주유엔 대표부 대사
외무부 장관
(직송필)

발 신 : 주 독 대 사

제 목 : GEW - 1908 의 별첨

(표지 포함 총 9 매)

배부처	장관실	차관실	一차보	二차보	기획실	외정실	분석관	의전장	아주국	미주국	구주국	중아국	국기국	경제국	통상국	문협국	영교국	총무과	감사관	공보관	외연원	청와대	총리실	안기부	공보처
		/																				/			

9 — 1 .

0170

한국에서의 꽁무니 빼면서 벌이는 투쟁

(Die Welt, 9.20일 2면 사설 Fred la Trobe 기고)

남북한 유엔가입이후 한국에서의 소수 극렬 과격학생그룹들은 며칠전부터 다시 자신의 모습을 드러내려고 하기 시작했다. 2-3천명의 과격학생들은 화염병과 보도블럭을 깨어서 마련한 돌멩이를 던지면서 최루탄으로 대응하는 경찰과 다시 심한 싸움을 벌이고 있다. 이같은 현상은 점점 줄어드는 얼마되지 않는 소수가 일으키는 미미한 소요사건이지만 한국이 다시 혼란에 빠져드는 것 같은 인상을 심어줄 수 있는 TV 화면으로서는 좋은 자료를 제공했다. 과격 급진주의자들은 이를 잘알고 있으며 때문에 더욱 과격하게 굴고 있다.

과격학생들은 이러한 난폭한 시위의 공식적인 동기가 남북한의 유엔 분리가입이라고 말하고 있는데 이들의 주장에 따르면 분리가입이 남북분단을 고착화시킨다는 것이다. 150만의 한국학생들중 공산주의 과격학생들과 북한의 조종을 받은 극렬학생은 1-2천명으로 0.1%에 지나지 않는다. 한밤중에 약 100명의 학생이 파출소를 습격했을 때 당황하여 도망가는 경찰이 잘못으로 시위에 가담하지 않은 학생을 총으로 쏘았다. 질서유지의 파수꾼의 실수에 의한 행동은 동료의 죽음을 비통해하는 정치적으로 온건한 학생들을 시위에 가담하게 함으로써 과격학생들의 시위를 일시적으로 강화시켜 주었다.

0171

그러나 과격학생들은 명백히 인기를 잃어가고 있다. 공산주의의 몰락, 특히 북경 천안문광장에서의 유혈시위진압과 소련공산당의 몰락이 과격학생들의 전열을 흐트러지게 했다. 과격학생들의 투쟁은 과기에는 독재에 대항하는 것이었었다. 그러나 3년전 이래 한국에서 자유선거와 인권이 보장됨으로써 시위의 명분이 없어지게 되었다. 특히 한국은 남북한 관계 접근에 있어서 공산북한보다 훨씬 더 적극적인 자세를 취하고 있다.

0172

북한은 아직도 변화의 필요성을 절실히 느끼고 있지 않아

- 소련과 중공의 압력
- 남묵 유엔가입의 배경

(F.A.Z, 9.18일 6면 4단, Uwe Schmitt 기고)

종전 십년간에 냉전시대에 있어서 그리고 동족상잔의 전쟁에 있어 한반도 분단의 역사는 항상 유엔과 관련이 있었다. 이같은 관계는 1947년 유엔감시하의 남북한 총선거를 소련과 북한이 거부한데서 부터 발단이 되었다. 1950년 미국은 북한의 침략에 대항하기 위해 16개국으로 구성된 유엔군을 파견하는데 주도적 역할을 했다. 비록 정전후에 미군이 주축이 되긴 했지만 오늘날까지 한국에는 "유엔군 사령부"란 명칭으로 다국적 보장군이 남아 있다.

수십년간 한국은 유엔에서 옵서버의 지위에서 정회원국이 되려는 여러차례의 시도를 하였다. 복잡다단한 남북한간의 주고받기식의 제안은 세계정치의 현주소를 반영해주고 있다. 1982년 한국은 남북한의 유엔가입 실현을 위해서 미국과 일본이 북한을 승인하는 반면 소련과 중공이 한국과의 국교관계를 수립하는 시나리오를 고안해 냈다. 남북한은 이후 유엔이란 무대에서 논쟁의 상대로 또는 꼭 나서야할 필요가 생겼을때 무대뒤의 배우로서 등장했다 : 1983년 9월 안보리에서는 강대국

0173

대표들간에 소련사할린 상공에서 격추된 한국여객기 문제로 격렬한 토론이 벌어진 바 있다 ; 최근 1988년 2월에는 일본과 한국이 북한 테러범들에 의해 자행된 것으로 보여지는 100여명의 생명을 앗아간 1987년 11월의 한국 여객기의 격추 사건을 조사하기 위해 안보리의 긴급회의 소집을 요구했었으나 중국은 이러한 긴급회의가 한반도 안정에 기여하지 못한다는 이유로 이 회의를 거부한 바 있다. 이제 남북한의 동시가입은 한반도의 안정과 나아가 한반도의 통일에 기여할 것인가 ?

금년 5월 28일 북한 관영통신인 중앙통신은 역사적인 보도를 했다. 이는 냉전의 마지막 교리들중의 하나가 죽음을 고하는 것이었으며 아울러 이는 패배를 자인할때 흔히 그러하듯 의기소침해서 기어들어가는 말투였다 : 즉, 북한은 유엔가입을 위해 "필요한 조치"를 취할 것이라는 보도였다. 그러나 이 보도는 누가 뭐래도 개인 우상화라는 타락의 길로 들어선 스탈린주의식 북한이 적국에서 반대급부를 얻지 못하고 "두체제, 한개의 의석"이란 자신의 교리를 포기하도록 강요 받음으로써 분노와 수치심을 느끼고 있다는 것을 숨기지는 못했다 : "한국정부가 단독가입을 고집하기 때문에 우리로서는 남북한에 공동의 이해관계에 속하는 문제가 장차 유엔이라는 토론의 장에서 일방적으로 다루어질 것을 우려해야만 한다"

내키지 않은 가입 욕구

유엔의 역사에 있어서 한 국가가 내키지 않는 심정에서 이를 갈아가면서 얼마만큼은 항의를 하면서 유엔가입 희망을 한 예는 거의 찾아보기 힘들다. 그러나 북한의 가입에는 이러한 기괴한 표현이 들어 맞는다. 이제 거의 80살에 이른 소위 "위대한 수령" 김일성의 지배하에서 점차 고립되어가고 경제적으로 폐허화되어 가는 북한은 자신이 7월초 유엔가입 신청을 하고 한달후 한국이 승리감에 젖어 이에 뒤따랐을때 이중의 압력에 의해 희생당했다는 느낌을 가졌음에 틀림없다. 중국과 소련은 의도적이 아닌지는 몰라도 서로 상충되는 이유에서 북한이 수십년간 완전히 자신들에게 의존하고 있었던 점을 자신들의 이익을 위해서 이용하려고 서로 노력했다. 언제 어떻게 북한이 자신들의 입지가 약화된 양 강대국의 상충되는 이해관계속에 끼어 들게 되었는지는 다음 사실에서 재조명해 볼수 있다 : 남북한 총리가 비록 성과는 없었지만 역사적으로 만난 바 있던 바로 일년전 중국은 심양에서 개최된 북한측과의 비밀회담에서 북한 대표단에게 장차 한국과의 긴밀한 경제관계를 도모하겠으며 자신과 북한간의 상품거래에 경화사용을 해야할 것이라는 점을 명백히 했다. 중국은 북한인들에게 서방의 투자자들을 위해 개방하라고 강력히 권고한 바 있으며, 이는 명령과 같은 것이었다. 흔히 중국과 북한과의 관계가 "순치관계"와 같이 떨래야 뗄수 없는 긴밀한 관계로 일컬어져 왔는데, 이같은 관계가 이제와서는 의도적인 새로운 강한 압력이 되고 있다.

추측컨대 중국의 압력은 또하나의 압력에 비하면 대단한 것이 못된다 : 한국과 소련간의 외교관계 수립협상이 수개월간 진행된 끝에 1990년 9월 30일에는 마침내 양국간에 국교관계가 수립되었음이 엄숙히 선포되었다. 물론 양 공산강대국의 충성스러운 예속국가인 북한은 적어도 외부세계로부터는 영향을 받지 않지 않았다. 지난해 10월 평양에서의 남북총리회담에서 북한은 지난 50년대 이래 조금도 변치 않아온 도발적이고 비화해적인 교리에서 털끝만큼도 이탈하는 빛을 보이지 않았다 : 즉, 외교적으로 한국 승인불가, 한.미 군사합동 훈련인 팀스피리트의 포기, "북한과 접촉한" 모든 반체제인사들의 석방, 유엔 단일의석 가입 등의 주장을 북한은 계속 고수했는데, 북한측의 설명에 따르면 기타 모든 다른 해결방안은 "분단을 결정적으로 고착화시킨다"는 것이었다. 한국의 대표단은 북한이 진부한 대립의 도식관계를 지양하고 "혁명수출"을 그만두라고 촉구했었다. 1989년과 1990년 남북한간에는 여러가지 관계개선이라는 희망의 조짐이 보여졌었으나, 또다시 대화두절 상태가 되었다.

금년 1월 한.소간의 외교승인은 처음으로 그 몫을 했다 : 소련이 30억 달라의 차관을 한국으로부터 얻은 것이다. 북한은 금년 2월말 이에 대응하는 외교조치를 시도한 바 있다. 즉, 북한 고위관리가 금년중에 일본과 국교관계를 수립할 것이라고 예견하고, 쟁점이되는 전쟁보상문제에 있어서 유연성을 보일것이라는 시사를 한 것이다. 이러한 북한의 시도는 성과를 얻지못했다 ; 일본과 북한간의 협상은 오늘까지 제자리에 머무르고 있다.

금년 4월 고르바쵸프 대통령은 일본에서 실망스러운 회담후 귀국길에 노태우대통령과 제주도에서 회담했으며, 처음으로 한.소관계가 소.북한간의 관계만큼 중요하다는 점을 명백히 했으나, 고르바쵸프는 남북한 유엔분리가입을 안보리에서 거부권 행사를 통해 저지하지 않겠다는 약속을 하지는 않았다. 그러나 그는 줄곧 남북한 단일의석 가입이 "비현실적"이라는 중국지도부의 태도와 같은 견해는 갖고 있었다. 누군가가 이에 대해서 이야기해야만 했었다.

드디어 이 문제에 관해 이야기가 나왔다. 5월 9일 중국수상 이붕은 북한방문후 북한이 남북한 유엔분리가입에 대한 협상할 준비가 되어 있다는 센세이셔날한 주장을 폈다. 이와 관련 사람들은 북한이 이붕총리에게 한국의 유엔단독가입에 대해 안보리에서 중국이 거부권을 행사해 저지해주도록 설가시게 졸랐는데, 이러한 보장을 얻기는 커녕 이붕의 공개적인 공표로 웃음거리가 되었다고 보고 있다. 중국인들이 얼마나 남북한 동시유엔가입을 진지하게 생각하고 있었는지는 다음과 같은 사실에서 잘 알수 있었다. 즉, 지난 1월 한국과 중국은 이미 상호 무역대표부를 개설했고 외교관계 수립도 단지 시간문제일 뿐인 것이다. 이로써 북한은 결정적으로 압력을 받게 되었고 이에 굴복하지 않을 수 없었다. 2주반 후에 중앙통신은 북한이 방향을 선회했음을 보도했다.

오늘날 발틱 3국의 유엔가입으로 남북한의 유엔동시가입의 중요한 의미가 가려워져 있는 것은 이해할 만한 일이기는 하지만 유감스러운 일이기도 하다. 북한의 유엔가입이 국제사회의 건설적인 기대에 보답하지 못한다면 북한자신은 이에 대한 책임을 져야만 한다. 북한이 비엔나 소재 국제 핵에너지기구회의에서 "한국에 배치된 미국의 핵무기 위협이 존재하는 한", 자신들의 핵시설에 대한 사찰을 허용할 수 없다고 거부 의사를 밝힌 것이 바로 일주일 전이다.

북한 핵무기 보유 ?

북한이 자체핵무기를 개발하기 때문에 핵사찰을 거부하고 있는지에 대한 의심은 사라지기보다 점점 더해만 간다. 적대하에 있는 남북한의 유엔 동시가입이 "한반도 평화와 전체 아시아의 평화"를 위한 열쇠가 될 것이라는 노태우 대통령의 평가가 비로소 그 유용성을 증명해야만 하게 되었다. 유엔가입 문제에 대해서 줄곧 남북한이 단일의석으로 가입하여, 상호 교대로 유엔에서 대표가 되고, 쟁점에 관해서는 투표에 기권해야한다는 입장을 북한이 바꾸게 된 것은 지난날 자신의 동맹국이었던 소련과 단 하나 남은 지원국인 중국의 압력에 의한 것이라는 사실은 의심의 여지가 없다. 북한이 변화의 필요성을 절실히 느끼고 있다고 말할수는 없다. 때문에 남북한이 결정적으로 평화의 길로 나가고 있다고 감히 말해서는 안될 것이다.

- 6 -

9-9

0178

원 본

외 무 부

연일

종 별 :

번 호 : FJW-0257 일 시 : 91 0920 1540

수 신 : 장 관(국연,아동)

발 신 : 주 휘지 대사

제 목 : 아국유엔가입

연:FJW-0255

연호, 표제관련 9.20자 FIJI TIMES지는 9.18자 로이타 통신을 인용, 국제면 톱기사로 남북한 장차관의 사진 (악수장면)과함께 'S KOREA CELEBRATES ENTRY'라는 제하로 한국은 오랜숙원인 유엔가입의 실현으로 분단한국의 통일의 길을 연결하는 교량을 축조했다는 의미에서 동가입을 환영하고 동가입은 노 대통령의 북방정책 수행에 따른 외교적 성과의 결과라는 요지의 기사를 게재하였는바, 참고바라며 동기사는 차파송부함.끝

(대사 백영기-국장)

국기국 1차보 아주국 외정실 분석관 청와대 안기부

PAGE 1 91.09.20 14:51 WG

외신 1과 통제관

0173

외 무 부

종 별 :

번 호 : ARW-0718 일 시 : 91 0920 1630

수 신 : 장 관(문홍,해문)

발 신 : 주 아르헨티나 대사

제 목 : 유엔가입 관련 보도

1. 아국의 유엔 가입 관련, 본직은 당지 한국어 케이블 방송과 단독 대담을 갖고 유엔가입의 의의, 통일에 미치는 영향등을 설명하였으며, 동 대담방송이 9.18.저녁 11:00 부터 약 30분간 방영되었음.

2. 아국 교민중 케이블 TV 시청 가구수는 약 2,800으로 추산되고 있음.

(대사 이상진-국장)

문협국 1차보 국기국 외정실 안기부 공보처

PAGE 1

91.09.21 10:34 WG

외신 1과 통제관

0180

원 본

외 무 부

종 별 :

번 호 : HKW-3316 일 시 : 91 0920 1700

수 신 : 장 관 (국일,아이,미북,정총)

발 신 : 주 홍콩 총영사

제 목 : 북한 유엔가입관련 중국계 언론사설

중국계 일간지 대공보 9.20. 자 사설은 조선총리 처음으로 방미 예정 이라는 제하에서 북한 외교부부장 강석주의 9.17.자 기자회견 내용을 중심으로 북한 유엔가입관련에 관한 논평을 게재하고 있는바 주요 요지 하기 보고함.

0. 연형묵 총리와 김영남 외교부장이 최초 방미 예정인바, 이는 북한.미국 관계를 포함 동북아정세가 개선되고 있음을 상징하는것임.

0. 강석주 부부장의 회견내용에 비추어

-북한은 이미 남북통일과 외교활동의 중심을 유엔에 두고 있음을 시사하고 있는바, 이는 장기적 고립상태 탈피에 큰 도움이 될것이고

-연합국 헌장 준수를 공개적으로 표명,북한정책에 새로운 변화가 있음을 알리고있음.

0. 남.북한이 통일촉진의 무대를 유엔으로 옮긴후 한반도 주변 국가들은 안도하게 되었는바, 쌍방은 대화와 교류를 통하여 민족자주통일 실현에 노력하기를 희망함.끝.

(총영사-국장)

국기국 1차보 아주국 미주국 외정실 분석관 청와대 안기부

PAGE 1

91.09.20 22:16 FN

외신 1과 통제관

0181

이

외 무 부

종 별 :

번 호 : GVW-1809 일 시 : 91 0923 1230

수 신 : 장 관(해신,둔홍,연일)

발 신 : 주 제네바 대사 대리

제 목 : U.N 가입관련 언론반응

1. JOURNAL DE GENEVE 지는 금 9.23. 표제관련 R.SOLA 의 해설기사를 게재한바, 동요지를 아래보고함.(외신면 3단)

기사제목: 남.북한 U.N 가입, 노대통령 중대연설 예정

요지: 9.24.로 예정된 노대통령의 U.N 가입 총회 연설은 한국의 U.N 가입을 방해하여온 냉전 시대에 종말을 고하는 계기가 될것임.

무역면에서 세계 13위이며, G.N.P로는 15위인 한국은 149개국의 승인에도 불구하고 중.소의 거부권 행사로 U.N.에 가입하지 못하고 있었음.

그러나 서울올림픽 개최와 소련의 개혁은 여건의 변화를 가져오게 되었음.

김학준 특보는 북한에게 U.N.동시 가입을 계속 권유하여 왔으며 이와같은 소련의압력은 금년4월 제주도에서 개최된 제 3차 한.소 정상회담 이후 더욱 가중되었다고술회함.

한편 U.N.가입은 노대통령에게 일대의 정치적인 승리이기도 함.

노대통령의 U.N.방문에는 야권의 지도자인 김대중씨와 여당의 최고위원인 김영삼씨등 여타 정치인들을 포함하여 각계지도자들로 구성된30명의 대표단이 수행하게됨.

그러나 U.N.가입에도 불구 예측을 불허하는 북한의 태도로 미루어 보건데 남.북한 대화는 앞으로도 순탄하지 않을 전망임.끝

(차석대사 김삼훈-해공관장)

공보처 1차보 국기국 문협국 청와대 안기부

PAGE 1 91.09.24 00:33 FH

외신 1과 통제관

0182

01

원 본

외 무 부

종 별 :

번 호 : SZW-0469 일 시 : 91 0923 1730

수 신 : 장 관(연일)

발 신 : 주 스위스 대사

제 목 : 남북한 유엔가입 관련기사

1.주재국 금 9.23.자 JOURNAL DE GENEVE 지는 RICHARDSOLA 동지 특파원 기명기사로남북한 유엔가입관련 하기 요지로 보도함.

가.금번 제 46차 유엔총회 연설을 통해 노태우대통령은 냉전이 유지되어 왔던 남북한의 외교적 고립에 종지부를 찍을것임. 세계 제13위의 무역고와 15위의 GNP 를 가 지고 149개국과 외교관계를 유지하고 있는 한국은 49.1, 51.12,61.4, 75.7.및 75.9다섯차례에 걸쳐 유엔가입을 신청한바 있으나 북한의 동맹국이었던 소련과 중국의 거부권 행사로 좌절된바 있음.

나. 그러나, 소련내 페레스트로이카 및 내부붕괴는 소련의 대한 적대감을 약화시켰으며, 올림픽주최, 샌프란시스코 및 제주도 한.소 정상회담 이후 소련은 북한측에유엔 가입 압력을 강화시켜왔음. 한편, 한국은 37개국에 9개사절단을 파견 유엔가입당위성을 설명하는등 외교적 노력을 경주하였으며 그결과, 91.9.17.남북한은 유엔의정회원 국으로 가입되었음.

다. 노대통령의 유엔방문시에는 약 30명의 공식대표단이 수행예정인 바, 노대통령은 유엔으로부터의 외교적 입지인정을 얻기 위한 동시도에 김대중씨와 같은 야당인사를 참여시킴으로써 커다란 정치적 승리를 거둔것으로 보임. 이제 남은 과제는 남북협상의 지속적 추구인 바, 예측 불가능하고 음흉한 북한의 태도에 비추어 남북대화는결코 쉽지 않으리라고 전망됨.

2. 동 기사 사본을 차정파편 송부 위계임.끝

(대사 이원호-국제기구국장)

국기국	장관	차관	1차보	2차보	외정실	분석관	청와대	안기부

PAGE 1 91.09.24 08:04 WH

외신 1과 통제관

0183

주 스 위 스 대 사 관

스위스(정) 790-449 1991.9.23.

수신: 장관

참조: 국제기구국장

제목: 남북한 유엔가입 관련 기사

연: SZW-0469

연호, 남북한 유엔가입 관련 9.23자 Journal de Geneve지 기사를 별첨 송부합니다.

첨부: 상기 기사. 끝.

주 스 위 스 대 사

54984

0184

JOURNAL DE GENEVE 91.9.23.

ONU *Devant l'Assemblée générale*

Les deux Corées font leur entrée officielle

Roh Tae-Woo (Corée du Sud) prononce un grand discours et met fin à l'isolement diplomatique des deux républiques.

En prononcant son discours aujourd'hui devant la 46e Assemblée générale de l'ONU, le président Roh Tae-Woo marquera la fin de l'isolement diplomatique dans lequel la guerre froide avait maintenu les deux Corées. Treizième puissance commerciale au monde, quinzième par le PNB, reconnue par 149 Etats, la République de Corée (sud) n'était pas pour autant membre de l'organisation des Nations Unies, bien qu'elle bénéficiait depuis 1947 d'un statut d'observateur. Son adhésion y fut combattue depuis plus de trente-cinq ans par la Chine communiste et l'Union soviétique, toutes deux alliées de la République démocratique populaire de Corée (du Nord) DPRK. Séoul a en effet déposé des demandes d'admission en janvier 1949, décembre 1951, avril 1961, juillet et septembre 1975. Aujourd'hui les impératifs de la perestroïka et l'implosion de l'URSS amenèrent cette dernière à atténuer son antagonisme vis-à-vis de l'Etat du Sud. Sa candidature pour l'organisation des 24es Jeux olympiques (1988) ayant été acceptée, Séoul considéra qu'il était temps, le dialogue avec le Nord piétinant, de déposer unilatéralement sa candidature à l'ONU.

«A la suite du premier sommet, en juin 1990, à San Francisco, entre le président sud-coréen et son homologue soviétique d'alors, l'URSS – estime Kim Hak-Joon conseiller du président Roh – a constamment tenté de persuader la Corée du Nord qu'il serait sage de présenter aussi sa candidature à l'ONU. Moscou avait intensifié ses pressions sur Pyong Yang dès après le sommet de Cheju en avril dernier». Pyong Yang céda finalement au mois de mai alors qu'elle maintenait auparavant le principe d'un seul siège (au besoin alternatif) pour toute la Corée.

Le gouvernement sud-coréen saisit récemment l'occasion de chaque visite d'officiels étrangers pour expliquer les raisons de sa candidature. Neuf délégations étaient de plus dépêchées dans la même optique auprès de 37 Etats. Résultat, le 8 août dernier, le Conseil de sécurité de l'ONU adoptait la résolution 702 recommandant à l'Assemblée générale l'admission simultanée des deux Corées. Le 24 suivant les ambassadeurs des deux Corées auprès de l'ONU demandaient à l'Inde de parrainer cette résolution. Le 17 septembre, les deux Corées étaient reconnues comme membre à part entière de l'organisation.

Comme la Suisse

Un peu comme la Suisse, la Corée du Sud n'était cependant pas totalement absente des Nations Unies, de ses institutions spécialisées. A la fin de l'an dernier, 163 Sud-Coréens travaillaient dans vingt de ces organismes. En outre, la Corée du Sud a contribué à hauteur de 500 000 000 de dollars à la force internationale durant la guerre contre l'Irak et avait envoyé une équipe médicale en Arabie saoudite.

L'une des grandes victoires politiques du président Roh Tae-Woo aura certainement été d'associer activement son opposition à ses démarches internationales pour obtenir cette reconnaissance diplomatique onusienne. Une délégation de trente personnalités – comprenant MM. Kim Dae-Jung et Kim Yong-Sam (leaders de deux principaux partis) ainsi que trois anciens Premiers ministres – accompagnera le président. Reste maintenant à poursuivre les négociations avec le Nord en vue de la réunification, mais dont l'attitude imprévisible et tortueuse ne peut laisser présager que des discussions plus et non moins difficiles.

Richard Sola

0185

주 가 봉 대 사 관

가봉(정)20312-217 1991.9.27

수 신 : 장관

참 조 : 국제기구국장, 중동아프리카국장, 문화협력국장

제 목 : 남북한 유엔가입 관련 회견기사

연 : GAW-0144

연호, 본직이 남북한 유엔가입과 관련 주재국 일간지 L'UNION 지의MOUKETOU 외신부장과 회견을 가졌는 바, 동 지 9.18자에 보도된 동 회견 기사를 별첨 송부합니다.

첨부 : 상기 회견 기사 1부. 끝

주 가 봉 대 사

선 걸			결재 (공람)		
접수일시	1991.10.1				
처리과		54436			

0186

Nations unies

Admission des deux Corées

Le fruit d'une longue amitié

A l'instar des trois pays baltes (Estonie, Lettonie, Lituanie) et des deux archipels du Pacifique anciennement sous tutelle américaine (la Micranésie et les îles Marshall), la Corée du Sud et sa voisine du Nord ont fait hier leur entrée officielle dans le cercle des Nations unies. Ces admissions portent ainsi de 159 à 166 le nombre de pays membres de l'ONU. A cette occasion nous avons rencontré le chef de la mission diplomatique sud-coréenne au Gabon S. E. Chang Il Parl (La Corée du Nord n'ayant plus de représentation diplomatique sur place). Notre interlocuteur s'est félicité de cette admission qui se présente comme le fruit d'une longue amitié avec l'ONU et pense, entre autres que l'arrivée aux Nations unies des deux Corées pourra faciliter l'entente entre Séoul et Pyongyang.

En 1949 déjà la République de Corée du Sud s'était adressée à l'ONU pour solliciter son adhésion. Depuis lors, Séoul a souvent manifesté la volonté de rejoindre la grande famille des Nations unies, sans parvenir à y accéder. Pour S. E. Chang Il Park, les démarches effectuées par son pays rencontraient toujours des blocages liés à la guerre froide entre l'Est et l'Ouest.

Pourtant cela n'a pas découragé les autorités sud-coréennes, qui ont toujours entretenu de bonnes relations avec cette instance mondiale. Pour la petite histoire, on rappelle que le premier gouvernement de Corée du Sud a été formé en août 1948 après des élections supervisées par une mission de l'ONU. En décembre de la même année ce gouvernement était reconnu par les Nations unies comme le seul légitime sur la péninsule coréenne.

La présence de l'ONU en Corée du Sud s'accentue en 1950 avec le déclenchement de la guerre de Corée. L'ONU y envoie un premier contingent de ses forces pour repousser ce que S. E. Chang Il Park a appelé les «Communistes».

Aujourd'hui la situation internationale a connu de profonds bouleversements. Séoul qui n'est pas resté en marge de ces mutations s'est attelé de son côté à élargir son cercle de relations avec les pays de l'Europe de l'Est. Septembre 1990, la Corée du Sud rétablit ses relations diplomatiques avec l'Etat-phare du communisme : l'Union soviétique. Quelques mois après Séoul améliore ses rapports avec Pékin.

Commentant l'intérêt de leur adhésion aux Nations unies, le diplomate sud-coréen estime que sur le plan politique, cet acte devrait contribuer à apaiser les tensions sur la péninsule et donc, de faciliter le dialogue pacifique entre les deux pays. L'année dernière déjà, les autorités des deux Etats avaient inauguré une série de rencontres au niveau des Premiers ministres. Trois réunions se sont ainsi tenues respectivement a Séoul et Pyongyang. Une quatrième rencontre devait avoir lieu dernièrement dans la capitale nord-coréenne, mais elle a été reportée à une date ultérieure à cause de la situation politique en URSS. Tous ces premiers contacts officiels depuis la guerre de Corée, affirme M. Chang Il Park, visent à baliser davantage le terrain afin de voir comment parvenir à une réunification pacifique.

Cette année, on pouvait d'ailleurs noter quelques échanges directs de produits, résultats des premiers pourparlers entre les deux chefs de gouvernement. La Corée du Sud a ainsi délivré en juillet 5 000 tonnes de riz à sa voisine du nord, tandis que Pyongyang doit livrer très prochainement du ciment à Séoul.

Fort de ce début de compréhension mutuelle, le diplomate sud-coréen pense que le problème de siège à l'ONU ne devrait pas se poser. Loin de creuser le fossé existant entre eux, la double présence des coréens aux Nations unies devrait plutôt favoriser le débat intellectuel, l'amitié entre Séoul et Pyongyang, soutient Chang Il Park. Et notre interlocuteur de souligner *comme ce qui s'est passé entre les deux Allemagne et les deux Yémen, si jamais nous parvenons à nous réunir le pays aura un seul siège à l'ONU. Cela ne posera aucun problème.*

S.E. Chang Il Park: la double adhésion de la Corée facilitera l'entente entre les deux pays.

Propos recueillis par : Olivier Moukétou

0187

대통령 유엔연설 관련 주요 외국 언론보도 현황

(91.9.24-9.25)

외무부 홍보과
1991. 9. 24.

I. 4대 통신 반응

- 9.24 UN발 Reuter : 노대통령은 북한과 핵문제 포함 한반도 군축문제에 관해 심도있는 협의 의사 표명
- 9.24 UN발 AFP : 노대통령은 1천만 이산가족 문제 해결 없이 남북한 신뢰구축이 이루어질 수 없다고 언급
- 9.24 UN발 AP : 노대통령의 대북 3개 평화방안 제시, 한국의 발전은 자유시장 경제 및 정치적 자유에 기인한다고 언급

II. 각국별 반응

1) 미국

- CNN : 9.24 노대통령 연설을 방영하고 남북한 유엔가입으로 상호공존의 새로운 장이 열렸다고 보도
- Wall Street Journal : 9.24 "노대통령, 북한과의 평화협정에 입장진보" 제하 회견 내용 보도

2) 일본

- 9.25 일본 경제신문 : 노대통령, 한반도 핵문제에 관해 북한과 협의 용의 표명
- 9.25 매일 경제신문 : 노대통령, 한반도 핵문제에 관한 남북직접 협의의 용의 표명

0188

- 9.25 아사히 신문 : 노대통령, 남.북평화협정 제안, 남북한 핵문제 협의 용의
- 9.25 마이니찌 신문 : 노대통령, 북한이 무조건 핵사찰에 응할것을 요구
- 9.25 산께이 신문 : 노대통령, 한국의 성장 및 대북우위에 자신감 과시
- 9.25 홋카이도 신문 : 노대통령, 북한과 핵문제 교섭 용의

3) 홍콩

- 9.24 Asian Wall Street Journal지 : 노대통령, 북한과 평화협정체결 희망

4) 멕시코

- 9.24 Excelxior지, 한국적 민주주의 한.멕관계 전망등 보도

5) 이집트

- 9.24자 Egyption Gazette지 : 노대통령이 9.24 한국대통령으로서는 최초로 유엔회원국 원수자격으로 유엔 총회에서 연설케 됨.

0189

심의관 [handwritten]

분류기호 문서번호	문홍20501-186	협조문용지 ( )	결재	담 당	과 장	국 장
시행일자	1991. 9. 25.					
수 신	수신처 참조	발 신	문화협력국장 (서명)			
제 목	유엔가입 관련 주요 외국언론 보도 현황					

우리국에서 수집. 파악한 우리나라의 유엔가입 관련

주요 외국언론 보도 현황 (1991.9.15-9.24)를 별첨 송부하오니

업무에 참고하시기 바랍니다.

첨부 : 상기 현황 자료 1부. 끝.

수신처 : 외교정책기획실장, 아주국장, 미주국장, 구주국장,

중동아프리카국장, 국제기구국장, 조약국장, 공보관,

외교안보연구원연구실장

0190

1505 - 8 일(1)　　190㎜×268㎜(인쇄용지 2급 60g / ㎡)
가 40-41 1990. 3. 15

UN 가입관련 주요 외국 언론보도 현황

(91.9.15 - 9.24)

외무부 홍보과 91.9.24.

I. 4대 통신 반응

o 노대통령의 CNN-TV 회견 인용, 북한의 핵사찰 수락 촉구 내용 보도 (9.23, AP)

o 노대통령의 CNN-TV 회견 인용, 유엔가입은 통일성취를 위한 필수절차임을 언급 (9.23, AFP)

o 북한 마지못해 가입 시인하면서 "하나의 조선" 정책 고집(9.18, 동경발 Reuter)

o 북한 강석주 외교부 부부장, 남북 정상회담 관련 발언(9.18. AP.AFP. REUTER)

o 북한 강석주 부부장, 남북한 대표 합석 및 남북한 통합대표단 구성 협의를 제의(9.19. 유엔발 UPI, Reuter)

o 김대중 민주당 공동대표의 남북한 유엔가입 관련 발언 보도 (9.23, Router)

II. 각국별 반응

1. 미국

가. 주요 TV

o CNN TV

- 'Newsmaker Sunday"프로 노대통령 단독 회견 특집방영 (9.22, 2회, 18-20분간)
- "World Report" 보도 (9.15)
- "The World News Tonight" 보도(9.17. 18:00)

o ABC, NBC, CBS 등 주요 TV

- 한국 유엔가입 관련 뉴스보도(9.17)
- Korea Parade 내용 중점 보도 (NBC, 9.21)

0191

나. 주요 신문

o Newsweek (주간)

- 노대통령 단독회견, 국제판 머리기사로 게재(9.23-30판)
- '냉전의 마지막 매듭이 풀리고 있다' 제하 보도

o Washington Post 지

- 남북한 유엔가입 관련기사(9.17)
- 북한, 유엔가입전야, 핵사찰 협정조인 거부 (9.17)
- 남북한 동시가입은 이념적 차이에 기인(9.18)

o New York Times 지

- Peter Karn 발행인등 기자회견(9.23)
- Korea parade 등 경축행사 보도 (9.22)
- 남북한 유엔가입 기사 보도(9.18)

o Christian Science Monitor 지

- 북한의 유엔가입은 경제적 난관타개를 위한 서방측과의 관계개선 신호 (9.13)

o 기타

- Washington Times (9.17 등, 기사등 3회)
- San Francisco Chronicle (9.11, 기사)
- Chicago Tribune(9.18, 기사), Chicago Sun Times(9.18, 기사)
- Seattle Post Intelligeneer (9.21, 시애틀 지역 교민 오찬 기사 보도), Seattle Times (9.17, 사설 및 시애틀 교민 행사 기자 보도 9.21), Asia Pacific Business Journal(시애틀소재, 9.17 특집), Morning News Tribune (9.21 시애틀 교민행사 기사 보도)
- Honolulu Star Bulletin (9.17, 기사, 9.18.해설기사), Honolulu Advertiser(9.17기사, 9.18, AP 인용기사)

0192

2. 일본

가. 주요 신문

o 아사히

- 외무장관, 북한 외교부 부부장 회담관련 기사(9.18)

- 한국특집, 통일에의 모색 (91.19-21)

o 마이니찌

- 한국특집 '남북신시대' 남북한 유엔가입 이후 전망(9.19-21)

o 요미우리

- 유엔총회 91년 9월 17일 (9.19)

- 한국특집 '공존의 개막' 남북한 유엔가입 (9.19-21)

o 산깨이

- 남북한 유엔가입 환영, 관방장관 성명 인용 보도(9.18)

- 평화국가를 행동으로 표시하자 (9.19)

- 한국특집 "공존에로의 모색-유엔가입후의 한반도" (9.19-21)

o 닛께이

- 남북한 불신으로 한반도 상황 복잡(9.18)

- 한국특집 "한반도 공존시대" (9.16-18)

o 도쿄

- 한국특집 "남북유엔가입" (9.19-20)

o 중앙지 오오사카판 및 주요 T.V. 오오사카지국, 현지교민 반응등 보도 (9.18)

o 통일일보 (9.18), 동양개재일보 (9.20)등 교포언론, 특집보도

나. TV 보도

o NHK

- 특집 (이산가족, 김학준 보좌관, 정주영 회장, 김용순 서기등 인터뷰 포함) (9.18, 25분)

- "미드나이트 저널" 르뽀, "모닝와이드" 르뽀등

0193

o N-TV(10분), TV(아사히(6분), 후지TV(3분), TBS(7분)등 일제히 현지 르뽀로 가입사실, 국기게양식 및 정부성명등 상세보도(9.18)

3. 영국

가. 주요신문

o The Times 지

- 해외뉴스란, 외무장관 연설 인용보도(9.18)

- 유엔 남북한 동시가입은 북한외교의 실패라는 내용기사 게재(9.17)

o The Independent (9.23)

- 북한의 마지못한 유엔가입 재하 기사보도

o Daily Telegraph 지

- 노대통령 북방정책의 일대승리 (9.18. 사설)

o The Economist(주간), The Guardian등 가입사실 보도

나. TV등 방송

o CH-4 아침뉴스(9.18)

o BBC 라디오 Dateline 프로 주영대사 인터뷰(9.17), World News(9.18)

4. 불란서

가. 주요 신문

o Le Quotidian de Paris

- 남북한 동시가입, 한국외교의 성과 보도 (9.18)

- 남북한 대표 회견 인용 보도(9.19)

o Le Monde, Le Figaro, Liberation 등 사실 보도

나. TV 등 방송 가입보도(9.18)

o 민영 TF-1, 국영 AN-2 및 FR-3 TV등 주요뉴스로 보도(9.18)

0194

5. 독일

가. 주요신문 보도

o Die Welt

- 남북한 유엔가입 기사 (9.19)

- 방한 특파원 기고 한국특집 (9.19, 9.20)

o Die Zeit

- 남북한 유엔가입은 세계평화에 긍정적, 북한의 핵사찰 거부가 문제(9.19)

- 남북한 공존시대 개막(9.16)

o Frankfunter Allgemeine Zeitung(9.18, 9.19), Neues Deutschland(9.16), General Anzeiger (9.19, 사실), Frankfurter Rundschau (9.19)

나. TV 등

o 주요 TV 및 Deutschland Funk 라디오 뉴스로 보도

6. 멕시코

가. 주요신문 보도

o El Sol de Mexico(9.18)

- 노대통령 유엔가입 연설(9.22), 특집예정(9.24)

- 북한의 핵사찰 협정 서명 거부 비난 (9.18)

- 노대통령 멕시코 공식 방문 관련 특집(8.25-30)

o Excelsior 지

- 한국특집(9.22, 9.24 예정)

o El Pais '한국 대통령 수요일 도착' 제하 특집기사(9.23)

o El Sol de Mexico, El Financiero 지, Excelsior지, El Heraldo, Novedades, Uno Mas Uno 등 외신기사 보도(9.18)

나. TV 등 방송매체

o Televisa Ch-15 한국 연재 특집

- 9.20, 30분

0195

o Televisa 라디오 대담 특집

- 주멕대사 출연, 9.12, 30분

o 한국음악 방송

- Radio UNAM(9.17-26간, 4회)

7. 제네바

o Journal de Geneve(9.18)

- 유엔가입 기사보도(9.18) 및 "노대통령 증대 연설 예정" 제하 해설기사 (9.23)

o Tribune de Geneve

- 유엔가입 기사보도 및 해설기사 (9.18)

8. 이태리

o Momenta Sera, 주이태리대사 대담 개재 (9.24 예정)

o Republica 기사 보도 및 해설기사 (9.18, 9.21)

o Corriere della Sera 등 주요일간지(9.18) 7개국 유엔가입 관련 보도

o 국영 RAI-TV1, 2 정원식 국무총리 인터뷰 방영(9.18, 10분간)

9. 오스트리아

o Der Standand, Wiener Zeitung등 사실보도(9.18)

10. 스페인

o 국영 TV, 외무장관 유엔연설 및 가입 사실보도(9.18)

o El Pais (9.17)등 주요일간지 사실 보도

o ABC TV (9.17) 북한 핵사찰 거부 개탄 보도

11. 폴투갈

o Publico, 강석주 발언내용, 풍자적으로 보도 (9.19), CNN-TV 인용기사 보도 (9.23)

o D/N, C/M, Capital등 기사보도 (9.19)

0196

12. 터어키

o Turkish Daily News, Cumhuriyet 및 국영 TRT-TV 사실보도(9.19)

13. 헝가리

o PESTI HIRLAP(9.17) 등 특별 해설기사 보도

14. 체코

o 호스포다르스게 노비니(8.7) 안보리 결의 보도

15. 홍콩

o Asia Week (9.27, 아국 소개 특집 예정)

o South China Morning Post(9.18 사설) 게재

o 중국시보(9.17), The Standand지(9.14)등 논평 보도

16. 필리핀

o Manila Times (9.19, 사설), Daily Gwbe등 4개지 기사보도(9.19), Manila Bulletin(9.18, 사설), 필리핀 타임즈 저널(9.17 사설), Newsday(9.16 사설) 게재

17. 태국

o Daily News 'KOREA and UN' 제하 보도 (9.19)

o Thai Rath지 (태국어지), 'Two Koreas entered UN' (9.19)

o Bangkok Post지 및 The Nation지 (9.19) 보도

18. 인도네시아

o Pelita (9.17), Indonesia Observer (9.18), Indonesia Times(9.18), Merdeka, Indonesia Observer등 (9.19)

o 국영 TV, 뉴스보도 (9.18, 3차례)

0197

19. 말련

o NST, Business Times Berita Harian 남양상보등 외신상보등 외신면 기사 보도

o TV-3, RTM-1 및 RTM-2 외무장관 연설등 뉴스보도(9.18)

20. 인도

o Hindustan Times, Times of India 및 Stantesman등 주요일간지 해설기사 및 논평 보도 (9.19)

21. 대만

o 주요언론관계 기사 보도 (9.17-9.24)

o 중앙일보 해설기사 보도(9.18)

22. UAE

- 주요언론, 남북한 동시가입 보도(9.18)

23. 카이로

o The Egyptian Gazette 보도 및 해설기사(9.17, 9.19)

o Al-Gomhuria지(9.17), Al-Ahram, Al-WAFD등 (9.19)

o 애급 TV-Ch2, "KOREA" 제목으로 유엔가입 관련 한국특집(9.16) 및 저녁 종합뉴스 보도 (9.18)

o 애급 TV-Ch1, "Magic Carpet: KOREA" 제목으로 유엔가입관련 한국 특집 (9.18)

24. 카나다

o Globe & Mail등 주요언론 4개지 남북한 유엔가입 환영 보도(9.18)

25. 아르헨티나

o La Nacion(9.15, 9.20) 및 Clarin(9.19) 유엔가입 관련 한국특집기사

o 교포언론(한국일보), 남북한 유엔가입과 남북한 관계 전망 특집보도(9.17-20)

o 교포 유선TV 주아르헨티나 대사 대담 방영 (9.18, 22:00)

0198

26. 코스타리카

o La Prensa Libre 남북한 유엔 동시가입은 한반도 통일에 기여 보도(9.18)

o La Nacion, La Republica등 주요 일간지 및 주요TV, 라디오 아국 유엔가입 사실 보도 (9.17-18)

27. 소련

o Nezavisimaya Gazeta (모스크바 시의회 기관지, 개혁 성향, 3대 일간지)
  - '서울과 평양이 유엔에 가입하다' 제하 해설기사 보도 (9.23)

28. 페루

o El Comercio (9.16), Expreso (9.17) 등 유엔가입계기 주페루대사 대담 내용 기사 보도

0193

외 무 부

종 별 :

번 호 : SAW-0236 일 시 : 91 0925 0945

수 신 : 장 관(문홍)

발 신 : 주 삿보로 총영사

제 목 : 노 대통령 유엔연설관련 언론반응

1.표제관련, 당지 북해도 신문은 9.25 조간에 미국의 핵 교섭용의 제하, 1면7단기사 (노 대통령존영포함)및 북의 핵 배제를 조준제하 (해설기사), 7면4단기사를 게제하였으며, 북해타임지는 9.25일자 조간에 남북에서 핵문제협의를 제하, 4면5단기사를 게제함.

2.상기 기사전문 FAX편 송부위계임.

문협국 1차보 국기국 외정실 안기부

PAGE 1

91.09.25 10:33 WG

외신 1과 통제관

0200

원 본

외 무 부

종 별 :

번 호 : BVW-0317 일 시 : 91 0925 1120

수 신 : 장 관(국연,미남,홍보,정보)

발 신 : 주 볼리비아 대사

제 목 : 노태통령의 유엔총회연설 기사게재

1.금 9.25 당지 주요일간지 HOY 지와 PRESENCIA지는 노대통령의 사진과 함께 9.24UN발 EFE 기사로 '노대통령 통일을 위한 평화협정 체결제의'라는 제하에 노대통령의기조연설 요지를 게재하였는바,아래 보고함

-노대통령은 한국이 비록 2개의 체재하에서 오늘 살고있지만 결코 하나의 국가라는것을 잊은적이 없다며 북한에 대하여 평화협정 체결을 제의

-노대통령은 지난주 2개의 한국 유엔가입후 유엔회원국으로서 총회에 최초의 연설을 행함

-동 평화협정은 한국전쟁이 끝났으나 상금 양측은 전쟁상태에 있는 휴전협정을 대체키 위한것임

-한반도는 1945년 2차 세계대전의 전승 강대국에의해 분단되었으며,북쪽은 친소정권이 수립되고 남쪽은 미국의 지원을 받았음

-한국 대통령은 한국이 유엔에 가입하는데 40년이상이 결렸음,양독이 유엔에 별도 가입후 통일을 실현할수 있었음음을 언급

-우리의 유엔가입을 막아온 냉전은 과거의 유물이되었음

-노대통령은 동구의 자유화 운동및 베를린의 장벽을 무너뜨리고 세계평화의 지평을 연 동베를린 주민들을 격찬했음.이러한 세계적인 사건에도 불구하고 아직도 남북한 국경에는 170만병력이 대치하고 있음을 지적하고 점진적 군비축소와 상호신뢰구축을 위한 제반조치를 제의하였음

-북한은 핵무기 개발계획을 포기하고 남북한간의 신뢰구축을 위한 조치를 강화해야 할것이라고 언급하고 본인은 북한측과 재래식 무기의 감축뿐만 아니라 한반도 핵문제에 대해서도 협의할 용의가 있음

-보다 인도적인 견지에서 남북한은 적대관계를 종식하고 물자,정보및 사람이 자유

국기국 1차보 미주국 문협국 외정실 청와대 안기부 공보처

PAGE 1 91.09.26 01:42 FN

외신 1과 통제관

0201

롭게 교류하는 새로운 시대를 열어야 할것임

2.동 신문기사 정파견 송부함.끝

(대사 명인세-국장)

기갑
외 무 부
연망

종 별 :

번 호 : HKW-3355 일 시 : 91 0925 1130

수 신 : 장 관 (해신,아이)

발 신 : 주 홍콩 총영사

제 목 : 대통령 UN 총회 연설 언론반응

1. 중국계 주요일간 대공보는 9.25 노태우대통령 3개항 제의 - - 남북간 평화조약체 결관계정상화 추진 3단 제하 표제 대통령 연설에관 해 보도함.

2. 동지는 당관이 제공한 연설문을 (본보소식)크레디트 라인으로하여 연설 내용중 대북제의 3개항을 부각 소개하면서 남북한 유엔동시가입은 1945년 국토분단이래 가 장 획기적인일로 한반도 평화 유지에 크게 기여할 것 이라고 보도함.

3. 동기사에 이어서 대공보는 UN 발 AFP통신을 인용 노대통령은 화요일 남한과 북한이 동시에 UN 에 가입한 것은 통일을 지향하는 중요한 임시 조치라고 말했다고 보도함.

4. 한편 주요일간 SOUTH CHINA MORNING POST 는 ROHOUTLINES PLANS FOR IMPROVED TIES 2 단 제하 표제관련 뉴욕발 AFP 기사를 외신면에 보도함.

5. 기사 원문 별전 FAX 참조바람.

(총영사-해공관장)

공보처 1차보 아주국 국기국 외정실 분석관 청와대 안기부

PAGE 1 91.09.25 14:02 WG

외신 1과 통제관

0203

25-09-1991 11:32 KOREAN EMBASSY LONDON +4 1 589 1326 P.01

주 영 대 사 관

번 호 : UKW (F) - 0405 DATE: 10925

수 신 : 장 관 (해신, 정보, 기정, 국방)

제 목 : 한국 관계 기사

O 지구촌 TV 보도

CH4는 9.25 아침 8시 NEWS에서 노대통령의 3대 평화안 소개, 김 학준 보좌관의 유엔가입 의의, 한국정부의 북한 정보 개방 조치와 시민들의 반응등을 대통령의 UN 연설 장면을 포함한 관련 화면들과 함께 1분 21초 보도했음.

South Korea's president has offered a 3 point peace plan to communist North Korea, beginning with a permanent peace treaty to end the war that divided Korea in the fifties. First President Noh Tae Woo wants NOrth Korea to abandon its nuclear weapons programme and allow divided families to visit each other. Then he's suggesting 3 steps to peace.
A peace treaty, with both sides renouncing the use of force against each other Then, military confidence-building measures and arms cuts, and finally, free exchange of people, products, and information.

South Koreans have watched the rapid end to the Cold war in Europe and are preparing to reunify their peninsula, however unlikely it seems today.
For the first time, South Koreans have been allowed to watch North Korean propaganda films..
SOF man-- my hometown is over in the north, so this fills me with nostalgia
sof woman --It's useful to watch -- to handle business with the north one day"

After decades banning any information from north korea, this year one university's been allowed to set up a North Korea studies course... most students are businessmen.
sof man in suit
I'd like to learn not just about north Korean politics, but also what the ordinary people think.
SOf 4 man in white shrit

We dont know anything about NOrth Korea. We must do something about this.

But even at Soguan university, you need special permission to enter the locked room holding their collection of north korean publications and newspapers.

The government is clearly seeing last week's accession of both koreas to the united nations as a chance to improve relations.
sof Kim Hak Jun
Adviser to President Noh Tae Woo
Now both Koreas have joined the UN, it's an opportunity for the Korean peninsula to prepare for peaceful unification"

But as curious South Koreans flock to the first exhibition showing them the goods that north koreans find in their shops, reunification seems a long way off. YEt South Koreans are hoping to equal the Germany's experience one day, and in the meantime they're learning how the other half lives.

0204

(2-2)

Financial Times
Sep 25, (px4)

Roh proposes Korean peace plan

South Korean President Roh Tae Woo yesterday proposed a three-point plan for normalising relations with the communist North, beginning with a peace treaty and renunciation of the use of force, replacing their present fragile armistice, writes Michael Littlejohns from New York.

Addressing the UN General Assembly, to which the two Korean states were admitted as members last week, he called for military confidence-building measures.

0205

기㎽.

외 무 부

연일

종 별 :

번 호 : CHW-1555 일 시 : 91 0925 1130

수 신 : 장 관(해신,문홍,아이,기정)

발 신 : 주 중 대사

제 목 : 노대통령 유엔연설 기사보도

연:CHW-1540

1.주재국 중국시보등 주요언론은 9.25. '노대통령 남북평화통일 3대 원칙 제시' 제하에 유엔총회에서 노대통령 연설내용 요지 보도함.

- 남북한 휴전협정을 평화협정으로 바꿈.
- 상호신뢰를 기초로한 군비절감 촉진.
- 인적, 물적, 정보의 상호 전면교류및 자유왕래등 주장

2.또한 9.24. 노대통령은 부쉬 미대통령과 제 5차 한.미 정상회담을 개최하고 양국은 북한 핵무기개발 저지에 적극 대처할것을 합의함. 끝

(대사 박노영-해외공보관장)

공보처	1차보	아주국	국기국	문협국	외정실	분석관	청와대	안기부

PAGE 1

91.09.25 14:05 WG

외신 1과 통제관 0206 28

원 본

외 무 부

암호수신

종 별 :

번 호 : PUW-0773 일 시 : 91 0925 1230

수 신 : 장관(연일,미남,기정)

발 신 : 주 페루 대사

제 목 : 대통령 기조연설 홍보

대 EM-0030

1. 대호 대통령 제 46 차 유엔 총회 기조연설 요지를 작성 9.24 주재국 주요 언론기관에 배포하였으며, 주요일간지 EXPRESO 9.25 자 국제란에 한국, 북한에 평화협정 체결 제의 제하 대통령 주요 기조연설 요지를 대통령 사진과 함께 게재함.

2. 동 기사 전문, 정파편 송부위계임.끝

(대사 윤태현-미주국장)

국기국 1차보 미주국 청와대 안기부

PAGE 1

91.09.26 06:26

외신 2과 통제관 CE

0207

원 본

외 무 부

연일 기(handwritten)

종 별 :

번 호 : AUW-0760 일 시 : 91 0925 1400

수 신 : 장 관(연일,해기,문홍)

발 신 : 주 호주 대사

제 목 : 대통령 UN 기조연설

대:WAU-0736

대호 당관은 금 9.25 대통령 UN 기조연설전문을 주재국 언론등 아래와같이 프레스 릴리즈했음.

1. 언론계: SYDNEY MORNING HERALD(GREGAUSTIN)외교국방담 당기자)등 8개 언론기관

2.학계 및 연구소: 호주국립대 동북아연구소 (DR.JAMES COTTON 수석연구원)등 4개소

3.정부:호주 외무성, 소련, 에집트, 싱가폴 공보관등.끝.

(대사 이창범-국장)

국기국 1차보 문협국 외정실 분석관 청와대 안기부 공보처

PAGE 1 91.09.25 15:05 WG

외신 1과 통제관

0208

가

외 무 부

연일

종 별 :

번 호 : KOW-0116 일 시 : 91 0925 1630

수 신 : 장 관(문홍)

발 신 : 주 고오베 총영사

제 목 : 대통령유엔연설신문게재

1. 9.25자 고오베신문은 1면 좌중단에 4단기사로 남.북간 핵삭감협의 를본제, 한국대통령 국련연설.평화협정 체결도라는 부제로 공동통신 기사내용을 게재하고, 7면에 북의수락은 곤란하다 라는 제목의 해설기사를 게재하였음.

2.동기사 차파편 송부함.끝.

(총영사 양세훈-국장)

문협국 1차보 국기국 외정실 분석관 청와대 안기부

PAGE 1

91.09.25 17:12 WG

외신 1과 통제관

0209

외 무 부

종 별 :

번 호 : JAW-5491 일 시 : 91 0925 1654

수 신 : 장 관(해신,문홍)

발 신 : 주 일 대사(일공)

제 목 : 대통령 기조 연설 보도

대: AO-0028

제 46차 유엔총회에서의 노태우 대통령 기조연설에 대한 주재국 언론 보도 태도를 다음과 같이 보고함.

1.당지 6대 신문은 모두 외신면 톱기사로 크게보도 했음

0 아사히

7면톱: 핵문제협의 용의 노대통령 유엔연설

북한측 주장에 배려

남북 평화협정을 제안

6면 3단 해설: 핵에 대한 적극적인 자세 제시 노대통령

6면 7단 박스: 유엔연설 요지

0 요미우리

5면 톱: 핵문제 '남북직접 협의 용의

노대통령 유엔 연설에서 표명

공존 공영관계 어필

0 마이니치

7면 톱: 북한은 핵사찰에 응하라

한국대통령 유엔 연설

'무조건'수락 하라고 주장

지극히 강경자세,명확하게

7면 3단 해설: 한미 정상회담 반영

국제정세 폭넓게 협의

6편 8단 박스: 노대통령 유엔 연설, 남북한 관겐부분 요지 및 최근의 남북한

공보처 1차보 국기국 문협국 외정실 분석관 청와대 안기부

PAGE 1 91.09.25 17:45 WG

외신 1과 통제관

0210

관계와 주요 제안

0 상케이

1면 5단: 핵문제 남북협의 용의

한국 대통령 유엔총회 연설

조기 통일에의 자신감도

5면 톱: 노대통령 유엔 연설, 한국의 성장 과시

태연하게 북측 태도 기다려

아무 언급없는 북한과 대조적

5면 6단 박스 6 연설요지

0 닛케이

1면 4단: 한국 대통령, 주한,'핵' 문제 남북협의도

북한의 핵 개발 중지 조건

8면 4단:대결 무드 농후, 한국대통령 유엔 연설

'북'의 제안 거부는 확실

8면 5단 박스: 연설요지

도쿄

1면 4단:핵문제 협의 용의

한국 대통령 북은 사찰 수용을

7면 5단 톱: 통일향해 핵문제 피할수 없어

한국 대통령 유엔 연설

속셈에 차이, 진전 전망 희박

7면 4단 박스: 연설 요지

2.방송보도

매체명: NHK(CH 1)

프로명: 모닝 와이드

방영일시: 91.9.25(수) 아침 뉴스 약 2분 30초

요지: 유엔총회에서 노태우 대통령 연설 장면을 배경 (화면)으로 기조 연설 주요 요지 소개

3.당관은 동 연설의 신속 효과적인 보도를 위해 본부로 부터 수령한 연설문을 다음 메체에 공보관이 직접 각사 외신데스크 또는 담당기자에게 전달했음

일본언론: 아사히, 요미우리, 마이니치, 상케이, 닛케이, 도쿄, 공동통신, NHK (영,국문 각 1부)

교포언론: 통일일보, 한국 신문 (국문 각 1부)

(공보관 정진영 부장)

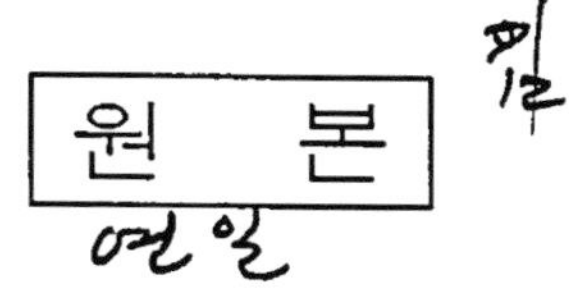

외 무 부

종 별 :

번 호 : UNW-2998 일 시 : 91 0925 1930

수 신 : 장 관(연일,연이,중동일,미일,기정)

발 신 : 주 유엔 대사

제 목 : 유엔총회(각국 기조연설반응)

9.23-24 간 각국 기조연설 (아국연설 포함) 관련 NYT 사설및기사, WP 지 사설을 별첨 송부함.

첨부: UNW(F)-561 : NYT 사설및 기사, WP 지사설.끝

(대사 노창희-국장대리)

국기국 차관 1차보 미주국 중아국 국기국 외정실 분석관 청와대
안기부

PAGE 1

91.09.26 09:39 WG
외신 1과 통제관

0213

91 18:12 KOREAN MI[illegible]N P.1

UNW(F)-561 10925 1991 총40매
(연일. 연이. 중동일. 미일. 기타)

A Chance for Justice at the U.N.

A certain loftiness is customary from orators at the United Nations, and in any case President Bush, leader of Desert Storm, earned the right to recite the gains of freedom yesterday while aiming a blunt warning at an impenitent Saddam Hussein.

Yet he gave strong weight to an address thick with generalities by calling for the unconditional repeal of a notorious resolution about Zionism that may constitute the U.N.'s most unjust action. By voting for repeal, every member state can remove an obstacle to reconciling diplomacy.

In November 1975, the General Assembly formally stigmatized Zionism as a "form of racism and racial discrimination." No other declaration has spawned more ill will or done more to confirm Israel's distrust of the U.N. Yesterday Mr. Bush put the point simply: To equate Zionism with the intolerable sin of racism mocks U.N. claims to seek a just peace in the Middle East.

Whatever the Bush Administration's differences with Israel on loan guarantees or on settlements in occupied territories, on this Washington and Jerusalem can stand together. By moving to common ground, the President aims to drain the anger from arguments over legitimate differences.

The Zionist resolution was a malignant outgrowth of cold war rivalries. In 1948 the new state of Israel won immediate recognition in Washington and Moscow. By degrees, Soviet support turned into open hostility as Israel won wars and the Arabs lost territory. By 1971, Pravda was recklessly equating Zionism with racism; it even accused Jews of collaborating with Hitler. This slanderous campaign was taken up by nonaligned states, prodded by oil-producing sheikdoms.

By 1975, there were enough General Assembly votes to enact Resolution 3379. Leading the opposition was Daniel Patrick Moynihan, then chief U.S. envoy to the U.N. He has plainly described its disgraceful implications:

"While that resolution stands the U.N. is essentially on record as favoring the annihilation of a member state. For racism is the one public policy that can deprive a state of legitimacy — even legality — in the modern world. This is singularly the case with Israel, for it was founded to be a *Jewish* nation."

Zionism-is-racism remains code language for bigotry. The code has been eagerly taken up by Saddam Hussein. Though addressing problems of a very different nature, Mr. Bush aptly strikes a common chord in condemning both the Zionism resolution and Baghdad's refusal to allow U.N. inspection of Iraqi nuclear weapons.

Both affront the U.N. Charter's call upon nations to practice tolerance and live together in peace. By reaffirming that purpose, the President places himself on the honorable side of history.

Repeal the Zionism Resolution

PRESIDENT Bush's call for the United Nations General Assembly to repeal its resolution of 1975 equating Zionism with racism was at once interpreted as a friendly gesture to Israel at an otherwise tense moment in American-Israeli relations. It would be good if the Bush appeal did have the effect of reminding Israelis of Washington's continuing commitment and regard. Many Americans too would surely applaud a vigorous American effort to put repeal to a prompt vote and to smoke out states still reluctant to acknowledge their surrender to the prejudices of an earlier, darker day. That the Soviet Union—one of the original principal offenders—is now ready to renounce what its foreign minister yesterday called this "obnoxious" resolution bodes well for the count.

The Arab governments ought to be particularly ready to strike this sickening text, most of all those among them who profess to be champions of the Palestinians in whose name they gleefully whooped the resolution through. Any hesitation on their part can only be regarded as retrograde and out of keeping with current, rising standards of international discourse. To support keeping this resolution on the books will not fail to undermine the common ground on which the United States and most Arab states stood in the gulf war—a war in which Israel was on the same side as those Arab states and in which it played its own role of strategic discretion. Sanctioning repeal is a minimal contribution that others can expect Arabs to make to the Middle East peace process being organized now.

But it is not really Israel and either its longtime friends or its longtime adversaries that have the greatest interest in repeal. The true victim of this insupportable slur on a member nation's core legitimacy was the organization—the General Assembly—that enacted it. Passage of the Zionism resolution topped off a series of actions by which the one-nation, one-vote assembly forfeited its claim on the respect of decent people everywhere and sank into a slough of irrelevancy, which it is still trying to climb out of. It is the assembly that has the greatest reason now to repudiate this stain on its honor and utility. Mr. Bush put it very precisely: "This body cannot claim to seek peace and at the same time challenge Israel's right to exist."

UNW-2998 첨부

4-1

0214

By ANDREW ROSENTHAL
Special to The New York Times

UNITED NATIONS, Sept. 23 — President Bush called on the General Assembly today to repeal the 1975 resolution that equated Zionism with racism, telling the organization that it "cannot claim to seek peace" until the much-criticized document has been repudiated.

"We should take seriously the charter's pledge to practice tolerance and live together in peace with one another as good neighbors," Mr. Bush said in his fourth address to the assembly since he became President. He added that "Resolution 3379, the so-called Zionism-is-racism resolution, mocks this pledge and the principles upon which the United Nations was founded."

Mr. Bush had been expected to call for the resolution's repeal, a move that his Administration has been committed to for nearly two years but has delayed out of concern for other political imperatives, including the President's efforts last year to rally Arab support in the conflict with Iraq.

The President said repealing the measure now would promote the cause of peace in the Middle East, and his advisers are also counting on his appeal today to help heal the strain that has developed in his relations with Israel and the pro-Israel lobby in the United States over the issue of loan guarantees to Israel.

But Mr. Bush did not back up his call with any promise to lead the effort to repeal the resolution or any deadline for its repudiation.

American officials indicated that the United States was far from ready to put the repeal to a vote. The Assistant Secretary of State for International Affairs, John Bolton, said the United States believed that it had a majority in favor of repeal, but not a strong enough one for Washington to risk a vote now.

He added that the Soviet Union had not yet committed itself and that it was unclear how much support the United States had among the Arab countries.

In the 20-minute speech, Mr. Bush also renewed his oratorical assault on President Saddam Hussein of Iraq, calling once again for the Iraqi people to remove him from power and repeating the insistence that economic sanctions against Baghdad not be lifted as long as Mr. Hussein remains in power.

"Saddam continues to rebuild his weapons of mass destruction and subject the Iraqi people to brutal repressions," Mr. Bush said. "Its contempt for United Nations resolutions was first demonstrated back in August of 1990, and it continues even as I am speaking. His Government refuses to permit unconditional helicopter inspections and right now is refusing to allow U.N. inspectors to leave inspected premises with documents relating to an Iraqi nuclear-weapons program."

Mr. Bush's speech was delivered in markedly tepid tones and was interrupted for applause only once, when Mr. Bush praised the departing Secretary General, Javier Pérez de Cuéllar, who is leaving his post in December.

The address was the President's first chance to address the world community since the collapse of Soviet Communism, but he glossed over that monumental event in his remarks, which also touched only in the most general way on the Middle East process, the rebuilding of Eastern Europe's shattered economies and his continuing struggle with Iraq.

Mr. Bush singled out Cuba as a hold-out against the tide of democracy that has swept Europe and Latin America in recent years, but he made no mention of China, with whom he has tried to maintain cordial relations, or other Communist regimes. His only reference to North Korea was to welcome the country as a new member of the General Assembly.

Mr. Bush condemned Mr. Hussein's efforts to thwart United Nations inspection and destruction of his nuclear, chemical and biological weapons and said the United States would not compromise on its demand that the United Nations be afforded unfettered access to weapons sites. But Mr. Bush did not say what he would do if Baghdad did not cooperate.

'Revival of History'

The bulk of the speech was devoted to a philosophical treatise on what Mr. Bush called "the resumption of history," a play on "The End of History," a magazine essay by Francis Fukuyama, a former State Department official, who argued in 1989 that the end of superpower competition removed the forces that had been driving modern history.

Mr. Bush countered by arguing that the end of East-West confrontation as it had existed since World War II instead offered a new era.

"Communism held history captive for years," Mr. Bush said. "This revival of history ushers in a new era, teeming with opportunities and perils.

"Now for the first time we have a real chance to fulfill the U.N. Charter's ambition of working to save succeeding generations from the scourge of war, to reaffirm faith in fundamental human rights, in the dignity and worth of the human person, in the equal rights of men and women in nations large and small."

He said that effort was challenged by the General Assembly's continued stand that Zionism is a form of racism, a position embodied in the resolution that was hotly opposed by the United States but has remained virtually without challenge on the floor of the Assembly for 16 years.

Change in Position

In December 1989, Vice President Dan Quayle committed the Bush Administration to work for the repeal of the resolution. But Mr. Bush did not call for its repudiation in his speech to the General Assembly last September or in an appearance in March after the war with Iraq, out of fear of jeopardizing Arabs' support first for the war effort and then for postwar peacemaking.

Today, Mr. Bush said: "Zionism is not a policy. It is the idea that led to the creation of a home for the Jewish people in the state of Israel. And to equate Zionism with the intolerable sin of racism is to twist history and to forget the terrible plight of Jews in World War II and, indeed, throughout history. To equate Zionism with racism is to reject Israel itself, a member in good standing of the United Nations. This body cannot claim to seek peace and at the same time challenge Israel's right to exist."

Mr. Bush said the United Nations could spur peace in the Middle East by repealing the resolution.

Because of the Jewish holiday of Succoth, Israel's delegation had given advance notice that it would not attend the assembly session. Thus it was not present to hear Mr. Bush's plea to repeal the resolution.

In initial Arab reaction, the head of the Libyan delegation, Ali A. Treiki, faulted Mr. Bush for not calling as well for the right of the Palestinian people to a homeland.

Administration officials said Mr. Bush's main purpose in making the appeal was to smooth his efforts to schedule a Middle East peace conference next month. Israel has strongly objected to United Nations participation in the conference, in part because of the resolution on Zionism.

'Can Be Trusted as an Honest Broker'

But officials said Mr. Bush also was trying to smooth over the rift in American-Israeli relations produced by his demand that Israel's application for $10 billion in loan guarantees be delayed 120 days, until January, to avoid upsetting the efforts to convene an Arab-Israeli peace conference next month. "This shows our evenhandedness toward Israel and signals them that we can be trusted as an honest broker in the peace process to come," an official said.

It was part of a broader effort in recent days to make amends with American Jewish groups, nearly two weeks after the President had lashed out at supporters of Israel and their lobbyists on Capitol Hill for working in behalf of the loan guarantees. Last week, Mr. Bush wrote a conciliatory letter to Jewish leaders saying that his remarks were not intended to be pejorative.

4-2

0215

Turning to Iraq and Mr. Hussein, Mr. Bush said: "It is the United States' view that we must keep the United Nations sanctions in place as long as he remains in power. And this also shows that we cannot compromise for a moment in seeing that Iraq destroys all its weapons of mass destruction and the means to deliver them."

'Dishonors the Iraqi People'

Mr. Bush said, as he has before, that he did not want to "punish the Iraqi people."

"Let me repeat," he said, "our argument has never been with the people of Iraq. It was and is with a brutal dictator whose arrogance dishonors the Iraqi people."

He said the United Nations effort against Iraq "has liberated Kuwait, and now it can lead to a just government in Iraq, and when it does, when it does, the Iraqi people can look forward to better lives, free at home, free to engage in a world beyond their borders."

As he expounded on his view of the coming century, Mr. Bush said: "The United States has no intention of striving for a pax Americana. However, we will remain engaged. We will not retreat and pull back into isolationism. We will offer friendship and leadership. And in short, we seek a pax universalis built upon shared responsibilities and aspirations."

Collor applies pressure on global warming.

By JERRY GRAY
Special to The New York Times

UNITED NATIONS, Sept. 23 — In a speech before the General Assembly highlighted by his implicit criticism of the United States, the President of Brazil, Fernando Collor de Mello, said today that there was "an inescapable obligation" for nations to accept mandatory measures to protect the environment.

"Just as the question of development has yielded to other issues on the international agenda, I am concerned that the issue of the environment may also yield to other aspects of the day-to-day life of the world," said Mr. Collor, whose country is to be the site of the first Earth Summit in June.

The first day of general debate of the 46th General Assembly featured few surprises from the 14 speakers who went before the 166 member nations.

Foreign Minister Ali Akbar Velayati of Iran delivered a speech almost totally devoted to discussion of the "New World Order." He ended his 30-minute speech with brief mentions of what he called the three major crises of the last several decades, the "Iraqi aggression" against Kuwait, Afghanistan and the issue of a Palestinian homeland.

Harking Back to the Environment

Iran has privately been at the center of efforts brokered by the United Nations to release Western hostages in Lebanon, but Mr. Velayati made no reference to that issue.

The speeches today were filled with prescriptions for peace and references to the "New World Order." But the environment was a recurring theme, from Mr. Collor's lightly veiled chastisement of the United States to an impassioned plea by President Bailey Olter of Micronesia to industrialized nations that use tiny South Pacific islands as dumping grounds.

"Our region cannot be considered by the larger nations as a convenient empty space for the disposal of toxic and hazardous waste and chemicals and radioactive materials," Mr. Olter said.

Leading off the speakers, Mr. Collor's comments increased pressure on the United States to end its opposition to a series of proposals dealing with global warming and other environmental issues.

The third of five international meetings called to formulate a host of agreements to be voted on in Brazil at the Conference on Environment and Development ended last Friday in Nairobi, Kenya. The United States was still resisting efforts to set mandatory cuts in emissions of carbon dioxide. Scientists say carbon monoxide is the main manmade gas contributing to global warming.

Tracing the Responsibility

The European Community and Japan favor reducing carbon-dioxide emissions to the levels of last year by the year 2000. But the United States, the biggest producer of carbon dioxide, argues that too little is known about the warming threat to justify the costs of trying to adhere to mandatory limits.

In comments seemingly directed toward the United States, Mr. Collor said, "Lasting solutions to global problems require the commitment of the international community as a whole, each country according to its responsibility relating to the origin of these problems and to their management, as well as to its economic and technological capacity to overcome them."

The United States' objections could impede chances for a treaty at the meeting in Brazil. There are also other obstacles like demands by the United States and other developed nations for language to reduce the depletion of forests and waterways in many underdeveloped nations.

"The conference should not set the stage for grievances and recriminations," Mr. Collor said. "It should, on the contrary, provide the framework for mature and feasible proposals."

Mr. Collor, who said the Brazil meeting would allow a debate as broad and profound "as the political will of the participants will allow," was supported by New Zealand, whose Prime Minister, J. B. Bolger, said, "Next year's United Nations conference in Brazil will be the real test of our ability to cooperate in the endeavor to find the proper balance between development and environmental protection."

Other speakers included the Foreign Ministers of Angola, Australia, Burkina Faso, Iceland, Mexico, Norway and Sri Lanka.

4-3

South Korea Tells U.N. Of Hope for Unification

By JERRY GRAY

Special to The New York Times

UNITED NATIONS, Sept. 24 — President Roh Tae Woo of South Korea proposed a three-stage plan today for the reunification of his country with North Korea, conditioning such a move on North Korea's immediately abandoning its development of nuclear weapons and allowing international inspections.

A decades-long effort by North Korea and South Korea to join the United Nations ended in success last week when they became the 160th and 161st members. Today Mr. Roh became the first head of state from either country to address the General Assembly as a full member.

"Imperfect as it may be, the separate membership of the two Koreas in the United Nations is an important interim step on the road to national unification," Mr. Roh said. "It took the two Germanys 17 years to combine their U.N. seats. I sincerely hope that it will not take as long for the two Korean seats to become one."

> The plan singles out nuclear weapons as a central concern.

On a day when Mr. Roh lobbied for Korean reunification, the Soviet Foreign Minister, Boris D. Pankin, delivered a speech full of praise for the newly independent republics.

"Our country will never be the same," Mr. Pankin said. "Where an ossified empire once stood, a new union of free and truly sovereign nations bound together by common aspirations is being born. Democracy, human rights, openness toward each other and to the entire civilized world will be its main frame."

The Baltic countries of Lithuania, Latvia and Estonia joined the Marshall Islands, Micronesia, North Korea and South Korea as new members at the 46th General Assembly.

Mr. Roh, who previously addressed the General Assembly when South Korea held observer status, said that from his Government's view, reunification with North Korea hinged on three points, starting by replacing with a peace treaty the "fragile armistice" that was signed to end the Korean War.

"We have been living under this unstable condition of neither peace nor war for the last four decades," the South Korean leader said.

Mr. Roh also proposed that for humanitarian reasons, the two nations should end "the period of disassociation," and begin to exchange goods and information and to allow their citizens to associate.

The final point of Mr. Roh's proposal centers on his Government's demand that North Korea "should immediately abandon the development of nuclear weapons, and submit, unconditionally, all of its nuclear-related materials and facilities to international inspection."

There was no official North Korean response. A representative of North Korea is scheduled to address the General Assembly Oct. 2.

Mr. Roh, in an interview this week, said his Government had evidence that North Korea was planning to develop nuclear weapons.

North Korea and South Korea are both signers of the Nuclear Non-Proliferation Treaty, but North Korea has refused to sign the safeguard agreement that would allow for on-site inspections.

Much of the speech by Japan's Foreign Minister, Taro Nakayama, dealt with relations with the Soviet Union and a dispute over a chain of islands going back to the end of World War II.

Mr. Nakayama said that Tokyo intended to begin direct negotiations with the Russian federated republic and its President, Boris N. Yeltsin, for the return of the Kurile Islands.

The Soviet Union took the islands, which form stepping stones from the north of Japan to the tip of the peninsula of the Russian republic, at the end of World War II and Tokyo's efforts to reclaim the Kuriles historically have centered on negotiations with the central Government of the Soviet Union.

"The weight of the negotiations now will be with Yeltsin, not Gorbachev," a Japanese diplomat said in an interview.

In a speech in Tokyo in January 1990, Mr. Yeltsin indicated that the territorial dispute was open for negotiation, but he gave little hope for a quick settlement.

Mr. Yeltsin outlined a plan that would take decades to complete and told his Japanese hosts that the final resolution of the problem would be left to the next generation.

4-4

Soviets, at U.N., Back Bush's Call For Repeal of '75 Zionism Edi[ct]

UNITED NATIONS, Sept. 24 — The Soviet Foreign Minister, Boris D. Pankin, joined President Bush today in calling for the General Assembly to repeal its 1975 resolution equating Zionism with racism.

But Arab diplomats here and Arab-American organizations reacted coolly, saying that Mr. Bush's plea, in his address here on Monday, was a purely political gesture aimed at soothing his Administration's dispute with Israel.

"The whole thing is linked to the peace conference and other matters," an Arab diplomat said. "It cannot be treated separately."

Still, the Soviet and American appeals underscore a new confidence that the West, joined by the former members of the old Soviet bloc, could now repeal one of the General Assembly's most disputed resolutions.

'Legacy of the Ice Age'

In a wide-ranging speech promising a new Soviet committment to international cooperation, Mr. Pankin sad the United Nations "should once and for all leave behind the legacy of the ice age, like the obnoxious resolution equating Zionism to racism."

The United States has opposed the resolution, adopted in 1975 at the urging of Arab and other third world nations, from the moment it was adopted. In recent years, as anti-Western sentiments here have moderated, it has sought its repeal.

Washington did not press the issue last year, however, because it feared upsetting the fragile alliance it was building against Iraq in the Persian Gulf.

Arab and other diplomats said it was unlikely that the United States would do so now, as it tries to muster support for a Middle East peace conference.

Arab and Muslim Comments

While the Israeli Foreign Minister, David Levy, said the President's call was "only natural," the Arab delegations here had no public response.

Iranian radio quoted President Hashemi Rafsanjani as saying that Mr. Bush was "trying to wipe off stains resulting from Israel's racism."

Clovis F. Maksoud, the former president of the Arab League who is now a professor at American University in Washington, said the President's decision to press for repeal was "a political sop to the Israelis" and "an insensitive rubbing it in to the Arabs" at a delicate moment in the peace process.

Albert Mokhiber, the president of the American-Arab Anti-Discrimination Committee, said there would be support for a repeal of the resolution if racism no longer existed in Israel. But he said, "The underlying reason for the original resolution not only exists, but exists in far greater dimensions."

0217

유엔1

01

주 볼 리 비 아 대 사 관

1

볼비(정) 700 - 314   1991. 9. 25.

수 신 : 장 관

참 조 : 국제기구국장, 미주국장, 문화협력국장

제 목 : 노대통령의 유엔총회 연설관련기사 송부

연 : BVW - 0317

연호 9.25자 당지 일간지에 게재된 노대통령의 9.24자 유엔총회 기조연설 요지관련 신문기사를 별첨 송부합니다.

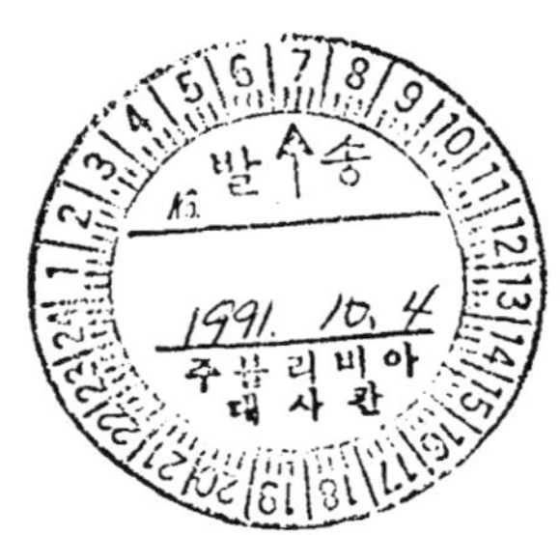

첨 부 : Hoy 지 및 Presencia지 게재기사. 끝.

주 볼 리 비 아 대 사

선 결			결재 (공람)		
접수일시	1991.10.10				
처리과	91	56350			

0218

Roh Tae Woo propone un acuerdo de paz entre Coreas para unificación

Roh Tae Woo

NACIONES UNIDAS, 24 SEP (EFE).- El presidente surcoreano, Roh Tae Wod, propuso hoy martes a Corea del Norte la firma de un acuerdo de paz porque aunque "el pueblo coreano puede vivir ahora bajo dos sistemas distintos, nunca hemos olvidado que somos una nación".

Así se expresó Roh en su primer discurso ante la Asamblea General, tras el ingreso de las dos Coreas, la semana pasada, como miembros de la ONU.

El propuesto acuerdo de paz estaría destinado a sustituir al armisticio que puso fin a la guerra intercoreana (1950-1953), que aunque terminó con el conflicto, mantiene aún a ambas partes técnicamente en estado de guerra.

La península coreana fue dividida en dos partes en 1945 por las potencias vencedoras de la Segunda Guerra Mundial. En el Norte se instaló un régimen prosoviético, y en el Sur otro apoyado por los Estados Unidos.

El jefe de Estado surcoreano sennaló que su país tardó más de 40 años en entrar en la ONU, y que las dos Alemanias pudieron, tras ingresar por separado a la ONU, lograr la reunificación.

"La guerra fría, que impidió nuestro ingreso en la ONU se ha convertido en reliquia del pasado", dijo Tae Woo.

Elogió Roh los movimientos de estos acontecimientos mundiales, todavía 1.7 millones de soldados fuertemente armados se encuentran a ambos lados de la frontera intercoreana, y propuso una disminución rápida de esa tensión con un gradual desarme y diversas medidas para incrementar la confianza mutua.

Consideró fundamental que Corea del Norte abandone sus planes para fabricar armas nucleares, y dijo que, a medida que eso ocurra, y se intensifiquen las medidas para establecer la confianza entre ambas Coreas "estoy dispuesto a iniciar discusiones con Corea del Norte no sólo sobre la reducción de fuerzas convencionales sino también sobre temas nucleares en la península coreana".

"Finalmente, y en un plano más humanitario", las dos Coreas deben terminar con las hostilidades, e iniciar una nueva era de libre intercambio de productos, información y personas", dijo Tae Woo.

NEWSPAPER: HOY
DATE: SEPT.25.91
PAGE: 1 (I)

0219

Roh Tae Woo, presidente de Corea del Sur

Corea del Sur se estrena ante Asamblea de la ONU

NACIONES UNIDAS 24 (EFE).- El presidente surcoreano , Roh Tae Woo, propuso hoy martes a Corea del Norte la firma de un acuerdo de paz porque aunque "el pueblo coreano puede vivir ahora bajo dos sistemas distintos, nunca hemos olvidado que somos una nación".

Así se expresó Roh en su primer discurso ante la Asamblea General, tras el ingreso de las dos Coreas, la semana pasada, como miembros de la ONU.

El propuesto acuerdo de paz estaría destinado a sustituir al armisticio que puso fin a la guerra intercoreana (1950-1953), que aunque termino con el conflicto, mantiene aun a ambas partes técnicamente en estado de guerra.

La península coreana fue dividida en dos partes en 1945 por las potencias vencedoras de la Segunda Guerra Mundial. En el Norte se instaló un régimen prosoviético, y en el Sur otro apoyado por los Estados Unidos.

El jefe de Estado surcoreano señaló que su país tardó más de 40 años en entrar en la ONU, y que las dos Alemanias pudieron , tras ingresar por separado en la ONU, lograr la reunificación.

"La guerra fría, que impidió nuestro ingreso en la ONU se ha convertido en reliquia del pasado", dijo Tae Woo.

Elogió Roh los movimientos de liberación en la Europa del Este y a los habitantes de Berlín Oriental que derribaron el Muro y que " abrieron horizontes a una verdadera paz mundial".

Señaló que a pesar de estos acontecimientos mundiales, todavía 1,7 millones de soldados fuertemente armados se encuentran a ambos lados de la frontera intercoreana, y propuso una disminución rápida de esa tensión con un gradual desarme y diversas medidas para incrementar la confianza mutua.

NEWSPAPER: PRESENCIA
DATE: SEPT.25.91
PAGE: 10

0220

원본

외 무 부

종 별 :

번 호 : MAW-1341 일 시 : 91 0926 1140

수 신 : 장 관(해신,문홍)

발 신 : 주 말련 대사

제 목 : 대통령 유엔 연설보도

1. 9.26자 당지 일간지는 외신인용 표제건 다음과같이 보도함.

0 THE STAR(외신면)

ROH PROPOSES ARMS DEAL WITH N. KOREA (로이타) 제하 2단기사 및 북한 대표단의 노대통령 연설 경청장면 2단 사진

0 성주일보(1면2단): S. KOREAN PRESIDENT MADE 3 PROPOSALS FOR PEACE TO N. KOREA(AP)

0 중국보 (외신면 2단): S. KOREA PROPOSES 3 FOR MULASFOR PEACE TO N. KOREA (로이타)

2. 한편 동일자 THE STAR (2면 2단)및 성주일보 (1면 4단 기사및 5단 천연색 사진)는 ' 마하틸 수상세계 지도자 면담' 제하 한.마 정상회담 개최를 베르나마 통신인용 사실 보도함.끝

(대사 홍순영-국장)

공보처 1차보 국기국 문협국 외정실 청와대 안기부

PAGE 1

91.09.26 14:12 WG

외신 1과 통제관

0221

끝

외 무 부 1

종 별 :

번 호 : LAW-1319 일 시 : 91 0926 1515

수 신 : 장 관(문홍)

발 신 : 주 라성 총영사

제 목 : 대통령 유엔연설 언론보도

대:AM-0205

1. 대호 연설에 대해 LA TIMES 지를 포함한 당지의 미언론기관의 보도는 없었음. 당관이 파악한바로는, LA TIMES 지등은 추후 북한의 연형묵 연설을 청취한후 남북한 관계를 종합보도하려는 것으로 추측됨

2. 연이나, 당지 주재 6개 교포 언론기관 (TV,방송, 일간지등)은 11명의 특파원을 뉴욕에 파견하였으며, 그중 1개 테레비사와 2개 방송사는표제 연설을 직접 생방송 중계하여 당지 주재교포들이 동 연설을 직접 청취토록 하였으며, 또한 일간지도 동연설 중 특히 한반도 평화정착과 통일실현을 위한 3원칙을 크게 부각시키며 역사적인 연설로 평가 게재함.끝

(총영사 박종상-국장)

문협국 1차보 국기국 외정실 분석관 청와대 안기부

PAGE 1

91.09.27 09:22 WG

외신 1과 통제관

0222

외 무 부

종 별 :

번 호 : VZW-0544 일 시 : 91 0926 1630

수 신 : 장 관(문홍,미남,기정)

발 신 : 주 베네수엘라 대사

제 목 : 대통령 유엔연설 관련기사

대: AM-205

9.26 자 당지 일간지 ' EL NACIONAL' 은 ' COREADEL SUR PROPONE AL NORTE ACUERDO DE PAZ PARA UNIFICACION'라는 제하에 노태우 대통령의 유엔 연설중 대북한 평화협정 체결 제의 내용을 EFE통신을 인용 보도함.끝.

(대사 김재훈-국장)

문협국 1차보 미주국 국기국 외정실 분석관 청와대 안기부

PAGE 1

91.09.27 09:12 WG

외신 1과 통제관

0223

외 무 부

1

종 별 :

번 호 : GVW-1839 일 시 : 91 0926 1710

수 신 : 장 관(문홍,연일,해신,기정동문)

발 신 : 주 제네바 대사

제 목 : 대통령 유엔연설 언론반응

대: AM-0205

연: GVW-1809

대호 반응 아래 보고함.

매체명: JOURNAL DE GENEVE 9.23.자

요지: 노태우 대통령의 U.N.총회 연설은 한국의 U.N 가입을 방해하여온 냉전시대의 종말을 고하는 계기임

그러나 예측을 불허하는 북한의 태도로 미루어 보건데 남.북한간의 대화는 앞으로 순탄치 않을 전망임.끝

(대사 박수길-국장)

문협국	1차보	국기국	외정실	분석관	청와대	안기부	공보처

PAGE 1

91.09.27 08:44 WG

외신 1과 통제관

0224

갑

외 무 부

1

종 별 :

번 호 : HGW-0523　　　　　　일 시 : 91 0926 1720

수 신 : 장 관(해신,문홍,정특,해기,기정,국방)

발 신 : 주 헝가리 대사

제 목 : 대통령 유엔 연설관련 보도

연:HGW-0513

1.당지 유력일간지 NEPSZAVA 는 9.25. 2면2단크기 (9.5X5), '노태우 대통령 평화를 제의 '제하로 노태우 한국대통령이 9.24.유엔에서 행한 연설에서 남북한간의 평화조약 체결을 북한측에 제의했다고 보도함.

2.동 신문은 노대통령이 이날 연설에서 현실성 없는 휴전협정 대신에 항구적인 평화조약을 체결해야 한다고 제의하고 이를 위해 남북한은 무력사용을 포기하고 군사적으로 신뢰를 구축해나가는 조치들을 마련해 나가야 한다고 강조했다고 보도함.

3.동 신문은 노대통령이 이같은 신뢰구축 노력이 실천돼 나가고 또 북한측이 핵무기 개발을 포기하면 한국은 한반도상의 핵문제에 관한 회담을 개최할 준비가 되어 있다고 강조했다고 덧붙였음.끝.

(대사 박영우-해공관장)

공보처	1차보	국기국	문협국	외정실	분석관	청와대	안기부
국방부	공보처						

PAGE 1

91.09.27　10:46 WG

외신 1과　통제관

0225

외 무 부

종 별 :

번 호 : AVW-1218 일 시 : 91 0926 1800

수 신 : 장 관(문홍,구이)

발 신 : 주오스트리아 대사

제 목 : 대통령 유엔 연설 언론 반응

대:AM-0205

1.금 9.26자 주재국 신문은 노대통령이 유엔연설에서 남.북한간 항구적 평화를 위해 군축,자유왕래및 물자와 정보의 자유로운 교환등을 포함하는 평화계획을 제안하였다고 논평없이 아래 제하 사실 보도하였음.

- DER STANDARD (2면1단): FRIEDENSPLAN VORGELEGT
- KURIER (3면1단): SUED KOREA PRAESENTIERT FRIEDENSPLANFUER KOREA

2.당관은 노대통령의 유엔 연설전문을 주재국 외무성, 언론, 의회 주요인사, 외교단및 국제기구에 프레스 릴리스 배포하였음.끝.

문협국 1차보 구주국 국기국 외정실 분석관 정와대 안기부

PAGE 1

91.09.27 10:50 WG

외신 1과 통제관

0226

	분류번호	보존기간

발 신 전 보

번 호 : WMX-0975 910926 1921 FO 종별 :

수 신 : 주 멕시코 대사. ♣♣♣♣ (외무장관)

발 신 : ♣♣♣♣ 차 관 (연일)

제 목 : 언론보도 현황자료

대통령 유엔연설 관련 주요 외국언론 보도현황 자료 별첨 FAX 송부함.

첨부 : 동자료 1부. 끝.

(국기국장대리 금정호)

보안통제	(서명)

앙고재	91년 9월 26일	UN1과	기안자 성명		과 장	심의관	국 장		차 관	장 관
			(서명)			(서명)				

외신과통제

0227

09/25/91 19:07 ☎202 797 0595 EMBASSY OF KOREA → WOI 001

번호 : USW(F) - 3961

수신 : 장 관 (미안, 미이, 국연) 발신 : 주미대사

제목 : 국무부 브리핑 (USW-4771 첨부물)

보안 통제	

(/ 매)

STATE DEPARTMENT REGULAR BRIEFING, BRIEFER: RICHARD BOUCHER
12:30 P.M., WEDNESDAY, SEPTEMBER 25, 1991

Q: Yesterday, South Korean President, President Roh, made three-step [plan] of unifying the Korean Peninsula in his UN General Assembly speech. Do you have some comment concerning that matter, please?

MR. BOUCHER: His speech on the occasion of the Republic of Korea's long-awaited entry into the United Nations was a statesmanlike address which will create a firm foundation for his nation's active participation in that organization. In addition, we hope that it will enhance the atmosphere for continued dialogue between North and South Korea and help promote a process leading to the peaceful unification of Korea on terms agreeable to all Koreans.

Q: And do you have any comment on ... North Korean nuclear development?

MR. BOUCHER: No, I don't. In fact, I'd note that the President, in his speech at the General Assembly yesterday, stressed the importance of the issue of nuclear nonproliferation. North Korea's quest for a capability to produce nuclear weapons is a serious threat to the security of the Northeast Asian region. And I remind you that the international community, most recently at the IAEA meetings in Vienna, has consistently called on North Korea to promptly conclude and fully implement an IAEA safeguards agreement.

Q: Richard, did any other nations beside the Saudis ask for Patriots or other help from the US?

MR. BOUCHER: I don't know. I think that's something you'll have to check at the Pentagon.

Q: Thank you.

MR. BOUCHER: Thank you.

END

0228

주 시 애 틀 총 영 사 관

시애틀 20732- 485 1991. 9. 26.

수신 장관

참조 국제기구국장

제목 대통령 방문 기사

대통령 내외분의 시애틀 방문(9.20-9.22)에 관한 local 신문기사를 별첨 송부합니다.

첨부 기사 4매. 끝.

주 시 애 틀 총 영 사

선 결			결재 (공람)		
접수일시	1991.10.4				
처리과	54983				

0229

South Korean president to stop over in Seattle on way to U.N. meet

by Tom Brown
Times Pacific Rim reporter

South Korean President Roh Tae Woo arrives for a two-day visit in Seattle tomorrow amid hints an unprecedented summit meeting with his bitter ideological foe, North Korean leader Kim Il Sung, may be possible.

Roh is stopping in Seattle en route to the United Nations, where he will address the General Assembly Tuesday. It marks his nation's entry into the organization that defended it against the North in the Korean War 40 years ago.

Both Koreas were admitted to the U.N. Tuesday.

For the South, it marked success after eight previous failed attempts, all blocked by North Korea's allies – the Soviet Union and China.

Roh Tae Woo

For the North, which had insisted that only a unified Korea should be admitted to the U.N., it was a concession to changed world realities following the collapse of communism in the Soviet Union and Eastern Europe.

Ko Chang Soo, South Korea's consul general in Seattle, said Roh planned to spend his time in Seattle meeting with members of the state Korean community, which he estimated at about 65,000, conferring with aides on his U.N. address and recovering from trans-Pacific jet lag.

Ko said Roh also hopes to familiarize himself more with the area because of the strong trade relationship between Washington state and Korea. Many Korean imports pass through the Port of Seattle, and South Korea is a sizable customer for Boeing and the forest-products industry.

Total trade between South Korea and the state through Washington ports was $5.8 billion last year, third behind Japan and Canada.

Roh has planned no public appearances, other than at a brief airport welcoming ceremony tomorrow morning, Ko said.

Yesterday, the South Korean news agency Yonhap quoted North Korea's vice foreign minister, Kang Sok-ju, as saying that "President Kim Il-sung hopes to hold a summit . . . although the time cannot be released at the moment."

In Seoul, the South Korean Foreign Ministry said it had received no official proposal from the North for a summit, Reuters reported. Many previous North Korean initiatives have been accompanied by conditions South Korea has refused to meet.

0230

THE SEATTLE TIMES, SATURDAY, SEPTEMBER 21, 1991

Roh, in Seattle, praises U.N. acceptance

Both Koreas are new members

by Tom Brown
Times Pacific Rim reporter

The entry of North and South Korea into the United Nations is a milestone on the road to unification of the divided peninsula, South Korean President Roh Tae Woo said yesterday in Seattle.

Roh is making a two-day stopover here on his way to address the U.N. General Assembly in New York.

At a luncheon for about 100 members of the Seattle-area Korean community, Roh briefly recounted Korea's troubled history in the 20th Century: occupied by Japan from 1905-1945, divided into the Communist North and the capitalist South after the war, plagued by the Korean War from 1950-53, and kept out of the U.N. because of North Korean opposition.

Finally, this week – 42 years and 8 months after the South first applied and less than two years after the breaching of the Berlin Wall signaled the collapse of communism in Eastern Europe – the two were admitted to the U.N.

"It was an epochal event for South and North Korea to become U.N. members," he said. Membership, he said, is a major step toward unification "that will end the Cold War on the Korean Peninsula."

He said his attempts to seek reunification were being assisted by the U.S., Japan, China and the Soviet Union.

"Finally, the time has come for us to make our own destiny based on democratic principles," Roh said.

Roh also thanked luncheon guests for their help in promoting Korean interests and expressed pleasure that a woman of Korean descent, Martha Choe, is favored to win a Seattle City Council seat following her primary election victory Tuesday.

Roh, who arrived on a chartered Korean Air Lines 747, was accompanied by his wife, 15 government officials and a number of journalists.

He is scheduled to depart for New York tomorrow morning. After addressing the U.N., Roh travels to Mexico for three days of meetings with President Carlos Salinas de Gortari.

Ko Chang Soo, South Korea's consul general in Seattle, said Roh planned to spend his time in Seattle meeting with members of the state's Korean community, which he estimated at about 65,000, conferring with aides on his U.N. address and recovering from trans-Pacific jet lag.

Ko said Roh also hopes to familiarize himself more with the area because of the strong trade relationship between Washington state and Korea. Many Korean imports pass through the Port of Seattle, and South Korea is a sizeable customer for Boeing and the Northwest forest products industry. Total trade between the state and South Korea was $5.8 billion last year.

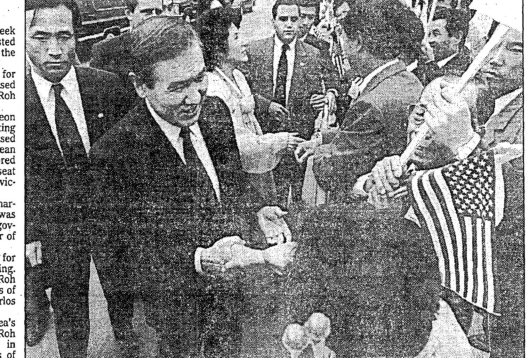

Jimi Lott / Seattle Times
South Korea President Roh Tae Woo and his wife, Kim Oak Sook, are surrounded by security as they greet a group of Korean-Americans yesterday at Seattle-Tacoma International Airport.

0231

Cold War over on Korean peninsula

GILBERT W. ARIAS/P-I

Speaking to a Seattle audience, South Korean President Roh Tae-woo said North Korea's decision to drop its opposition to separate U.N. seats was proof of communism's waning influence in the world.

With South's U.N. entry, Roh sees reunification in 10 years

By Evelyn Iritani
P-I Pacific Rim Reporter

South Korea's long-awaited entry into the United Nations marks the end of the Cold War on the peninsula and should lead to reunification with North Korea within the next 10 years, South Korean President Roh Tae-woo predicted in Seattle yesterday.

In a luncheon speech to about 90 Korean community leaders, Roh said South Korea's acceptance into the United Nations – which comes 42 years and eight months after the original application – would allow the Asian nation to shed its "weak country" status and "proudly claim our right" to a place in the limelight.

Speaking in Korean, Roh said U.N. membership was a "historic cornerstone" in the move to unify the two countries created at the end of the Korean War.

"It also says the Cold War on the peninsula is over," he said.

Both Koreas were awarded full U.N. membership on Tuesday.

Roh, who stopped in Seattle before heading to New York to address the U.N. General Assembly, said North Korea's decision to drop its opposition to separate U.N. seats for the two Koreas was proof of communism's waning influence throughout the world.

"There's a proverb that says a long drought brings rain," he told the group. "There's no way that North Korea can stand on its feet when the world knows the limitations of communism."

Roh's appearance at the Westin Hotel was uneventful, with the exception of the stir caused by his huge entourage of motorcycle police officers, U.S. Secret Service and Korean security officers, Cabinet members, staff and press.

In addition to giving the

See KOREAS, Page A2

Koreas: U.N. entry will boost mediation efforts to end conflict, expert says

From Page 1

Korean community a pep talk, Roh took a detour into Seattle politics with a lengthy endorsement of Martha Choe in her bid for a seat on the Seattle City Council. If successful, Choe would be the state's first Korean-American elected official.

"It is amazing how that young lady did such a fine job in American society and also built such a favorable reputation," the South Korean president said. "Let's all pay a compliment to Martha Choe for her fine job and applaud her victory."

Roh was scheduled to spend today resting at the hotel and preparing for his U.N. speech and meeting with President Bush. First lady Kim Ock Sook, who attended yesterday's luncheon dressed in the traditional Korean hanbok, plans to visit a Korean-American language school and host a luncheon for wives of the Korean Consulate staff before departing tomorrow. From New York, Roh is flying to Mexico City for a meeting with Mexican President Carlos Salinas.

The Washington state congressional delegation has asked Bush to put pressure on Korea, Taiwan and Japan and call for an immediate ban on driftnet fishing in his address to the United Nations on Monday.

A spokesman for Roh said yesterday he could not comment on the driftnet controversy.

Korean expert Bruce Cumings said the U.N. decision to admit the two Koreas would boost efforts to mediate an end to the Korean conflict because it came at a time of increased status for the postwar international forum.

"For the first time, the two Koreas are members of a forum that might help adjudicate their disputes rather than contribute to them," said Cumings, a University of Chicago professor. "In the past, the U.N. has been a belligerent in the Korean situation. There's even still a U.N. command in South Korea."

During the Cold War, North Korea and its communist allies argued that separate seats in the United Nations would legitimize a permanent split in the Korean peninsula.

But North Korean President Kim Il-sung found himself on the sidelines when the Soviet Union, seeking rapprochement with its former capitalist enemies, agreed to support South Korea's efforts to gain U.N. membership and China refused to publicly take sides.

Cumings said he didn't expect North Korea's reclusive Communist leadership to open up dramatically as a result of the U.N. decision, particularly because it was a reluctant participant.

He said as long as China's hard-liners were willing to back the aging Kim, there was little reason to expect democratic or economic reforms to sweep the northern part of the peninsula.

"What you'll see is a little bit of opening and a lot of reinforcing of ideological conformity," he said.

0232

North, South Korea nurture mutual distrust

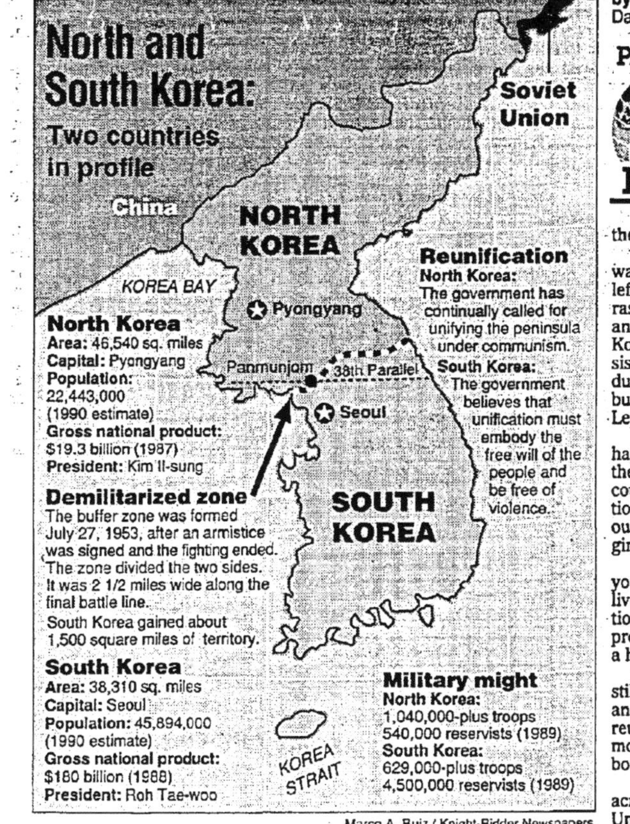

North and South Korea:
Two countries in profile
China
Soviet Union
NORTH KOREA
KOREA BAY
Pyongyang
Panmunjom
38th Parallel
Seoul
SOUTH KOREA
KOREA STRAIT
North Korea
Area: 46,540 sq. miles
Capital: Pyongyang
Population: 22,443,000 (1990 estimate)
Gross national product: $19.3 billion (1987)
President: Kim Il-sung
Demilitarized zone
The buffer zone was formed July 27, 1953, after an armistice was signed and the fighting ended. The zone divided the two sides. It was 2 1/2 miles wide along the final battle line.
South Korea gained about 1,500 square miles of territory.
South Korea
Area: 38,310 sq. miles
Capital: Seoul
Population: 45,894,000 (1990 estimate)
Gross national product: $180 billion (1988)
President: Roh Tae-woo
Reunification
North Korea:
The government has continually called for unifying the peninsula under communism.
South Korea:
The government believes that unification must embody the free will of the people and be free of violence.
Military might
North Korea:
1,040,000-plus troops
540,000 reservists (1989)
South Korea:
629,000-plus troops
4,500,000 reservists (1989)

Marco A. Ruiz / Knight-Ridder Newspapers

by Joseph Kahn
Dallas Morning News

PACIFIC RIM

SEOUL, South Korea – Last fall, while on an official visit to North Korea as the prime minister of South Korea, Kang Young-hoon saw his younger sister for the first time in 45 years.

The brief reunion in Pyongyang was a propaganda exercise that left him embittered and embarrassed. The meeting was forced on an unwilling Kang by his North Korean hosts. Kang Yong-soo, the sister he had not seen since 1946, dutifully spouted worshipful tributes to North Korea's "Great Leader," Kim Il-sung.

"She said she's living very happily under the able guidance of the Great Leader," Kang, 70, recounted. "She insisted on unification of the country and throwing out the 'American puppet regime'" in the South.

"Can you imagine not seeing your sister for 45 years, and she lives with such miserable conditions. She speaks only words of propaganda ... I cannot say it was a happy reunion."

The meeting represents the still-frigid relations between North and South, and it suggests that reunification of Korea may be far more distant than the rhetoric of both governments would indicate.

Communism is retreating across Europe and the Soviet Union, but it shows no sign of loosening its grip on the Democratic People's Republic of Korea.

Kang broke new ground last year with his visit to the North, the first by a South Korean prime minister. His successor is scheduled to make a follow-up visit to Pyongyang, perhaps next month. But while political talks inch forward, human relations are held hostage to continued division.

Ten million Koreans, a people with 5,000 years of shared history, remain divided from their families by a continuing cold war.

"We have made some progress at talks on a high level," Kang said. "But it's true that as a people we have a long way to go. It may be many years before we have even a basic trust for the other side."

The South lately has reveled in its success in persuading the North to join it in entering the United Nations as separate countries – a step that garnered U.N. Security Council support Aug. 8 and was ratified by the General Assembly last week.

Some South Koreans hope U.N. representation will amount to mutual recognition by the two Koreas.

This may look like a thaw, but many South Koreans say any euphoria about an end to the cold war on the peninsula is premature.

Koreans have lately been caught up in sagas of "turncoats."

Like Kang's sour meeting with his sister, the cases of Kim Hyun-hee, a captured terrorist from Pyongyang, and Im Su-kyong, a jailed South Korean student radical, have quickened the already hyperactive metabolism of distrust in Korean relations.

Kim Hyun-hee shocked her way onto the world stage in late 1987 when she helped plant a bomb on Korean Air Lines Flight 858, killing all 115 people on board.

She later told South Korean investigators that Kim Jong-il, Kim Il-sung's son and heir apparent, had personally ordered her to destroy the Boeing 707. The "Dear Leader," as he is known in the North, was determined to sabotage world support for South Korea's sponsorship of the 1988 Summer Olympics, Kim Hyun-hee said.

Kim, 29, is now a popular superstar in the South.

A humble confession won her a pardon from President Roh Tae Woo and provided the still-militaristic, anti-communist South with a world-class propaganda coup.

Kim's just-published autobiography, "Now I Want to Be a Woman," offers new and devastating details about the North's closed society. She wrote that she was so heavily indoctrinated from the time of her birth that she felt no guilt about blowing up Flight 858.

"It's disturbing on a fundamental level," Professor Chung Chong-wook of Seoul National University said of Kim's depiction of the North. "Despite their utter poverty, the majority of northern people are brainwashed to believe in the virtue of the system. This is success, in Pyongyang's way of thinking.

"But this success, which is perhaps their most important achievement, depends on the totally closed society. So it's not clear that (reunification) talks will do much to open it up."

In the second case, Im – given the sobriquet of "turncoat" by some conservatives in the South and "Flower of Unification" by fans in the North – entered Korean history books in 1989.

A radical South Korean college student, Im violated South Korean law by making an unauthorized visit to the North, where she denounced the South on television, met with Kim Il-sung and then walked back across the border to face imprisonment, all in a protest cry for reunification.

Im, then a 21-year-old senior at Hanyang University in Seoul, achieved "superstar" status in the North, which she entered by plane from Berlin. She electrified the public with nightly television appearances, in which she denounced the South as having a penchant for separatism.

"My heart aches because in the South the truth is turned upside down," Im said.

She is now serving a five-year prison term for violating the South's strict anti-Communist security laws by her unauthorized trip to the North.

The cases of Kim and Im have helped to persuade government officials and outside experts in the South that only a long courtship will produce a marriage between North and South.

"They've developed an entirely opposing system in every part of life," said Kang, the former prime minister. "The only way to restore the homogeneity of this nation is to put our people back together. We need to restore the trust before we remove any borders."

0233

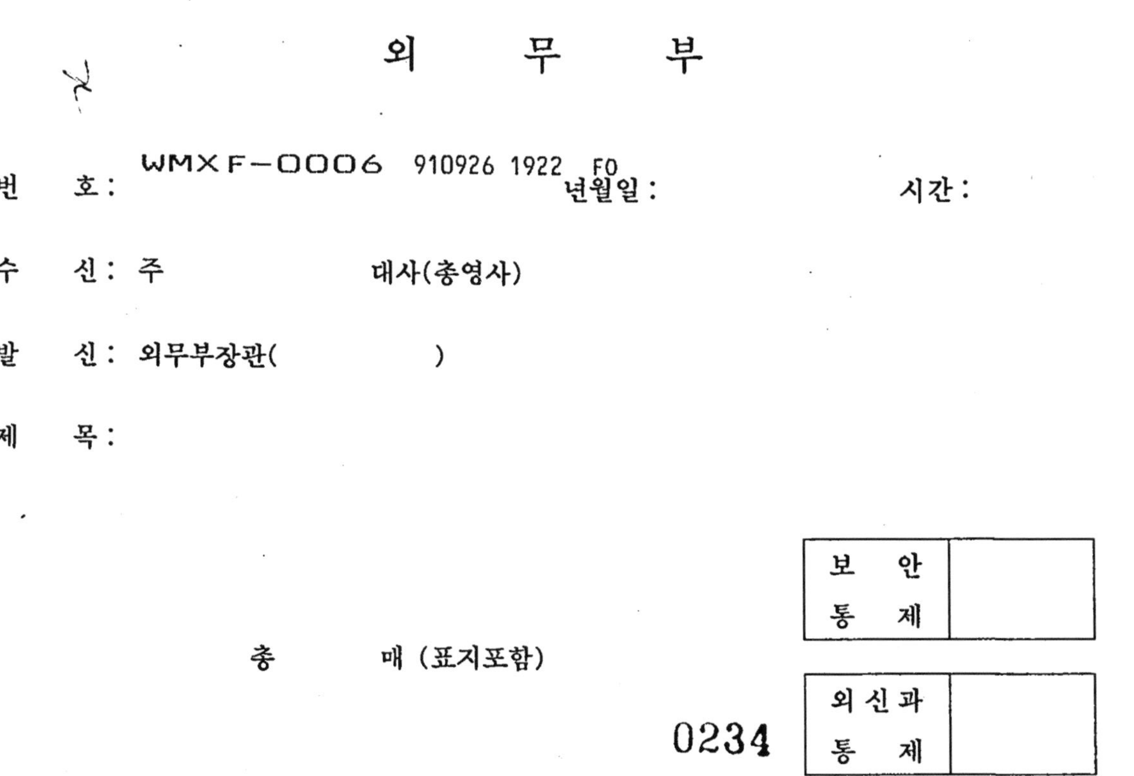

외 무 부

번 호 : WMXF-0006 910926 1922 FO 년월일 : 시간 :

수 신 : 주 대사(총영사)

발 신 : 외무부장관( )

제 목 :

총 매 (표지포함)

보 안 통 제	

0234

외신과 통 제	

대통령 유엔연설 관련 주요 외국 언론보도 현황

(91.9.24-9.25)

I. 4대 통신 반응

- 9.24 UN발 Reuter : 노대통령은 북한과 핵문제 포함 한반도 군축문제에 관해 심도있는 협의 의사 표명
- 9.24 UN발 AFP : 노대통령은 1천만 이산가족 문제 해결 없이 남북한 신뢰구축이 이루어질 수 없다고 언급
- 9.24 UN발 AP : 노대통령의 대북 3개 평화방안 제시, 한국의 발전은 자유시장 경제 및 정치적 자유에 기인한다고 언급

II. 각국별 반응

1. 미국

   - 9.24 CNN : 노대통령 연설을 방영하고 남북한 유엔가입으로 상호공존의 새로운 장이 열렸다고 보도
   - 9.24 Wall Street Journal : "노대통령, 북한과의 평화협정에 입장진보" 제하 회견 내용 보도
   - 9.25 New York Times : "한국, 유엔에서 통일에의 희망 피력" 제하로 노대통령의 평화통일을 위한 대북 3개 평화방안 상세히 보도 (노대통령 존영 게재)
   - 9.25 Washington Post : "노대통령, 평화조약체결 제의" 제하로 기사게재
   - 9.25 Washington Times : "노대통령, 평화조약 원함" 제하로 한국은 북한의 핵무기 개발 포기 조건하에 남.북 군축협상에 임할 용의 있다고 보도
   - 9.25 Christian Science Monitor : "한국, 유엔가입 축하" 제하로 민속 공연단의 L.A. 공연사실 상세 보도

0235

2. 일본

- 9.25 아사히 신문 : "노대통령, 남북한 핵문제 협의 용의" 제하로 한국이 북한측 입장고려, 남북 평화협정을 제안했다고 보도
- 9.25 마이니찌 신문 : "노대통령, 북한이 무조건 핵사찰에 응할것을 요구" 제하 기사 보도
- 9.25 산께이 신문 : "노대통령, 한국의 성장 및 대북우위에 자신감 과시" 제하 기사보도
- 9.25 일본 경제신문 : "노대통령, 한반도 핵문제에 관해 북한과 협의 용의 표명" 제하로 한국이 북한의 핵개발 중지 조건으로 주한 핵문제 협의 용의 표명했다고 보도
- 9.25 매일 경제신문 : "노대통령, 한반도 핵문제에 관한 남북직접 협의의 용의 표명" 제하 기사 보도
- 9.25 홋카이도 신문 : "노대통령, 북한과 핵문제 교섭 용의" 제하 기사보도

3. 영국

- 9.25 Financial Times : "노대통령, 평화안 제시" 제하로 대북 3개 평화 방안 내용 보도
- 9.25.CH-4 TV : 노대통령의 3개 평화안 관계 방영

4. 홍콩

- 9.24 Asian Wall Street Journal지 : "노대통령, 북한과 평화협정체결 희망" 제하 기사 보도

5. 대만

- 9.25 중국 시보지 : 노대통령, 남북 평화통일 3대원칙 제시" 제하로 노대통령 유엔연설 요지 보도

0236

6. 이집트

- 9.24자 Egyptian Gazette지 : 노대통령이 9.24 한국대통령으로서는 최초로 유엔회원국 원수자격으로 유엔 총회에서 연설케 됐다고 보도
- 9.24 국영TV (TV-1) : 노대통령의 대북 3개 평화제안 방영

0237

외 무 부

종 별 :

번 호 : FKW-0717 일 시 : 91 0927 1100

수 신 : 장 관(문홍,구일)

발 신 : 주 프랑크푸르트 총영사

제 목 : 대통령 유엔연설 언론 반응

대: AM-0205(9.26)

당지 언론에 보도된 반응 하기 보고함.

1. 신문명: FRANKFURTER ALLGEMEINE ZEITUNG(91.9.26)

2. 보도내용: 노태우 대통령은 UN 총회연설에서 남.북한간의 현 휴정협정을 평화협정으로 대체할 것을 지지하였으며, 남.북한의 UN 동시가입은 남.북한 관계에 있어서 전환점이 될것이며, 관계개선을 위한 휴전선 개방주장 및 북한측이 핵무기 개발을 중지할 것을 전제로 남.북한 군축회담을 개최할 것을 제안했다고 하는 내용의 사실보도임. 끝

(총영사 이봉구-국장)

문협국 1차보 구주국 국기국 외정실 분석관 청와대 안기부

PAGE 1 91.09.27 18:51

외신 1과 통제관

0238

1

외 무 부

종 별 :

번 호 : NPW-0407 일 시 : 91 0927 1110

수 신 : 장관(문홍,아서)

발 신 : 주네팔대사

제 목 : 대통령 유엔연설 언론반응

1.대통령 유엔연설관련,당지 언론은 특별한 논평이나 해설없이 유엔발 외신을 전재(방영)하였음.

2.외신중 주요 전재(방영)내용은 남북한 관계개선을 위한 3가지 제의,개도국과의개발경험과 기술공유 노력천명,개도국의 경제난 해소를 위한 선진국의 노력촉구등임.끝.

(대사 김일건-국장)

문협국 1차보 아주국 국기국 외정실 분석관 정와대 안기부

PAGE 1

91.09.27 15:54 BE

외신 1과 통제관

0239

9월

외 무 부

1

종 별 :

번 호 : DJW-1750 일 시 : 91 0927 1150

수 신 : 장 관(문홍,해신,기정)

발 신 : 주 인니 대사

제 목 : 대통령 유엔연설 언론반응

대: AM-0205

표제 관련 9.27.현재 당지 언론 보도 요지를 다음과 같이 보고함.

0 당지 최대석간 SUARA PEMBARUAN 지 (9.25) '노태우대통령 가장 새로운 평화안제안' 제하 3대제안을 중심으로 동 연설요지를 외신면 3단으로보도

0 영자지 THE INDONESIA TIMES 지 (9.26) '유엔 및 뉴욕'제하 노대통령의 연설장면 및 일본 외무장관과의 환담 장면 사진을 설명과 함께 각각 3단으로 외신면에 보도

0 영자지 INDONESIA OBSERVER 지 (9.27) '한국 대통령 유엔연설'제하 연설장면 사진과 설명, 외신면 3단 보도.끝.

(대사 김재춘-국장)

문협국 1차보 국기국 외정실 분석관 청와대 안기부 공보처

PAGE 1 91.09.27 14:01 WG

외신 1과 통제관

0240

가

1

외 무 부

종 별 :

번 호 : SUW-0233 일 시 : 91 0927 1200

수 신 : 장 관(문홍, 정보, 연일)

발 신 : 주 수리남 대사

제 목 : 대통령 유엔연설 언론반응 보고

대: AM-0205

1. 주재국 STVS에서는 9.25 저녁 뉴스 시간에 남북한 유엔가입 사실 및 노태우 대통 령유엔총회 기조연설 장면을 방영하였으며,주요 일간지 DE WARE TIJD 및 DE WEST지도 각각 노태우 대통령 유엔총회 기조 연설에 관하여,남북한 유엔가입을 계기로 유엔 체제내에서 상호간 대화와 협력을 적극 추진하며, 새로운 한반도 평화통일 실현에 대하여 강조하였다고 보도하였음.

2. 동기사 파편 송부 예정임.끝.

(대사 김교식-문화협력국장)

문협국 국기국 외정실

PAGE 1

91.09.28 02:46 FH

외신 1과 통제관

0241

1

외 무 부

종 별 :

번 호 : GRW-0876 일 시 : 91 0927 1310

수 신 : 장 관(문홍)

발 신 : 주 희랍 대사

제 목 : 대통령 유엔연설 언론반응 보고

대:AM-205

1.9.26자 당지 일간지 RIZOSPASTIS 는 2단기사로 노대통령이 유엔총회에서 연설했다고 보도함.

2.동기사는 노대통령이 북한에 3단계 평화안을 제시하였으며, 또한 핵물질과 그시설에대한 국제기구의 사찰에 북한이 조건없이 응할것을 촉구했다고 첨언함.끝.

(대사 박남균-국장)

문협국 1차보 안기부

PAGE 1

91.09.27 22:26 DQ

외신 1과 통제관

0242

기안

외 무 부

1

종 별 :

번 호 : SIW-0193 일 시 : 91 0927 1400

수 신 : 장관(문홍)

발 신 : 주시모노세키총영사

제 목 : 대통령유엔연설 언론반응

대:AM-205

당지 주고꾸 신문, 중앙신보 등 지방지는 북과 핵협의용의, 평화협정체결제안 제하 유엔연설 내용의 골자를 논평없이 보도함.끝.

(총영사 박문규-국장)

문협국 국기국 외정실 분석관 안기부

PAGE 1

91.09.27 15:41 BE

외신 1과 통제관

0243 28

외 무 부

종 별 :

번 호 : AGW-0489 일 시 : 91 0927 1400

수 신 : 장관(문홍)

발 신 : 주알제리 대사

제 목 : 대통령 유엔연설 언론반응

대: AM-0205

주재국은 계엄령하에 있어,국내정치 보도관계로 대외문제는 지면을 할애하지 못하고 있는 형편임.끝

(대사 한석진-국장)

문협국 1차보 국기국 외정실 분석관 정와대 안기부

PAGE 1

91.09.28 00:35 DQ

외신 1과 통제관

0244

7ㄴ

외 무 부 1

종 별 :

번 호 : COW-0422 일 시 : 91 0927 1550

수 신 : 장 관(문홍,미중)

발 신 : 주 코스타리카 대사

제 목 : 대통령 유엔연설 언론반응

대 : AM-0205, EM-0030

1. 주재국 일간 LA PRENSA LIBRE 및 LAREPUBLICA (9.27일자)지는 대호 노태우대통령의 연설과 관련, 각각 '노태우 대통령 유엔에, 한국 통일달성 장벽제거' 및 '한국통일이 노대통령 유엔연설의 주제' 제하 아래 요지보도 하였음.

특히 LA PRENSA LIBRE 지는 노대통령이 유엔총회에서 한반도 평화와 통일 달성을 위한 조건을 강력히 설명했다는 내용을 덧붙인 대통령 존영 포함한 사진 (12 X16CM)과 함께 보도함.

0 지난 수년간 한반도 긴장이 완화되기를 바라는 소망이 이루어지지 못했으나, 최근 수주일 동안에 대통령이 유엔총회에 참석, 유엔 체제내에서의 상호간 대화와 협력추진 의사표명으로 남북한 통일 달성 가능성이 더욱 현실적이 되었음.

0 노대통령이 유엔에서 연설한 바와같이 남북한의 유엔 가입은 한반도 냉전체제 붕괴에 기대를 걸게하는 하나의 청신호가 되었음.

0 대통령의 유엔총회 연설을 '역사적'이라고 언급.

0 기타 대호 대통령 기조연설 요지 사실보도.

2. 상기 관련기사 파편송부 하겠음 (주재국 각언론사에 노대통령 유엔연설을 사전 통고한바 있으나, 동 연설관련 외신 일체 수신한바없다함.).끝.

(대사 김창근-국장)

문협국	1차보	미주국	국기국	외정실	분석관	청와대	안기부

PAGE 1 91.09.28 09:47 WG

외신 1과 통제관

0245

외 무 부

종 별 :

번 호 : SDW-0832 일 시 : 91 0927 1600

수 신 : 장관(문홍)

발 신 : 주스웨덴 대사

제 목 : 대통령 유엔연설

대:AM-0205

대호,당지 언론 반응없음.끝

(대사최동진-국장)

문협국 1차보 국기국 외정실 분석관 청와대 안기부

PAGE 1 91.09.28 00:37 DQ

외신 1과 통제관

0246

관리번호	91-1158

1

외 무 부

종 별 :

번 호 : IVW-0493 일 시 : 91 0927 1600

수 신 : 장 관(문홍,국연)

발 신 : 주 코트디브와르 대사

제 목 : 대통령 UN 연설

대:AM-0205

연:IVW-0492

대호 관련 주재국 언론의 보도는 없으며, 주재국 대통령 명의 아국 UN 가입관련 9.26 자 연호 축전을 접수함.끝.

(대사 양태규-국장)

예고:91.12.31. 일반

예고문에 의거 일반문서로 재분류

문협국 국기국

PAGE 1

91.09.28 08:16

외신 2과 통제관 BS

0247

외 무 부

종 별 :

번 호 : OSW-0641　　　　　　　　일 시 : 91 0927 1600

수 신 : 장 관(문홍,해신)

발 신 : 주 오오사카 총영사

제 목 : 대통령 유엔 연설 언론 반응 보고

대:AM-0205(91.9.26)

1.고베신문

-91.9.25 1면 4단

남.북간에 핵 삭감 협의 , 건국 이래 43년만에 유엔 가맹을 이루어낸 한국의 노태우 대통령은 24일부터 유엔 총회에서 평화로운 하나의 세계 공동체를 향하여 라는 제목의 일반 연설을 행했음

-91.9.25. 7면 3단 해설

북의 수용은 곤란 노태우 한국 대통령이 24일 유엔 연설에서 조건을 붙이기는 했으나 북한과 핵병기 문제를 포함한 군축 협의에 응할 용의가 있다고 밝히고, 남북당사자간의 평화협정 체결을 제창한것은 40년 이상에 걸친 분단대립 극복을 위한 구체적인 긴장 완화책을 국제 무대에서 제시한 것으로 중요한 의미를 가짐.

문제는 북한이 이에 응할것인가 하는 것인데,북한은 최근 핵사찰 문제에 관해 태도가 경화되고 있고, 평화협정 체결의 상대는 휴전협정을 거부한 한국이 아니라 미국이라고 일관되게 주장하고 있어 당분간 북측이 한국의 제안을 수용할 여지는 거의 없는 것으로 보임

2.교또신문

-91.9.25. 1면 톱

핵과 핵협의 용의 -고베신문과 같이 공동 통신인용 보도

-91.9.27 5면해설

조선반도의 핵문제 해결을 기대한다 한국내의 핵에 관하여 노대통령이 남북간의 협의로 추진할 용의가 있다고 명언 한것은 조선반도 긴장 완화의 핵심으로 부상해온 핵 문제를 정면으로부터 대응해 나갈 자세를 보여준 것이라고 말할 수 있음

문협국　1차보　공보처

PAGE 1　　　　　　　　91.09.27 21:54 FH

외신 1과 통제관

0248

내달 2일 행하여질 북한의 연형묵 수상의 유엔 연설에서는 이문제에 전향적인 대응을 기대하고 싶음

내달 22일부터 평야에서 유엔동시 가맹후 처음으로 남북수상 회담이 예정되어있는데 분단된 유일의 지역, 조선반도의 통일 촉진을 위해 신뢰관계 조성을 향한 기본적 합의에의 계기가 되기를 바람

-기타

-5대 신문 및 TV는 동경과 동일 내용 보도.끝

(총영사 박노수-국장)

1

외 무 부

종 별 :

번 호 : YOW-0224 일 시 : 91 0927 1630

수 신 : 장 관(문홍)

발 신 : 주 요꼬하마 총영사

제 목 : 대통령 유엔연설 언론반응

대 : AM - 0205 (91.9.26)

1. 당지 가나가와 신문 9.25자 1 면 5단 기사 아래 제목으로 보도함.

0 노 한국대통령 국련여설

0 핵 남북협의 용의 , 평화협정을 제안

2. 동 신문 3면에 해설기사 5단으로 아래와 같이 보도함.

0 반도의 긴장완화 정책 제시

0 한국대통령 군축문제로 국련연설

0 북조선의 핵사찰 초점으로

3. 기사내용 차 파편 송부 예정임. 끝.

(총영사 최배식-문협국장)

문협국 국기국

PAGE 1

91.09.27 17:11 WG

외신 1과 통제관

0250

외 무 부

종 별 :

번 호 : CZW-0840　　　　　　일 시 : 91 0927 1630

수 신 : 장 관(문홍)

발 신 : 주체코대사

제 목 : 대통령 유엔연설 언론 반응

대: AM-0205

1. 당지 HOSPODARSKE NOVINY(ECONOMIC NEWS) 지는 뉴욕발 주재국 관영통신 인용 9.26' THREE POINTS FOR UNIFICATION' 제하 1단 보도함.

2. 동 기사는 노대통령이 한국의 유엔가입 계기 총회 연설을 통해 남북한 통일 및1,300년 이상의 전통을 가진 민족국가의 일체성 부활노력 의지를 천명하고, 특히 평화.자주.민주통일추진 원칙하, 평화협정 체결, 군축, 남북한 자유왕래와 물자교류등대북한 3가지 방침 제안에 대해 소개. 보도함.

3. 동 기사 전문(영어번역문) 별전 보고함.끝.

(대사 선준영-국장)

별전(영어번역문)

THREE POINTS FOR UNIFICATION

NEW YORK(CTK) - THE REPUBLIC OF KOREA WILL ENDEAVOR FOR UNIFICATION OF BOTHKOREAN STATES AND FOR RENEWAL OF KOREAN NATIONAL UNITY, WHICH HAS A 1300-YEAR OLD TRADITION. IT WAS DECLARDE LAST TUESDAY BY THE PRESIDENT OF THE REPUBLIC OF KOREA ROH TAE-WOO IN HIS ADDRESS TO THE GENERAL ASSEMBLY OFTHE UNITED NATIONS, WHERE HE FIRST SPOKE AS A REPRESENTATIVE OF A FULL-FLEDGED MEMBER OF THE ORGANIZATION.

THE UNIFICATION MUST BE PEACEFUL, INDEPENDENT AND DEMOCRATIC, THE SOUTH KOREAN PRESIDENT SAID, AND PRESENTED A THREE-POINT PROPOSAL TO THE GOVERNMENT OF THE DEMOCRATIC PEOPLE'S REPUBLIC OF KOREA(DPRK) IN SUPPORT OF THE FOLLOWING GOALS:

1) TO CONCLUDE A PEACE AGREEMENT, TO MUTUALLY ABANDON USE OFFORCE AND TO

문협국　1차보　국기국　외정실　분석관　정와대　안기부

PAGE 1　　　　　　91.09.28　02:21 DQ

외신 1과 통제관

0251

ESTABLISH NORMAL DIPLOMATIC RELATIONS.

2) TO LIMIT ARMED FORCES ON BOTH SIDES AND TO TAKE MEASURESTO BUILD CONFIDENCE, SUCH AS EXCHANGE OF MILITARY INFORMATION AND OBSERVERS. IN THIS ASPECT, THE DPRK MUST GIVE UP ITS NUCLEAR WEAPONS DEVELOPMINT AND ALLOW INTERNATIONAL INSPECTION OF ITS NUCLEAR PLANTS.

3) TO COMMENCE UNLIMITED EXCHANGE OF GOODS, INFORMATION AND FREE MOVEMENT OF PEOPLE OVER THE COMMON BORDER OF BOTH STATES. 끝.

1 기

외 무 부

종 별 :

번 호 : FUW-0388 일 시 : 91 0927 1700

수 신 : 장 관(문홍,연일,이일)

발 신 : 주 후쿠오카 총영사

제 목 : 유엔관련 언론 반응

대 : AM-205

1. 대호 노대통령의 유엔 연설관련 당지 니시니혼 신문의 사설및 보도기사를 종합(9.24-27)아래 보고함

가. 한국, 일본, 미국의 정상들의 유엔연설은 지금까지의 연설과 달리, 즉 각국의 단순한 선전을 위한 연설이 아닌 국제문제 해결을 신중히 모색하고 있어, 유엔의 새로운 가능성을 보여주었으며, 유엔이 무력하다는 과거의 인식과는 달리, 새로운 세계질서 형성에 있어 유엔이 큰 역할을 할것같은 기대가 큼

나. 노대통령은 9.24 유엔연설에서 국가원수로서는 처음으로 핵문제의 대북교섭 의사를 밝혔는바, 북한의 핵개발 포기를 전제로 한 핵문제 협의를 정면으로 제안함. 노 대통령은 통일문제의 최대의 장애가 북한의 핵문제임을 지적하고, 북한의 핵개발 포기를 겨냥, 결연한 자세를 나타냈음

다. 노대통령의 금번 제안은 7월 한국 외무부 성명의 연장선상이라 할수 있으나, 북한의 핵사찰 협정 서명 거부에 대해 강한 위기감의 표시이며, 또한 금번 노대통령의 연설은 일본, 미국, 한국간 협력을 통해 북한에 대한 포위망을 점점 좁혀가면서, 통일의 장애인 북한의 핵 제거를 겨냥한 강력한 의사표시임

2. 또한 상기 신문은 유엔과 일본과의 관계에 대해, 경제력이 점점 비중이 커가는 시대를 앞두고 일.미가 협력할것인가 대립할 것인가가 금후의 세계의 운명을 좌우할것인바, 일본은 신질서 구축에 유엔을 통해 어떻게 참가할 것인가라는 철학을 결여하고 있으며, 일외상의 유엔총회 연설은 유엔에 대해 전략적 대응이 필요한 때에 전술적 대응 밖에 못하고 있는바, 경제관계를 중심으로한 남북문제, 지구환경 대책문제등 유엔의 역할변화를 정확히 인식, 이에 대응하는것이 전략적 대응이며, 일본은 냉전후의 역할을 구축해야 한다고 강조함 끝.

문협국	1차보	아주국	국기국	의정실	분석관	청와대	안기부

PAGE 1 91.09.28 09:56 DQ

외신 1과 통제관

0253

1

외 무 부

종 별 :

번 호 : GVW-1860 일 시 : 91 0927 2000

수 신 : 장관(문호, 연일)

발 신 : 주 제네바 대사

제 목 : UN 가입 및 대통령 연설 반응

대: AM-0205

연: GVW-1852

1. 표제관련, 연호 언론 반응 외에도 당지의많은 외교관 및 국제기구 간부들이 아국의 UN가입을 축하하고 대통령의 유엔 연설을 높이평가하였는바, 아래 보고함.

가. KAMAL 파키스탄 대사는 9.26 본직과의 접촉시아국의 UN 가입을 축하하면서 대통령의 연설내용이 훌륭했다고 언급함.

나. CORNILLON IPU 사무총장은 9.23 본직에게 전화를 걸어와 아국의 UN 가입을 축하해왔으며, 다. DICHEV 불가리아 대사는 9.18 자본직앞 서한을 통해 아국의 UN 가입을 축하해왔음.

라. 상기외에도 O'SULLIVAN 호주 군축대사,UNCTAD/TDB 의장인 OGADA 케냐 대사등이 관련회의 발언 또는 개별적인 접촉을 통하여 아국의 UN 가입을 축하해 왔음.

2. 한편, 당관은 대통령의 UN 연설 및외무장관의 UN 가입 수락 연설을 즉각 당관별도 PRESS RELEASE 로 작성, 당지의 각국 대표부및 주요국제 기구에 배포하였음. 끝

(대사 박수길-국장)

문협국 1차보 국기국 외정실 분석관 청와대 안기부

PAGE 1 91.09.28 08:40 BX

외신 1과 통제관

0254

외 무 부 1 암호수신

종 별 :

번 호 : BAW-0488 일 시 : 94 88 10927 130

수 신 : 000장관(문홍,연일,아서)

발 신 : 주 방글라데시 대사

제 목 : 대통령 유엔연설 언론반응

대: AM-205, EM-30

1. 대통령 유엔연설관련, 당관은 대호연설요지와당지에 입전된 로이타 통신기사를 주요 언론기관에 홍보하였음.

.2. 이에따라 당지 9.27 자 ECONOMIC TIMES 지는 'ROK FOR TENSION FREE REGION AND PEACEFUL WORLD' 제하의 논평기사를 통해, 노대통령의 연설을 한반도 평화와 통일을 위한 역사적인 제안으로 평가하고, 당지 정계 및 외교계에서 좋은반응을 불러 일으킬 것으로 전망했음.

3. 동기사 파편송부 예정임.

(대사 선성오-국장)

문협국 장관 차관 1차보 아주국 국기국 분석관 청와대

PAGE 1

91.09.27 21:06

외신 2과 통제관 FM

0255

외 무 부

종 별 :

번 호 : QTW-0219 일 시 : 91 0928 0900

수 신 : 장관(문홍,중동일)

발 신 : 주카타르대사

제 목 : 대통령 유엔연설 언론반응

대:AM-0205 당지 언론은 아국의 유엔가입사실만 보도하였으며대통령 유엔연설에 관한반응은없었음.끝.

(대사 유내형-국장)

문협국 중아국 구기국 1차보 외정실 분석관 청와대 안기부

PAGE 1

91.09.29 05:27 FL

외신 1과 통제관

0256

연일 / 검

외 무 부

암호수신

종 별 :

번 호 : BAW-0493 일 시 : 91 0928 1200

수 신 : 장관(문홍,연일,아서)

발 신 : 주 방글라데시 대사

제 목 : 대통령 유엔연설 언론반응(2)

대: AM-205, EM-30

연: BAW-488

1. 연호관련, BANGLADESH OBSERVER, BANGLADESH TIMES, NEW NATION, ITTEFAG 등 당지 주요일간지(9.28 자)들은 노대통령이 유엔연설을 통해 남북한의 유엔가입으로 한반도에 '평화공존의 시대'가 도래했음을 선언하고, 평화협정, 군축, 남북교류확대등 획기적인 대북제의를 했음을 상세 보도함.

2. 또한 B-TV 는 9.27 밤 뉴스를 통해 노대통령의 군축제의내용을 중점 보도했음.

3. 상기 신문기사 파편 송부예정임.

(대사 신성오-국장)

문협국 장관 차관 1차보 아주국 국기국 분석관 청와대 안기부

PAGE 1

91.09.28 22:29

외신 2과 통제관 CD

0257

원 본

외 무 부

종 별 :

번 호 : SLW-0760 일 시 : 91 0928 1200

수 신 : 장 관(연일,아프일,정홍,해기,기정)

발 신 : 주 세네갈 대사

제 목 : 아국관계기사

자응 71호

연:WSL-325

세네갈 일간 LE SOLEIL지는 9.26 KA 외상이 46차 유엔총회 기조연설(9.24)에서 '금년한국,북한등 7개국의 유엔가입,총회참석을 환영하고 이는 유엔의 목적,원칙을 보다 공고히하는데 기여할것임을 확신한다'고 언급했다고 보도했음.

(대사 허승-국장)

국기국 1차보 중아국 외정실 분석관 청와대 안기부 공보처

PAGE 1

91.09.29 03:01 FL

외신 1과 통제관

0258

원 본

외 무 부

종 별 :

번 호 : UNW-3057 일 시 : 91 0928 1530

수 신 : 장관 (연일,기정)

발 신 : 주유엔대사

제 목 : 46차 총회 기조연설 (언론반응)

표제 관련, 9.28.자 NYT 기사를 별첨 송부함. 끝

(대사 노창희-국장)

첨부: FAX (UNWF-576)

국기국 안기부 장관 차관 청와대 ... 분석관 외정실 / 차보

PAGE 1

91.09.29 05:24 FL

외신 1과 통제관

0253

UNW(F)-576 10928 1530 첨부물 UNW-3057

총 104

Italy Urges Sweeping Structural Changes at U.N.

By GERRY GRAY
Special to The New York Times

UNITED NATIONS, Sept. 27 — Citing the end of the East-West rivalry and a host of other reasons, Italy today proposed sweeping changes to the United Nations structure, including increasing the number of permanent and nonpermanent members of the Security Council.

"We realize how difficult it is simply to contemplate the changes," the Italian Foreign Minister, Gianni de Michelis, said in a speech before the General Assembly. "I know it means retreating from established positions, giving up some prerogatives, and undertaking a redistribution of international power to reflect the changes that have taken place in the world in recent years."

The idea of revamping the Security Council has long held favor among many nations, notably third world members. Reorganization would require a charter revision, which must be approved by the permanent members of the Security Council — Britain, China, France, the Soviet Union and the United States. Each has the power to veto such action.

Merge British and French Seats

The permanent members have been reluctant to approve any charter revisions because it might imperil their own standings. In particular, there has been the suggestion that the British and French seats be merged under the umbrella of the European Community.

In his speech, Mr. de Michelis did not give a timetable or details of the proposed changes, but he said during a later news conference that the idea was "too delicate to be accepted quickly" and should be worked out over several years.

The nonpermanent Security Council members are elected for two-year terms. The Council's numbers were last adjusted in 1963 when the number of nonpermanent members was increased from 5 to 10.

"Given that member countries to the United Nations have increased by 50 percent since then, the Security Council should be increased by similar numbers," Mr. de Michelis said at the news conference.

He said the criteria for new permanent membership on the Council should be based on population and wealth and on nations "whose weight in the world warrants representation."

Mr. de Michelis said Italy supports the idea that new permanent Council members would not have veto power.

The countries most frequently mentioned as likely candidates as new permanent Council members are Japan, Germany, India, Egypt, Nigeria and Brazil.

Mr. de Michelis would not say if Italy would pursue a permanent seat.

0260

UN1 역

주 방 글 라 데 시 대 사 관

방글라(정) - 263 1991. 9. 28.

수 신: 장 관

참 조: 문화협력국장, 국제기구국장, 아주국장

제 목: 대통령 유엔연설 관련기사 송부

대 : AM -0205, EM- 0030

연 : BAW- 488, 493

노 태우 대통령의 유엔 연설 관련, 주재국 언론에 보도된 연호 기사를 별첨과 같이 송부합니다.

첨부 : 동 기사 5매.

-끝-

주 방 글 라 데 시 대 사

선 결			결재 (공람)		
접수일시	1991.10.2				
처리과	54617				

0261

ROK for tension free region and peaceful world

A Commentator

September 24 was a historic day in the annals of Korean peninsula when President Roh Tae Woo of South Korea addressed the 46th annual General Assembly session of the United Nations. In his candid speech he remarked that the event of the two Koreas joining the UN was a singnificant and historic occasion. He described it "a most realistic step for reunification" which will promote dialogue and cooperation between South and North Korea under the framework of the World Body.

The resolution of South Korea to participate in the new international order during the cold war years is a significant step as during those wary years both the countries separated geographically but tied together with the bonds of race and origin, spent lot of energy and resources in the arms race.

Recalling the wave of change that swept the socialist and communist world in the early 90s towards democratic transformation and market economy, President Roh declared his country's unequivocal support to Soviet Union's reforms and also the remarkable change brought about by the adoption of democratic polity by the Eastern European countries.

Some of the new proposals set forth by the Republic of Korea's Head of State and Government Roh Tae Woo during his address to the UN General Assembly may be summed up as follows:

Both the Koreas should conclude peace agreement and give up the use of force against each other and mobilise all efforts in this direction. South and North Korea should build confidence through exchange of military information and also through prior notification of military exercises and military movements on both sides along with exchange of Inspection Teams. Both the countries should start military arms reduction and nuclear technology should be used only for peaceful purposes.

President Roh emphasised in his speech that North Korea should accept the right of International Atomic Energy Agency to inspect Nuclear materials and facilities without imposition of any condition. If North Korea gives up nuclear expansion, then South Korea may discuss with Pyongyang about conventional arms reduction and also relevant nuclear issues.

The Korean Leader stressed on promoting free exchange of people, goods, materials and information and a basic agreement of South-North relations at the forthcoming South - North Korean high level meeting.

President Roh spoke of the readiness of South Korea to promote economic relations with North Korea in the fields of trade, tourism, natural resources and joint venture collaboration in meaningful investment.

He categorically said that the Republic of Korea is optimistic about solution of all regional disputes and the South will support UN efforts to prevent disputes and also support collective security measures by the United Nations against use of force. He also supported the conclusion of START between the two super powers. Abolition of chemical weapons is also a top priority concern of Rok and stubbornly supports its total elimination.

Last but not the least President Roh's declaration in the World Body of South Korean resolve to play a critical role under the spirit of the UN charter for the realisation of one peaceful community in the world was well received here in diplomatic and political circles. Her pledge to play a leading role to build a peaceful world is bound to create favourable reaction among the compatriots in South and North Korea, Korean watchers in Dhaka resolutely believe.

9.27. Economic Times

9.27. Economic Times

0262

Roh ready to talk troops cut with Pyongyang

UNITED NATIONS, Sept. 27:— South Korean President Roh Tae-Woo said on Tuesday he was prepared to discuss reduction of conventional forces on the peninsula if North Korea abandoned its nuclear weapons development programme, reports Reuter.

"I am prepared to take up discussions with North Korea not only on the reduction of conventional forces but also on the nuclear issues onthe Korean Peninsula," he said, in a speech to the General Assembly.

Roh's offer to discuss arms reduction was one of three proposals he made for improving relaitons, beginnign with replacing the "fragile armistice" with a permanent peace treaty.

The icy relationship between the two countries; separated in at the 38th parallel, has shown only minimal improvement since their prime ministers met for the first time in 1990. The minsiters will meet again in Pyongyang on October 22.

Roh said that with the entry of the two Koreas to the United Nations, a week ago, the countries had embarked on "a new phass of coexistence" which he hoped would lead to peace and unification.

"Even at this moment a toral of 1.7 million heavilyarmed soldiers confront each other on the Korean Peninsula.." said Roh.

"In order to remove military confrontation onthe Korean Pensinsula, it is imperative that South and North Agree upon a number of military-confidnece buildign measures, including the exhcange of military information, the advance notification of field exercises as well as troop movements, and the exchange of permanent observer teams to prevent surprise attacks," he said.

9.28. B. Observer

9.28 Bangladesh Observer

0263

S Korea proposes talks with North on arms cut

Reuter from UN headquarters

South Korean President Roh Tae-Woo said on Tuesday he was prepared to discuss reduction of conventional forces on the peninsula if North Korea abandoned its nuclear weapons development programme.

"I am prepared to take up discussions with North Korea not only on the reduction of conventional forces but also on the nuclear issues on the Korean Peninsula," he said, in a speech to the General Assembly.

Roh's offer to discuss arms reduction was one of three proposals he made for improving relations, beginning with replacing the "fragile armistice" with a permanent peace treaty.

The icy relationship between the two countries, separated in 1945 at the 38th parallel, has shown only minimal improvement since their prime ministers met for the first time in 1990. The ministers will meet again in Pyongyang on October 22.

Roh said that with the entry of the two Koreas to the United Nations, a week ago, the countries had embarked on "a new phase of coexistene" which he hoped would lead to peace and unification.

"Even at this moment a total of 1.7 million heavily armed soldiers confront each other on the Korean Peninsula...."

"In order to remove military confrontation on the Korean Pensinsula, it is imperative that South and North agree upon a number of military-confidence building measures, including the exchange of military information, the advance notification of field exercises as well as troop movements, and the exchange of permanent observer teams to prevent surprise attacks," he said.

Roh added that as a signatory to the 1968 Nuclear Non-Proliferation Treaty, North Korea should immediately stop its development of nuclear weapons and submit its facilities to international inspection.

9.28. New Nation

9.28 New Nation

0264

S Korea for talks with North on arms cut

UNITED NATIONS, Sept 27: South Korean President Roh Tae-Woo said on Tuesday he was prepared to discuss reduction of conventional forces on the peninsula if North Korea abandoned its nuclear weapons development programme, reports Reuter.

"I am prepared to take up discussions with North Korea not only on the reduction of conventional forces but also on the nuclear issues on the Korean Peninsula," he said, in a speech to the General Assembly.

Roh's offer to discuss arms reduction was one of three proposals he made for improving relations, beginning with replacing the "fragile armistice" with a permanent peace treaty.

The icy relationship between the two countries, separated in 1945 at the 38th Parallel, has shown only minimal improvement since their Prime Ministers met for the first time in 1990. The ministers will meet again in Pyongyang on October 22.

Roh said that with the entry of the two Koreas to the United Nations, a week ago, the countries had embarked on "a new phase of coexistence" which he hoped would lead to peace and unification.

"Even at this moment a total of 1.7 million heavily armed soldiers confront each other on the Korean Peninsula", said Roh.

"In order to remove military confrontation on the Korean Peninsula, it is imperative that South and North agree upon a number of military-confidence building measures, including the exchange of military information, the advance notification of field exercises as well as troop movements, and the exchange of permanent observer teams to prevent surprise attacks," he said.

Roh added that as a signatory to the 1968 Nuclear Non-Proliferation Treaty, North Korea should immediately stop its development of nuclear weapons and submit its facilities to international inspection.

Roh's third proposal was that the two Koreas should begin free exchange of products, information and people.

9. 28. B. Times

9. 28 Bangladesh Times

0265

সামরিক শক্তি হ্রাস প্রশ্নে উত্তর কোরিয়ার সঙ্গে আলোচনার প্রস্তাব

দক্ষিণ কোরীয় প্রেসিডেন্ট রোহ তায়ে উ বলিয়াছেন, উত্তর কোরিয়া উহার পারমাণবিক অস্ত্র নির্মাণ কর্মসূচী পরিত্যাগ করিলে তিনি সে দেশের সঙ্গে প্রচলিত বাহিনী হ্রাসের ব্যাপারে আলোচনা করিতে প্রস্তুত রহিয়াছেন।

রয়টার জানায় রোহ গত মঙ্গলবার জাতিসংঘ সাধারণ পরিষদে ভাষণ দানকালে বলেন, তিনি উত্তর কোরিয়ার সঙ্গে কেবল প্রচলিত বাহিনী হ্রাস সম্পর্কেই নহে পারমাণবিক প্রশ্নেও আলোচনা করিতে রাজী।

উত্তর কোরিয়ার সঙ্গে স্থায়ী চুক্তি সম্পাদনের লক্ষ্যে রোহ সম্প্রতি যে তিনটি প্রস্তাব দেন উহার আলোকেই তিনি এই আহ্বান জানান।

9,28. ITTEFAQ

9. 28. ITTEFAQ

0266

"지급" 오늘 file. 연
심의관 - 외신1부국 처리 17 차관

분류기호 문서번호	문홍20501-192	협조문용지 ( )	결재	담당	과장	국장
시행일자	1991. 9. 30.					
수 신	수신처 참조	발 신	문화협력국장 (서명)			
제 목	유엔가입 관련 주요 외국언론 보도 현황					

우리국에서 수집.파악한 대통령 유엔연설관련 주요 외국언론 보도 현황(1991.9.24-9.29)을 별첨 송부하오니 업무에 참고하시기 바랍니다.

첨부 : 상기현황 자료 1부. 끝.

수신처 : 외교정책기획실장, 아주국장, 미주국장, 구주국장, 중동아프리카국장, 국제기구국장, 조약국장, 공보관, 외교안보연구원 연구실장

0267

1505-8일(1)
85. 9. 9 승인 "내가아낀 종이 한장 늘어나는 나라살림
190㎜×268㎜(인쇄용지 2급 60g/㎡)
가 40-41 1990. 3. 15

대통령 유엔연설 관련 주요 외국 언론보도 현황

(91.9.24-9.29)

외무부 홍보과
1991. 9. 30.

I. 4대 통신 반응

- 9.24 UN발 Reuter : 노대통령은 북한과 핵문제 포함 한반도 군축문제에 관해 심도있는 협의 의사 표명
- 9.24 UN발 AFP : 노대통령은 1천만 이산가족 문제 해결 없이 남북한 신뢰구축이 이루어질 수 없다고 언급
- 9.24 UN발 AP : 노대통령의 대북 3개 평화방안 제시, 한국의 발전은 자유시장 경제 및 정치적 자유에 기인한다고 언급

II. 각국별 반응

가. 아주지역

1. 일본

- 9.25 아사히 신문 : "노대통령, 남북한 핵문제 협의 용의" 제하로 한국이 북한측 입장고려, 남북 평화협정을 제안 했다고 보도
- 9.25 요미우리 신문 : "핵문제, 남북 직접협의 용의" 제하 기사보도
- 9.25 마이니찌 신문 : "노대통령, 북한이 무조건 핵사찰에 응할것을 요구" 제하 기사 보도
- 9.25 산께이 신문 : "노대통령, 한국의 성장 및 대북우위에 자신감 과시" 제하 기사보도
- 9.25 일본 경제신문 : "노대통령, 한반도 핵문제에 관해 북한과 협의 용의 표명" 제하로 한국이 북한의 핵개발 중지 조건으로 주한 핵문제 협의 용의 표명했다고 보도

0268

- 9.25 매일 경제신문 : "노대통령, 한반도 핵문제에 관한 남북직접 협의의 용의 표명" 제하 기사 보도
- 9.25 홋카이도 신문 : "노대통령, 북한과 핵문제 교섭 용의" 제하 기사보도
- 9.25 북해 Times, 고베신문, 류규신보, 주고쿠신문, 가나가와신문, 니시니혼신문등 지방지 사설 및 기사 개제

2. 홍콩

- 9.24 Asian Wall Street Journal지 : "노대통령, 북한과 평화협정체결 희망" 제하 기사 보도
- 9.26 명보지 "한반도 냉전 아직 해결되지 않아" 제하 Neesweek 회견내용 보도

3. 대만

- 9.25 중국 시보지 : 노대통령, 남북 평화통일 3대원칙 재시" 제하로 노대통령 유엔연설 요지 보도

4. 인도네시아

- 9.25 Suara Pembaruan지 : '노대통령, 가장 새로운 평화 제아' 제하로 유엔 연설 요지 보도
- 9.26 The Indonesia Times지 : "유엔 및 뉴욕" 제하, 노대통령 연설보도
- 9.27 Indonesia Observer지 : "한국 대통령 유엔 연설" 제하, 노대통령 연설 보도

5. 태국

- 9.26 Bankok Post지 : '노대통령, 대북 3개 평화안 재의' 제하로 노대통령 연설 개재
- 9.26 Siam Rath지 : '노대통령, 한반도 냉전 종식을 위한 제의' 제하로 유엔연설 주요내용 종합 보도

6. 말레이시아

- 9.26 The Star, 성주일보 및 중국보 : 연설 보도

0269

- 9.26 The Star 및 성주일보 : 한.마 정상회담 개최 보도
- 외무성 아주국장, 대사면담시 남북유엔 가입이 한국외교의 승리이며, 노대통령의 대북3개 평화안을 합리적이고 현실적인 제안이라고 평가

7. 필리핀

- 9.27 주요언론 유엔발 외신 기사 보도

8. 브루나이

- 9.26 Borneo Bulletin : 노대통령의 대북 3개 평화안중 군축제의에 중점 보도

9. 파키스탄

- 9.26 The News : '노대통령, 평화제의' 제하로 연설요지 보도

10. 방글라데시

- 9.27자 Economic Times : '한국, 한반도 긴장완화 세계평화를 위한 제안' 제하 논평기사 보도
- 9.28 Bangladesh Observer, Bangladesh Times, New Nation, Ittefag지 등, 유엔가입으로 한반도에 평화공존 시대가 도피하였으며, 평화협정등 대북 제의내용 상세 보도
- 9.27 B-TV, 노대통령의 군축제의 내용 중점 보도

11. 스리랑카

- 9.24 The Island지 노대통령 유엔연설 요지 보도하면서 노대통령이 9.20시에틀에서 한반도에서의 냉전종식, 한민족 스스로의 민족 결성시기 도래등에 관해 언급했다고 보도

12. 미얀마

- 9.25 국영 MNA 통신, 노대통령 연설 요지 보도
- Working People's Daily지, 노대통령 연설 요지 보도
- 9.26 국영 TV, 노대통령 연설장면 방영

13. 네팔

- 9.27 주요언론(신문 및 TV) : 유엔발 외신 기자 전재 (방영)

0270

나 . 미주지역

1. 미국

- 9.24 CNN : 노대통령 연설을 방영하고 남북한 유엔가입으로 상호공존의 새로운 장이 열렸다고 보도

  * CNN 'Newsmaker Sunday' 대통령 회견 내용 보도(9.22)

- NEWSWEEK (9.23-30) 대통령 회견 포함 한국특집 기사 보도

- 9.24 Wall Street Journal : "노대통령, 북한과의 평화협정에 입장진보" 제하 회견 내용 보도

- 9.25 New York Times : "한국, 유엔에서 통일에의 희망 피력" 제하로 노대통령의 평화통일을 위한 대북 3개 평화방안 상세히 보도 (노대통령 존영 게재)

- 9.25 Washington Post : "노대통령, 평화조약체결 제의" 제하로 기사게재

- 9.25 Washington Times : "노대통령, 평화조약 원함" 제하로 한국은 북한의 핵무기 개발 포기 조건하에 남.북 군축협상에 임할 용의 있다고 보도

- 9.26 Washington Times : '돌아오지 않는 다리' 제하 방한기사를 통하여 노대통령의 비권위주의적 민주화 과정 설명

- 9.24 NBC 'Today Show' : 노-부시 회담 장면 방영

- 9.25 Christian Science Monitor : "한국, 유엔가입 축하" 제하로 민속공연단의 L.A. 공연사실 상세 보도

- 9.25 San Francisco Chronicle : '한국, 군축협상태세' 제하로 대북 3개 평화안 내용 보도

- 9.25 Honolulu Star Bulletin : '노대통령 귀국길 하와이 방문' 제하 3대 제안 기사 보도

- 9.25 Chicago Tribune : '노대통령 평화협정 제의' 제하 기사보도

- 9.25 International Herald Tribune : '노대통령 군축 협상 제의' 제하, 기사 보도

0271

- 9.27 미상원 외교위 Richard Lugar상원의원, 상원회의중 연설에서 노대통령의 대북평화안 제의가 한국의 향후 진로에 관한 매우 희망적이고 긍정적인 비젼을 제시한 중요한 사안이라고 평가하고 노대통령의 유엔연설이 매우 고무적인 훌륭한 연설이었다고 발언

2. 멕시코

- 9.24 El Sol de Mexico : '6.29 선언과 한국에서의 민주시대' 제하 연재 기사 게재 (30회째)
- 9.24 Excelsior : '노대통령 방멕 계기, 한.멕 관계 특집
- 9.25 Vision(격주간) : '신국제질서와 한국' 제하 노대통령의 적극적이고 주도적인 북방정책 관련 특집
- 9.26 멕시코 T.V. CH-4 및 CH-13, 노대통령 한멕 경제 협의회 주재 장면 방영

3. 아르헨티나

- 9.25 La Prensa : '분단한국, 단일민족임을 잊지 않다' 제하로 노대통령 유엔연설 요지 보도

4. 베네주엘라

- 9.26 El Nacional : '한국, 북한에 통일을 위한 평화협정 제의' 제하로 노대통령의 평화협정 제의등 유엔 연설 관계 보도

5. 칠 레

- 9.25 La Nacion지, LAEPOCA : '한국 대북평화 협정 제의' 제하, 연설요지 보도

6. 코스타리카

- 9.27 La Prensa Libre 및 La Republica : '노대통령, 유엔에 한국 통일 달성 장벽 제거' 제하 기사 보도

7. 파나마

- 9.25 Panama America : '한국 남북한 평화협정 체결 제의' 제하 총회 연설 인용 보도
- 9.24 CH-2, CH-4, CH-13 등 주요 T.V, 연설장면 및 요지 방송

0272

8. 볼리비아

- 9.25 HOY 및 Presencia : '노대통령, 통일을 위한 평화 협정 체결 제의' 제하 연설 요지 게재

9. 수리남

- 9.25 De Ware Tijd : De West지 및 국영 STVS 기조연설 내용 보도 및 방영

다. 구주지역

1. 제네바 (스위스)

- 9.27 Journal de Geneve : '한국, 북한에 새로운 제의' 제하, 대북제의 내용 보도
- 9.26 IPU 사무총장 UNCTAD/TDB의장 주재대사 각국대사등 환영 및 축하 표명

2. 독일

- 9.26 Frankfurter Allgemeine Zeitung : '남북한 평화조약' 제하로 휴전 협정의 평화협정으로 대체, 군축제의등 대북3개 평화안 보도
- 9.26 Die Welt : '세계 보도-한국' 특집판을 통한 남북한 유엔가입 관련 한국 특집판 게재

3. 영국

- 9.25 Financial Times : "노대통령, 평화안 재시" 제하로 대북 3개 평화 방안 내용 보도
- 9.25.CH-4 TV : 노대통령의 3개 평화안 관계 방영

4. 오스트리아

- 9.26 Der Standard 지 및 Kurier지 : 노대통령이 대북 3개 평화안 내용 보도

5. 헝가리

- 9.26 Magyar Nemzet : '유엔가입 남북한, 통일은 아직 멀어' 제하로 노대통령의 평화조약 제의가 남북한 화해촉진에 기여할 것이라고 분석

0273

- 9.25 Nepszava : '노대통령, 평화를 제의' 제하로 노대통령의 대북3개 평화안 보도

6. 체코

- 9.26 HOSPODARSKE VOVING (Economic News) : '통일 3개방안' 제하 연설보도

7. 희랍

- 9.26 Rizospastis : 연설요지 보도

라. 아.중동지역

1. 이집트

- 9.24자 Egyptian Gazette지 : 노대통령이 9.24 한국대통령으로서는 최초로 유엔회원국 원수자격으로 유엔 총회에서 연설케 됐다고 보도
- 9.24 국영TV (TV-1) : 노대통령의 대북 3개 평화제안 방영
- 9.25 The Egyptian Gazette 및 Al-WAFD : 노.부시 정상회담 내용 보도
- 9.27 AL-WAFD : 노대통령의 대북 평화 3원칙 및 개도국 경제난 타개 방안등 연설 요지 보도

2. 쿠웨이트

- 9.26 Kuwait Times : '남한, 북한과의 군비축소 재의' 제하 기사보도

3. 요르단

- 9.25자 Al Rai : '한국대통령, 남북한간 평화확립제의' 제하로 연설 요지 보도

4. 이란

- 9.27 주요언론, 노대통령 북한측에 3개 평화안 제시 재하 상세 보도

5. 수단

- 9.26 Suna : 노대통령이 유엔연설 기사 한반도 긴장완화, 남북한 관계 개선을 강조했다고 보도

0274

6. 바레인

- 9.27 CH-4 뉴스, 노대통령이 북한의 핵무기 개발 포기를 전제로 군축 협상 용의 표명했다고 보도

7. 나미비아

- 9.25 국영 NBC TV, 서울발 CNN 인용, 북한의 핵개발 관련 보도

8. 가나

- 9.25 국영통신 GNA, 뉴욕발 로이터 인용 기사보도

0275

주 고 오 베 총 영 사 관

주고오베 (정) 20333- 716 1991. 9. 30

수 신 : 외무부장관

참 조 : 문화협력국장, 국제기구조약국장

제 목 : 대통령 유엔 연설 현지 반응

연 : KOW - 0116

대 : AM - 0205

표제관련 고오베 신문의 해설기사 및 사설을 별첨 송부합니다.

첨 부 : 관련기사 사본 2부 끝.

주 고 오 베 총 영 사

선 결			결재(공람)		
접수일시	1991.10.4	54668			
처리과					

0276

1991. 9. 25. (수) 7면

北の受け入れは困難か

盧大統領国連演説 核査察問題が焦点

〈解説〉盧泰愚・韓国大統領が二十四日の国連総会演説で、条件付きながら朝鮮民主主義人民共和国（北朝鮮）と核兵器問題を含む軍縮協議に応じる用意があると明らかにし、南北当事者間での平和協定締結を呼び掛けたことは、四十年以上にわたる分断対立を克服するための具体的な緊張緩和策を国際舞台で提示したものとして重要な意味を持つ。

問題は北朝鮮がこれにどう応じるかだが、北朝鮮は最近、国際原子力機関（IAEA）の保障措置協定調印を拒否するなど、核査察問題で態度を硬化させており、平和協定も締結すべき相手は休戦協定を拒否した韓国ではなく米国だと一貫して主張してきている。このため当面、北側が韓国提案を受け入れる余地はほとんどなさそうだ。

しかし、朝鮮半島をめぐる情勢はこの二年半の間に、韓ソ国交樹立、韓中接近、日朝国交正常化交渉の開始のほか、米ソ協調を背景にした在韓米軍の段階的縮小も具体的に着手されるなど大きく動いてきており、南北朝鮮の国連同時加盟を機に冷戦体制を清算し、制度的に平和共存体制を準備する環境が次第に整いつつあるのも事実。

また諸条件の悪化により北朝鮮は統一問題や南北関係改善問題でより防御的、現状維持志向を強めている一方、韓国もドイツのような急速な吸収統一による経済、政治、社会的な負担増を望まないため、南北双方が「統一への道」を語りながら、実際には現状固定化に向け暗黙の了解ができつつあるようにすら見える。

結局、今後の南北の緊張緩和や平和共存体制づくりの過程では北朝鮮の核査察問題が最大の焦点になる見通しだが、北側は核査察を今後の外交で最も効果的な時点で使うための「価値あるカード」として保持する戦略とみられるため、北朝鮮がどのような状況下でこれを使うかは、北側が危機的現状打開のための最優先課題としている日朝国交正常化や対米関係改善の今後の展開と深くかかわることになる。当面の北側の対応として、十月二日に予定されている延亨黙首相の国連総会演説と二十二日からの第四回南北首相会談（平壌）が注目される。（共同）

0277

1991. 9. 26. (목). 5면

新しい日本の役割は何か

ブッシュ米大統領は国連演説で、冷戦後の世界が当面する課題と、それに対する米国の姿勢とを語った。

そのなかで、自由な経済の発展が、新しい世界の中心的役割を果たすことを強調するとともに、核の恐怖に代わって頻発してきた地域紛争には、真っ向から挑むべきであるとしている。

その際、米国は「米国による平和」を目指すつもりはなく、国際社会が責任を分担しての「平和」を目指すと明言した。

現実のこととして、もはや米国が一国で「世界の警察官」たり得ないのは、湾岸戦争に見たとおりだ。米国の意思表示は、冷戦後の潮流からしても、納得のいくものである。

しかしブッシュ演説は、欧州諸国や日本などの同盟国に、従来にも増して責任の分担を迫るものであることを忘れてはならない。

いよいよもって、国連の機能充実が課題になるのはもちろん、米国外交が「米国による平和」路線から真に転換するためには、日本をはじめとする同盟諸国が、新たなパートナーシップを求められることは必至である。

元首級の演説が続く国連で、ソ連のパンキン外相は、アジア・太平洋地域の諸問題の集団的解決を目指し、政治対話を進める意欲を示した。

韓国の盧泰愚大統領もまた、条件付きながら朝鮮民主主義人民共和国と核兵器問題を含む軍縮協議に応じる用意があることを明らかにした。韓ソ国交樹立からあと日朝国交正常化交渉や在韓米軍の段階的縮小の具体的な着手など、緊張緩和に向かう朝鮮半島情勢に大きな一歩をしるす提案である。

いずれの代表演説に関しても、わが国が主要な役割を求められているのは言うまでもない。世界の要請に、わが国はどのようにこたえるべきなのか。

中山外相は総会に臨んで「新しい世界と日本の役割」と題して演説した。

外相は国連の紛争予防システムの確立のため事務総長の権限強化案を提案。さらに、通常兵器移転の国連報告制度の創設と、それに必要な技術的問題の検討会合を日本で開催することを提案した。加えて、新しい日ソ関係のための「五原則」をも提示している。

「過去の戦争に対する厳しい反省」に立ち、軍事大国にならない決意を表明して、平和創出のための具体的提案を行ったのは、一応の評価はできる。

しかし、米国が求めるグローバル・パートナーシップをどのように築くのか、正直に言って「日本の顔」はまだ定かではない。米国に次ぐ国連加盟費を負担する大国の姿勢が鮮明にならないのだ。アジア諸国から国連平和維持活動（PKO）への疑問が出されるのも、そのためであろう。

一国としての外交対応ではなく、わが国は、責任ある主要国としての新しい世界観を提示しなければならない時である。

0278

01

주 페루 대사관

1

페루(정) 790 - 301 　　　　1991. 9.30.

수신 외무부장관

참조 국제기구국장, 미주국장

제목 대통령 기조연설 홍보

대 : EM - 0030

연 : PUW - 0773

연호, 주재국 일간지 Expreso 지 9.25 자가 게재한 대통령 제46차 유엔 총회 기조연설 기사 내용을 별첨 송부합니다.

첨부 : 상기 기사 발췌문 사본 1부. 끝.

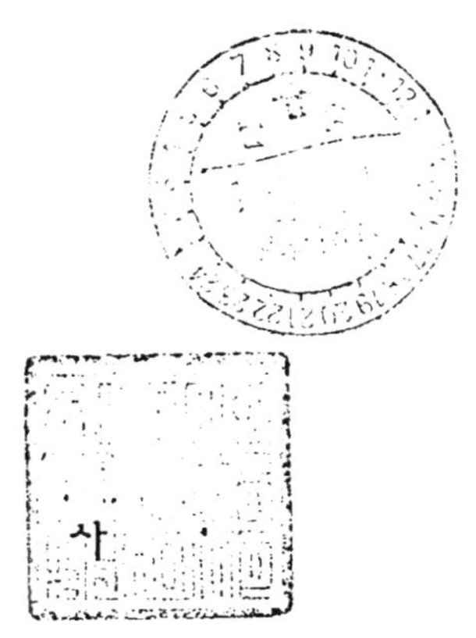

주 페루 대사

0279

EXPRESO

25. Set. 1991

Page B-5

■ PARA UNIFICACION CON COREA DEL NORTE

Corea del Sur propone firmar acuerdo de paz

◆ NACIONES UNIDAS.— El presidente surcoreano, Roh Tae-woo, propuso el martes a Corea del Norte la firma de un acuerdo de paz, porque, aunque «el pueblo coreano puede vivir ahora bajo dos sistemas distintos, nunca hemos olvidado que somos una nación».

Así se expresó Roh en su primer discurso ante la Asamblea General, tras el ingreso de las dos Coreas, la semana pasada, como miembros de la ONU.

El propuesto acuerdo de paz estaría destinado a sustituir al armisticio que puso fin a la guerra intercoreana (1950-1953), que aunque terminó con el conflicto, mantiene aún a ambas partes técnicamente en estado de guerra.

La península coreana fue dividida en dos partes en 1945 por las potencias vencedoras de la Segunda Guerra Mundial. En Pyongyang se instaló un régimen pro soviético, y en Seúl otro apoyado por Estados Unidos.

Roh Tae-woo

El jefe de Estado surcoreano señaló que su país tardó más de 40 años en entrar en la ONU, y que las dos Alemanias pudieron, tras ingresar por separado en la ONU, lograr la unificación. «La guerra fría que impidió nuestro ingreso en la ONU se ha convertido en reliquia del pasado», dijo Roh.

Elogió los movimientos de liberación en la Europa del este, y a los habitantes de Berlín oriental, que derribaron el muro y «abrieron horizontes a una verdadera paz mundial».

Señaló que a pesar de estos acontecimientos mundiales, todavía 1.7 millones de soldados fuertemente armados se encuentran a ambos lados de la frontera intercoreana, y propuso una disminución rápida de esa tensión con un gradual desarme y diversas medidas para incrementar la confianza mutua.

Consideró fundamental que Corea del Norte abandone sus planes para fabricar armas nucleares.

EFE

0280

가
대통령 유엔연설 관련 주요 외국 언론보도 현황

(91.9.24-9.29)

외무부 홍보과
1991. 9. 30.

I. 4대 통신 반응

- 9.24 UN발 Reuter : 노대통령은 북한과 핵문제 포함 한반도 군축문제에 관해 심도있는 협의 의사 표명
- 9.24 UN발 AFP : 노대통령은 1천만 이산가족 문제 해결 없이 남북한 신뢰구축이 이루어질 수 없다고 언급
- 9.24 UN발 AP : 노대통령의 대북 3개 평화방안 제시, 한국의 발전은 자유시장 경제 및 정치적 자유에 기인한다고 언급

II. 각국별 반응

가. 아주지역

1. 일본

- 9.25 아사히 신문 : "노대통령, 남북한 핵문제 협의 용의" 제하로 한국이 북한측 입장고려, 남북 평화협정을 제안했다고 보도
- 9.25 요미우리 신문 : "핵문제, 남북 직접협의 용의" 제하 기사보도
- 9.25 마이니찌 신문 : "노대통령, 북한이 무조건 핵사찰에 응할것을 요구" 제하 기사 보도
- 9.25 산께이 신문 : "노대통령, 한국의 성장 및 대북우위에 자신감 과시" 제하 기사보도
- 9.25 일본 경제신문 : "노대통령, 한반도 핵문제에 관해 북한과 협의 용의 표명" 제하로 한국이 북한의 핵개발 중지 조건으로 주한 핵문제 협의 용의 표명했다고 보도

0281

- 9.25 매일 경제신문 : "노대통령, 한반도 핵문제에 관한 남북직접 협의의 용의 표명" 제하 기사 보도
- 9.25 홋카이도 신문 : "노대통령, 북한과 핵문제 교섭 용의" 제하 기사보도
- 9.25 북해 Times, 고베신문, 류규신보, 주고쿠신문, 가나가와신문, 니시니혼신문등 지방지 사설 및 기사 개제

2. 홍콩
- 9.24 Asian Wall Street Journal지 : "노대통령, 북한과 평화협정체결 희망" 제하 기사 보도
- 9.26 명보지 "한반도 냉전 아직 해결되지 않아" 제하 Neesweek 회견내용 보도

3. 대만
- 9.25 중국 시보지 : 노대통령, 남북 평화통일 3대원칙 제시" 제하로 노대통령 유엔연설 요지 보도

4. 인도네시아
- 9.25 Suara Pembaruan지 : '노대통령, 가장 새로운 평화 제아' 제하로 유엔 연설 요지 보도
- 9.26 The Indonesia Times지 : "유엔 및 뉴욕" 제하, 노대통령 연설보도
- 9.27 Indonesia Observer지 : "한국 대통령 유엔 연설" 제하, 노대통령 연설 보도

5. 태국
- 9.26 Bankok Post지 : '노대통령, 대북 3개 평화안 제의' 제하로 노대통령 연설 게재
- 9.26 Siam Rath지 : '노대통령, 한반도 냉전 종식을 위한 제의' 제하로 유엔연설 주요내용 종합 보도

6. 말레이시아
- 9.26 The Star, 성주일보 및 중국보 : 연설 보도

0282

- 9.26 The Star 및 성주일보 : 한.마 정상회담 개최 보도
- 외무성 아주국장, 대사면담시 남북유엔 가입이 한국외교의 승리이며, 노대통령의 대북3개 평화안을 합리적이고 현실적인 제안이라고 평가

7. 필리핀

- 9.27 주요언론 유엔발 외신 기사 보도

8. 브루나이

- 9.26 Borneo Bulletin : 노대통령의 대북 3개 평화안중 군축제의에 중점 보도

9. 파키스탄

- 9.26 The News : '노대통령, 평화제의' 제하로 연설요지 보도

10. 방글라데시

- 9.27자 Economic Times : '한국, 한반도 긴장완화 세계평화를 위한 제안' 제하 논평기사 보도
- 9.28 Bangladesh Observer, Bangladesh Times, New Nation, Ittefag지 등, 유엔가입으로 한반도에 평화공존 시대가 도래하였으며, 평화협정등 대북 제의내용 상세 보도
- 9.27 B-TV, 노대통령의 군축제의 내용 중점 보도

11. 스리랑카

- 9.24 The Island지 노대통령 유엔연설 요지 보도하면서 노대통령이 9.20시에틀에서 한반도에서의 냉전종식, 한민족 스스로의 민족 결성시기 도래등에 관해 언급했다고 보도

12. 미얀마

- 9.25 국영 MNA 통신, 노대통령 연설 요지 보도
- Working People's Daily지, 노대통령 연설 요지 보도
- 9.26 국영 TV, 노대통령 연설장면 방영

13. 네팔

- 9.27 주요언론(신문 및 TV) : 유엔발 외신 기자 전재 (방영)

0283

나 . 미주지역

1. 미국

- 9.24 CNN : 노대통령 연설을 방영하고 남북한 유엔가입으로 상호공존의 새로운 장이 열렸다고 보도

  * CNN 'Newsmaker Sunday' 대통령 회견 내용 보도(9.22)

- NEWSWEEK (9.23-30) 대통령 회견 포함 한국특집 기사 보도

- 9.24 Wall Street Journal : "노대통령, 북한과의 평화협정에 입장진보" 제하 회견 내용 보도

- 9.25 New York Times : "한국, 유엔에서 통일에의 희망 피력" 제하로 노대통령의 평화통일을 위한 대북 3개 평화방안 상세히 보도 (노대통령 존영 게재)

- 9.25 Washington Post : "노대통령, 평화조약체결 제의" 제하로 기사게재

- 9.25 Washington Times : "노대통령, 평화조약 원함" 제하로 한국은 북한의 핵무기 개발 포기 조건하에 남.북 군축협상에 임할 용의 있다고 보도

- 9.26 Washington Times : '돌아오지 않는 다리' 제하 방한기사를 통하여 노대통령의 비권위주의적 민주화 과정 설명

- 9.24 NBC 'Today Show' : 노-부시 회담 장면 방영

- 9.25 Christian Science Monitor : "한국, 유엔가입 축하" 제하로 민속 공연단의 L.A. 공연사실 상세 보도

- 9.25 San Francisco Chronicle : '한국, 군축협상태세' 제하로 대북 3개 평화안 내용 보도

- 9.25 Honolulu Star Bulletin : '노대통령 귀국길 하와이 방문' 제하 3대 제안 기사 보도

- 9.25 Chicago Tribune : '노대통령 평화협정 제의' 제하 기사보도

- 9.25 International Herald Tribune : '노대통령 군축 협상 제의' 제하, 기사 보도

0284

- 9.27 미상원 외교위 Richard Lugar상원의원, 상원회의중 연설에서 노대통령의 대북평화안 제의가 한국의 향후 진로에 관한 매우 희망적이고 긍정적인 비견을 제시한 중요한 사안이라고 평가하고 노대통령의 유엔연설이 매우 고무적인 훌륭한 연설이었다고 발언

2. 멕시코

- 9.24 El Sol de Mexico : '6.29 선언과 한국에서의 민주시대' 제하 연재 기사 게재 (30회째)
- 9.24 Excelsior : '노대통령 방멕 계기, 한.멕 관계 특집
- 9.25 Vision(격주간) : '신국제질서와 한국' 제하 노대통령의 적극적이고 주도적인 북방정책 관련 특집
- 9.26 멕시코 T.V. CH-4 및 CH-13, 노대통령 한멕 경제 협의회 주재 장면 방영

3. 아르헨티나

- 9.25 La Prensa : '분단한국, 단일민족임을 잊지 않다' 제하로 노대통령 유엔연설 요지 보도

4. 베네주엘라

- 9.26 El Nacional : '한국, 북한에 통일을 위한 평화협정 제의' 제하로 노대통령의 평화협정 제의등 유엔 연설 관계 보도

5. 칠 레

- 9.25 La Nacion, La Epoca : '한국 대북평화 협정 제의' 제하, 연설요지 보도

6. 코스타리카

- 9.27 La Prensa Libre 및 La Republica : '노대통령, 유엔에 한국 통일 달성 장벽 제거' 제하 기사 보도

7. 파나마

- 9.25 Panama America : '한국 남북한 평화협정 체결 제의' 제하 총회 연설 인용 보도
- 9.24 CH-2, CH-4, CH-13 등 주요 T.V, 연설장면 및 요지 방송

0285

8. 볼리비아

- 9.25 HOY 및 Presencia : '노대통령, 통일을 위한 평화 협정 체결 제의' 제하 연설 요지 게재

9. 수리남

- 9.25 De Ware Tijd : De West지 및 국영 STVS 기조연설 내용 보도 및 방영

다. 구주지역

1. 제네바 (스위스)

- 9.27 Journal de Geneve : '한국, 북한에 새로운 제의' 제하, 대북제의 내용 보도
- 9.26 IPU 사무총장 UNCTAD/TDB의장 주재대사 각국대사등 환영 및 축하 표명

2. 독일

- 9.26 Frankfurter Allgemeine Zeitung : '남북한 평화조약' 제하로 휴전 협정의 평화협정으로 대체, 군축제의등 대북3개 평화안 보도
- 9.26 Die Welt : '세계 보도-한국' 특집판을 통한 남북한 유엔가입 관련 한국 특집판 게재

3. 영국

- 9.25 Financial Times : "노대통령, 평화안 제시" 제하로 대북 3개 평화 방안 내용 보도
- 9.25.CH-4 TV : 노대통령의 3개 평화안 관계 방영

4. 오스트리아

- 9.26 Der Standard 지 및 Kurier지 : 노대통령이 대북 3개 평화안 내용 보도

5. 헝가리

- 9.26 Magyar Nemzet : '유엔가입 남북한, 통일은 아직 멀어' 제하로 노대통령의 평화조약 제의가 남북한 화해촉진에 기여할 것이라고 분석

0286

- 9.25 Nepszava : '노대통령, 평화를 제의' 제하로 노대통령의 대북3개 평화안 보도

6. 체코

- 9.26 HOSPODARSKE VOVING (Economic News) : '통일 3개방안' 제하 연설보도

7. 희랍

- 9.26 Rizospastis : 연설요지 보도

라 . 아 .중동지역

1. 이집트

- 9.24자 Egyptian Gazette지 : 노대통령이 9.24 한국대통령으로서는 최초로 유엔회원국 원수자격으로 유엔 총회에서 연설케 됐다고 보도
- 9.24 국영TV (TV-1) : 노대통령의 대북 3개 평화제안 방영
- 9.25 The Egyptian Gazette 및 Al-WAFD : 노.부시 정상회담 내용 보도
- 9.27 AL-WAFD : 노대통령의 대북 평화 3원칙 및 개도국 경제난 타개 방안등 연설 요지 보도

2. 쿠웨이트

- 9.26 Kuwait Times : '남한, 북한과의 군비축소 제의' 제하 기사보도

3. 요르단

- 9.25자 Al Rai : '한국대통령, 남북한간 평화확립제의' 제하로 연설 요지 보도

4. 이란

- 9.27 주요언론, 노대통령 북한측에 3개 평화안 제시 제하 상세 보도

5. 수단

- 9.26 Suna : 노대통령이 유엔연설 기사 한반도 긴장완화, 남북한 관계 개선을 강조했다고 보도

0287

6. 바레인

- 9.27 CH-4 뉴스, 노대통령이 북한의 핵무기 개발 포기를 전제로 군축 협상 용의 표명했다고 보도

7. 나미비아

- 9.25 국영 NBC TV, 서울발 CNN 인용, 북한의 핵개발 관련 보도

8. 가나

- 9.25 국영통신 GNA, 뉴욕발 로이터 인용 기사보도

0288

01

주 베 네 수 엘 라 대 사 관

베네(정)2031- 210 1991.10.2.

수 신 : 장관

참 조 : 문화교류국장, 미주국장, 국제기구국장

제 목 : 대통령 유엔연설 관련기사

대 : AM-0205

연 : VZW-0544

연호 9.26자 당지 일간지 "EL NACIONAL" 에 개재된 노태우 대통령의 유엔연설시 언급한 대북한 평화협정 제의 관련 기사를 별첨 송부합니다.

첨 부 : 관련 기사. 끝.

선 결			결재 (공람)		
접수일시	1991.10.7				
처리과	55326				

주 베 네 수 엘 라 대 사

0283

EL NACIONAL / Jueves 26 de septiembre de 1991

Corea del Sur propone al Norte acuerdo de paz para unificación

NACIONES UNIDAS, (EFE).- El presidente surcoreano, Roh Tae Woo, propuso ayer a Corea del Norte la firma de un acuerdo de paz porque aunque 'el pueblo coreano puede vivir ahora bajo dos sistemas distintos, nunca hemos olvidado que somos una nación'.

Así se expresó Roh en su primer discurso ante la Asamblea General, tras el ingreso de las dos Coreas, la semana pasada, como miembros de la ONU.

El propuesto acuerdo de paz estaría destinado a sustituir al armisticio que puso fin a la guerra intercoreana (1950-1953), que aunque terminó con el conflicto, mantiene aun a ambas partes técnicamente en estado de guerra.

La península coreana fue dividida en dos partes en 1945 por las potencias vencedoras de la Segunda Guerra Mundial. En el Norte se instaló un régimen prosoviético, y en el Sur otro apoyado por los Estados Unidos.

El jefe de Estado surcoreano señaló que su país tardó más de 40 años en entrar en la ONU, y que las dos Alemanias pudieron, tras ingresar por separado en la ONU, lograr la reunificación.

0290

1021.91

주 센 다 이 총 영 사 관

센다이 20501-492 1991.10.2.

수신 장관

참조 정책기획실장, 아주국장, 국제기구국장, 문화협력국장

제목 대통령 UN연설

주재지의 가호꾸신보에 보도된 노태우 대통령의 UN연설관계 기사를 별첨과 같이 크리핑하여 송부합니다.

첨부 : 신문기사 사본 2부. 끝.

주 센 다 이 총 영 사

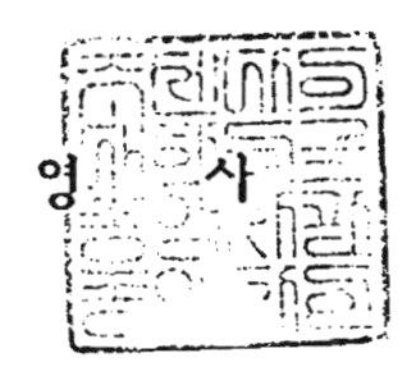

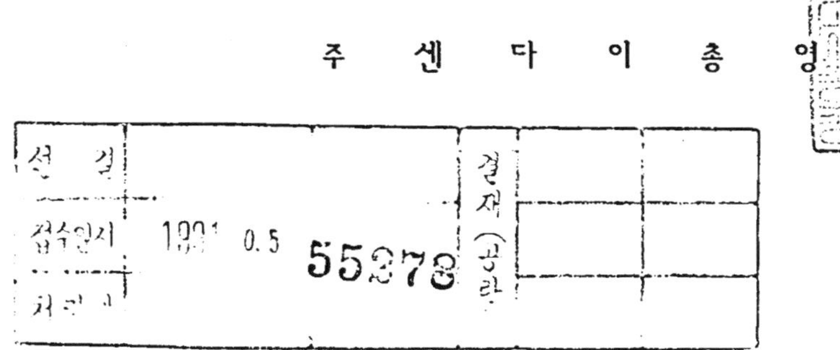

선결		결재 (공람)		
접수일시	1991 0.5 55378			
처리과				

0291

河北新報　'91. 9. 25　조간 1 면

韓国大統領 国連演説

南北間で「核」協議の用意

平和協定締結を提案

【ニューヨーク24日共同】国連加盟を果たした韓国の盧泰愚大統領は二十四日午前(日本時間二十五日未明)から、国連総会で「平和な一つの世界共同体に向かって」と題した一般演説を行った。

この中で盧大統領は南北朝鮮の国連同時加盟によって韓国と朝鮮民主主義人民共和国（北朝鮮）は南北共存時代を迎えたと強調、北朝鮮の核兵器開発の放棄、南北間の信頼構築進展を条件に朝鮮半島の核問題について協議推進の用意があると明らかにし、条件付きながら北朝鮮が強く主張している在韓米軍の核兵器削減・撤去問題を含めた軍縮協議に応じるとの考えを表明。さらに朝鮮戦争（一九五〇―五三年）以来続いている休戦協定を切り替え、平和協定を締結することを提案した。

在韓米軍の核兵器問題について北朝鮮と協議する姿勢があるとの韓国政府の公式表明は初めて。平和協定締結提案とともに国連同時加盟をきっかけにした緊張緩和策であり、北朝鮮側の対応が注目される。

盧大統領は、ソ連などの社会主義国と国交を樹立、中国とも交流、協力の道を開き、朝鮮半島にも歴史の新しい波が訪れたと指摘。

朝鮮半島に平和を定着させ、統一を早めるために①現在の休戦体制から平和体制への転換②南北間の軍事的信頼関係の構築に基づいた実質的軍縮の推進③南北間で自由な通行・通信・通商を保障―などの原則で南北が合意し、実践しなければならないと提案した。

0292

河北新報　'91. 9. 21　조간 7면

国連総会出席へ
韓国大統領が出発

【ソウル20日共同】韓国の盧泰愚大統領は第四十六回国連総会に参加、基調演説をするため二十日午後、特別機でソウルを出発した。

歓送式で盧大統領は「国連総会では、韓（朝鮮）半島で平和と統一を成し遂げるために、わが民族が進んでいく方向を世界に対して明らかにしたい」と抱負を語った。

盧大統領はニューヨーク到着後、二十三日にブッシュ米大統領と首脳会談、二十四日午前（日本時間同日夜）に国連総会で演説し、二十五、二十六の両日には、メキシコを公式訪問、三十日に帰国する予定。

0293

"신뢰받는 정부되고 받쳐주는 국민되자"

주 엘 살 바 돌 대 사 관

01

주엘정 20700 - 208　　　　1991. 10. 10.

수신　외무부장관

참조　미주국장, 국제기구국장

제목　아국 유엔 가입

아국의 유엔가입 관련 당지 신문 기사를 별첨과 같이 송부합니다.

첨부 : 표제 관련 신문기사 1첩.　끝.

주 엘 살 바 돌 대

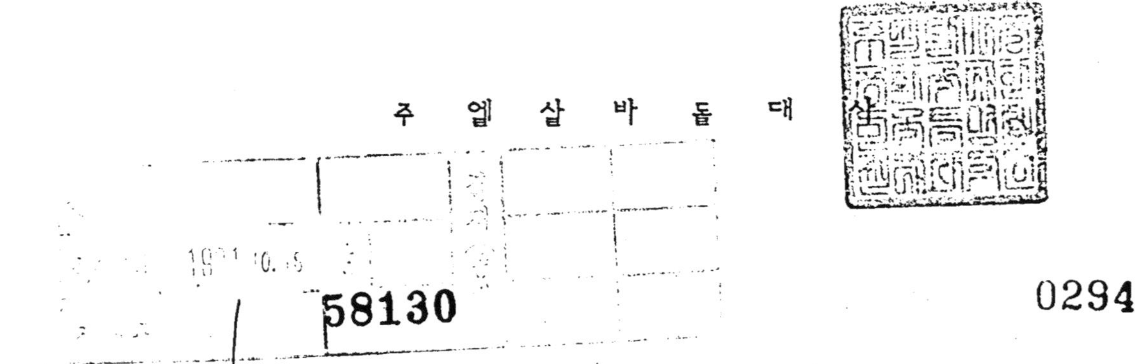

58130

0294

Naciones Unidas aprueban ingreso de las Coreas y los estados bálticos

Miércoles 18 de Septiemb

Nueva York, Sept. 17 (DPA). La República de Corea y la comunista ortodoxa República Popular Democrática de Corea, ingresaron hoy en la ONU, 43 años después de su proclamación como Estados soberanos.

La Asamblea General de la ONU aprobó hoy, por aclamación, el ingreso de ambos Estados coreanos.

También ingresaron hoy en la ONU las tres repúblicas bálticas —Estonia, Letonia y Lituania— y dos Estados del Pacífico: Micronesia y las Islas Marshall, con lo que el número de países miembros pasó de 159 a 166.

El enfrentamiento Este-Oeste durante la guerra fría fue, durante decenios, el principal impedimento para el ingreso en la ONU de los dos Estados coreanos, cuyo antagonismo político se ha ido acentuando con el transcurso del tiempo.

El legendario reino de Corea fue convertido en colonia japonesa en 1910. En 1945, con la capitulación incondicional de Japón en la Segunda Guerra Mundial, los coreanos recuperaron la independencia, pero quedaron pronto en la línea de fuego de las superpotencias.

La guerra de Corea (1950-1953) consumó hasta hoy la separación del norte comunista y el sur pro-occidental a lo largo del paralelo 38.

Versión Reuter

Naciones Unidas, Sept. 17 (Reuter). La Asamblea General admitió hoy siete nuevos miembros, cuyo ingreso habría sido impensable durante la Guerra Fría.

Esos Estados —Corea del Norte y del Sur, Letonia, Lituania, Estonia, Micronesia y las Islas Marshall— fueron incorporados a la Asamblea por aclamación.

La medida fue apoyada en forma unánime por el Consejo de Seguridad, en el que el veto de uno de los cinco miembros permanentes podría haber impedido su ingreso.

Las Naciones Unidas cuentan ahora con 166 miembros, frente a los 51 con que contaban en 1945, año de su fundación.

El ingreso de estos nuevos miembros refleja los dramáticos cambios sobrevenidos con el fin de la Guerra Fría.

Estonia, Letonia y Lituania recientemente recuperaron su independencia, 51 años después de ser anexadas por Moscú.

Corea del Sur no fue vetada esta vez por los soviéticos.

Las Naciones Unidas libraron una guerra entre 1950 y 1953 contra Corea del Norte. Luego, durante varios años, Pyongyang se opuso al ingreso separado de los dos Estados, con el argumento de que esto perpetuaría la separación.

0295

Admiten en ONU a Países Bálticos y a las Coreas

NACIONES UNIDAS, Nueva York, septiembre 17 (EFE-UPI).— Las tres repúblicas ex soviéticas del Báltico (Estonia, Letonia y Lituania), Corea del Norte y Corea del Sur, islas Marshall y Micronesia ingresaron el martes en la ONU como miembros de pleno derecho, por aclamación de la 46ª Asamblea General.

Con el ingreso de los siete nuevos miembros, que refleja el fin de la Guerra Fría y los históricos cambios en la Unión Soviética, la ONU cuenta ahora con 166 miembros.

Los representantes de los nuevos miembros, incluidos los Presidentes de Estonia, Letonia y Lituania que fueron aplaudidos, ocuparon sus escaños en la ONU tras la admisión de sus

Estados que se hizo por aclamación en el día inaugural de la 46ª Asamblea General.

El embajador saudí ante la ONU, Samir Shihabi, elegido el martes presidente de la Asamblea, dio la bienvenida a los nuevos miembros y les deseó éxito, cuyas respectivas banderas nacionales quedaron izadas el martes.

Cuando la asamblea número 159 comenzó su sesión, el Secretario General, Javier Pérez de Cuellar, entregó una carta al grupo de Ministros de Relaciones Exteriores cuyos gobiernos no han pagado sus cuotas, y advirtió sobre una crisis financiera sombría.

Pérez de Cuéllar manifestó que las Naciones Unidas se enfrentan a una "alternativa rígida": o funcionar efectivamente o volverse incapaz por falta de recursos para sus operaciones.

Las misiones de paz de la ONU, siendo la mayor de ellas en la actualidad la del Medio Oriente, tienen un valor total de casi 500 millones de dólares.

Estados Unidos es el mayor deudor, con 531 millones de dólares; le siguen Japón, con 61 millones; la Unión Soviética, con 46 millones; Brasil, con 17 millones; y Argentina, con casi 15 millones de dólares.

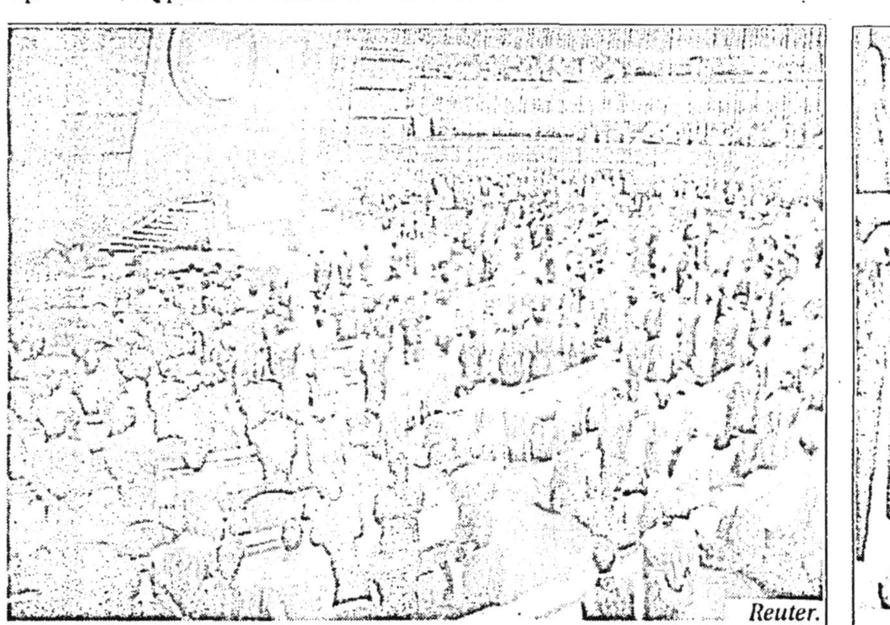

Reuter.

Los miembros de las Naciones Unidas se ponen de pie durante la inauguración de la 46ª Asamblea General.

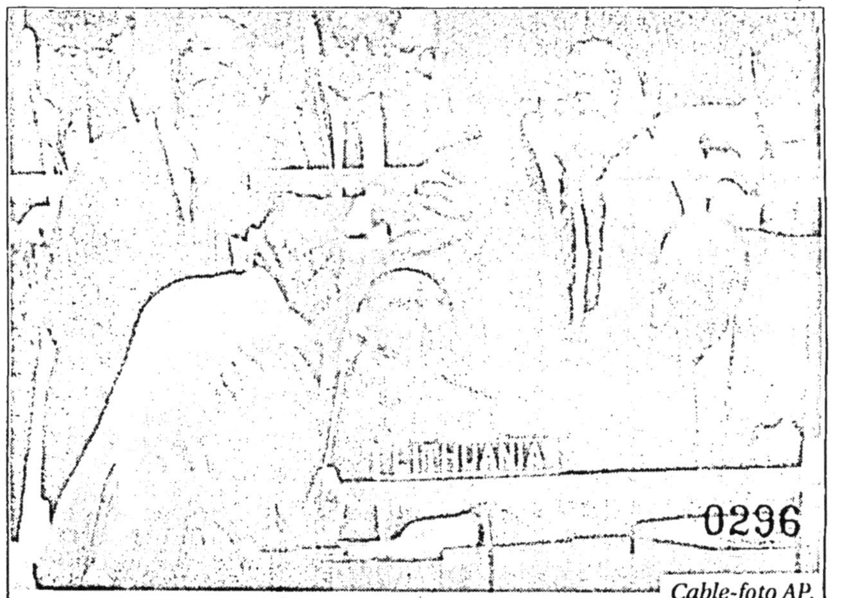

Cable-foto AP.

El Presidente de Lituania, Vytautas Landsbergis, saluda a miembros de la delegación lituana en las Naciones Unidas.

0296

주 파 라 과 이 대 사 관

주 파 (경) 20501- 1035 91. 10. 11

수 신 : 장 관

참 조 : 미주국장, 국제기구국장

제 목 : 장관 유엔총회 연설문 신문 보도

1. 장관님의 유엔총회 연설문을 당관 자체 홍보자료로 발간 배포 하였는바 당지 일간지 EL PATRIA 지가 10. 8자 2면에 동 연설문 전문을 게재 보도 하였기 별첨보고 합니다.

2. 동지는 "한국 외무장관의 유엔 연설" 제하에 "한국 국민들 유엔 회원국 가입으로 신기원 진입" 부제로 되어 있읍니다.

첨 부 : EL PATRIA 지 10. 8. 자 기사 각 2부. 끝.

주 파 라 과 이 대 사

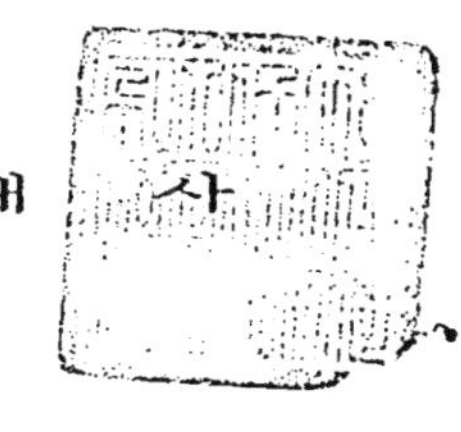

59529

0297

Embajada de la Repùblica de Corea
Avda. Mcal. López 486
Casilla 1303
Asunción - Paraguay

0298

DISCURSO DEL CANCILLER COREANO EN LA ONU

"El pueblo coreano está entrando en una nueva era como país miembro de la organización"

Expresó en un pasaje de su exposición ante la 46° asamblea de la Organización de las Naciones Unidas, el ministro de Relaciones Exteriores de Corea, Lee Sang-Ock.

En ocasión de la admisión de la República de Corea a la membrecía de las Naciones Unidas, me gustaría expresar en nombre del pueblo y el Gobierno de la República de Corea, nuestro sincero agradecimiento a todos los países miembros de las Naciones Unidas. También me gustaría extender mi agradecimiento a Usted, Sr. Presidente, y a los presidentes de los grupos regionales y al representante del país anfitrión por las calurosas palabras de bienvenida. Tomo esta oportunidad para rendir homenaje al Secretario General, el Señor Javier Perez de Cuellar, por su invalorable asistencia.

Este es un día muy especial para el pueblo coreano. La República de Corea, que comenzó a existir con el auspicio de las Naciones Unidas 43 años atrás, está entrando en una nueva era como país miembro de las Naciones Unidas. Como nuestra trayectoria ha sido larga y difícil, podemos marcar esta ocasión con especial emoción.

Nuestros largos esfuerzos de décadas para ser miembro de las Naciones Unidas, comenzó con el establecimiento de nuestro Gobierno, que cayó víctima de la confrontación y rivalidad que saturó la guerra fría. Las confrontaciones internas de las dos Coreas a menudo se extendían en el foro de las Naciones Unidas. La norma de universalidad de las Naciones Unidas fue también, a veces, supeditada a los caprichos sombríos internacionales de la realidad política. Pero todo esto puede ser relegado al pasado. Hoy empezamos de nuevo.

La admisión de la República de Corea viene en un momento en que las Naciones Unidas está jugando un papel central en la formación de un nuevo orden internacional, y definitivamente ayudará a acelerar el contínuo proceso de acercamiento global. De corazón estamos abrazando esta oportunidad de adherirnos a las Naciones Unidas en tan importante coyuntura histórica y de tomar nuevas responsabilidades desafiantes como país miembro de las Naciones Unidas.

Esta ocasión ha sido aún más especial y significativa con la admisión de la República Popular Democrática de Corea con nosotros. Este hecho otorga a ambas Coreas la oportunidad de realizar contribuciones constructivas a las Naciones Unidas para promover la paz y prosperidad común.

Además, la membrecía paralela de ambas Coreas, sin dudas abrirá un nuevo capítulo en las relaciones inter-coreanas al proporcionar otro importante canal para el diálogo y los intercambios. Sinceramente esperamos que este día, coincidentemente con el Día Internacional de la Paz, marcará un nuevo comienzo y la oportunidad de finalmente eliminar los últimos vestigios de la Guerra Fria de la Península Coreana. Mientras que estemos dentro de las Naciones Unidas separadamente nos empeñamos a este augusto foro a fin de hacer esfuerzos para lograr la unificación pacífica de nuestro país dividido.

Mientras que la sanguinaria guerra coreana finalizó, hace 4 décadas, la paz en la Península Coreana permanece esquiva a esta fecha. En su lugar, lo que prevalece en esta parte del mundo es un estado inestable de armisticio, lo que no es ni paz ni guerra. La confrontación militar entre el Sur y el Norte permanece igual. Es por esta razón que el Gobierno de la República de Corea se esfuerza, primero, para prevenir la repetición de la guerra en nuestro suelo y edificar en su lugar una estructura de paz sólida y permanente.

Comúnmente se dice que la "Paz es indivisible". Por lo tanto la paz en la Península Coreana es indivisible de paz y seguridad en el noreste de Asia y también en el resto del mundo.

Ahora, aún el anticuado orden en el noreste del Asia no es más inmune del curso global hacia la reconciliación y la reforma, las cuales han causado el asentamiento de un número de conflictos regionales en el mundo.

La solemne declaración de las dos Coreas en aceptar las obligaciones de la carta de las Naciones Unidas atestigua factiblemente que la estructura de la guerra fría que ha dominado la Península Coreana por más de cuatro décadas está ahora sufriendo cambios fundamentales. Nuestra política norteña nos ha hecho posible la aceleración de estos procesos por medio del logro de la normalización de nuestras relaciones con muchos países anteriormente socialistas, y principalmente fomentando mejores relaciones con nuestros países vecinos. Los vientos calurosos de reconciliación y cooperación derretirá eventualmente la pared de hielo de la confrontación y desconfianza que separa las dos partes de Corea.

Mi Gobierno ha buscado firmemente una política dirigida hacia la mejoría de las relaciones internas entre las dos Coreas. En el discurso presidencial del 7 de julio de 1988 mi Gobierno ofreció su máxima cooperación para terminar la rivalidad diplomática de confrontación e improductividad entre el Sur y Corea del Norte y proclamó nuestros deseos de cooperar con Corea del Norte en el área internacional, siendo ésto de gran interés para toda la nación coreana. El presidente Roh Tae Woo, en su discurso en esta sala el 18 de octubre de 1988, puntualizó aún más los pasos a seguir para la reconciliación y reunificación en la Península Coreana.

Al adherirse simultáneamente ante las Naciones Unidas, Corea del Sur y del Norte han tomado ahora un paso gigante hacia adelante.

La confianza construida a través del diálogo y cooperación dentro de la estructura de las Naciones Unidas, nos moverá hacia una paz duradera y eventual reunificación. Las Naciones Unidas proveerá una oportunidad excelente para que nosotros avancemos significativamente en estos esfuerzos desafiantes.

Señor Presidente:

Las Naciones Unidas tiene un significado especial para el pueblo coreano. El Gobierno de la República de Corea nació bajo los auspicios de las Naciones Unidas en 1948. Con el estallido de la trágica guerra coreana en 1950, las Naciones Unidas vinieron a ayudar y a defender la libertad y la paz de la República. Además, las Naciones Unidas, nos ayudó a reconstruir y rehabilitar nuestro país de las ruinas de la guerra a un miembro responsable de la comunidad internacional.

Nuestro perseguimiento de unas relaciones amistosas y cooperativas con todas las Naciones del mundo nos han llevado a mantener lazos diplomáticos con más de 150 naciones. El firme crecimiento de la economía y otros sectores inspira mayores fuerzas y viabilidad en estos problemas. Ahora, la República de Corea ha emergido como miembro significativo de la comunidad mundial en el campo político, económico, comercial, cultural, y otros. El éxito económico de Corea se atribuye a nuestros estrechos lazos con la comunidad internacional. Esta independencia y la relación de cooperación mútua se espera que sean aún más consolidadas por medio de nuestra admisión a las Naciones Unidas.

La República de Corea ya juega un papel activo en numerosas organizaciones internacionales como miembro pleno, incluyendo a 15 agencias especializadas de las Naciones Unidas. Nuestra Política Exterior está sujeta a propuesta y principios de las Naciones Unidas.

Respetamos las varias resoluciones de las Naciones Unidas. Aún cuando era observador, la República de Corea ha esperado con fe la carta y el espíritu de la carta de las Naciones Unidas y ha contribuido a las actividades de las Naciones Unidas. Ahora, como miembro pleno de este augusto cuerpo mundial, mi país está preparado para redoblar sus esfuerzos a fin de fomentar los nobles objetivos de las Naciones Unidas.

En las pasadas décadas, la República de Corea ha sobrellevado enormes dificultades y desafíos para crecer hacia un país recientemente industrializado con una democracia liberal y una economía de mercado. Sacando de nuestra experiencia pasada, haremos nuestra humilde contribución a los múltiples importantes trabajos de las Naciones Unidas, no sólo en el mantenimiento de la paz y seguridad internacional, incluyendo el desarme y el control de armas, sino también en las áreas de desarrollo económico y social, derechos humanos, medio ambiente, drogas y otros asuntos globales.

Otra vez, deseo extender nuestros sinceros agradecimientos a todos los países miembros de las Naciones Unidas que han apoyado y felicitado la admisión de la República de Corea a las Naciones Unidas. También deseo dar la bienvenida y felicitar a la República Popular Democrática de Corea, los Estados Federales de Micronesia, la República de las Islas Marshall, la República de Estonia, la República de Latvia y la República de Lituania, por sus admisiones a las Naciones Unidas.

Permítanme concluir mis observaciones reiterando nuestro cometido de trabajar estrechamente con las Naciones Unidas para formar un nuevo orden mundial en el cual prevalezcan la libertad, equidad, prosperidad, justicia y las reglas de la ley.

Muchas gracias

EL MUNDO DE LA MAFIA EN ESTADOS UNIDOS

Arrepentido un auténtico "padrino"

NUEVA YORK, POR ENZO FICILE (ANSA) -Un auténtico "padrino" amplió la lista de los "arrepentidos" en Estados Unidos.

Se trata de Alfonso D'Arco, 58 años, quien decidió pasarse al otro lado rompiendo el rígido código de la Omerta, y que según el FBI durante el año pasado comandó la "familia" Luchese, una de las cinco que actúan en el territorio metropolitano de Nueva York.

Según el "Daily News" D'Arco, llamado "Little L", se habría decidido a colaborar con la policía federal después de haber sabido que sobre él pesaba una condena a muerte por parte de la mafia.

La condena habría sido dispuesta porque D'Arco no supo o, más probablemente, no quiso eliminar en mayo pasado a otro "arrepentido", Peter Chiodo, alias "Big Pete". En lugar de asesinarlo, D'Arco se puso a favor de Chiodo.

Según el diario neoyorquino que publica hoy en exclusiva una nota sobre el nuevo arrepentido firmado por su especialista Jerry Capeci, también el hijo de "Little L", Joseph, estaría colaborando con las autoridades.

Una fuente del submundo mafioso habría dicho que la defección del "padrino" provocó cierto revuelo en la familia Luchese, que ya se encuentra en problemas tras las declaraciones de Torchio durante un proceso por "Racket".

El diario dice que Anthony Barrata, considerado un subjefe, y Steven Crea, un consejero, están tratando de reorganizar la diezmada cúpula dirigente de la familia, ayudados por Frank Lastorino y Salvatore Avellino.

El "Daily News" añadió que D'Arco estuvo en contacto con traficantes asiáticos de heroína y que en ese sector podría revelarse una óptima fuente de informaciones.

D'Arco encabezó la familia Luchese el año pasado, cuando tuvo que reemplazar a Vittorio (Vic) Amuso, que había pasado a la clandestinidad porque era buscado por la Policía.

Noticias económicas por el mundo

ECUADOR: CRECE RESERVA MONETARIA INTERNACIONAL

QUITO(ANSA) La Reserva Monetaria Internacional (RMI) del Ecuador alcanzó en setiembre la cifra record de 620,7 millones de dólares, la más alta desde 1980, informó el gerente del Banco Central Eduardo Valencia.

El funcionario expresó que la cifra permite "cubrir holgadamente más de cuatro meses de importaciones".

La reserva de divisas tuvo su nivel más bajo en agosto de 1988 con un saldo negativo de 320 millones de dólares.

La RMI más alta en la historia del Ecuador se registró en diciembre de 1980 con un saldo de 857 millones de dólares.

Valencia afirmó que contribuyó al logro de la cifra "la evolución del comercio exterior".

MEXICO: RESERVAS MAS ALTAS Y REDUCCION DEUDA PUBLICA

MEXICO(ANSA) Las reservas internacionales del Bco de México (BM) ascienden a 16.270 millones de dólares, las más altas en la historia del país, informó la institución, mientras el Ministerio de Hacienda anunció la reducción del 12 por ciento del adeuda pública interna.

El aumento de las reservas internacionales, obedece en gran parte a la decisión del presidente Carlos Salinas de incorporar a este rubro los recursos en dólares del denominado "Fondo de contingencia", constituido por el dinero de la venta de empresas estatales.

El monto de las reservas representa un incremento del 58 PCT respecto del nivel existente al inicio de 1991, señaló el BM, mientras su director, Miguel Mancera, aseguró que dichos recursos garantizan la plena estabilidad cambiaria.

Por otra parte el gobierno federal decidió reducir 12 PCT el monto de la deuda interna bruta, mediante la canalización del 94 PCT de los recursos en pesos (moneda local) acumulados en el fondo de contingencia, que ascienden a 6.666 millones de dólares.

El Ministro de Hacienda y Credito público, Pedro Aspe, explicó que la reducción de la deuda interna permitirá un ahorro de los intereses que paga el gobierno federal de casi mil millones de dólares, lo que implicará menos requerimientos financieros del sector público.

CHILE: DISMINUIRA PRODUCCION DE COBRE EN CHILE

SANTIAGO DE CHILE(ANSA) En un total de cien mil toneladas sumadas las cifras de dos años consecutivos- disminuirá la producción de cobre en los grandes yacimientos administrados por el estado chileno, informó Alejandro Noemi, presidente de la estatal "Corporación del Cobre", CODELCO

La producción prevista para 1992 es de un millón cien mil toneladas de cobre, cifra que representa una disminución de 50 mil toneladas respecto a la producción estimada para 1991. Esta producción a su vez, es inferior en 50 mil toneladas a la registrada el año pasado.

Noemí dijo que Codelco proyecta invertir 450 millones de dólares el próximo año- según presupuesto en estudio- destinando el 53,6 PCT de esa cifra a proyectos ya en ejecución y el resto a nuevas iniciativas que buscan mantener la productividad de los yacimientos y mejorar su ley.

Noemí agregó que en los próximos 30 días se debería aprobar en el Parlamento una ley que permitirá a Codelco asociarse con privados para desarrollar nuevos proyectos productivos.

0299

El 55 PCT de los recursos que invertirá Codelco en 1992 está destinado a Chuquicamata, el yacimiento de cobre a Tajo abierto más grande del mundo. Uno de los principales proyectos es el desarrollo de "Mansa Mina" un yacimiento vecino a Chuquicamata con el cual se espera neutralizar la caída de las leyes y el consiguiente descenso en la producción de ese mineral.

1 / 0]

외 무 부

종 별 :

번 호 : MXW-1571 일 시 : 91 1015 1900

수 신 : 장 관(미중, 연일, 국기, 정문)

발 신 : 주 멕시코 대사

제 목 : 대통령 연설 기사보고

주재국 금 10.15자 EL SOL DE MEXICO 지는 서울발 EFE 통신인용 유엔이 북한핵기지 철폐를 위하여 강제 조치를 취할수 있을 것이라는 노대통령의 평통자문위 연설내용중북한 핵관련 부분 사진과 함께 게재하였음. 동기사는 동 연설에서 북한이 불행한 결과를 초래하지 않으려면 세계 조사단의 입국 및 조사활동을 허용해야 할 것이라고 주장 하였다고 보도하고 전문가들은 한국(남한)에 43천의 미군 및 1000기의 핵탄두장착무기가 있다고 보고 있으나 미국은 시인도 부인도 한바 없다고 부연함.

(대사이복형-국장)

미주국 1차보 2차보 국기국 국기국 문협국 외정실 분석관 청와대 안기부

PAGE 1

91.10.16 10:23 WH

외신 1과 통제관

0300

이)

주 베 네 수 엘 라 대 사 관

베 네정 2031- 217　　　　　　　　　　　　1991. 10. 15.

수 신 : 장 관

참 조 : 국제기구국장, 미주국장, 외교정책기획실장, 문화교류국장

제 목 : 남북한 유엔가입 관련기사

10.8자 당지 주요 일간지 EL Universal은 "남북한 유엔가입" 이라는 제하에 Interco Press 기사를 아래 요지로 보도하였음을 보고 합니다.

- 아　　　래 -

- 제46차 유엔총회에서 남북한의 유엔가입이 만장일치로 통과되었음.
- 공산주의를 계속 추구하고 있는 북한은 빈곤, 낙후, 군사화되어 있는반면, 남한은 제3세계의 단계를 지나 경제강국으로 발전했음. 남한의 일인당 국민소득은 북한의 10배가 넘음.
- 김일성은 남북한 유엔 동시가입이 한반도 분단을 영구화 한다고 주장하며 유엔 단일의석을 고집해 왔음.
- 그러나 예멘과 독일의 통일은 동시가입이 분단국 통일에 오히려 도움이 된다는 것을 입증했음.
- 노태우 대통령은 경제력과 더불어 적극적인 북방 외교정책에 성공한 반면, 평양은 큐바를 제외한 우방 공산국들의 지지까지 잃어 소련과 중국조차 한국의 유엔가입에 거부권을 행사치 않기로 했음.

/ 계　　　속 /

58971　　　　　　　　　　　　0301

- 김일성은 계속 고집을 부리다가는 남한만이 유엔에 가입되게 될것을 우려 마침내 가입신청을 낸것임.
- 휴전협정으로 한국전쟁이 끝난지 약 40년이 지나도록 남북한간에 아직 평화 협정이 존재하지 않음.
- 노태우 대통령이 이제 불가침 선언과 평화협정을 제의 했음.
  노대통령은 "분단의 시대는 금세기내에 종식 될것으로 확신한다"고 말함.
- 유엔총회는 20년전부터 남북한 대화를 촉구해왔으나 김일성은 대화를 거부해 옴.
- 남한은 이미 5번이나 유엔가입을 신청했으나 소련과 중국의 거부권 행사로 좌절된바 있음.
- 현재는 세계정치 판도가 변모, 소련과 중국도 아시아에서 일본다음으로 막강한 경제력을 보유하고 있는 한국의 투자와 경제협력을 희구하고 있음. 특히 소련은 시베리아 개발에 한국의 지원을 받고자함.
- 남북한 유엔가입 문제가 안보리에서 만장일치로 통과되자 Jose ayala Lasso 안보리 의장은 "이는 남북한, 아시아 대륙 그리고 전 국제사회의 역사적인 일이며, 남북한 유엔가입이 지역 긴장을 해소하고, 아직도 통일을 가로막고 있는 장애물들을 제거하는데 적합한 토론장을 제공할것" 이라고 역설함.

첨 부 : 상기 기사. 끝.

주 베 네 수 엘 라 대 사

0302

Dos Coreas en las Naciones Unidas

Juan Fercsey

Presidente Roh Tae Woo: "La era de la división habrá de terminar antes del fin de este siglo"

LA 46ª sesión de la Asamblea General será la más "universal" de todas, con cuatro países ingresando a la familia de las Naciones Unidas: las dos Coreas (Norte y Sur), y dos grupos de pequeñas islas, Micronesia y las islas Marshall. Será la primera vez que se eleve el número de países miembros por encima de 160: serán precisamente 163. La admisión de los cuatro países ha sido recomendada por el Consejo de Seguridad, y la Asamblea General votará por la resolución de aceptación de los "candidatos".

En la Asamblea General cada país miembro tiene un voto. China —con una población de un billón cien mil— tiene sólo un voto, al igual que Vanuatu o Dominica, con una población de unos pocos miles.

Ya desde su creación las Naciones Unidas se han visto involucradas en el problema de las dos Coreas. De hecho, la primer guerra en que tomaron parte las Naciones Unidas fue por Corea, cuando en 1950 el Norte atacó al Sur. Un acuerdo de armisticio fue firmado el 27 de julio de 1953. En la actualidad una zona desmilitarizada aún separa las dos partes de la Península de Corea. El Norte, que sigue el modelo comunista, es pobre, atrasado, militarizado; el Sur se ha desarrollado hasta pasar de un país del Tercer Mundo a ser un "tigre económico". El PBI del Sur es diez veces mayor que el del Norte.

Corea del Norte —que por décadas amenazó al Sur con una invasión militar— ha insistido en un "escaño único" como solución para las dos Coreas ante las Naciones Unidas. Seúl señaló que "era muy incómodo para dos compartir el mismo asiento", mientras Kim Il Sung —el dictador estalinista del Norte, llamado el "Hijo del Dragón Legendario"— se oponía a ingresar por separado argumentando que ello "perpetuaría" la división de la Península. Sin embargo, la fusión de las dos partes del Yemen y más tarde de las dos Alemanias probaron que el ingreso por separado no sólo no impedía, sino más bien ayudaba a la unificación de las dos partes de un país. Lo que es más, la ofensiva diplomática llamada la "Política del Norte" del presidente Roh Tae Wood, de Corea del Sur, junto con el poderío económico de la republica, tuvieron éxito. Pyongyang ha perdido el apoyo de todos sus aliados comunistas —a excepción, tal vez, de Cuba, y hasta la Unión Soviética y finalmente Beijing acordaron no "vetar" el ingreso de la República de Corea. Al darse cuenta que, de seguir insistiendo, su país quedaría fuera de las Naciones Unidas y Corea del Sur sería admitida, Kim Il Sung de golpe cambió de idea y solicitó el ingreso.

Hasta ahora cada Corea ha mantenido una "Misión Observadora Permanente" ante las Naciones Unidas, pero al no ser miembros no tenían derecho a votar en la Asamblea General. La población combinada de la Península de Corea es de unos 70 millones de habitantes.

La Guerra de Corea terminó con el Acuerdo del Armisticio, pero a casi cuarenta años de finalizada la guerra no existe ningún tratado de paz entre las partes Norte y Sur de la Península. El presidente Roh Tae Woo ha propuesto ahora una "declaración de no agresión" y un tratado de paz. "Es necesario desarrollar conjuntamente un plan de cooperación en asuntos internacionales, realzando la categoría de la Península en la comunidad internacional", dijo el presidente Roh. "Estoy seguro que la era de la división habrá de terminar antes del fin de este siglo".

Hace veinte años atrás la Asamblea general llamó a un "diálogo" entre Corea del Norte y Sur. Durante dos décadas Kim Il Sung ha rechazado el diálogo e intentado aplastar a Seúl y dominar la Península. La República de Corea (Sur) había anteriormente solicitado el ingreso a las Naciones Unidas cinco veces, pero el Consejo de Seguridad rechazaba la resolución: tanto Moscú como Beijing la vetaban —aunque en esa época, cuando China atacaba vehementemente a los "hegemonistas imperialistas socialistas" era raro ver a los dos gigantes comunistas votar juntos.

El panorama político global está ahora cambiado, y tanto la Unión Soviética como China buscan atraer inversiones y cooperación económica de Corea del Sur, que posee la economía más dinámica en Asia después de Japón. Moscú está ansioso por obtener asistencia de Seúl para el desarrollo de Siberia.

Al considerar y adoptar el Consejo de Seguridad unánimemente las postulaciones de las dos Coreas, José áyala Lasso, en esos momentos presidente del Consejo, dijo que "era ésta una ocasión histórica para la República Popular Democrática de Corea (Norte) y la República de Corea (Sur), el continente de Asia y la comunidad mundial de naciones. No puede haber dudas de que el principio de universalidad ha sido observado, y los nuevos miembros habrán de contribuir positivamente a reforzar el respeto por los propósitos de las Naciones Unidas"... "Su ingreso reducirá la tensión en la región, les otorgará un foro apropiado para salvar los pocos obstáculos que aún quedan para su unificación".

"Recientemente hemos visto cómo países que fueran una vez adversarios han encontrado la fortaleza necesaria para dejar de lado sus diferencias", continuó el diplomático ecuatoriano. "Estamos viviendo una era en que la humanidad parece haber recobrado el sentido. Podemos comenzar el próximo milenio con un espíritu más optimista, en una atmósfera positiva resultante del fin de la Guerra Fría". (Interco Press)

EL UNIVERSAL, Martes 8 de Octubre de 1991

0303

외 무 부

종 별 :

번 호 : USW-5169 일 시 : 91 1021 1909

수 신 : 장 관(미일,미이,연일) 사본:청와대의전수석,외교안보보좌관

발 신 : 주 미대사

제 목 : 노대통령 UN연설문 게재

1. 당지 발간 ' VITAL SPEECHES' 지 10TV호에는 노대통령의 금번 UN 총회 연설문이부쉬대통령, PANKIN 소외상, GENSCHER 독외상, HURD영외상의 연설문과 함께 게재되었음을 보고함.

2. 상기 ' VITAL SPEECHES' 지 표지는 별첨FAX(USW(F)-4442) 송부하였으며, 전문은 금 파편송부 예정임.끝.

(대사 현홍주-국장)

미주국 1차보 미주국 국기국 외연원 외정실 분석관 청와대 안기부

PAGE 1 91.10.22 09:37 WH

외신 1과 통제관

0304

USW(F)-4442
수신: 장관(지일, 미이, 언일)　　사본: 주유엔 대표부, 중남미대사
발신: 주미대사
제목: Vital Speeches 표지　　(총 1매)

VOL. LVIII, No. 1
$2.25 per copy

OCTOBER 1, 1991

TWICE A MONTH
$35.00 A YEAR

IMPARTIAL • CONSTRUCTIVE • AUTHENTIC

10/21/91 19:29 ☎202 797 0595 EMBASSY OF KOREA --- WOI ☑001

0305

외교문서 비밀해제: 남북한 유엔 가입 15
남북한 유엔 가입 홍보 및 언론 보도 2

초판인쇄 2024년 03월 15일
초판발행 2024년 03월 15일

지은이 한국학술정보(주)
펴낸이 채종준
펴낸곳 한국학술정보(주)
주 소 경기도 파주시 회동길 230(문발동)
전 화 031-908-3181(대표)
팩 스 031-908-3189
홈페이지 http://ebook.kstudy.com
E-mail 출판사업부 publish@kstudy.com
등 록 제일산-115호(2000. 6. 19)

ISBN 979-11-6983-958-7 94340
979-11-6983-945-7 94340 (set)